개념을 잡아 주는 **자율학습 기본서**

고등 # 셀파

· 한국지리 ·

이 책의 구성과 특징

BOOK 1 | 개념 잡는 알집

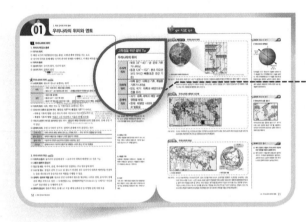

● 교과서 내용 정리

❶ 교과서 핵심 개념 정리 핵심 개념을 중심으로 3종 교과서의 내용을 체계적으로 정리

❷ 고득점을 위한 셀파 Tip 시험에 꼭 출제되는 핵심 부분을 한눈에 볼 수 있도록 정리

● 셀파 자료 탐구

❶ 핵심 자료 & 자료 분석 시험에 자주 활용되는 교과서와 수능의 주요 자료를 수록하고, 상세하게 설명

❷ 교과서 탐구 풀이 중요한 교과서 탐구 활동의 과제 풀이를 수록

❸ 교과서 자료 더 보기 다른 유형의 심화 자료 수록

● 개념 완성

❶ 개념 완성 앞에서 정리한 교과서의 주요 내용을 주제별로 깔끔하게 표로 정리하고, 빈칸 채우기로 주요 개념을 다시 확인

● 내신 탄탄 문제

❶ 내신 문제와 서술형 문제 내신 기출 문제와 예상 문제, 시험 비중이 높아지고 있는 서술형 문제로 집중 연습

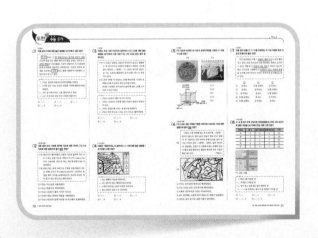

● 도전 수능 문제

수능, 평가원, 교육청 기출 문제로 수능 유형 연습

BOOK 2 | 딱 맞는 풀이집

딱 맞는 풀이집

모든 문제에 대한 상세한 풀이와 정답을 찾아가는 셀파–Tip, 자료를 분석하는 셀파–Tip, 내 것으로 만드는 셀파–Tip 등의 코너를 통한 친절한 해설 수록

BOOK 3 | 시험 대비 문제집

대단원 내용 정리

대단원의 주요 내용을 빠르게 복습할 수 있도록 표로 정리

단원 평가

실제 내신 시험 형태의 대단원 단원 평가 문제 수록

정답 및 해설

단원 평가에 대한 상세하고 친절한 해설 수록

이 책의 **차례**

CONTENTS

고등 셀파 # 한국지리

3종 교과서 단원별 페이지 찾아보기

천재교과서	미래엔	비상교육
12~19	10~16	10~17
20~33	17~31	18~33
36~43	34~41	36~43
44~55	42~51	44~53
56~63	52~59	54~63
66~75	62~69	66~71
76~81	70~75	72~77
82~91	76~87	78~87
94~99	90~97	90~95
100~107	98~104	96~103
108~121	105~117	104~119
124~129	120~127	122~129
130~135	128~131	130~133
136~141	132~137	134~139
142~151	138~149	140~153
154~163	152~161	156~165
164~171	162~169	166~173
174~187	172~182	176~187
188~199	183~191	188~197
200~209	192~199	198~205
210~221	200~213	206~217

I

국토 인식과
지리 정보

이 단원의 핵심 포인트

중단원	핵심 포인트	학습일
01 우리나라의 위치와 영토	• 우리나라의 위치 • 우리나라의 영역 • 독도와 동해	월 일 ~ 월 일
02 국토 인식의 변화 및 　　지리 정보와 지역 조사	• 전통적 국토 인식 • 고문헌에 나타난 국토 인식 • 고지도에 나타난 국토 인식 • 국토 인식의 변화 • 지리 정보와 지리 정보 시스템 • 지역 조사	월 일 ~ 월 일

셀파와 내 교과서 단원 비교

셀파	천재교과서	미래엔	비상교육
01 우리나라의 위치와 영토	01 국토의 위치와 영토 문제	01 국토의 위치와 영토 문제	01 우리나라의 위치 특성과 영토
02 국토 인식의 변화 및 　　지리 정보와 지역 조사	02 국토 인식의 변화 03 지리 정보와 지역 조사	02 국토 인식의 변화 03 지리 정보와 지역 조사	02 국토 인식의 변화 03 지리 정보와 지역 조사

01

I. 국토 인식과 지리 정보

우리나라의 위치와 영토

1 우리나라의 위치

1. 위치의 특징과 종류

(1) 국가의 위치

① 해당 국가의 자연환경과 인문 환경, 국제 관계에 영향을 주는 요소

② 국가의 위치를 통해 해당 국가의 과거와 현재를 이해하고, 미래를 예측할 수 있음.

(2) 위치의 종류

① 절대적 위치 수리적 위치, 지리적 위치

② 상대적 위치 관계적 위치

> **왜?** 주변 국가와의 관계에 따라 변하는 상대적인 특성을 가짐.

2. 우리나라의 위치 자료 01

(1) 수리적 위치 위도와 경도로 표현되는 위치

위도	• 기후, 식생 분포, 계절 등을 결정함. • 북위 33°~43°(중위도)에 위치 → 사계절 변화가 뚜렷한 냉·온대 기후가 나타남.
경도 자료 02	• 표준시를 결정함. • 동경 124°~132°에 위치 • 동경 135°를 표준 경선으로 사용 → 본초 자오선이 지나는 영국의 표준시보다 9시간 빠름.

> **왜?** 경도 15°마다 1시간의 시차가 발생하기 때문임.(135°÷15°= 9)
>
> 국가나 지역별 표준시의 기준이 되는 경선

(2) 지리적 위치 대륙, 해양, 산천 등 지형지물로 표현되는 위치

① 유라시아 대륙의 동안에 위치 대륙성 기후와 계절풍 기후가 나타남.

• 대륙성 기후의 영향: 같은 위도의 대륙 서안보다 기온의 연교차가 큼.

• 계절풍 기후의 영향: 여름은 고온 다습하고 겨울은 한랭 건조함.

> 여름에는 북태평양 고기압의 영향으로 남서·남동 계절풍이 불고, 겨울에는 시베리아 고기압의 영향으로 북서 계절풍이 불어옴.

② 국토의 삼면이 바다로 둘러싸인 반도 국가 대륙과 해양 양방향으로의 진출 유리, 임해 공업 지역 발달

> 현재는 분단으로 남북 간의 교통로가 차단됨.

(3) 관계적 위치 주변 국가와의 정치적·경제적 관계에 따라 결정되는 위치

근대 이전	대륙 세력과 해양 세력이 만나는 지역에 위치 → 주변 국가의 영향을 많이 받음.
일제 강점기	대륙과 해양으로 진출하기 위한 열강의 각축장
광복 직후	자본주의 진영과 공산주의 진영이 대립하는 공간
오늘날	동북아시아의 지리적 요충지 및 태평양 시대의 중심 국가로 발돋움

3. 우리나라의 위상 자료 03

(1) 지리적 요충지 동아시아 중심에 위치 → 유라시아 대륙과 태평양으로 진출 가능

(2) 교통과 물류의 중심지

① 항공 및 해운 아시아, 유럽, 북아메리카를 연결하는 주요 항로상에 위치

② 도로 및 철도 통일로 남북 간 도로 및 철도가 연결될 경우 유라시아 대륙과 태평양을 연결하는 물류 네트워크의 중심지로서의 역할을 수행할 수 있음.

(3) 경제적·정치적 역량 강화 원조를 받던 나라에서 원조를 제공하는 나라로 변화, 동아시아 경제권의 핵심 지역으로 성장 → 국제연합(UN), 경제협력개발기구(OECD) 등 국제기구 가입과 G20 정상 회담 등 국제회의 유치

(4) 문화의 중심지 한류의 확산, 유네스코 지정 세계 문화유산 등 다양한 문화 자원 보유

고득점을 위한 셀파 Tip

우리나라의 위치

수리적 위치	• 북위 33°~43°: 냉·온대 기후가 나타남. • 동경 124°~132°: 본초 자오선이 지나는 영국의 표준시보다 9시간 빠름(표준 경선 기준).
지리적 위치	• 대륙 동안: 대륙성 기후, 계절풍 기후가 나타남. • 반도 국가: 대륙과 해양으로의 진출 유리
관계적 위치	• 과거: 대륙 세력과 해양 세력의 영향을 받음. • 현재: 태평양 시대의 중심 국가로 발돋움

❶ 본초 자오선

경도 측정의 기준이 되는 자오선('자'는 북쪽, '오'는 남쪽을 의미함)으로 영국의 그리니치 천문대를 지나는 경도 0°선을 말한다.

❷ 대륙성 기후

대륙은 해양에 비해 한서의 차이가 크다. 대륙성 기후는 대륙의 영향으로 기온의 일교차와 연교차가 큰 기후를 말한다.

❸ 계절풍 기후

여름에는 해양에서 대륙으로, 겨울에는 대륙에서 해양으로 불어오는 계절풍의 영향이 큰 지역에서 나타나는 기후이다.

❹ G20

기존 선진 7개국 정상 회담(G7)과 유럽연합(EU) 의장국 그리고 신흥 시장 12개국 등 세계 주요 20개국을 회원으로 하는 국제기구이다.

자료 01 공통 자료 우리나라의 위치

우리나라의 수리적 위치와 4극

- 극북: 북위 43° 00´ 36˝ 함경북도 온성군 유원진
- 극서: 동경 124° 10´ 47˝ 평안북도 용천군 마안도
- 극동: 동경 131° 52´ 22˝ 경상북도 울릉군 독도 동도
- 극남: 북위 33° 06´ 45˝ 제주특별자치도 서귀포시 마라도

─ 천연기념물 제423호 마라도 천연 보호 구역으로 지정됨.

(국토지리정보원, 2014.)

자료 분석 | 우리나라는 북위 33°~43°의 중위도에 위치하기 때문에 사계절 변화가 뚜렷한 냉·온대 기후가 나타난다. 또한 경도상으로 우리나라는 동경 124°~132°에 위치하며, 동경 135°를 표준 경선으로 채택한다. 한편 유라시아 대륙의 동쪽과 태평양의 서쪽에 위치한 우리나라는 대륙의 영향을 받아 기온의 연교차가 큰 대륙성 기후가 나타나며, 계절풍의 영향을 많이 받는다.

자료 02 우리나라와 세계의 시간대

*붉은색 숫자는 우리나라 표준시와의 시차를 나타냄.

*파란색 숫자는 그리니치 표준시와의 시차를 나타냄.

(세계 시간대 누리집, 2016년 7월 기준)

- 그리니치 표준 사용 지역
- 그리니치 표준시 보다 빠른 지역
- 그리니치 표준시 보다 느린 지역
- 독립 시간대 사용 지역

자료 분석 | 지구는 하루에 한 번 자전하므로 경도 15°마다 1시간의 차이가 나며, 우리나라의 표준 경선은 동경 135°이 므로 본초 자오선(경도 0°)이 지나는 영국보다 9시간이 빠르다.

자료 03 우리나라의 위상

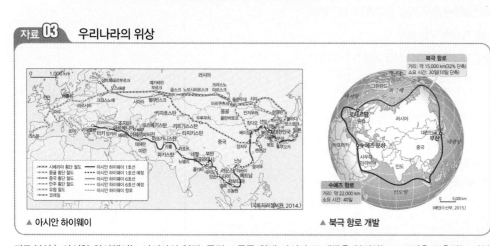

▲ 아시안 하이웨이

- 시베리아 횡단 철도
- 몽골 횡단 철도
- 중국 횡단 철도
- 만주 횡단 철도
- 유럽 철도
- 코레일
- 아시안 하이웨이 1호선
- 아시안 하이웨이 6호선
- 아시안 하이웨이 1호선 예정
- 아시안 하이웨이 6호선 예정
- 아시안 하이웨이 항로

(국토지리정보원, 2014.)

▲ 북극 항로 개발

북극 항로
거리: 약 15,000 km(32% 단축)
소요 시간: 30일(10일 단축)

수에즈 항로
거리: 약 22,000 km
소요 시간: 40일

(해양수산부, 2013.)

자료 분석 | 아시안 하이웨이는 아시아의 인적·물적 교류를 위해 아시아 32개국을 연결하는 도로망을 구축하는 사업 으로 우리나라를 지나는 노선인 AH1, AH6 도로가 연결되면 우리나라는 유라시아 대륙과 태평양을 연결하 는 물류 허브 역할을 하게 될 것이다. 북극 항로는 북극해를 통과하여 유럽과 아시아를 잇는 항로를 말하며, 기존의 수에즈 운하나 파나마 운하를 돌아가는 항로에 비해 혁신적으로 거리가 단축되는 장점이 있다. 따 라서 북극 항로가 열리면 부산항은 세계적인 허브 항구로서의 면모를 갖출 것으로 예상된다.

● 교과서 자료 더 보기

| 우리나라의 대척점 |

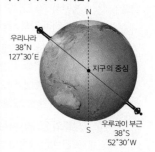

우리나라 38°N 127°30´E

지구의 중심

우루과이 부근 38°S 52°30´W

대척점은 지구 위의 한 지점에 대하여 지구 중심을 지나 반대편에 있는 지점을 말한다. 서로 반대편에 있는 두 지점은 위도의 절댓 값이 같고 북위와 남위가 반대이며, 경도는 180° 차이가 난다. 우리나라의 대척점은 우 루과이 남동쪽 해상으로 우리나라와 낮과 밤, 계절이 정반대이다.

● 교과서 자료 더 보기

| 우리나라의 표준 경선 |

중국의 표준 경선 | 한국·일본의 표준 경선

120°E 127°30´E 135°E

우리나라의 중앙 경선은 동경 127° 30´이 지만, 표준 경선은 동경 135°를 사용한다. 따라서 우리나라의 표준시는 실제 시각보다 30분 정도 빠르다.

● 교과서 탐구 풀이

Q 북극 항로의 개발이 우리나라의 위상에 어떤 영향을 미칠지 설명해 보자.

A 북극 항로가 개발되면 유럽과의 절대적 거리가 가까워져 물류비용이 절감되고, 교류의 빈도도 높아져 유럽에 대한 우리 나라의 경제적 위상이 높아질 것이다.

2 우리나라의 영역 〔자료04〕

─영역은 국민의 안전을 보장받을 수 있는 생활 터전으로 국가를 구성하는 기본 요소임.

1. 영역 한 국가의 주권이 미치는 공간적 범위로 영토, 영해, 영공으로 구성됨.

영토	• 헌법 제3조에 따라 한반도와 그 부속 도서로 구성됨. • 총면적: 약 22.3만 km²(남한 면적은 약 10만 km²) • 지속적인 간척 사업으로 국토 면적이 확대됨.
영해	• 일반적으로 기선에서 12해리까지로 규정함. • 통상 기선에서 12해리: 동해안 대부분 수역, 제주도, 울릉도, 독도 • 직선 기선에서 12해리: 서·남해안, 동해안의 영일만과 울산만 • 직선 기선에서 3해리: 대한 해협 일부
영공	• 영토와 영해의 수직 상공(통상적으로 대기권까지 인정) • 최근 항공 교통의 발달, 인공위성 및 우주 개발로 인해 중요성이 점차 커짐.

주의! 간척 사업이 진행되는 서해안은 직선 기선을 적용하기 때문에 영토만 확장될 뿐 영해는 확장되지 않음.

왜? 일본과의 거리가 매우 가까워 직선 기선에서 각각 3해리까지만 영해로 설정하고, 그 사이는 공해로 남겨 두어 외국 선박의 자유로운 통행을 보장함.

2. 배타적 경제 수역(EEZ) ─Exclusive Economic Zone의 약자임.

(1) **범위** 영해 기선으로부터 200해리까지의 바다에서 영해를 제외한 수역

(2) **특징** 연안국의 해양 자원 탐사, 개발, 이용, 보전, 관리 등에 대한 배타적인 권리 보장

└하천, 바다, 호수와 인접해 있는 국가

주의! 다른 국가의 선박과 항공기 등이 배타적 경제 수역을 자유롭게 통행하는 것을 제한할 수는 없음.

3 독도와 동해

1. 독도 〔자료05〕

(1) **위치**

① 우리나라 극동 경상북도 울릉군 울릉읍 독도리 1~96번지

② 울릉도 남동쪽 87.4 km 지점에 위치 → 울릉도에서는 맑은 날이면 육안으로 독도를 볼 수 있지만 일본의 오키섬에서는 볼 수 없음.

(2) **구성** 동도와 서도 2개의 큰 섬과 89개의 부속 도서로 구성됨.

(3) **자연환경**

① **지형** 신생대 제3기 해저 용암 분출로 형성된 화산섬 → 해안 대부분이 급경사

② **기후** 동해의 영향으로 연중 온화한 해양성 기후

(4) **독도의 가치**

─독도 주변 해역은 난류와 한류가 만나는 조경 수역으로 좋은 어장을 형성함.

경제적 가치	주변 바다에 어족 자원과 해양 심층수 풍부, 가스 하이드레이트 분포
영역적 가치	배타적 경제 수역 설정의 기준, 동해의 교통 요지
생태적 가치	섬 전체가 천연 보호 구역으로 지정, 해저 화산 진화 과정의 연구 표본

└다양한 동식물이 서식하고, 철새들의 중간 휴식처 역할을 해서 천연기념물 제336호 독도 천연 보호 구역으로 지정되어 특별하게 관리되고 있음.

2. 동해 〔자료06〕

(1) **특징** 신생대 제3기 지각 변동으로 형성된 해저 분지, 한반도, 러시아의 연해주, 일본 열도로 둘러싸여 있음.

(2) **동해 표기의 역사** ─일본국이 성립한 시기보다 700여 년이나 앞선 것임.

①『삼국사기』에 처음 등장 → 2,000년 이상 불러온 고유 명칭

② 광개토대왕릉비 비문(414년)과 우리나라·일본·외국의 수많은 고지도·고문헌에 동해 표기 기록이 있음.

(3) **동해의 중요성과 동해 표기를 위한 노력**

왜? 일제 강점기라는 시대적 상황과 일본과의 명칭 합의가 없었다는 점을 고려할 때 일본해 표기는 반드시 수정되어야 함.

① 일제 강점기에 일본이 동해 대신 일본해로 등록 → 시대적 상황을 고려해 바로 잡아야 함.

② 최근 정부, 민간단체의 노력으로 일본해 대신 동해를 표기하거나 동해와 일본해를 병기하는 지도가 늘고 있음.

고득점을 위한 셀파 Tip

우리나라의 영역

영토	한반도와 그 부속 도서
영해	• 동해안: 통상 기선 기준 12해리 • 서·남해안: 직선 기선 기준 12해리 • 대한 해협: 직선 기선 기준 3해리
영공	영토와 영해의 수직 상공

❺ 영역의 구성

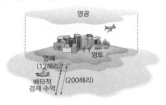

❻ 통상 기선

바닷물이 가장 멀리 빠져나갔을 때의 해안선인 최저 조위선을 기준으로 하며, 해안선이 단조롭거나 섬이 해안에서 멀리 떨어져 있는 경우에 적용한다.

❼ 직선 기선

해안의 끝이나 최외곽의 섬을 연결한 직선으로, 해안선이 복잡하거나 섬이 많을 경우에 적용한다.

❽ 울릉도와 독도의 위치

❾ 가스 하이드레이트

메테인 하이드레이트라고도 하며, 천연가스가 영구 동토나 심해저의 저온 및 고압 상태에서 물과 결합하여 형성된 고체 에너지 자원을 말한다.

자료 04 공통 자료 우리나라의 영해

▲ 우리나라의 영해 범위

▲ 우리나라 주변 수역

자료 분석 | 영해의 범위는 일반적으로 기선에서 12해리까지이다. 해안선이 단조로운 동해안, 제주도, 울릉도, 독도 등은 통상 기선으로부터 12해리까지를 영해로 설정하고, 해안선이 복잡하고 섬이 많은 서·남해안은 직선 기선으로부터 12해리까지를 영해로 설정한다. 우리나라와 일본, 중국은 배타적 경제 수역을 설정할 때 중복되는 수역이 발생한다. 그래서 우리나라는 1998년 일본과 한일 어업 협정을 통해 중간 수역을 설정하였고, 2001년에는 중국과 한중 어업 협정을 통해 잠정 조치 수역을 설정하였다.

자료 05 독도가 표기된 고지도

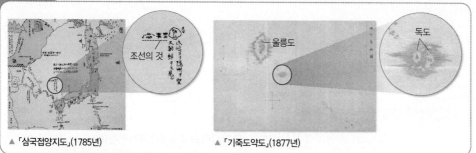

▲ 「삼국접양지도」(1785년)　　　　　　　　▲ 「기죽도약도」(1877년)

자료 분석 | 「삼국접양지도」는 일본인 하야시 시헤이가 그린 지도로 울릉도와 독도를 조선과 같은 색으로 그려 독도가 조선의 땅임을 나타내었고, 섬 옆에 '조선의 것'이라고 명기하였다. 「기죽도약도」는 당시 일본 최고 권력 기구인 태정관이 울릉도와 독도의 소속에 관하여 조사한 결과를 담은 공문서에 포함된 것으로, 이 문서에는 "죽도(울릉도) 외 1도(독도)는 일본과 관계가 없다."라고 명시하였다.

자료 06 동해가 표기된 고지도

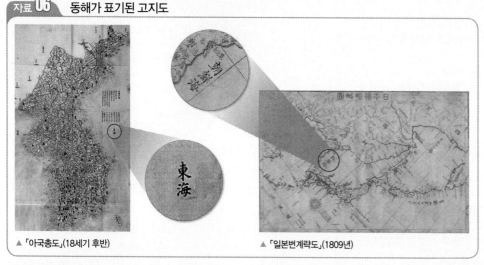

▲ 「아국총도」(18세기 후반)　　　　　　　　▲ 「일본변계략도」(1809년)

자료 분석 | 조선 후기에 제작된 전국 지도인 「아국총도」에는 '동해(東海)'가 선명하게 표기되어 있다. 일본에서 발행한 「일본변계략도」에는 우리나라와 일본 사이의 바다가 '조선해(朝鮮海)'로 표기되어 있다.

 교과서 탐구 풀이

Q 한일 중간 수역과 한중 잠정 조치 수역을 정한 이유를 설명해 보자.

A 우리나라 주변 수역은 넓지 않기 때문에 배타적 경제 수역을 설정할 때 중국, 일본과 상당 부분 겹칠 수밖에 없다. 따라서 어업 협정을 맺어 중첩된 수역에 대한 관할권을 조정하기 위해서이다.

 교과서 탐구 풀이

Q 「삼국접양지도」와 「기죽도약도」를 근거로 독도가 자국의 영토라는 일본의 주장을 반박해 보자.

A 일본에서 공식적으로 사용하던 「삼국접양지도」와 일본 최고 권력 기구인 태정관 공문서에 포함된 「기죽도약도」에 독도를 자국의 영토가 아닌 조선의 영토임을 인정했으므로 독도가 자국의 영토라는 일본의 주장은 신빙성이 없다.

 교과서 자료 더 보기

| 외국 지도의 동해 표기 |

국제연합에서는 "두 국가에 인접한 해양 지명은 관련국 간 합의를 이루지 못한 경우 관련국이 사용하는 명칭을 함께 표기하는 것이 원칙이다."라고 제시하고 있다. 위는 영어권에서 널리 쓰이는 지도책 중 하나로 동해(East Sea)와 일본해(Sea of Japan)가 병기되어 있다.

1 우리나라의 위치

(❶) 위치	의미	위도와 경도로 표현되는 위치
	위도	• 기후, 식생 등을 결정 • 북위 33°~43°에 위치
	경도	• 표준시를 결정 • 동경 124°~132°에 위치 • 표준 경선: 동경 135°
(❷) 위치		• 대륙, 해양 등 지형지물로 표현되는 위치 • 유라시아 대륙 동안: 대륙성 기후, 계절풍 기후 • 반도 국가: 대륙과 해양으로의 진출 유리
(❸) 위치		• 주변국과의 정치적·경제적 관계에 따라 결정되는 상대적·가변적 위치 • 광복 직후: 자본주의와 공산주의 이념의 각축장 • 현재: 동북아시아 및 태평양 시대의 중심 국가

2 우리나라의 영역

영토	• 한반도와 그 부속 도서, 약 22.3만 km²(남한 10만 km²) • 간척 사업으로 국토 면적이 확대됨.
영해	• (❹) 기선 기준 12해리: 동해안 대부분 수역, 제주도, 울릉도, 독도 • (❺) 기선 기준 12해리: 서·남해안, 동해안의 영일만과 울산만 • 직선 기선 기준 3해리: 대한 해협 일부
영공	• 영토와 영해의 수직 상공 • 최근 항공 교통이 발달하고 우주 개발이 활발해지면서 중요성이 점차 커짐.
배타적 경제 수역	• 영해 기선으로부터 200해리까지의 범위 중 영해를 제외한 수역 • 연안국의 자원 탐사, 개발, 관리 등에 대한 배타적 권리 보장

3 독도와 동해

독도	• 위치: 우리나라의 최동단 → 울릉도 남동쪽 87.4km 지점 • 구성: 동도와 서도, 89개의 부속 도서 • 자연환경: 해저 화산 폭발로 형성된 화산섬, 해양성 기후 • 어족 자원이 풍부하고, (❻) 등 해양 자원 개발 잠재력이 높음. • 군사 요충지, 해양 교통과 방어 기지로서 중요함.
동해	• 신생대 제3기 지각 변동으로 형성된 해저 분지 • 2,000년 이상 불러온 우리나라 고유의 명칭 • 최근 동해를 단독 표기하거나 일본해와 병기하는 지도가 늘고 있음.

정답 ❶ 수리적 ❷ 지리적 ❸ 관계적 ❹ 통상 ❺ 직선 ❻ 가스 하이드레이트

01 다음은 우리나라의 위치를 나타낸 것이다. 이에 대한 설명으로 옳지 **않은** 것은?

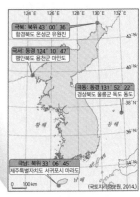

① 냉·온대 기후가 나타난다.
② 사계절의 변화가 뚜렷하다.
③ 경도가 0°인 영국보다 시간이 빠르다.
④ 대륙과 해양 양방향으로 진출하기에 유리하다.
⑤ 여름철에는 대륙에서, 겨울철에는 해양에서 바람이 불어온다.

★02 지도는 우리나라의 4극을 나타낸 것이다. A~D지점에 대한 옳은 설명을 〈보기〉에서 고른 것은?

┤ 보기 ├
ㄱ. A는 D보다 연평균 기온이 높다.
ㄴ. B는 C보다 일출 시각이 늦다.
ㄷ. C는 A보다 기온의 연교차가 작다.
ㄹ. A~D 중 우리나라의 표준 경선과 가장 가까운 지점은 B이다.

① ㄱ, ㄴ   ② ㄱ, ㄷ   ③ ㄴ, ㄷ
④ ㄴ, ㄹ   ⑤ ㄷ, ㄹ

03 지도는 우리나라의 관계적 위치를 나타낸 것이다. (가) 시기와 비교한 (나) 시기 우리나라의 상대적 특징만을 〈보기〉에서 있는 대로 고른 것은?

(가)	(나)

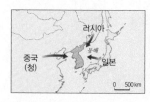 

┤ 보기 ├
ㄱ. 국내 총생산액이 많다.
ㄴ. 주변 국가들과의 교역량이 많다.
ㄷ. 남북 간의 인구 이동이 자유롭다.
ㄹ. 중국의 문화를 수용하여 일본에 전달한다.

① ㄱ, ㄴ ② ㄴ, ㄷ ③ ㄱ, ㄴ, ㄹ
④ ㄱ, ㄷ, ㄹ ⑤ ㄴ, ㄷ, ㄹ

04 다음은 한국지리 수업 장면의 일부이다. 교사의 질문에 옳게 답한 학생을 고른 것은?

〈우리나라의 위치 특성〉

구분		위치 특성
수리적 위치	위도	갑
	경도	을
지리적 위치	대륙 동안	병
	반도국	정
관계적 위치		무

우리나라의 위치 특성에 대해 발표해 볼까요?

① 갑: 중국보다 시간이 빠릅니다.
② 을: 사계절이 뚜렷하게 나타납니다.
③ 병: 현재 동북아시아의 중심 국가로 발전하고 있습니다.
④ 정: 대륙과 해양 양방향으로 진출하기에 유리합니다.
⑤ 무: 유럽의 여러 나라보다 기온의 연교차가 크게 나타납니다.

05 지도는 우리나라와 주요 국가의 수도 간의 거리를 정확하게 표현한 것이다. 이에 대한 옳은 설명을 〈보기〉에서 고른 것은?

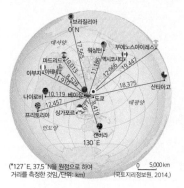

(*127˚E, 37.5˚N을 원점으로 하여 거리를 측정한 것임/단위: km) (국토지리정보원, 2014.)

┤ 보기 ├
ㄱ. 워싱턴은 캔버라보다 표준시가 빠르다.
ㄴ. 우리나라와 부에노스아이레스는 계절과 낮과 밤이 서로 반대이다.
ㄷ. 우리나라는 남반구 국가들보다 북반구 국가들과의 평균 거리가 가깝다.
ㄹ. 우리나라에서 브라질리아로 가기 위해서는 태평양을 지나는 길이 가장 효율적이다.

① ㄱ, ㄴ ② ㄱ, ㄷ ③ ㄴ, ㄷ
④ ㄴ, ㄹ ⑤ ㄷ, ㄹ

06 세계 속 우리나라의 위상에 대한 설명으로 옳지 <u>않은</u> 것은?
① G20의 회원국으로 정상 회담을 개최하였다.
② 동아시아 중심 국가로서의 역할이 감소하고 있다.
③ 원조를 받는 국가에서 제공하는 국가로 변화하였다.
④ 유럽, 아시아, 북아메리카를 잇는 물류 거점으로 성장하고 있다.
⑤ 한류를 통해 우리나라 문화의 우수성이 전 세계로 전파되고 있다.

07 영역에 대한 설명으로 옳은 것은?
① 영해의 범위는 일반적으로 기선에서 12해리까지이다.
② 영토는 통상적으로 땅으로 구성되며, 무인도는 제외된다.
③ 영해 설정의 기선은 통상적으로 평균 해수면을 기준으로 한다.
④ 영토, 영해, 영공 중 국가의 주권이 미치는 범위는 영토이다.
⑤ 영공은 영토의 수직 상공으로 수직적 범위는 대기권까지이다.

08 지도는 우리나라의 영해 범위를 나타낸 것이다. 이에 대한 옳은 설명을 〈보기〉에서 고른 것은?

| 보기 |

ㄱ. A에서 영해는 직선 기선에서 12해리까지이다.

ㄴ. B에서 영해 설정 기준은 울릉도, 독도와 동일하다.

ㄷ. C에서 영해는 통상 기선에서 3해리까지이다.

ㄹ. 간척 사업으로 A의 영해 범위는 점차 줄고 있다.

① ㄱ, ㄴ   ② ㄱ, ㄷ   ③ ㄴ, ㄷ
④ ㄴ, ㄹ   ⑤ ㄷ, ㄹ

09 지도는 우리나라 주변 수역을 나타낸 것이다. A~E 지점에 대한 설명으로 옳은 것은?

① A에서는 중국 어선만 조업할 수 있다.

② B에서는 타국의 상선이 자유롭게 통항할 수 있다.

③ C는 우리나라와 중국의 배타적 경제 수역이 중첩된 곳이다.

④ D에서는 우리나라와 일본의 어선이 자유롭게 조업할 수 있다.

⑤ E에서는 우리나라와 일본을 제외한 타국의 어선은 지나갈 수 없다.

10 다음 지도의 (가)에 대한 옳은 설명만을 〈보기〉에서 있는 대로 고른 것은?

| 보기 |

ㄱ. 우리나라의 영토이다.

ㄴ. 한일 중간 수역에 포함된다.

ㄷ. 연중 난류의 영향을 받는다.

ㄹ. 종합 해양 과학 기지가 설치되어 있다.

① ㄱ, ㄴ   ② ㄴ, ㄷ   ③ ㄷ, ㄹ
④ ㄱ, ㄴ, ㄷ   ⑤ ㄴ, ㄷ, ㄹ

11 표는 (가), (나)의 수리적 위치를 나타낸 것이다. 이에 대한 옳은 설명만을 〈보기〉에서 있는 대로 고른 것은? (단, (가), (나)는 독도, 이어도 중 하나임.)

구분	위도	경도
(가)	37° 14′ N	131° 52′ E
(나)	32° 07′ N	125° 10′ E

| 보기 |

ㄱ. (가)의 주변은 조경 수역이 형성되어 있다.

ㄴ. (나)는 우리나라 영토의 최남단에 해당한다.

ㄷ. (가)는 (나)보다 태풍의 영향을 자주 받는다.

ㄹ. (나)는 (가)보다 해발 고도가 낮다.

① ㄱ, ㄷ   ② ㄱ, ㄹ   ③ ㄴ, ㄷ
④ ㄱ, ㄷ, ㄹ   ⑤ ㄴ, ㄷ, ㄹ

12 (가), (나) 섬의 공통적 특징으로 옳지 <u>않은</u> 것은?

① 화산 활동으로 형성되었다.
② 천연기념물로 지정되어 있다.
③ 동일한 도(道)에 소속되어 있다.
④ 영해 설정 시 통상 기선이 적용된다.
⑤ 주변 해역에 한류와 난류가 교차한다.

13 다음은 한국지리 수업 장면이다. 교사의 질문에 옳게 답한 학생만을 〈보기〉에서 있는 대로 고른 것은?

교사: 다음은 서울도서관에 가면 볼 수 있는 지구본입니다. 외국에서 제작한 것으로, 동해가 단독으로 표기되어 있죠. 동해 및 동해 표기와 관련하여 발표해 볼까요?

갑: 기원전부터 우리 민족이 동해라고 불렀습니다.
을: 중생대에 대규모 지각 변동으로 형성되었습니다.
병: 일제 강점기에 일본이 국제 사회에 일본해로 등록하였습니다.
정: 최근 동해와 일본해를 함께 표기하는 지도가 많아지고 있습니다.

① 갑, 을   ② 갑, 정   ③ 을, 병
④ 갑, 을, 정   ⑤ 갑, 병, 정

14 다음 글을 읽고 물음에 답하시오.

우리나라의 중앙 경선은 동경 127° 30′이다. 1950년대에는 중앙 경선을 표준 경선으로 사용하였지만, 1961년 이후 _____(가)_____ 을/를 표준 경선으로 사용하고 있다.

(1) (가)에 들어갈 경도를 쓰시오.

(2) 표준 경선을 동경 127° 30′에서 (가)로 변경하면서 나타난 변화를 서술하시오.

15 다음은 우리나라 주변의 수역을 나타낸 것이다. 이를 보고 물음에 답하시오.

(1) A, B의 명칭을 쓰시오.

(2) A, B를 설정한 이유를 서술하시오.

16 다음 지도를 근거로 독도가 우리나라의 영토인 이유를 서술하시오.

▲ 「삼국접양지도」(1785년)

| 신유형 |

01 지도는 우리나라의 위치를 나타낸 것이다. 이에 대한 옳은 설명을 〈보기〉에서 고른 것은?

┃ 보기 ┃

ㄱ. 우리나라의 표준 경선은 A를 지난다.

ㄴ. 우리나라는 경도가 0°인 영국보다 시간이 늦다.

ㄷ. 우리나라는 중위도에 위치하여 냉·온대 기후가 나타난다.

ㄹ. 남위 38°, 서경 52′ 30′인 지점은 우리나라와 계절이 서로 반대이다.

① ㄱ, ㄴ ② ㄱ, ㄷ ③ ㄴ, ㄷ

④ ㄴ, ㄹ ⑤ ㄷ, ㄹ

| 수능 기출 |

02 (가)~(라) 지역에 대한 설명으로 옳은 것은?

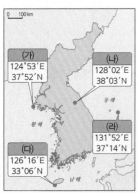

① (가)는 우리나라 영토의 최서단(극서)에 위치한다.

② (나)는 우리나라의 표준 경선이 지나는 곳이다.

③ (다)는 종합 해양 과학 기지가 건설된 곳이다.

④ (가)는 (라)보다 일몰 시각이 이르다.

⑤ (다)와 (라)는 영해 설정에 통상 기선을 적용한다.

| 신유형 |

03 (가)~(라)는 우리나라 영토의 4극을 나타낸 것이다. 이들 지역에 대한 설명으로 옳은 것은?

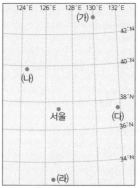

① (나)는 우리나라에서 일몰이 가장 이르다.

② (다)는 (라)보다 기온이 높다.

③ (다)와 (라)는 천연기념물로 지정되어 있다.

④ (라)는 (가)보다 기온의 연교차가 크다.

⑤ (가), (나)는 본토, (다), (라)는 섬에 위치해 있다.

| 평가원 응용 |

04 (가)~(다) 섬에 대한 옳은 설명만을 〈보기〉에서 있는 대로 고른 것은?

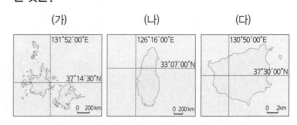

┃ 보기 ┃

ㄱ. (가)는 (나)보다 우리나라의 표준 경선과 가깝다.

ㄴ. (나)는 (다)보다 연평균 기온이 높다.

ㄷ. (다)는 (가)보다 일출 시각이 이르다.

ㄹ. (가), (나), (다) 모두 통상 기선을 적용하여 영해를 설정한다.

① ㄱ, ㄴ ② ㄱ, ㄷ ③ ㄷ, ㄹ

④ ㄱ, ㄴ, ㄹ ⑤ ㄴ, ㄷ, ㄹ

| 신유형 |

05 다음 지도의 A~D에 대한 설명으로 옳은 것은?

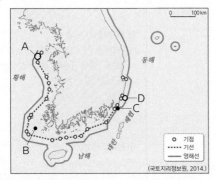

① A는 통상 기선을 기준으로 영해를 설정한 것이다.
② B에서는 타국의 어선이 조업할 수 있다.
③ 간척 사업을 하면 B의 범위가 축소된다.
④ D의 영해 설정 기준은 썰물 때의 해안선이다.
⑤ 기선과 영해선 사이의 폭은 A가 C의 2배이다.

| 수능 기출 |

06 다음 지도의 A~C 지점에서 이루어질 수 있는 행위로 적절하지 않은 것은? (단, 모든 행위는 국가 간 사전 허가가 없었음을 전제로 함.)

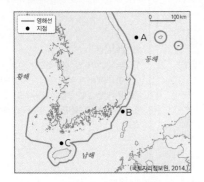

① A - 우리나라 자원 탐사선이 탐사 활동을 함.
② B - 외국 화물선이 항해함.
③ C - 우리나라 해군 함정이 항해함.
④ A, C - 우리나라 어선이 고기잡이를 함.
⑤ B, C - 외국이 인공 섬을 설치함.

| 신유형 |

07 다음 지도의 A~E에 대한 설명으로 옳지 않은 것은?

① A에서는 타국의 어선이 자유롭게 통과할 수 있다.
② B에서는 우리나라가 해상 풍력 발전기를 설치할 수 있다.
③ C는 중국과 일본의 어업 수역이 중첩되는 범위이다.
④ D의 상공은 우리나라의 영공이다.
⑤ E에서는 우리나라 어선이 조업할 수 있다.

| 평가원 응용 |

08 표는 우리나라의 영역 및 배타적 경제 수역에 관한 것이다. ㉠~㉣에 대한 옳은 설명을 〈보기〉에서 고른 것은?

	영토	한반도와 그 ㉠ 부속 도서
영역	영해	• 기선에서 12해리까지의 수역 • 대부분의 동해안, 울릉도, 독도, 제주도는 통상 기선을 적용 • 서해안, ㉡ 남해안과 ㉢ 동해안 일부 지역은 직선 기선을 적용
	영공	영토와 영해의 상공
㉣ 배타적 경제 수역		기선에서 200해리까지의 범위 중 영해를 제외한 수역

| 보기 |

ㄱ. ㉠ - 무인도와 유인도를 모두 포함한다.
ㄴ. ㉡ - 대한 해협은 3해리가 적용된다.
ㄷ. ㉢ - 석호가 발달한 강원도 동해안이 대표적 사례이다.
ㄹ. ㉣ - 우리나라는 200해리를 모두 확보하고 있다.

① ㄱ, ㄴ   ② ㄱ, ㄷ   ③ ㄴ, ㄷ
④ ㄴ, ㄹ   ⑤ ㄷ, ㄹ

02 국토 인식의 변화 및 지리 정보와 지역 조사

1 전통적 국토 인식

1. 국토관
(1) **의미** 자신이 살고 있는 땅에 대해 가지는 일정한 사고 체계
(2) **특징** 국토를 이용하는 태도나 방식은 시대와 환경에 따라 변화함.

┌─ 풍수는 장풍득수(藏風得水)의 줄인 말로, 바람을 막고 물을 얻는다는 뜻임.

2. 풍수지리 사상 자료01
(1) **의미** 산줄기의 흐름, 바람과 물의 흐름 등을 파악하여 좋은 터(명당)를 찾는 사상
(2) **배경** 지모(地母) 사상❶과 음양오행설❷이 결합하여 우리 환경에 맞게 토착화됨.
(3) **구분**
① **양택(陽宅) 풍수** 살아 있는 사람의 주거지를 찾는 풍수
② **음택(陰宅) 풍수** 죽은 사람의 묏자리를 찾는 풍수 ─ 명당에 조상의 묏자리를 쓰면 조상이 산천의 좋은 기를 받아 후손들이 복을 받게 된다는 풍수
③ **비보(裨補) 풍수** 땅의 기운이 부족하거나 넘치는 부분을 보완하는 풍수
(4) **영향** 집터와 마을의 입지, 국가의 도읍지 선정에 영향 → 배산임수❸

2 고문헌에 나타난 국토 인식

1. 지리지
(1) **의미** 어떤 지역의 지리적 특성을 체계적으로 기록한 문헌
(2) **구분** 저술 주체에 따라 관찬 지리지와 사찬 지리지, 기술된 지역의 범위에 따라 전국지, 지방지, 읍지 등으로 구분
　　　　　└─ 국가가 주도하여 제작함.　└─ 개인이 제작함.

2. 조선 전기와 조선 후기의 지리지 자료02
(1) 관찬 지리지와 사찬 지리지

구분	관찬 지리지	사찬 지리지
편찬 시기	조선 전기	조선 후기
편찬 주체	국가	개인(실학자들에 의해 제작)
편찬 배경	국가 통치의 기초 자료 확보	실학❹의 영향 → 국토에 대한 객관적 인식 확대
서술 방식	전국 각 지역의 산천, 인구, 산업 등을 백과사전식으로 상세하게 기술	특정 주제를 종합적이고 체계적으로 고찰하여 설명식으로 기술
대표 지리지	「세종실록지리지」, 「동국여지승람」, 「신증동국여지승람」 등	신경준의 「도로고」, 정약용의 「아방강역고」, 김정호의 「대동지지」, 이중환의 「택리지」 등

(2) 「택리지」
① **의의** 살기 좋은 곳의 입지 조건❺과 우리나라 각 지역의 특성을 기술한 인문 지리서
② **구성** 「총론」, 「사민총론」, 「팔도총론」, 「복거총론」
　　┌─ 가거지의 조건을 설명함.
　조선 시대 주요 신분인 ┘　　└각 지역의 역사, 지리, 산물
　사농공상에 대해 기술함.　　등을 종합적으로 설명함.

3. 18~19세기의 지리지
　　　　　┌ 조선 시대 각 읍의 지리적 특성과 지방 역사를 기록한 행정 사례집
(1) **18세기** 각 지방의 지리적 특성을 기록한 읍지 제작이 활발함.
(2) **19세기 말 이후** 국민 계몽과 국내외의 정세를 알리기 위한 지리지가 편찬됨.

---

❶ **지모(地母) 사상**
땅을 어머니에 비유하여 신성하게 여기는 사상으로, 땅을 만물이 생성되는 근원으로 여기며 토지를 신성시한다.

❷ **음양오행설**
인간 사회의 모든 현상과 우주 만물의 생성·변화·소멸을 음양(陰陽)과 오행(금(金), 수(水), 목(木), 화(火), 토(土))의 변화로 설명하는 이론이다.

❸ **배산임수(背山臨水)**
배산(背山)은 뒤로 산을 등지고 있다는 뜻이고, 임수(臨水)는 앞으로 시내, 강 등을 내려다본다는 뜻이다. 풍수지리 사상에서 명당으로 여기는 이상적인 터를 의미한다.

고득점을 위한 셀파 Tip

지리지에 나타난 국토 인식

관찬 지리지	• 조선 전기에 국가가 편찬 • 국가 통치의 기초 자료를 확보하기 위함. • 백과사전식 기술 • 예)「세종실록지리지」
사찬 지리지	• 조선 후기에 개인이 편찬 • 실학의 영향, 국토 실체에 대한 객관적 인식 확대 • 설명식 기술 • 예)「택리지」

❹ **실학사상**
17세기 중반 이후 성리학의 모순과 사회의 병폐를 극복하기 위해 등장한 사상으로, 실증적인 방법으로 학문을 연구하고 그 성과를 실생활에 활용하려는 실사구시(實事求是)의 사상이다.

❺ **「택리지」에서 가거지의 조건**
「택리지」의 「복거총론」에서는 사람이 살만한 땅인 가거지(可居地)를 지리, 생리, 인심, 산수의 네 가지 조건으로 설명하였다. 지리는 풍수지리의 명당, 생리는 경제적으로 유리한 곳, 인심은 사람들의 인심이 좋은 곳, 산수는 경치가 좋은 곳을 의미한다.

셀파 **자료** 탐구

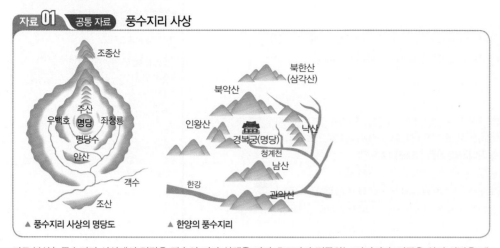

▲ 풍수지리 사상의 명당도　　　▲ 한양의 풍수지리

자료 분석 | 풍수지리 사상에서 명당은 땅속의 기가 산맥을 따라 흐르다가 집중하는 자리이다. 이곳은 산이 사방을 에워싸고 앞쪽으로 들이 펼쳐져 있으며, 들 사이로 물이 흐르는 곳이다. 즉 풍수지리에서 말하는 명당은 장풍득수(藏風得水) 지점으로, 조상들은 이곳에 자리를 잡으면 땅의 좋은 기운을 받아 복을 누릴 수 있다고 여겼다. 일반적으로 장풍득수 지점은 차가운 북서 계절풍을 막고 물을 얻기 쉬운 배산임수 지역을 말한다.

조선의 정궁인 경복궁의 입지 선정에는 풍수지리 사상이 반영되었다. 경복궁은 북악산(주산), 관악산(조산), 남산(안산), 낙산(청룡), 인왕산(백호) 등으로 둘러싸여 있으며, 그 앞으로 명당수인 청계천이 흐른다.

▲ 경상남도 하동군의 송림

비보(裨補)란 땅의 기운을 보충하거나 보수하는 것을 말한다. 풍수지리에서 완벽한 땅은 없으므로, 우리 조상들은 지나치거나 부족한 것을 보완하는 비보 풍수를 중시하였다. 마을의 허한 기를 보완하려고 연못이나 숲을 조성하였는데, 경상남도 하동의 송림은 비보 풍수의 대표적인 사례이다.

> 조선 전기 지리지와 조선 후기 지리지의 내용과 기술 방법을 비교하는 문제가 자주 출제되니 잘 정리해 두자!

관찬 지리지	사찬 지리지
[건치 연혁] 본래 맥국인데, 신라의 선덕왕 6년에 우수주로 하여 군주를 두었다. [속현] 기린현은 부의 동쪽 140리에 있다. 본래 고구려의 기지군이었다. [풍속] 풍속이 순후하고 아름답다. [산천] 봉산은 부의 북쪽 1리에 있는 진산(鎭山)이다. [토산] 옻, 잣, 오미자, 영양, 꿀, 지치, 석이버섯, 인삼, 지황, 복령, 누치, 여항어, 쏘가리, 송이. 　　－『신증동국여지승람』, 제46권 춘천 도호부－	춘천은 옛 예맥이 천 년 동안이나 도읍했던 터로 소양강을 임했고, 그 바깥에 우두라는 큰 마을이 있다. 한나라 무제가 팽오를 시켜 우수주와 통하였다는 곳이 바로 이 지역이다. 　　산속에는 평야가 널따랗게 펼쳐졌고 두 강이 한복판으로 흘러간다. 토질이 단단하고 기후가 고요하며 강과 산이 맑고 훤하며 땅이 기름져서 여러 대를 사는 사대부가 많다. 　　　　－『택리지』, 「팔도총론」, 춘천 편－

자료 분석 | 자료는 강원도 춘천을 기술한 『신증동국여지승람』과 『택리지』 내용의 일부이다. 두 지리지는 같은 지역에 대해 다른 방식으로 기술하고 있다. 대표적 관찬 지리지인 『신증동국여지승람』은 춘천의 연혁, 속현, 풍속, 산천, 토산 등을 항목별로 기술하고 있다. 반면 대표적 사찬 지리지인 『택리지』는 춘천의 특성을 종합적이고 체계적으로 고찰하였으며, 설명식으로 기술하고 있다.

관찬 지리지는 국가 통치의 기초 자료를 확보하기 위해 편찬된 지리지로, 통치에 필요한 다양한 자료를 항목별로 묶어 백과사전식으로 기술하였다. 사찬 지리지는 특정 주제를 종합적이고 체계적으로 고찰하여 설명식으로 기술한 방식이 특징이다.

Q 조선 전기와 조선 후기에 제작된 지리지의 서술 방식을 비교해 보자.

A 조선 전기의 관찬 지리지는 국토의 효율적 통치를 위해 국가에서 각 지역의 기초 정보를 정리한 것이기 때문에 통치에 필요한 다양한 자료를 항목별로 분류하여 백과사전식으로 기술되었다. 반면 조선 후기의 지리지는 개인이 편찬한 사찬 지리지로, 국토의 실체를 종합적이고 과학적으로 고찰하기 위한 지리지이기 때문에 주제별 설명 방식으로 기술되었다.

3 고지도에 나타난 국토 인식

1. 조선 시대 고지도의 특징

(1) **조선 전기** 중앙 집권 체제와 국방 강화를 위해 국가 주도로 제작, 중화사상[6] 반영

(2) **조선 후기** 실학사상의 영향으로 실용적 국토 인식 확립, 중화사상 탈피

★ 2. 조선 시대의 주요 고지도

시대	지도	특징
조선 전기	「혼일강리역대국도지도」(1402년) [자료 03]	• 현존하는 우리나라의 가장 오래된 세계 지도 • 중화사상 반영 → 지도 중앙에 중국을 크게 표현 • 주체적 국토 인식 → 조선을 상대적으로 크고 자세하게 표현　**주의** 아메리카 대륙은 표현되어 있지 않음. • 조상들의 광범위한 세계 인식 → 인도, 아라비아반도, 아프리카, 유럽 표현
	「조선방역지도」(1557년)	• 전국의 공물 진상 내용을 파악하기 위해 관청에서 제작 • 국토에 관한 정보를 세밀하고 사실적으로 표현, 백두산 일대와 만주 지역은 부정확하게 표현
조선 중기	「천하도」 [자료 03]	• 주로 조선 중기 이후 민간에서 제작한 관념 지도 「하늘(天)은 둥글고(圓) 땅(地)은 네모나다(方)」라고 보는 세계관 • 중화사상, 천원지방의 세계관 반영 → 중국을 중심으로 세계를 원형으로 표현 • 도교적 세계관 반영 → 중앙의 중국 바깥쪽에는 상상의 세계 표현 삼수국, 모민국, 여인국 등 상상 속의 국가 등장
조선 후기	「동국지도」(1750년)	• 정상기에 의해 제작된 지도로 우리나라에서 최초로 축척의 개념(백리척)이 도입됨. 100리를 1척(9.5cm)로 계산함. • 이전 지도에 비해 북부 지방의 정확도가 크게 개선됨.
	「지구전후도」[7](1834년)	• 최한기가 서양 지도의 영향을 받아 제작한 세계 지도 • 남북과 동서로 각각 18 등분된 경위선과 남·북회귀선, 극권 표현 • 「지구전도」에 아시아·유럽·아프리카 표현, 「지구후도」에 아메리카 표현
	「대동여지도」(1861년) [자료 04]	• 김정호가 조선 후기까지 축적된 지도 제작 기술을 집대성하여 제작 • 축척이 약 1:16만으로 조선 시대 지도 중 가장 축척이 크고 자세하게 표현됨. • 목판본 제작: 대량 생산이 가능하여 지도의 대중화에 기여함. • 분첩 절첩식[8]: 지도를 접고 펼 수 있어 휴대와 열람이 편리함. • 지도표 사용: 기호를 사용하여 좁은 지면에 지리 정보를 효과적으로 수록 • 10리마다 방점 표시: 두 지점 간 대략적인 거리 파악 가능 • 하천 구분: 항해가 가능한 하천은 쌍선, 항해가 불가능한 하천은 단선으로 표현

4 근대 이후 국토 인식의 변화

1. 근대 이후의 국토 인식

(1) **일제 강점기의 국토 인식** 식민 지배를 정당화하려는 일제에 의해 왜곡된 국토 인식[9] 강요 → 소극적·부정적 국토 인식

(2) **산업화 시대의 국토 인식** — 1960년대 이후 경제 개발이 본격화되면서 나타남.

① 국토를 경제적인 관점에서 바라보고 적극적으로 개발·이용함.

② 국토 개발 결과 경제 성장은 했지만, 지역 간 불균형과 환경 문제 발생
└ 수도권에 과도한 인구·기능 집중, 개발이 집중된 지역과 낙후된 지역 간의 경제적 격차 심화

2. 생태 지향적 국토 인식 [자료 05]

(1) **의미** 자연과 인간이 조화를 이루고, 개발과 보존이 조화와 균형을 이루는 국토 인식

(2) **영향** 생태계를 보호하면서 경제 성장을 이루려는 지속 가능한 발전 추구 **예** 생태 공원 조성, 하천 복원, 국립 공원 및 습지 보호 지역 지정 등

고득점을 위한 셀파 Tip

조선 시대의 고지도

조선 전기	「혼일강리역대국도지도」: 국가 제작, 중화사상 반영, 아시아와 유럽·아프리카까지 표현
조선 중기	「천하도」: 민간 제작, 중화사상과 도교적 세계관 반영
조선 후기	「대동여지도」: 목판본 제작, 분첩 절첩식 지도, 지도표 사용, 방점 표시 등

[6] 중화사상
중국이 갖고 있는 자기 민족 중심의 우월주의 사상으로, 중국이 천하의 중심이며 가장 발달한 문화를 가지고 있다고 믿는 사상이다.

[7] 「지구전후도」

▲ 「지구전도」　　▲ 「지구후도」

[8] 분첩 절첩식
분첩은 나누어져 있다는 의미이고, 절첩은 접혀 있다는 의미이다. 「대동여지도」는 지도가 매우 크기 때문에 남북을 120리 간격으로 22층으로 나누고, 동서를 80리 간격으로 19판으로 나누어 인쇄한 뒤 접어서 보관하였다.

[9] 왜곡된 국토 인식
일제는 식민 지배를 정당화하기 위해 우리 국토를 '나약한 토끼의 형상을 한 땅', '갯벌이 많아 쓸모없는 땅', '반도 국가이기 때문에 대륙과 해양의 침략을 받는 땅' 등으로 평가하였다.

자료 03 공통 자료 「혼일강리역대국도지도」와 「천하도」

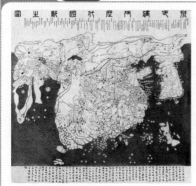

▲ 「혼일강리역대국도지도」

▲ 「천하도」

자료 분석 | 「혼일강리역대국도지도」는 우리나라에서 가장 오래된 세계 지도로 당시 조선이 인식하고 있던 모든 대륙이 표현되어 있다. 중화사상이 반영되어 지도의 중심에 중국이 크게 표현되어 있고, 조선이 다른 지역보다 상대적으로 크고 자세하게 그려져 있어 우리 국토에 대한 조상들의 인식을 엿볼 수 있다.

「천하도」는 조선 중기 이후에 민간에서 유행한 원형의 세계 지도로, 세계의 중심에 중국이 있고 주변에 조선, 일본 등과 상상 속의 국가가 등장한다. 중화사상과 천원지방의 세계관이 잘 나타나 있다.

자료 04 공통 자료 「대동여지도」

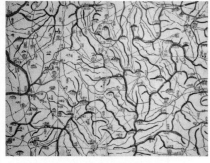

▲ 「대동여지도」 16첩 2면 경상북도 청송군 일대

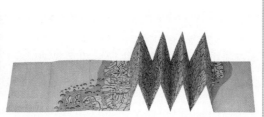

▲ 분첩 절첩식 지도

자료 분석 | 「대동여지도」는 남북을 120리 간격으로 22층으로 나누고, 동서를 80리 간격으로 19판으로 나누어 병풍처럼 접고 펼 수 있게 분첩 절첩식으로 만들었다. 도로는 직선으로 그렸으며, 10리마다 방점(눈금)을 찍어 지역 간의 거리를 알 수 있게 하였다. 산지는 크기에 따라 선의 굵기를 다르게 표현하였고, 연속성을 강조하였다. 하천은 곡선으로 그렸으며, 항해가 가능하면 쌍선, 불가능하면 단선으로 표시하였다.

자료 05 한반도 생태축

자료 분석 | 오늘날 국토를 단순히 인간의 이익을 위한 개발의 대상이 아니라 현 세대뿐만 아니라 미래 세대까지 함께 행복하게 살아가야 할 터전으로 여기는 생태적 국토 인식이 강조되면서, 자연환경을 보전하고 복원하기 위한 다양한 국토 이용 방안이 제시되고 있다. 이 가운데 가장 주목받는 정책 중 하나는 한반도 생태축 구축 방안이다. 정부는 백두대간, 비무장 지대, 도서 연안 생태축을 보전하고 복원하겠다고 발표하였으며, 특히 비무장 지대 일대를 한반도의 대표적 생태 평화 공간으로 가꾸어 평화와 자연환경의 가치를 널리 알리기 위한 계획을 가지고 있다.

교과서 자료 더 보기

| 「조선방역지도」(1557년) |

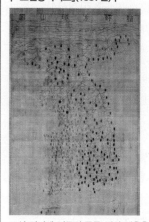

조선 전기에 전국의 공물 진상 내용을 파악하기 위해 제작한 지도이다. 백두산 일대와 만주 지역이 다소 부정확하게 표현되었다.

교과서 자료 더 보기

| 「대동여지도」의 지도표 |

지도표					
도로	고산성	고진보	고현	방리	능침	봉수
10 20 30 40 50리	▲	◉ 유성	● 유성 구읍지 유성	○	○	♟
목소	창고	역참	진보	성지	읍치	영아
🏛	□ 무성	①	□ 무성	🔥 신성	○ 무성	■
牧속장					
○ 유성			○ 유성	길성	유성

「대동여지도」는 14개 항목, 22종의 기호를 사용하여 취락, 역, 창고, 봉수 등 다양한 지리 정보를 좁은 지면에 효과적으로 담았다.

교과서 자료 더 보기

| 양재천 복원 |

양재천은 1970년대 산업화와 도시화로 물고기가 살 수 없을 정도로 수질이 악화되었다. 그러나 1995년 복원 사업이 추진되어 자연형 하천 정비, 수질 정화 시설 설치, 생태 공원 조성 등이 이루어져 다양한 동식물의 서식처이자 시민들의 휴식 공간이 되었다.

5 지리 정보와 지리 정보 시스템(GIS)

1. 지리 정보 └ 지리 정보는 기후, 지형, 식생 등에 관한 자연 정보와 인구, 문화, 경제 등에 관한 인문 정보로 나뉨.

(1) **의미** 지표상의 지리적 현상들을 확인·분석하고 그 특성을 파악하는 데 필요한 정보

(2) **특징** 공간을 이해하는 기초 자료, 지리 정보를 종합하여 지역의 특성 파악 가능

(3) **유형** └ 인간의 다양한 활동과 의사 결정에 영향을 줌.

공간 정보	어떤 장소나 현상의 위치나 형태를 나타내는 정보 예 어디에 있는가? 자료 **06**
속성 정보	장소나 현상의 인문적·자연적 특성을 나타내는 정보 예 어떤 특성이 있는가?
관계 정보	다른 장소나 지역과의 상호 작용이나 관계를 나타내는 정보
시간 정보	장소나 지역의 시기에 따른 변화를 나타내는 정보 └ 공간 정보, 속성 정보, 관계 정보도 시기별로 표현되면 시간 정보로 볼 수 있음.

(4) **수집** 최근 원격 탐사⑩ 기술의 발달로 인공위성 영상, 항공 사진을 활용한 정보 수집 활발

(5) **표현** 도표, 그래프, 지도, 수치 지도⑪ 등의 방법으로 표현 예 특정 주제와 위치 정보를 결합한 주제도⑫

└ 지리 정보를 효과적으로 표현함.

2. 지리 정보 시스템(GIS) ┌ Geographic Information System의 약자임.

(1) **의미** 다양한 지리 정보를 수치화하여 컴퓨터에 입력·저장하고, 사용자의 요구에 따라 가공·분석·처리하여 다양하게 표현해 주는 종합 정보 시스템

(2) **장점** 복잡한 자료를 빠르고 정확하게 처리 → 신속한 공간적 의사 결정 가능

(3) **활용**

① **중첩 분석** 서로 다른 정보를 담고 있는 데이터 층을 여러 개 겹쳐 필요한 정보를 도출·분석하는 기법 → 최적 입지 선정에 활용 자료 **07**

② **위성 항법 장치(GPS)** 인공위성에서 보내는 신호를 수신해 사용자의 현재 위치를 계산하는 시스템 → 최단 경로 검색 등에 활용 └ Global Positioning System의 약자임.

③ **사례** 내비게이션 길 안내, 버스 도착 시간 안내, 재해·재난 관리, 국토 및 환경 관리 등

6 지역 조사

1. 지역 조사

(1) **의미** 지역의 다양한 정보를 수집·분석·종합하여 지역성과 지역 변화를 파악하는 활동

(2) **필요성** 지역 이해, 지역의 변화 파악, 지역 문제 해결 등

2. 지역 조사 과정

조사 계획 수립	조사 주제와 목적을 정한 후, 조사 주제에 적합한 지역 선정 └ 조사 지역의 특성에 맞는 조사 항목 및 방법을 수립해야 함.	
지리 정보 수집	실내 조사	• 문헌, 지도, 통계 자료, 인터넷 등을 통해 지리 정보 수집 • 조사 경로 계획과 설문 자료 제작 등 야외 조사 준비
	야외 조사	• 실내 조사를 통해 얻은 지리 정보 확인 및 보완 • 면담, 사진 촬영 등 현장에서 지리 정보 수집
	└ 답사 윤리를 지켜 지역 공동체와 상호 유익한 관계를 유지해야 함.	
지리 정보 분석	• 수집한 지리 정보 분류 및 분석 • 사용 목적에 따라 그래프, 통계 지도⑬, 표로 표현 자료 **08**	
보고서 작성	조사 목적과 방법, 분석 자료, 결론이 명확하게 드러나도록 작성	

---

⑩ 원격 탐사

관측하고자 하는 대상과의 접촉 없이 먼 거리에서 측정하여 정보를 얻어 내는 기술이다. 인공위성이나 항공기를 이용해 지리 정보를 습득한다.

⑪ 수치 지도

컴퓨터를 이용하여 제작한 디지털 형태의 지도이다. 종이 지도와 달리 사용자가 원하는 주제에 따라 선별적으로 정보를 추출할 수 있고, 다른 정보들을 통합하여 사용할 수 있다는 장점이 있다.

⑫ 주제도

특정한 현상에 관한 정보와 위치 정보를 결합하여 나타낸 지도이다. 기후도, 관광 지도, 통계 지도 등이 있다.

고득점을 위한 셀파 Tip

지역 조사 과정

> 조사 계획 수립
> ↓
> 지리 정보 수집
> ↓
> 지리 정보 분석
> ↓
> 보고서 작성

⑬ 통계 지도

통계 지도는 다양한 지리 정보를 점, 선, 색상, 도형 등을 이용하여 나타낸 지도이다. 자료의 성격에 따라 점묘도, 등치선도, 유선도, 단계 구분도, 도형 표현도 등으로 표현할 수 있다.

자료 06 공간 정보의 표현 방법

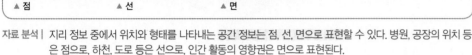

▲ 점   ▲ 선   ▲ 면

자료 분석 | 지리 정보 중에서 위치와 형태를 나타내는 공간 정보는 점, 선, 면으로 표현할 수 있다. 병원, 공장의 위치 등은 점으로, 하천, 도로 등은 선으로, 인간 활동의 영향권은 면으로 표현된다.

교과서 자료 더 보기

| 속성 정보와 관계 정보 |

인구	면적	연평균 기온
990만 명	605km²	12.3℃

▲ 속성 정보

인접성	계층성
❋	♣

▲ 관계 정보

속성 정보는 지역의 자연적·인문적 특성을 나타내는 정보이고, 관계 정보는 다른 장소나 지역과의 상호 작용이나 관계를 나타내는 정보이다.

자료 07 [공통 자료] 지리 정보 시스템의 중첩 분석

원격 탐사 이미지 / 토지 소유 현황 / 수계 / 산림 / 토양 / 종합 분석

자료 분석 | 중첩 분석은 두 개 이상의 레이어를 결합·분석하여 필요에 맞는 정보를 얻어 내는 기법이다. 이를 통해 다양한 자료를 종합하여 최적의 입지를 선정하거나 공간적 현상의 결과를 얻고자 할 때 유용하다. 즉, 공장을 짓거나 공공시설을 조성할 때 지리 정보를 중첩하여 최적의 입지를 선정할 수 있다.

교과서 자료 더 보기

| 지리 정보 시스템 개요도 |

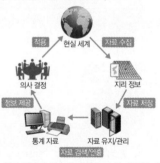

적용 / 현실 세계 / 자료 수집 / 의사 결정 / 지리 정보 / 정보 제공 / 자료 저장 / 통계 자료 / 자료 유지/관리 / 자료 검색/연출

최근 컴퓨터 기술의 발달로 수치 지도를 제작할 수 있게 되어 각종 지리 정보의 입력·저장·분석·가공이 가능해졌다.

자료 08 [공통 자료] 통계 지도

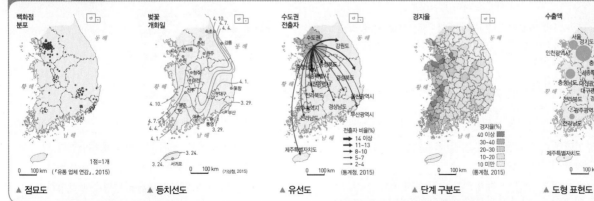

▲ 점묘도   ▲ 등치선도   ▲ 유선도   ▲ 단계 구분도   ▲ 도형 표현도

자료 분석 | 점묘도는 통곗값을 일정한 단위의 점으로 환산하여 지리 현상의 분포를 표현한다. 등치선도는 통곗값이 같은 지점을 선으로 연결하여 표현한다. 유선도는 사람, 물자 등의 이동을 화살표의 방향과 굵기를 통해 표현한다. 단계 구분도는 등급을 나눌 수 있는 자료를 표현하는 데 주로 이용되고, 도형 표현도는 자료의 공간적 차이를 표현하는 데 적합하다.

1 전통적 국토 인식

(①) 사상	• 산줄기의 흐름, 바람과 물의 흐름 등을 파악하여 좋은 터를 찾는 사상 • 양택 풍수: 살아 있는 사람의 주거지를 찾는 풍수 → 배산임수 • 음택 풍수: 죽은 사람의 묏자리를 찾는 풍수

2 고문헌에 나타난 국토 인식 ~ 3 고지도에 나타난 국토 인식

조선 전기	• 국가의 효율적 통치 및 관리를 위해 제작 • 관찬 지리지: 항목별 (②) 기술 예 「세종실록지리지」, 「신증동국여지승람」 등 • 「혼일강리역대국도지도」: 현존하는 우리나라의 가장 오래된 세계 지도, 중화사상 반영
조선 후기	• 실학의 영향 → 국토를 객관적·실용적으로 파악 • 사찬 지리지: 특정 주제를 설명식으로 기술 예 「택리지」, 「도로고」 • (③): 지도표 사용, 목판본 제작, 분첩 절첩식

4 근대 이후 국토 인식의 변화

일제 강점기	일제의 왜곡된 국토 인식 강요 → 부정적·소극적 국토 인식
산업화 시대	국토를 경제적 관점으로 인식 → 국토를 적극적으로 개발·이용 → 지역 간 불균형 성장, 환경 문제
최근	(④) 국토 인식 → 자연과 인간의 조화, 개발과 보존의 조화

5 지리 정보와 지리 정보 시스템(GIS)

지리 정보	공간 정보	장소나 현상의 위치나 형태를 나타내는 정보
	속성 정보	장소나 현상의 인문적·자연적 특성을 나타내는 정보
	관계 정보	다른 장소나 지역과의 상호 작용이나 관계를 나타내는 정보
(⑤)		• 지리 정보를 컴퓨터에 입력·저장하고 사용 목적에 따라 가공·처리·활용하는 종합 정보 시스템 • 중첩 분석 → 최적 입지 선정

6 지역 조사

의미	지역의 다양한 정보를 수집·분석·종합하여 지역성을 파악하는 활동
과정	조사 계획 수립 → 지리 정보 수집(실내 조사, 야외 조사) → 지리 정보 분석 → 보고서 작성

정답 ❶ 풍수지리 ❷ 백과사전식 ❸ 「대동여지도」 ❹ 생태 지향적 ❺ 지리 정보 시스템

탄탄 내신 문제

01 다음 자료와 관련 깊은 전통적 국토 인식에 대한 설명으로 옳지 <u>않은</u> 것은?

① 인간과 자연의 상생을 중시하였다.
② 땅을 어머니에 비유하는 사상이 반영되었다.
③ 땅속의 좋은 기가 집중하는 자리를 명당으로 보았다.
④ 도읍지, 묘지 등의 입지를 선정하는 데 영향을 미쳤다.
⑤ 조선 후기 실학사상의 영향으로 사회 전반에 확대되었다.

★02 다음 그림에 대한 옳은 설명만을 〈보기〉에서 있는 대로 고른 것은?

| 보기 |
ㄱ. 인왕산은 좌청룡, 낙산은 우백호에 해당한다.
ㄴ. 배후 산지가 찬바람을 막아 겨울철이 따뜻하다.
ㄷ. 경복궁 앞을 흐르는 청계천은 명당수에 해당한다.
ㄹ. 경복궁은 풍수지리에서 이야기하는 명당에 자리한다.

① ㄱ, ㄴ   ② ㄴ, ㄷ   ③ ㄱ, ㄴ, ㄹ
④ ㄱ, ㄷ, ㄹ   ⑤ ㄴ, ㄷ, ㄹ

03 다음 표에 제시된 지리지의 공통적 특징으로 옳은 내용을 〈보기〉에서 고른 것은?

제작자	지리지
신경준	『도로고』, 『강계고』, 『산수고』
정약용	『아방강역고』
김정호	『대동지지』
이중환	『택리지』

┤ 보기 ├
ㄱ. 중화사상이 반영되었다.
ㄴ. 국가 주도로 제작되었다.
ㄷ. 실학사상의 영향을 받았다.
ㄹ. 특정 주제를 종합적·체계적으로 고찰하였다.

① ㄱ, ㄴ   ② ㄱ, ㄷ   ③ ㄴ, ㄷ
④ ㄴ, ㄹ   ⑤ ㄷ, ㄹ

⭐**04** (가), (나) 지리서에 대한 설명으로 옳은 것은?

(가) 춘천은 옛 예맥이 천 년 동안이나 도읍했던 터로 소양강을 임했고, 그 바깥에 우두라는 큰 마을이 있다. …(중략)… 산속에는 평야가 널따랗게 펼쳐졌고 두 강이 한복판으로 흘러간다. 토질이 단단하고 기후가 고요하며 강과 산이 맑고 훤하여 땅이 기름져서 여러 대를 사는 사대부가 많다.
(나) [건치 연혁] 본래 맥국인데, 신라의 선덕왕 6년에 우수주로 하여 군주를 두었다.
[속현] 기린현은 부의 동쪽 140리에 있다. 본래 고구려의 기지군이었다.
[풍속] 풍속이 순후하고 아름답다.
[산천] 봉산은 부의 북쪽 1리에 있는 진산이다.

① (가)는 조선 전기에 통치 목적으로 제작되었다.
② (나)는 실학사상의 영향을 받아 제작되었다.
③ (가)는 (나)보다 제작 시기가 이르다.
④ (가)는 (나)보다 개인의 주관적 견해가 많이 담겨 있다.
⑤ (나)는 (가)를 요약하여 편찬하였다.

05 다음은 『택리지』의 일부이다. (가), (나)와 관련된 가거지(可居地)의 조건을 바르게 연결한 것은?

(가) 대체로 바닷가이므로 주민은 고기를 잡고 미역을 따며, 소금 굽는 것을 생업으로 하기 때문에 땅이 비록 메말라도 부유한 자가 많다.
(나) 이 지역은 이름난 호수와 기이한 바위가 많고 높은 곳에 오르면 푸른 바다가 넓고 멀리 아득하게 보이며, 골짜기는 물과 돌이 아늑하여 경치가 나라 안에서 참 제일이다.

	(가)	(나)		(가)	(나)
①	지리	산수	②	지리	인심
③	생리	산수	④	생리	지리
⑤	산수	인심			

06 다음 고지도에 대한 설명으로 옳지 <u>않은</u> 것은?

① 중화사상이 반영되었다.
② 중국, 조선, 일본이 표현되어 있다.
③ 천원지방의 세계관을 토대로 제작되었다.
④ 조선 중기 이후 민간에서 널리 이용되었다.
⑤ 지도의 중심에는 상상의 세계가, 바깥쪽에는 실제 세계가 그려져 있다.

⭐**07** 표는 고지도에 대하여 정리한 것이다. ㉠~㉤에 대한 설명으로 옳지 <u>않은</u> 것은?

구 분	조선 전기	조선 후기
특징	• (㉠)의 영향으로 중국이 지도의 중심에 위치함. • ㉢국가 주도로 제작됨.	• (㉡)의 영향으로 과학적으로 제작됨. • 개인의 관심이 반영되어 제작됨.
주요 지도	㉣「혼일강리역대국도지도」	㉤「동국지도」, 「대동여지도」

① ㉠은 중화사상, ㉡은 실학사상이다.
② ㉢을 통해 통치 목적으로 제작되었음을 알 수 있다.
③ ㉣에는 유럽, 아프리카, 아메리카가 표현되어 있다.
④ ㉣은 현존하는 우리나라 최고(最古)의 세계 지도이다.
⑤ ㉤에는 '백리척'이라는 축척의 개념이 사용되었다.

08 다음 지도의 특징으로 옳은 것은?

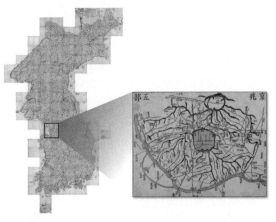

① 하천은 직선, 도로는 곡선으로 표현하였다.
② 수운이 가능한 하천은 굵은 단선으로 표시하였다.
③ 도로에 10리마다 방점을 찍어 실제 거리를 파악할 수 있다.
④ 금속 활자본으로 제작하여 지도의 대량 생산이 가능하였다.
⑤ 산지는 선의 굵기를 달리하여 해발 고도를 정확하게 파악할 수 있다.

09 (가), (나) 지도에 대한 설명으로 옳은 것은?

(가)   (나)

① (가)는 (나)보다 제작 시기가 늦다.
② (나)는 (가)보다 지도 제작자의 세계 인식 범위가 넓다.
③ (나)는 (가)보다 우리나라가 상대적으로 크게 표현되어 있다.
④ (가)는 실학사상, (나)는 중화사상이 반영되었다.
⑤ (가), (나) 모두 지도 제작에 경위도가 반영되었다.

10 다음은 경상남도 남해군 남해도에 관한 지리 정보를 정리한 것이다. ㉠~㉢에 해당하는 지리 정보로 옳은 것은?

> ㉠ 남해도는 동경 127° 53′, 북위 34° 49′에 위치한다. 남북 간의 길이는 약 30km이고, 동서 간의 길이는 약 26km이다. 창선도를 비롯한 크고 작은 13개의 부속 도서와 함께 남해군을 이룬다. ㉡ 북쪽으로 하동군과 대교로 연결되어 인구 이동이 원활하다. 기후는 난류의 영향으로 따뜻한데, ㉢ 연평균 기온은 14.5℃, 연 강수량은 1,839mm이다.

	㉠	㉡	㉢
①	공간 정보	속성 정보	관계 정보
②	공간 정보	관계 정보	속성 정보
③	속성 정보	공간 정보	관계 정보
④	속성 정보	관계 정보	공간 정보
⑤	관계 정보	공간 정보	속성 정보

11 통계 지도와 표현 사례로 적절한 것은?

① 유선도 – 시도별 인구 밀도
② 단계 구분도 – 백화점의 분포
③ 점묘도 – 아파트 거주 인구 비율
④ 등치선도 – 우리나라 국립 공원의 단풍 절정 시기
⑤ 도형 표현도 – 서울과 주변 지역 간의 인구 이동 현황

12 다음 글의 ㉠과 비교한 ㉡의 상대적 특징만을 〈보기〉에서 있는 대로 고른 것은?

> 사람들은 일상생활 속에서 다양한 지리 정보를 활용하고 있다. 과거에는 여행을 할 때 ㉠ 종이 지도로 만들어진 지도책을 보고 목적지까지 이동하였지만 오늘날에는 ㉡ 지리 정보를 수치화된 데이터로 입력하여 전산 처리가 가능하도록 만든 디지털 형태의 지도를 이용하기도 한다.

┤ 보기 ├
ㄱ. 자료의 변환이 자유롭다.
ㄴ. 정보 수집·정리에 드는 비용이 저렴하다.
ㄷ. 지도의 확대와 축소, 이동, 검색 등이 가능하다.
ㄹ. 접근이 어려운 지역의 지리 정보를 수집할 수 있다.

① ㄱ, ㄴ   ② ㄴ, ㄷ   ③ ㄱ, ㄴ, ㄹ
④ ㄱ, ㄷ, ㄹ   ⑤ ㄴ, ㄷ, ㄹ

13 다음 (가)~(다)의 수치 지도를 참고하여 〈조건〉을 만족하는 상점의 최적 입지를 (라)에서 고른 것은?

┌ 조건 ┐
- 땅값 7천만 원 이하
- 도로로부터 1km 이내에 위치
- 일일 평균 유동 인구 1,000명 이상
- 동종 상점이 10개 이상으로 넓은 상권 형성

(가) 땅값의 분포(천만 원)

7	5	3	1	1
7	9	5	5	3
5	9	9	7	5
9	9	9	7	5
9	9	7	5	5

(나) 일일 평균 유동 인구(백 명)

10	7	5	3	3
9	8	6	3	4
11	10	7	5	4
12	12	10	8	8
10	11	9	8	7

(다) 동종 상점의 개수(개)

2	2	2	10	10
5	5	2	12	11
11	10	2	3	4
12	12	3	3	4
10	10	3	4	5

(라) 상점 입지 장소

A				
		B		
C				
	D			
				E

═══ : 도로　*방안 한 칸의 크기는 1km×1km이다.

① A　　　　② B　　　　③ C
④ D　　　　⑤ E

14 다음의 지역 조사 과정을 순서대로 나열한 것은?

(가) 면담 시 질문할 내용을 작성한다.
(나) 조사 지역 및 조사 대상을 결정한다.
(다) 답사 윤리를 지키면서 면담을 진행한다.
(라) 수집한 지리 정보를 표나 그래프, 지도 등으로 변환한다.

① (가)-(나)-(다)-(라)
② (나)-(가)-(다)-(라)
③ (나)-(다)-(가)-(라)
④ (다)-(나)-(가)-(라)
⑤ (라)-(다)-(나)-(가)

15 다음 지도를 보고 물음에 답하시오.

(1) 위 지도의 명칭을 쓰시오.

(2) 위 지도의 특징을 하천과 도로를 중심으로 서술하시오.

16 다음은 지역 조사 과정에 대한 설명이다. 이를 보고 물음에 답하시오.

　지역 조사를 위한 지리 정보는 (㉠)와/과 (㉡)을/를 통해 수집된다. (㉠)에서는 조사 지역과 관련하여 조사 목적에 부합하는 자료를 간접적으로 수집하고, (㉡)에서는 조사 지역을 실제로 방문하여 (㉠)에서 수집한 지리 정보를 확인하고 구체적인 지리 정보를 수집한다.

(1) ㉠에 해당하는 과정을 쓰고, 조사 방법을 두 가지 이상 서술하시오.

(2) ㉡에 해당하는 과정을 쓰고, 이를 실시할 때 유의할 점을 서술하시오.

| 신유형 |

01 다음 글의 (가)에 대한 옳은 설명을 〈보기〉에서 고른 것은?

> [(가)]은/는 ⊙ 땅 밑에 흐르는 생기를 인간이 접함으로써 복을 얻고 화를 면하고자 함을 논하는 것으로 ⓒ 음양오행설과 지모(地母) 사상이 결합하여 우리 환경에 맞게 토착화된 전통적인 국토관이다. 인간과 자연의 상생을 강조하는 [(가)]은/는 환경 생태학적 측면에서 그 중요성이 커지고 있다.

| 보기 |

ㄱ. (가)는 집터와 마을의 입지에 영향을 주었다.
ㄴ. (가)와 같은 국토 인식은 산업화 시대에 활발히 반영되었다.
ㄷ. ⊙이 잘 이루어지는 곳을 명당이라고 한다.
ㄹ. ⓒ은 우리나라 전통 민간 신앙의 일종이다.

① ㄱ, ㄴ   ② ㄱ, ㄷ   ③ ㄴ, ㄷ
④ ㄴ, ㄹ   ⑤ ㄷ, ㄹ

| 평가원 응용 |

02 다음 글은 조선 시대에 제작된 지도에 대한 것이다. (가), (나) 지도에 대한 설명으로 옳지 <u>않은</u> 것은?

> (가) 정상기가 제작하였고, 8장의 지도를 합치면 전국 지도가 되는 분첩 지도로 전체 크기가 약 1.4m×2.7m이다. 100리를 1척으로 하는 백리척(百里尺)을 사용하였다.
> (나) 남북 22단, 동서 19면으로 구성된 분첩 절첩식 지도로 전체 크기가 약 3.8m×6.6m이다. 10리마다 방점을 찍어 거리를 표현하였으며, 필요한 부분만 찍어 낼 수 있는 방식으로 제작되었다.

① (가)는 지도표를 사용하였다
② (나)는 목판으로 제작되었다.
③ (가)는 (나)보다 제작 시기가 이르다.
④ (가)와 (나)는 축척의 개념을 사용하였다.
⑤ (가)는 (나)보다 실제 거리를 더 축소해서 표현하였다.

| 신유형 |

03 자료는 조선 시대 지리지의 일부이다. (가), (나)에 대한 옳은 설명을 〈보기〉에서 고른 것은? (단, (가), (나)에 나타난 지역은 춘천, 충주 중 하나임.)

> (가) 이 고을은 남한강 상류에 위치하여 물길로 왕래하는 데 편리하므로 한양의 사대부가 예부터 이곳에 많이 살았다. …(중략)… 이 고을이 경기와 영남으로 가는 요충에 해당되어 유사시에는 반드시 격전지가 된다.
> (나) [건치 연혁] 이 부(府)는 본래 맥국인데, 신라의 선덕왕 6년에 우수주로 하여 군주를 두었다.
> [속현] 기린현은 부의 동쪽 140리에 있다. 본래 고구려의 기지군이었다.

| 보기 |

ㄱ. (가)는 (나)보다 제작 시기가 이르다.
ㄴ. (가)는 (나)보다 지역에 대한 주관적 해석이 많이 반영되어 있다.
ㄷ. (가)는 강원도에, (나)는 충청도에 위치한 지역을 설명한 것이다.
ㄹ. (가)는 민간 주도로, (나)는 국가 주도로 제작되었다.

① ㄱ, ㄴ   ② ㄱ, ㄷ   ③ ㄴ, ㄷ
④ ㄴ, ㄹ   ⑤ ㄷ, ㄹ

| 수능 응용 |

04 다음은 「대동여지도」의 일부이다. A~E에 대한 옳은 설명을 〈보기〉에서 고른 것은?

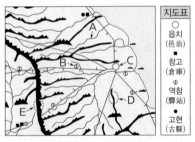

| 보기 |

ㄱ. A는 항해가 가능한 하천이다.
ㄴ. C는 관아가 있는 행정의 중심지이다.
ㄷ. C부터 B까지는 20리 이내의 거리이다.
ㄹ. E는 D보다 규모가 큰 산지이다.

① ㄱ, ㄴ   ② ㄱ, ㄷ   ③ ㄴ, ㄷ
④ ㄴ, ㄹ   ⑤ ㄷ, ㄹ

05 (가) 지도와 비교한 (나) 지도의 상대적 특징을 그림의 A~E에서 고른 것은?

| 신유형 |

(가)

(나)

지도 제작의
국가 주도성

(강함)

C

A   B

(늦음) (약함)   E   표현된

(적음)   (많음) 실제 대륙 수

(이름)   D

제작 시기

① A
② B
③ C
④ D
⑤ E

06 (가), (나)는 같은 지역을 기록한 지리지와 지도이다. 이에 대한 설명으로 옳지 않은 것은?

| 교육청 기출 |

(가)
나주는 노령 아래에 있는 한 도회인데 …(중략)… 물자가 많으며, 땅이 넓어 마을이 별과 같이 깔렸다. 또 서남쪽은 강과 바다를 통해 물자를 실어 들이는 이익이 있어 …(중략)… 서쪽은 칠산 바다이다. 옛날에는 깊었으나 근래에 와서는 모래와 앙금이 쌓여 점점 얕아져서, 썰물이 빠지면 겨우 무릎이 빠질 정도이다.
－「택리지」－

(나)
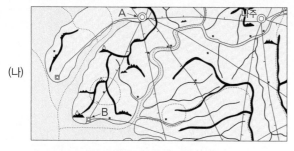

① (가)는 국가 통치 목적으로 제작되었다.
② (가), (나)는 모두 조선 후기에 제작되었다.
③ A에서 나주까지의 거리는 약 60리이다.
④ B의 연안에는 조류의 퇴적 작용으로 갯벌이 발달한다.
⑤ 나주는 육로 및 수로 교통 이용이 편리하다.

07 다음 글의 밑줄 친 ㉠~㉢을 표현하는 데 가장 적절한 통계 지도의 유형으로 옳은 것은?

| 신유형 |

지구 온난화로 인해 ㉠ 벚꽃의 개화 시기가 점차 빨라지고 있다. 또한 우리나라 주변 바다에도 변화가 감지되고 있다. 회유성 ㉡ 어종의 이동 경로가 바뀌고 있는데, 최근 우리나라 근해에서 ㉢ 포획되고 있는 어종의 유형을 분석해 보면 한류성 어종이 현저하게 감소했음을 알 수 있다.

	㉠	㉡	㉢
①	유선도	도형 표현도	등치선도
②	유선도	등치선도	도형 표현도
③	등치선도	유선도	도형 표현도
④	도형 표현도	유선도	등치선도
⑤	도형 표현도	등치선도	유선도

08 A~E 중 B가 주택 구입지로 선정되었을 때, 주택 구입 조건으로 옳은 것만을 〈보기〉에서 있는 대로 고른 것은?

| 수능 응용 |

후보지	방 수	상가 접근성	공원 접근성	가격
A	3	○	×	2.5
B	3	○	×	2.0
C	4	×	×	3.5
D	4	×	○	3.0
E	3	×	○	4.0

*○: 양호, ×: 불량

| 보기 |

ㄱ. 방은 4개 이상일 것
ㄴ. 가격은 3 미만일 것
ㄷ. 상가 또는 공원 접근성이 양호할 것
ㄹ. 조건을 만족하는 후보지 중 역에서 가까울 것

① ㄱ, ㄴ   ② ㄴ, ㄷ   ③ ㄴ, ㄹ
④ ㄱ, ㄷ, ㄹ   ⑤ ㄴ, ㄷ, ㄹ

Ⅱ

지형 환경과
인간 생활

이 단원의 핵심 포인트

중단원	핵심 포인트	학습일
01 한반도의 형성과 산지의 모습	• 한반도의 형성 과정 • 한반도의 산지 지형	월　일　~　월　일
02 하천 지형과 해안 지형	• 우리나라 하천의 특색 • 우리나라의 하천 지형 • 하천 지형과 인간 생활 • 우리나라 해안의 특색과 해안 지형의 형성 • 우리나라의 해안 지형 • 해안 지형과 인간 생활	월　일　~　월　일
03 화산 지형과 카르스트 지형	• 화산 지형의 형성과 인간 생활 • 카르스트 지형의 형성과 인간 생활	월　일　~　월　일

셀파와 내 교과서 단원 비교

셀파	천재교과서	미래엔	비상교육
01 한반도의 형성과 산지의 모습	01 한반도의 형성과 산지의 모습	01 한반도의 형성과 산지의 모습	01 한반도의 형성과 산지 지형
02 하천 지형과 해안 지형	02 하천 지형과 해안 지형	02 하천 지형과 해안 지형	02 하천 지형과 해안 지형
03 화산 지형과 카르스트 지형	03 화산 지형과 카르스트 지형	03 화산 지형과 카르스트 지형	03 화산 지형과 카르스트 지형

01

II. 지형 환경과 인간 생활

한반도의 형성과 산지의 모습

1 한반도의 형성 과정

1. 한반도의 암석 분포

변성암	• 화성암과 퇴적암이 열과 압력 등에 의해 본래의 성질이 변한 암석으로 **편마암**이 대표적 • 시·원생대에 형성된 편마암이 한반도 암석의 약 40% 차지 ┌분포 면적이 가장 넓음.
퇴적암	• 퇴적물이 호수나 바다 밑에 쌓여 형성된 것 ┌호소(호수와 늪)에서 퇴적된 것은 육성층, 바다에서 　퇴적된 것은 해성층으로 분류함. • 고생대에서 신생대에 형성되었으며 한반도 암석의 약 20% 차지
화성암	• 마그마가 지표 위로 분출하여 형성된 화산암, 지하에 관입하여 형성된 심성암으로 분류 • 중생대에 마그마의 관입으로 형성된 화강암이 한반도 암석의 약 30% 이상 차지

┌한반도의 지체 구조는 크게 지괴, 습곡대, 퇴적 분지로 구분됨.　　　　┌지하 깊은 곳에서 마그마가 관입하여 형성된 심성암의
　오랜 기간에 걸쳐 다양한 지형 형성 작용을 받아 지체 구조가 복잡함.　한 종류로, 가공이 쉬운 편이어서 다양한 용도로 이용됨.

2. 한반도의 지체 구조 자료 01

구분	형성 시기	형성 요인	특징
평북·개마 지괴, 경기 지괴, 영남 지괴	시·원생대	오랜 시간 변성 작용을 받아 형성되었으며 한반 도에서 생성 시기가 가장 오래된 안정 지괴❶	변성암(편마암) 분 포
평남 분지, 옥천 습곡대	고생대 초기	바닷물의 침입으로 바다 기원 물질이 퇴적되어 형성된 지층(해성층) → 조선 누층군	석회암 매장
	고생대 말기~ 중생대 초기	해안 습지에 식물 등이 퇴적되어 형성, 대부분 육성층 → 평안 누층군	무연탄 매장
경상 분지	중생대 중기~ 말기	거대한 호수였던 곳에 오랜 시간 퇴적물이 쌓여 형성된 두꺼운 육성층 → 경상 누층군	공룡의 발자국, 뼈 등의 화석 발견
두만 지괴, 길주·명천 지괴	신생대 제3기	한반도 일부가 바다에 잠겨 형성된 퇴적층	갈탄 매장

┌고생대 지층의 낮은 부분에 바닷물이 들어오거나 호수가 형성되면서 퇴적 작용이 일어나 형성된 것으로 하부층인 조선 누층군, 상부층인 평안 누층
　군으로 구성됨.

3. 한반도의 지각 변동 자료 02

구분	원인	시기	특징
중생대의 지각 변동	송림 변동	중생대 초기	• 한반도 북부 지방에 영향 ┌함경·강남·적유령·묘향·언진·멸악 　　　　　　　　　　　　　　산맥 형성 • 랴오둥 방향(동북동-서남서)의 지질 구조선❷ 형성 • 평남 분지와 옥천 습곡대의 육지화
	대보 조산 운동	중생대 중기	• 한반도 중·남부 지방에 영향 ┌소백·노령·차령·광주산맥 형성 • 중국 방향(동북동-남서서)의 지질 구조선 형성 • 가장 격렬한 지각 변동, 한반도 전체에 많은 양의 마그마 　관입 → **대보 화강암** 형성
	불국사 변동	중생대 말기	경상 분지를 중심으로 소규모로 마그마 관입 → **불국사 화** **강암** 형성 ┌태평양판이 유라시아판과 부딪히면서 일본 열도에 　　　　　　가까이 있던 동해 지각이 영향을 받음.
신생대의 지각 변동	경동성 요곡 운동❸	신생대 제3기	• 동해 지각 확장으로 한반도에 강한 횡압력 작용 • 동해안에 치우친 비대칭 융기 → **경동 지형** 형성 ┌낭림·함경·태백
	화산 활동	신생대 제3기 말~제4기 초	• 화산 활동으로 화산, 용암 대지 등 **화산 지형** 형성 ┌산맥 등 높은 　　　　　　　　　　　　　　　　　　　　　산지 형성 • 백두산, 신계·곡산, 철원·평강, 제주도, 울릉도, 독도 등

4. 기후 변화와 지형 발달
신생대 제4기에 기후 변화에 따른 빙하 범위와 해수면 변동❹ → 다양한 지형 형성에 영향 자료 03

---

❶ 지괴

형성 시기와 특징이 유사하여 다른 지역과 구분이 가능한 지각의 한 덩어리로, 육괴라고도 한다.

❷ 지질 구조선(구조선)

지각 운동 때문에 형성되는 것으로 지각에 벌어진 틈이 길게 연결되어 발달한다. 소규모의 절리에서 대규모의 단층선에 이르기까지 다양하다.

❸ 경동성 요곡 운동

한쪽은 높고 급한 면을 이루고, 다른 한쪽은 낮고 완만한 면을 이루는 산지 지형을 형성하는 지각 운동을 말한다. 경동성 요곡 운동의 결과 우리나라는 산지가 동쪽으로 치우친 비대칭 지형, 즉 경동 지형이 형성되었다.

고득점을 위한 셀파 Tip

중생대와 신생대의 지각 변동

중생대 지각 변동	• 송림 변동(초기) • 대보 조산 운동(중기) • 불국사 변동(말기)
신생대 지각 변동	• 경동성 요곡 운동(제3기 중엽) • 화산 활동(제3기 말~제4기 초)

❹ 빙기와 현재의 해안선

┌─── 현재는 바다이나 최종
　　　빙기에는 육지
☐ 현재의 육지
➤ 최종 빙기 때의 옛 하천
　　　　　　　(지질학, 2011)

자료 01 공통 자료 한반도의 지체 구조

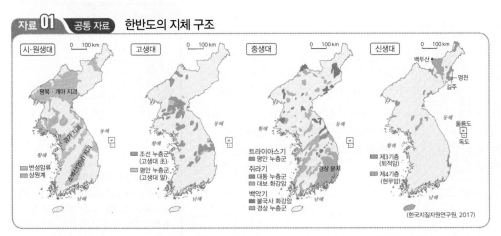

| 시·원생대 | 고생대 | 중생대 | 신생대 |

(한국지질자원연구원, 2017)

자료 분석 | 시·원생대에 형성된 안정 지괴 사이에 고생대의 퇴적 작용이 일어나면서 평남 분지와 옥천 습곡대가 만들어졌다. 중생대에는 전국적으로 화강암이 관입되었고, 경상도를 중심으로 두꺼운 퇴적층인 경상 분지가 만들어졌다. 신생대에는 두만 지괴, 길주·명천 지괴 등이 형성되었으며, 백두산, 울릉도, 독도, 제주도 등에서 마그마가 분출하여 화산과 용암 대지가 형성되었다.

자료 02 한반도의 지질 계통과 지각 변동

	5억 7,000만 년 전							2억 4,500만 년 전			6,500만 년 전	
지질 시대	선캄브리아대		고생대						중생대		신생대	
	시생대	원생대	캄브리아기	오르도비스기	실루리아기	데본기	석탄기	페름기	트라이아스기	쥐라기	백악기	제3기	제4기
지층	변성암 복합체		조선 누층군			결층	평안 누층군			대동 누층군	경상 누층군	제3계	제4계
주요 지각 변동	변성 작용		조륙 운동						송림 변동	대보 조산 운동	불국사 변동	경동성 요곡 운동	화산 활동
지체 구조	평북·개마 지괴, 경기 지괴, 영남 지괴		평남 분지, 옥천 습곡대						경상 분지			두만 지괴, 길주·명천 지괴	
지하 자원	금, 은, 철, 텅스텐 등		무연탄, 석회석						무연탄			갈탄	

자료 분석 | 한반도는 고생대까지 큰 지각 변동 없이 안정된 상태를 유지하고 있었으며, 고생대에 진행된 조륙 운동 과정에서 다양한 퇴적층이 형성되었다. 오늘날과 같은 한반도 지체 구조의 골격은 중생대와 신생대의 지각 변동을 거치는 과정에서 만들어졌다. 특히, 중생대의 대보 조산 운동, 불국사 변동을 거치면서 화강암이 관입되었고, 신생대 제3기에 경동성 요곡 운동으로 비대칭 지형이 형성되었으며, 신생대 제3기 말~제4기 초에는 화산 활동이 일어났다.

자료 03 기후 변화에 따른 지형 형성

▲ 기후 변동에 따른 지형 형성

구분	빙기	후빙기
기후 변화	한랭 건조	온난 습윤
해수면 변동	하강	상승
하천 상류	퇴적 작용 활발	침식 작용 활발
하천 하류	침식 작용 활발	퇴적 작용 활발
풍화 작용	물리적 풍화 작용 우세	화학적 풍화 작용 우세
식생 변화	냉대림 확대	난대림 확대

▲ 빙기와 후빙기의 지형 형성 작용

자료 분석 | 빙기에는 기후가 한랭하여 하천 상류에서는 주변 산지의 식생이 빈약하였으며 운반 물질의 양에 비해 하천 유량이 감소하였고, 하천 하류에서는 해수면 하강으로 침식 기준면이 낮아졌다. 후빙기에는 상대적으로 기후가 온난해져 하천 상류에서는 식생이 번성하였으며 운반 물질의 양에 비해 하천 유량이 증가하였고, 하천 하류에서는 해수면 상승으로 침식 기준면이 높아졌다.

교과서 자료 더 보기 +

| 한반도의 지질 시대별 암석 구성 |

(단위: %)

신생대 1.5
중생대 30.0
화성암 34.8
퇴적암 22.6
중생대 12.7
고생대 8.4
원생대 2.2
변성암 42.6
시생대 40.4
신생대 4.8

암석은 형성 원인에 따라 크게 퇴적암, 화성암, 변성암 등으로 구분된다. 한반도에 분포하는 암석은 시·원생대에 형성된 변성암이 가장 많고, 그다음은 중생대에 관입된 화강암과 고생대에서 신생대에 형성된 퇴적암 순으로 많다.

교과서 탐구 풀이 ✎

Q 경동성 요곡 운동의 영향으로 형성된 지형을 조사해 보자.

A 고위 평탄면, 감입 곡류 하천, 하안 단구, 해안 단구 등의 지형이 발달하였다.

교과서 자료 더 보기 +

| 기후 변화에 따른 지형 형성 |

해수면(m)
0
-50
-100
빙하 최성기
현재   5만   10만   (년 전)

최종 빙기에는 지구의 평균 기온이 지금보다 낮고, 해수면이 약 100m 정도 낮아서 황해와 남해는 육지로 이어져 있었다. 최종 빙기가 끝나고 해수면이 상승하였고, 약 6,000여 년 전에 현재의 해수면에 도달하였다.

2 한반도의 산지 지형

1. 한반도 산지의 형성[5] 자료 04
└지각 운동의 직접적인 영향을 받아 형성됨.

1차 산맥	구분	2차 산맥
신생대 제3기 이후 경동성 요곡 운동의 영향으로 형성	형성	중생대 지각 운동으로 형성된 지질 구조선을 따라 차별적인 풍화와 침식 작용을 받아 형성
• 해발 고도가 높고, 산줄기의 연속성이 뚜렷 → 한반도의 골격 형성 • 랴오둥 방향(동북동–서남서)의 함경산맥, 중국 방향(북동–남서)의 소백산맥, 한국 방향(북북서–남남동)의 낭림·태백·마천령산맥	특징	• 해발 고도가 낮고, 산줄기의 연속성이 미약함. • 1차 산맥에서 뻗어 나간 남서 방향의 산맥 → 강남산맥, 묘향산맥, 멸악산맥, 차령산맥 등

2. 한반도 산지의 특징

(1) **구릉성 산지[6]** 국토 면적의 70%가 산지이지만 오랫동안 침식을 받아 해발 고도 200~500m의 구릉성 산지가 국토 면적의 40% 이상을 차지

(2) **경동 지형** 신생대 제3기 경동성 요곡 운동의 영향 자료 05
① 높은 산지는 한반도의 북동쪽에 분포, 낮은 산지나 평야는 남서쪽에 분포
② 태백산맥, 함경산맥 등 높은 산지가 동쪽에 치우친 비대칭적 지형 형성 → 동쪽 사면은 급경사, 서쪽 사면은 완경사임.
③ 동해보다 황해로 흐르는 하천의 유로가 길고 하상의 경사가 완만함.

(3) **고위 평탄면[7]** 자료 06

형성	오랜 기간 침식을 받아 낮고 평탄해진 땅이 신생대 제3기 경동성 요곡 운동 과정에서 습곡의 영향을 덜 받은 채 융기하여 형성됨.
분포	대관령 일대, 진안고원, 인제군 매봉산 부근, 삼척시 육백산 부근
특징	해발 고도가 높아 평지에 비해 연평균 기온이 낮고 연 강수량이 많음.
이용	• 여름철 서늘한 기후를 이용해 감자, 배추 등을 재배하는 고랭지 농업[8] 활발 • 목초 재배에 유리해 목축업과 낙농업 발달 • 풍속이 빨라 풍력 발전소 건설에 유리

왜? 여름철 기후가 서늘하고 병충해가 적어 채소 재배에 유리하고, 영동 고속 국도의 개통으로 접근성이 좋아지면서 고랭지 농업이 활발해짐.

(4) **흙산과 돌산**

왜? 수분 증발량이 적고 겨울철에 눈이 많이 내려 강수량이 적은 봄철에도 토양이 수분을 유지하고 있기 때문

구분	기반암	특징	대표적 산지
흙산	시·원생대에 형성된 편마암	오랜 기간 풍화되어 두꺼운 토양층으로 덮인 산지 → 식생 발달에 유리	오대산, 태백산, 지리산, 덕유산 등
돌산	중생대에 관입한 화강암	오랫동안 침식 작용을 받아 암석이 지표 위로 드러난 산지 → 기암괴석, 수려한 경관	북한산, 설악산, 금강산, 월출산 등

3. 산지 지형과 인간 생활

(1) **산지 지형의 이용**
① 임산물 채취, 고랭지 농업, 광물 자원 채굴 등 1차 산업 발달
② 스키장 및 휴양 레저 시설 건설 → 관광 산업 발달

(2) **인간 활동에 의한 변화**
① 현황 무분별한 산지 개발 → 삼림 훼손, 토양 침식, 동물 서식지 파괴, 생태계 불균형 등
② 대책 환경 영향 평가[9] 실행, 자연 휴식년제 확대, 생태 통로 건설 등

생태계 복원을 위해 일정 기간 ┘
등산객의 출입을 금지하는 제도

└도로나 댐 등의 건설로 야생 동물의 서식지가 단절되는 것을 막기 위해 야생 동물이 지나갈 수 있도록 인공적으로 만든 길

고득점을 위한 셀파 Tip

산지 지형의 형성과 특징

산지의 형성	• 1차 산맥 • 2차 산맥
산지의 특징	• 구릉성 산지 • 경동 지형 • 고위 평탄면 • 흙산과 돌산

[5] 우리나라의 산맥 분포
지형학적 산지 체계로 지질 구조선이 산맥의 방향을 결정하는 데 큰 영향을 주었고, 지형 형성 작용, 지하자원의 분포 파악이 용이하다.

0   100 km

—— 랴오둥 방향
—— 중국 방향
—— 한국 방향
〰〰 지구대·구조곡

[6] 구릉성 산지
해발 고도가 낮고 경사가 완만한 저산성 산지로, 우리나라 남서부 평야 지역이나 경상 분지 내 퇴적암 지역에 넓게 분포한다.

[7] 고위 평탄면
해발 고도가 높은 곳에 나타나는 기복이 작고 경사가 완만한 고원 지형이다.

[8] 고랭지 농업
해발 고도가 높은 산지 지역에서는 여름철에도 서늘한 기후가 나타난다. 이러한 기후 조건을 바탕으로 배추, 무 등 고랭지 채소를 재배하는 농업을 고랭지 농업이라고 한다.

[9] 환경 영향 평가
대규모 개발 사업 계획을 수립할 때, 개발이 환경에 미칠 영향을 사전에 예측, 평가, 검토하여 환경 오염을 예방하는 제도이다.

자료 04 공통 자료 산지의 형성 과정

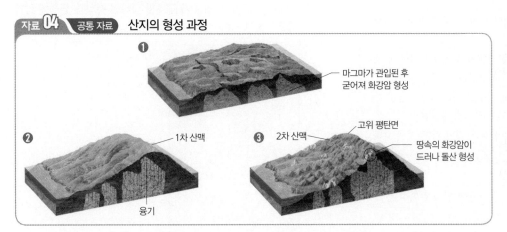

자료 분석 | 중생대의 대규모 지각 변동으로 지질 구조선이 형성되었고, 지질 구조선을 따라 지하 깊숙이 마그마가 관입하였다. 중생대 지각 변동 이후 오랜 기간 침식 작용을 받아 한반도가 평탄해졌고, 신생대 제3기 경동성 요곡 운동으로 동해안에 치우친 1차 산맥의 골격이 형성되었다. 이후 지질 구조선을 따라 황해 쪽으로 하곡이 발달하기 시작하였으며, 하곡을 따라 차별 침식이 일어나 하곡 주변의 산지는 2차 산맥을 이루었다. 지속적인 침식으로 지하의 화강암이 지표로 드러나 돌산을 이루었다.

교과서 자료 더 보기

| 흙산과 돌산 |

흙산(지리산)

돌산(도봉산)

우리나라에 발달한 산지들은 토양층이 발달한 흙산, 암석이 지표 위로 드러나 기암괴석이 나타나는 돌산으로 구분할 수 있다.

자료 05 경동 지형의 형성

자료 분석 | 신생대 제3기 이후 지각 운동에 의해 발생한 횡압력의 영향으로 한반도가 비대칭적으로 융기하였다. 이때문에 태백 산지와 함경 산지를 중심으로 동쪽 사면은 급하고 서쪽 사면은 완만한 경동성 지형을 이루게 되었으며, 이러한 경동 지형은 중부 지방에 잘 나타난다.

교과서 탐구 풀이

Q 경동성 요곡 운동으로 형성된 지형을 조사해 보자.

A 융기의 증거 지형으로는 고위 평탄면, 감입 곡류 하천, 하안 단구 등이 있다.

자료 06 고위 평탄면

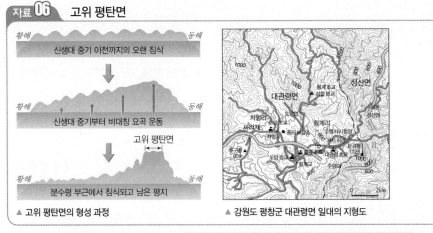

▲ 고위 평탄면의 형성 과정   ▲ 강원도 평창군 대관령면 일대의 지형도

자료 분석 | 고위 평탄면은 융기하기 이전의 한반도가 평탄했음을 알려주는 대표적인 화석(化石) 지형이다. 고위 평탄면은 신생대 제3기 한반도가 융기하기 이전에 오랫동안 침식을 받아 평탄해진 지형이 큰 습곡 작용 없이 융기하여 형성된 지형이다. 오늘날 목장, 농경지 등으로 개발되면서 비가 많이 내리는 여름철에 토양 유실 문제가 발생하고 있으며, 농사를 짓기 위해 유실된 토양을 보충하는 객토 작업을 하기도 한다.

교과서 탐구 풀이

Q 고위 평탄면의 지형적 특징을 말해 보고, 이곳에서 고랭지 농업이 이루어지는 이유를 설명해 보자.

A 고위 평탄면은 해발 고도가 높은 곳에 위치해 있으면서 지형의 기복이 적은 지형이다. 해발 고도가 높기 때문에 저지대에 비해 여름철이 서늘하며 이를 이용해 배추, 무 등을 재배하는 고랭지 농업이 많이 행해지고 있다.

개념 완성

1 한반도의 형성 과정

한반도의 암석 분포	(❶　　　)	시·원생대에 형성, 분포 면적이 가장 넓음.
	퇴적암	대부분 고생대와 중생대에 형성, 신생대에 형성된 퇴적암은 적음.
	화성암	중생대에 형성된 화강암과 신생대 화산 활동으로 형성된 화산암
한반도의 지체 구조	시·원생대	평북·개마 지괴, 경기 지괴, 영남 지괴
	고생대	평남 분지, 옥천 습곡대 → (❷　　　), 무연탄 분포
	중생대	(❸　　　) → 공룡 발자국 화석 분포
	신생대	두만 지괴, 길주·명천 지괴 → 갈탄 분포
한반도의 지각 운동	중생대	• 송림 변동: 평남 분지, 옥천 습곡대 육지화 • 대보 조산 운동: 대보 화강암 관입 • 불국사 변동: 불국사 화강암 형성
	신생대	• 경동성 요곡 운동: 신생대 제3기, 경동 지형 형성 • 화산 활동: 신생대 제3기 말~제4기 초, 용암 대지 등 화산 지형 형성
기후 변화와 지형 발달	빙기	한랭 건조, 평균 해수면 하강, 물리적 풍화 작용 활발
	후빙기	온난 습윤, 평균 해수면 상승, 화학적 풍화 작용 활발

2 한반도의 산지 지형

산지의 형성	• 1차 산맥: (❹　　　　　)으로 융기한 산지 • 2차 산맥: 중생대 지각 운동 이후 차별 침식으로 형성된 산지	
산지의 특징	• 구릉성 산지: 오랜 풍화와 침식으로 해발 고도 낮음. • (❺　　　): 동고서저의 비대칭적 지형 형성 • 고위 평탄면: 해발 고도가 높은 곳에 나타나는 경사가 완만한 지형, 여름철 기온이 서늘하여 (❻　　　) 및 목축업 발달	
흙산과 돌산	흙산	돌산
	시·원생대에 형성된 편마암이 오랫동안 풍화 작용을 받아 형성	중생대에 관입한 화강암이 오랫동안 풍화와 침식을 받아 지표 위로 노출
산지의 이용	• 임산물 채취, 고랭지 농업, 목축업, 관광 산업 발달 • 무분별한 산지 개발로 인한 산지 변화를 막기 위해 환경 영향 평가, 자연 휴식년제 등 도입	

정답 ❶ 변성암 ❷ 석회암 ❸ 경상 분지 ❹ 경동성 요곡 운동 ❺ 경동 지형 ❻ 고랭지 농업

[01~02] 지도는 우리나라의 지체 구조를 나타낸 것이다. 물음에 답하시오.

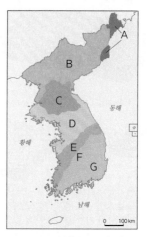

01 다음과 같은 특징이 나타나는 지체 구조를 지도의 A~G에서 고른 것은?

> • 지반이 견고한 편이며, 형성 시기가 가장 오래 되었음.
> • 대표적인 암석은 편마암 및 편암 등과 같은 변성암임.

① A, C, E
② B, D, F
③ B, D, G
④ C, E, G
⑤ E, F, G

★02 다음 (가), (나)와 관련 있는 지체 구조를 지도의 A~G에서 고른 것은?

> (가) 고생대에 형성되었으며, 석회암과 무연탄이 비교적 풍부하게 매장되어 있음.
> (나) 습지 또는 호수에서 쌓인 육성층으로 현재 공룡의 발자국 화석이 대량으로 발견됨.

	(가)	(나)		(가)	(나)
①	C, D	E	②	C, E	G
③	D, E	G	④	E, F	G
⑤	F	D, E			

03 표는 지질 시대별 한반도 지체 구조의 특징을 정리한 것이다. 이에 대한 설명으로 옳지 <u>않은</u> 것은?

지질 시대	특징
시·원생대	• 안정 지괴 • ㉠ 편마암, 편암
고생대	• ㉡ 조선 누층군 • ㉢ 평안 누층군
중생대	• ㉣ 화강암 관입 • 경상 분지
신생대	• ㉤ 갈탄 매장 • ㉥ 화산 활동

① ㉠은 높은 열과 압력을 받아 성질이 변한 암석이다.

② ㉡은 ㉢보다 형성 시기가 이르다.

③ ㉣은 주로 북부 지방을 중심으로 이루어졌다.

④ ㉤은 신생대 제3기층에 주로 매장되어 있다.

⑤ ㉥의 흔적은 제주도, 울릉도 등지에서 발견된다.

04 중생대에 형성된 (가), (나) 암석에 대한 설명으로 옳은 것은?

① (가)에는 지층이 수평으로 분포한다.

② (나)는 주로 중생대 초기에 형성되었다.

③ (나)의 일부 지역에는 공룡 발자국 화석이 발견된다.

④ (가)는 퇴적암, (나)는 화성암이다.

⑤ (가)는 호수 밑에서, (나)는 지하에서 형성되었다.

05 중생대 지각 운동에 대한 설명으로 옳지 <u>않은</u> 것은?

① 대보 조산 운동은 중생대 지각 변동 중 가장 격렬하였다.

② 대보 조산 운동으로 북동–남서 방향의 구조선이 형성되었다.

③ 불국사 변동으로 영남 지방을 중심으로 마그마가 관입되었다.

④ 송림 변동으로 동북동–서남서 방향의 지질 구조선이 형성되었다.

⑤ 지각 운동은 대보 조산 운동 → 송림 변동 → 불국사 변동 순으로 이루어졌다.

★06 지도는 빙기와 후빙기의 해안선을 나타낸 것이다. (가) 시기와 비교한 (나) 시기의 상대적 특징을 〈보기〉에서 고른 것은?

—— (가) 시기의 해안선
----- (나) 시기의 해안선
→ (나) 시기의 하천

┤ 보기 ├
ㄱ. 연평균 기온이 낮다.
ㄴ. 화학적 풍화 작용이 활발하다.
ㄷ. 육지의 평균 해발 고도가 높다.
ㄹ. 육지에서 빙하로 덮인 면적이 좁다.

① ㄱ, ㄴ　　② ㄱ, ㄷ　　③ ㄴ, ㄷ

④ ㄴ, ㄹ　　⑤ ㄷ, ㄹ

07 그래프는 최후 빙기 해수면 변동을 나타낸 것이다. (가) 시기에 대한 옳은 설명만을 〈보기〉에서 있는 대로 고른 것은?

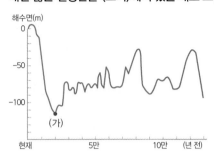

┤ 보기 ├
ㄱ. 육지 면적이 확대되었을 것이다.
ㄴ. 침식 기준면이 하강하였을 것이다.
ㄷ. 산지의 식생 밀도가 낮아졌을 것이다.
ㄹ. 하천 상류에서 침식 작용이 활발해졌을 것이다.

① ㄱ, ㄴ　　　② ㄴ, ㄷ　　　③ ㄱ, ㄴ, ㄷ
④ ㄱ, ㄷ, ㄹ　　⑤ ㄴ, ㄷ, ㄹ

09 자료에 나타난 지각 운동에 대한 옳은 설명만을 〈보기〉에서 있는 대로 고른 것은?

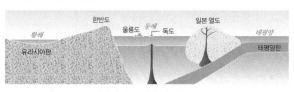

┤ 보기 ├
ㄱ. 신생대 제4기에 일어났다.
ㄴ. 동고서저의 경동 지형이 형성되었다.
ㄷ. 1차 산맥의 형성에 직접적인 영향을 미쳤다.
ㄹ. 지질 구조선을 따라 마그마가 관입하여 화강암이 형성되었다.

① ㄱ, ㄴ　　　② ㄴ, ㄷ　　　③ ㄱ, ㄴ, ㄷ
④ ㄱ, ㄷ, ㄹ　　⑤ ㄴ, ㄷ, ㄹ

08 자료는 우리나라 산지의 동서 단면을 나타낸 것이다. 이에 해당하는 부분을 지도의 A~E에서 고른 것은?

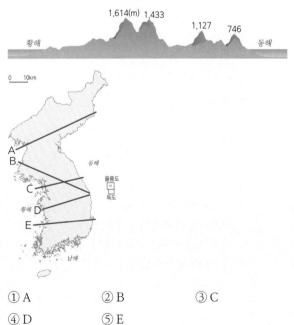

① A　　　② B　　　③ C
④ D　　　⑤ E

10 (가) 지형에 대한 설명으로 옳은 것은?

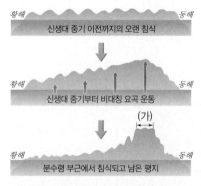

① 기온 역전 현상이 자주 발생한다.
② 연 강수량이 적어 가뭄 피해가 자주 발생한다.
③ 서로 다른 기반암의 차별 침식으로 형성되었다.
④ 지형이 평탄하여 벼농사 중심의 농업이 이루어진다.
⑤ 여름철 서늘한 기후를 이용하여 고랭지 농업이 이루어진다.

11 사진은 우리나라의 대표적인 산지이다. (가) 산지와 비교한 (나) 산지의 상대적 특징을 그림의 A~E에서 고른 것은?

(가) 　　　　(나)

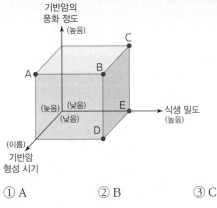

① A　　　　② B　　　　③ C
④ D　　　　⑤ E

12 다음 글의 ⑦~㉣에 대한 옳은 설명만을 〈보기〉에서 있는 대로 고른 것은?

> 　단위 면적당 가장 많은 사람이 찾아 세계 기네스 기록에 등재된 ⑦ 북한산 국립 공원은 주말이면 어김없이 산을 찾는 등산객들로 북적인다. 북한산은 최고봉인 백운대와 함께 ⓛ 인수봉, 만경대가 서로 삼각형 모양으로 마주하고 있어 본래의 명칭은 삼각산이다. 오랜 세월 동안 등산객들의 발길이 ⓒ 등산로를 깊게 파헤쳐 등산로 주변은 나무들의 뿌리가 앙상하게 노출되어 있어 ㉣ 시급한 대책이 필요하다.

┤ 보기 ├
ㄱ. ⑦은 흙산으로 토양층이 두껍고 식생이 풍부하다.
ㄴ. ⓛ은 중생대에 관입된 화강암으로 이루어졌다.
ㄷ. ⓒ은 토양 유실의 원인이 된다.
ㄹ. ㉣에는 자연 휴식년제 등이 있다.

① ㄱ, ㄴ　　　　② ㄴ, ㄷ　　　　③ ㄱ, ㄴ, ㄷ
④ ㄱ, ㄷ, ㄹ　　　　⑤ ㄴ, ㄷ, ㄹ

13 표는 한반도의 지질 시대별 주요 지각 운동을 나타낸 것이다. 물음에 답하시오.

지질 시대	고생대			중생대		
	캄브리아기	… 석탄기 – 페름기	트라이아스기	쥐라기	백악기
지질 계통	(가)	결층	(나)	대동 누층군	경상 누층군
주요 지각 변동	↑ 조륙 운동		↑ 송림 변동	↑ A	↑ B

(1) (가), (나) 지질 계통에 분포하는 대표적인 자원을 쓰시오.

(2) A, B 지각 운동의 명칭을 쓰고, 지각 운동 과정에서 나타나는 공통점을 서술하시오.

14 다음 지도를 보고 물음에 답하시오.

(1) (가) 지형의 명칭을 쓰시오.

(2) (가) 지형의 계절별 토지 이용의 특성을 사례를 들어 서술하시오.

| 신유형 |

01 (가), (나)는 우리나라의 지질 시대별 지층과 암석의 대략적인 분포를 나타낸 것이다. 이에 대한 설명으로 옳은 것은? (단, (가), (나)는 지질 시대임.)

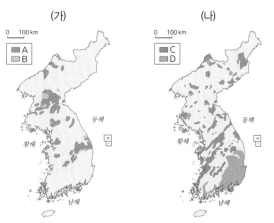

① 2차 산맥의 방향은 주로 (나) 시기에 결정되었다.
② (가) 시기는 (나) 시기보다 지각 운동이 활발하였다.
③ A는 B보다 형성 시기가 늦다.
④ A, B는 바다 밑에서, D는 육지의 호소 밑에서 형성되었다.
⑤ A, C는 화성암, B, D는 퇴적암이다.

| 평가원 기출 |

02 다음 자료의 (가)~(마)에 대한 설명으로 옳지 않은 것은?

지질 시대	시생대	원생대	고생대			중생대			신생대	
			캄브리아기	…	석탄기-페름기	트라이아스기	쥐라기	백악기	제3기	제4기
지질 계통	(가)		(나)	결층	(다)		대동누층군	(라)	제3계	제4계
주요 지각 변동	변성 작용		조륙 운동				송림 변동	대보 조산 운동	불국사 변동	(마)	화산 활동

① (가)-지리산, 덕유산 등의 기반암을 이루고 있다.
② (나)-바다에서 형성된 지층으로 주로 평남 분지와 옥천 습곡대에 분포한다.
③ (다)-습지였던 지층에 무연탄이 매장되어 있다.
④ (라)-수평 퇴적암층으로 경상 분지에 분포한다.
⑤ (마)-중국(북동-남서) 방향의 지질 구조선이 형성되었다.

| 신유형 |

03 자료는 (가), (나) 시기의 해안선과 시기별 해수면 변동을 나타낸 것이다. 이에 대한 옳은 설명을 〈보기〉에서 고른 것은?

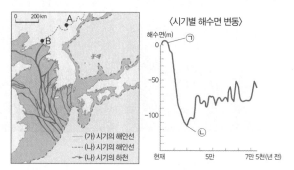

| 보기 |
ㄱ. (가)는 ㉠ 시기, (나)는 ㉡ 시기에 해당한다.
ㄴ. A는 (나) 시기보다 (가) 시기에 해발 고도가 높았다.
ㄷ. B에서 ㉠ 시기는 ㉡ 시기보다 식생 밀도가 높았다.
ㄹ. ㉠ 시기에 A에서는 퇴적 작용, B에서는 침식 작용이 활발하였다.

① ㄱ, ㄴ ② ㄱ, ㄷ ③ ㄴ, ㄷ
④ ㄴ, ㄹ ⑤ ㄷ, ㄹ

| 평가원 응용 |

04 (가) 시기에 대한 (나) 시기 자연환경의 상대적 특성으로 옳은 것만을 〈보기〉에서 있는 대로 고른 것은?

(가) 약 1만 8천 년 전, 바다가 물러나면서 황해는 육지가 되어 완전히 사라졌으며, 한반도와 제주도는 육지로 연결되었다.
(나) 약 6천 년 전, 해수면이 현재와 유사한 높이까지 상승하여 하천 하류부의 골짜기가 바닷물에 침수되면서 리아스 해안이 형성되었다.

| 보기 |
ㄱ. 연평균 기온이 높다.
ㄴ. 한라산의 해발 고도가 높다.
ㄷ. 바다로 유입되는 하천의 길이가 짧다.
ㄹ. 물리적 풍화보다 화학적 풍화가 활발하다.

① ㄱ, ㄴ ② ㄱ, ㄹ ③ ㄴ, ㄷ
④ ㄱ, ㄷ, ㄹ ⑤ ㄴ, ㄷ, ㄹ

딱풀 p. 9

05 다음 글의 ㉠~㉤에 대한 설명으로 옳은 것은?

> 한반도는 중생대에 여러 차례 지각 운동을 겪었다. 중생대 초기 송림 변동에 이어 중생대 중엽에는 가장 격렬했던 ㉠ 대보 조산 운동이 일어나 구조선이 만들어졌다. 이 과정에서 마그마의 관입이 일어나 한반도의 ㉡ 화강암 분포에 영향을 주었다. ㉢ 관입된 암석과 주변 암석 간의 차별 침식은 특징적인 지형을 만들기도 했다. 중생대 후기에는 ㉣ 불국사 변동으로 ㉤ 경상 분지 곳곳에 마그마가 관입되었다.

① ㉠의 영향으로 남북 방향의 1차 산맥이 형성되었다.
② ㉡이 산 정상부를 이루는 경우 주로 흙산으로 나타난다.
③ ㉢의 결과로 침식 분지가 형성되었다.
④ ㉣은 동고서저 지형 형성의 주요 원인이다.
⑤ ㉤에는 갈탄이 광범위하게 매장되어 있다.

06 지도는 우리나라의 산맥도를 나타낸 것이다. 이에 대한 설명으로 옳지 않은 것은?

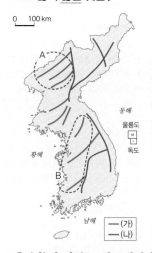

① (가)의 일부는 백두대간을 구성한다.
② (가)는 (나)보다 평균 해발 고도가 높다.
③ 중생대 후기 불국사 변동은 A의 방향 결정에 영향을 미쳤다.
④ 지질 구조선은 A가 B보다 먼저 결정되었다.
⑤ A, B 모두 차별 침식의 결과로 형성되었다.

07 다음 지도의 (가)~(라)에 대한 옳은 설명만을 〈보기〉에서 있는 대로 고른 것은?

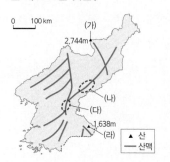

| 보기 |
ㄱ. (가)는 우리나라 최고봉으로 기반암이 화강암이다.
ㄴ. (나)는 고도가 높고 연속성이 강한 1차 산맥이다.
ㄷ. (다)는 신생대 지각 운동으로 형성된 한국 방향의 산맥이다.
ㄹ. (라)는 장기간의 침식으로 기반암이 노출되면서 형성된 돌산이다.

① ㄱ, ㄴ   ② ㄱ, ㄹ   ③ ㄴ, ㄷ
④ ㄱ, ㄷ, ㄹ   ⑤ ㄴ, ㄷ, ㄹ

08 (가), (나) 산지에 대한 옳은 설명을 〈보기〉에서 고른 것은? (단, (가), (나)는 돌산, 흙산 중 하나임.)

| 보기 |
ㄱ. (가)는 (나)보다 암석이 차지하는 비율이 높다.
ㄴ. (가)는 (나)보다 주요 기반암의 형성 시기가 이르다.
ㄷ. (나)는 (가)보다 정상부의 식생 밀도가 높다.
ㄹ. (가), (나) 모두 1차 산맥에 위치한다.

① ㄱ, ㄴ   ② ㄱ, ㄷ   ③ ㄴ, ㄷ
④ ㄴ, ㄹ   ⑤ ㄷ, ㄹ

02 하천 지형과 해안 지형

1 우리나라 하천의 특색

1. 하천의 방향 우리나라의 하계망[1]은 경동 지형과 남서 방향의 지질 구조선의 영향을 받음. → 대부분의 큰 하천은 황·남해로 흐름.

구분	유역 면적	하천 길이(유로)	경사도(구배)	유량
황·남해로 흐르는 하천	넓음.	긺.	완만함.	많음.
동해로 흐르는 하천	좁음.	짧음.	급함.	적음.

└구배가 클수록 하천에 의한 침식 작용이 활발하고 구배가 작을수록 퇴적 작용이 활발함.

2. 유량 변화 하천의 유량 변동이 큼.
(1) **원인** 계절별 강수 변동이 크고 하천의 유역 면적이 좁음. → 하상계수[2]가 매우 큼.
(2) **영향** 잦은 홍수 피해 발생, 하천을 이용한 수운 교통과 수력 발전에 불리, 용수 이용 불리
(3) **대책** 저수지, 댐 등의 저수 시설 건설, 산림 녹화 등

└여름철은 집중 호우, 장마, 태풍의 영향으로 유량이 급증하고, 겨울철은 강수량이 적어 유량이 감소함.

3. 감조 구간과 감조 하천
(1) **감조 구간** 하천의 하구 부근에서 밀물 때 바닷물이 역류하여 내륙 깊숙한 곳까지 들어오는 구간 → 하천의 경사도가 완만하고 조차가 큰 경우에 길게 나타남. ⑩ 황해, 남해
(2) **감조 하천** 밀물과 썰물의 영향으로 하천 하구의 수위가 하루에 두 번 주기적으로 변하는 하천
① **영향** 감조 구간에서 염해 발생, 밀물 때 집중 호우 발생 시 홍수 피해 증대
② **대책** 방조제, 하굿둑[3], 갑문 건설 → 염해 방지, 물 자원 확보, 교통로 활용

└소금기로 인해 농작물에 발생하는 피해

우리나라 하천의 특색
• 대부분 황해와 남해로 흐름.
• 유량 변화가 큼.
• 바닷물이 역류하는 감조 하천

[1] 하계망
하천은 지류가 합쳐져 본류를 이룬 뒤 하구를 통해 바다로 흘러드는데, 본류와 여러 지류를 통틀어 그 하천의 하계망이라고 한다. 하계망을 통해 물이 모여드는 전체 범위를 하천 유역이라고 하며, 유역과 유역의 경계를 분수계라고 한다. 분수계는 하천과 하천을 가르는 지리적 경계가 된다.

▲ 우리나라의 하계망 분포

[2] 하상계수
하천의 최대 유량을 최소 유량으로 나눈 비율로, 수치가 클수록 유량 변동이 심한 것이다. 우리나라의 하천은 라인강, 센강 등 세계 주요 하천보다 하상계수가 크다.

[3] 하굿둑
밀물 때 바닷물이 역류하는 것을 방지하기 위해 감조 하천 하구에 건설한 둑이다. 금강, 영산강, 낙동강 하구에 하굿둑이 건설되어 있다.

[4] 감입 곡류 하천
산골짜기 감(嵌), 들 입(入), 굽을 곡(曲), 흐를 류(流), 즉 산지나 구릉지의 구불구불한 골짜기 안을 따라 흐르는 하천이라는 뜻이다.

[5] 하방 침식
강물이 하천의 바닥을 깎는 작용으로, 하천의 경사가 급한 상류에서 활발하며 깊은 골짜기를 형성한다.

2 우리나라의 하천 지형

1. 하천의 중·상류에 발달하는 지형

일교차가 큰 봄, 가을이나 겨울철 밤에 지표면이 급속도로 냉각되어 지표면의 기온이 상층보다 낮아지는 현상으로, 주로 분지 지역에서 잘 나타남.

구분	감입 곡류 하천[4] 자료01	하안 단구 자료01	선상지 자료02	침식 분지 자료03
의미	하천의 중·상류 지역에서 산지 사이를 곡류하며 흐르는 하천	감입 곡류 하천 주변에 나타나는 계단 모양의 지형	골짜기 입구(곡구)에 나타나는 부채꼴 모양의 퇴적 지형	높은 산지로 둘러싸인 비교적 경사가 완만한 평지 지형
형성 과정	신생대 제3기 이후 경동성 요곡 운동으로 인한 지반 융기로 하천의 하방 침식[5]이 활발해지면서 발달	과거 하천의 강바닥이나 범람원이 지반 융기로 하방 침식이 활발해지거나 기후 변화로 형성	산지와 평지가 만나 경사가 급변하는 곳에서 하천의 유속이 감소하여 다량의 토사가 퇴적되어 형성	두 개 이상의 하천이 합류하거나 화강암이 관입한 지역에서 암석이 차별 침식을 받아 분지 형성
특징	하천의 경사가 급하고 유속이 빠름, 경관이 수려하여 관광 자원으로 이용	경사가 완만하고 홍수 시 쉽게 침수되지 않음. → 도로, 농경지, 취락으로 이용	우리나라는 오랜 침식으로 구릉성 산지가 많아 잘 발달하지 않는다.	지방 행정의 중심지로 성장, 주거지와 농경지로 이용, 기온 역전 현상 발생
항공 사진				

셀파 자료 탐구

자료 01 감입 곡류 하천과 하안 단구의 형성 과정

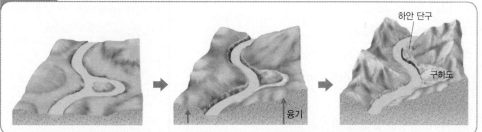

자료 분석 | 감입 곡류 하천은 과거의 곡류 하천이 지반의 융기로 인해 하천이 바닥을 깊게 파는 하방 침식이 활발해지면서 형성된다. 지반이 융기하는 과정에서 과거 하천의 강바닥이나 범람원의 평탄면 일부가 융기하여 높은 산지를 굽이쳐 흐르는 감입 곡류 하천이 발달하고 주변에는 하안 단구가 형성된다. 감입 곡류 하천 주변에는 과거 유로 변경의 흔적을 보여주는 구하도가 나타나기도 한다.

> 감입 곡류 하천과 하안 단구의 지형도가 자주 출제되므로 이들 지형의 형성 과정, 토지 이용 등을 꼼꼼하게 정리해 두자!

자료 02 하천 중·상류에서 발달하는 지형의 지형도

▲ 감입 곡류 하천과 하안 단구

등고선 간격이 주변보다 비교적 넓은 완경사 지역에 하안 단구가 나타남.

▲ 선상지 지형도

골짜기 왼쪽으로 넓게 펼쳐진 부채꼴 모양의 지형이 선상지임.

자료 분석 | 감입 곡류 하천은 S자로 곡류하는 하천 주변에 등고선의 간격이 매우 조밀한 급경사의 산지가 분포한다. 선상지는 경사가 급변하는 골짜기 입구 하천 주변에서 소규모로 분포한다.

자료 03 공통 자료 침식 분지

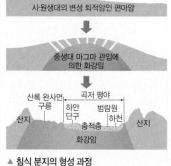

▲ 침식 분지의 형성 과정

▲ 춘천 분지의 지질도와 지형도

분지의 바닥은 화강암, 주변 산지는 변성암(편마암)으로 이루어짐.

자료 분석 | 침식 분지는 시·원생대에 형성된 편마암이 기반암을 이루는 곳에 중생대 화강암이 관입한 이후, 화강암 지대가 편마암 지대보다 빠르게 침식을 받아 형성되었다. 침식 분지는 하천 중·상류의 두 하천이 합류하는 지점에 잘 발달하는데, 북한강의 춘천 분지, 남한강의 충주 분지, 낙동강의 안동 분지 등이 대표적이다.

교과서 탐구 풀이

Q 감입 곡류 하천과 하안 단구가 어떻게 이용되고 있는지 조사해 보자.

A 감입 곡류 하천은 산지 사이를 곡류하는 하천으로, 주변 경관이 빼어나 관광 자원으로 이용된다. 하안 단구는 주로 감입 곡류 하천 주변에 발달하는 계단 모양의 지형으로, 단구면은 평평하고 고도가 높아 홍수 시 침수되지 않아 농경지, 도로, 취락 등이 입지한다.

교과서 자료 더 보기

| 선상지 모식도 |

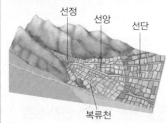

선정에서는 취락과 농경지, 선앙에서는 지표수 부족으로 밭과 과수원, 선단에서는 취락과 논으로 이용된다.

교과서 탐구 풀이

Q 침식 분지의 형성 과정을 기반암의 특성을 고려하여 설명해 보자.

A 시·원생대의 편마암은 중생대의 화강암에 비해 조직이 치밀하고 단단하여 침식과 풍화를 견뎌 주변 산지로 남고, 화강암 지역은 차별적인 침식과 풍화로 깊게 파여 분지가 형성된다.

2. 하천의 중·하류에 발달하는 지형

(1) 자유 곡류 하천

의미	하천의 중·하류 지역에서 평야 위를 곡류하며 흐르는 하천
형성 과정	측방 침식[6]이 활발해 유로를 자유로이 변경하면서 형성
특징	하천의 유로 변경 과정에서 하중도[7], 우각호[8], 구하도[9] 등의 지형 발달
변화 및 이용	농경지 보호 및 홍수 피해를 줄이기 위해 유로 직선화 → 하천 폭이 넓어지고 수심 깊어짐.

(2) 범람원 자료 04

① 의미 하천의 중·하류 지역에 토사가 퇴적되어 형성된 충적 평야
② 형성 과정 하천의 범람으로 운반 물질이 하천 양안에 퇴적되어 형성
③ 특징 우리나라 주요 평야 지대의 하천 양안에서 흔히 볼 수 있음, 하류로 갈수록 면적이 넓어짐.
④ 구성 자연 제방과 배후 습지로 구성

구분	퇴적 물질	배수	고도	홍수 피해	토지 이용
자연 제방	조립질(모래)	양호	높음.	적음.	밭, 과수원, 취락
배후 습지	미립질(점토)	불량	낮음.	큼.	논

(3) 삼각주 자료 05

① 의미 하천 하구에 형성된 삼각형 모양의 충적 평야
② 형성 과정 하천이 바다로 유입되는 하구에서 유속이 감소하여 하천 운반 물질이 퇴적되어 형성
③ 특징 대부분의 큰 하천은 조차가 큰 황·남해로 흘러 퇴적 물질이 쉽게 제거되므로 삼각주 발달이 미약함.
  └ 낙동강 하구는 비교적 조차가 작아 조류의 힘이 약하고 많은 양의 토사가 운반되므로 규모가 큰 삼각주가 발달함.
④ 변화 및 이용 토양이 비옥하여 농경지로 이용됨, 최근 시가지와 공항, 항만, 도로, 산업 단지 등의 시설 입지

3 하천 지형과 인간 생활

1. 하천의 이용과 하천 지형의 변화

(1) **댐 건설** 홍수 예방, 전력 생산, 각종 용수 확보 → 수몰 지역 발생, 잦은 안개 발생 └ 농작물 생산성 감소
(2) **방조제 및 하굿둑 건설** 용수 확보, 염해 방지 → 하천과 바닷물의 흐름 차단, 수질 악화
(3) **범람원 개간** 농지 확보 → 습지 파괴, 생태계 교란
(4) **도시화에 따른 하천 개발** 하천을 복개하여 주차장이나 교통로로 이용, 개발을 위한 유로 직선화, 습지 매립, 수중보[10] 건설, 골재 채취 등 → 홍수 위험 증가, 생태계 파괴 자료 06

2. 하천 보호를 위한 노력 생태 하천[11] 복원 사업, 하천 주변 습지 보호

4 우리나라 해안의 특색과 해안 지형의 형성

1. 우리나라 해안선의 형성 지반 운동과 해수면 변동의 영향, 현재의 해안선은 약 1만 년 전 최종 빙기 이후 후빙기 해수면 상승에 의해 형성

2. 동해안과 서·남해안의 해안선 비교
└ 태백산맥, 함경산맥

동해안	• 해안선 가까이 평행하게 뻗은 산맥이 융기하여 섬이 적음. → 단조로운 해안선 • 수심이 깊고 파랑 작용이 활발해 해안 침식 지형 발달
서·남해안	• 바다를 향해 뻗은 산맥이 후빙기 해수면 상승으로 침수되어 크고 작은 섬, 반도, 곶, 만이 많음. → 다도해, 복잡한 해안선(리아스 해안[12]) • 조수 간만의 차가 크고 수심이 낮으며 하천에서 공급된 퇴적물의 양이 많아 갯벌 발달

우리나라의 하천 지형

하천 중·상류	• 하방 침식 작용 활발 • 감입 곡류 하천, 선상지, 하안 단구 등
하천 중·하류	• 측방 침식 작용 활발 • 자유 곡류 하천, 범람원, 삼각주 등

[6] 측방 침식
하천이 측면을 침식하여 하천 폭을 넓히는 작용을 측방 침식이라고 한다.

[7] 하중도
하천의 속도가 느려지거나 흐르는 방향이 바뀌게 되어 하천 중간에 퇴적물이 쌓여 생기는 섬이다.

[8] 우각호
곡류천 일부가 본래의 하천에서 분리되어 생긴 소뿔 모양의 호수를 말한다.

[9] 구하도
과거에 물이 흘렀으나 유로의 변경으로 새로운 유로가 형성되면서 더 이상 물이 흐르지 않는 옛 하도를 말한다. 과거 하천이 흘렀던 증거로 둥근 자갈이 많이 발견된다.

[10] 수중보
물길을 막아 하천의 수위와 유량을 일정하게 유지하기 위하여 만든 수중 구조물로, 수경 공간 확보와 홍수 대비의 기능이 있으나 수질 오염의 원인이 되기도 한다.

[11] 생태 하천
하천 내외의 인공적인 생태계 교란 요인을 제거하여 하천이 지닌 본래의 자연성과 생태적 기능이 최대화될 수 있도록 조성된 하천이다.

[12] 리아스 해안
해수면 상승이나 지반 침강으로 침수되어 해안선의 드나듦이 복잡하고 섬이 많은 형태의 해안을 말한다.

자료 04 범람원의 자연 제방과 배후 습지

▲ 범람원 지형도

▲ 범람원 모식도

자료 분석 | 범람원은 대부분 자연 제방과 배후 습지로 구성되어 있다. 자연 제방은 하천에 인접하여 배후 습지보다 고도가 높고 배수가 잘 되어 주로 취락이 입지하거나 밭농사에 이용되지만, 하천의 범람을 막기 위해 인공 제방을 축조하는 과정에서 변형되고 있다. 배후 습지는 자연 제방 뒤편에 나타나며 고도가 낮은 편이고 배수가 잘 되지 않지만, 하천에서 공급된 비옥한 점토질 토양이 풍부하여 배후 습지를 개간한 뒤 논으로 이용되고 있다.

자료 05 공통 자료 낙동강 삼각주의 항공 사진과 지형도

▲ 삼각주 항공 사진

▲ 삼각주 지형도

낙동강 하굿둑의 건설로 삼각주 성장이 둔화되었으나 연안 사주가 성장하면서 면적이 빠르게 증가하고 있음.

연안 사주

자료 분석 | 낙동강 삼각주는 후빙기 해수면 상승 당시 하곡이 물에 잠기며 큰 만을 이루었으나, 이후 낙동강에서 공급하는 토양이 하구 부근에서 유속의 감소로 퇴적되어 형성되었다. 낙동강 삼각주는 주로 논과 시설 재배지로 이용되었으나 최근에는 시가지와 공항, 항만, 도로, 산업 단지 등의 시설이 증가하고 있다.

자료 06 도시화에 따른 하천 유출량 변화

도시화 후의 하천 유출 곡선

도시화 전의 하천 유출 곡선

하천 수위

강우 발생 강우 시작 후 경과 시간 →

자료 분석 | 도시화 이후 포장 면적이 늘어나고 녹지 면적이 감소함에 따라 빗물이 토양으로 스며드는 양이 감소하였다. 또한 강수 발생 시 하천 유출량이 최고 수위에 이르는 시간이 짧아졌고, 하천의 최고 수위도 높게 나타난다.

● **교과서 자료 더 보기** +

| 하천의 유로 변경 |

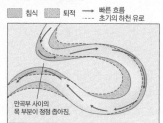

침식 퇴적 → 빠른 흐름 ---- 초기의 하천 유로

만곡부 사이의 목 부분이 점점 좁아짐.

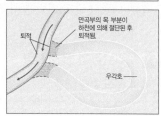

만곡부의 목 부분이 하천에 의해 절단된 후 퇴적됨.

퇴적

우각호

대부분의 하천은 굽이쳐 흐르면서 유속이 빠른 침식(공격) 사면과 유속이 느린 퇴적(활주) 사면이 번갈아 나타난다. 공격 사면에서는 하방 침식과 측방 침식이 활발하여 수심이 깊어지고 활주 사면에서는 모래나 자갈 등이 쌓여 수심이 얕아진다. 공격 사면과 활주 사면이 발달하면 하천의 곡류가 심해지면서 유로가 변경되기도 한다.

 ● **교과서 탐구 풀이** ✎

Q 삼각주의 형성 과정과 낙동강 하구에 삼각주가 발달하게 된 지형적 배경을 말해 보자.

A 삼각주는 하천 하구에서 유속의 감소로 하천 운반 물질이 퇴적되어 형성되는 지형이다. 삼각주는 하천이 공급한 토사의 양이 조류에 의해 제거되는 양보다 많아야 잘 형성되는데, 낙동강 하구가 이에 해당하는 지역이어서 삼각주가 발달하였다.

 ● **교과서 자료 더 보기** +

| 생태 하천 |

양재천

도시화 과정에서 하천 개발에 따른 피해가 심각해지고 생태 공간으로서의 하천의 가치가 강조되면서 생태 하천 복원 사업이 진행되고 있다.

3. 해안 지형의 형성 요인 ─파랑, 연안류, 조류 등에 의한 침식 및 퇴적 작용.
지반 운동이나 기후 변화로 인한 해수면 변동 등이 있음.

(1) **파랑** 바람에 의해 나타나는 현상, 바람 세기가 클수록 강함.

구분	형태	특징	주요 지형
곶⑬	바다 쪽으로 돌출한 육지	파랑 에너지 집중, 침식 작용 활발	해식애, 해식동, 파식대, 시 스택, 해안 단구 등 암석 해안 발달
만⑬	육지 쪽으로 들어간 바다	파랑 에너지 분산, 퇴적 작용 활발	사빈, 사주, 육계도, 석호, 해안 사구 등 모래 해안 발달

(2) **연안류**⑭ 해안을 따라 이동하는 해수의 흐름 → 모래나 자갈을 운반하여 퇴적 지형 형성

(3) **조류** 태양과 달의 인력에 의해 발생하는 해수의 흐름, 조류가 운반한 물질이 연안에 퇴적됨.
→ 갯벌 형성
└조차가 크고 해안선이 복잡하여 파랑의 영향이 적으며 수심이 얕은 서·남해안은 갯벌 형성에 유리한 조건을 갖춤.

5 우리나라의 해안 지형

1. 해안 침식 지형

해식애	해안의 산지나 구릉이 파랑의 침식 작용에 의해 깎여서 형성된 절벽
파식대	파랑의 침식 작용으로 해식애가 후퇴하면서 남은 넓고 평평한 바위면
해식동	해식애의 하단부 중 약한 부분이 파랑의 침식 작용으로 깊게 파인 동굴
시 스택	해식애가 파랑의 침식 작용으로 후퇴할 때 약한 부분은 깎이고 단단한 부분만 바위섬처럼 남아 형성된 기둥 모양의 지형
해안 단구 자료 07	지반의 융기 혹은 해수면 하강으로 현재 해수면보다 해발 고도가 높은 곳에 평탄하게 남아 있는 계단 모양의 지형 → 취락 형성, 농경지, 교통로 등으로 이용

2. 해안 퇴적 지형

사빈	파랑과 연안류에 의해 모래가 퇴적된 지형 → 해수욕장으로 이용
해안 사구⑮	• 사빈의 모래가 바람에 의해 이동하여 사빈의 배후에 퇴적되어 형성된 모래 언덕 • 북서풍의 영향을 많이 받는 서해안에 대규모로 발달, 모래 바람을 막기 위해 방풍림⑯ 조성
사주	연안류를 따라 사빈의 모래가 이동하여 바다 쪽으로 길게 퇴적된 지형
육계도	사주로 인해 육지와 연결된 섬, 섬과 육지를 연결하는 사주는 육계사주라고 함.
석호 자료 08	• 해수면 상승으로 형성된 만의 입구를 사주가 가로막아 바다와 분리되면서 형성된 호수 • 동해안의 경포호, 영랑호, 청초호 등 경치가 아름다워 관광지로 이용 → 염도가 높아 생활 용수나 농업용수로 사용하기 어려움.
갯벌⑰	하천에 의해 운반된 고운 모래나 점토 등의 물질이 썰물에 쓸려 나갔다가 밀물에 밀려와 하천의 하구나 주변 해안 지역에 퇴적되어 형성 → **조차가 큰 지역에서 발달**

6 해안 지형과 인간 생활

1. 해안 지형의 이용 수산 가공업 발달, 임해 공업 지대 형성, 조력 및 풍력 등 전력 생산, 해안 관광지 개발, 뜬다리 부두⑱나 갑문⑲ 등 특수 항만 시설을 갖춘 항구 조성

2. 해안 지형의 변화와 보존 노력

대규모 간척 사업	어족 자원 감소, 해양 오염 심화 → 갯벌 복원 사업, 연안 습지 보호 지역으로 지정하여 생태 관광지 조성
무분별한 해안 개발 자료 09	• 사빈, 해안 사구의 모래 침식, 방풍림 훼손 → 수중 방파제, 그로인, 모래 포집기 등 인공 구조물 설치, 사구를 천연기념물 및 보호 구역으로 지정 • 환경 영향 평가 시행

└개발 사업이 환경에 미치는 영향을 미리 조사·예측·평가하여 해로운
환경 영향을 피하거나 제거 또는 감소시킬 수 있는 방안을 마련하는 것

⑬ **곶과 만**

⑭ **연안류**
파랑이 연안에 비스듬한 각도로 들어와 연안에 발생하는 일정한 방향의 흐름이다. 모래나 자갈들이 연안류를 따라 해안선의 방향과 수평으로 이동하여 사빈이나 사취 등과 같은 해안 퇴적 지형이 형성된다.

⑮ **해안 사구**
다양한 동식물의 서식처이며 해풍, 큰 파도, 해일로부터 해안 지역을 보호하는 제방 역할을 한다.

⑯ **방풍림**
모래가 마을이나 농경지로 날아오는 것을 막기 위해 가꾼 숲을 말한다.

⑰ **갯벌**
밀물 때 바닷물에 잠기고 썰물 때 물 위로 드러나는 지형으로, 육지에서 배출되는 각종 오염 물질 정화, 태풍이나 해일로부터 해안 지역을 보호하는 완충지 역할을 한다.

⑱ **뜬다리 부두**
다리 한쪽은 육지에, 다른 한쪽은 바닷물에 띄운 특수한 형태의 부두 시설이다. 썰물 때 물이 빠지더라도 다리가 바닷물의 수위에 따라 내려가 부두에 배가 정박할 수 있게 해 준다.

⑲ **갑문**
조차가 심한 해안은 항만 입구에 갑문을 설치하여 수위를 일정하게 유지해야 선박을 안정적으로 접안할 수 있다.

자료 **07** 공통 자료 | 해안 단구의 형성 과정

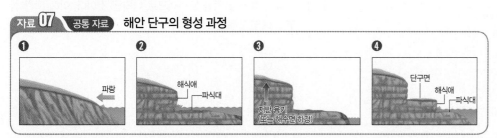

자료 분석 | 해안 단구는 주로 간빙기에 파랑에 의해 형성된 파식대가 지반의 융기와 빙기의 해수면 하강으로 육지로 드러난 계단 모양의 지형이다. 단구면에서는 과거 바닷가에 퇴적되었던 둥근 자갈이 발견되고, 해안 단구 하단에는 새로운 파식대가 형성되고 있다. 해안 단구는 융기량이 많았던 동해안의 강릉~울산에 이르는 지역에 특히 잘 발달한다. 지형이 평탄하므로 해안 단구면은 마을, 교통로, 농경지 등으로 이용되고 있다.

● 교과서 **자료 더 보기**

| 해안 단구의 지형도 |

정동진의 해발 고도 75~80m 지역에 해안 단구가 발달해 있다.

자료 **08** | 석호의 형성 과정

자료 분석 | 마지막 빙하기에 하구 부근에 깊은 골짜기가 형성되었고, 신생대 제4기 후빙기에 해수면이 상승하면서 골짜기에 만이 형성되었다. 이후 만의 입구에 사주가 발달하여 사주 안쪽의 호수와 바다가 분리되어 석호가 형성되었다. 석호는 보통 소하천의 하곡을 따라 발달하고 있으며, 하천에서 운반되어 오는 토사에 의해 점차 메워져 충적지로 바뀌기도 하고, 농경지 등으로 이용하기 위해 인위적인 개발이 진행되면서 석호의 면적이 점점 축소되고 있다.

● 교과서 **자료 더 보기**

| 석호의 지형도 |

석호는 동해안의 경포호, 영랑호, 화진포 등이 대표적이다. 호수를 사주가 가로막고 있으며, 호수로 유입되는 하천 주변에 충적지가 형성되어 논으로 이용되고 있다.

자료 **09** | 해안 침식과 보존 노력

▲ 시·도별 연안 침식 현황　　▲ 수중 방파제(잠제)　　▲ 그로인

자료 분석 | 해안 침식은 동·서·남해안 전체에서 나타나나 동해안에 면한 강원도와 경상북도 지역의 침식 상태가 심각하다. 해안 침식을 줄이기 위해 바닷속에 수중 방파제인 잠제를 쌓거나 바다 쪽으로 돌출한 인공 구조물인 그로인을 설치하기도 한다.

● 교과서 **자료 더 보기**

| 모래 포집기 |

모래의 퇴적을 유도하기 위해 설치한 시설로 탁월풍에 수직 방향으로 설치하여 풍속을 감소시킴으로써 움직이는 모래를 고정시키는 역할을 한다.

1 우리나라 하천의 특색 ~ 3 하천 지형과 인간 생활

하천 특색		• 대부분 황해와 남해로 흐름. • 심한 유량 변동 → 하상계수 큼. • (❶　　　) → 염해 발생, 하굿둑 건설
하천 중·상류에 발달한 지형	감입 곡류 하천	• 하천 중·상류 산지를 곡류하는 하천 • (❷　　　) 침식 우세
	하안 단구	감입 곡류 하천 주변에 발달, 계단 모양 지형
	선상지	경사 급변점에서 발달, 부채꼴 모양의 퇴적 지형
	(❸　　)	화강암의 차별 풍화·침식으로 형성된 분지
하천 중·하류에 발달한 지형	자유 곡류 하천	• 하천 중·하류 평야를 곡류하는 하천 • 범람원, 하중도, 우각호 형성
	(❹　　)	• 자유 곡류 하천 주변에 발달한 충적 평야 • 자연 제방, 배후 습지로 구성
	삼각주	하천 하구에 발달, 삼각형 모양의 충적 평야
하천 변화		• 댐 건설, 방조제 및 하굿둑 건설, 하천 직강화 공사 • 생태 하천 복원 사업, 하천 주변 습지 보호

4 우리나라 해안의 특색 ~ 6 해안 지형과 인간 생활

해안 특색	동해안	서·남해안
	• 단조로운 해안선 • 사빈, 석호 발달	• 복잡한 해안선 • 곶, 만, 갯벌 등 발달
해안 지형 형성 요인		• 파랑: 곶에서 침식 작용 활발, 만에서 퇴적 작용 활발 • 연안류: 모래나 자갈을 해안선에 평행하게 이동 → 사빈, 사주 형성 • 조류: 밀물과 썰물에 의해 (❺　　　) 형성
해안 침식 지형	해식애	파랑의 침식 작용으로 형성된 해안 절벽
	파식대	해식애 전면에 발달한 평평한 바위면
	해식동	파랑의 침식 작용으로 형성된 동굴
	시 스택	해식애 후퇴 과정에서 단단한 부분만 남은 기둥 모양의 지형
	(❻　　)	지반 융기나 해수면 하강으로 형성되는 계단 모양의 지형
해안 퇴적 지형	사빈	파랑과 연안류에 의해 퇴적된 모래사장
	해안 사구	사빈의 모래가 바람에 날려 쌓인 언덕
	(❼　　)	사주가 만의 입구를 막으면서 생긴 호수
	갯벌	조류의 퇴적 작용으로 형성된 지형
해양 변화		• 간척 사업 → 갯벌 복원 사업, 연안 습지 보호 • 해안 침식 → 모래 포집기, 그로인 등 설치

정답 ❶ 감조 하천 ❷ 하방 ❸ 침식 분지 ❹ 범람원 ❺ 갯벌 ❻ 해안 단구 ❼ 석호

01 자료는 하천 유역을 모식적으로 나타낸 것이다. 이에 대한 설명으로 옳지 않은 것은?

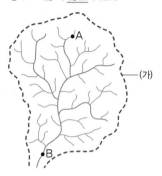

① (가)는 분수계로, 하천 유역의 경계이다.
② (가)로 둘러싸인 전체 범위를 유역 면적이라고 한다.
③ A 지점은 B 지점보다 퇴적물의 평균 입자 크기가 작다.
④ B 지점은 A 지점보다 퇴적물의 원마도가 크다.
⑤ A 지점에서는 하방 침식이, B 지점에서는 측방 침식이 활발하다.

02 우리나라 하천에 대한 설명으로 옳은 것은?
① 큰 하천은 주로 동해로 흘러든다.
② 유럽의 하천에 비해 하상계수가 작다.
③ 큰 하천은 대부분 2차 산맥에서 발원한다.
④ 계절별 유량 변동이 작아 수운 교통에 유리하다.
⑤ 황해로 흘러드는 하천 하구에 감조 구간이 나타난다.

03 다음 사진과 같은 시설물이 건설된 이후에 나타난 변화로 가장 적절한 것은?

① 하천이 범람할 가능성이 높아졌다.
② 수운 교통이 더욱 발달하게 되었다.
③ 유량이 확보되어 전력 생산이 활발해졌다.
④ 하천 하구 부근의 수위 변동 폭이 작아졌다.
⑤ 토사가 운반·퇴적되어 삼각주가 형성되었다.

04 다음 지도에 표시된 (가)~(다) 하천에 대한 옳은 설명만을 〈보기〉에서 있는 대로 고른 것은?

> --- 유역 경계

┤ 보기 ├
ㄱ. (가)는 하류에서 충청권과 호남권의 경계를 이룬다.
ㄴ. (나)는 백두대간에서 발원한다.
ㄷ. (가)는 (다)보다 유역 면적이 넓다.
ㄹ. (가)~(다) 모두 하구에 하굿둑이 건설되어 있다.

① ㄱ, ㄷ   ② ㄱ, ㄹ   ③ ㄴ, ㄷ
④ ㄱ, ㄷ, ㄹ   ⑤ ㄴ, ㄷ, ㄹ

★05 다음 지도의 (가), (나) 지형에 대한 설명으로 옳은 것은?

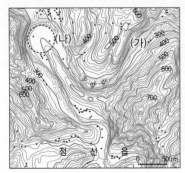

① (가)는 유로 변동이 활발하다.
② (가)는 하천의 중·하류에 해당한다.
③ (나)는 하천의 공격 사면에 잘 발달한다.
④ (나)에서는 주로 논농사 중심의 농업이 이루어진다.
⑤ (가), (나) 모두 지반 융기의 영향으로 형성되었다.

06 다음은 한국지리 수업의 한 장면이다. 교사의 질문에 옳게 대답한 학생을 〈보기〉에서 고른 것은?

(가) 지형의 특징은 무엇일까요?

┤ 보기 ├
갑: 기반암은 현무암으로 이루어져 있습니다.
을: 일교차가 큰 날에 안개가 자주 발생합니다.
병: 주변 산지보다 침식에 약합니다.
정: 여름철 기온이 서늘하여 고랭지 농업이 활발합니다.

① 갑, 을   ② 갑, 병   ③ 을, 병
④ 을, 정   ⑤ 병, 정

07 자료는 하천의 유로 변경 과정을 나타낸 것이다. 이에 대한 옳은 설명을 〈보기〉에서 고른 것은? (단, A, B는 침식 사면, 퇴적 사면 중 하나임.)

(가)   (나)

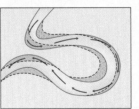

우각호 ―

▨ A   ▨ B   → 빠른 흐름   --- 초기의 하천 유로

┤ 보기 ├
ㄱ. (가)는 (나)보다 형성 시기가 이르다.
ㄴ. A는 침식 사면, B는 퇴적 사면이다.
ㄷ. B는 A보다 하천의 수심이 깊다.
ㄹ. 우각호는 시간이 지나면 규모가 점점 확대된다.

① ㄱ, ㄴ   ② ㄱ, ㄷ   ③ ㄴ, ㄷ
④ ㄴ, ㄹ   ⑤ ㄷ, ㄹ

08 선상지와 삼각주를 비교했을 때, 그래프의 (가), (나)에 들어갈 항목으로 적절한 것은?

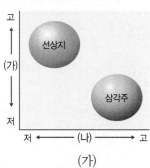

	(가)	(나)
①	평균 해발 고도	퇴적물의 평균 입자 크기
②	퇴적물의 원마도	평균 해발 고도
③	토지 중 논의 비율	퇴적물의 원마도
④	퇴적물의 평균 입자 크기	평균 해발 고도
⑤	퇴적물의 평균 입자 크기	퇴적물의 원마도

09 자료는 도시 하천의 시기별 유출량 변화를 나타낸 것이다. 이에 대한 설명으로 옳은 것은?

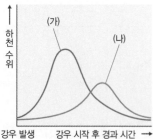

① 도시 사막화가 심화된 시기는 (나)에 해당한다.

② (가) 시기는 (나) 시기보다 하천 유출량이 많다.

③ (나) 시기는 (가) 시기보다 최고 수위에 도달하는 시간이 짧다.

④ (나) 시기는 (가) 시기보다 도시 내부의 포장 면적 비중이 높다.

⑤ 도시화가 진행되면 대체로 (가)에서 (나)로 변한다.

10 (가)~(다) 해안에 대한 설명으로 옳은 것은?

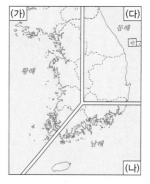

① (가)는 대체로 산맥과 해안선이 평행하다.

② (나)는 갯벌의 분포 면적이 가장 넓다.

③ (다)는 후빙기 해수면 상승으로 형성된 리아스 해안이다.

④ (나)는 (가)보다 조차가 크다.

⑤ (다)는 (가)보다 퇴적물의 평균 입자 크기가 크다.

11 자료는 연안류에 의한 모래의 이동을 나타낸 것이다. 이와 관련 있는 지형을 〈보기〉에서 고른 것은?

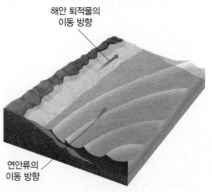

보기
ㄱ. 사빈 ㄴ. 사주 ㄷ. 사취
ㄹ. 시 스택 ㅁ. 해식애

① ㄱ, ㄴ, ㄷ ② ㄱ, ㄴ, ㄹ ③ ㄴ, ㄷ, ㄹ

④ ㄴ, ㄷ, ㅁ ⑤ ㄷ, ㄹ, ㅁ

12 그림은 해안 지형의 모식도이다. (가), (나)에 대한 설명으로 옳은 것은?

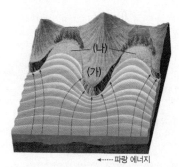

←----- 파랑 에너지

① 시간이 지날수록 (가)는 바다 쪽으로 점점 전진한다.

② 지반이 융기하면 (나) 일대에 해안 단구가 형성된다.

③ 파랑 에너지는 (가)보다 (나)에 집중한다.

④ (가)를 만, (나)를 곶이라고 한다.

⑤ (가)에는 파식대, (나)에는 사빈이 형성된다.

13 다음 사진의 (가)~(다) 지형에 대한 설명으로 옳지 <u>않은</u> 것은?

① (가)는 바람의 침식 작용으로 형성되었다.

② (나)는 해수면이 하강하면 단구면이 된다.

③ (다)는 과거에 육지의 일부였다.

④ (다)는 파랑의 차별 침식으로 형성되었다.

⑤ (가)가 후퇴하면서 (나)는 넓어진다.

14 다음 글의 (가), (나) 지형에 대한 설명으로 옳은 것은?

> (가) 사빈의 배후에 형성된 모래 언덕으로, 마을이나 농경지로 날아오는 모래를 막기 위해 방풍림이 조성된다.
>
> (나) 밀물 때는 바닷물에 잠기고 썰물 때는 물 위로 드러나는 지형으로, 하천에 의해 운반된 점토 등의 물질이 해안 지역에 퇴적되어 형성된다.

① (가)는 연안류의 퇴적 작용으로 형성된다.

② (나)는 조차가 작은 해안에서 잘 발달한다.

③ (가)는 (나)보다 평균 해발 고도가 높다.

④ (나)는 (가)보다 퇴적물의 평균 입자 크기가 크다.

⑤ (가), (나) 모두 바다로 돌출한 해안에서 잘 형성된다.

15 다음 사진의 (가), (나) 지형에 대한 옳은 설명을 〈보기〉에서 고른 것은?

| 보기 |

ㄱ. (가)의 염도는 바다와 동일하다.

ㄴ. (가)의 면적은 점점 축소될 것이다.

ㄷ. (나)는 사빈과 해안 사구로 이루어진다.

ㄹ. (가), (나)는 모두 최후 빙기에 형성되었다.

① ㄱ, ㄴ　　　② ㄱ, ㄷ　　　③ ㄴ, ㄷ

④ ㄴ, ㄹ　　　⑤ ㄷ, ㄹ

16 자료는 어느 해안에 설치된 A 구조물에 관한 것이다. 이 구조물의 설치 목적으로 가장 적절한 것은?

> A 구조물은 대게 해안선에 수직 방향으로 축조된다. 이 구조물 하나로는 그 기능을 발휘하기 어려워 여러개를 적당한 간격으로 배치하여 건설하는 것이 일반적이다. 우리나라에서는 일부 해안에 암석으로 만든 A 구조물이 설치되어 있다.

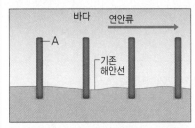

① 사빈의 침식 방지

② 해양 오염 물질의 정화

③ 훼손되었던 갯벌의 복원

④ 조류를 이용한 어로 활동

⑤ 어패류와 해조류 등의 양식장 확보

서술형 문제

17 다음은 어느 지형의 형성 과정을 나타낸 것이다. 자료를 보고 물음에 답하시오.

(1) A 지형의 명칭을 쓰시오.

(2) A 지형의 토지 이용 특성을 서술하시오.

18 지도를 보고 물음에 답하시오.

(1) A, B 지형의 명칭을 쓰시오.

(2) A, B 지형의 형성 요인을 쓰고, 토지 이용의 특징을 사례를 들어 서술하시오.

19 다음은 석호의 형성 과정을 순서와 상관 없이 나열한 것이다. 자료를 보고 물음에 답하시오.

(가)　　　　(나)　　　　(다)

(1) 석호의 형성 과정을 순서대로 나열하시오.

(2) 석호의 형성 과정을 빙기와 후빙기의 지형 형성 작용과 관련지어 서술하시오. (단, 해수면 상승, 만입, 사주 등과 같은 용어가 반드시 포함되어야 함.)

20 다음은 해안 지형의 모식도이다. 자료를 보고 물음에 답하시오.

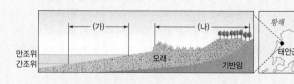

(1) (가), (나) 지형의 명칭을 쓰시오.

(2) (가), (나) 지형의 기능을 각각 두 가지 이상 서술하시오.

| 신유형 |

01 (가) 하천과 비교한 (나) 하천의 상대적 특성만을 〈보기〉에서 있는 대로 고른 것은?

(가)   (나)

| 보기 |

ㄱ. 유로 변동 가능성이 높다.

ㄴ. 하상의 평균 해발 고도가 높다.

ㄷ. 퇴적물의 평균 입자 크기가 크다.

ㄹ. 연중 주변 농경지에 용수로 제공하는 물의 양이 많다.

① ㄱ, ㄷ   ② ㄱ, ㄹ   ③ ㄴ, ㄷ

④ ㄱ, ㄷ, ㄹ   ⑤ ㄴ, ㄷ, ㄹ

| 수능 기출 |

02 (가), (나) 지역에 대한 설명으로 옳지 않은 것은? (단, (가), (나)는 동일한 하계망에 속함.)

(가)   (나)

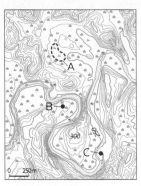 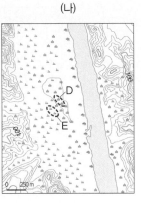

① 하천의 하방 침식은 (나)보다 (가)에서 활발하다.

② A는 과거에 하천의 유로였다.

③ B는 C보다 인근 하상과의 고도 차가 크다.

④ C는 E보다 퇴적물의 평균 입자 크기가 크다.

⑤ E의 토양은 D의 토양보다 배수가 양호하다.

| 신유형 |

03 다음은 어느 지형의 형성 과정을 나타낸 것이다. 이에 대한 설명으로 옳지 않은 것은?

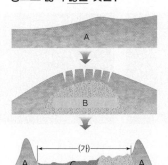

① (가) 지형은 주로 하천의 중·상류에 발달한다.

② (가)에는 기온 역전 현상이 나타나 안개가 자주 발생한다.

③ B는 중생대에 관입하였다.

④ C는 자연 제방과 배후 습지로 구성된다.

⑤ A, B 모두 마그마가 굳어져 형성된 화성암이다.

| 수능 응용 |

04 다음 지도의 A~E에 대한 옳은 설명을 〈보기〉에서 고른 것은?

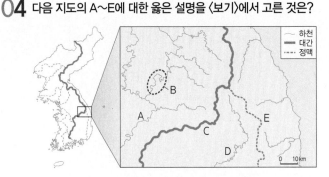

| 보기 |

ㄱ. B 하천의 주변에는 범람원이 넓게 발달해 있다.

ㄴ. D의 하구에는 하굿둑이 건설되어 있다.

ㄷ. 하천 하구의 조차는 A가 D보다 크다.

ㄹ. C와 E 모두 중생대 지각 운동으로 형성되었다.

① ㄱ, ㄴ   ② ㄱ, ㄷ   ③ ㄴ, ㄷ

④ ㄴ, ㄹ   ⑤ ㄷ, ㄹ

| 신유형 |

05 (가) 지역과 비교한 (나) 지역의 상대적 특징으로 옳은 것은?

(가)   (나)

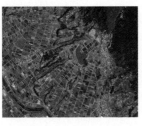 

① 지하수면이 깊다.
② 하천의 경사가 급하다.
③ 평균 해발 고도가 높다.
④ 홍수로 인한 침수 가능성이 높다.
⑤ 퇴적물의 평균 입자 크기가 크다.

| 평가원 기출 |

06 다음 지도의 A, B 지형에 대한 옳은 설명을 〈보기〉에서 고른 것은?

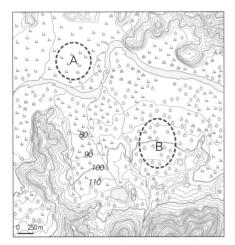

┤ 보기 ├
ㄱ. A는 B에 비해 경사가 급하다.
ㄴ. A는 B에 비해 배수가 양호하다.
ㄷ. A는 B에 비해 침수 가능성이 높다.
ㄹ. A, B는 하천의 퇴적 작용으로 형성된다.

① ㄱ, ㄴ   ② ㄱ, ㄷ   ③ ㄴ, ㄷ
④ ㄴ, ㄹ   ⑤ ㄷ, ㄹ

| 신유형 |

07 다음 지도의 A, B 지형에 대한 옳은 설명만을 〈보기〉에서 있는 대로 고른 것은?

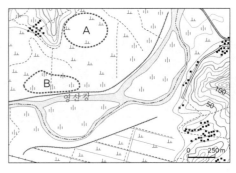

┤ 보기 ├
ㄱ. A는 B보다 배수가 양호하다.
ㄴ. A는 B보다 홍수 시 침수 피해가 자주 발생한다.
ㄷ. B는 A보다 마을이 입지하기에 유리하다.
ㄹ. B는 A보다 퇴적물의 평균 입자 크기가 크다.

① ㄱ, ㄷ   ② ㄴ, ㄹ   ③ ㄱ, ㄴ, ㄷ
④ ㄱ, ㄷ, ㄹ   ⑤ ㄴ, ㄷ, ㄹ

| 수능 기출 |

08 다음 지도의 A~C에 대한 설명으로 옳은 것은?

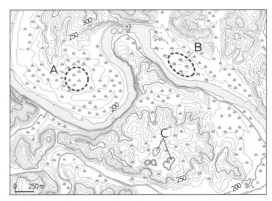

① C의 기반암은 중생대에 마그마의 관입으로 형성되었다.
② A는 B보다 퇴적 물질의 평균 입자 크기가 작다.
③ B는 A보다 ○○강의 범람에 의한 침수 가능성이 높다.
④ C는 B보다 배수가 불량하다.
⑤ ○○강의 상류는 하방 침식보다 측방 침식이 활발하다.

| 신유형 |

09 A, B 지형의 공통점을 〈보기〉에서 고른 것은?

| 보기 |

ㄱ. 퇴적 물질 중 둥근 자갈이 발견된다.

ㄴ. 지형이 평탄하여 논농사에 유리하다.

ㄷ. 지반의 융기로 인해 해발 고도가 높아졌다.

ㄹ. 홍수가 자주 발생하여 마을 입지에 불리하다.

① ㄱ, ㄴ   ② ㄱ, ㄷ   ③ ㄴ, ㄷ

④ ㄴ, ㄹ   ⑤ ㄷ, ㄹ

| 신유형 |

11 A~E 해안 지역에서 볼 수 있는 경관으로 옳지 않은 것은?

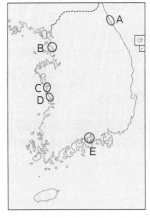

① A–조차를 극복을 위해 설치된 갑문식 독

② B–대규모 방조제와 조력 발전소

③ C–갯벌을 이용한 머드 축제

④ D–밀물과 썰물 때 오르내리는 뜬다리 부두

⑤ E–빠른 조류를 이용한 죽방렴 어업

| 수능 기출 |

10 다음 지도의 A~E에 대한 설명으로 옳지 않은 것은?

① A는 과거의 파식대가 융기된 지형이다.

② B는 해식애가 후퇴하면서 육지에서 분리된 지형이다.

③ C는 주로 조류에 의해 퇴적되는 지형이다.

④ D는 주로 파랑과 연안류의 퇴적 작용으로 만들어진 지형이다.

⑤ E는 D보다 퇴적물의 평균 입자 크기가 크다.

| 수능 응용 |

12 다음 지도의 A~E에 대한 옳은 설명만을 〈보기〉에서 있는 대로 고른 것은?

| 보기 |

ㄱ. B는 파랑 에너지가 분산되는 곳에서 잘 발달한다.

ㄴ. D의 염도는 동해보다 낮다.

ㄷ. E에는 해수욕장과 방풍림이 분포한다.

ㄹ. A는 C보다 퇴적물의 평균 입자 크기가 크다.

① ㄱ, ㄷ   ② ㄴ, ㄹ   ③ ㄱ, ㄴ, ㄷ

④ ㄱ, ㄷ, ㄹ   ⑤ ㄴ, ㄷ, ㄹ

03 화산 지형과 카르스트 지형

1 화산 지형의 형성과 인간 생활

1. 화산 지형의 형성과 분포

(1) **형성** 대부분 신생대 제3기 말~제4기 초의 화산 활동으로 형성

(2) **분포** 백두산, 울릉도, 독도, 철원–평강, 제주도 등지에 분포
　　　└흑갈색의 현무암 풍화토가 분포함.

2. 우리나라의 다양한 화산 지형 [자료 01]
▶ 화산 지형 분포

백두산	• 유동성이 큰 현무암질 용암의 분출로 형성된 용암 대지 위에 솟은 화산 → 산 정상부를 제외하고 전체적으로 경사가 완만함. • 천지: 화구의 함몰로 형성된 칼데라에 물이 고여 형성된 호수 → 칼데라호
울릉도	• 동해가 확장하는 과정에서 해저 화산이 분출하여 수면 위에 노출되면서 형성 • 점성이 큰 조면암질·안산암질 용암의 분출로 급경사의 종상 화산 형성 • 섬 중앙에 칼데라 분지인 나리 분지 형성, 중앙 화구구인 알봉 형성 → **이중 화산체**
독도	화산체 대부분이 해저에 있는 급경사의 종상 화산
철원–평강	• 유동성이 큰 현무암질 용암의 열하 분출❶로 기존의 평야와 하천 등을 메워 형성된 용암 대지 • 철원 평야: 신생대 제4기에 추가령 구조곡을 따라 용암 분출, 이후 한탄강의 하방 침식으로 협곡 형성, 하천 양안에 수직 절벽과 주상 절리 발달 → 수리 시설을 갖춘 후 논농사 이루어짐.
제주도	• 한라산: 현무암질 용암이 여러 차례 분출하여 만들어진 방패 모양 화산(순상 화산) → 산 정상부는 종 모양의 화산(종상 화산), 정상부에 화구호인 백록담 형성 　　　　　　　　　　　　　　　　　　└화구에 물이 고여 형성된 호수 • 기생 화산(오름): 한라산 화산체 형성 이후에 산록부에 용암이 추가 분출하여 형성 • 용암 동굴❷(만장굴, 협재굴, 김녕굴 등), 주상 절리❸ 발달 → 관광 자원으로 활용 • 용천대: 지하수가 솟아오르는 용천대에 취락 발달 **왜?** 현무암이 절리가 많아 하천 발달이 미약하므로 물을 구하기 쉬운 용천대에 취락이 발달함.

└유네스코 세계 자연 유산 및 세계 지질 공원으로 지정됨.

3. 화산 지형 경관 보존
지나친 관광지 개발 → 국가 지질 공원 지정, 환경 영향 평가 시행

2 카르스트 지형의 형성과 인간 생활

1. 카르스트 지형의 형성과 분포

(1) **형성** 주성분이 탄산칼슘인 석회암❹이 빗물과 지하수에 의해 용식 작용❺을 받아 형성된 지형

(2) **분포** 고생대 조선 누층군의 석회암 지대에 발달

2. 다양한 카르스트 지형 [자료 02]
└기반암의 특성으로 배수가 잘되어 평소에 물이 흐르지 않는 건천이 나타남.

돌리네	땅속의 석회암이 녹아 원형 또는 타원형으로 움푹 파인 와지 → 배수가 잘되기 때문에 주로 밭으로 이용
우발레	돌리네가 다른 돌리네와 합쳐져 규모가 커진 것
석회동굴	• 지하수에 의해 석회암이 용식되어 형성(고수동굴, 환선굴 등) • 동굴 내에 종유석, 석순, 석주 발달 → 관광 자원으로 이용
석회암 풍화토	석회암의 용식 과정에서 남은 철분이 산화되어 붉은색을 띰.

3. 카르스트 지형의 이용

(1) **관광 자원** 석회동굴은 관광지로 개발됨.

(2) **시멘트 공업** 석회암 산지에 시멘트 공장 입지 → 석회암 채굴로 카르스트 지형 훼손, 분진·소음 문제 발생

▶ 화산 지형 분포
　동해 / 울릉도 / 독도 / 황해 / 남해 / 제주도

평안남도, 강원도 남부, 충청북도 북부, 경상북도 북부 일대에 분포
0 ─ 100 km
동해 / 울릉도 / 독도 / 황해 / 남해 / 제주도
▲ 석회암의 분포

고득점을 위한 셀파 Tip

화산 지형과 카르스트 지형

화산 지형	• 신생대 제3기 말~제4기 초, 마그마 분출로 형성 • 백두산, 한라산, 울릉도 등 • 용암 대지
카르스트 지형	• 석회암의 용식 작용으로 형성 • 조선 누층군에 분포 • 돌리네, 석회동굴 등

❶ **열하 분출**
지각의 틈을 뚫고 용암이 서서히 분출하는 것을 말한다.

❷ **용암 동굴**
용암이 흐를 때 공기와 접촉한 표면이 굳은 뒤에 내부 용암이 빠져나가 만들어진 것이다.

❸ **주상 절리**
용암이 식으면서 만들어진 기둥 모양의 지형이다. 고온의 용암이 차가운 물과 만나 급격히 냉각·수축되면서 다각형 모양의 수직 균열이 발생한다. 이후 틈새로 물이 침투하여 침식과 풍화 작용을 일으키면서 돌기둥 모양의 절리대를 형성한다.

❹ **석회암**
건축 자재인 시멘트의 원료로 이용되어 석회암 산지 곳곳에 시멘트 공장이 들어서 있다.

❺ **용식 작용**
빗물이나 지하수가 암석을 용해하여 침식하는 현상으로, 화학적 풍화 작용에 해당한다.

자료 01 다양한 화산 지형의 지형도

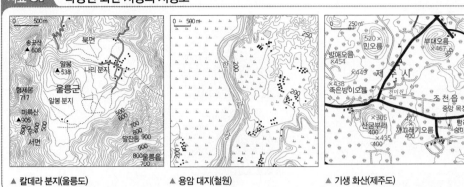

▲ 칼데라 분지(울릉도)　　▲ 용암 대지(철원)　　▲ 기생 화산(제주도)

자료 분석 | 울릉도는 화산이 폭발하여 생겨난 칼데라 안에 다시 작은 화산이 폭발하여 소규모의 중앙 화구구가 생겨난 이중 화산이다. 칼데라 분지인 나리 분지 안에 중앙 화구구인 알봉이 솟아 있다. 울릉도는 종상 화산체이므로 경사가 급하기 때문에 가장 넓고 평탄한 지역인 나리 분지에 많은 취락이 분포한다. 철원의 용암 대지를 흐르는 한탄강의 침식 작용으로 강 주변의 현무암 절리를 따라 수직 절벽이 형성되었다. 용암 대지의 넓고 평탄한 지형에 한탄강 범람으로 충적층이 형성되어 논농사가 활발하게 이루어지고 있다. 기생 화산은 한라산 산록부에 집중적으로 분포하며, 제주도에서는 주로 '오름, 악'으로 불린다.

> 화산 지형과 카르스트 지형의 공통점과 차이점을 묻는 문제가 주로 출제된다. 두 지형의 형성 원리, 특징, 토지 이용 등을 비교·정리하여 지형도, 사진 등 자료 분석 문제에 대비해 두자!

자료 02 다양한 카르스트 지형의 형성 과정

석회암을 이용한 시멘트 공업이 발달
지형도에서 움푹 패인 땅(와지)으로 표시.

▲ 카르스트 지형의 형성 과정　　▲ 카르스트 지형의 지형도

자료 분석 | 카르스트 지형으로는 석회동굴, 돌리네, 우발레 등이 대표적이다. 석회동굴은 석회암 성분이 다시 침전되어 종유석, 석순, 석주 등이 발달하며 주로 관광 자원으로 활용되고 있다. 돌리네는 카르스트 지형 중 가장 대표적인 지형으로 지표면에서 석회암이 빗물에 의해 용식되어 움푹 패인 지형이다. 돌리네가 인접한 돌리네와 합쳐져 규모가 커지면 우발레, 큰 골짜기를 이루면 폴리에라고 한다. 돌리네 안에는 물이 빠져나가는 싱크 홀, 즉 배수구가 있어 배수가 잘되므로 주로 밭농사가 이루어진다.

교과서 자료 더 보기 +

| 칼데라호 형성 과정 |

화산 분화 후 화구가 함몰된 곳에 생긴 칼데라에 물이 고여 형성된 호수를 칼데라호라고 한다.

교과서 탐구 풀이

Q '못밭'이라는 지명이 생겨난 이유를 조사해 보자.

A 못밭은 움푹 파인 와지인 돌리네를 뜻한다. 돌리네는 지역에 따라 못밭 외에도 '덕', '구단', '움밭' 등 다양한 이름으로 불린다.

1 화산 지형의 형성과 인간 생활

형성	• 신생대 제3기 말~제4기 초 화산 활동으로 형성 • 백두산, 울릉도, 독도, 철원, 제주도 등에 분포	
화산 지형	백두산	(❶　　　　(천지)) 형성
	울릉도	• 급경사의 종상 화산 • 칼데라 분지(나리 분지), 중앙 화구구(알봉)
	독도	화산체 대부분이 해저에 있음.
	철원 - 평강	• 열하 분출한 현무암질 용암이 하곡을 메워 (❷　　　　) 형성 • 충적층 발달, 양수 시설을 이용해 논농사 이루어짐.
	제주도	• 한라산: 순상 화산(산 정상부는 종상 화산), 화구호(백록담) • (❸　　　　): 한라산 기슭에서 소규모 화산 분출로 형성 • 용암 동굴: 상층의 용암은 굳고 하층의 용암이 흐르면서 생긴 빈틈 • (❹　　　　): 용암이 식으면서 만들어진 기둥 모양의 지형
이용	화산 경관은 독특하여 관광 자원으로 활용	

2 카르스트 지형의 형성과 인간 생활

형성	• 석회암이 빗물이나 지하수에 의해 용식되어 형성 • 고생대 조선 누층군에 발달 → 강원도 남부, 충청북도 북부	
카르 스트 지형	(❺　　　　)	지표면이 용식되어 형성된 움푹 팬 모양의 와지 → 밭으로 이용
	석회동굴	지하로 유입된 물에 용식되어 형성된 동굴 → 침전으로 내부에 종유석, 석순, 석주 발달
	석회암 풍화토	석회암이 용식된 후 남은 철분 등이 산화되어 형성 → 붉은색을 띰.
	우발레 돌리네 종유석　석순　석주 ▲ 카르스트 지형 모식도	
이용	밭농사 발달, 관광 자원으로 활용, 석회암이 매장된 지역에서 (❻　　　　) 공업 발달	

정답 ❶ 칼데라호 ❷ 용암 대지 ❸ 기생 화산 ❹ 주상 절리 ❺ 돌리네 ❻ 시멘트

---

01 다음은 어느 지형의 형성 과정을 나타낸 것이다. 이러한 지형이 분포하는 지역을 지도의 A~E에서 고른 것은?

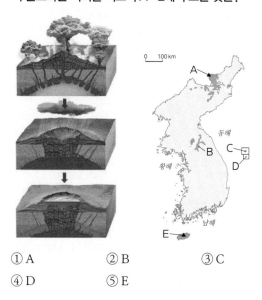

① A ② B ③ C
④ D ⑤ E

★**02** (가), (나) 지형의 공통점을 〈보기〉에서 고른 것은?

(가)　　　　　　　(나)

┤ 보기 ├
ㄱ. 점성이 큰 용암의 분출로 형성되었다.
ㄴ. 화구의 함몰로 형성된 칼데라가 있다.
ㄷ. 최고봉 주변에 기생 화산이 흩어져 있다.
ㄹ. 산 정상부에서 수직 방향으로 용암 동굴이 뻗어 있다.

① ㄱ, ㄴ ② ㄱ, ㄷ ③ ㄴ, ㄷ
④ ㄴ, ㄹ ⑤ ㄷ, ㄹ

딱풀 p. 14

03 다음 지형도를 분석한 내용으로 옳은 것은?

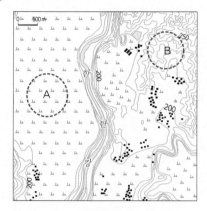

① A의 기반암은 배수가 불량하다.
② B의 기반암은 고생대에 형성되었다.
③ 논농사의 농업용수는 주로 배후 산지에서 공급된다.
④ 한탄강의 양측면에는 홍수를 방지하기 위해 제방을 쌓았다.
⑤ 한탄강 주변의 평탄한 지형은 용암의 열하 분출로 형성되었다.

04 사진은 화산 지형의 일부를 나타낸 것이다. 이 지형에 대한 옳은 설명을 〈보기〉에서 고른 것은?

┤ 보기 ├
ㄱ. 수직 절벽을 주상 절리라고 한다.
ㄴ. 유동성이 큰 용암이 굳어서 형성되었다.
ㄷ. 중생대 말기에 화산 활동으로 형성되었다.
ㄹ. 열하 분출한 현무암질 용암으로 이루어졌다.

① ㄱ, ㄴ   ② ㄱ, ㄷ   ③ ㄴ, ㄷ
④ ㄴ, ㄹ   ⑤ ㄷ, ㄹ

★05 제주도의 화산 지형과 관련된 설명으로 옳지 <u>않은</u> 것은?

① 한라산의 정상부에는 화구호인 백록담이 있다.
② 제주도는 여러 차례의 화산 활동으로 형성되었다.
③ 한라산의 산기슭에는 오름으로 불리는 기생 화산이 형성되어 있다.
④ 한라산의 산 정상부를 중심으로 용천대가 형성되어 주민들에게 용수를 공급한다.
⑤ 유동성이 큰 용암이 흘러 지나간 자리에 용암 동굴이 형성되어 관광 자원으로 활용된다.

★06 다음 자료의 A~D에 대한 옳은 설명만을 〈보기〉에서 있는 대로 고른 것은?

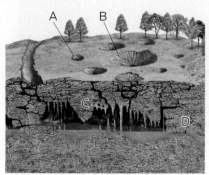

┤ 보기 ├
ㄱ. A의 규모가 확대되면 B가 된다.
ㄴ. C는 시간이 지나면 소멸된다.
ㄷ. D 암석은 고생대에 형성되었다.
ㄹ. A~C의 형성은 화학적 풍화 작용과 관련이 깊다.

① ㄱ, ㄹ   ② ㄴ, ㄷ   ③ ㄱ, ㄴ, ㄷ
④ ㄱ, ㄷ, ㄹ   ⑤ ㄴ, ㄷ, ㄹ

07 다음 글의 (가) 마을에 대한 추론으로 옳지 <u>않은</u> 것은?

> (가) 마을은 커다란 구덩이가 8개 있다고 해서 이름 붙여졌다. 어떤 작물을 심어 놓든 무럭무럭 자랄 만큼 토양이 좋아 1970년대만 해도 30가구 이상이 사는 마을이었지만 땅이 계속 꺼져 내리는 통에 많은 사람이 산 아래에 있는 마을이나 주변 도시로 떠났다고 한다.

① 기반암은 석회암으로 이루어졌을 것이다.
② 마을의 땅 밑에는 석회동굴이 있을 것이다.
③ 마을 주변 산지의 토양은 붉은색이 많을 것이다.
④ 마을 사람들은 과거에 벼농사를 주로 지었을 것이다.
⑤ 인근에 공장이 들어선다면 시멘트 공장이 유리할 것이다.

08 다음은 사진에 제시된 지역을 답사하고 발표한 내용이다. 발표 내용이 옳은 학생만을 있는 대로 고른 것은?

갑: 인근 주민들이 먼지로 인해 피해를 입고 있습니다.
을: 여기서 채굴한 광석은 대부분 제철 공업에 이용됩니다.
병: 우리나라에는 이러한 광산이 호남 지방에 집중 분포합니다.
정: 광산 주변 지역에는 석회동굴을 방문하는 관광객이 많습니다.

① 갑, 병　　② 갑, 정　　③ 을, 정
④ 갑, 병, 정　　⑤ 을, 병, 정

09 지도를 보고 물음에 답하시오.

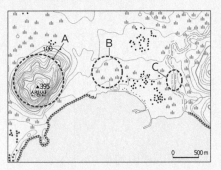

(1) A, C 지형의 명칭을 쓰시오.

_____

(2) A, B 지형의 경사도 차이를 용암의 특성을 토대로 서술하시오.

_____

_____

10 지도는 어느 시대의 지체 구조를 나타낸 것이다. 지도를 보고 물음에 답하시오.

(1) (가)의 형성 시기와 명칭을 쓰시오.

_____

(2) (가)에 발달하는 지형의 특성을 제시된 조건을 토대로 서술하시오.

> • 지표 및 지하 지형 명칭
> • 토양 및 풍화 작용 특성

_____

_____

| 신유형 |

01 다음 지도의 A~D에 대한 옳은 설명만을 〈보기〉에서 있는 대로 고른 것은?

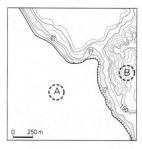 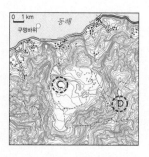

┃ 보기 ┃

ㄱ. A에서는 주로 논농사가 이루어진다.

ㄴ. A는 D보다 분출한 용암의 점성도가 높았다.

ㄷ. B는 A보다 기반암의 형성 시기가 이르다.

ㄹ. C는 D보다 형성 시기가 이르다.

① ㄱ, ㄷ   ② ㄴ, ㄹ   ③ ㄱ, ㄴ, ㄹ

④ ㄱ, ㄷ, ㄹ   ⑤ ㄴ, ㄷ, ㄹ

| 신유형 |

03 표는 동굴의 유형을 구분한 것이다. 이에 대한 설명으로 옳은 것은?

구분	사례
(가) 동굴	대금굴, 환선굴, 성류굴, 백룡 동굴, 고씨 동굴, 고수 동굴
(나) 동굴	만장굴, 김녕굴, 협재굴, 당처물 동굴, 용천 동굴, 벵뒤굴

① (가)는 중생대 화강암이 분포하는 곳에 나타난다.

② (가)는 용암의 냉각 속도 차이로 인해 형성되었다.

③ (나)의 기반암은 시멘트 공업의 원료로 이용된다.

④ (나)는 기반암의 화학적 풍화 작용으로 형성되었다.

⑤ (가) 인근의 토양은 붉은색이며, (나) 인근의 토양은 흑갈색이다.

| 수능 기출 |

02 (가), (나) 지형이 나타나는 지역의 공통적인 특징으로 옳은 것은?

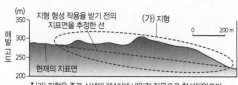

* (가) 지형은 주로 신생대 제4기에 내인적 작용으로 형성되었으며, ○○산의 완경사 사면에 집단적으로 분포한다.

* (나) 지형은 주로 빗물과 지하수가 암석에 화학 작용을 일으켜 형성되며, 서로 연결되어 규모가 커지기도 한다.

① 기반암의 특성으로 인해 건천이 나타난다.

② 기반암이 용식되어 형성된 동굴이 나타난다.

③ 분화구에 물이 고여 형성된 호수가 나타난다.

④ 기반암이 풍화되어 주로 검은색의 토양이 나타난다.

⑤ (가), (나) 지형의 형성은 해발 고도를 높이는 작용을 한다.

| 평가원 응용 |

04 다음 지도의 A~C에 대한 설명으로 옳지 않은 것은?

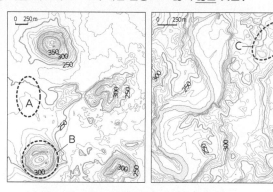

① A는 유동성이 큰 용암이 흘러 형성되었다.

② B는 화산 쇄설물로 이루어진 기생 화산이다.

③ C의 주변에는 붉은색 토양이 분포한다.

④ A는 C보다 기반암의 형성 시기가 이르다.

⑤ A, B 모두 배수가 잘되며 밭농사에 유리하다.

III

기후 환경과
인간 생활

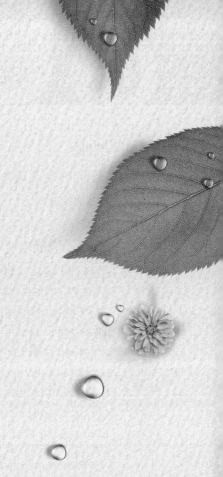

이 단원의 핵심 포인트

중단원	핵심 포인트	학습일
01 우리나라의 기후 특성	• 기후의 이해 • 우리나라의 기후 특성 • 우리나라의 계절별 기후 특성	월　일　~　월　일
02 기후와 주민 생활	• 기온과 주민 생활 • 강수와 주민 생활 • 바람과 주민 생활 • 국지 기후와 주민 생활 • 기후와 경제생활	월　일　~　월　일
03 자연재해와 기후 변화	• 우리나라의 자연재해 • 우리나라의 기후 변화 • 우리나라의 식생과 토양	월　일　~　월　일

셀파와 내 교과서 단원 비교

셀파	천재교과서	미래엔	비상교육
01 우리나라의 기후 특성	01 우리나라의 기후 특성	01 우리나라의 기후 특성	01 우리나라의 기후 특성
02 기후와 주민 생활	02 기후와 주민 생활	02 기후와 주민 생활	02 기후와 주민 생활
03 자연재해와 기후 변화	03 기후 변화와 자연재해	03 자연재해와 기후 변화	03 자연재해와 기후 변화

01 우리나라의 기후 특성

1 기후의 이해

1. 기후 오랜 기간에 걸쳐 나타나는 대기의 종합적이고 평균적인 상태

2. 기후 요소와 기후 요인

(1) **기후 요소** 기후를 구성하는 대기의 여러 가지 특성 → 기온, 강수, 바람, 습도 등

(2) **기후 요인** 기후 요소에 변화를 주는 요인 → 위도, 수륙 분포, 지형, 해발 고도 등

위도	• 위도에 따른 일사량 차이[1] • 저위도에서 고위도로 갈수록 태양의 고도가 낮아지기 때문에 태양 복사 에너지의 양이 줄어들어 기온이 낮아짐. → 저위도 지역은 덥고 고위도 지역은 추움.
수륙 분포	• 대륙과 해양의 비열 차 ┌ 육지는 바다보다 비열이 작아 쉽게 데워지고 쉽게 식음. • 같은 위도상의 내륙은 바다의 영향을 크게 받는 해안보다 연교차가 큼.
지형	• 강수에 영향 → 산지 지역이 평야 지역보다 강수량이 많음. ┌ 바람을 직접 맞는 산사면 • 산지의 바람받이 사면은 강수량 많고, 바람그늘 사면은 강수량이 적음. └ 바람을 직접 맞는 산사면의 반대편
해발 고도	• 해발 고도가 높아질수록 기온이 낮아짐(100m 상승할 때마다 약 0.6℃씩 감소). • 고도가 높은 산지 지역은 여름에 서늘함.

└ 기후 요인은 위도, 수륙 분포, 지형, 해발 고도 등과 같이 변하지 않는 성질의 지리적 기후 요인과 해류, 기단, 전선, 기압 등과 같이 계절에 따라 변하거나 이동하면서 여러 지역에 영향을 미치는 동적 기후 요인으로 구분함.

2 우리나라의 기후 특성

1. 우리나라의 기후

┌ 중위도 지역은 태양 고도가 높은 시기에 태양 복사 에너지의 양이 늘어나 여름이 되고, 태양의 고도가 낮은 시기에 반대로 겨울이 됨.

(1) **냉대 및 온대 기후** 북반구 중위도에 위치하여 사계절이 뚜렷함.

(2) **대륙성 기후** 대륙 동안에 위치하여 기온의 연교차[2]가 큼. 자료01

(3) **계절풍 기후** 계절에 따라 풍향이 바뀌는 계절풍의 영향을 받음.
└ 대륙과 해양의 비열 차에 의해 발생함.

구분	기압	풍향	기후 특성
여름철	북태평양 고기압	남서·남동 계절풍	고온 다습, 강수량 많음.
겨울철	시베리아 고기압	북서 계절풍	한랭 건조, 강수량 적음.

2. 기온·강수·바람의 특성

(1) **기온의 특성**

① **기온의 지역 차** 여름보다 겨울에 기온 차이가 큼. 자료02

남북 차	• 남쪽에서 북쪽으로 갈수록 기온이 낮아짐. • 기온의 남북 차가 동서 차보다 큼. → 국토의 형태가 남북 방향으로 길기 때문
동서 차	• 비슷한 위도의 동서 지역 간 기온 차 발생 → 수륙 분포의 영향 • 여름: 동해안<서해안<내륙, 겨울: 동해안>서해안>내륙 • 비슷한 위도의 동해안이 서해안보다 겨울 기온이 높음. → 동해와 황해의 수심 차이, 차가운 북서풍을 차단하는 산맥 등 지형의 영향을 받기 때문

② **기온의 연교차** 남해안에서 북부 내륙 지역으로 갈수록 큼, 같은 위도에서는 내륙>해안, 서해안>동해안

③ **기온의 일교차**[3] 일교차는 장마철과 한여름, 흐린 날에 작고, 봄과 가을, 맑은 날에 큼.

---

❶ 위도에 따른 일사량 차이

*각 도시의 기온은 연평균 기온이며, 1961~1990년 평균값임. (기상청, 2016)

적도 부근에서 극지방으로 갈수록 일사량이 줄어들어 연평균 기온이 낮아진다.

우리나라의 기후

• 냉대 및 온대 기후
• 대륙성 기후
• 계절풍 기후

❷ 연교차

최난월 평균 기온과 최한월 평균 기온의 차이를 말한다. 우리나라는 겨울에 지역 간 기온 차이가 크기 때문에 겨울 기온이 낮은 지역일수록 연교차가 크다.

▲ 우리나라의 연교차 분포

❸ 일교차

일 최고 기온과 일 최저 기온의 차이로, 대기 중의 상대 습도와 대체로 반비례한다.

자료 01 대륙 서안과 동안의 기후 비교

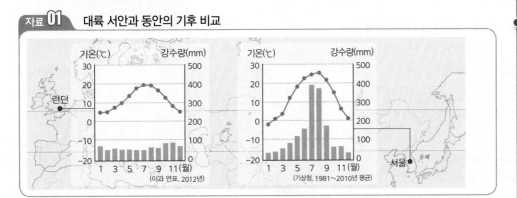

자료 분석 | 대륙 서안에 위치한 영국 런던은 연중 편서풍과 난류의 영향을 받아 연교차가 작고 강수량이 연중 고른 편이다. 반면에 대륙 동안에 위치한 우리나라 서울은 계절풍의 영향으로 여름에는 고온 다습하고, 겨울에는 한랭 건조하다. 이처럼 대륙성 기후가 나타나는 우리나라는 기온의 연교차가 크고 여름 강수 집중률이 높은 편이다.

교과서 탐구 풀이

Q 서울과 런던의 1월과 7월의 기온 및 강수의 특성을 비교해 보자.

A 서울의 1월과 7월의 기온 차는 약 27℃이고, 런던의 1월과 7월의 기온 차는 약 15℃이다. 또한 서울의 1월과 7월의 강수량의 차이는 약 360mm이고, 런던의 1월과 7월의 강수량의 차이는 약 30mm이다. 이를 통해 서울이 런던보다 연교차와 강수의 계절 차가 크다는 것을 알 수 있다.

> 서로 같은 위도나 다른 위도에 위치한 여러 도시의 1월 평균 기온,
> 기온의 연교차를 통해 도시의 위치를 찾아 짝을 짓는 문제가 많
> 이 출제되므로 지도에서 지역의 위치를 확인해 두자!!

자료 02 공통 자료 1월과 8월의 기온 분포

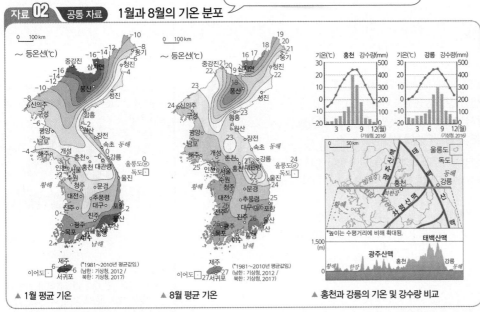

▲ 1월 평균 기온   ▲ 8월 평균 기온   ▲ 홍천과 강릉의 기온 및 강수량 비교

교과서 자료 더 보기

| 기온 분포의 남북 차와 동서 차 |

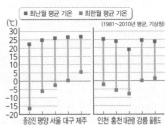

▲ 기온의 남북 차   ▲ 기온의 동서 차

우리나라는 기온의 남북 차가 동서 차보다 크게 나타난다. 기온의 남북 차는 위도를 반영하므로 남쪽에서 북쪽으로 갈수록 기온이 낮아진다. 기온의 동서 차는 바다의 영향을 받는 정도 및 주변 바다의 특성과 관련이 깊다.

자료 분석 | 1월에는 남북 간의 기온 차이가 매우 크게 나타난다. 관북 지방과 영동 지방의 해안 지역은 해발 고도가 높은 함경산맥과 태백산맥의 영향으로 해안선에 나란하고 촘촘한 등온선이 나타난다. 8월에는 한반도 전역이 고온 다습한 북태평양 기단의 영향을 받기 때문에 남북 및 동서 간 기온 차가 1월에 비해 상대적으로 크지 않다. 북부 지방 일부와 태백 산지는 해발 고도가 높아 기온이 낮게 나타난다. 위도가 비슷할 때 동해안의 겨울철 기온은 내륙보다 높다. 동해안에 위치한 강릉의 1월 평균 기온은 0.4℃이지만 내륙의 홍천은 −5.5℃이다. 이는 태백산맥이 차가운 북서 계절풍을 막아주고, 수심이 깊고 난류가 흐르는 동해의 영향을 받았기 때문이다.

(2) 강수의 특성 자료03

<small>장마 전선이 영향을 주는 기간, 태풍 통과 횟수 등이 해마다 다르기 때문에 연 변동의 폭이 큼.</small>

① **강수의 계절 차** 강수량의 계절 차와 연 변동이 크고, 연 강수량의 절반 이상이 여름철에 집중 → 여름철 고온 다습한 북태평양 기단과 장마 전선, 태풍 등의 영향

② **강수의 지역 차** 대체로 남쪽에서 북쪽으로 갈수록 연 강수량 감소, 지형과 풍향에 따라 지역 차 발생

▲ 우리나라의 다우지와 소우지

다우지	• 남서 기류④의 바람받이 지역 → 지형성 강수⑤가 많이 내림.
	• ㉑ 한강 중·상류 지역, 남해안 일대, 청천강 중·상류 지역, 제주도 남동 지역
소우지	• 바람그늘 지역 ㉑ 개마고원 일대, 영남 내륙 지역
	• 상승 기류 발생이 어려운 지형이 낮고 평평한 지역 ㉑ 대동강 하류 지역
다설지	• 북서 계절풍의 영향 ㉑ 울릉도, 소백산맥 서사면
	• 북동 기류의 영향 ㉑ 강원도 영동 산간 지역

(3) 바람의 특성

① **계절풍** 겨울철 시베리아 고기압의 영향으로 한랭 건조한 북서 계절풍이 불고, 여름철 북태평양 고기압의 영향으로 고온 다습한 남동·남서 계절풍이 불어옴. 자료04

② **높새바람**

시기	오호츠크해 기단이 세력을 확장하는 늦봄~초여름
특징	영서 지방과 경기 지방으로 불어오는 고온 건조한 북동풍 → 푄 현상⑥의 영향으로 습윤하고 서늘한 바람이 태백산맥을 넘으면서 고온 건조해짐.
영향	영서와 경기 지방에 이상 고온 현상이나 가뭄 피해, 영동 지방에 냉해 피해

3 우리나라의 계절별 기후 특성 자료05

<small>왜? 고기압이 통과하는 날은 화창한 날씨가 나타나고, 저기압이 통과하는 날은 비가 내림.</small>

봄	• 심한 날씨 변화: 이동성 고기압과 저기압이 교대로 통과
	• 꽃샘추위: 3월 이후 시베리아 기단의 일시적인 세력 확장으로 발생
	• 건조한 날씨: 대기 건조 → 가뭄 발생, 산불 발생 빈도 높음.
	• 황사: 중국과 몽골의 건조 지역에서 발생한 흙먼지가 편서풍을 타고 날아옴.
	• 높새바람: 늦봄~초여름, 영서 지방과 경기 지방에 부는 바람
여름	• 장마 전선의 형성과 이동: 오호츠크해 기단과 북태평양 기단이 만나 정체성이 강한 전선 형성, 장마 전선은 시간이 지남에 따라 북상 → 장마 전선대를 따라 수증기가 다량 유입할 경우 집중 호우 발생
	• 북태평양 기단 발달, 남고북저형 기압 배치 → 남서 및 남동 계절풍이 붐.
	• 성하일 및 열대야: 고온 다습한 날씨가 지속되면서 일 최고 기온이 30℃를 넘는 성하일, 일 최저 기온이 25℃를 넘는 열대야 발생
	• 소나기 발생: 강한 일사로 인해 대류성 강수⑦인 소나기 발생이 잦음.
가을	• 초가을 짧은 가을 장마
	• 이동성 고기압의 영향으로 맑은 날이 많음. → 농작물의 결실과 추수에 유리
겨울	• 시베리아 고기압 발달, 서고동저형 기압 배치 → 북서 계절풍이 붐.
	• 삼한 사온 현상: 시베리아 기단의 주기적인 발달과 쇠퇴로 기온의 하강과 상승이 반복적으로 나타나는 현상
	• 한파: 시베리아 고기압의 확장, 제트 기류의 약화 <small>대류권 상부에서 좁은 영역에 수평으로 집중하는 강한 기류</small>
	• 폭설: 차가운 북서풍이 황해를 건너오면서 눈구름 형성 → 서해안에 폭설

고득점을 위한 셀파 Tip

우리나라의 기온·강수·바람 특성

기온 특성	• 남쪽에서 북쪽으로 갈수록 기온이 낮고, 연교차는 큼. • 동 위도의 동해안이 서해안보다 겨울 기온 높음.
강수 특성	• 여름철 강수 집중 • 남쪽에서 북쪽으로 갈수록 연 강수량 감소
바람 특성	• 계절풍 • 높새바람

④ **남서 기류**
우리나라에 저기압이 통과하거나 전선이 걸려 있을 때, 북태평양 고기압에서 우리나라로 유입되는 기류이다. 남서 기류는 주로 여름철에 남쪽 바다에서 유입되므로 습기가 많으며, 산맥에 부딪쳐 많은 비를 내린다.

⑤ **지형성 강수**
습한 공기가 높은 산을 넘어갈 때 기온이 내려가면서 수증기로 응결되어 바람받이 사면에서 발생하는 강수 현상이다.

⑥ **푄 현상**
습윤한 공기가 산지를 타고 넘어갈 때 바람받이 사면에 강수를 발생시키고, 바람그늘 사면에서는 고온 건조한 공기로 변하는 현상을 말한다.

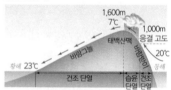

⑦ **대류성 강수**
지면이 가열되면 대류 현상에 의해 강한 상승 기류가 형성되는데, 이때 나타나는 강수 현상이다.

자료 03 | 8월과 1월의 강수 분포

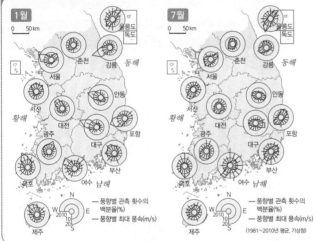

▲ 8월의 강수량

(*1981~2010년 평균값임.)
(남한: 기상청, 2012)

▲ 1월의 강수량

(*1981~2010년 평균값임.)
(남한: 기상청, 2012 / 북한: 기상청, 2017)

자료 분석 |
우리나라는 대부분 지역에서 연 강수량의 절반 이상이 여름철에 집중되는데, 이는 장마 전선, 태풍, 여름 계절풍의 영향 때문이다. 여름철에는 남서 기류가 수렴되는 청천강 중·상류, 한강 중·상류, 섬진강 하류 등지에서 강수량이 많고, 겨울철에는 건조한 시베리아 기단의 영향을 받아 대체로 강수량이 적으나 울릉도와 영동 지역은 바다의 영향으로 강수량이 대체로 많다.

자료 04 | 공통 자료 | 1월과 7월의 바람 장미

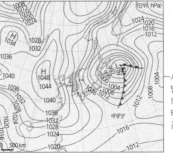

자료 분석 |
우리나라는 대륙 동안에 위치하여 대륙과 해양 간 비열 차에 의해 발생하는 계절풍의 영향을 받는다. 1월에는 서해안 지역에 북서풍이 많이 불어오는데, 지형의 영향을 적게 받는 지역일수록 겨울철 북서풍이 뚜렷하다. 반면, 여름철은 겨울철보다 풍향이 일정하지 않으며 대체로 풍속이 약한 편이다.

자료 05 | 여름과 겨울의 일기도

▲ 여름의 일기도

-북태평양 고기압의 발달로 장마 전선이 북쪽으로 이동하였고, 남고북저형 기압 배치가 나타남.

▲ 겨울의 일기도

-시베리아 고기압의 발달로 서고동저형의 기압 배치가 나타나며, 등압선의 간격이 매우 좁음.

자료 분석 | 한여름에는 태평양 쪽에 고기압이 발달하고 한반도 북쪽에 저기압이 발달하여 남고북저형 기압 배치가 나타난다. 겨울에는 대륙 내부에 시베리아 고기압이 발달하고, 바다에 저기압이 발달하여 서고동저형 기압 배치가 나타난다.

● 교과서 자료 더 보기

| 우리나라의 다설 지역 |

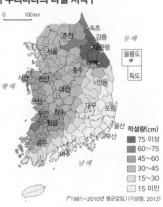

시베리아 고기압의 확장으로 차가운 북서풍이 서해상을 건너오는 과정에서 눈구름이 만들어져 호남 지역과 울릉도에 많은 눈을 내린다. 또한 겨울철 북고남저형 기압 배치로 북동 기류가 유입되면 태백산맥의 바람받이 사면인 영동 지역과 대관령 지역에 많은 눈이 내린다.

● 교과서 자료 더 보기

| 우리나라에 영향을 미치는 기단 |

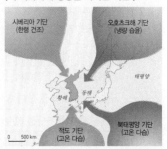

우리나라 주변의 기단이 성장과 쇠퇴를 반복하면서 계절별로 독특한 기후 현상이 나타난다.

개념 완성

1 기후의 이해

기후 요소	• 기후를 구성하는 대기의 여러 현상 • 기온, 강수, 바람 등
기후 요인	• 위도: 고위도로 갈수록 기온이 (❶). • (❷): 동위도의 내륙은 해안보다 기온의 연교차가 큼. • 지형: 산지의 (❸) 사면은 바람그늘 사면보다 강수량이 많음.

2 우리나라의 기후 특성

① 우리나라의 기후

대륙성 기후	유라시아 대륙의 동쪽에 위치하여 기온의 연교차가 (❹).
계절풍 기후	여름에는 남동·남서 계절풍, 겨울에는 북서 계절풍이 붐.
냉·온대 기후	북반구 중위도에 위치

② 기온의 특성

연평균 기온	남에서 북으로 갈수록, 해안에서 내륙으로 갈수록 대체로 (❺).
기온의 지역 차	• 겨울: 동위도에서 동해안>서해안>내륙 순으로 기온이 높음. • 여름: 서해안이 동해안보다 대체로 기온이 높음.
기온의 일교차	(❻)과 한여름이 작고 봄과 가을이 큼.

③ 강수의 특성

강수량의 지역 차	풍향과 지형이 강수량 분포에 큰 영향을 줌. 남서 계절풍의 바람받이 지역의 연 강수량이 많음.
다우지와 소우지	• 다우지: 습윤한 남서 기류의 바람받이, 남해안 일대, 대관령, 청천강 중·상류 • 소우지: 개마고원, 영남 내륙, 대동강 하류 • 다설지: (❼), 충남 및 호남 서해안, 북동 기류의 바람받이인 영동 지방

④ 바람의 특성

계절풍	• 겨울: 한랭 건조한 북서 계절풍 • 여름: 고온 다습한 남풍 계열의 바람
(❽)	늦봄~초여름에 부는 북동풍으로 영서·경기 지방에 가뭄 피해를 줌.

3 우리나라의 계절별 기후 특성

봄	꽃샘추위, 황사, 높새바람
여름	장마, 열대야, 소나기
가을	초가을 장마, 맑은 날
겨울	삼한 사온, 한파, 폭설

정답 ❶ 낮아짐 ❷ 수륙 분포 ❸ 바람받이 ❹ 큼 ❺ 낮아짐 ❻ 장마철 ❼ 울릉도 ❽ 높새바람

탄탄 내신 문제

01 (가), (나)에 들어갈 기후 요인으로 옳은 것은?

기후 요인	사례
(가)	• 홍천은 강릉보다 기온의 연교차가 크다. • 대구는 포항보다 최난월 평균 기온이 높다.
(나)	• 서귀포는 제주보다 여름 강수량이 많다. • 호남 지방은 영남 내륙 지방보다 연 강수량이 많다.

    (가)   (나)   (가)   (나)
① 위도   지형   ② 위도   수륙 분포
③ 지형   위도   ④ 수륙 분포   위도
⑤ 수륙 분포 지형

02 다음 글에서 설명하는 기후 요인에 해당하는 적절한 사례를 〈보기〉에서 고른 것은?

> 태양과 지표면이 이루는 각은 저위도에서 고위도로 갈수록 작아지기 때문에 고위도 지역으로 갈수록 햇빛이 넓은 면적에 분산되어 단위 면적에 도달하는 태양 에너지의 양은 줄어든다.

〈보기〉
ㄱ. 홍천은 중강진보다 연평균 기온이 높다.
ㄴ. 목포는 인천보다 최한월 평균 기온이 높다.
ㄷ. 강릉은 대관령보다 최난월 평균 기온이 높다.
ㄹ. 서울은 울릉도보다 최난월 평균 기온이 높다.

① ㄱ, ㄴ   ② ㄱ, ㄷ   ③ ㄴ, ㄷ
④ ㄴ, ㄹ   ⑤ ㄷ, ㄹ

03 다음 글의 ㉠, ㉡에 들어갈 내용으로 옳은 것은?

> 북반구 중위도에 위치한 우리나라는 사계절이 뚜렷한 (㉠) 기후가 나타나고 유라시아 대륙 동안에 위치하고 있어 계절풍의 영향을 많이 받는다. 또한 대륙의 영향을 많이 받아 기온의 연교차가 큰 (㉡) 기후가 나타난다.

    ㉠   ㉡   ㉠   ㉡
① 대륙성   해양성   ② 대륙성   냉·온대
③ 해양성   대륙성   ④ 해양성   냉·온대
⑤ 냉·온대 대륙성

04 런던과 비교한 서울의 상대적인 기후 특색만을 〈보기〉에서 있는 대로 고른 것은?

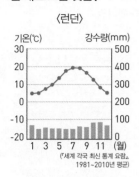
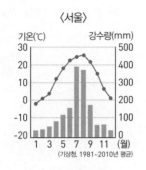

┃ 보기 ┃
ㄱ. 연 강수량이 많다.
ㄴ. 기온의 연교차가 크다.
ㄷ. 겨울 강수 집중률이 높다.
ㄹ. 최한월 평균 기온이 높다.

① ㄱ, ㄴ   ② ㄴ, ㄷ   ③ ㄷ, ㄹ
④ ㄱ, ㄷ, ㄹ   ⑤ ㄴ, ㄷ, ㄹ

05 지도는 8월 강수량 분포를 나타낸 것이다. A～C 지역의 여름철 강수량이 적은 주된 이유를 〈보기〉에서 고른 것은?

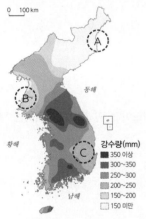

┃ 보기 ┃
ㄱ. 남서 계절풍의 바람그늘 지역에 위치한다.
ㄴ. 남서 계절풍의 바람받이 기능을 하는 산지가 적다.
ㄷ. 남서 계절풍의 바람그늘 지역에 위치하고, 연안에 한류가 흐른다.

	A	B	C
①	ㄱ	ㄴ	ㄷ
②	ㄱ	ㄷ	ㄴ
③	ㄴ	ㄱ	ㄷ
④	ㄷ	ㄱ	ㄴ
⑤	ㄷ	ㄴ	ㄱ

06 A～H 지역의 강수량에 대한 옳은 설명만을 〈보기〉에서 있는 대로 고른 것은?

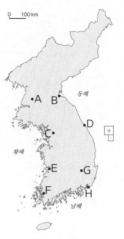

┃ 보기 ┃
ㄱ. A는 B보다 연 강수량이 많다.
ㄴ. C는 D보다 여름 강수 집중률이 높다.
ㄷ. E는 G보다 겨울 강수량이 많다.
ㄹ. H는 F보다 여름 강수량이 많다.

① ㄱ, ㄴ   ② ㄱ, ㄷ   ③ ㄴ, ㄹ
④ ㄱ, ㄷ, ㄹ   ⑤ ㄴ, ㄷ, ㄹ

07 A～D 지역에 대한 설명으로 옳은 것은? (단, A～D는 인천, 양평, 대관령, 울릉도 중 하나임.)

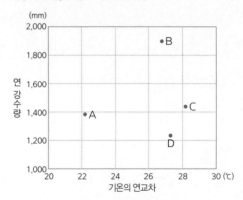

① A는 D보다 하계 강수 집중률이 높다.
② B는 C보다 해발 고도가 높다.
③ B는 D보다 최난월 평균 기온이 높다.
④ C는 A보다 바다의 영향을 크게 받는다.
⑤ D는 A보다 태양의 남중 시각이 이르다.

★08 그래프는 세 지역의 기온의 연교차와 연 강수량을 나타낸 것이다. (가)~(다) 지역을 지도의 A~C에서 고른 것은?

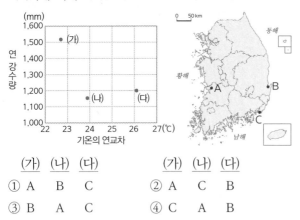

	(가)	(나)	(다)		(가)	(나)	(다)
①	A	B	C	②	A	C	B
③	B	A	C	④	C	A	B
⑤	C	B	A				

09 다음 지도의 A~C 구간에서 시작점의 수치가 도착점보다 큰 항목을 〈보기〉에서 고른 것은?

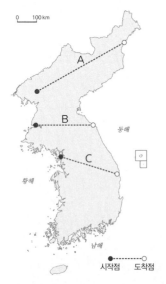

┃보기┃
ㄱ. 연 강수량　　　　ㄴ. 기온의 연교차
ㄷ. 여름 강수 집중률　　ㄹ. 농작물 재배 가능 기간

① ㄱ, ㄴ　　② ㄱ, ㄷ　　③ ㄴ, ㄷ
④ ㄴ, ㄹ　　⑤ ㄷ, ㄹ

10 지도는 두 시기의 지역별 바람장미를 나타낸 것이다. (가), (나) 시기에 대한 옳은 설명만을 〈보기〉에서 있는 대로 고른 것은? (단, (가), (나)는 1월과 7월 중 하나임.)

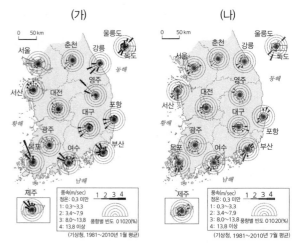

*바람장미: 어떤 지점에서 각 방위별 풍향의 출현 빈도를 방사 모양의 그래프로 나타낸 것

┃보기┃
ㄱ. (가)는 해양성 기단의 영향을 강하게 받는 시기이다.
ㄴ. (나)의 바람은 대청마루 문화 발달에 영향을 주었다.
ㄷ. (가)는 (나)보다 난방용 전력 수요가 많다.
ㄹ. (나)는 (가)보다 수력 발전량이 많다.

① ㄱ, ㄴ　　② ㄱ, ㄷ　　③ ㄴ, ㄹ
④ ㄱ, ㄷ, ㄹ　　⑤ ㄴ, ㄷ, ㄹ

11 자료는 어느 계절의 일기도이다. 이 계절에 나타나는 기후 현상으로 옳은 것은?

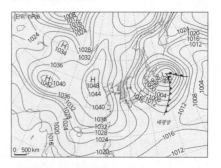

① 비가 자주 내린다.
② 무더위가 지속된다.
③ 남서 계절풍이 분다.
④ 삼한 사온 현상이 나타난다.
⑤ 한낮에 소나기가 내리기도 한다.

12 자료는 우리나라에 영향을 미치는 주요 기단을 나타낸 것이다. (가), (나) 기단과 관련 있는 기후 현상만을 〈보기〉에서 있는 대로 고른 것은?

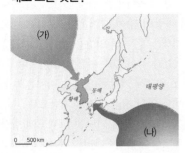

| 보기 |
ㄱ. 폭염	ㄴ. 한파	ㄷ. 장마
ㄹ. 열대야	ㅁ. 높새바람	ㅂ. 꽃샘추위
ㅅ. 삼한 사온	ㅇ. 남서 계절풍	ㅈ. 북서 계절풍

	(가)	(나)
①	ㄱ, ㄹ	ㄴ, ㅂ
②	ㄴ, ㄷ, ㅂ	ㄱ, ㄹ, ㅁ
③	ㄷ, ㅂ, ㅇ	ㄹ, ㅁ, ㅈ
④	ㄴ, ㅂ, ㅅ, ㅈ	ㄱ, ㄷ, ㄹ, ㅇ
⑤	ㄴ, ㅁ, ㅂ, ㅇ	ㄱ, ㄷ, ㄹ, ㅈ

13 자료는 어느 두 시기의 전형적인 일기도이다. (가), (나) 시기에 대한 설명으로 옳은 것은?

(가)　　　　　　　(나)

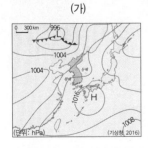 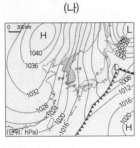

① (가) 시기에는 삼한 사온 현상이 나타난다.
② (나) 시기에는 열대일과 열대야가 자주 나타난다.
③ (가)는 (나)보다 대류성 강수 빈도가 높다.
④ (나)는 (가)보다 상대 습도가 높다.
⑤ (가)는 장마철, (나)는 한여름철의 일기도이다.

14 지도는 중부 지방의 1월 평균 기온 분포를 나타낸 것이다. 이를 보고 물음에 답하시오.

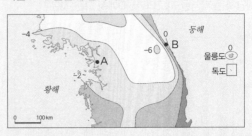

(1) A, B 지역 중에서 1월 평균 기온이 높은 곳을 고르고, 그 이유를 두 가지 서술하시오.

_____

(2) 동해안의 등온선이 해안선과 평행하게 나타나는 이유를 서술하시오.

_____

15 지도는 우리나라 기온의 연교차 분포를 나타낸 것이다. A 지역에서 기온의 연교차가 가장 크게 나타나는 이유를 두 가지 이상 서술하시오.

_____

_____

| 수능 기출 |

01 그래프는 (가)~(라) 지역의 기후 특성을 나타낸 것이다. 이에 해당하는 지역을 지도의 A~D에서 고른 것은?

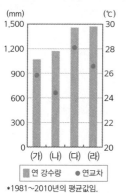
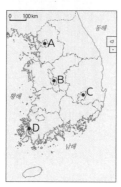

*1981~2010년의 평균값임.
(기상청)

	(가)	(나)	(다)	(라)
①	B	A	C	D
②	B	C	D	A
③	C	B	A	D
④	C	D	A	B
⑤	C	D	B	A

| 신유형 |

02 A~C 지역의 상대적 기후 특성을 그래프로 나타낸 것이다. (가), (나)에 해당하는 내용으로 옳은 것은?

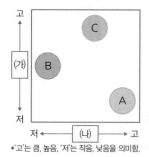
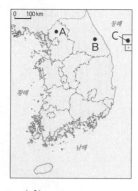

*'고'는 큼, 높음, '저'는 작음, 낮음을 의미함.

	(가)	(나)
①	기온의 연교차	겨울 강수 집중률
②	기온의 연교차	최난월 평균 기온
③	겨울 강수 집중률	연 강수량
④	겨울 강수 집중률	최난월 평균 기온
⑤	최난월 평균 기온	연 강수량

| 신유형 |

03 다음 글의 ㉠~㉣에 대한 설명으로 옳지 않은 것은?

> 중위도에 위치한 우리나라는 연중 ㉠ 의 영향으로 서풍 계열의 바람이 많이 불어온다. 그리고 대륙과 해양 사이에 위치해 ㉡ 의 영향을 받는다. 겨울철에는 주로 ㉢ 이/가 불어오고, 여름철에는 ㉣ 이/가 불어온다. 오호츠크해 기단이 영향을 미치는 늦봄부터 초여름 사이에는 영서 지방과 경기 지방으로 ㉤ 이/가 자주 분다. 오호츠크해 기단은 고위도에 발달한 해양성 기단으로 서늘한 바람을 불어 내는데, 이 바람이 태백산맥을 넘을 때 ㉥ 이/가 일어나 고온 건조한 바람으로 바뀌게 된다.

① ㉠은 봄철에 황사를 우리나라로 운반해 온다.
② ㉡은 겨울철과 여름철의 바람 방향이 서로 다르다.
③ ㉢은 ㉣보다 평균 풍속이 강하다.
④ ㉤이 불 때 영서 지방은 영동 지방보다 상대 습도가 높다.
⑤ ㉥으로 인해 영서 지방의 기온이 높아진다.

| 신유형 |

04 (가), (나) 지도의 지표로 옳은 것은?

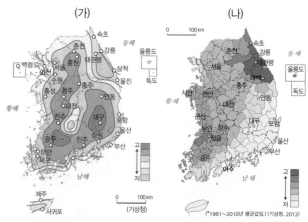

*'고'는 높음, 많음, '저'는 낮음, 적음을 의미함.
*1981~2010년 평균값임.) (기상청, 2012)

	(가)	(나)
①	황사 발생 일수	적설량
②	황사 발생 일수	여름 강수량
③	일평균 기온 0℃ 이하 일수	여름 강수량
④	일평균 기온 30℃ 이상 일수	적설량
⑤	일평균 기온 30℃ 이상 일수	여름 강수량

| 평가원 기출 |

05 그래프는 (가)~(마) 지역의 기후 특성을 나타낸 것이다. 이에 해당하는 지역을 지도의 A~E에서 고른 것은?

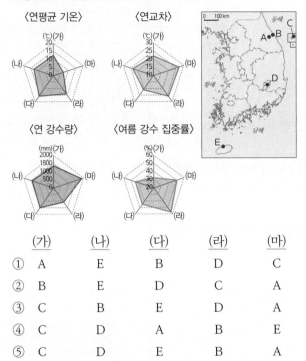

〈연평균 기온〉　〈연교차〉

〈연 강수량〉　〈여름 강수 집중률〉

	(가)	(나)	(다)	(라)	(마)
①	A	E	B	D	C
②	B	E	D	C	A
③	C	B	E	D	A
④	C	D	A	B	E
⑤	C	D	E	B	A

| 신유형 |

06 그래프는 지도에 표시된 세 지역의 계절별 강수량을 나타낸 것이다. A~C 지역에 대한 설명으로 옳은 것은?

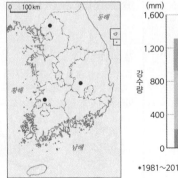
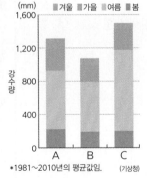

*1981~2010년의 평균값임.　(기상청)

┌ 보기 ┐
ㄱ. A는 B보다 바다의 영향을 많이 받는다.
ㄴ. A는 C보다 장마 전선의 영향을 늦게 받는다.
ㄷ. B는 C보다 최난월 평균 기온이 높다.
ㄹ. A는 한강 유역, B는 낙동강 유역에 위치한다.
└──────────────────────────┘

① ㄱ, ㄴ　　② ㄱ, ㄷ　　③ ㄴ, ㄷ
④ ㄴ, ㄹ　　⑤ ㄷ, ㄹ

| 수능 응용 |

07 그래프는 A~C 지역의 상대적 기후 특성을 나타낸 것이다. (가)~(다)에 해당하는 기후 지표로 옳은 것은?

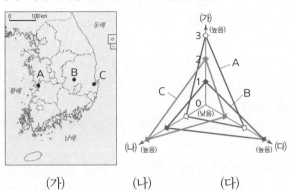

	(가)	(나)	(다)
①	연 강수량	연평균 기온	기온의 연교차
②	연 강수량	기온의 연교차	연평균 기온
③	연평균 기온	연 강수량	기온의 연교차
④	기온의 연교차	연 강수량	연평균 기온
⑤	기온의 연교차	연평균 기온	연 강수량

| 수능 응용 |

08 다음 그래프의 (가)~(라)에 속하는 지역을 지도의 A~D에서 고른 것은? (단, 기후 값의 차이는 울릉도의 값에서 해당 지역의 값을 뺀 것임.)

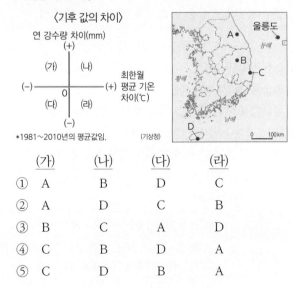

〈기후 값의 차이〉

*1981~2010년의 평균값임.　(기상청)

	(가)	(나)	(다)	(라)
①	A	B	D	C
②	A	D	C	B
③	B	C	A	D
④	C	B	D	A
⑤	C	D	B	A

02 기후와 주민 생활

1 기후 특성과 주민 생활

1. 기후와 주민 생활

(1) 의생활
① 여름 통풍이 잘되는 모시나 삼베로 된 옷 → 더위와 습도 극복
② 겨울 목화솜을 넣어 누빈 옷, 짐승의 털이나 가죽으로 만든 방한복 → 추위 극복

(2) 식생활
① 여름 벼농사와 관련된 문화 발달, 염장 식품 → 음식이 상하는 것을 방지, 남부 지역으로 갈수록 염도가 높아짐.
② 겨울 추위에 잘 견디는 보리·밀 재배, 김장[1] 문화 발달 → 북부 지방의 김치는 싱겁고 고춧가루를 적게 사용, 남부 지방의 김치는 짜고 매움. _{─김장 시기는 북쪽 내륙 지역이 이르고 남쪽 해안 지역으로 갈수록 늦음.} [자료01]
③ 기타 계절 음식 봄-화전, 여름-삼계탕, 가을-송편, 겨울-떡국·만둣국

(3) 주생활 전통 가옥인 한옥에는 더운 지방에서 발달한 대청마루와 추운 지방에서 발달한 온돌이 함께 나타남. [자료02]
① 여름 대청마루[2] 설치, 남부 지방으로 갈수록 개방적 가옥 구조(홑집)
② 겨울 온돌 설치, 북부 지방으로 갈수록 폐쇄적 가옥 구조(겹집), 관북 지방 정주간

2. 강수와 주민 생활

(1) 여름철 강수와 주민 생활
① 저수지, 보, 다목적 댐 홍수나 가뭄 피해 대비, 각종 용수 공급, 물 자원 관리 _{─하천 주변의 범람원 지역에서 하천 범람에 대비하여 지면보다 높고 평평하게 축대를 쌓은 대피 시설}
② 터돋움집[3], 피수대 홍수가 빈번한 지역에서 가옥의 침수 방지
③ 천일제염업, 과수 재배 강수가 적은 지역에서 풍부한 일조량을 바탕으로 발달
 • 대동강 하류, 전라남도 해안 → 천일제염업 발달
 • 황해도 해주, 영남 내륙 지역 → 과수 재배 활발

(2) 겨울철 강설과 주민 생활
① 설피, 발구[4] 강원 산간 지역에서 이동 수단으로 활용
② 우데기 울릉도 전통 가옥에 설치된 방설벽으로, 눈이 많이 쌓였을 때 실내 생활 공간으로 활용함. [자료03]
③ 관광 자원으로 활용 → 스키장 건설, 눈 축제 개최

3. 바람과 주민 생활

(1) 바람에 대비한 주민 생활
① 남향집, 배산임수 입지 차가운 북서 계절풍을 막음. _{─집 둘레에 돌담을 쌓아 강한 바람이 집안으로 들어오는 것을 막음.}
② 제주도 전통 가옥 완만한 지붕 경사, 줄로 엮은 지붕, 돌담, 풍채[5] 설치
③ 까대기 호남 해안 지역, 가옥의 벽이나 담에 볏짚, 비닐 등을 덧붙여 임시로 만든 건조물
④ 또아리집 강화도 해안, ㄷ자형 가옥의 좁은 마당에 지붕을 덮어 겨울철 강풍을 차단

(2) 바람의 이용과 피해

이용	대관령 등 고도가 높은 지역이나 해안 → 풍력 발전 단지를 건설하여 전력 생산
피해	• 높새바람: 늦봄~초여름, 고온 건조한 높새바람으로 영서 지방에서 가뭄 피해 • 태풍: 강풍, 강수로 인한 시설물 붕괴 피해

고득점을 위한 셀파 Tip

기후와 주민 생활

기온	• 여름철 모시·삼베 옷, 겨울철 목화솜·가죽 옷 • 염장 식품, 김장 • 대청마루, 온돌 설치
강수	• 강수 대비: 터돋움집 • 강설 대비: 우데기
바람	• 제주도의 줄로 엮은 지붕 • 까대기, 또아리집 등

❶ 김장
겨울에는 신선한 채소를 구하기 어려우므로 겨우내 먹을 많은 양의 김치를 담가서 저장하는 일이다.

❷ 대청마루
대청마루는 무더운 여름을 나기 위해 바닥 사이를 띄우고 나무판을 깔아 만든 공간으로, 지붕과 천장 사이에 공간을 두어 지붕의 열기가 방으로 전달되는 것을 막고, 바람이 잘 통하게 설치한 것이다.

❸ 터돋움집
홍수가 자주 발생하는 지역에서 집을 땅 위에 바로 짓지 않고, 흙이나 돌로 땅을 돋운 후 지은 집이다.

❹ 설피와 발구
설피는 눈이 빠지거나 미끄러지지 않도록 신발에 덧신는 도구이며, 발구는 눈이 올 때 물건을 운반하기 위해 사용하는 도구이다.

▲ 설피 　　▲ 발구

❺ 풍채
가옥의 앞면에 설치해 비바람이나 눈보라가 집 안으로 들이치는 것을 막아주는 것이다. 지붕 아래 매달아 고정해 햇빛이 강한 날은 받침대를 받쳐서 빛을 차단하며, 비바람이 강하게 몰아치는 날에는 내려서 비바람을 막는다.

셀파 자료 탐구

자료 01 공통 자료 북부 지방과 남부 지방의 김치

▲ 북부 지방의 김치

▲ 남부 지방의 김치

자료 분석 | 북부 지방과 남부 지방의 김치 특성 차이는 기온의 영향을 크게 받았다. 북부 지방은 겨울이 추워 김치가 쉽게 상하지 않기 때문에 싱겁게 김치를 만들었다. 반면 남부 지방은 기온이 따뜻하여 김치가 쉽게 쉬므로 이를 방지하기 위하여 짜고 맵게 김치를 만들었다.

자료 02 우리나라의 전통 가옥 구조

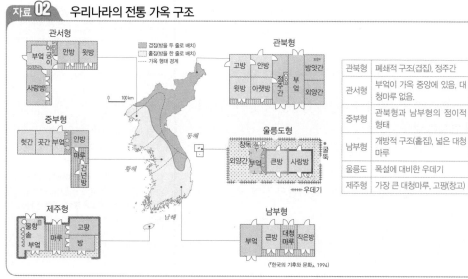

관북형	폐쇄적 구조(겹집), 정주간
관서형	부엌이 가옥 중앙에 있음, 대청마루 없음
중부형	관북형과 남부형의 점이적 형태
남부형	개방적 구조(홑집), 넓은 대청마루
울릉도	폭설에 대비한 우데기
제주형	가장 큰 대청마루, 고팡(창고)

(『한국의 기후와 문화』 1994)

자료 분석 | 겨울이 추운 관북 지방에서는 폐쇄적인 가옥 구조가 나타나고, 여름이 무더운 남부 지방에서는 개방적인 가옥 구조가 나타난다. 관북형은 겹집, 전(田)자형, 정주간이 특징이며, 남부형은 홑집, 일(一)자형, 대청마루가 특징이다.

자료 03 울릉도의 기후 특성과 우데기

▲ 울릉도의 전통 가옥

▲ 우데기 내부 모습

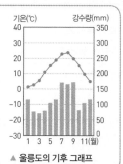

▲ 울릉도의 기후 그래프

자료 분석 | 우데기는 눈이나 비바람 등을 막기 위해 투막집 주위에 기둥을 세우고 억새나 수숫대 등을 엮어 네모지게 둘러친 외벽으로, 전국에서 유일하게 울릉도에서만 볼 수 있다. 이는 겨울에 눈이 많이 내리는 울릉도의 독특한 기후 조건 때문이다. 폭설로 눈이 쌓이면 밖으로 나가지 못하고 고립되기 쉬운데, 우데기 안쪽에 공간을 확보하여 이동과 활동이 이루어질 수 있도록 하였다.

● 교과서 자료 더 보기 ➕

| 김장 시기 |

(기상청, 2015)

김장은 겨울이 시작되는 입동을 기준으로 시작하며 남쪽으로 갈수록 시기가 늦어진다.

● 교과서 자료 더 보기 ➕

| 정주간 |

정주간은 부엌과 방 사이에 벽 없이 연결된 온돌방으로, 겨울이 추운 관북 지방에서 볼 수 있는 독특한 공간이다. 부뚜막이 가까워 가장 따뜻한 공간으로 추운 겨울의 식당과 거실의 역할을 한다.

● 교과서 탐구 풀이 ✏️

Q 울릉도에서 우데기와 같은 가옥 구조가 발달한 이유를 설명해 보자.

A 울릉도는 겨울 강설량이 많은 지역이다. 따라서 눈이 집안으로 들이치는 것을 막고, 실내 활동 공간을 확보하기 위해 이러한 가옥 구조가 발달하였다.

4. 국지 기후와 주민 생활

(1) 도시 열섬 현상⑥ 자료 04

① **의미** 교외보다 도심의 기온이 높게 나타나는 현상

② **원인** 도시 인구 증가, 냉·난방 시설 및 자동차 등에서 인공 열 방출, 녹지 공간 부족, 지표 포장 면적 증가 등
└ 도시숲을 조성하여 녹지 면적을 늘리고 바람길을 조성하면 열섬 현상을 완화시킬 수 있음.

③ **특징** 새벽>낮, 겨울>여름, 맑은 날>흐린 날에 탁월

④ **영향** 오염 물질 증가, 열대일·열대야 증가, 겨울철 난방 필요성 감소

(2) 기온 역전 현상 자료 05

의미	야간에 냉기류의 하강으로 분지 내부의 상층으로 갈수록 기온이 높아지는 현상
발생	늦가을~초봄, 맑고 바람이 없는 날 야간에 발생
피해	분지 내 농작물 냉해⑦, 도시에서는 대기 오염 심화, 안개와 결합될 때 스모그⑧ 현상 발생

2 기후와 경제생활

1. 날씨와 경제생활 자료 06

(1) **날씨와 농업** 가뭄, 서리 등 날씨 변화는 농작물 재배 시기와 수확량에 영향을 미침. → 비닐하우스 설치, 수리 시설 활용 등으로 날씨 변화에 대응

(2) **날씨와 제조업** 음료, 냉·난방기 등 계절상품 제조업에 큰 영향을 미침. → 기상 정보 활용하여 재고량 감소, 매출액 증가에 이바지

(3) **날씨와 서비스업** 날씨에 따라 운송 서비스의 요금 및 배송 시간 변동, 편의점의 진열 상품 변동

2. 기후와 경제생활

(1) 기후와 농업 활동

① **벼농사** 여름철 고온 다습한 기후는 벼의 생육에 유리

② **그루갈이**⑨ 겨울이 온화한 남부 지방에서 벼 수확 후 가을보리 재배

③ **고랭지 농업** 해발 고도가 높아 여름에 서늘한 대관령 일대에서 배추, 무 등 고랭지 채소를 재배하거나 초지를 조성하여 목장 운영

(2) 기후와 지역 축제 ─ 계절 변화에 따른 기온 변화는 일상생활이나 지역 축제, 여행 등에 영향을 미침.

봄	진해 군항제(벚꽃 축제), 전남 구례 산수유 꽃 축제 등
여름	보령 머드 축제, 부여 서동 연꽃 축제 등
가을	김제 지평선 축제, 구리 코스모스 축제 등
겨울	화천 산천어 축제, 인제 빙어 축제 등

(3) 기후와 여행⑩

① **겨울철 국외 여행 선호지** 우리나라 사람들은 겨울에 열대 기후 지역인 타이, 필리핀 등이나 남반구의 오스트레일리아, 뉴질랜드 등을 찾음.
└ 우리나라와 계절이 반대임.

② 동남아시아 사람들은 가을 단풍과 겨울 눈을 즐기기 위해 우리나라를 찾음.

(4) 기후와 스포츠

① 봄·여름에는 축구, 야구 등의 스포츠 용품 판매 증가, 겨울에는 스키 용품 판매 증가

② 겨울철 기온이 온화한 남해군이나 괌, 사이판, 하와이 등의 열대 지역을 전지훈련지로 선호

---

⑥ 도시 열섬 현상

구분	기후 변화
평균 기온	상승
상대 습도	감소
평균 풍속	감소
하천의 유량 변동 폭	증가
지하수면의 높이	감소
일조량	감소
운량	증가
강수량	증가

⑦ 냉해
여름 동안에 가꾸어 가을철에 거둬들이는 작물이 자라는 과정에서 기온이 떨어져 생육이 저해되고 수확하는 양이 줄어들거나 품질의 저하를 가져오는 재해를 말한다. 안개가 끼어 일조량이 줄어들 때 냉해가 발생한다.

⑧ 스모그
스모그(Smog)란 연기(Smoke)와 안개(Fog)의 합성어로, 자동차와 공장에서 내뿜는 매연으로 인해 오염되어 뿌연 대기 상태를 말한다.

⑨ 그루갈이
한 해에 두 가지 작물을 번갈아 심어 수확하는 농업 방식으로 이모작이라고도 한다.

⑩ 기후와 여행
기온 변화는 일상생활이나 지역 축제, 여행 등에도 많은 영향을 미친다. 우리나라는 휴가철인 7~8월과 날씨가 좋은 날이 많은 4~5월, 10월에 여행자 수가 많다.

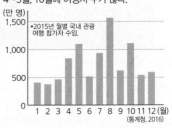

▲ 월별 국내 여행자 수

자료 04 공통 자료 도시 열섬 현상

▲ 도시 열섬 현상 발생 원리

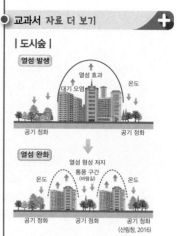

▲ 부산의 여름철 한낮 지표면 온도

자료 분석 | 도시 열섬 현상은 산업 발달로 도시화가 진행됨에 따라 난방 시설과 자동차 열 등 인공 열이 발생하여 도심 지역의 온도가 주변 지역보다 3~4℃ 높은 현상으로 여름보다 겨울철에, 낮보다 밤에 탁월하게 나타난다. 그 결과 안개와 강수량은 증가하고 습도, 일사량, 풍속은 감소하는 현상이 나타난다.

교과서 자료 더 보기 +

| 도시숲 |

도시숲은 열섬 현상을 완화시키고 도시민에 게 쾌적한 생활 환경을 제공한다.

자료 05 기온 역전 현상

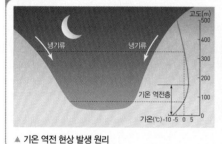

▲ 기온 역전 현상 발생 원리

▲ 분지 내 밭에 설치된 바람개비

자료 분석 | 늦가을에서 초봄 사이의 맑은 날 밤에 복사 냉각이 활발하게 일어나면 지표 부근의 기온이 하강하여 산지 에서 형성된 찬 공기가 더 무겁게 되어 사면을 따라 아래로 흘러가고, 이로 인해 분지의 내부는 상층으로 올 라갈수록 기온이 높아지는 안정층이 형성된다.

교과서 탐구 풀이 ✎

Q 농작물의 냉해를 막기 위해 분지의 어느 지역에서 농사를 짓는 것이 좋을지 이유 를 설명해 보자.

A 기온이 영하로 내려가면 농작물이 냉해 를 입기 때문에 해발 고도 약 90m 이상 의 산록면에 농사를 짓는 것이 알맞다.

자료 06 날씨 경영

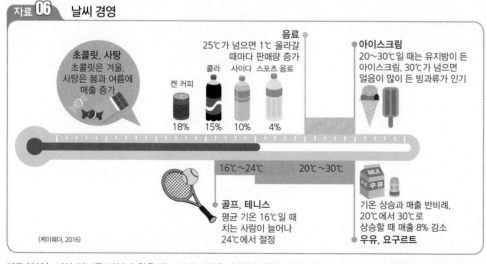

자료 분석 | 기상 정보를 경영에 활용하는 날씨 경영은 유통업, 관광 산업, 에너지 산업, 농수산업 등 다양한 분야에 적 용할 수 있다. 최근 날씨 경영의 영역이 점차 넓어지고 있으며, 산업 규모도 급성장하고 있다.

교과서 자료 더 보기 +

| 우리나라의 기상 산업 규모 |

기후는 주민 생활의 형성과 변화뿐만 아니 라 경제생활에도 큰 영향을 미친다. 최근 전 지구적으로 자연재해와 기후 변화의 영향이 커지고 있으며, 기후의 경제적 측면이 더욱 강조되고 있다.

1 기후 특성과 주민 생활

기온과 주민 생활	의	여름(삼베, 모시)과 겨울(털옷, 솜옷)의 의복 차이가 큼.
	식	겨울이 길고 추워 김장 문화가 발달함, 남에서 북으로 갈수록 김장 시기는 (❶) 김치가 싱거워지는 경향이 나타남.
	주	추운 관북 지방은 (❷) 가옥 구조(겹집, 정주간), 따뜻한 남부 지방은 상대적으로 (❸) 가옥 구조(대청마루)가 나타남.
강수와 주민 생활	여름철 강수	겨울철 강수
	• (❹): 범람원에서 홍수에 대비하여 터를 돋우고 그 위에 집을 지음. • 대동강 하류와 전남 신안에서 염전 발달	눈이 많이 내리는 울릉도의 전통 가옥에는 방설벽인 (❺)가 있음.
바람과 주민 생활	• 남향의 배산임수 지역에 마을이 형성됨. → 북서 계절풍 차단 • 제주도 전통 가옥은 지붕 경사가 완만하고 지붕을 그물처럼 엮었으며 집 둘레에 돌담을 쌓음. • 호남 해안 지역에는 차가운 바람을 막기 위해 까대기를 설치함.	
국지 기후와 주민 생활	도시 열섬 현상	기온 역전 현상
	• 의미: 도심의 기온이 교외보다 높게 나타나는 현상 • 원인: 도시 인구 증가, 인공 열 배출량 증가, 포장 면적 증가 등 • 바람이 없는 겨울철의 맑은 날 밤에 탁월	• 의미: 지표면의 복사 냉각과 냉기류가 사면을 따라 흘러내려 지면의 기온이 상층부 기온보다 낮아지는 현상 • 영향: 대기가 정체되어 대기 오염 심화, 안개와 결합하여 스모그 발생, 농작물 냉해 등 • 바람이 없는 늦가을~초봄의 맑은 날 밤에 (❻) 지형에서 뚜렷하게 발생

2 기후와 경제생활

날씨와 경제생활	날씨에 따라 음료 매출액, 편의점 진열 물품 등의 변동
기후와 경제생활	계절 변화에 따른 기온 변화는 일상생활, 지역 축제, 여행 등에 영향을 미침.

정답 ❶ 빨라지고 ❷ 폐쇄적 ❸ 개방적 ❹ 터돋움집 ❺ 우데기 ❻ 분지

01 다음 글의 (가)~(다) 전통 음식으로 옳은 것은?

> 계절에 따라 기후와 구할 수 있는 음식의 재료가 다르기 때문에 먹는 음식에도 차이가 있다. 우리나라의 계절별 전통 음식으로 봄철의 _(가)_ , 여름철의 _(나)_ , 가을철의 _(다)_ , 겨울철의 만둣국이나 떡국을 들 수 있다.

┃► 보기 ┃
ㄱ.   ㄴ.   ㄷ.

	(가)	(나)	(다)		(가)	(나)	(다)
①	ㄱ	ㄴ	ㄷ	②	ㄱ	ㄷ	ㄴ
③	ㄴ	ㄱ	ㄷ	④	ㄴ	ㄷ	ㄱ
⑤	ㄷ	ㄱ	ㄴ				

02 지도는 김장 시기의 지역적 차이를 나타낸 것이다. 이와 같은 지역 차에 가장 큰 영향을 미친 요인은?

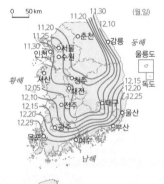

(기상청, 2015)

① 일조 시간의 길이
② 추위가 시작되는 시기
③ 강수량의 지역적 차이
④ 상대 습도의 지역적 차이
⑤ 남서 계절풍이 시작되는 시기

딱풀 p. 20

03 (가) 김치를 담그는 지역과 비교한 (나) 김치를 주로 담그는 지역의 상대적인 특징을 그림의 A~E에서 고른 것은?

<table>
<tr><td>(가)</td><td>(나)</td></tr>
</table>

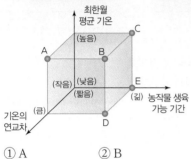

① A   ② B   ③ C

④ D   ⑤ E

04 (가), (나) 전통 가옥 구조가 주로 분포하는 지역에 대한 설명으로 옳지 <u>않은</u> 것은?

<table>
<tr><td>(가)</td><td>(나)</td></tr>
</table>

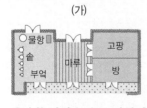 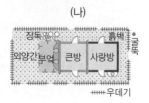

① (가) 지역은 온돌 시설이 특히 발달하였다.

② (나) 지역은 겨울에 눈이 많이 내린다.

③ (가) 지역은 (나) 지역보다 연 평균 기온이 높다.

④ (나) 지역은 (가) 지역보다 겨울 강수 집중률이 높다.

⑤ (가), (나) 지역 모두 화산 활동으로 형성된 섬이다.

05 다음은 두 지역의 전통 가옥 구조를 나타낸 것이다. ㉠, ㉡에 대한 설명으로 옳지 <u>않은</u> 것은?

<table>
<tr><td>(가)</td><td>(나)</td></tr>
</table>

① ㉠은 여름철의 무더위에 대비한 가옥 구조이다.

② ㉠은 북부 지방보다 남부 지방에서 뚜렷하게 나타난다.

③ ㉡은 고방이나 윗방에 비해 따뜻하다.

④ ㉡은 여름보다는 겨울에 활용 가치가 높다.

⑤ ㉠과 ㉡은 모두 목재로 만든다.

06 다음과 같은 가옥 구조가 발달하게 된 배경으로 옳은 것은?

> 대청(大廳)은 마루 중에서 넓은 마루라는 의미이다. 대청은 대개 안방과 건넌방 사이에 놓인다. 대청은 전면은 트여있고 뒷벽은 판문을 다는 것이 보통이다. 판문을 열면 여름에는 시원한 뒷산의 바람이 불어온다.

① 봄철에 높새바람이 분다.

② 봄철에 꽃샘추위가 나타난다.

③ 겨울철에 심한 사온 현상이 나타난다.

④ 늦여름 ~ 초가을에 태풍이 자주 온다.

⑤ 여름철에 기온이 높고 습도가 높아 무덥다.

07 다음 교사의 질문에 대한 대답으로 옳은 것은?

교사: 사진은 제주의 전통 가옥을 나타낸 것입니다. 제주에서 지붕의 경사를 완만하게 만들고 지붕을 새끼줄로 엮은 이유가 무엇일까요?

학생: _____

① 연 강수량이 많기 때문입니다.
② 겨울에도 따뜻하기 때문입니다.
③ 바람이 강하게 불기 때문입니다.
④ 난방 손실을 줄이기 위해서입니다.
⑤ 여름과 겨울의 기온 차이가 크기 때문입니다.

08 다음 사진에 나타난 생활 문화가 발달한 지역의 공통적 특징으로 옳은 것은?

① 집중 호우가 자주 내린다.
② 바람이 강하여 풍력 발전에 유리하다.
③ 하천 주변에 위치하여 홍수 피해가 잦다.
④ 일사량이 풍부하여 과수 재배에 유리하다.
⑤ 겨울에 눈이 많이 내려 통행에 어려움이 있다.

09 다음 글의 밑줄 친 '이 바람'에 대한 옳은 설명만을 〈보기〉에서 있는 대로 고른 것은?

> 영서·경기 지방 사람들은 영동 지방 사람들과 달리 이 바람이 부는 것을 싫어하고 서풍이 불기를 바란다. 이렇게 호오(好惡)를 달리하는 것은 이 바람이 산을 넘어 불어오기 때문이다. 이 바람이 심하게 불 때는 논밭에 물고랑이 마르고, 어린 벼가 오그라들어 자라지 않는다.
> ─「금양잡록」, 강희맹─

┤ 보기 ├
ㄱ. 습도가 낮은 건조한 바람이다.
ㄴ. 늦봄과 초여름 사이에 주로 분다.
ㄷ. 영서 지방의 모내기에 도움을 준다.
ㄹ. 오호츠크해 기단이 동해에 정체할 때 잘 발생한다.

① ㄱ, ㄴ   ② ㄴ, ㄷ   ③ ㄷ, ㄹ
④ ㄱ, ㄴ, ㄹ   ⑤ ㄴ, ㄷ, ㄹ

10 자료는 어느 지역의 해발 고도에 따른 기온 변화를 나타낸 것이다. 이에 대한 옳은 설명을 〈보기〉에서 고른 것은?

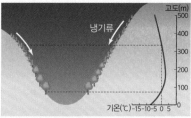

┤ 보기 ├
ㄱ. 새벽보다는 저녁에 잘 발생한다.
ㄴ. 여름철보다는 겨울철에 잘 발생한다.
ㄷ. 흐린 날보다는 맑은 날에 잘 발생한다.
ㄹ. 바람이 약하게 부는 날보다는 강하게 부는 날에 잘 발생한다.

① ㄱ, ㄴ   ② ㄱ, ㄷ   ③ ㄴ, ㄷ
④ ㄴ, ㄹ   ⑤ ㄷ, ㄹ

11 그래프는 도별 과수 생산량을 나타낸 것이다. A, B 지역에 대한 옳은 설명을 〈보기〉에서 고른 것은?

〈도별 사과 생산량 비중〉

기타 15.2
경남 8.9
충북 12.1
A 63.8(%)

(통계청, 2016)

〈도별 감귤 생산량 비중〉

전북 0.02
B 99.98(%)

(통계청, 2016)

┤ 보기 ├
ㄱ. A는 B보다 연 강수량이 많다.
ㄴ. A는 B보다 기온의 연교차가 크다.
ㄷ. B는 A보다 겨울철에 따뜻하다.
ㄹ. B는 A보다 연평균 풍속이 약하다.

① ㄱ, ㄴ   ② ㄱ, ㄷ   ③ ㄴ, ㄷ
④ ㄴ, ㄹ   ⑤ ㄷ, ㄹ

12 자료는 두 시기의 전형적인 일기도이다. (가), (나) 시기의 주민 생활에 대한 설명으로 옳은 것은?

(가)   (나)

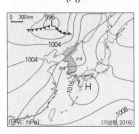

(단위: hPa)   (기상청, 2016)
(단위: hPa)

┤ 보기 ├
ㄱ. (가) 시기는 피서지가 붐빈다.
ㄴ. (가) 시기는 신록을 찾아 떠나는 사람들이 많다.
ㄷ. (나) 시기는 난방 에너지 사용량이 많다.
ㄹ. (나) 시기는 단풍놀이를 떠나는 사람들이 많다.

① ㄱ, ㄴ   ② ㄱ, ㄷ   ③ ㄴ, ㄷ
④ ㄴ, ㄹ   ⑤ ㄷ, ㄹ

서술형 문제

13 다음 사진에 나타난 시설의 설치 목적을 우리나라 기후와 관련지어 서술하시오.

14 자료는 도시와 그 주변 지역의 기온 분포를 나타낸 것이다. 이를 보고 물음에 답하시오.

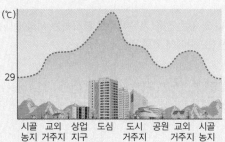

(℃)

29

시골 농지 교외 거주지 상업 지구 도심 도시 거주지 공원 교외 거주지 시골 농지

(1) 위와 같이 도심 지역의 기온이 주변 지역의 기온보다 높은 현상을 무엇이라고 하는지 쓰시오.

(2) 도심 지역의 기온이 주변 지역보다 높은 이유를 세 가지 쓰시오.

| 신유형 |

01 (가), (나)에 대한 옳은 설명을 〈보기〉에서 고른 것은?

(가)   (나)

| 보기 |

ㄱ. (가)는 남부 지방보다 북부 지방에서 뚜렷하게 나타난다.

ㄴ. (가)는 여름철의 덥고 습한 기후에 적응한 가옥 구조이다.

ㄷ. (나)는 겨울철의 추운 기후에 적응한 가옥 구조이다.

ㄹ. (가) 시설이 분포하는 지역은 (나) 시설이 분포하지 않는다.

① ㄱ, ㄴ   ② ㄱ, ㄷ   ③ ㄴ, ㄷ

④ ㄴ, ㄹ   ⑤ ㄷ, ㄹ

| 신유형 |

02 (가), (나)와 같은 전통 가옥이 주로 분포하는 지역에 대한 옳은 설명을 〈보기〉에서 고른 것은?

(가)   (나)

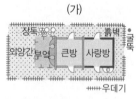 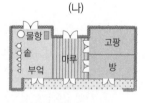

| 보기 |

ㄱ. (가) 지역은 (나) 지역보다 연 강설량이 많다.

ㄴ. (가), (나) 지역 모두 화산 활동으로 형성된 섬이다.

ㄷ. (가), (나) 지역 모두 온돌을 이용한 난방 시설이 발달하지 않았다.

ㄹ. (가) 지역에서는 벼농사, (나) 지역에서는 밭농사가 발달하였다.

① ㄱ, ㄴ   ② ㄱ, ㄷ   ③ ㄴ, ㄷ

④ ㄴ, ㄹ   ⑤ ㄷ, ㄹ

| 신유형 |

03 (가), (나)는 어느 지역의 전통 가옥 구조를 나타낸 것이다. 이에 대한 옳은 설명만을 〈보기〉에서 있는 대로 고른 것은?

(가)   (나)

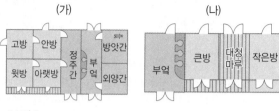

| 보기 |

ㄱ. (가)는 추위에 대비한 가옥 구조가 잘 나타난다.

ㄴ. (나)는 여름철이 길고 무더운 지역에 주로 분포한다.

ㄷ. (가)의 주요 분포 지역은 (나)의 주요 분포 지역보다 위도가 높다.

ㄹ. (나)의 주요 분포 지역은 (가)의 주요 분포 지역보다 첫서리일이 이르다.

① ㄱ, ㄴ   ② ㄱ, ㄷ   ③ ㄴ, ㄹ

④ ㄱ, ㄴ, ㄷ   ⑤ ㄴ, ㄷ, ㄹ

| 신유형 |

04 다음 글의 ㉠, ㉡과 관계 깊은 주민 생활 모습을 〈보기〉에서 고른 것은?

우리나라는 연 강수량이 많은 편이지만 지역 혹은 계절에 따라 강수량의 차이가 커서 홍수와 가뭄이 잦으며, 연 강수량에 비해 물 자원 이용률이 낮다. ㉠ 비가 많이 내리는 여름철에는 집중 호우로 홍수가 발생하기 쉽다. 오랫동안 비가 내리지 않으면 가뭄이 발생하여 식수가 부족해지고 벼농사에 큰 피해가 발생한다. ㉡ 강수가 적은 지역은 일조 시수가 길다.

| 보기 |

ㄱ.   ㄴ.   ㄷ.

    ㉠ ㉡   ㉠ ㉡

① ㄱ ㄴ   ② ㄱ ㄷ

③ ㄴ ㄱ   ④ ㄴ ㄷ

⑤ ㄷ ㄱ

| 신유형 |
05 다음 글의 밑줄 친 ㉠의 사례로 옳지 <u>않은</u> 것은?

> 오랜 기간 쌓인 눈은 도시의 도로 교통을 마비시키거나 가옥 및 농업 시설물을 파괴할 수 있어 인간의 생명과 재산에 큰 피해를 가져오기도 한다. 이렇게 강설은 인간에게 피해를 주기도 하지만 다른 한편으로 ㉠ 긍정적인 측면도 가지고 있다.

① 스키장 운영비를 줄여준다.
② 겨울철 산불 예방에 도움이 된다.
③ 봄철의 가뭄 피해를 줄이는 데 도움이 된다.
④ 대기 오염 물질을 흡수하여 대기의 질을 개선시킨다.
⑤ 비닐하우스를 이용한 작물 재배의 경제적 가치가 높아진다.

| 평가원 기출 |
06 다음은 우리나라 도시 기후의 특성에 대한 학습 노트의 일부이다. ㉠~㉣에 대한 옳은 설명만을 〈보기〉에서 있는 대로 고른 것은?

> 도시에는 주변 농촌과 구별되는 기후 특성이 나타난다. 도시의 중심부는 지표면이 대부분 포장되어 있기 때문에 낮 동안에 태양 복사 에너지를 많이 흡수한다. 빌딩과 지표에 흡수된 복사 에너지는 다시 대기 중으로 방출되어 ㉠ 기온 상승을 유발하고 여름에 ㉡ 열대야 현상을 발생시키기도 한다. 반면, 주변 농촌은 포장 면적이 좁고 경작지와 녹지의 면적이 넓어 기온의 상승 폭이 도시에 비해 작다. 일반적으로 ㉢ 도시의 중심부는 주변 농촌이나 교외 지역에 비해 기온이 높고 ㉣ 상대 습도는 낮다.

┤ 보기 ├
ㄱ. ㉠의 완화 방안으로는 옥상 녹화와 바람길 조성 사업이 있다.
ㄴ. ㉡의 발생 일수는 점차 증가하는 추세이다.
ㄷ. ㉢과 같은 특징은 겨울철에 비해 여름철에 뚜렷하게 나타난다.
ㄹ. ㉣의 원인은 포장 면적 증가로 인한 빗물의 지표 유출량 증가이다.

① ㄱ, ㄴ   ② ㄴ, ㄷ   ③ ㄱ, ㄴ, ㄹ
④ ㄱ, ㄷ, ㄹ   ⑤ ㄴ, ㄷ, ㄹ

| 수능 응용 |
07 (가), (나) 현상에 대한 옳은 설명을 〈보기〉에서 고른 것은?

(가)   (나)

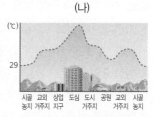

┤ 보기 ├
ㄱ. (가)는 분지 지형보다 평야 지역에서 잘 나타난다.
ㄴ. (가)는 지표면의 냉각, (나)는 지표면의 가열 현상과 관련이 있다.
ㄷ. (가), (나) 모두 바람이 약한 날보다 강한 날에 잘 나타난다.
ㄹ. (가), (나) 모두 한낮보다는 한밤에 뚜렷하게 나타난다.

① ㄱ, ㄴ   ② ㄱ, ㄷ   ③ ㄴ, ㄷ
④ ㄴ, ㄹ   ⑤ ㄷ, ㄹ

| 신유형 |
08 그래프는 도시 지역 용도별 평균 야간 지표 온도 분포를 나타낸 것이다. 이를 토대로 옳게 추론한 내용을 〈보기〉에서 고른 것은?

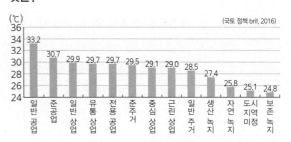

(국토 정책 brif, 2016)

┤ 보기 ├
ㄱ. 도심 지역은 주변 지역보다 일평균 기온이 높다.
ㄴ. 주거 지역은 공업 지역보다 인공 열의 배출량이 많다.
ㄷ. 도시 내에 녹지 공간을 늘리면 열섬 현상을 완화할 수 있다.
ㄹ. 도시에서 나타나는 기온 분포의 차이는 주로 일사량의 차이 때문이다.

① ㄱ, ㄴ   ② ㄱ, ㄷ   ③ ㄴ, ㄷ
④ ㄴ, ㄹ   ⑤ ㄷ, ㄹ

03 자연재해와 기후 변화

1 우리나라의 자연재해 [자료 01] −해에 따라 발생 횟수와 피해 정도의 차이가 큼.

1. 자연재해의 의미

(1) **의미** 자연 현상이 인간 활동에 인적·물적 피해를 주는 것

(2) **발생 요인** ─우리나라는 강수의 연 변동과 계절 차가 크고, 태풍 통과 등의 이유로 기상 재해의 빈도가 높은 편임.
① **기상 재해** 태풍, 홍수, 폭설, 가뭄, 황사, 폭염 등 이상 기상에 의해 발생하는 자연재해
② **지형 재해** 지진, 산사태, 화산 폭발 등 지형 변화로 발생하는 자연재해

2. 우리나라의 자연재해

태풍 [자료 02]	의미	중심 부근의 최대 풍속이 17m/s 이상인 폭풍우를 동반하는 열대 저기압
	발생	저위도 열대 해상에서 발생하여 중위도로 북상, 우리나라에는 6~10월에 주로 영향
	피해	• 강풍으로 인한 시설물 파손, 축대 붕괴, 산사태, 하천 범람, 해일 발생, 해안 저지대 침수 등 • 섬·해안 지역에서 큰 피해, 위험 반원❶에 자주 놓이는 남동 해안 지역의 피해가 큼.
	대책	태풍 진로에 대한 정확한 예측, 정보의 신속한 전파, 태풍 피해 예방 방법 숙지
홍수	의미	강물이 하천의 제방을 넘어 주변 지대로 흘러넘치는 것
	발생	장마 전선과 태풍의 영향으로 집중 호우❷가 발생하는 여름철에 자주 발생
	피해	가옥 및 농지와 산업 시설 침수, 농산물과 공산품의 생산과 가격에 영향
	대책	고지대로 대피, 산사태 예방을 위한 사방 공사❸ 등
폭설 (대설)	의미	짧은 시간에 많은 양의 눈이 내리는 현상
	발생	울릉도, 소백산맥 서사면, 강원도 영동 산간 지역에서 자주 발생
	피해	산간 마을 고립, 비닐하우스·축사 등 각종 시설물 붕괴, 도로 및 항공 교통 장애 등
	대책	기상 예보에 주의, 시설물 사전 보강, 신속한 제설 작업 실시 등
가뭄	의미	장기간 비가 오지 않아 나타나는 심한 물 부족 현상 ─진행 속도가 느리지만 피해 범위가 넓음.
	발생	주로 강수량이 적은 겨울과 봄에 발생─장마 전선이 늦게 북상하거나, 장마가 빨리 북상하여 오랫동안 북태평양 고기압의 영향을 받을 때 발생함.
	피해	농작물 성장 저하, 생활용수 및 각종 용수 부족, 녹조, 산불 등
	대책	댐·보 등 건설, 숲 조성, 유수지 조성 등 → 빗물 저장 능력을 높이기 위한 노력
지진	의미	지각판이 충돌하거나 분리되면서 나타나는 현상
	발생	2016년 경주 일대에서 큰 규모의 지진이 연속적으로 발생
	대책	내진 설계 강화, 지진 발생 시 행동 요령에 관한 교육 확대 등

2 우리나라의 기후 변화

1. 기후 변화의 의미와 원인

(1) **의미** 기후의 평균 상태가 변화하는 것 → 기온 상승, 해수면 상승, 대기와 해류 순환 변화, 지역별 강수량 변동 등 ─기후 변화로 폭염, 폭우 등 극한 현상 증가, 자연재해의 강도와 빈도 증가, 질병 위험 증가, 물 부족, 농업 생산성 저하, 식량 부족 등의 문제가 발생함.

(2) **기후 변화의 원인**

자연적 원인	태양 복사 에너지의 변화, 지구와 태양 간 거리의 주기적 변화, 화산 활동으로 인한 대기 구성의 변화, 지표면 상태의 변화 등 ← 산업 혁명 이전 기후 변화의 주요 원인
인위적 원인	• 경제 및 인구 성장에 따라 화석 연료의 사용량 증가 → 이산화 탄소, 메테인 등 온실가스❹ 배출 → 온실 효과 가중 → 지구 온난화 현상 심화 [자료 03] • 삼림 및 자원 개발, 농경지 확보 등으로 열대림 파괴 → 온실가스 농도를 낮추는 기능 소실

└산업 혁명 이후 인위적 원인의 영향력이 커짐.

---

❶ **위험 반원**
태풍 진행 방향의 오른쪽 반원은 태풍의 중심을 향해 불어 들어오는 바람과 편서풍이 부는 방향이 일치하는 위험 반원이다.

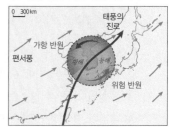

❷ **집중 호우**
국지적으로 단시간 내에 많은 양의 강한 비가 집중적으로 내리는 현상이다. 일반적으로 시간당 30mm 이상 비가 내릴 때나 하루에 80mm 이상의 비가 내릴 때를 말한다. 주로 북쪽의 찬 공기와 남쪽의 더운 공기가 만나면 대기가 불안정해져 집중 호우가 발생한다.

❸ **사방 공사**
흙, 모래, 자갈 등이 비나 바람에 씻겨 무너져 내리는 것을 방지하기 위한 공사로, 강가의 비탈에 층을 만들어 나무를 심거나 골짜기에 돌을 쌓아 올리는 일을 한다.

고득점을 위한 셀파 Tip

기후 변화의 원인

자연적 원인	• 태양 복사 에너지의 변화 • 지구 − 태양 거리 변화 • 대기 구성 및 지표 상태 변화
인위적 원인	• 화석 연료 사용 증가 • 열대림 파괴

❹ **온실가스**
온실 효과를 가져오는 기체로 이산화 탄소, 메테인, 아산화 질소 등이 있다.

자료 01 _{공통 자료} 우리나라의 자연재해 피해

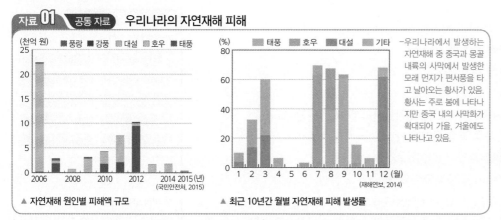

▲ 자연재해 원인별 피해액 규모

▲ 최근 10년간 월별 자연재해 피해 발생률

─우리나라에서 발생하는 자연재해 중 중국과 몽골 내륙의 사막에서 발생한 모래 먼지가 편서풍을 타고 날아오는 황사가 있음. 황사는 주로 봄에 나타나지만 중국 내의 사막화가 확대되어 가을, 겨울에도 나타나고 있음.

자료 분석 | 자연재해의 피해는 해마다 다르게 나타난다. 특히, 태풍과 호우에 의한 피해가 크게 나타난다. 여름에는 호우와 태풍, 겨울에는 대설에 의한 피해가 많고, 봄에는 주로 가뭄, 한여름에는 폭염에 의한 자연재해 피해가 크다.

● 교과서 자료 더 보기 ✚

| 도별 자연재해 피해액 |

호우는 중부 지방, 태풍은 남부 지방, 대설은 강원, 전북, 전남 등지에서 상대적으로 많이 발생한다.

자료 02 태풍

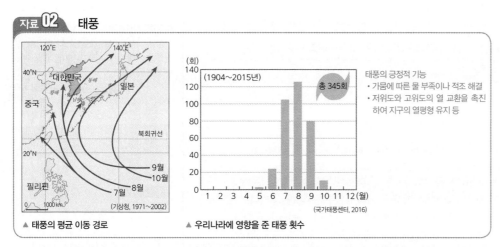

태풍의 긍정적 기능
• 가뭄에 따른 물 부족이나 적조 해결
• 저위도와 고위도의 열 교환을 촉진하여 지구의 열평형 유지 등

▲ 태풍의 평균 이동 경로

▲ 우리나라에 영향을 준 태풍 횟수

자료 분석 | 태풍은 필리핀 동부 해상에서 발생하여 느리게 북서쪽으로 올라오다가 북위 30° 부근에서 편서풍의 영향으로 북동쪽으로 진로를 바꾸어 빠른 속도로 이동한다. 주로 우리나라에는 7~9월에 피해를 준다.

● 교과서 탐구 풀이 🖉

Q 태풍이 대한 해협을 지나 동해상으로 이동한다고 할 때 한반도와 일본의 태풍 피해 양상을 위험 반원과 가항 반원을 고려하여 추론해 보자.

A 우리나라는 태풍의 진행 방향 왼쪽인 가항 반원 쪽에 위치하고, 일본은 태풍 진행 방향 오른쪽인 위험 반원 쪽에 위치한다. 따라서 한반도보다 일본이 태풍으로 인한 피해를 더 크게 입을 것이다.

자료 03 온실 효과

❶ 태양 에너지 유입
❷ 지구의 표면은 태양 복사 에너지에 의해 가열
❸ 지구 대기에서 방출된 에너지는 대기에 있는 이산화 탄소에 의해 일부 흡수
❹ 지구 대기에서 방출된 에너지

▲ 이산화 탄소의 양이 정상일 때

❶ 태양 에너지 유입
❷ 지구의 표면은 태양 복사 에너지에 의해 가열
❸ 증가한 이산화 탄소 때문에 더 많은 에너지가 흡수되고 대기는 더욱 가열되어 온실 효과가 강화됨
❹ 지구 대기에서 방출되는 에너지

▲ 이산화 탄소의 양이 증가했을 때

자료 분석 | 이산화 탄소의 양이 정상일 때 지구가 받은 에너지와 지구에서 빠져나간 에너지의 양이 동일하므로, 지구의 기온이 일정하게 유지된다. 반면, 이산화 탄소의 양이 증가하면 지구가 받은 에너지가 다시 지구에서 빠져나갈 때 대기를 구성하는 수증기, 이산화 탄소, 메테인 등의 온실가스가 에너지의 일부를 흡수하여 지구의 기온을 높이는 역할을 한다. 이와 같이 온실가스 증가에 따라 온실 효과가 강화되어 온도가 상승한다.

● 교과서 자료 더 보기 ✚

| 전 지구 평균 온실가스 농도 변화 |

이산화 탄소는 온실 효과에 가장 큰 영향을 미치는 온실가스이다. 이산화 탄소의 농도가 높아지는 것은 화석 연료의 과다 사용, 삼림 파괴 등 때문이다.

2. 기후 변화의 영향

(1) 기온 및 계절 길이 변화 〔자료 04〕

① 지난 100년(1912~2011년) 동안 <u>우리나라 연평균 기온 1.7℃ 상승</u>
　└세계 기온 상승 평균치인 0.74℃보다 높음.
② 겨울철 지속 기간 감소, 여름철 지속 기간 증가
③ 봄꽃 개화 시기 빨라지고, 단풍 만개 시기 늦어짐.

(2) 농업 및 어업 환경과 식생 변화

① 농작물 재배 북한계선 북상 예 사과(대구 → 포천, 평창), 한라봉(제주 → 충주)
② 노지 작물 생육 기간 증가, 아열대 과실 작물 재배 증가
③ 한류성 어종(명태) 감소, 난류성 어종(오징어, 멸치) 증가
④ 냉대림 분포 면적 축소, 난대림 분포 지역 북쪽으로 확대
⑤ 고산 식물의 분포 범위 축소 및 소멸 위기, 한라산 식생 분포의 고도 한계 상승

(3) **열섬 현상** 도심의 인공 열로 도심의 기온이 주변 지역보다 높아지는 현상으로, 대도시의 기온 상승이 뚜렷함.

3. 기후 변화에 대한 대책

국제적 노력	국제연합 기후 변화 협약(1992년), 교토 의정서(1997년), 파리 협정[5](2015년)
국가적 노력	기후 변화 협약 가입, 배출권 거래제[6] 도입, 에너지 절약형 자동차 개발 지원 등 온실가스 감축을 위한 전략 수립, 신·재생 에너지를 활용한 발전 시설 보급, 자원 절약형 산업 육성 등
개인적 노력	친환경 및 에너지 효율이 높은 제품 이용, 대중교통 이용, 저탄소 배출 인증 제품 사용 등

3 우리나라의 식생과 토양

1. 식생 지표를 덮고 있는 식물 집단, 기후의 영향을 받아 분포 지역이 달라짐. 〔자료 05〕

수평적 분포	• 위도의 변화에 따른 분포 → 남에서 북으로 갈수록 난대림, 온대림, 냉대림 순으로 분포 • 난대림: 제주도와 울릉도 저지대 및 남해안에 분포, 상록 활엽수(동백나무, 후박나무 등) • 온대림: 우리나라 대부분 지역에 분포, 낙엽 활엽수(참나무, 단풍나무 등)와 상록 침엽수 • 냉대림: 개마고원 일대의 북부 지역 및 고산 지대, 상록 침엽수(전나무, 가문비나무 등)
수직적 분포	• 해발 고도가 높아질수록 기온이 낮아지므로 높은 산지에서 식생의 수직적 분포가 나타남. • 저지대에서 고지대로 갈수록 난대림, 온대림 순으로 분포 → 제주도에서 뚜렷하게 나타남.

2. 토양 기후, 식생, 기반암, 지형 등에 따라 성질이 달라짐. 〔자료 06〕

성숙토[7]	성대 토양	• 기후와 식생의 영향을 받아 형성된 토양 • 갈색 삼림토(중부 지방의 낙엽 활엽수 지역), 회백색토(냉대림 지역, 북부 지방에 분포)
	간대 토양	• 기반암의 특성에 영향을 받는 토양 └제주도, 울릉도, 철원 등지에 분포하며 흑갈색 토양임. • 석회암 풍화토(테라로사), 현무암 풍화토, 화산회토 등
미성숙토		• 토양의 생성 기간이 짧거나 운반 및 퇴적으로 형성된 토양 • 염류토(간척지에 분포), 충적토(하천 운반 물질이 퇴적된 비옥한 토양) 등

└석회암 지대에 분포하며, 석회암이 녹고 남은 물질이 산화되어 붉은색을 띰.

3. 지속 가능한 식생 및 토양 관리

(1) **식생 변화와 보전** 도시 지역 확대[8], 경작지 확대, 벌목 및 산불 등에 의한 삼림 파괴 → 조림 사업, 경제림 조성, 국립공원 지정 등
(2) **토양 변화와 보존** 농약, 화학 비료 사용 증가로 토양 오염 및 산성화, 토양 침식 가속화 → 퇴비 및 유기질 비료 사용, 객토 사업 등으로 토양 보존, 계단식 경작, 등고선식 경작, 사방 공사 등으로 토양 침식 방지

고득점을 위한 셀파 Tip

기후 변화의 영향

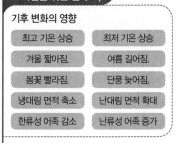

최고 기온 상승	최저 기온 상승
겨울 짧아짐.	여름 길어짐.
봄꽃 빨라짐.	단풍 늦어짐.
냉대림 면적 축소	난대림 면적 확대
한류성 어족 감소	난류성 어족 증가

⑤ 파리 협정
2020년에 만료되는 교토 의정서를 대체할 신기후 체제로 2015년 12월 파리에서 채택되었다. 선진국에만 감축 의무를 부과한 교토 의정서의 한계를 극복하고 모든 당사국에 온실가스 배출 감축 의무를 부여한 것이 특징이다.

⑥ 배출권 거래제
할당된 이산화 탄소 배출량보다 더 많이 줄인 부분에 대해 다른 국가나 기업에 팔 수 있는 제도이다.

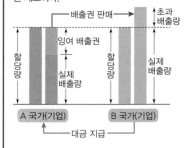

⑦ 성숙토
토양의 생성 기간이 길어 단면이 뚜렷하게 발달한 토양을 말한다.

⑧ 도시화와 식생 파괴
도시화가 진행되면서 택지 개발, 산업 단지 개발, 도로 건설 등과 관련하여 식생이 파괴되고 있다. 또한 도시 지역의 지면이 아스팔트와 콘크리트로 뒤덮여 있어 빗물이 지하로 스며들지 못하고 일시에 유출되어 녹지가 메마르고, 토지와 환경이 건조한 상태로 황폐해지는 도시 사막화가 나타난다.

▲ 도시 사막화

자료 04 공통 자료 기온 및 계절 길이 변화

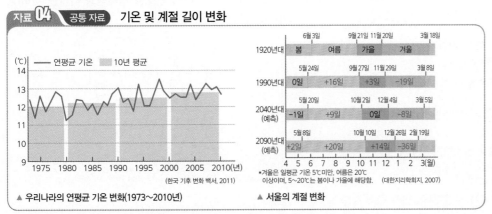

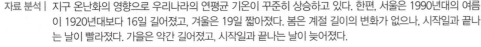

▲ 우리나라의 연평균 기온 변화(1973~2010년)　　▲ 서울의 계절 변화

자료 분석 | 지구 온난화의 영향으로 우리나라의 연평균 기온이 꾸준히 상승하고 있다. 한편, 서울은 1990년대의 여름이 1920년대보다 16일 길어졌고, 겨울은 19일 짧아졌다. 봄은 계절 길이의 변화가 없으나, 시작일과 끝나는 날이 빨라졌다. 가을은 약간 길어졌고, 시작일과 끝나는 날이 늦어졌다.

자료 05 식생 분포와 기후 변화에 따른 식생 변화

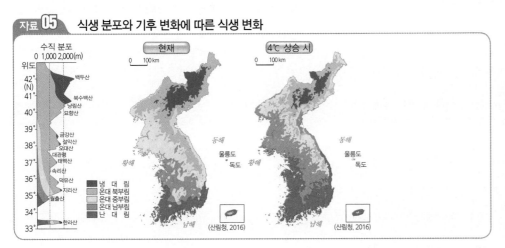

자료 분석 | 우리나라의 식생은 위도의 영향으로 남에서 북으로 가면서 상록 활엽수림대(난대림), 낙엽 활엽수림대(온대림), 침엽수림대(냉대림)가 순차적으로 나타난다. 고위도로 갈수록 기온이 낮아지기 때문에 냉대림의 경계 고도가 낮아진다. 한편, 기후 변화로 평균 기온이 상승함에 따라 한반도의 식생 분포가 달라질 것으로 예상된다. 기온이 현재보다 4℃ 상승하면 북부 지방의 냉대림 분포 면적은 감소하고 난대림이 충청남도까지 북상할 것으로 예상된다.

자료 06 토양 분포

자료 분석 | 성대 토양은 기후와 식생의 특성을 반영하는 토양이고, 간대토양은 기반암(모암)의 특성을 반영하는 토양이며, 모두 성숙토에 해당한다. 충적토는 대표적인 미성숙토이다.

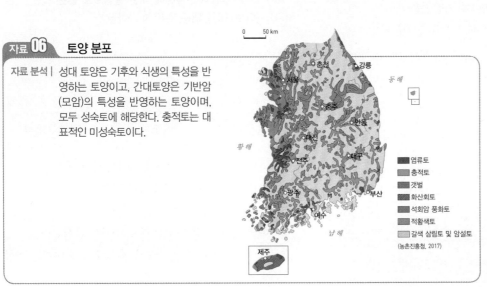

● 교과서 탐구 풀이

Q 〈서울의 계절 변화〉 자료를 토대로 2090년에 어떠한 변화가 나타날지 다음 사례를 들어 설명해 보자.

- 말라리아 환자
- 해안 저지대
- 생물 다양성
- 식물의 생장 기간 및 무상 일수

A 여름이 길어지고 겨울이 짧아지면 평균 기온이 꾸준히 상승해 말라리아 환자 증가, 해안 저지대 침식, 생물 다양성 감소, 식물의 생장 기간 및 무상 일수 증가 등의 변화가 나타날 것이다.

● 교과서 자료 더 보기 ➕

| 제주도 식생의 수직 분포 |

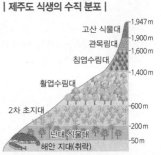

제주도의 한라산은 식생의 수직적 분포가 뚜렷하다. 저지대에서 고지대로 가면서 난대 식물대, 2차 초지대, 온대림인 활엽수림대, 냉대림인 침엽수림대와 관목림대, 고산 식물대까지 다양하게 나타난다.

● 교과서 탐구 풀이

Q 염류토와 충적토, 석회암 풍화토 및 화산회토 분포 지역을 찾아보고, 분포 특징을 설명해 보자.

A 염류토는 주로 해안 지역이나 간척지에 분포하고, 충적토는 하천이나 호수 주변에 분포한다. 석회암 풍화토는 충청북도, 강원도에 분포하는 것으로 보아 석회암 지대에 주로 분포한다. 화산회토는 제주도 지역에 주로 분포하다.

1 우리나라의 자연재해

의미와 발생 요인	• 의미: 자연 현상이 인간 활동에 인적·물적 피해를 주는 것 • 발생 요인: 태풍, 홍수, 폭설, 가뭄 등 기상 재해와 지진, 산사태 등 지형 재해
우리나라의 자연재해	• 태풍: 주로 여름~초가을에 발생, 남동 해안 지역의 피해가 큼((❶　　　) 반원). • 홍수: 주로 여름철에 발생, 저지대의 가옥과 농지 침수 • 폭설: 울릉도, 강원 산간 지역에서 자주 발생, 산간 마을 고립, 비닐하우스 붕괴 등 • 가뭄: 주로 겨울~봄에 발생 • 지진: 최근 경주 일대에서 지진 발생, 내진 설계 강화, 안전 교육 확대

2 우리나라의 기후 변화

원인	삼림·열대림 파괴, 화석 연료 소비 증가로 온실가스 증가 → 지구 온난화 현상 심화
영향	• 기온: 지난 100년간 우리나라 연평균 기온 1.7℃ 상승, 대도시 기온 상승(열섬 현상)이 뚜렷함. • 계절: 여름 (❷　　　) 겨울 짧아짐, 봄꽃 개화 시기 (❸　　　) 가을 단풍드는 시기 늦어짐. • 농어업: 작물의 생육 가능 기간 길어짐, 농작물 재배 북한계선 (❹　　　), 난류성 어종 어획 가능 수역 확대 • 식생: 난대림 북한계선 북상
대책	파리 협정 등 국제 협약 체결, 신·재생 에너지 개발, 생활 속 에너지 절약 실천 등

3 우리나라의 식생과 토양

식생	수평적 분포	• 남에서 북으로 가면서 난대림, 온대림, 냉대림 순으로 분포 • 난대림: 최난월 평균 기온 (❺　　　)℃ 이상인 울릉도와 남해안, 제주도의 해발 고도가 낮은 지역에 분포 • 온대림: 분포 면적이 가장 넓음. • 냉대림: 개마고원과 고산 지역을 중심으로 분포
	수직적 분포	저지대에서 고지대로 가면서 난대림, 온대림, 냉대림 순으로 분포 → 제주도에서 뚜렷함.
토양	(❻　　　) 토양	기후와 식생의 특성을 반영하는 토양, 온대림 지역(갈색 삼림토), 냉대림 지역(회백색토)에 분포
	간대토양	(❼　　　)의 특성을 반영하는 토양, 붉은색의 (❽　　　) 풍화토(강원 남부 등)와 흑갈색의 현무암 풍화토(제주)가 있음.
	미성숙토	토양 생성 기간이 짧은 충적토, 염류토 등

정답 ❶ 위험 ❷ 길어지고 ❸ 빨라지고 ❹ 북상 ❺ 0 ❻ 성대 ❼ 기반암(모암) ❽ 석회암

---

01 그래프는 세 자연재해의 연도별 피해액을 나타낸 것이다. (가)~(다) 자연재해로 옳은 것은?

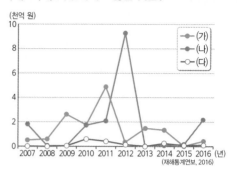

(재해통계연보, 2016)

	(가)	(나)	(다)
①	대설	태풍	호우
②	태풍	대설	호우
③	태풍	호우	대설
④	호우	대설	태풍
⑤	호우	태풍	대설

02 그래프는 세 자연재해의 시·도별 피해액 비중을 나타낸 것이다. (가)~(다) 자연재해에 대한 설명으로 옳은 것은? (단, (가)~(다)는 대설, 태풍, 호우 중 하나임.)

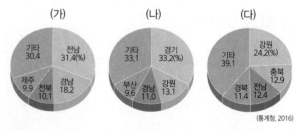

(통계청, 2016)

① (나)는 서고동저의 기압 배치에서 잘 발생한다.
② (다)는 강풍과 많은 비를 동반한다.
③ (가)는 (다)보다 피해액이 많다.
④ (나)는 주로 겨울, (다)는 주로 여름에 발생한다.
⑤ (다)는 (나)보다 우리나라의 연 강수량에 미치는 영향이 크다.

03
그래프는 어느 자연재해의 월별 발생 횟수를 나타낸 것이다. 이 자연재해에 대한 설명으로 옳은 것은?

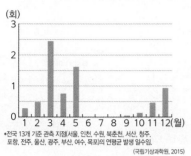

*전국 13개 기준 관측 지점(서울, 인천, 수원, 북춘천, 서산, 청주, 포항, 전주, 울산, 광주, 부산, 여수, 목포)의 연평균 발생 일수임.
(국립기상과학원, 2015)

① 각종 용수 부족을 초래한다.
② 대기 중의 먼지 농도를 높인다.
③ 남고북저의 기압 배치에서 잘 발생한다.
④ 하천 주변 저지대에서 침수 피해가 발생한다.
⑤ 미끄럼으로 인한 교통사고 위험성이 높아진다.

★04
그래프는 세 자연재해의 월별 피해액 비중을 나타낸 것이다. (가)~(다) 자연재해에 대한 설명으로 옳지 <u>않은</u> 것은? (단, (가)~(다)는 대설, 태풍, 호우 중 하나임.)

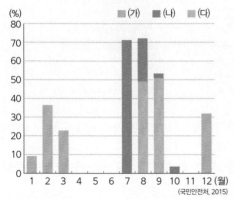

(국민안전처, 2015)

① (가)의 피해액은 호남 지방이 영남 지방보다 많다.
② (나)의 피해가 주로 발생하는 지역은 하천 주변의 충적지이다.
③ (다)의 피해액은 남부 지방이 중부 지방보다 많다.
④ (나)는 (다)보다 바람에 의한 피해가 크다.
⑤ (다)는 (가)보다 연평균 피해액이 많다.

05
그래프는 세 도시의 연평균 기온 변화를 나타낸 것이다. 이에 대한 옳은 설명만을 〈보기〉에서 있는 대로 고른 것은? (단, (가)~(다)는 서울, 대구, 부산 중 하나임.)

(기상청)

┤ 보기 ├
ㄱ. (다)는 봄꽃의 개화 시기가 늦어졌을 것이다.
ㄴ. (가)는 (다)보다 저위도에 위치한다.
ㄷ. (가)는 해안, (나)와 (다)는 내륙에 위치한다.
ㄹ. (가)~(다) 모두 연평균 기온이 상승하는 추세이다.

① ㄱ, ㄴ   ② ㄱ, ㄷ   ③ ㄴ, ㄷ
④ ㄱ, ㄴ, ㄷ   ⑤ ㄴ, ㄷ, ㄹ

06
지도는 한반도의 기온 상승을 나타낸 것이다. 이에 대한 옳은 분석을 〈보기〉에서 고른 것은?

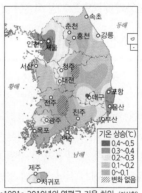

*1981~2010년의 연평균 기온 차임. (기상청)

┤ 보기 ├
ㄱ. 해안 지방이 내륙 지방보다 기온 상승 폭이 크다.
ㄴ. 해발 고도와 기온 상승 폭은 비례하는 경향이 나타난다.
ㄷ. 기온 변화가 없는 지역은 주로 소백 산지를 중심으로 분포한다.
ㄹ. 기온이 0.3℃ 이상 상승한 지역은 주로 대도시와 그 주변 지역에 분포한다.

① ㄱ, ㄴ   ② ㄱ, ㄷ   ③ ㄴ, ㄷ
④ ㄴ, ㄹ   ⑤ ㄷ, ㄹ

07 지도는 (가), (나) 시기의 봄 시작일을 나타낸 것이다. (가) 시기와 비교한 (나) 시기에 예상되는 특징을 A~E에서 고른 것은?

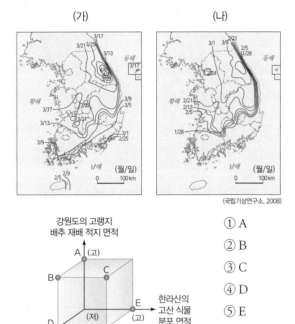

(가)   (나)

(국립기상연구소, 2008)

강원도의 고랭지
배추 재배 적지 면적

① A
② B
③ C
④ D
⑤ E

08 다음 글은 우리나라의 농작물 재배지 변화에 관한 신문 기사의 일부이다. 이와 같은 변화의 배경으로 가장 적절한 것은?

△△신문

우리나라에서 사과의 주요 재배지가 경북에서 강원으로 변화되고 있다. 사과 주산지인 대구와 그 주변 지역은 재배 면적이 줄어든 반면, 정선, 영월, 양구 등 강원 산간 지역의 재배 면적은 늘어났다. 복숭아 재배 면적은 경기와 충남 지역에서 빠르게 감소한 대신 충북과 강원 지역에서 커지고 있다. 감귤은 제주에서 전남 고흥과 경남 통영·진주로 재배 지역이 확대되었다. 통계청은 앞으로 시간이 더 흐르면 사과는 강원 일부 지역에서만, 복숭아는 영동·전북 일부 산간 지역에서만 재배될 가능성이 크다고 전망하였으며, 감귤은 강원 해안 지역에서도 재배가 가능해질 것으로 예상하였다. – 2018년 4월 10일–

① 이촌 향도에 따른 노동력 감소
② 지구 온난화에 따른 기온 상승
③ 교통 발달에 따른 대도시권의 확대
④ 기후 제약을 극복할 수 있는 농업 기술 발달
⑤ 무상 일수 증가에 따른 농작물 생육 가능 기간 증가

09 자료는 온실가스 증가로 인한 지구 대기의 변화를 나타낸 것이다. (가)에서 (나)로의 변화를 완화하기 위한 노력으로 적절하지 않은 것은?

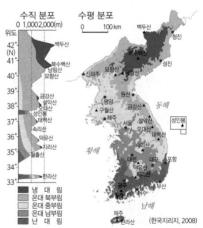

(가)   (나)

① 도시 내부에 녹지 공간을 조성한다.
② 자가용보다는 대중교통을 이용한다.
③ 에너지 효율이 높은 제품을 구매한다.
④ 원자력 발전소를 줄이고 석탄 화력 발전소를 늘린다.
⑤ 풍력·조력·태양광의 에너지 효율을 높이는 기술을 개발한다.

10 자료는 우리나라의 식생 분포를 나타낸 것이다. 이에 대한 옳은 분석을 〈보기〉에서 고른 것은?

(한국지리지, 2008)

┌─ 보기 ─────────────────────
│ ㄱ. 냉대림의 고도 한계는 북부 지방이 남부 지방보다
│   높다.
│ ㄴ. 냉대림은 낭림산맥, 함경산맥, 개마고원에 주로 분
│   포한다.
│ ㄷ. 식생의 수직적 분포와 수평적 분포는 기온보다 강수
│   량의 영향이 크다.
│ ㄹ. 남해안과 제주도 등지의 해발 고도가 낮은 곳에는
│   상록 활엽수가 분포한다.
└───────────────────────────

① ㄱ, ㄴ   ② ㄱ, ㄷ   ③ ㄴ, ㄷ
④ ㄴ, ㄹ   ⑤ ㄷ, ㄹ

11 지도는 토양의 분포를 나타낸 것이다. (가)~(다) 토양에 대한 설명으로 옳지 <u>않은</u> 것은?

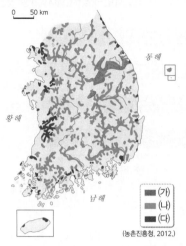

(농촌진흥청, 2012.)

① (가)는 주로 고생대 지층에 분포한다.

② (나)는 주로 하천 주변에 분포한다.

③ (다)에서 농사를 지으려면 염분을 제거해야 한다.

④ (가)는 (나)보다 토양의 형성 기간이 길다.

⑤ (나)와 (다)는 기후와 식생의 영향으로 형성된 토양이다.

13 다음 그래프를 보고 물음에 답하시오. (단, (가)~(다)는 대설, 태풍, 호우 중 하나임.)

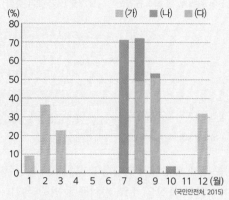

▲ 자연재해의 월별 피해 발생률

(1) (가)~(다)에 해당하는 자연재해를 쓰시오.

_____

(2) (다)로 인해 발생하는 피해를 <u>두 가지</u> 쓰고, 그에 대한 대책을 서술하시오.

_____

_____

_____

_____

12 다음은 서울시의 지표 공간 변화를 나타낸 것이다. 도시화 이전과 비교한 도시화 이후의 서울시 기후 환경 변화의 상대적 특징을 〈보기〉에서 고른 것은?

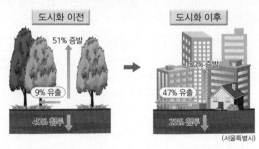

(서울특별시)

┌ 보기 ┐

ㄱ. 평균 풍속이 강해졌을 것이다.

ㄴ. 상대 습도가 높아졌을 것이다.

ㄷ. 주변 지역과의 기온 차이가 커졌을 것이다.

ㄹ. 강수 시 지표로 흐르는 빗물의 양이 증가했을 것이다.

① ㄱ, ㄴ   ② ㄱ, ㄷ   ③ ㄴ, ㄷ

④ ㄴ, ㄹ   ⑤ ㄷ, ㄹ

14 자료는 어느 도시의 시기별 지표면 특징을 나타낸 것이다. (가), (나) 시기의 지표면 특징을 비교하여 서술하고, (가) 시기와 비교한 (나) 시기의 상대적 특징을 기온, 습도, 바람의 측면에서 서술하시오.

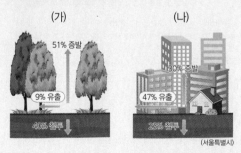

(서울특별시)

_____

_____

_____

_____

_____

_____

| 기출 응용 |

01 다음 자료의 (가), (나) 자연재해에 대한 설명으로 옳은 것은?

〈(가), (나)의 월별 발생 횟수 비중〉 　〈재해 대응 행동 요령〉

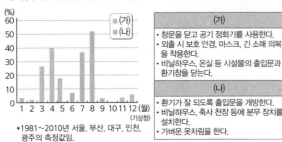

*1981~2010년 서울, 부산, 대구, 인천, 광주의 측정값임.

(가)
• 창문을 닫고 공기 정화기를 사용한다. • 외출 시 보호 안경, 마스크, 긴 소매 의복을 착용한다. • 비닐하우스, 온실 등 시설물의 출입문과 환기창을 닫는다.

(나)
• 환기가 잘 되도록 출입문을 개방한다. • 비닐하우스, 축사 천장 등에 분무 장치를 설치한다. • 가벼운 옷차림을 한다.

① (가)는 열대 해상에서 발생하여 고위도로 이동한다.

② (가)의 원인 물질은 주로 편서풍에 의해 우리나라로 이동해 온다.

③ (나)를 대비한 전통 가옥 시설로 터돋움집이 있다.

④ (나)는 서고동저형 기압 배치가 전형적으로 나타나는 계절에 주로 발생한다.

⑤ (가)는 강수, (나)는 기온과 관련된 재해이다.

| 수능 기출 |

02 (가)~(다) 자연재해에 대한 옳은 설명만을 〈보기〉에서 있는 대로 고른 것은? (단, (가)~(다)는 대설, 태풍, 호우 중 하나임.)

*수치는 피해액 누적치(2006~2016년)가 가장 높은 지역의 값을 100으로 했을 때의 상댓값임.　(국민안전처)

▲ 자연재해 피해액

| 보기 |

ㄱ. (가)는 강풍과 많은 비를 동반하여 풍수해를 유발한다.

ㄴ. (나)는 장마 전선이 정체되었을 때 주로 발생한다.

ㄷ. (다)는 겨울철 찬 공기가 바다를 지나면서 형성된 눈구름에 의해 발생하는 경우가 많다.

ㄹ. 우리나라 연 강수량에서 차지하는 비중은 (다)가 (나)보다 높다.

① ㄱ, ㄴ　　　② ㄴ, ㄷ　　　③ ㄷ, ㄹ

④ ㄱ, ㄴ, ㄷ　　⑤ ㄴ, ㄷ, ㄹ

| 신유형 |

03 그래프는 세 도(道)의 태풍, 호우, 대설의 피해액 비중을 나타낸 것이다. (가)~(다) 지역을 지도의 A~C에서 고른 것은?

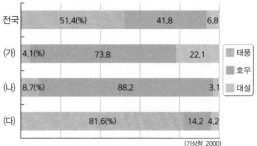

*대설, 태풍, 호우의 피해액 합계를 100%로 함.

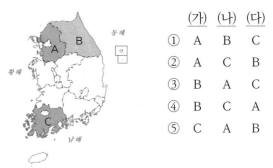

	(가)	(나)	(다)
①	A	B	C
②	A	C	B
③	B	A	C
④	B	C	A
⑤	C	A	B

| 수능 응용 |

04 자료는 (가)~(다) 재난의 예방을 위한 국민 행동 요령의 일부이다. 이에 대한 설명으로 옳지 <u>않은</u> 것은? (단, 대설, 지진, 황사만 고려함.)

(가)	(나)	(다)
• 운전자는 굽잇길, 고갯길, 교량 등에서는 서행 운전한다. • 보행자는 외출 시 바닥면이 넓은 운동화나 등산화를 착용한다.	• 학생들의 실외 학습, 운동 경기 등을 중지하거나 연기한다. • 창문을 닫고 노약자, 어린이는 가능한 한 외출을 삼간다.	• 실내에서 떨어지는 물건에 주의한다. • 승강기를 타고 있다면 모든 층의 버튼을 눌러 가장 먼저 열리는 층에서 신속하게 내린다.

① (가)에 대비한 전통 가옥 시설에는 우데기가 있다.

② (나)의 발생은 편서풍과 관계가 깊다.

③ (다)는 주로 열대 해상에서 발생하여 우리나라로 이동해 온다.

④ (가)는 기상 재해, (다)는 지형(지질) 재해에 해당한다.

⑤ (가)는 주로 겨울, (나)는 주로 봄에 발생한다.

| 신유형 |

05 그래프는 서울의 계절 시작일과 지속 기간을 나타낸 것이다. 이러한 변화로 인해 예상되는 현상으로 옳지 <u>않은</u> 것은?

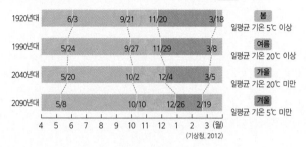

① 해안 지역의 침수 피해가 증가할 것이다.
② 난방 수요는 감소하고, 냉방 수요는 증가할 것이다.
③ 한라산에서 고산 식물의 고도 한계가 높아질 것이다.
④ 냉대림 면적은 감소하고 난대림 면적은 증가할 것이다.
⑤ 영남 지방에서 사과 재배 적지 면적이 증가할 것이다.

| 신유형 |

07 그래프는 동해의 표층 수온 변화를 나타낸 것이다. 이와 같은 변화가 지속될 경우 동해나 동해안 지역에서 예상되는 현상으로 옳지 <u>않은</u> 내용을 〈보기〉에서 고른 것은?

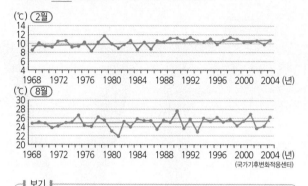

| 보기 |
> ㄱ. 단풍 드는 시기가 빨라질 것이다.
> ㄴ. 감나무 재배의 고도 한계가 높아질 것이다.
> ㄷ. 아열대 수산 생물의 출현 빈도가 증가할 것이다.
> ㄹ. 한류성 어종이 증가하고 난류성 어종이 감소할 것이다.

① ㄱ, ㄷ   ② ㄱ, ㄹ   ③ ㄴ, ㄷ
④ ㄴ, ㄹ   ⑤ ㄷ, ㄹ

| 수능 기출 |

06 (가)~(다)에 대한 옳은 설명을 〈보기〉에서 고른 것은? (단, (가)~(다)는 부산, 인천, 제주 중 하나임.)

〈계절별 기온〉   〈계절별 기온 변화〉

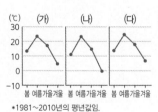 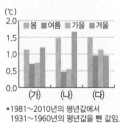

| 보기 |
> ㄱ. (가)는 부산, (나)는 인천이다.
> ㄴ. (나)는 (다)보다 무상 일수가 많다.
> ㄷ. (가)~(다)의 겨울 기온은 위도가 높을수록 더 크게 상승하였다.
> ㄹ. 인천은 봄 기온, 제주는 겨울 기온이 가장 크게 상승하였다.

① ㄱ, ㄴ   ② ㄱ, ㄷ   ③ ㄴ, ㄷ
④ ㄴ, ㄹ   ⑤ ㄷ, ㄹ

| 신유형 |

08 (가)~(다)에 해당하는 토양을 지도의 A~C에서 고른 것은?

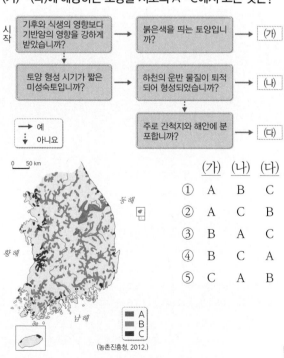

	(가)	(나)	(다)
①	A	B	C
②	A	C	B
③	B	A	C
④	B	C	A
⑤	C	A	B

IV.

거주 공간의 변화와 지역 개발

이 단원의 핵심 포인트

중단원	핵심 포인트	학습일
01 촌락의 변화와 도시 발달	• 전통 촌락의 특징과 촌락의 변화 • 도시와 촌락의 관계 • 도시의 발달과 도시 체계	월　일　～　월　일
02 도시 구조와 대도시권	• 도시의 지역 분화 • 도시 내부 구조 • 대도시권의 형성과 확대	월　일　～　월　일
03 도시 계획과 재개발 및 　　지역 개발과 공간 불평등	• 도시 계획과 도시 재개발 • 지역 개발과 공간 불평등	월　일　～　월　일

셀파와 내 교과서 단원 비교

셀파	천재교과서	미래엔	비상교육
01 촌락의 변화와 도시 발달	01 촌락의 변화와 도시 발달	01 촌락의 변화와 도시 발달	01 촌락의 변화와 도시 발달
02 도시 구조와 대도시권	02 도시 구조와 대도시권	02 도시 구조와 대도시권	02 도시 구조와 대도시권
03 도시 계획과 재개발 및 　　지역 개발과 공간 불평등	03 도시 계획과 재개발	03 도시 계획과 재개발	03 도시 계획과 도시 재개발
	04 지역 개발과 공간 불평등	04 지역 개발과 공간 불평등	04 지역 개발과 공간 불평등

01 촌락의 변화와 도시 발달

1 전통 촌락의 특징과 촌락의 변화

1. 전통 촌락의 특징과 입지

(1) 전통 촌락의 특징

① 도시보다 인구 규모가 작고 인구 밀도가 낮으며, 국토 면적의 대부분을 차지함.

② 주민 대부분 1차 산업 종사, 도시에 농수산물 공급

③ 도시민들에 휴식 및 여가 공간 제공

④ 도시에 비해 공동체 의식이 강함.

(2) 전통 촌락의 입지 자료 01

① 배산임수❶의 입지 북서풍을 차단하고 각종 용수를 얻을 수 있는 곳 선호, 풍수지리상 길지에 속함. ┌ 장차 좋은 일이 많이 생기게 되는 터전

② 전통 촌락의 입지 요인 ─ 전통 촌락의 입지는 자연적 요인의 영향을 크게 받으나, 근래 상업적 농업이 발달하면서 사회적·경제적 요인의 중요성이 커지고 있음.

자연적 요인	• 용수 및 연료 확보, 농경지 분포 등 자연적 요인이 유리한 곳 • 물을 얻을 수 있는 곳 예 제주도 해안의 용천대 • 홍수를 피할 수 있는 곳 예 산록 완사면이나 범람원의 자연 제방
사회적·경제적 요인	• 교통이 편리한 곳 예 역원 취락❷(조치원), 나루터 취락(마포) • 방어에 유리한 곳이나 국경 및 해안 지역 예 병영촌(남한산성, 부산 수영, 중강진 등)

(3) 전통 촌락의 형태와 경관

농촌	어촌	산지촌
• 농업 기반 • 농경지와 배후 산지가 만나는 산록면에 위치 • 협력 노동이 많아 집촌❸ 형성	• 어업 기반 • 항구를 중심으로 밀집 • 주로 반농 반어촌❹ 형성	• 밭농사, 임업, 목축업 등에 종사 • 경지가 협소하여 촌락의 규모가 작고 산촌❺ 형성

2. 촌락의 변화

(1) 인구 변화 자료 02

① 원인 산업화·도시화로 이촌 향도 가속화 → 청장년층 인구 감소, 노년층 인구 증가

② 변화

• 청장년층·유소년층 인구 감소 → 학교 및 의료 기관 등 주요 시설 감소, 정주❻ 기반 약화

• 노동력의 고령화, 노동력 부족 → 영농의 기계화, 외국인 근로자 유입

• 결혼 적령기 인구의 성비 불균형 → 결혼 이민자 증가, 다문화 가정 증가

(2) 기능 및 경관 변화 자료 03
  └ 왜? 결혼 적령기의 남초 현상이 가속화되어 외국인 여성과의 국제결혼이 많아졌음.

① 영농의 다각화 친환경 농수산물 및 가공식품 생산, 고소득 작물의 시설 재배, 전자 상거래를 통한 직접 판매 등

② 교통·통신의 발달

• 원예 농업, 낙농업 등 상업적 농업 확대

• 촌락과 도시 경관 혼재 → 교통이 편리하고 대도시에 인접한 근교 촌락에 공장, 물류 창고, 아파트 등이 들어섬.

③ 촌락 경관의 관광 자원화 슬로 시티 운동❼, 농공 단지, 촌락 체험 마을 조성 등 → 2·3차 산업 비중 증가, 소득 기회 증가, 주거 환경 개선, 귀농·귀촌 증가

---

❶ 배산임수(背山臨水)
산을 등지고 물을 바라보는 위치로, 조상들이 이상적인 마을 입지 조건으로 여겼다.

❷ 역원 취락
역(驛)은 말을 갈아타던 장소이고 원(院)은 관리와 여행자들에게 숙식과 편의를 제공하던 곳으로서, 과거 육상 교통의 결절점에 발달한 취락을 말한다.

❸ 집촌
특정 장소에 가옥이 밀집하여 분포하는 촌락이다. 가옥과 경지의 거리가 멀어 경지 관리가 어렵지만, 가옥이 밀집되어 있어 협동 노동에 유리하고 주민들의 공동체 의식이 강하다.

❹ 반농 반어촌
우리나라 대부분의 어촌은 항구 뒤쪽의 산지에 마을이 위치하며, 주거지 주변에 대부분 경지가 있어 농업과 어업을 겸하는 반농 반어촌을 이룬다.

❺ 산촌
가옥이 흩어져 분포하며 가옥의 밀집도가 낮은 촌락이다.

고득점을 위한 셀파 Tip

촌락의 변화

인구 변화	• 청장년층·유소년 인구 감소 → 정주 기반 약화 • 고령화 → 노동력 부족 • 결혼 적령기의 성비 불균형 → 다문화 가정 증가
경관 변화	• 영농의 기계화 • 상업적 농업 확대 • 체험 마을 등 관광 자원화

❻ 정주
일정 지역에 자리를 잡고 살아가는 인간 거주의 모습을 말한다.

❼ 슬로 시티(Slow city) 운동
급변하는 사회 속에서 느리고 여유 있는 삶을 지향하며 지역의 자연환경 보전과 전통 문화 보존을 바탕으로 지역을 매력적인 장소로 만들기 위한 운동이다. 전라남도 담양군 창평, 경상남도 하동군 악양 등이 슬로 시티로 지정되었다.

자료 01 전통 촌락의 입지 특징

자료 분석 | 전통 촌락의 입지는 배산임수 조건이 가장 크게 작용하였다. 촌락의 입지가 배산임수일 경우 뒤쪽의 산이 겨울철 차가운 북서 계절풍을 막아 주고, 남향으로 앞쪽이 트여 있어 일조량이 풍부하다. 또한 산에서는 임산물을 얻고 마을 앞의 하천에서는 각종 농업용수와 생활용수를 얻을 수 있다.

안동 하회 마을은 풍산 류씨의 동족 촌락이며, 대부분의 가옥이 자연 제방에 밀집해 있어 집촌에 해당함.
조선 시대 전통 가옥과 입지 경관이 잘 나타나 있고, 2010년 세계 문화유산으로 지정됨.

교과서 자료 더 보기

| 제주도의 용천 분포 |

지표수가 부족한 제주도에서는 생활용수를 쉽게 얻기 위해 해안을 따라 발달한 용천대를 중심으로 촌락이 분포한다.

자료 02 촌락의 인구 변화

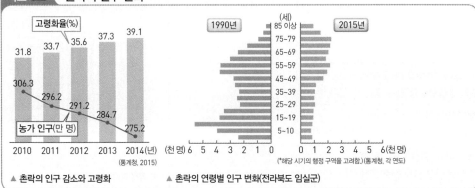

▲ 촌락의 인구 감소와 고령화   ▲ 촌락의 연령별 인구 변화(전라북도 임실군)

자료 분석 | 전통 농촌은 도시로 많은 인구가 빠져나가 인구가 감소하면서 큰 변화를 겪고 있다. 1970년대 이후 농촌은 급속한 도시화로 청장년층이 유출되면서 인구의 고령화와 노동력 부족 문제를 겪게 되었다. 이는 다시 폐가와 휴경지의 증가로 이어졌으며, 노년층 인구가 많고 유소년층 인구가 적은 인구 구조가 나타난다.

교과서 자료 더 보기

| 강원도 내 폐교 현황 |

(한국지리지 강원권, 2015)

청장년층의 인구 유출과 출산율 저하로 촌락의 학생 수가 감소하자 폐교가 늘어났다.

자료 03 촌락의 다양한 변화

임실군 느티 마을

임실군의 치즈 마을에서는 치즈 체험, 방문객 안내, 유제품 판매 등을 통해 일자리를 창출하고 지역 소득을 높이고 있다. 이 마을의 본래 명칭은 느티 마을이지만 치즈와 관련된 다양한 체험 활동을 할 수 있어서 '치즈 마을'이라고 불린다. 치즈 체험 수익은 마을 발전 기금으로 적립해 어르신들의 일자리 창출과 청소년을 위한 도서관 지원 등에 사용한다.

화천군 산천어 축제

화천 산천어 축제는 북한강 상류에 있는 화천군의 청정 자연환경과 우리나라 고유 어종인 산천어를 접목한 지역 축제로, 누구나 즐길 수 있는 겨울 축제로 기획되었다. 산천어 얼음낚시 대회, 창작 썰매 경기, 얼음 축구 대회, 스케이트 대회 등 각종 겨울 레포츠를 체험할 수 있으며, 축제를 즐기기 위해 해마다 100만 명 넘는 사람들이 화천군을 방문한다.

자료 분석 | 촌락은 고유의 기능과 경관을 활용하여 다양한 변화를 꾀하고 있다. 임실군 느티 마을은 산양과 젖소를 키워 우유를 생산하는 1차 산업, 치즈와 각종 유제품을 가공·생산하는 2차 산업, 치즈 체험 프로그램을 중심으로 하는 3차 산업을 결합하여 발전을 추구하고 있다. 화천군은 지역 고유의 경관을 관광 자원화하여 관광 수익을 높이기 위해 노력하고 있다.

교과서 탐구 풀이

Q 임실군 느티 마을의 주민 생활 변화에 대해 발표해 보자.

A 치즈 생산, 치즈 체험 프로그램 운영 등을 통한 고용 기회 확대와 지역 소득 증가, 지역 주민의 직업 다양화 등의 변화가 나타날 것이다.

2 도시와 촌락의 관계

1. 도시와 촌락의 상호 보완성 도시와 촌락은 서로 다른 기능과 역할을 분담

도시		촌락
• 2·3차 산업 발달 • 인구 밀도 높고, 집약적 토지 이용⑧ • 행정 기관, 금융 기관, 상업 시설 집중 • 각종 재화와 서비스 공급 → 중심지 역할	활발한 ⟷ 상호 작용	• 1차 산업 발달 • 인구 밀도 낮고, 조방적 토지 이용⑨ • 각종 농수산물과 축산물 공급 • 도시민에 휴식과 여가 공간 제공

2. 도시와 촌락의 지역 격차를 줄이기 위한 노력
① 인구 증가, 교통·통신 발달로 도시와 촌락의 관계 긴밀해짐.
② **도농 통합시 출범** 생활권이 같은 도시와 농어촌이 하나로 합쳐져 광역 생활권을 갖춘 도시 → 생활권과 행정 구역 일치, 도시와 농촌 간의 지역 격차 해소, 농촌의 생활 환경 수준 향상 등

3 도시 발달과 도시 체계

1. 도시의 발달 과정 [자료 04]

1960년대	• 경제 개발 정책과 공업화, 도시화⑩의 급속한 진행 → 인구의 도시 집중 가속화 • 서울, 부산, 대구 등 대도시 중심으로 성장 → 종주 도시화 현상
1970년대	• 도시 인구가 촌락 인구보다 많아짐. • 광주, 대전 등 지방 중심 도시와 포항, 울산, 창원 등 남동 임해 공업 도시 성장
1980년대 이후	• 대도시 성장 둔화, 대도시 주변에 위성 도시⑪ 발달 • 대도시의 과밀화 완화를 위해 인구 분산 정책 시행 • 서울 주변의 성남·안산·고양 등, 부산 주변의 김해·양산 등, 대구 주변의 경산 등 • 대도시의 여러 기능을 분담하는 신도시 건설

1960년대 서울, 부산, 대구 등 대도시 중심으로 성장 → 종주 도시화 현상 옆: 수출 위주의 공업화 정책 추진으로 원료 수입과 제품 수출에 유리한 남동 연안 지역에 공업 도시 성장함.

2. 도시 체계 [자료 05]
(1) **의미** 한 국가 또는 한 지역에 분포하는 도시 간의 기능적 상호 의존으로 형성되는 도시 간의 계층 질서 └도시들은 재화와 서비스의 이동, 자본과 정보의 흐름 등에 따라 상호 작용을 함.
(2) **상호 작용의 지표** 인구 규모 및 인구 분포, 도시 간의 도로망 및 교통량, 도시 간 재화와 서비스의 이동, 인터넷망을 통한 정보 유통 등
(3) **도시 간 계층 구조** 저차 중심지는 고차 중심지에 기능적으로 의존함.

중심 기능이 유지되기 위한 최소한의 요구

구분	최소 요구치	재화의 도달 범위	중심지 기능	중심지 수	중심지 간의 거리	행정 구역
고차 중심지	큼.	넓음.	많음.	적음.	멂.	특별시, 광역시
저차 중심지	작음.	좁음.	적음.	많음.	가까움.	읍, 면

└중심지로부터 중심 기능을 제공받는 최대 범위

3. 우리나라 도시 체계의 특징
(1) **변화 요인** 도시화, 산업화, 교통 발달, 국토 계획 등의 영향으로 변화함. └한 국가에서 가장 인구가 많은 도시를 뜻함.
(2) **종주 도시화** 수위 도시인 서울을 중심으로 인구와 각종 기능 집중, 수직적 도시 체계
(3) **우리나라 도시 체계의 발전 방향** └균형적인 국토 성장을 위해 공공 기관의 지방 이전으로 조성된 도시
① 균형 있는 도시 체계 → 지역 성장 거점에 혁신 도시 건설, 중추 도시 생활권⑬ 육성
② 세계적·국가적·지역적 차원의 도시 체계와 연계하여 국제 경쟁력 강화, 특화된 기능 육성

---

⑧ **집약적 토지 이용**
좁은 면적에 많은 자본과 노동력을 집중하여 생산성을 최대한 높이려는 토지 이용 방식이다.

⑨ **조방적 토지 이용**
넓은 면적에 자본과 노동력을 적게 투입하여 면적 대비 낮은 수익을 창출하는 토지 이용 방식이다.

⑩ **우리나라의 도시화**
도시화는 인구면에서 도시 인구가 증가하고, 경제면에서 2·3차 산업 종사자 비율이 높아지며, 사회면에서 도시적 생활 양식이 확대되는 현상이다. 우리나라는 도시화가 빠르게 진행되어 현재 도시화율이 90%를 넘었다.

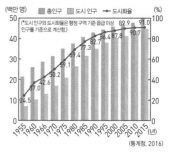
(통계청, 2016)

⑪ **위성 도시**
대도시 주변에서 대도시의 일부 기능을 분담하는 도시이다.

우리나라의 도시 체계

도시 체계	도시의 상호 작용에 의해 나타나는 도시 간의 계층 질서
도시 계층	고차 중심지 ⊃ 저차 중심지
종주 도시화	서울을 중심으로 한 수직적 도시 체계

⑫ **종주 도시**
인구 순위에 따라 도시를 배열할 때 제1위 도시의 인구가 제2위 도시 인구의 2배 이상일 경우 제1위 도시를 종주 도시라고 한다. 서울은 제2위 도시인 부산에 비해 인구수가 2배 이상이 되어 종주 도시화 현상이 나타나고 있다.

⑬ **중추 도시 생활권**
지역 발전의 거점 역할을 하는 중심 도시와 주변 지역이 상호 연계 및 협력하여 동일 생활권을 형성하는 지역이다. 도시권 발전의 성과를 주변 지역으로 확산시킴으로써 국토의 균형 발전을 추구한다.

자료 04 공통 자료 우리나라의 도시 발달

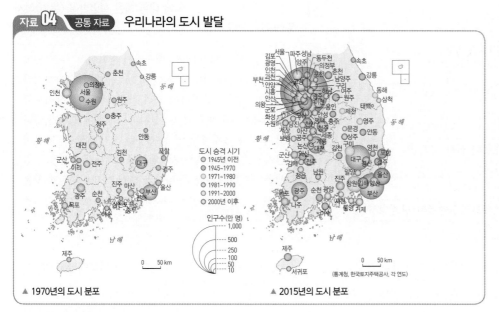

▲ 1970년의 도시 분포

▲ 2015년의 도시 분포

(통계청, 한국토지주택공사, 각 연도)

자료 분석 | 우리나라는 1970년에 비해 2015년에 도시 수가 많아졌고, 대도시가 빠르게 성장하였다. 수도권과 남동 연안 지역의 도시 성장이 두드러지며 고차 중심지를 이루고, 대도시와 멀리 떨어진 지방 중소 도시는 성장이 정체된 곳이 많아 저차 중심지를 이룬다.

자료 05 도시 체계와 종주 도시화

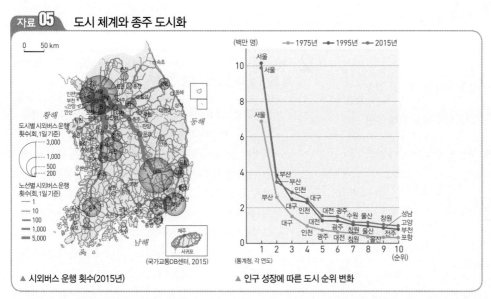

▲ 시외버스 운행 횟수(2015년)

(국가교통DB센터, 2015)

▲ 인구 성장에 따른 도시 순위 변화

(통계청, 각 연도)

자료 분석 | 시외버스의 도시별·노선별 운행 횟수를 살펴보면 우리나라 중심지 간의 계층성을 파악할 수 있다. 서울은 최고차 중심지이며, 대구, 부산, 대전 등 광역시들이 고차 중심지에 해당한다. 상위 계층 도시 간에는 버스 노선 및 운행 횟수가 많다. 한편, 인구 성장에 따른 도시 순위 변화를 살펴보면 우리나라 도시 발달의 특징을 파악할 수 있다. 2015년 도시 인구는 서울이 가장 많고 다음으로 부산이 많다. 과거 지방의 중심 도시였던 전주, 목포 등의 순위는 낮아졌고, 공업 도시인 울산과 창원, 위성 도시인 고양, 성남 등은 순위가 높아졌다. 서울의 과도한 인구 집중으로 종주 도시화 현상이 나타나고 있으며, 대도시, 공업 도시, 위성 도시의 성장이 두드러짐을 알 수 있다.

교과서 자료 더 보기

| 도농 통합시 |

도농 통합시는 생활권이 비슷한 시·군을 통합한 것으로, 도시와 촌락 지역이 함께 있는 시이다. 도시와 농촌 간의 상호 보완적인 관계를 통해 지역 격차를 줄이는 데 목적이 있다.

교과서 자료 더 보기

| 중심지의 계층 구조 |

■ 대도시 ● 중도시 ∘ 소도시 (경제지리학, 2011)

동일 기능의 중심지라 하더라도 규모에 따라 최소 요구치와 재화의 도달 범위가 다르므로 여러 계층으로 구성되는 중심지 체계가 형성된다. 대도시는 고차 중심지에 해당하고, 중도시는 대도시보다 낮은 계층의 중심지에 해당한다. 소도시는 가장 낮은 계층의 중심지이다.

1 전통 촌락의 특징과 촌락의 변화

① 전통 촌락의 특징과 입지

전통 촌락의 특징	• 인구 규모가 작고, 국토 면적의 대부분 차지 • (❶　　　) 산업 중심, 공동체 의식 강함.
전통 촌락의 입지	• 자연적 요인: (❷　　　) 입지 선호, 득수 및 피수에 유리한 곳 • 사회적·경제적 요인: 교통, 방어에 유리한 곳 등
전통 촌락의 형태	농촌	농업 중심, 공동체 의식 강함, (❸　　　) 형성
	어촌	어업 중심, 반농 반어촌 비중 높음.
	(❹　　)	밭농사, 임업, 목축업 등에 종사, 산촌 형성

② 촌락의 변화

인구 변화	• 이촌 향도 현상 → (❺　　　) 인구 감소, 노년층 인구 증가 • 노동력 부족, 정주 기반 약화, 결혼 적령기 인구의 성비 불균형 등
기능 변화	• 시설 재배 및 상업적 농업 확대 • 촌락 경관의 관광 자원화

2 도시와 촌락의 관계

도시와 촌락의 상호 의존	• 도시: 중심지 역할, 각종 재화와 서비스 공급 • 촌락: 도시의 배후지, 식량과 여가 공간 제공
지역 격차 해소를 위한 노력	(❻　　　) 출범 → 생활권과 행정 구역 일치, 도시와 촌락의 균형 발전

3 도시 발달과 도시 체계

도시 발달 과정		• 1960년대: 대도시 성장, 인구의 대도시 집중 가속화 • 1970년대: 지방 중심 도시와 남동 임해 공업 도시 성장 • 1980년대: 대도시 주변에 신도시와 위성 도시 발달 • 1990년대: 도시 인구 분산 정책 시행
도시 체계	의미	도시 간에 이루는 계층적 구조
	계층 구조	• (❼　　　): 저차 중심지의 배후지를 포함, 중심지 수가 적고 중심지 간 간격이 넓음. • 저차 중심지: 중심지 수가 많고, 중심지 간 간격이 좁음.
(❽　　)		수위 도시인 서울을 중심으로 인구와 각종 기능 집중, 수직적 도시 체계

정답 ❶ 1차 ❷ 배산임수 ❸ 집촌 ❹ 산지촌 ❺ 청장년층 ❻ 도농 통합시 ❼ 고차 중심지 ❽ 종주 도시화

---

01 다음 글의 밑줄 친 ㉠~㉢에 대한 옳은 설명만을 〈보기〉에서 있는 대로 고른 것은?

> ㉠ 농촌은 우리나라의 대표적인 촌락이며, 주로 농업 활동이 중심을 이룬다. 일반적으로 농촌은 ㉡ 농경지와 산지가 만나는 산기슭에 자리 잡으며 자연 발생적으로 형성되는 경우가 많다. ㉢ 산지촌은 사면의 경사가 급하고 경지가 좁기 때문에 논농사를 짓기 어렵다. 따라서 산지촌 주민들은 밭농사, 임산물 채취, 목축업을 주된 생업으로 한다. 어촌은 바다와 해안 지역에서 경제 활동을 영위하는 촌락이다. 대부분의 어촌은 농업과 어업에 함께 종사하는 ㉣ 반농 반어촌을 이룬다.

보기
ㄱ. ㉠ – 협동 노동의 필요성이 크기 때문에 집촌(集村)을 이루는 경우가 많다.
ㄴ. ㉡ – 배산임수 입지로 땔감, 우물, 영농 등을 고려한 입지이다.
ㄷ. ㉢ – 작물 생산량이 적어 많은 사람을 부양할 수 없기 때문에 산촌(散村)이 분포한다.
ㄹ. ㉣ – 모래 해안보다는 암석 해안에 입지한 촌락에서 전형적으로 나타난다.

① ㄱ, ㄷ　　　② ㄱ, ㄹ　　　③ ㄱ, ㄴ, ㄷ
④ ㄱ, ㄴ, ㄹ　　⑤ ㄴ, ㄷ, ㄹ

02 다음 글은 전통 촌락의 입지에 관한 것이다. ㉠, ㉡에 공통적으로 들어갈 내용으로 옳은 것은?

> • 제주도는 유동성이 큰 현무암이 기반암을 이룬 경우가 많아 중앙부의 한라산 정상부를 제외하면 완만한 지형이 넓게 나타난다. 하지만 전통 촌락은 대부분 해안 지역에 입지하였다. 그것은 (㉠) 때문이다.
> • 경사 급변점의 골짜기 입구에 형성된 부채꼴 모양의 퇴적 지형은 그 위치에 따라 토지 이용에 차이가 있다. 선정이나 선단에는 주로 취락이 분포하고 선앙은 과수원이나 밭으로 이용된다. 선단에 취락이 분포하는 것은 (㉡) 때문이다.

① 용천이 있어 물을 구하기 쉽기
② 홍수 때 범람 위험성이 매우 낮기
③ 겨울철 차가운 북서풍을 막을 수 있기
④ 지형이 평탄하여 산사태 위험성이 낮기
⑤ 하천과 인접하여 생활용수를 구하기 쉽기

딱풀 p. 26

03 그래프는 전라북도 임실군의 인구 자료이다. 이에 대한 옳은 설명을 〈보기〉에서 고른 것은?

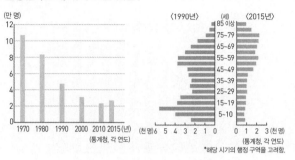

〈1990년〉 〈2015년〉

*해당 시기의 행정 구역을 고려함.

┃ 보기 ┃

ㄱ. 1990년은 2015년보다 중위 연령이 높다.

ㄴ. 1970~2015년에 경지 이용률이 높아졌다.

ㄷ. 1970~2015년에 폐교되는 초등학교가 나타났다.

ㄹ. 1970~2015년에 청장년층 중심으로 인구 유출이 이루어졌다.

① ㄱ, ㄴ   ② ㄱ, ㄷ   ③ ㄴ, ㄷ

④ ㄴ, ㄹ   ⑤ ㄷ, ㄹ

04 다음 글의 ㉠, ㉡에 대한 옳은 설명만을 〈보기〉에서 있는 대로 고른 것은?

전통 촌락은 도시로 많은 인구가 빠져나가 인구가 감소함에 따라 큰 변화를 겪고 있다. 1970년대 이후 급속한 도시화로 ㉠ 청장년층 중심으로 많은 인구가 도시로 유출되면서 인구 고령화와 노동력 부족 문제를 겪게 되었다. 인구 고령화로 촌락의 노년층의 비중이 높아지자 ㉡ 촌락 전체 성비가 낮아지는 현상이 나타났으며, 노동력의 고령화로 휴경지와 폐가가 증가하였다.

┃ 보기 ┃

ㄱ. ㉠ - 청장년층 인구 유출의 주요 원인은 촌락의 일자리 부족, 낙후된 생활 환경 등이다.

ㄴ. ㉠ - 인구 유출은 남성보다 여성에게 더 활발하여 결혼 적령기 연령층의 성비가 높아졌다.

ㄷ. ㉡ - 여성이 남성보다 평균 수명이 길기 때문이다.

ㄹ. ㉡ - 청장년층에서는 여초 현상이, 노년층에서는 남초 현상이 나타난다.

① ㄱ, ㄷ   ② ㄷ, ㄹ   ③ ㄱ, ㄴ, ㄷ

④ ㄱ, ㄷ, ㄹ   ⑤ ㄴ, ㄷ, ㄹ

05 지도는 강원도의 폐교 현황을 나타낸 것이다. 이와 같은 현상의 원인으로 옳은 것만을 〈보기〉에서 있는 대로 고른 것은?

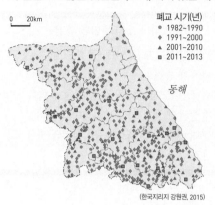

폐교 시기(년)
● 1982~1990
◆ 1991~2000
▲ 2001~2010
■ 2011~2013

(한국지리지 강원권, 2015)

┃ 보기 ┃

ㄱ. 산업화와 도시화에 따른 이촌 향도

ㄴ. 도농 통합시 출범 및 농공 단지 입지 증가

ㄷ. 가정용 에너지 소비 구조의 변화에 따른 폐광 증가

ㄹ. 가족계획 정책과 양육비 증가에 따른 합계 출산율의 감소

① ㄱ, ㄷ   ② ㄷ, ㄹ   ③ ㄱ, ㄴ, ㄹ

④ ㄱ, ㄷ, ㄹ   ⑤ ㄴ, ㄷ, ㄹ

06 그래프는 세 지역의 인구 변화를 나타낸 것이다. (가)~(다)에 해당하는 도시를 지도의 A~C에서 고른 것은?

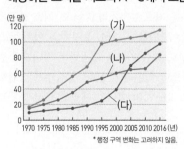

* 행정 구역 변화는 고려하지 않음.

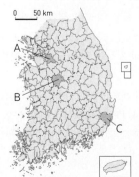

	(가)	(나)	(다)
①	A	B	C
②	A	C	B
③	B	A	C
④	C	A	B
⑤	C	B	A

07 다음은 우리나라 도시의 발달 과정을 정리한 것이다. ㉠, ㉡에 해당하는 도시를 지도의 A~C에서 고른 것은?

〈우리나라 도시의 발달 과정〉

• 1960년대: 서울, 부산, 대구 등 대도시 중심으로 인구가 빠르게 증가함.
• 1970년대: 대도시의 성장과 함께 ㉠ 중화학 공업이 빠르게 발달한 공업 도시의 성장이 두드러짐.
• 1990년대 이후: ㉡ 대도시 주변 지역의 위성 도시가 빠르게 성장함.

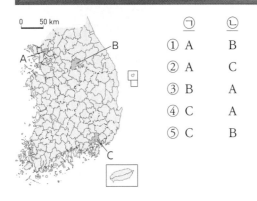

	㉠	㉡
①	A	B
②	A	C
③	B	A
④	C	A
⑤	C	B

08 다음 글은 중심지에 대한 설명이다. ㉠~㉣에 대한 옳은 설명을 〈보기〉에서 고른 것은?

주변 지역에 재화 서비스를 공급하는 곳을 중심지라고 하고 이를 제공받는 곳을 배후지라고 한다. ㉠ 중심지의 규모는 배후지에 제공하는 재화나 서비스의 종류에 따라 달라진다. 중심 기능이 유지되는 데 필요한 최소한의 인구수를 최소 요구치라고 하고, 최소 요구치를 확보할 수 있는 범위를 ㉡ 최소 요구치의 범위라고 한다. 중심지로부터 중심 기능을 제공받는 최대한의 범위는 ㉢ 재화의 도달 범위라고 한다. 중심지가 성립하기 위해서는 최소 요구치의 범위가 재화의 도달 범위보다 ㉣ _____.

보기
ㄱ. ㉠ - 규모가 큰 곳이 작은 곳보다 재화와 서비스의 종류가 다양하다.
ㄴ. ㉡ - 동일 규모의 중심 기능인 경우 도시가 촌락보다 넓다.
ㄷ. ㉢ - 교통이 발달하면 재화의 도달 범위가 확대된다.
ㄹ. ㉣ - '넓거나 같아야 한다'라는 내용이 들어갈 수 있다.

① ㄱ, ㄴ ② ㄱ, ㄷ ③ ㄴ, ㄷ
④ ㄴ, ㄹ ⑤ ㄷ, ㄹ

09 그래프는 우리나라의 도시화율 변화를 나타낸 것이다. 이에 대해 옳게 추론한 내용만을 〈보기〉에서 있는대로 고른 것은?

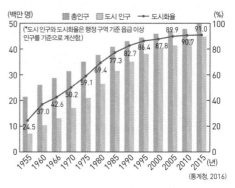

보기
ㄱ. 1960~2015년에 시가지의 면적은 지속적으로 넓어졌다.
ㄴ. 1995~2015년은 1960~1980년보다 이촌 향도 현상이 활발하였다.
ㄷ. 1960~2015년에 도시는 촌락보다 인구 증가율이 지속적으로 높았다.
ㄹ. 2015년에 도시에 거주하는 인구는 촌락에 거주하는 인구보다 10배 이상 많다.

① ㄱ, ㄷ ② ㄱ, ㄹ ③ ㄱ, ㄴ, ㄷ
④ ㄱ, ㄷ, ㄹ ⑤ ㄴ, ㄷ, ㄹ

10 다음 지도를 보고 분석한 내용으로 옳은 것은?

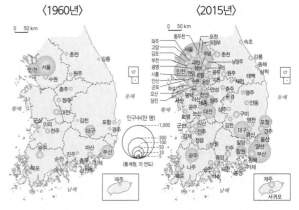

① 대도시에 비해 중소 도시의 인구 성장이 뚜렷하다.
② 수도권은 도시 수와 도시 인구가 가장 많이 증가하였다.
③ 서울-대전 축보다 대전-광주 축의 도시 인구가 더 많이 성장하였다.
④ 위성 도시 및 공업 도시보다 전통적인 지방 중심 도시의 인구 성장이 뚜렷하다.
⑤ 영남 지방은 해안 지역보다 내륙 지역에서 도시 인구 규모가 더 크게 증가하였다.

11 다음 글의 밑줄 친 ㉠~㉤에 대한 설명으로 옳지 <u>않은</u> 것은?

> 도시 간의 상호 작용은 ㉠ 도시 규모가 클수록, 도시 간 거리가 가까울수록 활발하다. 한편, 교통과 통신이 발달하면 ㉡ 하위 도시보다는 상위 도시의 성장 가능성이 높아진다.
>
> 우리나라의 도시 체계에서 ㉢ 서울은 종주 도시로 우리나라 최상위 계층의 중심지이다. 서울 다음으로는 ㉣ 부산, 인천, 대구, 대전, 광주, 울산 등의 광역시들이 있고, 그 다음으로 공업 도시와 ㉤ 지방 행정 중심 도시가 분포하며, 읍·급 도시 등이 최하위 계층의 중심지를 형성한다.

① ㉠ – 서울~인천 간은 서울~대구 간보다 사람과 물자의 이동이 활발하다.

② ㉡ – 거리 이동에 드는 시간과 비용이 감소하여 상위 중심지를 이용하는 빈도가 높아진다.

③ ㉢ – 서울의 인구는 부산의 인구보다 2배 이상 많다.

④ ㉣ – 배후지에 제공하는 재화와 서비스의 종류가 서로 같다.

⑤ ㉤ – 지방 행정 중심 도시는 읍·급 도시보다 도시의 수가 적다.

12 그래프는 세 지역의 인구 규모에 따른 도시 순위를 나타낸 것이다. (가)~(다) 지역에 대한 설명으로 옳지 <u>않은</u> 것은? (단, (가)~(다)는 강원, 경기, 경남 중 하나임.)

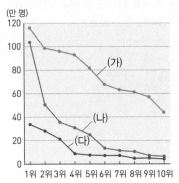

① (가)의 도시는 서울 대도시권의 확대 과정에서 인구가 증가하였다.

② (나)의 1위 도시는 남동 임해 공업 지역에 위치한다.

③ (다)의 1위 도시는 석탄 생산량이 활발한 지역에 위치한다.

④ (가)는 (다)보다 도시에 거주하는 인구 비율이 높다.

⑤ (나)는 (다)보다 도시 인구가 많다.

13 자료는 경상북도 봉화군의 인구 현황을 나타낸 것이다. 이를 보고 물음에 답하시오.

〈경상북도 봉화군의 인구 변화〉 〈경상북도 봉화군의 인구 구조〉

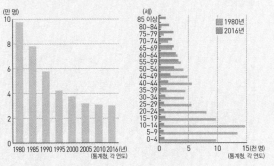

(1) 봉화군의 인구가 감소한 이유를 서술하시오.

(2) 인구 구조의 변화로 인해 나타난 문제점을 <u>두 가지 이상</u> 서술하시오.

14 다음 글은 중심지 이론으로 살펴본 정주 체계를 나타낸 것이다. 이를 보고 물음에 답하시오.

> 중심지는 주변 지역에 재화나 서비스를 제공하는 중심 기능이 모여 있는 곳이다. 중심지에는 계층이 존재하는데 도시의 경우 인구 규모를 중심으로 도시 간의 계층 질서를 파악할 수 있다. 계층이 높은 도시일수록 낮은 계층의 도시보다 도시의 수는 (㉠)지만 보유하고 있는 기능은 더 (㉡)다.
>
> 정주 체계에서 중소 도시나 읍·면 중심지는 대도시에 비해 저차 중심지에 해당한다. 중소 도시나 읍·면 중심지는 대도시보다 보유 기능이 (㉢)고 배후지가 (㉣)은 반면, 대도시는 다양한 기능을 보유하며 (㉤)은 배후지를 갖는다.

(1) 윗글의 ㉠~㉤에 들어갈 말을 쓰시오.

(2) 윗글의 토대로 대도시의 수가 중소 도시의 수보다 적은 이유를 서술하시오.

| 신유형 |

01 지도는 어느 지역의 토지 이용 변화를 나타낸 것이다. 이 지역의 (가), (나) 시기에 대한 적절한 추론을 〈보기〉에서 고른 것은?

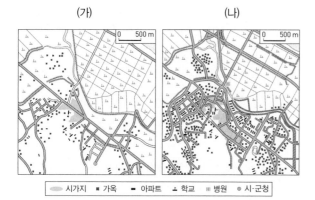

⊣ 보기 ⊢

ㄱ. (가)는 (나)보다 중심 기능이 다양할 것이다.

ㄴ. (가)는 (나)보다 1차 산업 종사자 비율이 높을 것이다.

ㄷ. (나)는 (가)보다 농가의 농업 외 소득 비중이 높을 것이다.

ㄹ. (나)는 (가)보다 농가에서 차지하는 전업 농가의 비율이 높을 것이다.

① ㄱ, ㄴ   ② ㄱ, ㄷ   ③ ㄴ, ㄷ

④ ㄴ, ㄹ   ⑤ ㄷ, ㄹ

| 수능 기출 |

02 자료는 학생이 전통 촌락의 입지에 관하여 정리한 내용의 일부이다. ⊙~⑩ 중 적절하지 <u>않은</u> 것은?

〈전통 촌락의 입지〉

구분	입지 사례	주요 입지 요인
자연적 조건	범람원상의 자연 제방	⊙ 경지와 가까우며 피수에 유리함.
	구릉지의 남향 사면	ⓒ 일조량이 풍부하며, 북서풍을 피할 수 있음.
	해안의 용천대	ⓒ 풍수해를 줄일 수 있음.
사회적·경제적 조건	역원 취락(역삼동, 조치원)	ⓔ 주요 도로상의 교통 요지였음.
	방어 취락(중강진, 통영)	⑩ 국방상의 요충지였음.

① ⊙   ② ⓒ   ③ ⓒ   ④ ⓔ   ⑤ ⑩

| 신유형 |

03 다음은 한국지리 인터넷 학습 자료이다. ⊙~⑧ 중 옳은 내용만을 있는 대로 고른 것은?

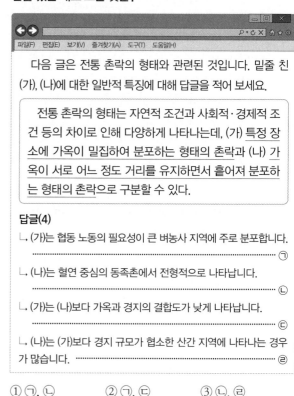

다음 글은 전통 촌락의 형태와 관련된 것입니다. 밑줄 친 (가), (나)에 대한 일반적 특징에 대해 답글을 적어 보세요.

전통 촌락의 형태는 자연적 조건과 사회적·경제적 조건 등의 차이로 인해 다양하게 나타나는데, (가) 특정 장소에 가옥이 밀집하여 분포하는 형태의 촌락과 (나) 가옥이 서로 어느 정도 거리를 유지하면서 흩어져 분포하는 형태의 촌락으로 구분할 수 있다.

답글(4)

ㄴ (가)는 협동 노동의 필요성이 큰 벼농사 지역에 주로 분포합니다. ⊙

ㄴ (나)는 혈연 중심의 동족촌에서 전형적으로 나타납니다. ⓒ

ㄴ (가)는 (나)보다 가옥과 경지의 결합도가 낮게 나타납니다. ⓒ

ㄴ (나)는 (가)보다 경지 규모가 협소한 산간 지역에 나타나는 경우가 많습니다. ⑧

① ⊙, ⓒ   ② ⊙, ⓒ   ③ ⓒ, ⑧

④ ⊙, ⓒ, ⑧   ⑤ ⓒ, ⓒ, ⑧

| 수능 응용 |

04 (가)~(마)는 각각 두 도시를 짝지은 것이다. (가)~(마)에 해당하는 탐구 주제로 적절하지 <u>않은</u> 것은?

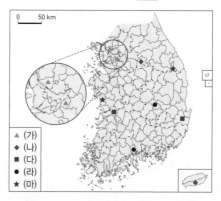

▲ (가)
◆ (나)
■ (다)
● (라)
★ (마)

① (가)-대규모 주택 공급 이후 서울로의 통근자 수 변화

② (나)-공공 기관의 지방 이전이 지역 경제에 미친 영향

③ (다)-도청 이전이 지역 발전에 미친 영향

④ (라)-정부의 공업 육성 정책으로 인한 도시의 발달

⑤ (마)-석탄 산업 합리화 정책 이후 지역의 산업 변화

딱풀 p. 28

05 그래프는 (가)~(다) 지역의 인구 규모별 도시 수와 도시 인구 비중을 나타낸 것이다. (가)~(다)를 지도의 A~C에서 고른 것은?

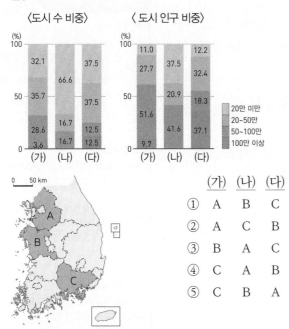

〈도시 수 비중〉　〈도시 인구 비중〉

20만 미만
20~50만
50~100만
100만 이상

	(가)	(나)	(다)
①	A	B	C
②	A	C	B
③	B	A	C
④	C	A	B
⑤	C	B	A

| 신유형 |

06 다음 글의 밑줄 친 ㉠~㉤에 대한 설명으로 옳지 않은 것은?

> ㉠ 도시는 사람, 자본, 물자의 흐름을 통해 상호 작용하여 ㉡ 계층화된 도시 체계를 형성한다. 우리나라의 도시는 시기에 따라 도시 인구가 차별적으로 성장하여 변화해 왔다. 서울의 과도한 인구 집중으로 ㉢ 종주 도시화 현상이 나타났으며, 1970년대 이후에는 수출 위주의 공업화 정책이 추진되면서 ㉣ 남동 임해 지역의 항구를 중심으로 공업 도시가 발달하였다. 최근에는 정부가 대도시의 인구 분산 정책을 시행하면서 대도시 주변에 신도시와 ㉤ 위성 도시가 빠르게 성장하고 있다.

① ㉠ – 도시의 인구 규모가 클수록, 도시 간의 거리가 가까울수록 상호 작용이 활발하다.

② ㉡ – 상위 계층의 도시는 하위 계층의 도시보다 중심 기능이 다양하고 배후지의 범위가 넓다.

③ ㉢ – 서울의 인구 규모가 부산의 인구 규모보다 두 배 이상 크다.

④ ㉣ – 중량의 원료를 수입하여 제품을 생산하고 이를 수출하는 형태의 공업이 발달하였다.

⑤ ㉤ – 출근 시간대에 통근·통학 유입 인구가 통근·통학 유출 인구보다 많다.

| 수능 응용 |

07 자료는 서울 강남 고속버스 터미널의 호남선 운행 현황을 나타낸 것이다. 이에 대한 추론으로 적절한 내용을 〈보기〉에서 고른 것은?

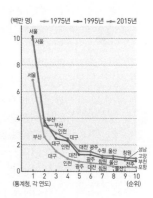

목적지	거리(km)	배차 간격	일반 고속	우등 고속	심야 고속
A	291	5~10분	○	○	○
B	347	50~60분	○	○	○
C	236	30~40분	○	○	○
D	362	6회/일	○	○	
E	276	5회/일	○		

| 보기 |

ㄱ. A는 C보다 저차 계층 중심지일 것이다.

ㄴ. C는 D보다 중심지 기능이 다양할 것이다.

ㄷ. D는 B보다 도시 규모가 작을 것이다.

ㄹ. E는 C보다 서울과의 고속버스 이용객이 많을 것이다.

① ㄱ, ㄴ　　② ㄱ, ㄷ　　③ ㄴ, ㄷ

④ ㄴ, ㄹ　　⑤ ㄷ, ㄹ

| 신유형 |

08 그래프는 시기별 우리나라 도시의 인구 규모와 순위를 나타낸 것이다. 이에 대한 옳은 설명만을 〈보기〉에서 있는 대로 고른 것은?

| 보기 |

ㄱ. 1975년, 1995년, 2015년 모두 종주 도시화 현상이 나타난다.

ㄴ. 1995년 대비 2015년에 6대 도시 중 인구가 감소한 도시는 서울과 부산이다.

ㄷ. 1975년 대비 1995년에 10대 도시 중 인구가 가장 많이 증가한 도시는 서울이다.

ㄹ. 1975년 대비 2015년에 10대 도시에 포함된 도시 수는 영남권은 증가하였고, 충청권은 감소하였다.

① ㄱ, ㄴ　　② ㄱ, ㄹ　　③ ㄴ, ㄷ

④ ㄱ, ㄴ, ㄷ　　⑤ ㄴ, ㄷ, ㄹ

02 도시 구조와 대도시권

1 도시의 지역 분화

1. 지역 분화의 의미와 요인

(1) **도시 내부의 지역 분화** 도시의 규모가 커지면서 여러 기능이 기능별로 집적[1]하고 서로 다른 기능은 분리되어 지역이 세분되는 현상 → 상업, 공업, 주거 등 토지 이용이 다양하게 나타남.

(2) **지역 분화 요인** 접근성, 지대, 지가의 차이 때문

① 접근성
  - 특정 지역이나 시설에 도달하기 쉬운 정도, 위치·거리·교통의 편리성·통행 시간 등의 영향을 받음.
  - 교통이 편리한 지역은 접근성이 높으며, 도시 중심부가 주변 지역보다 접근성이 높음.

② 지대 토지 이용을 통해 얻을 수 있는 수익, 접근성이 높을수록 지대가 높음.

③ 지가 토지의 가격, 접근성과 지대가 높은 도심과 교통 결절 지역에서 높게 나타남.

2. 지역 분화 과정 [자료01] → 도시의 경제 변화, 도시 내 인구 이동, 주요 기관이나 시설의 이전 등에 따라 변화함.

집심 현상	지대 지불 능력[2]이 높은 상업 및 업무 기능이 접근성이 높은 도심에 집중하는 현상
이심 현상	지대 지불 능력이 낮은 기능이 지가와 지대가 낮은 중간 지역이나 주변 지역에 입지하는 현상 → 주택, 학교, 공장 등은 도시 외곽으로 빠져나감.

2 도시 내부 구조

1. 도시 내부 구조 [자료02]

▶ 도시 내부 구조 모식도

개발 제한 구역
주변 지역
중간 지역
도심
부도심
위성 도시
(현대 인문 지리학, 2012)

도심	• 접근성과 지대가 높음. → 지가가 높으므로 토지를 집약적으로 이용하기 위해 고층 건물 밀집 예 서울의 중구·종로구, 부산의 중구 등 • 중심 업무 지구(CBD)[3] 형성: 높은 지대를 지불할 수 있는 중추 관리 기능, 전문 서비스업, 고급 상점 등 집중 예 대기업 본사, 언론사, 주요 관청, 고급 상점, 백화점 등 • 인구 공동화 현상: 도심에서 직장과 거주지의 분화로 주간 인구(유동 인구)는 급증하고 야간 인구(상주인구[4])는 감소하는 현상 → 주야간 인구 밀도 차이 발생, 출퇴근 시 교통 혼잡 [자료03]
부도심	• 도시 외곽에서 도심으로 연결되는 <u>교통의 결절점</u>에 위치 예 서울의 신촌·잠실·영등포, 부산의 서면·동래·해운대 등 └여러 교통 기관이나 수단이 연결되는 지점 • 도심의 기능(상업·업무 기능)을 일부 분담하여 도심의 과밀화와 교통 혼잡을 완화하는 역할 → 업무·상업용 토지 이용 비중 증가
중간 지역	• 도심 주변의 상업·공업·주거지 기능이 혼재되어 있는 점이 지대[5] • 도시 미관을 개선하고 토지 이용의 효율성을 높이기 위해 노후 주택의 재개발 진행 • 최근 공장과 학교가 도시 주변 지역으로 이전 → 대단위 아파트 단지 조성, 첨단 산업 중심의 아파트형 공장 등으로 조성
주변 지역	• 도시와 농촌 경관이 혼재 • 도심에서 분산된 공장 지역, 고급 주택이나 대규모 아파트 단지, 대형 쇼핑센터 형성
개발 제한 구역(그린벨트)	시가지의 무질서한 팽창을 막고 자연 녹지 공간을 보전하기 위해 설정

고득점을 위한 셀파 Tip

지역 분화

요인	접근성, 지대, 지가
과정	접근성이 높은 도심에는 상업·업무 기능 입지, 도심에서 거리가 멀어짐에 따라 공업·주거 기능 분화

[1] **집적(集積)**

어떤 지역에 산업이나 인구, 또는 특정 기능이 집중하는 현상을 말하며, 비슷한 기능이 한곳에 모일 경우 발생하는 집적 이익을 위해 특정 기능이 모여 전문화된 지역을 형성하기도 한다.

[2] **지대 지불 능력**

지대를 감당할 수 있는 정도를 나타내는 능력으로, 수익성이 큰 업종일수록 지대 지불 능력이 크다.

고득점을 위한 셀파 Tip

도시 내부 구조

도심	중심 업무 기능
부도심	도심 기능 분담
중간 지역	주거·상업·공업 기능 혼재
주변 지역	도시·농촌 경관 혼재

[3] **중심 업무 지구**

도시의 중심부에 위치하고 기업 본사, 중앙 관청, 금융 기관, 백화점 등 중추 관리 기능과 고급 서비스 기능 등이 밀집한 지역이다. 중심 업무 지구는 접근성이 좋아 지대와 지가가 높고, 이로 인해 고층 건물이 많다.

[4] **상주인구**

한 지역에 주소를 두고 거주하는 인구로, 일시적으로 머무는 인구는 제외하며 일시적으로 부재하는 인구는 포함한다. 즉 야간 인구를 말한다.

[5] **점이 지대**

서로 다른 지리적 특성을 가진 두 지역 사이에서 중간적인 현상이 나타나는 지역이다.

자료 01 공통 자료 도시 내 기능에 따른 지대 변화

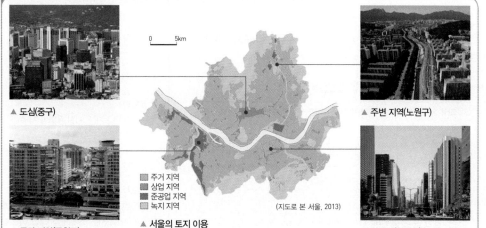

자료 분석 | 상업·업무 기능은 접근성이 높은 곳에 입지해야 많은 소비자를 확보할 수 있으므로 다른 기능보다 접근성에 민감하다. 따라서 접근성이 낮아질수록 지대가 급격하게 감소한다. 공업 기능과 주거 기능도 상업·업무 기능처럼 접근성이 높은 곳에 입지하면 시간과 비용이 적게 들기 때문에 도심에 입지하는 것이 유리하지만, 도심에서의 지대 지불 능력이 상업·업무 기능보다 낮고 접근성이 낮아질수록 감소하는 지대의 폭이 적기 때문에 도심에서 더 멀리 입지할 수 있다.

● 교과서 자료 더 보기 +

| 부산광역시의 지역별 평균 지가 |

평균 지가(2015년)
(단위: 만 원/㎡)
■ 200 초과
■ 150~200
■ 100~150
■ 50~100
□ 50 미만

(부산발전연구원, 2016)

부산광역시의 지역별 평균 지가는 도심인 중구와 부산진구 일대에서 높게 나타나고, 외곽으로 갈수록 낮아진다.

자료 02 공통 자료 서울의 도시 내부 구조

▲ 도심(중구)

▲ 주변 지역(노원구)

■ 주거 지역
■ 상업 지역
■ 준공업 지역
□ 녹지 지역

(지도로 본 서울, 2013)

▲ 중간 지역(금천구)

▲ 서울의 토지 이용

▲ 부도심(강남구)

자료 분석 | 도시가 성장함에 따라 도시 내부는 기능 지역별로 분화된다. 중심부는 접근성이 가장 높은 곳으로 상업·업무 기능이 집중한 도심이 형성되고, 그 주변에 도시 팽창 과정에서 도심에서 밀려나온 공장, 주택, 학교가 혼재하는 중간 지역이 형성된다. 부도심은 중간 지역과 도심을 연결하는 교통의 요지에 입지하여 도심의 기능을 분담한다. 주변 지역에는 공장, 대단위 주거 단지와 일부 농촌 경관이 남아 있고, 개발 제한 구역을 설정하여 녹지를 보존하고 시가지 팽창을 억제하고 있다.

● 교과서 탐구 풀이 ✎

Q 사진에 제시된 지역 중 상주인구 밀도가 가장 낮은 지역을 찾아보고, 그 이유를 설명해 보자.

A 서울 중구, 노원구, 금천구, 강남구 가운데 상주인구가 가장 낮은 지역은 중구이다. 서울 중구는 높은 지대와 지가로 주거 기능이 약해 상주인구 밀도가 낮다.

자료 03 인구 공동화 현상

(명)

인구 공동화

야간 인구

15,000

10,000

5,000

주간 인구

주변 지역 ← 도심 → 주변 지역

자료 분석 | 도심은 지대가 높기 때문에 주거 기능보다는 상업·업무 기능이 집중하여 주간 인구가 많지만, 야간에는 외곽의 주거 지역으로 귀가하면서 상주인구가 감소하는 인구 공동화 현상이 나타난다. 인구 공동화 현상으로 출퇴근 시간대에 교통 혼잡이 발생하고, 여러 개의 법정동을 통합하여 하나의 행정동으로 운영하는 경우가 많아졌으며, 도심의 학교들이 도시 주변 지역으로 이전하는 경우도 늘고 있다.

● 교과서 자료 더 보기 +

| 서울의 구별 주간 인구 지수 |

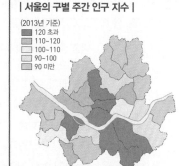

(2013년 기준)
■ 120 초과
■ 110~120
■ 100~110
■ 90~100
□ 90 미만

주간 인구 지수는 주간 인구를 야간 인구로 나눠 100을 곱한 비율로, 도심이 가장 높고 주변 지역으로 갈수록 낮아진다.

2. 도시 내부 구조의 변화

(1) **도시의 확장** 인구 증가, 새로운 교통수단 등장 및 교통로 형성 등으로 시가지 확장

(2) **도시 내부 구조의 다핵화** 〔자료 04〕

① 도시 과밀화로 인한 도시 문제를 해결하기 위해 도심의 기능을 분담하는 부도심 형성

② 다핵 도시⑥로의 변화

도심의 공동화 현상	상업·업무 기능은 도심에 더욱 밀집하고 주택지는 감소하여 도심 공동화
구도심 쇠퇴	인구와 각종 기능이 새로운 중심지로 이동하여 구도심 쇠퇴

3 대도시권의 형성과 확대

1. 대도시권의 의미와 확대

(1) **의미** 대도시를 중심으로 일상적인 생활이 이루어지는 범위 → 대도시를 중심으로 위성 도시와 주변 지역이 하나의 도시처럼 통합된 공간

자동차의 보편화, 지하철 노선 연장, 도로망 확충 등 교통 발달로 통근·통학권, 상권 등 중심 도시와의 접근성이 향상됨.

(2) **대도시권의 형성 과정**

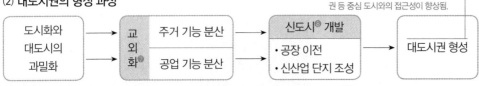

도시화와 대도시의 과밀화 → 교외화 (주거 기능 분산 / 공업 기능 분산) → 신도시⑧ 개발 · 공장 이전 · 신산업 단지 조성 → 대도시권 형성

(3) **대도시권의 공간 구조** 중심 도시에서 멀어질수록 영향력 감소 〔자료 05〕

대도시 일일 생활권	중심 도시		대도시 주변 지역에 재화와 서비스를 제공, 대도시권의 중심지 기능 수행
	통근 기능권	교외 지역	중심 도시와 인접, 주거·공업·상업 기능 수행 → 도시적 토지 이용
		대도시 영향권	도시 경관과 농촌 경관 혼재, 대도시와 기능적으로 밀접함.
		배후 농촌 지역	최대 통근 가능 지역
		위성 도시	주거·공업·행정과 같은 대도시의 일부 기능을 분담하는 도시
주말 생활권			중심 도시 사람들의 주말농장이나 주말형 전원주택 등 휴식 공간으로 이용되는 공간

(4) **우리나라의 대도시권 확대** 〔자료 06〕

① 서울을 중심으로 한 수도권⑨이 가장 큰 대도시권을 이룸.

② 1980년대 후반 이후 서울의 과밀 문제 해결을 위해 주거 및 산업 기능이 인천, 경기 일대로 분산 → 신도시 건설, 지하철·고속 국도 등 광역 교통망 확충

주택 부족, 지가 상승, 환경 오염, 교통 체증 심화 등의 도시 문제 발생

2. 대도시권의 발달과 근교 농촌의 주민 생활 변화

토지 이용의 변화	· 대도시 영향력 확대 → 농경지 감소, 교외화 현상으로 택지 개발과 공장 이전, 2·3차 산업 비중 증가, 도시적 토지 이용 증가 · 고속 국도 부근에 대형 물류 창고, 교통이 편리한 곳에 대형 상점이나 쇼핑센터 등 각종 시설물 입지 → 지가 상승, 토지의 집약적 이용 · 관광농원, 주말농장, 숙박 시설 등 도시민의 여가 공간 제공
근교 농촌의 변화	· 상업적 농업 발달, 시설 재배 면적 증가 · 겸업농가⑩ 및 비농업 인구 비중 증가
주민 생활 변화	· 중심 도시보다 저렴한 지가로 이주자 증가, 도시로의 통근자 수 증가 → 주민 구성이 이질적이고 다양화 · 도시적 생활 양식 파급 → 전통적 생활 공동체로서의 성격 약화

---

⑥ 다핵 도시

도시에서 중심이 하나인 도시를 단핵 도시, 중심이 여러 개인 도시를 다핵 도시라고 한다. 도심과 부도심이 있을 경우 중심이 여러 개가 있으므로 다핵 도시라고 한다.

대도시권의 형성과 주민 생활 변화

의미	대도시를 중심으로 일상적인 생활이 이루어지는 범위
공간	대도시 일일 생활권(중심 도시, 교외 지역, 대도시 영향권, 배후 농촌 지역, 위성 도시) + 주말 생활권
주민 생활 변화	· 도시적 시설 입지 · 집약적 토지 이용 · 상업적 농업 발달 · 주민 구성 다양

⑦ 교외화

도시의 인구나 기능, 시설 등이 도시 주변 지역으로 확산되는 현상을 말한다.

⑧ 신도시

계획적으로 개발된 새로운 주거지이다. 우리나라의 신도시는 1980년대 후반 이후 대규모 주택 단지를 조성하여 서울의 주택 문제를 해결하기 위해 건설되었다.

▲ 수도권의 신도시 분포와 교통망 확충

⑨ 수도권

우리나라 수도인 서울 및 주변 지역으로, 서울특별시, 인천광역시, 경기도를 포함한다.

⑩ 겸업농가

농가의 가족 가운데 한 명 이상이 농업 이외의 일에 종사하여 수입을 얻는 농가이다. 전업농가에 대비되는 개념이다.

자료 04 대전광역시의 도시 구조 변화

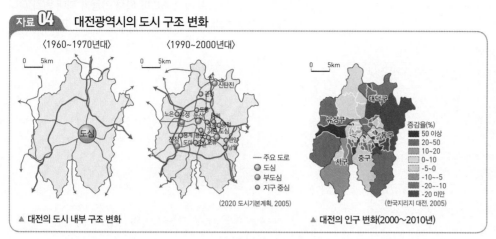

▲ 대전의 도시 내부 구조 변화   ▲ 대전의 인구 변화(2000~2010년)

자료 분석 | 1980년대 이후 둔산 시가지 개발 이후 대전광역시의 내부 구조가 2 도심, 3 부도심 체계로 바뀌었다. 신시가지가 개발되면 구시가지의 인구와 기능이 이전하여 도시 내부 구조가 변화하기도 한다.

자료 05 대도시권의 공간 구조

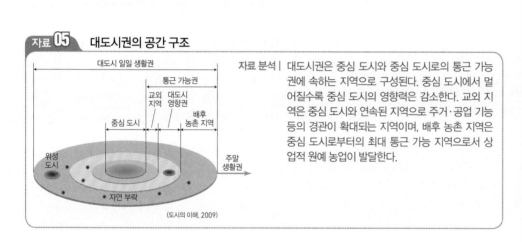

자료 분석 | 대도시권은 중심 도시와 중심 도시로의 통근 가능권에 속하는 지역으로 구성된다. 중심 도시에서 멀어질수록 중심 도시의 영향력은 감소한다. 교외 지역은 중심 도시와 연속된 지역으로 주거·공업 기능 등의 경관이 확대되는 지역이며, 배후 농촌 지역은 중심 도시로부터의 최대 통근 가능 지역으로서 상업적 원예 농업이 발달한다.

자료 06 서울 대도시권의 형성과 확대

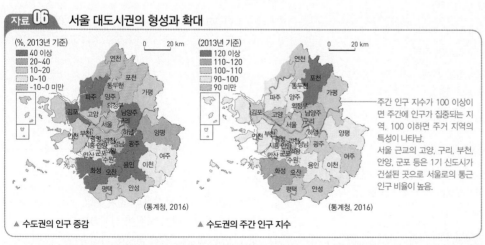

▲ 수도권의 인구 증감   ▲ 수도권의 주간 인구 지수

주간 인구 지수가 100 이상이면 주간에 인구가 집중되는 지역, 100 이하면 주거 지역의 특성이 나타남.
서울 근교의 고양, 구리, 부천, 안양, 군포 등은 1기 신도시가 건설된 곳으로 서울로의 통근 인구 비율이 높음.

자료 분석 | 서울은 인구가 감소하고 서울 주변의 김포, 파주, 화성 등의 인구가 두드러지게 증가하였다. 이는 서울의 주택 문제를 해결하기 위해 수도권 2기 신도시가 건설되었기 때문이다. 또한 교통수단의 발달과 광역 급행 버스 노선 및 지하철 노선의 확대로 교통망이 확충됨에 따라 거주지의 교외화가 확대되고, 그 범위가 광역화되고 있다. 이로 인해 주변 지역에서 중심 도시에 위치한 직장으로 출퇴근하는 통근자 수가 증가하였다.

교과서 자료 더 보기

| 대도시 주변의 통근·통학권 |

대도시에 가까운 지역일수록 대체로 대도시로의 통근·통학률이 높게 나타나는데, 우리나라는 서울을 중심 도시로 하는 대도시권 형성이 뚜렷하게 나타난다. 부산, 인천, 대구, 대전, 광주 등의 대도시들도 주변 지역과 연결되는 교통망이 확충됨에 따라 대도시권이 점차 확대되고 있다.

교과서 자료 더 보기

| 수도권 철도 종착역 변화 |

거주지의 교외화로 수도권 지하철 노선이 수도권 주변 지역으로 확대되었고, 대도시권 내 주민 이동이 편리해졌으며, 이동 거리가 증가하였다.

개념 완성

1 도시의 지역 분화

지역 분화		• 도시의 여러 기능이 집적 혹은 분리되어 지역이 세분되는 현상 • 상업 지역, 주거 지역, 공업 지역 등이 형성됨.
지역 분화 요인	접근성	특정 지역이나 시설에 도달하기 쉬운 정도
	(❶　　　)	토지 이용을 통해 얻을 수 있는 수익
	지가	토지의 가격
지역 분화 과정	(❷　　　) 현상	지대 지불 능력이 높은 상업·업무 기능은 도심에 집중
	이심 현상	지대 지불 능력이 낮고 넓은 부지를 필요로 하는 주택, 학교, 공장 등은 도시 외곽으로 이탈

2 도시 내부 구조

도심	• 접근성·지대가 높음. → 집약적 토지 이용, 고층 건물 밀집 • (❸　　　) 형성 → 대기업 본사, 금융 기관 본점, 백화점 등 • 인구 공동화 현상 → 높은 주간 인구 지수, 출퇴근 시 교통 혼잡
(❹　　　)	교통의 결절점에 위치, 도심의 각종 기능을 분담
중간 지역	상업·공업·주거 기능이 혼재된 점이 지대
주변 지역	도시와 농촌 경관 혼재, 그 밖으로 (❺　　　) 설정

3 대도시권의 형성과 확대

① 대도시권의 의미와 확대

의미		대도시를 중심으로 위성 도시와 주변 지역이 하나의 도시처럼 통합된 공간
형성 과정		도시화·대도시의 과밀화에 따른 교외화 현상 → 대도시 중심의 광역 교통망 확충 → 정부의 인구 및 기능 분산 정책(신도시·위성 도시 개발)
공간 구조	중심 도시	주변 지역에 재화·서비스 제공
	교외 지역	중심 도시와 연속된 지역
	대도시 영향권	도시와 농촌 경관 혼재
	배후 농촌 지역	최대 통근 가능 지역
	(❻　　　)	중심 도시의 일부 기능 분담

② 대도시권의 발달과 근교 농촌의 주민 생활 변화

토지 이용	농경지 감소, 2·3차 산업 비중 증가, 공장·창고·대형 상점 등 도시적 토지 이용 증가, 여가 공간 개발
근교 농촌	상업적 농업 발달, 겸업농가 증가
주민 생활	인구 구성 다양화, 도시적 생활 양식 파급

정답 ❶ 지대 ❷ 집심 ❸ 중심 업무 지구 ❹ 부도심 ❺ 개발 제한 구역 ❻ 위성 도시

탄탄 내신 문제

01 그래프는 도심으로부터의 거리에 따른 기능별 지대 변화를 나타낸 것이다. 이에 대한 옳은 설명을 〈보기〉에서 고른 것은?

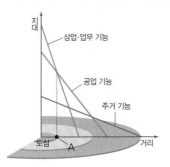

┤ 보기 ├

ㄱ. A는 상업·업무 기능과 공업 기능의 점이 지대가 나타난다.
ㄴ. 도시 내에서 차지하는 면적은 공업 지역이 주거 지역보다 넓다.
ㄷ. 도심은 상업·업무 기능, 주변 지역은 주거 기능의 지대가 가장 높다.
ㄹ. 도심으로부터의 거리 증가에 따른 지대 감소율은 주거 기능이 가장 크다.

① ㄱ, ㄴ　　　② ㄱ, ㄷ　　　③ ㄴ, ㄷ
④ ㄴ, ㄹ　　　⑤ ㄷ, ㄹ

02 자료는 서울과 대구의 학교 이전 현황을 나타낸 것이다. 이와 같은 현상이 나타나게 된 요인과 영향을 〈보기〉에서 있는 대로 고른 것은?

〈서울〉　　　　　　〈대구〉

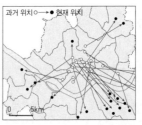

┤ 보기 ├

ㄱ. 주거 기능의 이심 현상이 나타났다.
ㄴ. 주변 지역에 주거 단지가 조성되었다.
ㄷ. 부도심이 성장하면서 도심이 쇠퇴하였다.
ㄹ. 상업·업무 기능의 집심 현상이 나타났다.

① ㄱ, ㄷ　　　② ㄴ, ㄹ　　　③ ㄱ, ㄴ, ㄷ
④ ㄱ, ㄴ, ㄹ　　　⑤ ㄴ, ㄷ, ㄹ

딱풀 p.29

03 자료는 대전광역시의 두 지역을 나타낸 것이다. (가), (나) 지역에 대한 설명으로 옳은 것은?

(가)

(나)

├ 보기 ├
ㄱ. (가)는 (나)보다 최소 요구치의 범위가 큰 기능이 많다.
ㄴ. (가)는 (나)보다 상주인구에 대한 주간 인구의 비율이 높다.
ㄷ. (나)는 (가)보다 상업 용지의 평균 지가가 높다.
ㄹ. (나)는 (가)보다 인구 천 명당 사업체 수가 많다.

① ㄱ, ㄴ　　② ㄱ, ㄷ　　③ ㄴ, ㄷ
④ ㄴ, ㄹ　　⑤ ㄷ, ㄹ

★**04** 다음 자료를 토대로 할 때, A~C 기능 지역으로 옳은 것은?

〈평균 지가 분포〉　　〈금융 및 보험업 사업체 수 비중과 종사자 수〉

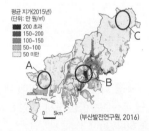
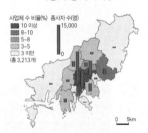

〈제조업 사업체 수 비중과 종사자 수〉

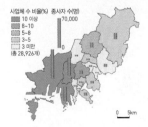

	A	B	C
①	도심	공업 지역	주거 지역
②	도심	주거 지역	공업 지역
③	공업 지역	도심	주거 지역
④	공업 지역	주거 지역	도심
⑤	주거 지역	도심	공업 지역

05 다음 글은 서울을 답사하면서 메모한 내용이다. (가)~(다) 지역으로 옳은 것은?

(가) 대기업 본사와 백화점 등이 밀집되어 있는 고층 빌딩의 숲으로, 낮에는 사람들이 북적거린다. 하지만 한밤에는 거리가 한산해진다고 한다.

(나) 아파트 숲이 멀리까지 펼쳐져 있고 그 중간에 학교, 상점들이 보이지만, 공장이나 업무용 빌딩은 드물게 보인다. 낮에는 한산하지만 아침이면 다른 지역에 있는 일터로 향하는 차들로 붐빈다.

(다) 서울에서 주간 인구 지수가 세 번째로 높은 곳이지만 통근 시간대 유입 인구는 가장 많은 곳이다. 한강 남쪽에 위치하며 경기도 남부 지역과 연결되는 교통의 결절점이다.

	(가)	(나)	(다)
①	도심	부도심	주변 지역
②	도심	주변 지역	부도심
③	부도심	도심	주변 지역
④	부도심	주변 지역	도심
⑤	주변 지역	도심	부도심

★**06** 그림은 대도시의 내부 구조를 나타낸 것이다. A, B 지역의 상대적 특징이 그래프와 같이 나타날 때, (가), (나)에 들어갈 항목으로 옳은 것은?

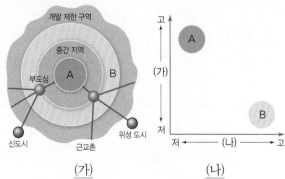

	(가)	(나)
①	토지 이용 집약도	상업 지역의 평균 지가
②	토지 이용 집약도	거주자의 평균 통근 거리
③	초등학교 학생 수	거주자의 평균 통근 거리
④	초등학교 학생 수	출근 시간대 순 유출 인구수
⑤	출근 시간대 순 유입 인구수	상업 지역의 평균 지가

07 그래프는 서울의 구(區)별 주간 인구 지수와 상주인구를 나타 낸 것이다. 이에 대한 옳은 설명만을 〈보기〉에서 있는 대로 고 른 것은?

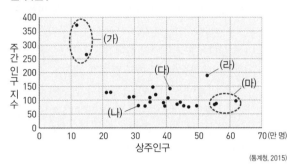

(통계청, 2015)

┃ 보기 ┃
ㄱ. (가)는 주간 인구 지수가 높으므로 도심에 위치한다.
ㄴ. (마)는 출근 시간대에 유입 인구보다 유출 인구가 많다.
ㄷ. (나), (다) 간의 상주인구의 차이는 주간 인구의 차이 보다 많다.
ㄹ. (라)는 (나)보다 초등학생 수가 많다.

① ㄱ, ㄴ　　② ㄴ, ㄷ　　③ ㄱ, ㄴ, ㄹ
④ ㄱ, ㄷ, ㄹ　　⑤ ㄴ, ㄷ, ㄹ

08 다음 (가)~(나) 지도의 제목으로 가장 적절한 것은?

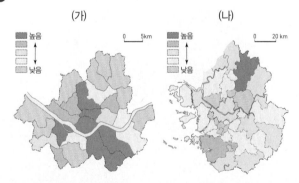

① 상주인구 밀도
② 주간 인구 지수
③ 초등학교 학생 수
④ 주거지 면적 비중
⑤ 통근자의 평균 통근 거리

★09 다음은 도시 단원에 대한 한국지리 수업 장면이다. 발표 내용 이 옳지 <u>않은</u> 학생을 〈보기〉에서 고른 것은?

〈대도시권의 형성과 공간 구조〉
○의미: 대도시를 중심으로 ㉠ 일상적인 생활이 이루어지는 범위
○형성 배경:
• 대도시의 성장 및 교외화
• ㉡ 대도시와 주변 지역 간의 접근성 향상
• ㉢ 신도시 개발
○공간 구조
• ㉣ 중심 도시와 통근 가능권 지역으로 구분됨.
• 통근 가능권 지역은 ㉤ 교외 지역과 ㉥ 배후 농촌 지역으로 구분할 수 있음.

밑줄 친 ㉠~㉥에 대 해 발표해 볼까요?

┃ 보기 ┃
갑: ㉠은 중심 도시로의 통근·통학권이 해당돼요.
을: ㉡은 지하철·시내버스 노선의 연장 영향이 커요.
병: ㉢은 거주자가 지역 내에서 일자리를 찾기 어려운 경우가 많아요.
정: ㉣이 대도시권에서 차지하는 인구 비중은 지속적으 로 높아져요.
무: ㉤은 ㉥보다 시가지, 공장의 면적 비중이 높아요.

① 갑　　② 을　　③ 병　　④ 정　　⑤ 무

10 자료는 대도시권의 공간 구조를 나타낸 것이다. 이에 대한 설 명으로 옳지 <u>않은</u> 것은? (단, A~D는 중심 도시, 위성 도시, 교 외 지역, 배후 농촌 지역 중 하나임.)

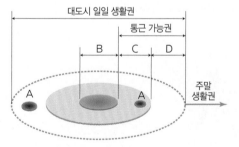

① B의 도시 내부 구조는 기능에 따라 분화된 현상이 나 타난다.
② C는 도시 경관과 촌락 경관이 혼재되어 있다.
③ D의 범위는 교통이 발달하면 확대될 수 있다.
④ A는 B의 기능을 분담하는 위성 도시이다.
⑤ C는 D보다 주간 인구 지수가 높다.

11 다음 글의 밑줄 친 A, B 지역에 공통적으로 나타난 현상에 대한 적절한 추론을 〈보기〉에서 고른 것은?

> • 서울 서부에 위치한 <u>A 지역</u>은 원래 근교 농촌 지역이었다. 그런데 서울의 인구 과밀화를 해소하고 주택 문제를 해결하기 위해 신도시가 건설되면서 급격한 변화가 나타났다.

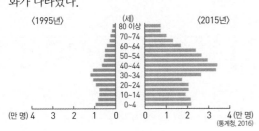

▲ A 지역의 인구 구조 변화

> • 부산의 서쪽에 위치한 <u>B 지역</u>은 원래 전형적인 근교 농촌 지역이었다. 그런데 B 지역은 택지 개발 사업이 시행되면서 인구가 활발하게 유입하여 인구 구조가 빠르게 변화되었다.

┌ 보기 ┐
ㄱ. 농가의 농업 외 소득 비중이 높아졌다.
ㄴ. 동질성이 커져 공동체 의식이 강화되었다.
ㄷ. 인접한 대도시로의 통근자 수가 증가하였다.
ㄹ. 경지에서 차지하는 논의 비율이 증가하였다.

① ㄱ, ㄴ ② ㄱ, ㄷ ③ ㄴ, ㄷ
④ ㄴ, ㄹ ⑤ ㄷ, ㄹ

12 다음 자료와 같은 현상이 수도권에 미친 영향에 대한 추론으로 적절하지 <u>않은</u> 것은?

〈수도권 신도시 개발〉

〈지하철 종착역 변화〉

① 서울의 대도시권이 확대되었다.
② 경기도의 1차 산업 종사자 비중이 낮아졌다.
③ 경기도에서 서울로의 통근자 수가 증가하였다.
④ 수도권 거주자의 평균 통근 거리가 줄어들었다.
⑤ 수도권 인구에서 경기도 인구가 차지하는 비중이 높아졌다.

13 집심 현상과 이심 현상에 대해 서술하시오.

_____

_____

_____

14 그래프는 대도시의 주야간 인구 분포를 나타낸 것이다. A 지역과 비교한 B 지역의 상대적 특징을 제시된 용어를 모두 활용하여 서술하시오.

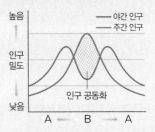

> • 인구 공동화   • 교통 혼잡
> • 주간 인구 지수   • 생활 기반 시설

_____

_____

_____

15 다음은 대도시권의 형성 과정을 설명한 것이다. (가)에 들어갈 내용을 서술하시오(단, 교통 발달, 인구 교외화 용어를 활용해야 함.).

> 급속한 산업화와 도시화에 따라 대도시로 성장하고 인구가 집중되면서 과밀 현상이 나타나게 되었다.

↓

> (가)

↓

> 대도시와 주변 위성 도시 및 근교 농촌이 하나의 일일 생활권이 되었다.

_____

_____

_____

| 신유형 |

01 다음 지도에 표시된 (가), (나) 역(驛)과 그 주변 지역에 대한 옳은 설명을 〈보기〉에서 고른 것은? (단, 주변 지역은 역을 포함하고 있는 동(洞)임.)

〈출·퇴근 시간대별 승하차 인원 수〉

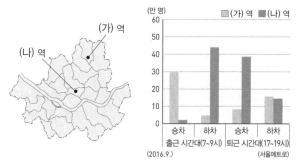

| 보기 |

ㄱ. (가) 역의 승차 인원은 퇴근 시간대보다 출근 시간대에 많다.

ㄴ. 승하차 인원의 합은 (가) 역이 (나) 역보다 많다.

ㄷ. 초등학교 학생 수는 (나) 역 주변 지역보다 (가) 역 주변 지역에 많다.

ㄹ. 생산자 서비스업체 수는 (나) 역 주변 지역보다 (가) 역 주변 지역에 많다.

① ㄱ, ㄴ ② ㄱ, ㄷ ③ ㄴ, ㄷ
④ ㄴ, ㄹ ⑤ ㄷ, ㄹ

| 수능 기출 |

02 자료는 부산광역시에 위치한 A~C 구(區)의 인구와 종사자 현황을 나타낸 것이다. 이에 대한 설명으로 옳은 것은?

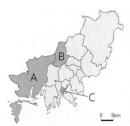

(단위: 명)

구분	인구		종사자	
	상주인구	통근·통학 순 이동	전체 산업	제조업
A	86,505	79,825	114,531	72,339
B	294,147	-69,623	56,412	2,401
C	43,685	41,683	69,241	1,428

*통근·통학 순 이동 = 통근·통학 유입 인구 − 통근·통학 유출 인구
(통계청, 2015)

① A는 B보다 인구 밀도가 높다.

② C는 A보다 초등학교 수가 많다.

③ C는 B보다 주거 기능이 우세하다.

④ 주간 인구는 A가 가장 많다.

⑤ 생산자 서비스업 종사자 비중은 C가 가장 높다.

| 평가원 기출 |

03 (가) 구(區)와 비교한 (나) 구의 상대적 특성을 그림의 A~E에서 고른 것은?

〈대구의 구별 상주인구와 통근·통학 순 유입 인구의 변화〉

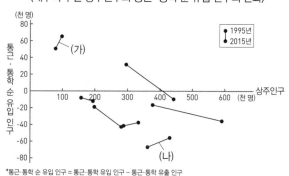

*통근·통학 순 유입 인구 = 통근·통학 유입 인구 − 통근·통학 유출 인구

① A
② B
③ C
④ D
⑤ E

| 평가원 기출 |

04 그래프는 서울시의 구(區)별 특성을 나타낸 것이다. (가)~(다)에 해당하는 지역을 A~C에서 고른 것은?

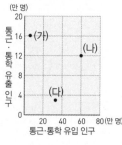

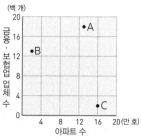

	(가)	(나)	(다)
①	A	B	C
②	A	C	B
③	B	A	C
④	C	A	B
⑤	C	B	A

| 수능 기출 |

05 자료는 수도권에 위치한 두 지역의 연령별 인구 구조를 나타낸 것이다. (가)와 비교한 (나) 지역의 상대적 특징을 그림의 A~E에서 고른 것은?

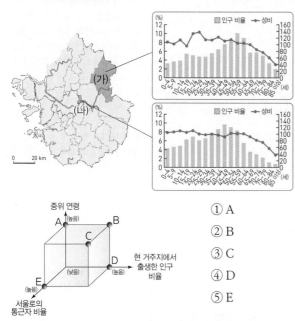

① A
② B
③ C
④ D
⑤ E

| 수능 응용 |

06 (가), (나) 지역의 상대적 특성을 옳게 나타낸 것은?

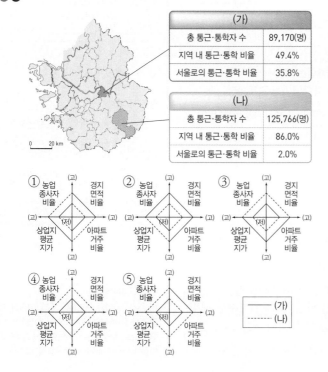

	(가)
총 통근·통학자 수	89,170(명)
지역 내 통근·통학 비율	49.4%
서울로의 통근·통학 비율	35.8%

	(나)
총 통근·통학자 수	125,766(명)
지역 내 통근·통학 비율	86.0%
서울로의 통근·통학 비율	2.0%

| 수능 응용 |

07 자료는 대도시권과 시·도별 주간 인구 지수를 나타낸 것이다. 이에 대한 옳은 해석을 〈보기〉에서 고른 것은?

〈대도시의 통근·통학권〉　　〈시·도별 주간 인구 지수〉

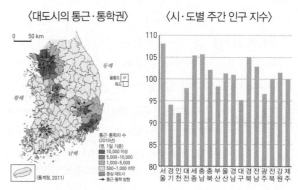

| 보기 |

ㄱ. 서울 대도시권은 대전 대도시권보다 통근권의 범위가 넓다.
ㄴ. 통근·통학에 의한 유입 인구가 가장 많은 지역은 서울이다.
ㄷ. 광역시와 인접한 도(道)의 주간 인구 지수는 모두 100 미만이다.
ㄹ. 경북에서 대구로의 통근·통학자가 대구에서 경북으로의 통근·통학자보다 많다.

① ㄱ, ㄴ　　　② ㄱ, ㄷ　　　③ ㄴ, ㄷ
④ ㄴ, ㄹ　　　⑤ ㄷ, ㄹ

| 교육청 기출 |

08 그래프는 대도시권 A~C의 지역별 인구 비중 변화를 나타낸 것이다. 이에 대한 추론으로 옳지 않은 것은? (단, 수도권, 부산권, 광주권만 고려함.)

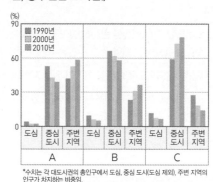

*수치는 각 대도시권의 총인구에서 도심, 중심 도시(도심 제외), 주변 지역의 인구가 차지하는 비중임.

① A는 B보다 중심 도시의 평균 지가가 높다.
② B는 C보다 교외화 현상이 뚜렷하게 나타난다.
③ C는 A보다 중심 도시의 내부 구조가 뚜렷하게 분화되어 있다.
④ 대도시권의 통근자 수는 A가 가장 많고 C가 가장 적다.
⑤ A, B, C 모두 도심의 인구 공동화 현상이 나타난다.

03 도시 계획과 재개발 및 지역 개발과 공간 불평등

1 도시 계획과 도시 재개발

1. 도시 계획❶ 주거 공간 개선, 도시 기능의 합리적 배치를 위한 계획 수립과 시행하는 과정

(1) **목적과 필요성** 급속한 산업화와 도시화로 발생한 도시 문제를 완화·해결·예방, 난개발 방지, 친환경적 도시 관리 및 경관 정비

(2) **우리나라의 도시 계획** [자료 01] ─ 선진국은 산업화와 도시화로 나타난 도시 문제를 해결하기 위해 도시 계획을 수립하였지만, 우리나라는 산업화와 도시화를 추진하기 위해 도시 계획을 도입함.

1970년대	• 도시 계획법에서 용도 지역의 종류 세분화, 개발 제한 구역 설정 • 급속한 인구 증가 대응 → 기존 주거지 철거, 신규 주택 개발·공급을 활발히 진행
1980년대	• 부문별 계획 통제, 도시를 종합적으로 개발하기 위해 도시 기본 계획❷ 제도화(1981년) • 도시 계획법 개정 → 도시 계획 과정에 공청회, 설문 조사 등의 시민 참여 유도
1990년대 이후	• 지역 간 균형, 삶의 질, 환경 등에 대한 관심이 도시 계획에 반영되어 전개됨. → 유비쿼터스 도시❸ 계획 _{재난, 지능형 교통 시스템, 지하 시설물 등을 통합적으로 관리·운영하려고 노력함.} • 지역 주민이 참여하는 지속 가능한 도시 계획으로 변화하는 추세 • 생태 도시, 문화 도시, 건강 도시 등 추진, 살기 좋은 마을 만들기에 관심

2. 도시 재개발 노후화된 지역을 개량하고 공공시설을 정비하여 도시 환경을 개선하는 사업

(1) **목적** 토지 이용의 효율성 증대, 낙후된 도시 환경 개선, 쾌적한 주거 환경 마련, 지역 경제 활성화 → 도시 재생❹에 목적이 있으며 이에 대한 요구가 높아짐. [자료 02]

(2) **도시 재개발 방식** ─ 산업 구조의 변화, 신도시 및 신시가지 위주의 도시 확장 등의 영향으로 낙후된 도시에 새로운 기능을 부여함으로써 사회적·경제적·환경적으로 부흥시키는 것으로, 도시 재개발보다 포괄적인 의미임.

① 대상 지역에 따른 구분

도심 재개발	도심의 노후화된 건물이나 불량 주거 지역을 상업·업무 지역으로 변화시켜 토지의 효율성을 높이는 사업 → 건물의 고층화, 도심 기능 회복, 도심 경제 활성화
산업 지역 재개발	도시 내의 노후 산업 단지, 전통 시장 등을 아파트형 공장, 현대식 시장, 주거 지역 등으로 변화시키는 사업
주거지 재개발	주거지의 환경을 개선하고 생활 기반 시설을 확충하는 사업

② 시행 방법에 따른 구분

철거 재개발	• 노후화된 기존 시설을 완전히 철거하고 새로운 시설물로 대체하는 방법 • 빠르고 효율적인 지역 구조화, 원거주민의 낮은 재정착률과 자원 낭비 등은 문제점
보존 재개발	역사적·문화적으로 보존할 가치가 있는 지역의 환경 악화를 예방하고 유지·관리하는 방법
수복 재개발	기존 건물을 최대한 유지하는 수준에서 필요한 부분만 수리·개조하여 부족한 점을 보완하는 방법 → 지역 변형을 최소화, 거주민의 안정적 생활 가능

3. 도시 계획과 도시 재개발의 영향 [자료 03]

(1) **경관 및 주민 생활 변화** 노후된 기반 시설 및 주거지 개선 → 대규모 아파트 단지 건설로 스카이라인 변화, 지역의 경제적 가치 상승 및 주민 생활 여건 개선 **왜?** 높은 입주 분담금, 원주민 강제 이주 등으로 개발 지역의 원거주민이 개발 후 해당 지역으로 다시 돌아가서 사는 비율이 낮음.

(2) **도시 재개발의 문제점과 대책**

① **문제점** 기존 환경을 고려하지 않은 개발, 보상비·이주비를 둘러싼 갈등, 낮은 원거주민 재정착률 → 원거주민의 공동체 해체(젠트리피케이션❺), 재개발 지역과 주변 지역 교류 단절 등

② **대책** 지역 주민, 지역 단체 행정 기관 등이 참여하는 민주적인 절차를 거쳐 재개발 진행

---

❶ 도시 계획의 수립 과정

관련 자료를 수집·분석하고 장기·중기·단기간에 걸쳐 발전 수준을 예측한다. 예측을 통해 나타난 발전 방향에 따라 목표를 설정하고, 이에 필요한 정책, 정비 수단 등을 통해 도시를 관리한다.

❷ 도시 기본 계획

도시의 미래상과 계획 목표, 정책 방향을 제시하며, 도시의 물적·공간적 측면뿐만 아니라 환경·사회·경제적인 측면을 모두 포괄하여 주민 생활 환경 변화를 예측하고 대비하는 종합 계획이다.

❸ 유비쿼터스 도시

첨단 정보 기술을 활용하여 언제 어디서나 필요한 서비스를 제공하는 도시이다.

고득점을 위한 셀파 Tip

도시 재개발

의미	낙후된 도시 지역을 활성화된 지역으로 변화시키는 활동
목적	토지 이용의 효율성 증대, 낙후된 도시 환경 개선, 지역 경제 활성화 등
방법	• 도심 재개발, 산업 지역 재개발, 주거지 재개발 • 철거 재개발, 보존 재개발, 수복 재개발

❹ 도시 재생

도시 재개발	>>>	도시 재생
토지 건물 소유자 중심 (개발 이익에 관심)	주체	거주자 중심의 지역 공동체 (지역 기반 확보 및 지역 활성화에 관심)
수익성 있는 토지	대상	자력 기반이 없어 공공의 지원이 필요한 쇠퇴 지역
물리적 환경 정비 (주택 또는 기반 시설)	방식	종합적 기능 개선 및 활성화 (사회, 경제 문화, 물리 환경 등)

(청주시 도시재생지원센터, 2016)

❺ 젠트리피케이션

임대료가 저렴한 구도심에 문화·예술가, 자영업자 등이 유입되어 지역이 활성화된 이후 대규모 상업 자본이 들어오면서 원주민이 다른 지역으로 빠져나가는 현상을 말한다.

자료 01　서울시 도시 계획과 변화

시기	제1기 기반 시설 확충기	제2기 도시 성장기	제3기 지속 가능한 발전기
도시 계획 내용	인구 급증에 따라 도시 기반을 조성하는 가장 중요한 시기 → 상하수도 확충, 도로 및 하천 정비 사업 진행	도심 환경 개선 사업과 서울 인구 및 기반 시설의 포화에 대비한 시기 → 부도심 지역 개발, 교통 시설 정비	도시의 양적 성장 대신 질적 변화를 추구하는 시기 → 하천 복원, 대중교통 시스템 개선
주요 계획	• 청계천 복개 및 고가 도로 건설 • 여의도 종합 개발 계획 • 난지도 쓰레기 매립지 지정	• 잠실 지구 개발 계획 • 올림픽대로 및 남산1호터널 개통 • 난지도 생태 공원 조성	• 청계천 복원 • 서울 도심 역사 문화 보존 • 상암 디지털 미디어 시티 조성

자료 분석 | 도시마다 지리적 위치, 역사적 환경, 경제적 상황, 인구 및 산업 구조 등이 다양하므로 도시 계획은 도시마다, 시기마다 달라진다.

자료 02　부산 감천 마을

부산광역시 사하구 감천동은 6·25 전쟁 때 피난민들이 정착하면서 만들어진 허름한 달동네였다. 현재도 산자락에 빼곡하게 자리 잡은 집들은 여전하지만, 그 모습은 많이 바뀌었다. 2009년 빈 집과 골목길을 문화 공간으로 바꾸는 계획이 진행되면서 학생과 작가, 주민들이 마을 담벼락에 그림을 그리고 조형물을 설치하였다. 감천 문화 마을은 철거 재개발 대신 문화·예술 활동을 통해 마을의 역사성과 지역 특수성을 보전하는 개발 방식을 선택하였다. 최근 많은 방문객이 찾아오면서 지역 활성화 효과가 나타나 성공적인 도시 재생의 사례가 되고 있다.

감천동의 모습

자료 분석 | 과거의 도시 정비는 노후한 주택이나 기반 시설을 대규모로 철거하는 방식으로 추진되어 주민들의 사회적·경제적·문화적 특성을 고려하지 못하였다. 최근에는 지역의 역사적·문화적 자산을 활용하여 특색 있는 도시 재생에 대한 요구가 높아지고 있다.

자료 03　도시 재개발을 둘러싼 다양한 입장

지역이 슬럼화되어서 도시 미관을 해칠 뿐만 아니라 건물의 노후화로 안전 문제가 심각합니다. 이 지역의 주택난을 해결하기 위해서라도 개발이 시급합니다.

저희 건설 회사는 재개발에 적극 참여하려고 합니다. 고급 아파트와 상가를 많이 건설해서 이윤을 확보할 수 있기 때문이죠.

새로 짓는 고급 아파트에 들어가려면 많은 입주 분담금을 내야 한다는데 그럴 형편이 안됩니다.

재개발이 빨리 되어서 깨끗한 집에서 살고 싶어요. 주변 환경이 달라지면 아파트 가격도 오르겠죠?

▲ 도시 계획 담당자

▲ 개발업자

▲ 원주민

▲ 신규 입주 예정자

자료 분석 | 도시 재개발은 추진 과정에서 비용 문제, 이해관계에 따른 갈등 등 여러 가지 문제가 발생할 수 있으므로 충분한 토의와 의견 조정 과정을 거쳐야 한다.

교과서 자료 더 보기

| 우리나라 도시 계획 체계 |

국토 종합 계획

↓

광역 도시 계획

↓

도시 기본 계획

↓

도시 관리 계획

┌─────────┬─────────┐

지구 단위 계획　　　도시 개발 사업

바람직한 도시 환경을 이루기 위해서는 수직적 도시 체계에서 교통, 토지 이용, 주거, 환경 등에 대한 부문별 계획 그리고 건축 행위가 유기적으로 연결되어 운영되어야 한다.

교과서 탐구 풀이

Q 감천 마을의 재개발 방식에 대해 말해 보고, 문화 마을로 알려진 뒤 주민 생활에 미친 긍정적인 영향과 부정적인 영향을 조사하여 발표해 보자.

A 감천 마을은 수복 재개발 방식으로 주거 환경이 개선되었다. 문화 마을로 알려진 뒤 기존 공동체 유지, 관광객 증가로 인한 지역 경제 활성화 등의 장점은 있으나, 주민의 사생활 침해, 상업 시설물의 난립 등의 문제점이 발생하고 있다.

교과서 자료 더 보기

| 난곡동의 도시 재개발 |

▲ 재개발 전의 난곡동(1996년)

▲ 재개발 후의 난곡동(2010년)

2 지역 개발과 공간 불평등

1. 지역 개발 지역의 잠재력을 살려 지역 주민의 삶의 질을 높이는 다양한 활동

(1) 목적 지역 발전 극대화, 지역 격차 완화 → 주민 복지 향상, 국토 균형 발전

(2) 지역 개발 방식 [자료 04]

성장 거점 개발 방식	구분	균형 개발 방식
하향식 개발	추진 방식	상향식 개발
• 투자 효과가 큰 지역을 선정하여 집중 투자 • 불균형 개발 방식, 개발 도상국에서 시행	개발 방법	• 낙후 지역에 우선 투자 • 균형 개발 방식, 주로 선진국에서 추진
경제 성장의 극대화, 경제적 효율성 추구	개발 목표	지역 간 균형 발전, 경제적 형평성 추구
자원의 효율적 투자 가능, 단기간 높은 성장	장점	지역 간 균형 성장, 지역 주민의 의사 결정 존중
• 역류 효과가 클 경우 지역 격차 심화 • 지역 주민의 참여도가 낮음.	단점	• 투자의 효율성이 낮음(성장 속도 늦음.). • 지역 이기주의 초래

2. 우리나라의 국토 개발

구분	제1차 국토 종합 개발 계획	제2차 국토 종합 개발 계획	제3차 국토 종합 개발 계획	제4차 국토 종합 개발 계획[6]
시기	1972~1981년	1982~1991년	1992~1999년	2000~2020년
방식	성장 거점 개발	광역 개발	균형 개발	균형 개발
기본 목표	• 사회 간접 자본 확충 • 국민 생활 환경 개선 • 국토 이용 관리 효율화	• 인구의 지방 정착 유도 • 개발 가능성의 전국적 확대	• 분산형 국토 골격 형성 • 국민 복지 향상 • 남북통일 대비 기반 조성	• 21세기 통합 국토 실현 • 균형 국토, 녹색 국토, 개방 국토, 통일 국토
주요 개발 전략	• 대규모 공업 기반 구축 • 교통, 통신, 수자원, 에너지 공급망 정비	• 국토의 다핵 구조 형성 • 지역 생활권 조성 • 지역 기능 강화를 위한 사회 간접 자본 확충	• 수도권 집중 억제 • 국민 생활, 환경 부문 투자 증대 • 남북교류 지역개발관리	• 개방형 통합국토축 형성 • 지역별 경쟁력 고도화 • 건강하고 쾌적한 국토 환경 조성

3. 공간 및 환경 불평등의 해결 방안

(1) 공간 불평등 [자료 05] [자료 06]

왜? 1960년대 이후 서울을 중심으로 한 수도권 위주의 경제 개발 정책의 영향 때문

수도권과 비수도권의 격차	• 수도권은 인구 및 산업, 대학, 의료 등의 핵심 기능 집중도가 매우 높음. • 수도권에서는 집값 상승, 교통 혼잡 등 집적 불이익 발생, 비수도권에서는 경제 침체 및 인구와 자본 유출 심화 등의 문제 발생 • 행정 중심 복합 도시, 혁신 도시[7], 기업 도시[8] 등 조성
도시와 농촌의 격차	농촌 인구 유출로 고령화, 생활 기반 시설 부족, 교육 여건 불리 등의 문제 발생 → 촌락의 정주 기반 강화 및 소득 향상 방안 모색, 농공 단지 건설

(2) 환경 불평등 환경을 매개로 하여 특정 지역, 혹은 사회 계층이 겪는 불평등

① 개발 사업의 경제적 수혜 지역과 환경 오염 부담 지역이 일치하지 않을 때 발생함.

② 환경 오염에 대한 지역 간·계층 간 차이가 있어 환경 불평등 문제가 더욱 심화됨.

(3) 지역 갈등 지역 개발 과정에서 자기 지역의 이익을 지나치게 우선시하는 님비 현상[9], 핌피 현상[10] 등의 지역 이기주의 발생

└ 비수도권과 촌락은 경제 성장 과정에 나타난 환경 오염 피해를 겪고 있으며 극복 비용까지 부담하고 있음.

(4) 바람직한 지역 개발

① 균형 발전 전략의 지속적 추진 낙후 지역 투자, 수도권의 인구와 산업의 지방 분산, 혁신 도시 및 기업 도시 추진, 촌락의 자립적인 개발 전략 수립, 지역 간 협력 등

② 지속 가능한 국토 공간[11] 조성을 위한 노력 탄소 배출량 감소, 친환경 산업 육성 등

지역 개발 방식

성장 거점 개발	• 하향식 개발 • 중앙 정부가 개발 주체 • 성장 거점 지역 집중 개발
균형 개발	• 상향식 개발 • 지방 정부·지역 주민이 개발 주체 • 낙후된 지역을 우선 개발

[6] 제4차 국토 종합 계획 수정 계획
제4차 국토 종합 계획은 국내외 여건 변화에 대응하기 위해 두 차례의 수정 과정을 거쳤다. 제4차 국토 종합 계획 수정 계획은 유라시아-태평양 지역을 선도한다는 '글로벌 국토'의 실현과 저탄소 녹색 성장 기반을 마련하는 '녹색 국토'의 실현이라는 목표를 담고 있다.

[7] 혁신 도시
공공 기관의 지방 이전과 기업, 학교, 연구소의 협력으로 지역의 성장 거점 지역에 조성되는 미래형 도시이다.

[8] 기업 도시
민간 기업이 주도하여 지역을 개발함에 따라 특정 산업을 중심으로 주거, 교육, 의료, 문화 등의 자족적 복합 기능을 고루 갖춘 도시이다.

[9] 님비(NIMBY) 현상
하수 처리장, 쓰레기 소각장 등과 같은 시설이 사회에 꼭 필요하다고 여기지만 자기 지역으로 들어오는 것을 반대하는 현상을 말한다.

[10] 핌피(PIMFY) 현상
공원, 지하철역, 행정 기관과 같이 지역 발전에 도움이 된다고 판단되는 시설에 대해서는 서로 유치하려고 하는 현상을 말한다.

[11] 지속 가능한 국토 공간

(세종지속가능발전협의회, 2016)

자료 **04** 공통 자료 지역 개발 방식

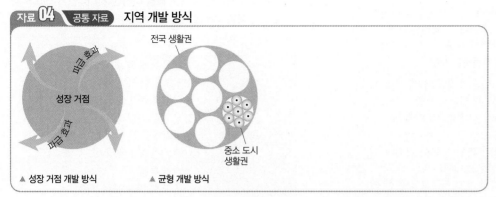

▲ 성장 거점 개발 방식 　　　▲ 균형 개발 방식

자료 분석 | 성장 거점 개발 방식은 잠재력이 큰 지역을 선정하여 집중 투자함으로써 파급 효과를 기대하는 하향식 개발이다. 파급 효과가 나타나지 않을 경우 주변부의 자본과 노동력이 중심부로 이동하여 역류 효과가 나타난다. 균형 개발 방식은 기존 대도시나 거점 도시가 아닌 지역을 우선 개발하여 주민의 기본 수요를 직접 충족시키면서 다른 지역과의 격차를 줄여 지역 간의 균형을 추구하는 상향식 개발이다.

자료 **05** 수도권과 비수도권의 격차

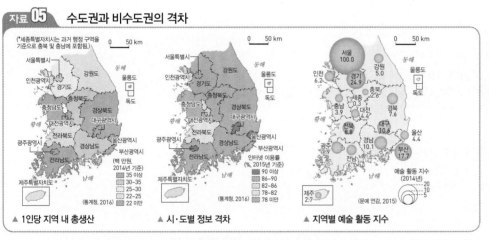

▲ 1인당 지역 내 총생산 　　　▲ 시·도별 정보 격차 　　　▲ 지역별 예술 활동 지수

자료 분석 | 우리나라는 1960년대 이후 서울을 중심으로 한 수도권 위주의 경제 개발 정책으로 인구, 각종 기반 시설과 공장, 교육·문화·서비스 시설 등이 수도권에 집중되었고, 성장 위주의 지역 개발 효과가 주변 지역으로 파급되지 못하여 수도권과 비수도권과의 지역 격차가 심해졌다.

자료 **06** 도시와 농촌 간의 격차

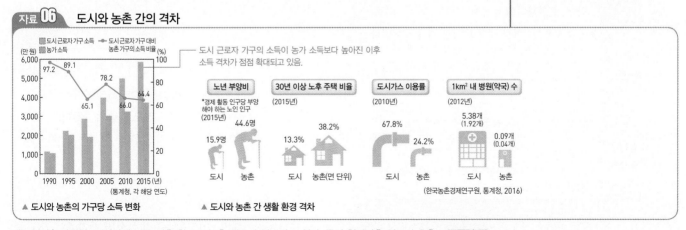

▲ 도시와 농촌의 가구당 소득 변화 　　　▲ 도시와 농촌 간 생활 환경 격차

자료 분석 | 산업화·도시화에 따른 이촌 향도로 농촌 인구가 감소하고 있다. 특히 청장년층 인구의 유출로 노동력 부족, 인구 고령화, 기본 시설 부족 등의 문제가 심각하다.

● **교과서 자료 더 보기** ➕

| 파급 효과와 역류 효과 |

▲ 파급 효과 　　　▲ 역류 효과

파급 효과는 성장 거점 개발이 추구하는 효과로서 중심지의 성장이 주변의 자원 개발과 기술의 발달을 촉진하여 주변 지역의 산업을 발전시키는 효과를 말한다. 역류 효과는 중심지의 성장을 유지하기 위하여 주변의 노동력과 자본을 흡수하고, 중심지의 산업이 주변 지역의 산업을 잠식하여 주변 지역의 발전을 저해하는 효과를 말하며, 지역 격차를 심화시킨다.

● **교과서 자료 더 보기** ➕

| 혁신·기업 도시 분포 |

공간 불평등 문제를 해결하기 위해 중앙 정부는 지방 중소 도시에 대한 지원을 강화하고 주요 공공 기관의 이전과 민간 투자 유치 등을 통해 중소 도시의 성장을 유도하기도 한다.

1 도시 계획과 도시 재개발

도시 계획과 도시 재개발	• 도시 계획: 주거 공간 개선, 도시 기능의 합리적 배치를 위한 계획을 수립하고 시행하는 과정 • (❶　　　　　): 노후화된 지역 개량, 공공시설 정비 등 도시 환경을 개선하는 사업
도시 재개발 방식	• 재개발 지역에 따라 도심 재개발, 산업 지역 재개발, (❷　　　　) 재개발로 구분함. • 시행 방법에 따라 철거 재개발, 보존 재개발, 수복 재개발로 구분함. 　– (❸　　　　　): 노후화된 시설을 완전히 철거하고 새로운 시설물로 대체 　– 보존 재개발: 역사적·문화적으로 보존할 가치가 있는 지역의 환경을 유지·관리 　– 수복 재개발: 기존 건물을 최대한 유지하고 필요한 부분만 수리·개조
도시 재개발의 문제와 대책	• 문제: 기존 환경을 고려하지 않은 개발, 보상비를 둘러싼 갈등, 낮은 원주민 재정착률 등 • 대책: 민주적 의사 결정, 적절한 보상 등

2 지역 개발과 공간 불평등

	성장 거점 개발 방식	(❺　　　　　)
지역 개발 방식	• 투자 효과가 큰 곳을 거점으로 집중 개발 • (❹　　　　) 강조, 파급 효과 기대	• 낙후 지역에 우선 투자 • 형평성 강조, 지역 격차 해소
우리나라의 국토 개발	• 제1차 국토 종합 개발 계획: 성장 거점 개발 방식, 지역 간 격차 발생 • 제2차 국토 종합 개발 계획: 광역 개발 방식, (❻　　　　)의 집중 현상, 지역 간 불균형 심화 • 제3차 국토 종합 개발 계획: 균형 개발 방식, 지방 분산형 국토 골격 형성 • 제4차 국토 종합 개발 계획: 통합과 관리에 초점, 국토 환경의 보전 중시	
공간 및 환경 불평등	• 공간 불평등: 거점 개발 방식의 결과 수도권과 비수도권 격차, 도시와 농촌의 격차 발생 • 환경 불평등: 경제 성장의 수혜 지역(수도권, 도시)과 환경 오염 부담 지역(비수도권, 촌락)이 불일치	
바람직한 지역 개발	• 균형 발전 전략 추진: 낙후 지역 투자, (❼　　　　) 및 기업 도시 추진, 지역 간 대화와 협력 등 • 지속 가능한 국토 공간 조성: 탄소 배출량 감소, 친환경 산업 육성	

정답 ❶ 도시 재개발 ❷ 주거지 ❸ 철거 재개발 ❹ 효율성 ❺ 균형 개발 방식 ❻ 수도권 ❼ 혁신 도시

01 표는 서울의 시기별 도시 계획을 나타낸 것이다. (가)~(다) 시기의 도시 계획 목적을 〈보기〉에서 고른 것은?

시기	주요 계획
(가)	• 청계천 복개 및 고가 도로 건설 • 여의도 종합 개발 계획 • 난지도 쓰레기 매립지 지정
(나)	• 잠실 지구 개발 계획 • 올림픽대로 및 남산 1호 터널 개통 • 난지도 생태 공원 조성
(다)	• 청계천 복원 • 서울 도심 역사 문화 보존 • 상암 디지털 미디어 시티 조성

┤ 보기 ├

ㄱ. 상하수도 확충, 도로 및 하천 정비 등 인구 급증에 따른 기반 시설을 확충한다.

ㄴ. 하천 복원, 대중교통 시스템 개선 등 도시의 양적 성장 대신 질적 변화를 추구한다.

ㄷ. 환경 개선 사업, 부도심 지역 개발, 교통 시설 정비 등 서울의 기반 시설의 포화에 대비한다.

	(가)	(나)	(다)
①	ㄱ	ㄴ	ㄷ
②	ㄱ	ㄷ	ㄴ
③	ㄴ	ㄱ	ㄷ
④	ㄴ	ㄷ	ㄱ
⑤	ㄷ	ㄱ	ㄴ

02 그래프는 서울의 주거 유형별 주택 수 변화를 나타낸 것이다. 이에 대한 해석으로 옳지 않은 것은?

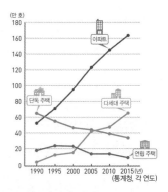

① 2015년에 아파트의 비중은 50% 이상이다.

② 서울의 총 주택 수는 지속적으로 증가하였다.

③ 다세대 주택 공급량이 가장 많은 시기는 2000~2005년이다.

④ 서울에서 차지하는 연립 주택의 비중은 2015년이 1990년보다 낮다.

⑤ 1990년 대비 2015년의 주거 유형별 증가율이 가장 높은 것은 아파트이다.

03 (가), (나) 지역 개발에 대한 옳은 설명을 〈보기〉에서 고른 것은?

(가) 서울역 앞에서 바라보이는 동네인 ◇◇동은 1960 년대 이후 무작정 상경한 사람들이 서울에 도착하여 삶의 보금자리를 잡았던 곳이다. 2007년 10월 주택 재개발 구역으로 지정되어 지하 5층, 지상 25층, 1,207 가구의 아파트가 들어섰다.

(나) 서울의 마지막 달동네로 불리는 ◎◎ 마을이 저층 주거지와 아파트가 공존하는 모습으로 탈바꿈한다. 저층 주거지로 개발되는 곳은 주택 외부의 모습은 그대로 살리고 내부만 현대식으로 리모델링하며 집 들을 이어주던 골목길, 계단길 등의 도시 경관도 그대로 보존된다.

┤ 보기 ├

ㄱ. (가)는 (나)보다 기존 건축물을 재활용하는 비율이 높다.

ㄴ. (나)는 (가)보다 원거주민의 공동체 문화가 잘 유지된다.

ㄷ. (가), (나) 모두 개발 이후 토지 이용의 집약도가 높아진다.

ㄹ. (가)는 보존 재개발, (나)는 철거 재개발 방법이다.

① ㄱ, ㄴ   ② ㄱ, ㄷ   ③ ㄴ, ㄷ
④ ㄴ, ㄹ   ⑤ ㄷ, ㄹ

04 다음 글을 보고 나눈 대화 내용 중 적절하지 않은 것은?

부산 감천동은 낡은 집과 복잡한 골목을 철거하고 아파트로 조성하는 재개발 대신 문화라는 테마를 입혀 마을을 재생하는 방법을 선택하였다. 2009년 문화체육관광부 주관의 '마을 미술 프로젝트'에 선정되어 학생, 작가, 주민들이 협심해 마을 담벼락에 그림을 그리고, 거리에 조형물을 설치하였다. 감천동은 아시아의 '산토리니'라고 불리는 문화 마을로 자리매김하게 되었다.

① 갑: 지역 개발에 기업 자본이 대규모로 투입되었어.
② 을: 수복 재개발 방식으로 도시 재개발이 이루어졌어.
③ 병: 방문객들로 인한 사생활 침해 문제가 발생할 수 있겠어.
④ 정: 관광객이 늘어 새로운 소득을 창출할 수 있을 거야.
⑤ 무: 원거주민이 다니던 골목, 계단이 관광 자원으로 활용될 수 있어.

05 그림은 두 지역 개발 방식을 나타낸 것이다. (나)와 비교한 (가)의 상대적 특징을 그림의 A~E에서 고른 것은?

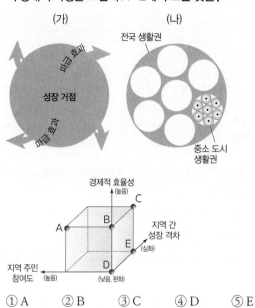

① A   ② B   ③ C   ④ D   ⑤ E

06 (가), (나)에 대한 옳은 설명만을 〈보기〉에서 있는대로 고른 것은?

(지역 발전 위원회, 2016)

┤ 보기 ├

ㄱ. (가)는 국가 수준에서 투자 효율성을 우선시하여 개발하는 도시이다.

ㄴ. (가)는 지역의 새로운 성장 동력을 창출하는 것을 목적으로 한다.

ㄷ. (나)는 민간 기업이 주도하여 개발한다.

ㄹ. (가), (나)는 지역 균형 발전에 기여한다.

① ㄱ, ㄴ   ② ㄱ, ㄹ   ③ ㄱ, ㄴ, ㄷ
④ ㄱ, ㄷ, ㄹ   ⑤ ㄴ, ㄷ, ㄹ

07 표는 우리나라 두 시기의 국토 종합 계획을 나타낸 것이다. (가), (나) 시기에 대한 설명으로 옳지 <u>않은</u> 것은?

시기	(가)	(나)
주요 사업	• 남동 임해 지역에 대규모 공업 단지 조성 • 지방 공업 도시 건설 • 고속국도 건설	• 지역 불균등 해소 노력 • 고속 교류망 구축 • 저탄소 녹색 성장
국토 변화	• 대도시의 급속한 성장 • 지역 성장 격차 확대 • 환경 오염 심화	• 서해안 지역 개발 • 지역 불균형 개선 미흡

① (가) 시기에 남동 임해 지역에서 중화학 공업이 발달하였다.
② (나) 시기에 균형 개발 방식이 채택되었다.
③ (가)는 (나)보다 실시 시기가 이르다.
④ (나) 시기보다 (가) 시기에 첨단 산업이 빠르게 성장하였다.
⑤ (가)는 경제적 효율성을, (나)는 성장의 형평성을 고려하였다.

08 다음 글은 우리나라 ○○ 국토 종합 개발 계획에 대한 것이다. (가)에 대한 설명으로 옳은 것은?

> 주요 목표는 사회 간접 자본을 확충하는 것이다. 기본 목표는 경제의 능률적인 성장을 위하여 국토를 효율적으로 활용하고, 경제 성장을 뒷받침하기 위하여 국토 개발의 기반을 확립하며, 국토가 보유한 자원의 개발과 대규모 공업 단지 개발에 따라 발생하는 환경 문제를 해결하고, 도시 문제와 문화적인 생활을 위한 생활 환경을 개선하는 것이다. 이를 위하여 ○○ 국토 종합 개발 계획에서는 지역 개발 방식으로 _____(가)_____ 이/가 채택되었다.

① 낙후 지역을 우선적으로 개발한다.
② 형평성보다 경제적 효율성을 우선시한다.
③ 개발 도상국보다는 주로 선진국에서 채택된다.
④ 지역 주민의 참여를 바탕으로 개발 계획을 수립한다.
⑤ 지역 개발을 둘러싼 지역 간 갈등과 지역 이기주의가 표면화될 가능성이 높다.

09 다음 표의 (가), (나) 지역 개발 방식에 대한 설명으로 옳지 <u>않은</u> 것은?

〈지역 개발 방식의 비교〉

지역 개발 방식	(가)	(나)
개발 목표	지역 간 균형 발전 추구	파급 효과의 극대화
개발 주체	지방 정부 및 지역 주민	중앙 정부
개발 초점	지역 격차 해소	성장 거점의 집중 육성

① (가)는 우리나라의 3차 국토 종합 개발 계획에서 채택되었다.
② (나)는 역류 효과의 발생 가능성이 높다.
③ (가)는 (나)보다 투자의 효율성이 낮다.
④ (가)는 (나)보다 지역 주민이 참여도가 높다.
⑤ (나)는 (가)보다 지역 간 분배의 형평성이 높다.

10 다음 자료에 나타난 (가) 문제를 해결하기 위한 내용으로 적절한 것을 〈보기〉에서 고른 것은?

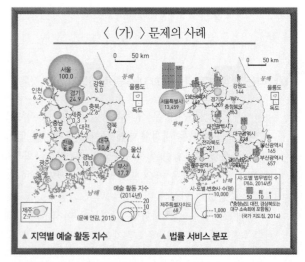

┤보기├
ㄱ. 수도권 정비 계획법 실시
ㄴ. 혁신 도시와 기업 도시 정책 추진
ㄷ. 도시와 농촌의 농산물 직거래 장터 운영
ㄹ. 서울의 주거 기능을 분담하는 신도시 건설

① ㄱ, ㄴ   ② ㄱ, ㄷ   ③ ㄴ, ㄷ
④ ㄴ, ㄹ   ⑤ ㄷ, ㄹ

11 그래프는 도시와 농촌의 가구당 소득 변화를 나타낸 것이다. 이에 대한 설명으로 옳지 <u>않은</u> 것은?

① 농가 소득은 2000년이 1995년보다 적다.
② 우리나라의 가구당 소득은 지속적으로 증가하였다.
③ 1990년 대비 2015년의 농가 소득은 3배 이상 증가하였다.
④ 도시 근로자 가구 소득 대비 농가 소득의 비율은 지속적으로 낮아졌다.
⑤ 1990~2015년에 도시 근로자 가구와 농촌 근로자 가구의 소득액 격차는 2015년이 가장 크다.

12 다음 글의 ㉠~㉣에 대한 옳은 설명을 〈보기〉에서 고른 것은?

> 쇠퇴하는 외딴섬이었던 영흥도에 1995년 한국전력공사(현 한국남동발전)가 ㉠ 화력 발전소 건설을 시작하였다. ㉡ 찬성하는 주민들과 ㉢ 반대하는 주민들 간의 갈등도 많았다. 한국전력공사는 영흥도 주민의 홀대를 받으면서도 집집마다 찾아가 고장난 전기를 고쳐 주면서 발전소가 필요하다는 점을 역설했고, 보상도 이루어졌다. 1999년 1·2호기 착공을 시작한 영흥 화력 발전소는 현재 총 여섯 개의 발전소가 가동되고 있다. 영흥도에 화력 발전소가 건립되면서 ㉣ 1999년 약 2,800여 명이었던 상주인구가 두 배 이상 늘어났다.

┤ 보기 ├

ㄱ. ㉠ – 낙후된 지역을 개발하기 위한 균형 개발 정책에 해당한다.
ㄴ. ㉡ – 일자리 증가로 인한 지역 경제 성장을 기대했을 것이다.
ㄷ. ㉢ – 아름다운 자연환경을 찾는 관광객의 감소를 우려했을 것이다.
ㄹ. ㉣ – 주로 노년층의 인구 유입으로 인해 나타난 현상일 것이다.

① ㄱ, ㄴ　　② ㄱ, ㄷ　　③ ㄴ, ㄷ
④ ㄴ, ㄹ　　⑤ ㄷ, ㄹ

13 자료는 어느 지역의 이주 유형별 이주 범위를 조사한 것이다. 이를 토대로 철거 이주의 특징을 50자 이내로 서술하시오.

> ○○동과 △△지구 등 주거 환경 개선 지역을 대상으로 재개발 후 일반 이주 가구와 철거 이주 가구의 이주 범위를 비교하였을 때 다음과 같은 차이가 나타났다.
>
> (단위: 가구)
>
> | 이주 범위
이주 유형 | 근거리
이동 | 원거리
이동 | 외부로
이동 | 합계 |
> |---|---|---|---|---|
> | 일반 이주
(○○동) | 295
(50.5%) | 261
(44.7%) | 28
(4.8%) | 584
(100%) |
> | 철거 이주
(△△지구) | 35
(31.5%) | 69
(61.6%) | 8
(7.1%) | 112
(100%) |
>
> ▲ 이주 유형별 이주 패턴　　(임은선 외, 국토 연구, 2010)

14 자료를 보고 물음에 답하시오.

> (가) 성장 거점 개발 정책은 (㉠)을/를 추구하지만 (㉡)이/가 발생할 가능성이 높다.

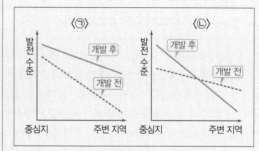

(1) (가)의 의미를 서술하시오.

(2) ㉠, ㉡에 해당하는 용어를 쓰시오.

(3) ㉡으로 인해 발생하는 문제를 서술하시오.

| 평가원 기출 |

01 (나) 지역과 비교한 (가) 지역 도시 재개발의 상대적 특성을 그림의 A~E에서 고른 것은?

(가)	서울시 □□동 △△ 구역에는 50년 이상 된 주택 150여 채가 서울 성곽 바로 밑 경사지를 따라 들어서 있다. 최근 이 지역에서는 주민들이 모여 서울 성곽과 골목길의 장점을 활용하여 적은 비용으로 마을 경관을 아름답게 가꾸고, 주변 환경도 개선하는 정비 사업을 벌이고 있다.
(나)	서울시 □□동 ○○ 지역에서는 2001년 6월부터 재개발 사업이 시작되었다. 이곳의 재개발은 고층 아파트를 건립하는 방식으로 이루어졌다. 재개발 이후 새로 지어진 아파트에는 기존에 살던 주민 2,529세대 중 220세대만이 살고 있다. 이는 전체 가구의 8.7%에 불과하다.

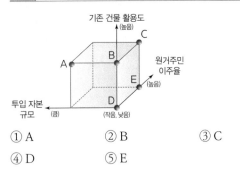

① A   ② B   ③ C
④ D   ⑤ E

| 수능 응용 |

02 (가), (나) 도시 재개발에 대한 설명으로 옳은 것은?

> (가) 하늘 아래 첫 동네로 불리던 서울 관악구 ○○의 달동네 모습이 사라졌다. 과거 도시 철거민들이 밀집하여 거주했던 이곳은 대규모 아파트 단지가 건설되면서 새로운 모습의 주거 지역으로 변모하였다.
>
> (나) 부산의 피란민 역사를 간직한 사하구 □□ 마을이 탈바꿈하고 있다. 빈집들 중 일부가 갤러리와 카페 공간으로 개조되고, 골목길 곳곳에 주민과 대학생들이 만든 조형물이 설치되어 문화 예술 체험 공간으로 재정비되었다.

① (가)는 개발의 영향으로 관광 산업이 발달할 것이다.
② (나)는 개발의 영향으로 고층 건물이 증가했을 것이다.
③ (가)는 (나)보다 원거주민의 공동체 문화가 잘 유지된다.
④ (나)는 (가)보다 기존 건물의 활용도가 높을 것이다.
⑤ (가)는 수복 재개발, (나)는 철거 재개발 방식을 활용하였다.

| 평가원 기출 |

03 지도는 ○○시 △△동 일부의 토지 이용 변화를 나타낸 것이다. 이 지역의 변화에 대한 추론으로 적절한 것을 〈보기〉에서 고른 것은?

〈변화 전〉   〈변화 후〉

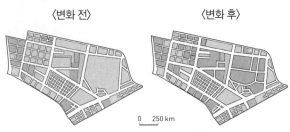

0   250 km

■ 공업 시설   ■ 고층 주택   ■ 상업 업무지   ■ 교육 시설   ■ 공공 용지   ■ 녹지

보기

ㄱ. 지가가 하락했을 것이다.
ㄴ. 상주인구가 증가했을 것이다.
ㄷ. 토지 이용 집약도가 낮아졌을 것이다.
ㄹ. 공업 용지의 면적 비중이 감소했을 것이다.

① ㄱ, ㄴ   ② ㄱ, ㄷ   ③ ㄴ, ㄷ
④ ㄴ, ㄹ   ⑤ ㄷ, ㄹ

| 평가원 기출 |

04 다음은 사이버 학습 장면의 일부이다. 답글이 옳은 학생을 고른 것은?

학습 주제: 도시 재개발

☞ 아래 사례에 적용된 도시 재개발 방식의 특징에 대해 답글을 적어 보세요.

> 도심의 철거민들이 몰려와 1960년대 말 형성된 ○○ 지역 판자촌들이 대대적으로 재개발되어 대규모 아파트 단지로 변모되었다.

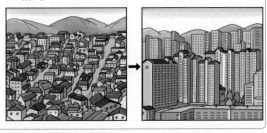

답글(4)

ㄴ 갑: 건물의 고층화로 토지 이용의 효율성이 높아져요.
ㄴ 을: 역사·문화적으로 보존이 필요한 지역에서 행해져요.
ㄴ 병: 보존 재개발 방식보다 기존 건물의 활용도가 낮아요.
ㄴ 정: 수복 재개발 방식보다 원거주민의 재정착률이 높게 나타나요.

① 갑, 을   ② 갑, 병   ③ 을, 병
④ 을, 정   ⑤ 병, 정

| 수능 기출 |

05 (가)~(라)에 대한 옳은 설명을 〈보기〉에서 고른 것은?

〈국토 종합(개발) 계획〉

구분	제1차 국토 종합 개발 계획 (1972~1981년)	제2차 국토 종합 개발 계획 (1982~1991년)	제3차 국토 종합 개발 계획 (1992~1999년)	제4차 국토 종합 개발 계획 (2000~2020년)
개발 방식	거점 개발	광역 개발	(가)	
기본 목표	사회 간접 자본 확충	인구의 지방 정착 유도	지방 분산형 국토 골격 형성	균형, 녹색, 개방, 통일 국토
개발 전략	(나)	(다)	(라)	개방형 통합 국토축 형성

┌ 보기 ┐

ㄱ. (가)-투자 효과가 큰 지역을 선정하여 집중 투자하는 방식이다.

ㄴ. (나)-고속 국도, 항만, 다목적 댐 등을 건설하여 산업 기반을 조성하였다.

ㄷ. (다)-지방의 주요 도시와 배후 지역을 포함한 지역 생활권을 설정하였다.

ㄹ. (라)-혁신 도시와 기업 도시를 지정 및 육성하였다.

① ㄱ, ㄴ　　　② ㄱ, ㄷ　　　③ ㄴ, ㄷ

④ ㄴ, ㄹ　　　⑤ ㄷ, ㄹ

| 교육청 기출 |

06 다음은 국토 종합 개발 계획에 관한 대화 내용이다. (가), (나)에 대한 옳은 설명을 〈보기〉에서 고른 것은?

1970년대 (가) 제1차 국토 종합 개발 계획에서는 공업 기반 조성을 위해 고속도로, 항만 등 사회 기반 시설을 건설하고, 남동 임해 지역을 중심으로 공단을 건설한 것이 특징이야.

1990년대 (나) 제3차 국토 종합 개발 계획에서는 신산업 지대 조성과 지방 도시 육성, 국민 생활과 환경 부문의 투자 증대를 주요 정책으로 하고 있어.

┌ 보기 ┐

ㄱ. (가)의 의사 결정 방식은 주로 상향식이다.

ㄴ. (나)의 주요 개발 방식은 균형 개발이다.

ㄷ. (가)는 (나)보다 효율성을 추구하였다.

ㄹ. (가), (나) 모두 생산 환경보다 생활 환경 개선을 우위에 두었다.

① ㄱ, ㄴ　　　② ㄱ, ㄷ　　　③ ㄴ, ㄷ

④ ㄴ, ㄹ　　　⑤ ㄷ, ㄹ

| 평가원 응용 |

07 다음 글의 밑줄 친 ㉠~㉤에 대한 설명으로 옳은 것은?

우리나라는 산업화 과정에서 ㉠ 특정 지역에 자본을 집중 투자하여 효율성을 높이는 개발 방식을 채택하였다. 그 결과, ㉡ 자본이 집중 투자된 지역과 주변 지역 간 격차가 커지는 문제가 발생하였다. 이러한 문제를 해결하고자 ㉢ 수도권과 비수도권 간의 불균형을 완화하기 위해 노력하였으나, ㉣ 수도권 집중 현상은 지속되고 있다. 또한 환경 파괴 등의 문제점이 발생함에 따라 ㉤ 지속 가능한 발전에 대한 논의가 확산되고 있다.

① ㉠은 지역 주민의 참여를 바탕으로 개발 지역이 선정된다.

② ㉡은 역류 효과보다 파급 효과가 클 때 발생한다.

③ ㉢의 사례로 농공 단지 조성을 들 수 있다.

④ ㉣은 제조업보다 농업 부문에서 더 뚜렷하다.

⑤ ㉤의 사례로 신·재생 에너지 개발을 들 수 있다.

| 평가원 기출 |

08 다음 지도에 나타난 '○○ 도시' 정책에 대한 옳은 설명을 〈보기〉에서 고른 것은?

〈○○ 도시의 분포〉

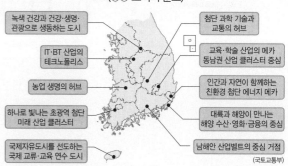

(국토교통부)

┌ 보기 ┐

ㄱ. 공공 기관 이전과 산·학·연 협력 체계를 통한 지역 발전을 추구한다.

ㄴ. 수도권 집중을 해소하고 낙후된 지방 경제를 활성화하기 위한 정책이다.

ㄷ. 제3차 국토 종합 개발 계획 기간 동안 추진된 성장 거점형 도시 육성 정책이다.

ㄹ. 2차 산업 육성을 위한 산업 용지 공급을 통해 자족적 복합 기능을 갖춘 도시를 육성한다.

① ㄱ, ㄴ　　　② ㄱ, ㄷ　　　③ ㄴ, ㄷ

④ ㄴ, ㄹ　　　⑤ ㄷ, ㄹ

V

생산과
소비의 공간

이 단원의 핵심 포인트

중단원	핵심 포인트	학습일
01 자원의 의미와 자원 문제	• 자원의 의미와 분류 • 자원의 분포와 이용 • 자원 문제와 신·재생 에너지	월　일　~　월　일
02 농업의 변화와 농촌 문제	• 농업 입지 요인의 변화 • 농촌 및 농업 구조의 변화 • 농업 문제와 해결 방안	월　일　~　월　일
03 공업의 발달과 지역 변화	• 우리나라 공업의 발달과 특징 • 공업 입지 요인과 유형 • 우리나라의 주요 공업 지역 • 공업 지역의 변화와 주민 생활	월　일　~　월　일
04 서비스업의 변화와 교통·통신의 발달	• 상업의 입지와 변화 • 서비스업의 입지와 변화 • 교통·통신의 발달과 공간 변화	월　일　~　월　일

셀파와 내 교과서 단원 비교

셀파	천재교과서	미래엔	비상교육
01 자원의 의미와 자원 문제	01 자원의 의미와 자원 문제	01 자원의 의미와 자원 문제	01 자원의 특성과 지속 가능한 이용
02 농업의 변화와 농촌 문제	02 농업의 변화와 농촌 문제	02 농업의 변화와 농촌 문제	02 농업 구조의 변화와 미래의 농업
03 공업의 발달과 지역 변화	03 공업의 발달과 지역 변화	03 공업의 발달과 지역 변화	03 공업의 발달과 지역 변화
04 서비스업의 변화와 교통·통신의 발달	04 서비스업의 변화와 교통·통신의 발달	04 교통·통신의 발달과 서비스업의 변화	04 교통·통신의 발달과 서비스업의 변화

01 자원의 의미와 자원 문제

1 자원의 의미와 분류 자료01

1. 자원의 의미와 특성

(1) **자원의 의미** 인간에게 이용 가치가 있는 자연물 중에서 기술적·경제적으로 개발 가능한 모든 것

> **왜?** 기술적으로 개발 가능하더라도 경제성이 없으면 자원으로 보기 어려움.

(2) **자원의 특성**

가변성	자원을 이용하는 기술적·경제적 수준, 문화적 배경에 따라 자원의 가치가 달라짐.
유한성	대부분의 자원은 매장량이 한정되어 있어 언젠가는 고갈됨. → 가채 연수[1]를 통해 채굴 가능 기간 파악
편재성	일부 자원은 특정 지역에 편중되어 분포함. → 자원 민족주의[2]가 나타나기도 함.

2. 자원의 분류

(1) **의미에 따른 분류**

① **좁은 의미의 자원** 천연자원

② **넓은 의미의 자원** 천연자원 + 인적 자원 + 사회적·문화적 자원
└인구, 노동력, 기술 등
└언어, 종교 등

(2) **재생 가능성에 따른 분류**

재생 자원	• 인간의 사용량과 상관없이 지속적으로 공급되거나 순환되어 고갈되지 않는 자원 • 예 태양력, 풍력, 조력, 수력 등
비재생 자원	• 자원의 생성 속도가 매우 느리고 매장량이 한정되어 있어 사용함에 따라 고갈되는 자원 • 예 석탄, 석유, 천연가스 등

2 자원의 분포와 이용

1. 광물 자원

(1) **의미** 광물의 형태로 존재하는 특정 원소 및 화합물 중 경제적 가치를 지닌 자원

(2) **구분** 금속 광물(철광석, 텅스텐 등), 비금속 광물(석회석, 고령토 등) → 남한에 매장된 금속 광물은 매장량이 적고 품위가 낮으나 비금속 광물은 매장량이 풍부하고 개발하기에 유리함.

(3) **분포와 이용** 자료02

구분	주요 분포 지역	이용 및 특징
철광석	대부분 북한에 매장, 강원도 양양·홍천	• 제철 공업의 원료 • 대부분 오스트레일리아, 브라질 등지에서 수입
텅스텐	강원도 영월(상동[3])	• 합금용 원료 • 과거에는 생산량이 많았으나 값싼 중국산의 수입으로 폐광됨.
석회석	강원도 삼척, 충청북도 단양	• 시멘트 공업의 원료, 제철 공업의 첨가물 • 고생대 조선 누층군에 주로 매장, 매장량 및 생산량이 많은 편임.
고령토	강원도, 경상남도 하동·산청	• 도자기 공업 및 제지 공업의 원료 • 매장량이 많고 품질이 우수함.

2. 에너지 자원

(1) **에너지 소비 구조의 변화** 자료03

1950년대	→	1960년대	→	1970년대	→	1990년대 이후
신탄 중심		석탄 중심		석유 중심		천연가스 소비 급증, 신·재생 에너지 개발 활발

└무연탄

고득점을 위한 셀파 Tip

자원의 분류

기준	분류	
의미	좁은 의미	천연자원
	넓은 의미	천연자원+인적 자원+사회적·문화적 자원
재생 가능성	• 재생 자원 • 비재생 자원	

❶ 가채 연수

가채 연수는 현재 확인된 자원의 매장량을 연간 사용량으로 나눈 값으로, 자원 탐사 기술의 개발과 자원 재활용 수준의 변화 등으로 인해 달라질 수 있다.

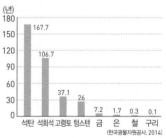

▲ 우리나라 주요 자원의 가채 연수

❷ 자원 민족주의

지역적으로 편재된 자원을 보유한 국가가 자국이 보유한 자원에 대한 권리를 강화하여 경제적 자립과 발전을 이루려는 경향을 말한다.

❸ 상동 광산

상동 광산은 한때 우리나라 수출액의 70%를 차지할 만큼 많은 텅스텐을 생산하였으나, 1980년대 중반부터 값싼 중국산 텅스텐에 밀려 1994년 생산이 중단되었다. 최근 텅스텐 수요 증가에 따라 가격이 상승하여 재생산을 위해 준비 중이다.

자료 01 [공통 자료] 자원의 의미와 분류

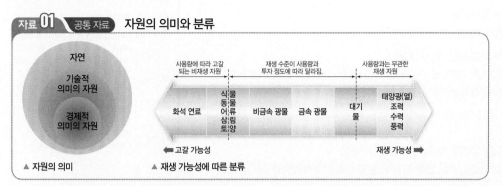

▲ 자원의 의미 　　　　▲ 재생 가능성에 따른 분류

자료 분석 | 자원은 자연물 중 개발 가능한 모든 것으로 현재의 기술로 개발 가능하며 채굴 비용보다 자원의 가치가 높아 경제성이 있는 것을 의미한다.
화석 연료는 오랜 화석화 과정을 거쳐 만들어지기 때문에 언젠가는 고갈되며, 태양력, 풍력 등은 비교적 공급이 무한하기 때문에 순환된다. 한편 금속·비금속 광물, 삼림, 대기 등은 자원 사용량과 투자 정도, 재활용 수준에 따라 재생 가능성이 달라진다.

● **교과서 자료 더 보기** ➕

| **편재성과 자원 민족주의** |

인구 성장과 산업의 발달로 자원 개발 및 소비가 크게 증가하면서 비재생 자원의 고갈 가능성이 커지고 있다. 주요 자원을 보유한 국가들은 자원의 공급을 제한하고, 고가(高價) 정책 등을 통해 자원 무기화 전략을 강화하고 있다. 영국은 2006년 유전 개발 기업에 대한 부가세율을 10%에서 20%로 인상하였고, 오스트레일리아는 자국에서 생산된 천연가스의 15%를 미래의 국내 소비를 위해 비축하는 정책을 시행하고 있다.

자료 02 주요 광물 자원의 지역별 생산 비중

석회석
기타 3.5
충북 25.5
총생산량 9,305만 톤 (2015년)
강원 71.0(%)

고령토
기타 3.9
전남 7.4
충남 9.5
경북 18.5
총생산량 162만 톤 (2015년)
강원 39.9(%)
경남 20.8(%)

철광석
충북 0.1
총생산량 45만 톤 (2015년)
강원 99.9(%)

(한국지질자원연구원)

자료 분석 | 남한에 매장된 금속 광물은 매장량이 적고 품위가 떨어져 경제적 가치가 낮은 편이지만, 비금속 광물은 비교적 매장량이 풍부하고 품위도 높아 개발이 이루어지고 있다. 석회석은 강원도 남부에서 충청북도 북동부에 이르는 고생대 조선 누층군 지역에 주로 분포하며, 매장량이 풍부하여 생산량도 많은 편이다. 고령토는 경상남도 하동, 산청 등에 주로 분포한다. 철광석은 주로 북한에 많이 매장되어 있으며, 남한에서는 강원도 양양, 홍천 등에 소량 매장되어 있어 강원도의 생산량 비중이 높게 나타난다.

● **교과서 자료 더 보기** ➕

| **주요 광물 자원의 분포** |

(한국광물자원공사, 2015)

우리나라에는 다양한 광물이 매장되어 있다. 석회석은 고생대 조선 누층군 지역에 주로 분포하며, 고령토는 경상남도 하동, 산청 등에 분포한다.

자료 03 [공통 자료] 우리나라의 1차 에너지 소비 구조 변화

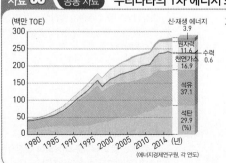

(에너지경제연구원, 각 연도)

자료 분석 | 2014년 기준 우리나라의 1차 에너지 소비 비중은 석유＞석탄＞천연가스＞원자력＞신·재생 에너지＞수력 순으로 나타난다. 가정용 연료로 이용되던 무연탄의 소비량은 감소했지만, 산업·발전용으로 이용되는 역청탄의 소비량이 늘어 전체적인 석탄 소비량은 증가하고 있다. 천연가스는 1990년대 이후 가정·상업용으로 소비가 급증하였다. 수력과 신·재생 에너지의 소비 비중은 다른 에너지 자원에 비해 매우 낮은 편이다.

● **교과서 탐구 풀이** ✎

Q 우리나라의 1차 에너지 소비 구조의 변화 특징을 설명해 보자.

A 우리나라의 총 에너지 소비는 빠르게 증가하고 있다. 1986년 천연가스가 도입된 이후 소비량이 급격히 증가하고 있으며, 최근에는 신·재생 에너지의 비중이 점차 증가하고 있다.

(2) 에너지 자원 [자료 04]

석탄	• 주로 산업용·발전용 원료로 이용 • 탄화 정도에 따라 무연탄, 역청탄, 갈탄으로 구분❹
석유	• 우리나라에서 소비량이 가장 많은 에너지 자원 • 국내 생산이 미미하여 수요량 대부분을 수입에 의존(사우디아라비아, 쿠웨이트 등에서 수입) • 주로 수송용 연료 및 석유 화학 공업의 원료로 이용
천연가스	• 동해-1 가스전❺에서 소량 생산되나 대부분 수입에 의존(카타르, 인도네시아 등 동남아시아 및 서남아시아) • 주로 가정용 연료로 이용, 발전용·수송용 이용도 증가 추세 • 연소 시 대기 오염 물질 배출이 적음, 냉동 액화 기술 및 수송 기술의 발달로 소비량 급증

3. 전력 생산 [자료 05]

화력 발전	• 장점: 건설 비용과 송전 비용이 저렴함. • 단점: 대기 오염 물질 및 온실가스 배출량이 많음, 화석 연료를 사용하여 연료비가 많이 듦. • 입지: 연료 수입에 유리하고 전력 소비가 많은 대소비지와 가까운 지역
원자력 발전	• 장점: 소량의 연료(우라늄)로 대량의 전기를 생산하여 발전 단가가 저렴함, 온실가스 배출량이 적음. • 단점: 건설 비용이 많이 들고 방사능 유출의 위험이 있으며, 방사성 폐기물의 처리 비용이 많이 듦. • 입지: 지반이 견고하고 냉각 용수를 획득하기 유리한 해안 지역
수력 발전	• 장점: 연료비가 거의 들지 않고 대기 오염 물질의 배출이 적음. • 단점: 입지 제약이 크며 기후 및 생태 환경에 미치는 영향이 큼, 송전 비용이 비싸고 안정적인 전력 생산이 어려움. └왜?┘ 댐 건설로 수몰 지역이 발생하기 때문임. • 입지: 유량이 풍부하고 낙차를 크게 얻을 수 있는 하천 중·상류 지역

3 자원 문제와 신·재생 에너지 [자료 06]

1. 자원 문제 자원 소비 급증 → 자원 고갈, 자원의 높은 해외 의존도❻, 자원 개발에 따른 환경 문제 등
└왜?┘ 산업 혁명 이후 인구 급증 및 생활 수준 향상 때문임.

2. 대책 자원의 효율적 이용, 안정적 확보, 지속 가능한 자원 이용
┌에너지 수입국 다변화, 해외 자원 개발 등
└신·재생 에너지

3. 신·재생 에너지 기존의 화석 연료를 재활용하거나 태양, 바람, 물 등 재생 가능한 에너지를 변환시켜 이용하는 차세대 에너지원

(1) **특징** 화석 연료가 안고 있는 고갈 문제와 환경 오염 문제에 대한 부담이 적으나 경제적 효율이 낮고 입지 제약이 큰 편임.

(2) **주요 신·재생 에너지의 입지**

풍력	바람이 강하고 지속적으로 부는 해안이나 산간, 도서 지역 ⑩ 대관령, 영덕, 제주 등
태양광	일조량이 풍부한 지역 ⑩ 신안, 진도 등
해양 에너지	• 조력 발전❼: 조수 간만의 차가 큰 만입부 ⑩ 서해안, 시화호 등 • 조류 발전❽: 바닷물의 흐름이 빠른 해협이나 좁은 수로 ⑩ 울돌목 등 • 파력 발전❾: 파도가 센 곳 ⑩ 제주 등

---

❹ 석탄의 종류별 특징

무연탄	• 주로 고생대 평안 누층군에 매장 • 과거 가정용 연료로 이용되었으나 가정용 연료의 변화, 석탄 산업 합리화 정책 등으로 생산량 감소
역청탄	• 제철 공업 및 발전용 원료로 이용 • 국내에서 생산되지 않음. → 오스트레일리아, 브라질 등지에서 전량 수입
갈탄	• 주로 신생대 지층에 분포 • 석탄 액화 공업용으로 이용

❺ 동해-1 가스전
대륙붕 탐사를 통해 1998년 울산광역시 남동쪽 해상 58km 지점에서 발견한 천연가스층으로 2004년부터 생산을 시작하였다. 2018년 현재 하루 평균 30만여 가구가 사용할 수 있는 천연가스와 2만여 대의 자동차를 운행할 수 있는 원유를 생산하고 있다.

❻ 우리나라 에너지 자원 수입 의존도

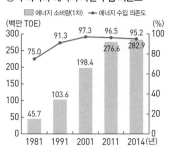

❼ 조력 발전
조수 간만의 차를 이용하여 발전하는 방식으로 조수 간만의 차가 큰 곳에 입지한다.

❽ 조류 발전
조류의 세기를 이용하여 발전하는 방식으로 조류의 흐름이 빠른 해협이나 좁은 수로에 입지한다.

❾ 파력 발전
파랑의 운동 에너지를 이용하여 발전하는 방식으로 파도가 센 곳에 입지한다.

자료 04 우리나라의 에너지 수입 및 소비 과정

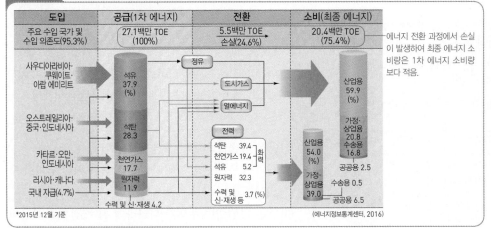

도입	공급(1차 에너지)	전환	소비(최종 에너지)
주요 수입 국가 및 수입 의존도(95.3%)	27.1백만 TOE (100%)	5.5백만 TOE 손실(24.6%)	20.4백만 TOE (75.4%)

에너지 전환 과정에서 손실이 발생하여 최종 에너지 소비량은 1차 에너지 소비량보다 적음.

사우디아라비아·쿠웨이트·아랍 에미리트

오스트레일리아·중국·인도네시아

카타르·오만·인도네시아

러시아·캐나다

국내 자급(4.7%)

석유 37.9 (%)
석탄 28.3
천연가스 17.7
원자력 11.9
수력 및 신·재생 4.2

정유
도시가스
열에너지
전력
석탄 39.4
천연가스 19.4 화력
석유 5.2
원자력 32.3
수력 및 신·재생 등 3.7 (%)

산업용 59.9 (%)
가정·상업용 20.8
수송용 16.8
공공용 2.5

산업용 54.0 (%)
가정·상업용 39.0
수송용 0.5
공공용 6.5

*2015년 12월 기준 (에너지정보통계센터, 2016)

자료 분석ㅣ 우리나라는 전체 에너지 소비 비중의 95.3%를 수입하고 있으며, 그중 소비량이 가장 많은 에너지 자원인 석유는 사우디아라비아, 아랍 에미리트, 쿠웨이트 등 서남아시아에 위치한 국가로부터의 수입 비중이 높다. 석유는 수송용, 천연가스는 가정·상업용, 석탄은 산업·발전용으로 주로 사용되고 있다.

자료 05 [공통 자료] 전력의 생산과 분포

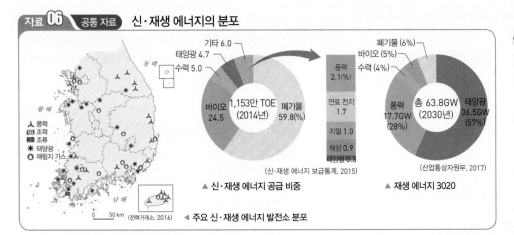

발전 설비 용량(천 kW)
5,000
1,000
100

◎ 수력 발전소
● 화력 발전소
● 원자력 발전소

(전력거래소, 2016)

각 시·도별로 어떤 발전 방식이 우세하게 나타나는지 비교해 두자.

자료 분석ㅣ 화력 발전은 입지 제약이 적은 편이나 연료 수입에 유리하고 전력 소비가 많은 대소비지와 가까운 곳에 위치한다. 우리나라의 화력 발전소는 수도권과 충남 서해안, 남동 임해 공업 지역에 주로 입지한다.

원자력 발전은 지반이 견고하고 냉각 용수를 획득하기 유리한 해안 지역에 입지하며, 우리나라는 울진, 경주(월성), 부산(고리), 영광에 원자력 발전소가 분포한다.

수력 발전은 유량이 풍부하고 낙차가 큰 곳에 입지하는데 우리나라의 한강, 낙동강, 금강 등과 같은 대하천의 중·상류 지역에 분포한다.

자료 06 [공통 자료] 신·재생 에너지의 분포

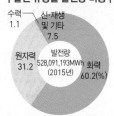

▲ 풍력))) 조력 ≋ 조류 ✹ 태양광 ⊙ 매립지 가스

(전력거래소, 2016)

◀ 주요 신·재생 에너지 발전소 분포

기타 6.0
태양광 4.7
수력 5.0
바이오 24.5
폐기물 59.8(%)
1,153만 TOE (2014년)

▲ 신·재생 에너지 공급 비중

풍력 2.1(%)
연료 전지 1.7
지열 1.0
해양 0.9
태양열 0.3

폐기물 (6%)
바이오 (5%)
수력 (4%)
풍력 17.7GW (28%)
태양광 36.5GW (57%)
총 63.8GW (2030년)

(신·재생 에너지 보급통계, 2015)

▲ 재생 에너지 3020

(산업통상자원부, 2017)

자료 분석ㅣ 2014년 기준 우리나라 총 에너지 소비량 중 신·재생 에너지가 차지하는 비중은 3.9%로 낮은 편이며, 그중에서도 폐기물 에너지를 가장 많이 이용하고 있다. 그러나 폐기물 에너지는 친환경과는 거리가 있어 앞으로는 풍력과 태양광 중심의 재생 에너지 비중을 높여 2030년까지 신·재생 에너지 발전 비중을 20%까지 늘리는 재생 에너지 3020 계획을 추진하고 있다.

● 교과서 자료 더 보기 +

ㅣ 지역별 최종 에너지 소비 구조 ㅣ

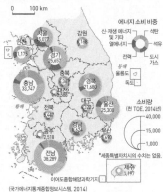

0   100 km

에너지 소비 비중
■ 신·재생 에너지 및 기타 ■ 석탄
■ 전력 ■ 도시가스

소비량 (천 TOE. 2014년)
40,000
15,000
1,000
*세종특별자치시의 수치는 없음.

(국가에너지통계종합정보시스템, 2014)

대부분의 시·도에서 석유의 소비 비중이 높게 나타나며, 대규모 화력 발전소가 입지한 충남과 제철 공업이 발달한 경북, 전남에서는 석탄 소비 비중이 높게 나타난다.

● 교과서 자료 더 보기 +

ㅣ 발전 유형별 발전량 비중 ㅣ

수력 1.1
신·재생 및 기타 7.5
원자력 31.2
화력 60.2(%)
발전량 528,091,193MWh (2015년)

(한국전력거래소, 2016)

2015년 기준 발전 유형별 발전량 비중을 살펴보면 화력＞원자력＞신·재생 에너지 및 기타＞수력 발전 순으로 높게 나타난다. 1차 에너지원별 발전량은 석탄＞원자력＞천연가스＞석유＞신·재생 에너지 및 기타＞수력 순으로 나타난다.

● 교과서 탐구 풀이 ✎

Q 풍력, 조력, 태양광 발전소의 입지 조건을 말해 보자.

A 풍력 발전은 연중 바람이 많이 부는 해안이나 산지에 입지하는 것이 유리하다. 조력 발전은 조수 간만의 차가 큰 곳에 입지하는 것이 유리하다. 태양광 발전은 일조량이 풍부한 곳에 입지하는 것이 유리하다.

1 자원의 의미와 분류

자원	인간에게 유용한 자연물 중에서 경제적·기술적으로 개발 가능한 것	
자원의 특성	(①)	자원의 가치는 기술적·경제적 수준, 문화적 배경에 따라 변화함.
	유한성	대부분의 자원은 매장량이 한정되어 있어 언젠가는 고갈됨.
	편재성	일부 자원은 특정 지역에 편중되어 분포함.
자원의 분류	의미에 따른 분류 — 좁은 의미	(②)
	의미에 따른 분류 — 넓은 의미	천연자원+인적 자원+사회적·문화적 자원
	재생 가능성에 따른 분류 — 재생 자원	사용량과 상관없이 고갈되지 않는 자원
	재생 가능성에 따른 분류 — 비재생 자원	매장량이 한정되어 있어 사용함에 따라 고갈되는 자원

2 자원의 분포와 이용

광물 자원	철광석	제철 공업의 원료, 주로 오스트레일리아, 브라질 등지에서 수입
	텅스텐	합금용 원료
	(③)	시멘트 공업의 원료, 제철 공업의 첨가물, 국내 매장량 및 생산량이 많은 편
에너지 자원	석탄	주로 산업용·발전용(역청탄, 갈탄)으로 이용
	석유	수송용 연료, 석유 화학 공업의 원료로 이용, 대부분 수입에 의존
	천연가스	가정·상업용 연료로 이용, 대부분 수입에 의존, 연소 시 대기 오염 물질 배출 적음.
전력 생산	화력	건설 비용 저렴, 대기 오염 물질 배출량 많음.
	(④)	발전 단가 저렴, 건설 비용 많이 듦, 방사능 유출 문제, 방사성 폐기물 처리 문제
	수력	높은 송전 비용, 대기 오염 물질 배출 적음.

3 자원 문제와 신·재생 에너지

자원 문제	자원 고갈, 높은 해외 의존도, 환경 문제 등
대책	자원의 효율적 이용, 안정적 확보, 지속 가능한 자원 이용
(⑤) 에너지	• 화석 연료를 재활용하거나 재생 가능한 에너지를 변환시켜 이용하는 에너지 ⑩ 풍력, 태양광 등 • 고갈 및 환경 오염 문제가 적으나 경제적 효율이 낮고 입지 제약이 큰 편임.

정답 ① 가변성 ② 천연자원 ③ 석회석 ④ 원자력 ⑤ 신·재생

01 다음 글의 ㉠~㉤에 대한 설명으로 옳지 <u>않은</u> 것은?

> 자원은 ㉠ 인간에게 효용 가치가 있는 자연물 중에서 기술적·㉡ 경제적으로 이용이 가능한 것을 말한다. 자원은 가변성, ㉢ 유한성, 편재성 등의 특성이 있다. 자원은 의미에 따라 좁은 의미의 자원과 ㉣ 넓은 의미의 자원으로, 재생 가능성에 따라 ㉤ 재생 자원과 비재생 자원으로 구분하기도 한다.

① ㉠은 기술적 의미의 자원에 해당한다.

② ㉡의 양은 자원의 가격과 기술 수준에 따라 변화할 수 있다.

③ ㉢은 자원 민족주의가 나타나게 된 배경으로 작용하였다.

④ ㉣에는 노동력, 기술 등의 인적 자원과 언어, 종교 등의 문화적 자원이 포함된다.

⑤ ㉤은 자원이 소비되는 속도보다 보충되는 속도가 빠르다.

02 다음 글에 나타난 자원의 변화를 표에서 찾아 옳게 나타낸 것은?

> 1995년 철광석 가격의 하락으로 폐광되었던 강원도 양양의 철광산이 2012년부터 다시 철광석을 생산하기 시작하였다. 양양 철광산은 매장량이 약 970만 톤에 달하고 평균 품위도 매우 우수한 편이다.

자원 재생 수준 \ 자원의 의미	기술적 의미의 자원	경제적 의미의 자원
사용함에 따라 고갈되는 재생 불가능 자원	A	B
사용량과 투자에 따라 재생 수준이 달라지는 자원	C	D
사용량과 무관한 재생 자원	E	F

① A → B
② B → A
③ C → D
④ D → C
⑤ E → F

03 그림은 재생 가능성에 따른 자원의 분류를 나타낸 것이다. (가)~(다) 자원에 대한 설명으로 옳지 <u>않은</u> 것은?

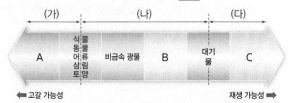

① (가)의 A는 석탄, 석유, 천연가스 등이 해당된다.
② (나)는 사용량과 투자 정도에 따라 재생 수준이 달라지는 자원이다.
③ (나)의 B는 구리, 철광석 등의 금속 광물이 해당된다.
④ (다)는 사용량과는 무관한 재생 자원이다.
⑤ (가) 자원은 (다)의 C 자원보다 이용 과정에서 대기 오염 물질 배출량이 적다.

04 그래프는 1차 에너지원별 발전량 변화를 나타낸 것이다. (가)~(다) 에너지로 옳은 것은?

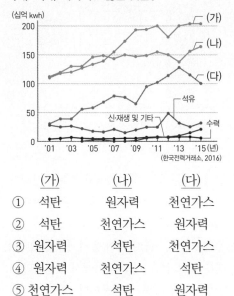

	(가)	(나)	(다)
①	석탄	원자력	천연가스
②	석탄	천연가스	원자력
③	원자력	석탄	천연가스
④	원자력	천연가스	석탄
⑤	천연가스	석탄	원자력

[05~06] 다음은 우리나라의 1차 에너지원별 소비량 변화를 나타낸 것이다. 이를 보고 물음에 답하시오.

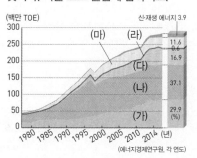

05 위 그래프의 (가)~(다) 에너지로 옳은 것은?

	(가)	(나)	(다)
①	석유	석탄	천연가스
②	석유	천연가스	석탄
③	석탄	석유	천연가스
④	석탄	천연가스	석유
⑤	천연가스	석유	석탄

06 위 그래프의 (가)~(마)에 대한 설명으로 옳은 것은?

① (가)는 우리나라에서 소비량이 가장 많은 에너지 자원이다.
② (나)는 (다)보다 연소 시 대기 오염 물질의 배출량이 적다.
③ (다)는 발전 후 폐기물 처리 비용이 많이 든다.
④ (라)는 입지에 지형적 제약이 크며, 안정적인 전력 생산이 어렵다.
⑤ (마)는 전력 소비가 많은 대소비지에 입지한다.

07 다음은 우리나라의 주요 에너지 자원의 수입국을 나타낸 것이다. 이에 대한 설명으로 옳지 <u>않은</u> 것은?

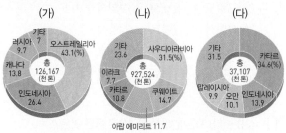

① (가)는 주로 산업용·발전용으로 이용된다.
② (나)는 화력 발전 중 가장 많이 소비되는 에너지원이다.
③ (다)는 1990년대 이후 소비가 급증하였다.
④ 우리나라는 에너지 자원의 수입 의존도가 높다.
⑤ 에너지 자원의 수입국을 다변화할 필요가 있다.

08 (가) 에너지 자원에 대한 옳은 설명을 〈보기〉에서 고른 것은?

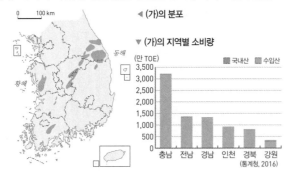

◀ (가)의 분포

▼ (가)의 지역별 소비량

(통계청, 2016)

┤ 보기 ├
ㄱ. 신생대 지층에 매장되어 있다.
ㄴ. 주로 수송용·가정용으로 소비된다.
ㄷ. 충남은 대규모 제철소와 화력 발전소가 입지하여 소비량이 많다.
ㄹ. 우리나라는 가정용 연료의 소비 구조 변화로 생산량이 감소하였다.

① ㄱ, ㄴ   ② ㄱ, ㄷ   ③ ㄴ, ㄷ
④ ㄴ, ㄹ   ⑤ ㄷ, ㄹ

[09~10] 다음은 우리나라 주요 광물 자원의 시·도별 생산량을 나타낸 것이다. 이를 보고 물음에 답하시오.

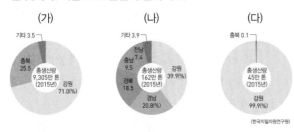

(한국지질자원연구원)

09 (가)~(다) 광물 자원으로 옳은 것은?

	(가)	(나)	(다)
①	고령토	석회석	철광석
②	고령토	철광석	석회석
③	석회석	고령토	철광석
④	석회석	철광석	고령토
⑤	철광석	고령토	석회석

10 (가)~(다) 자원에 대한 설명으로 옳은 것은?
① (가)는 시멘트 공업의 원료이다.
② (나)는 주로 고생대 조선 누층군에 매장되어 있다.
③ (다)는 대부분 도자기, 내화 벽돌의 원료로 이용된다.
④ (다)는 (가)보다 우리나라의 자급률이 높다.
⑤ (가), (나)는 금속 광물, (다)는 비금속 광물에 해당한다.

11 그래프는 에너지 생산량 상위 4개 지역의 에너지원별 생산량을 나타낸 것이다. (가)~(라)에 해당하는 지역을 지도의 A~D에서 고른 것은? (단, 수력을 제외한 신·재생 에너지 생산량은 제외함.)

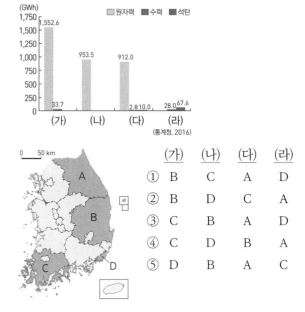

(통계청, 2016)

	(가)	(나)	(다)	(라)
①	B	C	A	D
②	B	D	C	A
③	C	B	A	D
④	C	D	B	A
⑤	D	B	A	C

12 그림은 우리나라의 1차 에너지 공급 및 소비 과정을 나타낸 것이다. 이에 대한 설명으로 옳지 않은 것은?

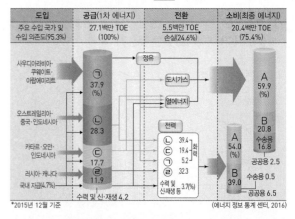

(에너지 정보 통계 센터, 2016)

① ㉠은 신생대 제3기 배사 구조에서 주로 생산된다.
② ㉡을 이용한 전력 생산량은 ㉢을 이용한 전력 생산량보다 많다.
③ ㉢은 동남아시아, 서남아시아 등지에서 수입한다.
④ ㉣은 대부분 서남아시아의 국가에서 수입한다.
⑤ A는 산업용, B는 가정·상업용이다.

13 (가), (나)에 해당하는 신·재생 에너지의 도별 발전량 비중을 〈보기〉에서 고른 것은?

> (가) 태양의 빛 에너지를 전기 에너지로 바꿔 주는 태양 전지를 이용한 발전이다. 일사량이 풍부한 지역의 개발 잠재력이 높다.
>
> (나) 과거에는 돛을 단 배들이 대양을 항해하는 데 이용하였다. 발전소의 입지는 지형적 장애가 적은 넓은 평원이나 해안가, 산지에서는 능선부가 상대적으로 유리하다.

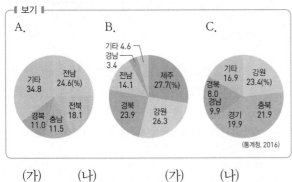

	(가)	(나)		(가)	(나)
①	A	B	②	A	C
③	B	A	④	B	C
⑤	C	A			

14 다음 신문 기사와 같은 노력에 대한 설명으로 옳지 <u>않은</u> 것은?

> **△△신문**
>
> 2014년 기준 우리나라 총 에너지 소비량 중 신·재생 에너지가 차지하는 비중은 3.9%로 낮은 편이며, 그 중에서도 폐기물 에너지를 가장 많이 이용하고 있다. 그러나 폐기물 에너지는 친환경과는 거리가 있어 앞으로는 풍력과 태양광 중심의 재생 에너지 비중을 높여 2030년까지 신·재생 에너지 발전 비중을 20%까지 늘리는 '재생 에너지 3020' 계획을 추진하고 있다.

① 화석 연료 소비를 줄일 수 있다.
② 자원 고갈 및 환경 오염에 대한 부담이 적다.
③ 효율성이 낮고 입지 제약이 크다는 단점이 있다.
④ 지속 가능한 에너지 자원을 확보하려는 노력이다.
⑤ 초기 투자 비용이 많이 들기 때문에 중요성이 점차 감소하고 있다.

15 다음은 발전 양식별 발전 설비 용량을 나타낸 것이다. 이를 보고 물음에 답하시오.

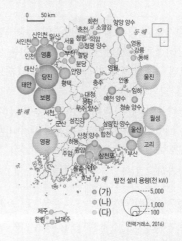

(1) (가)~(다)의 발전 양식을 쓰시오.

(2) (나) 발전소가 수도권 및 충남 해안 지역에 집중 분포하는 이유를 서술하시오.

16 그래프는 우리나라 1차 에너지 소비량 변화를 나타낸 것이다. 이를 보고 물음에 답하시오.

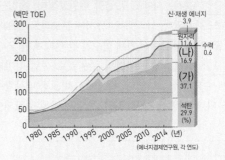

(1) (가), (나) 자원을 쓰시오.

(2) (가)와 비교한 (나)의 특징을 두 가지 서술하시오.

01 | 수능 기출 |
(가), (나)에 나타난 자원의 유형 변화를 표에서 찾아 옳게 나타낸 것은?

(가) 철광 수요 증가에 따라 국제 거래 가격이 상승하면서 ○○ 광산의 철광석 채굴이 재개되었다. 이는 톤당 80달러였던 국제 철광석 가격이 최근 160달러로 상승하면서 나타난 현상이다.

(나) 태양광은 전력 생산에 시험적으로만 이용되었다. 그러나 기술 개발과 대규모 투자 등으로 발전 비용이 낮아져 태양광을 이용한 전력 생산과 거래가 최근 급격히 증가하고 있다.

자원 재생 수준 \ 자원의 의미	경제적 의미의 자원	기술적 의미의 자원
사용으로 고갈되는 재생 불가능 자원	A	B
재생 수준이 가변적인 자원	C	D
사용량과 무관한 재생 가능한 자원	E	F

	(가)	(나)
①	B → A	F → E
②	C → D	E → F
③	C → D	F → E
④	D → C	E → F
⑤	D → C	F → E

02 | 평가원 기출 |
다음 글의 (가)~(다) 자원에 대한 옳은 설명만을 〈보기〉에서 있는 대로 고른 것은?

• ___(가)___ 은/는 백색을 띠거나 정제 후 백색을 갖게 되는 점토 광물이다. 주로 도자기 및 내화 벽돌, 종이, 화장품의 원료로 이용되며, 산청과 합천 등지에 분포한다.

• ___(나)___ 은/는 시멘트 공업의 주원료이며, 제철 공업에서도 사용된다. 삼척, 단양 등지에 분포하고 있으며, 우리나라의 자원 중에서 가채 연수가 긴 편에 속한다.

• ___(다)___ 은/는 제철 공업의 주원료로 산업이 발달하면서 수요가 급증하였다. 북한에는 비교적 매장량이 풍부하며, 남한에는 양양, 홍천, 충주 등지에 매장되어 있다.

| 보기 |
ㄱ. (나)는 주로 고생대 평안 누층군에 분포한다.
ㄴ. (가)는 (나)보다 연간 국내 생산량이 많다.
ㄷ. (나)는 (다)보다 수입 의존도가 낮다.
ㄹ. (가), (나)는 비금속 광물, (다)는 금속 광물에 해당한다.

① ㄱ, ㄴ   ② ㄴ, ㄷ   ③ ㄷ, ㄹ
④ ㄱ, ㄴ, ㄹ   ⑤ ㄴ, ㄷ, ㄹ

03 | 신유형 |
그래프는 지도에 표시된 네 지역의 신·재생 에너지 생산량을 나타낸 것이다. 이에 대한 옳은 설명만을 〈보기〉에서 있는 대로 고른 것은? (단, A~C는 수력, 풍력, 태양광 중 하나임.)

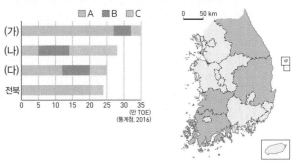

| 보기 |
ㄱ. A의 생산량은 봄철이 겨울철보다 많다.
ㄴ. B 발전소의 입지는 유량이 풍부하고 낙차가 큰 곳이 유리하다.
ㄷ. A는 C보다 주간과 야간의 발전량 차이가 크다.
ㄹ. (가)는 전남, (나)는 강원, (다)는 경북이다.

① ㄱ, ㄴ   ② ㄷ, ㄹ   ③ ㄱ, ㄴ, ㄷ
④ ㄱ, ㄷ, ㄹ   ⑤ ㄴ, ㄷ, ㄹ

04 | 수능 기출 |
다음 그래프의 (가)~(다)는 지도에 표시된 세 지역의 1차 에너지원별 공급량을 나타낸 것이다. 이에 대한 설명으로 옳지 않은 것은? (단, A~C는 석유, 석탄, 천연가스 중 하나임.)

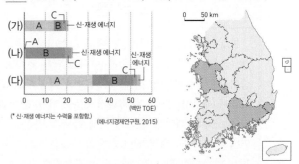

① 경남은 충남보다 1차 에너지원별 공급량에서 석탄이 차지하는 지역 내 비중이 작다.
② A는 제철 공업의 주요 연료로 이용된다.
③ B는 울산의 1차 에너지원별 공급량에서 가장 큰 비중을 차지한다.
④ C는 B보다 가정용으로 이용되는 비중이 크다.
⑤ 발전에 이용되는 1차 에너지의 비중은 A>C>B 순이다.

| 딱풀 p. 37

05 | 평가원 응용 |

그래프는 지도에 표시된 세 지역의 1차 에너지원별 공급량을 나타낸 것이다. 이에 대한 설명으로 옳지 <u>않은</u> 것은? (단, A~C는 석유, 원자력, 천연가스 중 하나임.)

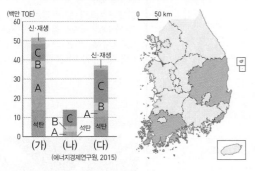

(에너지경제연구원, 2015)

① (가)에서 A의 공급량이 많은 주된 이유는 대규모 석유화학 단지가 입지하고 있기 때문이다.

② 1차 에너지원별 공급량에서 원자력이 차지하는 지역 내 비중이 가장 높은 지역은 부산이다.

③ A는 B보다 수송용으로 많이 이용된다.

④ C 발전소는 냉각수 확보에 유리한 해안 지역에 입지한다.

⑤ 우리나라의 1차 에너지 소비 구조에서 차지하는 비중은 B가 가장 높다.

06 | 평가원 응용 |

그래프는 우리나라의 1차 에너지에 관한 것이다. (가)~(라)에 대한 설명으로 옳지 <u>않은</u> 것은?

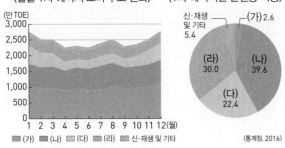

〈월별 1차 에너지 소비 구조 변화〉 〈1차 에너지별 발전량 비중〉

(통계청, 2016)

① (가)는 주로 수송용 및 화학 공업의 원료로 이용된다.

② (나)는 정부 정책과 에너지 소비 구조 변화로 생산량이 감소하였다.

③ (다)를 이용한 발전은 대기 오염 물질의 배출량은 적지만, 발전소 입지는 제한적이다.

④ (라)를 이용한 발전소는 호남 지방보다 영남 지방에 많다.

⑤ (나)를 이용한 발전량은 (가)를 이용한 발전량보다 많다.

07 | 수능 응용 |

그래프는 1차 에너지 A~D의 전국 대비 권역별 생산 비중을 나타낸 것이다. A~D에 대한 설명으로 옳지 <u>않은</u> 것은? (단, A~D는 수력, 무연탄, 원자력, 천연가스 중 하나임.)

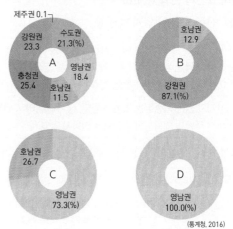

(통계청, 2016)

① B는 주로 평안 누층군에서 채굴된다.

② C를 이용하는 발전소는 주로 해안에 입지한다.

③ A는 D보다 우리나라 1차 에너지 소비 구조에서 차지하는 비중이 높다.

④ B는 D보다 대기 오염 물질 배출량이 많다.

⑤ C는 D보다 상용화된 시기가 이르다.

08 | 평가원 응용 |

그림은 우리나라의 에너지 도입에서 소비에 이르는 과정을 나타낸 것이다. 이에 대한 옳은 설명을 〈보기〉에서 고른 것은?

도입	공급(1차 에너지)	전환	소비(최종 에너지)
주요 수입 국가 및 수입 의존도(95.3%)	27.1백만 TOE (100%)	5.5백만 TOE 손실(24.6%)	20.4백만 TOE (75.4%)

*2015년 12월 기준 (에너지 정보 통계 센터, 2016)

┤ 보기 ├

ㄱ. 석유와 A는 주로 오세아니아에서 수입한다.

ㄴ. B는 A보다 여름과 겨울의 공급량 변화 폭이 크다.

ㄷ. 석탄은 1차 에너지에서 차지하는 비중보다 전력 생산에서 차지하는 비중이 높다.

ㄹ. ㉠은 가정·상업용, ㉡은 수송용이다.

① ㄱ, ㄴ   ② ㄱ, ㄷ   ③ ㄴ, ㄷ

④ ㄴ, ㄹ   ⑤ ㄷ, ㄹ

02 농업의 변화와 농촌 문제

1 농업의 변화

1. 농업의 입지 요인과 변화 자료 01

(1) 자연적 요인 전통적 농업 입지에 영향

기후	• 무상 일수❶ → 작물의 생육 기간에 영향을 줌. • 최한월 평균 기온 → 작물 재배의 북한계 결정 • 여름철 고온 다습한 계절풍 기후 → 벼농사 발달
지형	• 산지가 많은 북동부는 밭농사 발달, 남서부 평야 지역은 벼농사 발달 • 하천 주변의 범람원을 중심으로 벼농사 발달

(2) 사회·경제적 요인 산업화 및 도시화로 오늘날 사회·경제적 요인의 영향력이 더욱 커짐.

교통의 발달	대도시 주변에서 이루어지던 원예 농업과 낙농업이 전국적으로 확대됨.
시장 조건의 변화	• 도시 인구 증가 및 소득 향상, 식생활 변화 → 원예 작물 수요 증가 • 농업 시장 개방 등 국가 농업 정책의 변화
영농 기술의 발달	• 농산물 수확량 증가, 품종의 다양화, 과학적 영농 가능 • 자연적 제약 조건 완화❷ → 시설 재배 증가 _{유리 온실 또는 비닐하우스와 같은 시설을 이용하여 재배하는 방식}

2. 농촌 및 농업 구조의 변화 자료 01 자료 02

(1) 인구 변화 산업화에 따른 이촌 향도 현상으로 농촌의 청장년층 인구 유출 → 노년층 인구 비중 증가, 유소년층 인구 비중 감소

(2) 경지 변화

① 전체 경지 면적 감소 산업화 및 도시화로 농경지가 주택, 공장, 도로 등으로 전환

② 농가 1호당 경지 면적 증가 경지 면적의 감소보다 인구 감소 속도가 더 빠르기 때문

③ 경지 이용률❸ 감소 노동력 부족으로 휴경지 증가 및 그루갈이❹ 감소 때문

(3) 영농 방식의 변화

① 영농의 다각화와 상업화 식생활의 변화로 곡물 소비 감소, 원예 작물 및 축산물 수요 증가 → 자급적 농업에서 상업적 농업으로 전환

② 영농의 기계화 노동력 부족 문제 해결 및 노동 생산성 향상

③ 영농의 기업화 영농 규모가 확대되면서 영농 조합, 위탁 영농 회사 등의 증가 _{일손이 부족한 농가의 일을 대신해 주는 회사}

④ 시설 재배의 증가 대도시 근교 지역을 중심으로 상품 작물 재배 증가

3. 주요 농·축산물의 생산과 변화 자료 03

구분	특징
쌀	• 다수확 품종 개발, 수리 시설 확충, 재배 기술 발달 → 자급률이 매우 높음. • 식생활 변화로 소비 감소, 시장 개방 → 재배 면적 감소
맥류	• 벼의 그루갈이 작물로 주로 남부 지방에서 재배 • 식생활 변화와 수익성 감소 → 재배 면적과 생산량 감소
원예 작물	• 식생활 변화, 소득 증대, 교통 발달 → 재배 면적 증가 • 근교 농업 지역: 시설 재배를 통해 집약적으로 재배함. • 원교 농업 지역: 기후 조건이 유리하고 교통이 발달한 지역에서는 노지 재배❺가 이루어짐.
축산물	• 식생활 변화로 육류와 낙농 제품 수요 증가 → 상업적·기업적 형태로 발전 • 목축업: 제주도와 대관령 등지에 대규모 육우 단지 조성 • 낙농업: 과거에는 대도시 주변에 집중하였으나, 최근 교통의 발달로 고속 국도를 따라 확대됨.

---

❶ **무상 일수**

일 년 중 서리가 내리지 않는 일수로, 일반적으로 남에서 북으로 갈수록 해안에서 내륙으로 갈수록 짧아진다. 무상 일수가 길수록 생육 기간이 긴 작물을 재배할 수 있다.

❷ **식물 공장**

식물이 자라는 데 필요한 온도, 빛, 습도 등의 환경을 인공적으로 만들어 건물 안에서 자연환경에 구애받지 않고 연중 농작물을 안정적으로 생산할 수 있는 시설을 말한다.

고득점을 위한 셀파 Tip

농촌 및 농업 구조의 변화

인구 변화	• 전체 농가 인구 감소 • 노년층 인구 비중 증가 • 유소년층 인구 비중 감소
경지 변화	• 전체 경지 면적 감소 • 농가 1호당 경지 면적 증가 • 경지 이용률 감소
영농 방식의 변화	• 영농의 다각화·상업화 • 영농의 기계화 • 시설 재배 증가

❸ **경지 이용률**

전체 경지 면적에 대해 일 년 동안 실제로 농작물을 재배한 면적의 비율을 말한다.

❹ **그루갈이**

한 해에 같은 땅에서 다른 종류의 농작물을 두 번 농사짓는 것을 말한다.

❺ **노지 재배**

노지는 지붕 따위로 덮거나 가리지 않은 땅으로, 자연적인 조건에서 농사짓는 재배 방식을 말한다.

자료 01 시도별 작물 재배 면적 비중

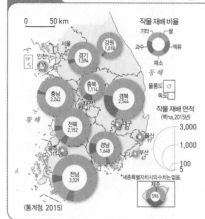

(통계청, 2015)

자료 분석 | 서울과 광역시는 2·3차 산업이 발달하여 작물 재배 면적이 좁은 반면, 경기, 충남, 경북, 전북, 전남은 작물 재배 면적이 대체로 넓은 편이다.

벼는 제주를 제외한 전국에서 고르게 재배되지만 평야가 넓은 충남, 전북, 전남 등지에서 특히 생산량이 많다. 맥류는 주로 벼의 그루갈이 작물로 재배되기 때문에 겨울철 기후가 온화한 전북, 전남, 경남에서 주로 재배된다. 과수는 연 강수량이 적어 일사량이 풍부한 경북과 기반암인 현무암의 영향으로 벼농사가 거의 이루어지지 않는 제주에서 상대적으로 비중이 높게 나타난다.

교과서 자료 더 보기

| 시설 작물 재배 면적 |

(통계청, 2016)

수도권과 영남권의 대도시 및 대도시 주변 지역을 중심으로 상업적 성격의 시설 작물 재배 면적 비율이 높게 나타난다.

> 농가 인구의 변화와 경지 면적의 변화를 연관 지어 알아 두자!

자료 02 [공통 자료] 농촌 및 농업 구조의 변화

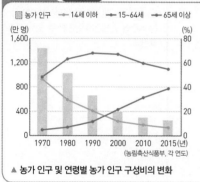

▲ 농가 인구 및 연령별 농가 인구 구성비의 변화

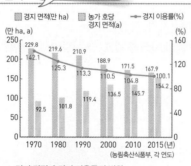

▲ 경지 면적과 경지 이용률의 변화

자료 분석 | 산업화와 도시화의 영향으로 농가 인구와 경지 면적은 꾸준히 감소하고 있으며, 농가 인구가 경지 면적보다 빠르게 감소하기 때문에 농가 1호당 경지 면적은 점차 증가하고 있다. 또한 이촌 향도 현상으로 청장년층 인구가 유출됨에 따라 65세 이상 인구 비중은 증가하는 반면, 유소년층 인구 비중은 감소하는 추세를 보이고 있다.

교과서 탐구 풀이

Q 농가 호당 경지 면적이 증가하고 있는 이유를 농가 인구 변화와 관련지어 설명해 보자.

A 총 경지 면적이 감소하고 있음에도 농가 호당 경지 면적이 증가하고 있는 이유는 경지 면적의 감소 폭보다 농가 인구의 감소 폭이 더 크기 때문이다.

자료 03 작물별 재배 비중 변화

	쌀	맥류	특용 작물	채소·과실	기타 식량 작물	기타
1975년 (314만 ha)	38.7	24.2		17.6	10.1	6.1 / 3.3
1985년 (259만 ha)	47.7	9.3	11.6	17.2	9.5	4.7
1995년 (220만 ha)	48.1	9.1	4.1	22.5	11.6	4.6
2005년 (192만 ha)	51.0	10.0	3.2	20.2	12.2	3.4
2015년 (168만 ha)	46.2	8.0	5.4	24.9	12.9	2.6

(통계청, 각 연도)

자료 분석 | 우리나라 전체 작물 재배 면적은 1975년에 314만 ha에서 2015년에 168만 ha로 크게 감소하였다. 작물별로 살펴보면 쌀의 재배 면적 비중은 모든 시기에 가장 높은데, 이는 우리나라의 주식이 쌀이기 때문이다. 맥류는 1975년에 비해 재배 면적 비중이 크게 감소한 반면, 채소와 과수의 비중은 크게 증가하였다. 이는 식생활의 변화로 영농의 다각화와 상업화가 진행되었기 때문이다.

교과서 자료 더 보기

| 1인당 연간 농산물 소비량의 변화 |

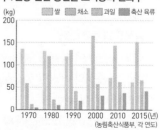

(농림축산식품부, 각 연도)

경제 수준의 향상으로 식생활이 변화하면서 1인당 연간 쌀 소비량은 지속적으로 감소하고 있으나, 1인당 연간 채소, 과일, 축산물의 소비량은 대체로 증가하고 있다.

2 농촌 및 농업 문제

1. 농업 생산 기반 약화 농업 인구 감소, 경지 면적 감소 → 농업 노동력의 부족 및 고령화 → 농산물 생산량 감소 → 농업 경쟁력 약화

2. 복잡한 유통 구조❻

(1) **농산물 유통 비용** 소비자가 구매하는 농산물의 가격에서 농산물의 생산 비용을 제외한 비용

(2) **복잡한 유통 구조** 유통 경로가 복잡할수록 유통 비용 증가 → 소비자의 부담 증가, 농부의 근로 의욕 감소

3. 환경 오염 유발

(1) **농약, 화학 비료 사용** 수질 오염, 토양 오염 등 발생

(2) **농업용 자재 사용** 비닐 하우스 등 농업용 자재 사용에 따른 폐기물 발생

4. 농산물 시장 개방 자료04 자료05

(1) **배경** 세계무역기구(WTO)의 출범과 자유 무역 협정(FTA)의 체결 → **농산물 시장 개방 확대**
   └ 2004년 한·칠레 자유 무역 협정(FTA)을 시작으로 활발히 추진됨.

(2) **국내 농산물의 가격 경쟁력 약화**

① 값싼 해외 농산물 수입 선진국의 공장식 농장에서 생산되거나 개발 도상국의 저렴한 노동력으로 생산된 값싼 농산물과 국내 농산물이 경쟁하게 됨.

② 우리나라 농업의 불리한 여건 영세한 영농 규모, 불안정한 가격, 복잡한 유통 구조 등

(3) **농산물의 해외 의존도 증가** 쌀을 제외한 주요 식량 작물의 자급률 감소 → 식량 안보 위협❼

3 농업 문제의 해결 방안

1. 농업의 가치 발견

(1) **농업에 대한 전통적 인식** 먹을거리 생산 기능 → 공업·서비스업과 비교하여 경제성이 낮은 산업으로 인식

(2) **농업에 대한 인식 전환** 환경 및 생태계 보전 기능, 전통문화의 계승, 휴양·레저 공간 제공 기능 등 다양한 기능 수행 → 자연환경을 관리하면서 경제적 이익을 얻을 수 있는 잠재적 가치를 가진 유망 산업으로 인식

▲ 농업의 다양한 기능

2. 농업 경영의 다각화 농산물 생산-가공-유통 연계, 체험 관광, 지역 농업 클러스터❽ 조성, 경관 농업 등
   └ 농촌의 자연환경과 농업 환경으로 어우러진 경관을 관광객에게 제공하는 것

3. 농산물의 고급화

(1) **농산물의 브랜드화**

① 의미 농산물에 상표를 붙여 이미지를 형성하고 다른 상품과 차별화하는 전략

② 효과 고품질의 안전한 농산물을 생산하여 소비자의 신뢰 확보 및 농산물의 경쟁력 향상

(2) **지리적 표시제** 자료06

① 의미 농산물 및 그 가공품의 명성, 품질, 특성 등이 해당 지역의 지리적 특성에서 기인하는 경우 생산지의 이름을 상표권으로 인정해 주는 제도

② 효과 농산물에 대한 신뢰 향상, 홍보 효과를 통한 수익 창출, 지역의 문화유산 보존 등

(3) **친환경 농산물 재배** 수입 농산물과 차별화 및 환경을 위한 유기농·친환경 농산물 재배
   └ 우리나라에서는 국립농산물품질관리원에서 유기농, 무농약, 무항생제 농·축산물에 대한 인증 제도를 실시하고 있음.

---

❻ 주요 농·축산물 유통 비용

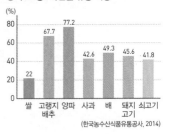
(한국농수산식품유통공사, 2014)

2014년 우리나라의 농산물 가격에서 유통 비용이 차지하는 비율은 평균 40%를 넘는 것으로 나타났다.

❼ 식량 안보

국민의 생존을 보장하고 건강하게 일상생활을 영위하는 데 필요한 안전하고 영양가 있는 식량에 언제든지 접근할 수 있는 상태를 말한다.

고득점을 위한 셀파 Tip

농업 문제의 해결 방안

농업의 가치 발견	먹을거리 생산 기능 외에 다양한 기능 수행
농업 경영의 다각화	• 체험 관광 • 지역 농업 클러스터 조성
농산물의 고급화	• 농산물 브랜드화 • 지리적 표시제 • 친환경 농산물 재배

❽ 지역 농업 클러스터

일정 지역에 특화된 농산물의 생산, 유통, 가공 등과 관련된 주체를 중심으로 기업, 대학 및 연구 기관, 정부 기관 등이 네트워크를 통해 지역 농업을 혁신하는 농산업 혁신체를 말한다.

자료 04 공통 자료 주요 곡물의 자급률

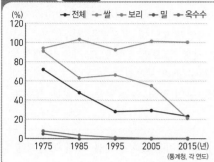

(통계청, 각 연도)

자료 분석 | 우리나라는 쌀을 제외한 주요 곡물의 자급률이 낮은 편이다. 특히 밀과 옥수수는 국내 소비량의 대부분을 수입에 의존하고 있다. 전체 곡물의 자급률은 1975년에 73%였지만 2015년에는 약 23%로 감소하였다. 국제 경쟁력이 상대적으로 낮은 우리나라의 농산물은 여러 가지 어려움을 겪고 있으며, 식량 작물의 자급률 감소로 식량 안보가 위협받고 있다.

자료 05 농산물 시장 개방의 영향

긍정적 영향
2016년 상반기 경기도의 농식품 수출액이 총 6억 314만 달러로 작년 동기 대비 35% 증가한 것으로 집계되었다. 수산물 수출이 2배 이상 늘었고, 임산물은 40% 증가율을 기록하였다. 신선 농산물도 28% 성장하였는데 인삼은 홍콩과 일본에서, 김치는 미국과 오스트레일리아 등에서 괄목할 만한 신장세를 보였다. 특히 자유 무역 협정이 발효 중인 국가와의 거래에서 돋보이게 성장한 점은 주목할 만하다.   –『기호일보』, 2016. 8. 2. –

부정적 영향
한중 자유 무역 협정이 발효되면 수출 기회는 확대되겠지만, 값싼 농수산물이 대거 유입되면서 그로 인한 농수산 분야의 생산 감소 피해가 예상된다. 대외경제정책연구원 등 6개 연구 기관이 발표한 한중 자유 무역 협정 영향 평가 결과를 보면 자유 무역 협정 발효 후 20년간 예상되는 농림·수산 분야 피해액은 농림업 1,540억 원, 수산업 2,080억 원 등 총 3,620억 원이다.   –『연합뉴스』, 2015. 11. 30.–

자료 분석 | 농산물 시장 개방에 따른 영향은 긍정적인 측면과 부정적인 측면이 동시에 존재한다. 농산물 시장 개방의 긍정적인 영향으로는 해외로 시장이 확대됨에 따라 농가 소득이 증가할 수 있다는 것이다. 반면 부정적 영향으로는 값싼 수입산 농산물의 유입으로 우리 농산물의 가격 경쟁력이 약화될 뿐만 아니라 나아가 수입산 농산물에 의해 시장이 지배될 수도 있다는 것이다. 특히 우리나라의 농업은 영농 규모가 영세하고 노동 생산성이 낮은 편이어서 농산물 시장의 개방에 따른 부정적 영향을 더 많이 받고 있다.

자료 06 공통 자료 지리적 표시제

보성 녹차는 2002년에 지리적 표시제 제1호 농산물로 등록되었음.

◀ 지리적 표시 농산물 분포
◀ 지리적 표시제 인증 마크
◀ 충주 사과
◀ 횡성 한우
◀ 순창 고추장

자료 분석 | 지리적 표시제는 농산물 및 특산물의 품질 및 부가 가치 향상과 전문화를 통해 값싼 외국산 농산물과의 경쟁에서 우위 확보, 수익 창출 등을 기대하고 있다. 지리적 표시제로 등록되기 위해서는 농산물이 특정 지역에서 생산되어 널리 알려져야 하며, 특정 지역의 자연환경이 해당 농산물의 품질에 영향을 미쳤음을 입증할 수 있어야 한다. 또한 해당 농산물의 생산과 가공이 그 지역 내에서 이루어져야 한다.

교과서 자료 더 보기 +

| 외국 농산물 수입액 변화 |

(통계청, 각 연도)

농산물 시장 개방이 확대됨에 따라 값싼 외국산 농산물이 대량 수입되고 있다.

교과서 탐구 풀이

Q 농산물 시장 개방이 우리 농업에 미치는 영향을 설명해 보자.

A 농산물 시장의 개방으로 우리나라의 농산물을 더 넓은 해외 시장에 판매할 수 있게 되었고 우리나라 소비자들은 저렴한 가격으로 해외에서 생산된 농산물을 쉽게 접할 수 있게 되었다. 그러나 값싼 수입산 농산물이 대거 유입되어 우리나라 농산물의 가격 경쟁력과 생산 기반이 약화되었다.

1 농업의 변화

농촌 및 농업 구조의 변화	인구 변화	청장년층 인구 유출 → 전체 농가 인구 감소, 노년층 인구 비중 증가, 유소년층 인구 비중 감소
	경지 변화	산업화·도시화로 경지 면적 감소, 농가 1호당 경지 면적 (❶), 경지 이용률 감소
	영농 방식의 변화	시설 재배 증가, 영농의 기계화, 영농의 다각화 및 상업화
주요 작물의 생산과 변화	쌀	• 자급률 높음. • 식생활 변화로 소비 및 재배 면적 감소
	맥류	• 벼의 (❷) 작물 • 식생활 변화로 소비 및 재배 면적 감소
	원예 작물	• 식생활 변화, 소득 증대, 교통 발달로 소비 증대 • 근교 농업 지역은 (❸) 재배, 원교 농업 지역은 노지 재배
	축산물	식생활 변화로 수요 증대 → 상업적·기업적 목축업 발달

2 농촌 및 농업 문제

농업 생산 기반 약화	농업 노동력 부족 및 고령화 → 농산물 생산량 감소 → 농업 경쟁력 약화
복잡한 유통 구조	• 복잡한 유통 경로 → 농산물 가격에서 (❹) 비용이 차지하는 비중이 높음. • 소비자 부담 증가, 농부의 근로 의욕 저하
환경 오염	• 비료 사용 등에 따른 토양 및 수질 오염 • 농업용 자재 사용에 따른 폐기물 발생
농산물 시장 개방	• 값싼 외국산 농산물 수입으로 국내 농산물의 경쟁력 약화 • 농산물 해외 의존도 증가 → 식량 자급률 감소

3 농업 문제의 해결 방안

농업의 가치 발견	먹을거리 생산 기능 이외의 다양한 기능 수행
농업 경영의 다각화	생산-가공-유통 연계, 체험 관광 연계 등
농산물의 고급화	• 농산물 브랜드화: 다른 상품과 차별화를 위해 농산물에 상표를 붙임. • (❺): 농산물 및 그 가공품이 지리적 특성에 기인하는 경우, 생산지 이름에 상표권을 부여하는 제도 • 친환경 농산물 재배

정답 ❶ 증가 ❷ 그루갈이 ❸ 시설 ❹ 유통 ❺ 지리적 표시제

01 다음 글의 밑줄 친 ㉠~㉤에 대한 설명으로 옳지 <u>않은</u> 것은?

> 농업은 자연적 요인과 사회·경제적 요인에 따라 입지가 달라진다. 자연적 요인에는 ㉠ 기온, 강수량, ㉡ 무상 일수, 일사량, 지형, ㉢ 토양 등이 있고, 사회·경제적 요인에는 ㉣ 농산물 소비 시장의 규모, 시장과의 접근성, 소비자의 기호, 농업 정책, 영농 기술, ㉤ 교통, 통신 등이 있다.

① ㉠에서 강수량이 기온보다 농작물 재배 북한계에 더 큰 영향을 미친다.

② ㉡은 서리가 내리지 않는 기간으로 농작물의 생육 가능 기간에 해당된다.

③ ㉢에서 배수가 불량한 토양은 밭보다는 논으로 많이 이용된다.

④ ㉣은 도시화율이 상승하면서 확대되었다.

⑤ ㉤의 발달로 대도시와 먼 지역에서도 원예 농업이 발달하였다.

02 그래프는 경지 면적과 경지 면적에서 차지하는 시설 재배 면적 비율 변화를 나타낸 것이다. 이에 대한 옳은 설명만을 〈보기〉에서 있는 대로 고른 것은?

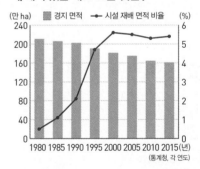

(통계청, 각 연도)

| 보기 |

ㄱ. 2000년보다 2015년의 시설 작물 재배 면적이 넓다.

ㄴ. 1980년 대비 2015년의 경지 면적은 20% 이상 감소하였다.

ㄷ. 농업 입지에서 사회·경제적 요인의 중요성이 커지고 있다.

ㄹ. 1980~1995년이 1995~2015년보다 시설 재배 면적의 증가율이 높다.

① ㄱ, ㄴ　　　② ㄴ, ㄹ　　　③ ㄷ, ㄹ

④ ㄱ, ㄴ, ㄷ　　　⑤ ㄴ, ㄷ, ㄹ

[03~04] (가)~(다) 지도를 보고 물음에 답하시오.

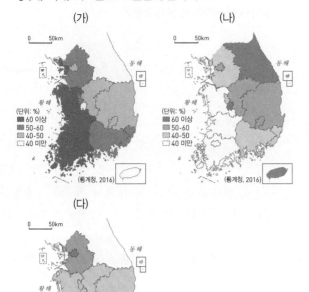

(가)
(나)
(다)

03 (가)~(다) 지도의 제목으로 옳은 것은? (단, 모든 비율은 전체 경지 면적에서 차지하는 비율을 의미함.)

	(가)	(나)	(다)
①	논 면적 비율	밭 면적 비율	시설 재배 면적 비율
②	논 면적 비율	시설 재배 면적 비율	밭 면적 비율
③	밭 면적 비율	논 면적 비율	시설 재배 면적 비율
④	밭 면적 비율	시설 재배 면적 비율	논 면적 비율
⑤	시설 재배 면적 비율	논 면적 비율	밭 면적 비율

04 (다) 지도에 나타난 농업에 대한 설명으로 옳지 않은 것은?

① 상업적 농업 중심이다.
② 곡물 생산량 증가에 이바지한다.
③ 농가의 소득을 올리는 데 이바지한다.
④ 기후의 제약을 극복하는 농업 방식이다.
⑤ 대도시 근교 지역에서 주로 이루어진다.

05 다음은 우리나라의 농촌 및 농업 구조의 변화에 대해 정리한 내용 중 일부이다. ㉠~㉤ 중 옳지 않은 것은?

◎ 농업 구조 변화
○ 인구 변화: ㉠ 전체 농가 인구와 농가 1호당 인구가 모두 감소함.
○ 경지 변화
　- ㉡ 경지 면적과 농가 1호당 경지 면적이 모두 감소함.
　- ㉢ 휴경지 증가와 그루갈이 감소로 경지 이용률이 낮아짐.
○ 영농 방식 변화
　- 영농의 기계화로 노동력 부족 문제가 완화되고 노동 생산성이 높아짐.
　- ㉣ 영농 규모 확대로 영농 조합, 위탁 영농 회사 증가
　- ㉤ 농산물 소비 구조 변화로 자급적 농업 중심에서 상업적 농업 중심으로 변화함.

① ㉠　　② ㉡　　③ ㉢　　④ ㉣　　⑤ ㉤

06 그래프는 경지 면적과 경지 이용률의 변화를 나타낸 것이다. 이에 대한 옳은 설명만을 〈보기〉에서 있는 대로 고른 것은?

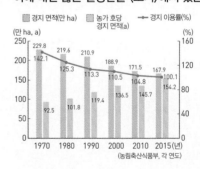

┤보기├
ㄱ. 1970~2015년에 경지 면적 감소율이 경작 면적 감소율보다 높다.
ㄴ. 1970~2015년에 농가 호수 감소율이 경지 면적 감소율보다 높다.
ㄷ. 경지 이용률이 감소한 주요 원인은 휴경지 증가 및 그루갈이 감소이다.
ㄹ. 경지가 도로, 공장 용지, 주택 용지 등으로 이용되면서 경지 면적이 감소하였다.

① ㄱ, ㄴ　　② ㄱ, ㄹ　　③ ㄱ, ㄴ, ㄷ
④ ㄱ, ㄷ, ㄹ　　⑤ ㄴ, ㄷ, ㄹ

07 지도는 시·도별 작물 재배 현황을 나타낸 것이다. (가)~(다) 작물로 옳은 것은?

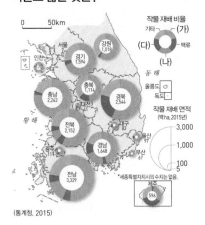

(통계청, 2015)

	(가)	(나)	(다)
①	과수	채소	쌀
②	과수	쌀	채소
③	채소	과수	쌀
④	쌀	채소	과수
⑤	쌀	과수	채소

08 지도의 (나) 지역과 비교한 (가) 지역의 상대적 특징을 그림의 A~E에서 고른 것은?

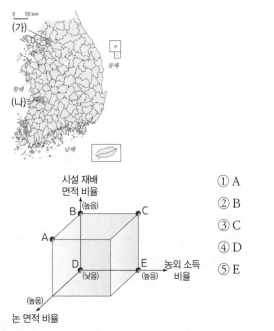

시설 재배 면적 비율

① A
② B
③ C
④ D
⑤ E

09 그래프는 세 작물의 권역별 생산량 비중을 나타낸 것이다. (가)~(라) 권역으로 옳은 것은?

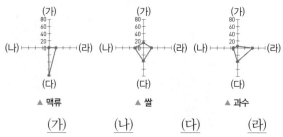

▲ 맥류   ▲ 쌀   ▲ 과수

	(가)	(나)	(다)	(라)
①	영남권	충청권	수도·강원권	호남·제주권
②	영남권	수도·강원권	호남·제주권	충청권
③	수도·강원권	영남권	충청권	호남·제주권
④	수도·강원권	충청권	호남·제주권	영남권
⑤	호남·제주권	수도·강원권	충청권	영남권

10 그래프는 도별 주요 작물의 생산량 비중을 나타낸 것이다. 이에 대한 옳은 설명만을 〈보기〉에서 있는 대로 고른 것은? (단, (가)~(다)는 쌀, 과수, 맥류 중 하나이며, A~C는 전남, 제주, 충남 중 하나임.)

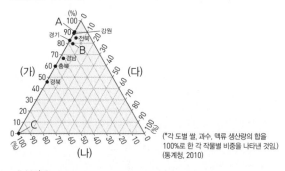

(*각 도별 쌀, 과수, 맥류 생산량의 합을 100%로 한 각 작물별 비중을 나타낸 것임.)
(통계청, 2010)

┤ 보기 ├
ㄱ. (다)는 소득 수준의 향상으로 1인당 소비량이 증가하고 있다.
ㄴ. (가)는 (나)보다 총생산량이 많다.
ㄷ. A는 충남, B는 전남, C는 제주이다.
ㄹ. B에서 (다)는 (가)를 재배하는 지역에서 주로 재배된다.

① ㄱ, ㄴ　　　② ㄴ, ㄷ　　　③ ㄴ, ㄹ
④ ㄱ, ㄷ, ㄹ　　　⑤ ㄴ, ㄷ, ㄹ

11 그래프의 (가)~(다) 지역을 지도의 A~C에서 고른 것은?

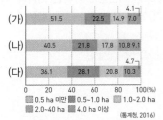

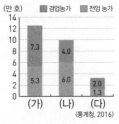

▲ 경지 면적 규모별 농가 수 비중　　▲ 도별 농가 수

	(가)	(나)	(다)
①	A	B	C
②	A	C	B
③	B	A	C
④	B	C	A
⑤	C	A	B

12 (가), (나)에 대한 설명으로 옳지 <u>않은</u> 것은?

> (가) 농지에 같은 품종의 작물을 심어 가꾼 아름다운 농촌 경관을 도시민들이 보고 즐기도록 하는 농업
> (나) 상품의 품질, 명성, 특성 등이 근본적으로 특정 지역에서 시작될 때, 그 지역을 원산지로 하는 상품임을 표시하는 제도

① (가)는 농업 구조를 다각화하는 방법에 해당한다.
② (가)의 사례로 '전북 고창의 청보리 재배'를 들 수 있다.
③ (나)를 통해 농산물의 경쟁력을 높일 수 있다.
④ (나)의 사례로 '전남 보성의 녹차'를 들 수 있다.
⑤ (가)는 지리적 표시제, (나)는 경관 농업에 대한 내용이다.

13 다음 그래프를 보고 우리나라 주요 곡물 자급률의 특징을 서술하시오.

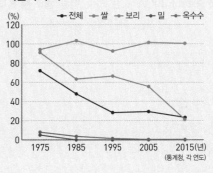

14 그래프는 경지 면적과 경지 이용률 변화를 나타낸 것이다. 이를 보고 물음에 답하시오.

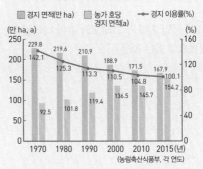

(1) 경지 이용률이 감소하는 이유를 서술하시오.

(2) 경지 이용률이 감소하고 있음에도 농가 호당 경지 면적이 증가하는 이유를 서술하시오.

01 | 수능 기출 |
다음 자료에 대한 설명으로 옳은 것은? (단, (가)~(다)는 강원, 전남, 충북 중 하나이며, A~C는 과수, 맥류, 채소 중 하나임.)

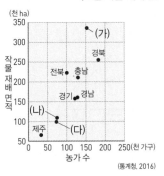

〈도별 작물 재배 면적과 농가 수〉

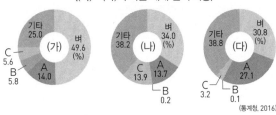

〈(가)~(다)의 작물 재배 면적 비중〉

(통계청, 2016)

① (가)는 전남, (나)는 강원이다.
② 농가당 작물 재배 면적은 (다)가 (가)보다 넓다.
③ (가)~(다) 중 채소 재배 면적은 전남이 가장 넓다.
④ 도내 과수 재배 면적 비중은 강원이 충북보다 높다.
⑤ 도내 맥류 재배 면적 비중은 충북이 전남보다 높다.

02 | 신유형 |
다음 세 지역의 농업 지표가 그래프와 같이 나타날 때, A~C에 들어갈 항목으로 옳은 것은?

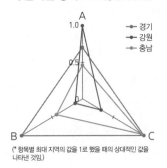

(* 항목별 최대 지역의 값을 1로 했을 때의 상대적인 값을 나타낸 것임)

	A	B	C
①	밭 면적 비중	젖소 사육 농가 수	시설 작물 재배 농가 수
②	밭 면적 비중	시설 작물 재배 농가 수	젖소 사육 농가 수
③	젖소 사육 농가 수	밭 면적 비중	시설 작물 재배 농가 수
④	젖소 사육 농가 수	시설 작물 재배 농가 수	밭 면적 비중
⑤	시설 작물 재배 농가 수	밭 면적 비중	젖소 사육 농가 수

03 | 신유형 |
그래프는 주요 작물의 도별 생산량을 나타낸 것이다. 이에 대한 옳은 설명만을 〈보기〉에서 있는 대로 고른 것은?

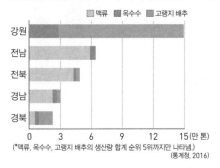

(*맥류, 옥수수, 고랭지 배추의 생산량 합계 순위 5위까지만 나타냄.)
(통계청, 2016)

| 보기 |
ㄱ. 고랭지 배추는 맥류보다 생산량의 편재성이 크다.
ㄴ. 고랭지 배추 재배 시 우선적으로 고려되는 것은 대도시와의 접근성이다.
ㄷ. 옥수수는 여름철 기온이 높고 강수량이 많은 평야 지역에서 주로 재배된다.
ㄹ. 맥류는 벼농사가 활발하고 겨울철 기온이 상대적으로 높은 곳에서 생산량이 많다.

① ㄱ, ㄴ
② ㄱ, ㄹ
③ ㄱ, ㄴ, ㄹ
④ ㄱ, ㄷ, ㄹ
⑤ ㄴ, ㄷ, ㄹ

04 | 평가원 응용 |
그래프에 대한 옳은 설명을 〈보기〉에서 고른 것은? (단, (가)~(라)는 경북, 전북, 충남, 제주 중 하나이며, A~C는 과수, 맥류, 쌀 중 하나임.)

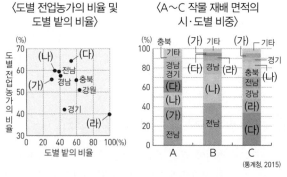

〈도별 전업농가의 비율 및 도별 밭의 비율〉 〈A~C 작물 재배 면적의 시·도별 비중〉

(통계청, 2015)

| 보기 |
ㄱ. 경지 면적 중 논의 비율은 전북이 충남보다 높다.
ㄴ. 논의 비율이 가장 높은 곳은 쌀 재배 면적도 가장 넓다.
ㄷ. 밭의 비율이 가장 높은 도는 과수 생산량이 두 번째로 많다.
ㄹ. 겸업농가의 비율이 가장 낮은 도는 과수 생산량이 가장 많다.

① ㄱ, ㄴ
② ㄱ, ㄹ
③ ㄴ, ㄷ
④ ㄴ, ㄹ
⑤ ㄷ, ㄹ

05 (가)~(다)에 해당하는 농업 관련 지표로 옳은 것은?

(단위: %)

지역	(가)	(나)	(다)
경기	13.6	4.8	57.9
경북	16.0	33.4	35.6
전북	8.9	6.1	40.1

(*겸업농가 비율은 해당 지역 내이고, 과수 재배 면적 비율과 농가 인구 비율은 전국 대비임.) (통계청, 2015)

	(가)	(나)	(다)
①	겸업농가 비율	과수 재배 면적 비율	농가 인구 비율
②	과수 재배 면적 비율	겸업농가 비율	농가 인구 비율
③	과수 재배 면적 비율	농가 인구 비율	겸업농가 비율
④	농가 인구 비율	겸업농가 비율	과수 재배 면적 비율
⑤	농가 인구 비율	과수 재배 면적 비율	겸업농가 비율

| 수능 기출 |

06 그래프는 각 도의 작물별 재배 면적 비중을 나타낸 것이다. A~C에 해당하는 지역으로 옳은 것은? (단, (가)~(다)는 과수, 벼, 채소 중 하나임.)

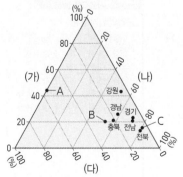

(*각 도의 세 작물 재배 면적의 합을 100%로 하여 작물별 재배 면적 비중을 나타낸 것임.) (통계청, 2015)

	A	B	C
①	경북	제주	충남
②	경북	충남	제주
③	제주	경북	충남
④	제주	충남	경북
⑤	충남	경북	제주

07 표의 (가)~(다)에 해당하는 지역을 지도의 A~C에서 고른 것은?

지역	농가 수(호)	겸업농가 비율(%)	총 경지 면적 대비 밭 면적 비율(%)
(가)	146,481	40.0	39.5
(나)	117,225	56.2	46.5
(다)	72,811	44.7	62.2

(통계청, 2017)

	(가)	(나)	(다)
①	A	B	C
②	A	C	B
③	B	A	C
④	B	C	A
⑤	C	A	B

| 수능 응용 |

08 그래프는 (가), (나) 두 지역의 농업 현황을 나타낸 것이다. (가)와 비교한 (나)의 상대적 특성에 대한 적절한 추론을 〈보기〉에서 고른 것은?

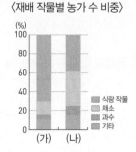

〈경지 규모별 농가 수 비중〉 〈재배 작물별 농가 수 비중〉

┤ 보기 ├
ㄱ. 평균 지가가 높을 것이다.
ㄴ. 겸업농가의 비중이 낮을 것이다.
ㄷ. 농가당 경지 규모가 작을 것이다.
ㄹ. 시설 작물의 재배 비중이 낮을 것이다.

① ㄱ, ㄴ   ② ㄱ, ㄷ   ③ ㄴ, ㄷ
④ ㄴ, ㄹ   ⑤ ㄷ, ㄹ

03 공업의 발달과 지역 변화

V. 생산과 소비의 공간

1 우리나라 공업의 발달과 특징

1. 시기별 공업 발달 과정 [자료 01]

1960년대	풍부한 저임금 노동력을 바탕으로 노동 집약적 경공업 발달 ⑩ 섬유, 신발, 의류 등
1970년대~1980년대	정부 주도의 중화학 공업 육성 정책을 바탕으로 자본 집약적 중화학 공업 발달 ⑩ 제철, 석유 화학, 조선 등
1990년대 이후	• 기술·지식 집약적 첨단 산업 발달 ⑩ 반도체, 전자 기기, 신소재 등 • 탈공업화❶로 제조업 비중 점차 감소

2. 우리나라 공업의 특징 [자료 02]

공업 구조의 고도화	노동 집약적 경공업 → 자본 집약적 중화학 공업 → 기술·지식 집약적 첨단 산업
공업의 지역적 편재	정부 주도의 수출 지향 정책으로 성장 잠재력이 큰 수도권과 영남권에 산업 시설 집중 → 다른 지역과 성장 격차가 크게 벌어져 국토 성장의 불균형 초래
공업의 이중 구조	공업 발달 과정에서 정부의 지원이 대기업에 집중됨. → 사업체 비중은 중소기업이 높지만 생산액 비중은 대기업이 높음. ─대기업이 중소기업보다 노동 생산성이 큼.
원료의 높은 해외 의존도	원료 또는 반제품을 수입하여 완제품을 만든 후 다시 수출하는 가공 무역❷ 발달 → 임해 지역에서 발달 ─천연자원이 부족한 국가에서 주로 이루어짐.

왜? 원료의 수입과 제품의 수출에 유리하기 때문임.

2 공업의 입지 요인과 입지 유형

1. 공업의 입지 요인

(1) **공업의 입지** 공업이 특정한 장소에 자리 잡는 것, 이윤을 최대화하기 위해 최소 비용 지점 또는 최대 이윤 지점에 입지

(2) **공업의 입지 요인** ─생산비에 영향을 주는 요소: 원료비, 노동비, 운송비, 집적 이익 등
① 과거 생산비에서 운송비가 차지하는 비중이 큼. → 운송비가 저렴한 곳에 입지
② 최근 교통의 발달로 생산비에서 운송비가 차지하는 비중 감소 → 정부 정책, 소비자 요구, 환경 등 다양한 요인 고려

2. 공업의 입지 유형 [자료 03]

구분	특징	사례
원료 지향형	• 제조 과정에서 원료의 무게나 부피가 감소하는 공업 • 원료의 부패나 변질이 쉬운 공업	시멘트, 통조림
시장 지향형	• 제조 과정에서 제품의 무게나 부피가 증가하는 공업 • 제품이 변질·파손되기 쉽거나 소비자와의 잦은 접촉이 필요한 공업	가구, 인쇄, 음료
적환지❸ 지향형	무게나 부피가 큰 원료를 해외에서 수입하고 제품을 수출하는 공업	제철, 정유
노동 지향형	생산비에서 노동비가 차지하는 비중이 큰 공업	섬유, 전자 조립
집적 지향형	• 한 가지 원료에서 다양한 제품을 생산하는 계열화된 공업 • 제품 생산에 많은 부품이 필요한 조립형 공업	석유 화학, 자동차
입지 자유형	고부가 가치 첨단 산업	반도체, 정보 통신

---

❶ 탈공업화
산업 구조가 고도화되면서 경제 전체에서 2차 산업이 차지하는 비중이 감소하고 3차 산업의 비중이 증가하는 현상이다.

❷ 우리나라의 수출 규모 및 무역 의존도

가공 무역이 발달한 우리나라는 1960년에 비해 수출 규모가 크게 성장하였으나, 무역 의존도가 높아 해외 경기 변동에 따라 수출이 크게 좌우되기도 한다.

고득점을 위한 셀파 Tip

공업의 입지 유형

원료 지향형	시멘트, 통조림
시장 지향형	가구, 인쇄, 음료
적환지 지향형	제철, 정유
노동 지향형	섬유, 전자 조립
집적 지향형	석유 화학, 자동차
입지 자유형	반도체, 정보 통신

❸ 적환지
운송 수단이 바뀌는 지점으로 항만은 육상 교통과 해상 교통 간의 교차 지점이며, 공항은 육상 교통과 항공 교통 간의 교차 지점이다.

자료 01 [공통 자료] 우리나라 공업 구조의 변화

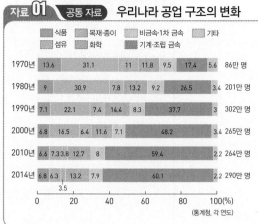

범례: ■ 식품 ■ 목재·종이 ■ 비금속·1차 금속 ■ 기타
■ 섬유 ■ 화학 ■ 기계·조립 금속

연도	구성비	종사자 수
1970년	13.6 / 31.1 / 11 / 11.8 / 9.5 / 17.4 / 5.6	86만 명
1980년	9 / 30.9 / 7.8 / 13.2 / 9.2 / 26.5 / 3.4	201만 명
1990년	7.1 / 22.1 / 7.4 / 14.4 / 8.3 / 37.7 / 3	302만 명
2000년	6.8 / 16.5 / 6.4 / 11.6 / 7.1 / 48.2 / 3.4	265만 명
2010년	6.6 / 7.3 / 3.8 / 12.7 / 8 / 59.4 / 2.2	264만 명
2014년	6.8 / 6.3 / 3.5 / 13.2 / 7.9 / 60.1 / 2.2	290만 명

0 20 40 60 80 100(%)
(통계청, 각 연도)

◀ 공업 구조와 종사자 수의 변화

자료 분석 | 1960년대에는 식품, 섬유와 같은 노동 집약적 경공업이 발달하였고, 1970～1980년대에는 기계, 금속·비금속, 석유 화학과 같은 자본 집약적 중화학 공업이 발달하였다. 1990년 이후에는 첨단 산업이 발달하여 우리나라의 공업 구조가 노동 집약적 경공업에서 자본 및 기술 집약적 공업으로 전환되는 공업 구조의 고도화가 나타났다.

● 교과서 자료 더 보기

| 시기별 주요 수출 품목의 변화 |

구분	1위	2위	3위
1960년	철광석	텅스텐	생사
1970년	섬유	합판	가방
1980년	의류	철강 제품	신발
1990년	의류	반도체	신발
2000년	반도체	컴퓨터	자동차
2015년	반도체	자동차	선박 해양 구조물

(한국무역협회, 각 연도)

자료 02 [공통 자료] 우리나라 공업의 특징

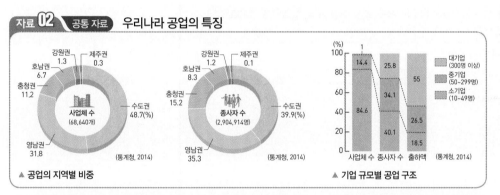

사업체 수 (68,640개): 강원권 1.3 / 제주권 0.3 / 호남권 6.7 / 충청권 11.2 / 영남권 31.8 / 수도권 48.7(%)

종사자 수 (2,904,914명): 강원권 1.2 / 제주권 0.1 / 호남권 8.3 / 충청권 15.2 / 영남권 35.3 / 수도권 39.9(%)

기업 규모별 공업 구조: 대기업(300명 이상) / 중기업(50～299명) / 소기업(10～49명)
- 사업체 수: 14.4 / 1 / 84.6
- 종사자 수: 25.8 / 34.1 / 40.1
- 출하액: 55 / 26.5 / 18.5
(통계청, 2014)

▲ 공업의 지역별 비중 ▲ 기업 규모별 공업 구조

(통계청, 2014)

자료 분석 | 우리나라는 투자의 효율성이 크고, 산업 기반 시설이 확충되어 있는 수도권과 영남권에 사업체와 종사자의 약 70% 이상이 집중해 있어 공업이 지역별로 불균등하게 발달하였다.
정부는 초기 공업화 과정에서 대기업 중심의 수출 정책을 추진하였다. 이 때문에 대기업의 사업체 수 비중은 약 1%에 불과하지만 출하액의 절반 이상을 차지하는 공업의 이중 구조가 나타난다.

● 교과서 탐구 풀이

Q 자료를 통해 알 수 있는 우리나라 공업 구조의 문제점을 파악해 보자.

A 사업체 수와 종사자 수가 수도권 및 영남권에 70% 이상 집중되어 있어 국토 성장의 불균형 문제가 발생하였다. 또한 소수의 대기업이 높은 종사자 수와 출하액 비중을 차지하고 있어 공업의 이중 구조가 나타난다.

자료 03 [공통 자료] 주요 공업의 입지

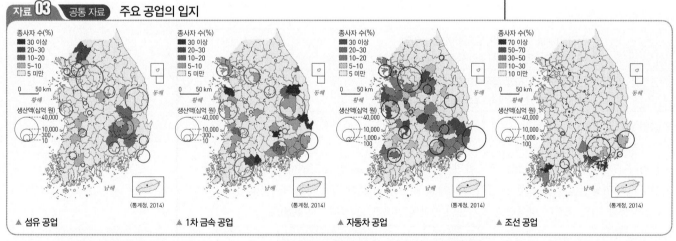

▲ 섬유 공업 ▲ 1차 금속 공업 ▲ 자동차 공업 ▲ 조선 공업

(각 지도: 통계청, 2014)

자료 분석 | 섬유 공업은 생산비에서 노동비가 차지하는 비중이 높으므로 수도권, 대구 등 시장이 넓고 노동력이 풍부한 지역에 입지한다.
1차 금속 공업은 무게나 부피가 큰 원료를 해외에서 수입하고, 제품의 일부를 수출하므로 항만 발달에 유리한 포항, 광양, 당진 등에 입지한다.
자동차 공업은 다양한 부품을 모아 조립하는 생산 공정을 거치기 때문에 관련 업체들이 밀집해 있는 곳에 입지하며, 울산, 아산, 광주 등에서 생산액이 많다.
조선 공업은 주원료가 철강이고 주문형 생산 방식으로 제작하며 해외 수주율이 높다. 완제품의 특성상 해안가에 입지하기 때문에 울산, 거제, 목포, 영암 등에서 생산액이 많다.

3 공업 지역의 형성과 변화

1. 우리나라의 주요 공업 지역 〔자료 04〕

공업 지역	특징
수도권 공업 지역	• 우리나라 최대의 종합 공업 지역 • 풍부한 노동력과 자본, 넓은 소비 시장, 편리한 교통, 오랜 전통 등 공업 발달에 유리 • 과도한 집적으로 집적 불이익 발생 → 공업 분산 정책, 공장 총량제 실시
태백산 공업 지역	• 풍부한 지하자원을 바탕으로 원료 지향형 공업 발달 ⑩ 시멘트 공업 • 교통이 불편하고 소비 시장과 거리가 멀어 공업 비중이 낮은 편임.
충청 공업 지역	• 수도권과 인접하고 도로 및 철도 교통이 편리 • 정부의 공업 분산 정책 → 수도권의 공장 이전 • 해안 지역(서산, 당진)에 중화학 공업 발달, 내륙 지역(대전)에 첨단 산업 발달
호남 공업 지역	대중국 교역 증가, 서해안 개발 및 국토 균형 발전 → 제2의 임해 공업 지역으로 성장할 가능성이 큼.
영남 내륙 공업 지역	편리한 육상 교통과 풍부한 노동력을 바탕으로 섬유, 전자 조립 등 노동 집약적 경공업 발달 → 최근 업종의 첨단화로 변모
남동 임해 공업 지역	• 우리나라 최대의 중화학 공업 지역④ • 원료 수입과 제품 수출에 유리한 항만을 중심으로 적환지 지향형 공업 발달

2. 공업 지역의 변화와 주민 생활

(1) 공업 입지의 변화 요인

① 변화 요인 국가 공업 정책, 교통·통신의 발달, 생산 요소의 중요성 변화 등
⎿산업 단지 조성, 지역 균형 개발 사업 등
② 집적 이익과 집적 불이익

집적 이익	• 연관 업체들끼리 가까이 입지하여 얻는 이익 • ⑩ 원료의 공동 구입, 시설의 공동 이용, 새로운 정보의 교환 등
집적 불이익	• 한 지역에 과도하게 집적하여 발생하는 불이익 • ⑩ 지가 상승, 용수 부족, 교통 혼잡, 환경 오염 등

(2) 공업 입지의 변화

① 공업 지역의 집중과 분산

• 공업 구조가 첨단 산업 중심으로 고도화됨. → 서울을 중심으로 한 수도권에 첨단 산업 집중⑤
• 수도권과 영남권에 공업 집중 → 집적 불이익 발생 → 공업 분산 정책 추진
② 공간적 분업 기업 조직이 성장하면서 기능의 공간적 입지가 분리되는 것 〔자료 05〕

본사	경영·관리 기능 담당: 자본과 정보 획득에 유리한 대도시 핵심 지역에 입지
연구소	연구 개발 기능 담당: 고급 인력 확보에 유리한 대학이나 연구소 밀집 지역에 입지
생산 공장	생산 기능 담당: 저임금 노동력 확보에 유리한 지방이나 개발 도상국에 입지

(3) 공업 지역의 변화와 주민 생활 〔자료 06〕

① 공업 지역의 발전 일자리 창출에 따른 인구 증가, 기반 시설 확충 → 지역 경제 활성화
② 공업 지역의 쇠퇴 고용 기회 감소에 따른 실업률 증가로 인구 유출 → 지역 경제 침체

우리나라의 주요 공업 지역

수도권 공업 지역	우리나라 최대의 공업 지역
태백산 공업 지역	원료 지향형 공업 발달
충청 공업 지역	육상 교통의 요지, 수도권 공업 분산
호남 공업 지역	대중국 교역에 유리
영남 내륙 공업 지역	노동 집약적 경공업 발달
남동 임해 공업 지역	우리나라 최대의 중화학 공업 지역

④ 남동 임해 공업 지역의 공업 발달

울산	자동차, 조선, 석유 화학
포항	제철
거제	조선
창원	기계, 금속
광양	제철
여수	석유 화학

⑤ 첨단 산업의 입지 조건
첨단 산업은 고급 기술 인력을 구하기 쉽고, 연구 개발 시설에 접근하기 좋으며, 지식 및 정보 관련 기반 시설이 잘 갖추어진 곳을 선호한다. 우리나라에서 이러한 조건을 갖춘 곳은 서울을 비롯한 수도권이며 그 집중도가 점차 증가하고 있다.

자료 **04** 공통 자료 우리나라 주요 공업 지역

자료 분석 | 우리나라는 지역마다 입지 조건이 다르기 때문에 각 지역의 특성에 맞는 공업이 발달하였으며, 정부의 정책과 지원으로 형성된 곳이 대부분이다. 1960년대 공업 발달 초기에는 저렴한 노동력이 풍부한 수도권 공업 지역과 영남 내륙 공업 지역을 중심으로 섬유, 식품 공업이 발달하였다. 1970~1980년대에는 원료 수입과 제품 수출에 유리한 남동 임해 지역을 중심으로 중화학 공업이 발달하였다. 1990년대 이후에는 지역적 불균형을 해소하기 위해 충청 지역과 호남 지역의 해안을 중심으로 새로운 공업 지역을 조성하였다.

교과서 자료 더 보기 **＋**

| 연구 개발 특구 |

연구 개발 특구는 생산 기능을 담당하는 기업, 연구 개발 기능을 담당하는 대학과 연구소, 지원 기능을 담당하는 기관이 한곳에 모여 정보와 지식을 공유함으로써 집적 이익을 극대화하는 산업 집적지이다.

자료 **05** 기업의 성장에 따른 공간적 분업

▲ 단일 공장 기업에서 다국적 기업으로의 성장 과정

자료 분석 | 교통·통신 기술이 발달하고 경제 활동이 세계화되면서 기업 경영 활동의 공간적 범위가 확대되었다. 기업 활동 초기에는 관리 및 경영, 연구, 생산 기능이 한 장소에 입지하는 단일 공장 중심이었으나, 규모가 확대되면서 기능에 따라 입지가 다양하게 분리되었다. 경영·관리 기능을 맡은 본사는 핵심 지역에 남아 있으며, 연구 개발 기능은 고급 연구 인력이 풍부한 지역으로 이전한다. 생산 기능은 저렴한 노동력 확보에 유리하거나 제품에 대한 수요가 많은 지역으로 이전한다.

교과서 자료 더 보기 **＋**

| H사의 공간적 분업 |

다국적 기업인 H사의 국내 공간적 분업을 살펴보면, 본사와 연구 개발 기능은 수도권에 입지하며, 생산 기능은 지방에 입지한다.

자료 **06** 공업 지역의 변화

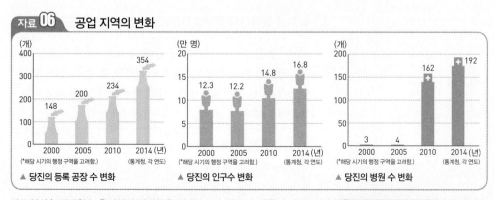

▲ 당진의 등록 공장 수 변화

▲ 당진의 인구수 변화

▲ 당진의 병원 수 변화

교과서 자료 더 보기 **＋**

| 구로 공업 단지의 변화 |

우리나라 최초의 국가 산업 단지인 구로 공업 단지는 1960년대 섬유, 봉제 산업 등의 노동 집약적 경공업이 발달했던 지역이었다. 그러나 1980년대 후반에 지가 및 인건비 상승 등으로 기존 산업이 쇠퇴하면서 침체기를 겪게 되었고, 이와 같은 문제를 해결하기 위해 1997년에 구로 산업 단지 첨단화 계획을 수립하여 2000년에 정보 통신 벤처타운이 집적된 서울 디지털 산업 단지로 탈바꿈하였다.

자료 분석 | 평범한 농촌이었던 당진군은 서해안 고속 국도가 개통되고, 2004년 제철소가 입지하면서 변화하기 시작하였다. 이후 부설 연구소와 연관 기업이 잇달아 들어서면서 인구가 꾸준히 증가하여 2012년에는 시로 승격되었다. 공업의 발달과 함께 병원, 음식점 등 편의 시설도 증가하여 지역 경제가 활성화되었다.

1 우리나라의 공업 발달과 특징

시기별 공업 발달	• 1960년대: 노동 집약적 경공업 • 1970~1980년대: 자본 집약적 중화학 공업 • 1990년대 이후: 기술·지식 집약적 첨단 산업
특징	• 공업 구조의 고도화 • 공업의 지역적 편재: 수도권과 영남권에 산업 시설 집중 → 국토 성장의 불균형 • 공업의 (❶): 사업체 수 및 종사자 수는 중소기업 비중이 높으나 생산액은 대기업 비중이 높음. • 원료의 높은 해외 의존도: (❷) 발달

2 공업의 입지 유형

원료 지향형	• 제조 과정에서 원료의 무게나 부피가 감소하는 공업 • 원료의 부패나 변질이 쉬운 공업
시장 지향형	• 제조 과정에서 제품의 무게나 부피가 증가하는 공업 • 소비자와의 잦은 접촉이 필요한 공업
(❸) 지향형	무게나 부피가 큰 원료를 해외에서 수입하고 제품을 수출하는 공업
노동 지향형	생산비에서 노동비가 차지하는 비중이 큰 공업
집적 지향형	• 생산 공정이 계열화된 공업 • 제품 생산에 많은 부품이 필요한 조립형 공업
입지 자유형	제품의 부가 가치가 큰 첨단 산업

3 우리나라의 공업 지역

수도권 공업 지역	우리나라 최대의 종합 공업 지역
태백산 공업 지역	지하자원을 바탕으로 원료 지향형 공업 발달
충청 공업 지역	수도권 공업 이전
호남 공업 지역	제2의 임해 공업 지역으로 성장 가능성
영남 내륙 공업 지역	노동 집약적 경공업 발달 → 최근 첨단화 추진
남동 임해 공업 지역	우리나라 최대의 (❹) 공업 지역

4 공업 지역의 변화

공업의 집중과 분산	• 수도권, 영남권에 공업 집중 → 집적 (❺) 발생 → 공업 분산 정책 추진 • 수도권에 첨단 산업 집중
공간적 분업	• 본사: 대도시 핵심 지역 • 연구소: 대학이나 연구소 밀집 지역 • 생산 공장: 지방이나 개발 도상국

정답 ❶ 이중 구조 ❷ 가공 무역 ❸ 적환지 ❹ 중화학 ❺ 불이익

[01~02] 그래프는 공업의 지역별 비중을 나타낸 것이다. 이를 보고 물음에 답하시오.

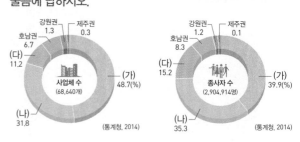

01 (가)~(다) 지역으로 옳은 것은?

	(가)	(나)	(다)
①	수도권	영남권	충청권
②	수도권	충청권	영남권
③	영남권	수도권	충청권
④	영남권	충청권	수도권
⑤	충청권	수도권	영남권

02 위 그래프에 대한 옳은 설명을 〈보기〉에서 고른 것은?

보기
ㄱ. 공업의 이중 구조를 보여 준다.
ㄴ. 공업의 지역적 편재가 나타나고 있다.
ㄷ. 충청권은 수도권보다 사업체당 종사자 수가 많다.
ㄹ. 수도권은 사업체 수 비중보다 종사자 수 비중이 높다.

① ㄱ, ㄴ   ② ㄱ, ㄷ   ③ ㄴ, ㄷ
④ ㄴ, ㄹ   ⑤ ㄷ, ㄹ

03 다음 글의 ㉠에 들어갈 내용으로 가장 적절한 것은?

> 공업 입지는 원료비, 운송비, 노동비, 집적 이익 등 생산비를 최소화하거나 수요를 극대화할 수 있는 곳에 입지한다. 원료 지향형 공업, 시장 지향형 공업, 적환지 지향형 공업은 _____㉠_____ 있는 지점에 입지한다.

① 수요를 극대화할 수
② 노동비를 절약할 수
③ 운송비를 최소화할 수
④ 정책적 지원을 받을 수
⑤ 집적 이익을 극대화할 수

[04~05] 다음 글은 우리나라 공업의 특징에 대한 것이다. 이를 보고 물음에 답하시오.

> 우리나라는 정부 주도의 수출 지향 정책을 추진하여 짧은 기간 동안 (가) 경공업에서 중화학 공업, 첨단 산업으로 공업의 중심이 변하였으며, 이 과정에서 성장 잠재력이 큰 (나) 수도권과 영남권에 산업 시설이 집중되는 현상이 나타났다. 기업 규모별 공업 구조에서는 (다) 중소기업의 사업체 수와 종사자 수 비중이 대기업보다 압도적으로 높지만, 생산액은 대기업의 비중이 매우 높은 특성이 나타나고 있다. 우리나라는 공업의 원료가 되는 여러 자원이 부족하여 ㉠ 해외에서 수입한 원료를 가공하여 공업 제품을 만들고, 이의 일부를 해외에 수출하는 형태의 공업이 발달하였다.

04 (가)~(다)에 해당하는 용어로 옳은 것은?

	(가)	(나)	(다)
①	공업의 이중 구조	공업 구조의 고도화	공업의 지역적 편재
②	공업 구조의 고도화	공업의 이중 구조	공업의 지역적 편재
③	공업 구조의 고도화	공업의 지역적 편재	공업의 이중 구조
④	공업의 지역적 편재	공업의 이중 구조	공업 구조의 고도화
⑤	공업의 지역적 편재	공업 구조의 고도화	공업의 이중 구조

05 ㉠에 해당하는 적절한 사례를 〈보기〉에서 고른 것은?

┌ 보기 ┐
ㄱ. 섬유 공업　　　　　ㄴ. 정유 공업
ㄷ. 자동차 공업　　　　ㄹ. 1차 금속 공업
└─────────┘

① ㄱ, ㄴ　　　② ㄱ, ㄷ　　　③ ㄴ, ㄷ
④ ㄴ, ㄹ　　　⑤ ㄷ, ㄹ

06 그래프는 두 시기의 업종별 제조업 종사자 수 비중을 나타낸 것이다. (가), (나) 공업에 대한 옳은 설명을 〈보기〉에서 고른 것은? (단, (가), (나)는 섬유, 기계·조립 금속 공업 중 하나임.)

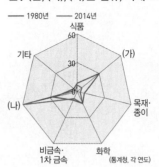

┌ 보기 ┐
ㄱ. (가)는 (나)보다 전국에서 차지하는 대구의 생산액 비중이 높다.
ㄴ. (가)는 (나)보다 2000년대에 우리나라의 총수출액에서 차지하는 비중이 높다.
ㄷ. (나)는 (가)보다 제품 생산비에서 노동비가 차지하는 비중이 높다.
ㄹ. (가)는 경공업, (나)는 중화학 공업에 해당한다.
└─────────┘

① ㄱ, ㄷ　　　② ㄱ, ㄹ　　　③ ㄴ, ㄷ
④ ㄴ, ㄹ　　　⑤ ㄷ, ㄹ

07 지도는 어느 공업의 시·도별 생산액과 지역별 종사자 수 비중을 나타낸 것이다. 이 공업에 대한 설명으로 옳은 것은?

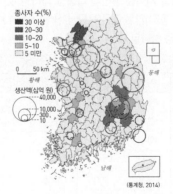

① 적환지 지향 공업에 해당한다.
② 주요 원료는 철광석과 역청탄이다.
③ 주로 소비자의 주문에 따라 제품을 생산한다.
④ 기술·지식 집약적 산업으로 1980년대 이후 본격적으로 발달하였다.
⑤ 1980년대 후반 국내 인건비 상승으로 공장의 해외 이전이 활발하였다.

08 (가), (나) 공업에 대한 옳은 설명만을 〈보기〉에서 있는 대로 고른 것은? (단, (가), (나)는 1차 금속, 자동차 공업 중 하나임.)

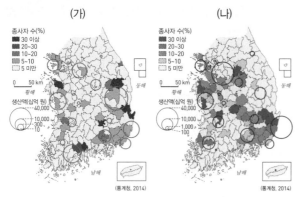

(가)　(나)

▋보기▋
ㄱ. (가)는 원료의 해외 의존도가 높다.
ㄴ. (나)는 많은 부품을 조립하여 완제품을 생산하는 조립형 공업이다.
ㄷ. (가)의 최종 생산품은 (나)의 원료로 이용된다.
ㄹ. (가), (나) 모두 생산비에 비해 부가 가치가 높은 입지 자유형 공업이다.

① ㄱ, ㄴ　② ㄱ, ㄹ　③ ㄱ, ㄴ, ㄷ
④ ㄱ, ㄴ, ㄹ　⑤ ㄴ, ㄷ, ㄹ

09 표는 (가)~(다) 공업의 지역별 생산액 비중을 나타낸 것이다. 이에 대한 설명으로 옳지 않은 것은? (단, (가)~(다)는 1차 금속, 섬유, 조선 공업 중 하나임.)

(가)		(나)		(다)	
지역	비중(%)	지역	비중(%)	지역	비중(%)
경북	22.9	경기	23.1	경남	53.7
전남	13.9	경북	19.8	울산	28.6
충남	13.4	대구	12.3	전남	9.4
울산	12.8	부산	7.9	부산	3.8
경기	9.9	서울	7.0	전북	2.2
기타	27.1	기타	29.9	기타	2.3

① (가)가 발달한 도시로 포항, 광양, 당진을 들 수 있다.
② (가)는 (나)보다 종사자당 생산액이 많다.
③ (가)는 (다)보다 주문에 의한 생산이 활발하다.
④ (나)는 (다)보다 생산비에서 노동비가 차지하는 비중이 높다.
⑤ (다)는 (나)보다 제품 생산 기간이 길다.

[10~11] 다음 지도는 우리나라의 공업 지역을 나타낸 것이다. 이를 보고 물음에 답하시오.

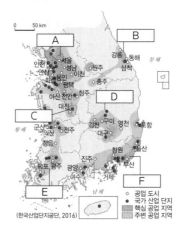

10 (가), (나) 공업 지역을 지도의 A~E에서 골라 바르게 연결한 것은?

(가) 지역 내에서 생산되는 석회석을 바탕으로 원료 지향형 공업이 발달하였다. 교통이 불편하고 소비 시장과의 거리가 멀어 공업의 집적도가 낮다.
(나) 수도권과 인접한 지리적 위치를 바탕으로 수도권에서 분산되는 공업이 입지하면서 공업이 더욱 발달하였다. 내륙 지역을 중심으로는 첨단 산업이, 해안 지역을 중심으로는 석유 화학 공업, 제철 공업 등이 발달하였다.

　　(가)　(나)　　　　(가)　(나)
① A　C　② B　C
③ B　D　④ E　D
⑤ E　A

11 지도의 A 공업 지역과 비교한 F 공업 지역의 상대적 특징을 그래프의 ㉠~㉤에서 고른 것은?

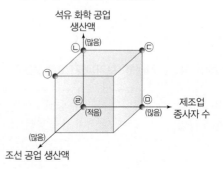

① ㉠　② ㉡　③ ㉢　④ ㉣　⑤ ㉤

12 다음 글의 (가)에 들어갈 적절한 내용을 〈보기〉에서 고른 것은?

공장들은 '○○ 산업 단지', '○○ 공업 지역' 등 일정한 지역에 밀집하여 분포하는 경향이 있다. 이렇게 공장들이 모여서 입지하는 이유는 각각의 공장이 흩어져 분포할 때보다 같은 종류 혹은 다른 종류의 공장이 한 지역에 집중할 때에 많은 이익을 얻을 수 있기 때문이다. 공장들이 한곳에 모여 있으면 _____(가)_____.

┤ 보기 ├

ㄱ. 교통 혼잡을 완화할 수 있다.
ㄴ. 상대적으로 지가가 저렴하다.
ㄷ. 노동력과 원료를 공급받기 쉽다.
ㄹ. 원료 및 제품의 수송비를 절감할 수 있다.

① ㄱ, ㄴ　　② ㄱ, ㄷ　　③ ㄴ, ㄷ
④ ㄴ, ㄹ　　⑤ ㄷ, ㄹ

13 다음은 어느 지역의 변화 모습을 나타낸 것이다. 이에 대한 옳은 설명만을 〈보기〉에서 있는 대로 고른 것은?

○○ 공업 단지는 1960년대부터 ㉠ 섬유, 봉제 산업 등의 노동 집약적 경공업이 발달하였다. 그러나 ㉡ 1980년대 후반부터 기존 산업의 경쟁력이 약화되면서 ㉢ 일부 기업은 중국 등 해외로 이전하였으며, _____㉣_____. 그러나 2000년대 중반부터 이 지역으로 정보 통신 및 벤처 기업들이 모여들면서 ㉤ 첨단 산업으로 업종이 바뀌었고 △△ 디지털 산업 단지로 명칭도 변경되었다.

┤ 보기 ├

ㄱ. ㉡의 주요 원인으로 지가와 국내 인건비의 상승을 들 수 있다.
ㄴ. ㉢은 중국이 우리나라보다 인건비가 저렴하고 중국 시장 진출에 유리하기 때문이다.
ㄷ. ㉣에는 '고용 기회 감소로 지역 내 실업률이 상승하는 현상이 나타났다'는 내용이 들어갈 수 있다.
ㄹ. ㉠은 ㉤보다 근로자에서 차지하는 남성의 비중이 높다.

① ㄱ, ㄴ　　② ㄱ, ㄹ　　③ ㄱ, ㄴ, ㄷ
④ ㄱ, ㄷ, ㄹ　　⑤ ㄴ, ㄷ, ㄹ

14 다음 그래프를 보고 물음에 답하시오.

(가)

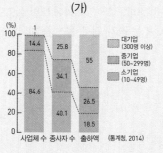

(나)

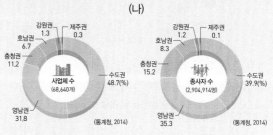

(1) (가), (나)를 통해 알 수 있는 문제를 각각 쓰시오.

_____

(2) (나)의 문제가 발생한 원인과 이의 해결 방안에 대해 서술하시오.

_____
_____
_____

15 (가), (나) 공업이 무엇인지 쓰고, 각 공업의 입지 특성을 서술하시오. (단, (가), (나)는 1차 금속, 섬유 공업 중 하나임.)

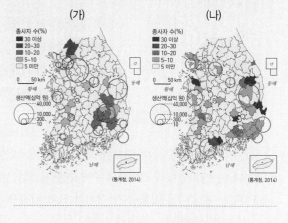

_____
_____
_____

01 | 신유형 |

그래프는 전국에서 차지하는 자동차, 1차 금속 공업의 시도별 출하액 비중을 나타낸 것이다. A~C 지역에 대한 설명으로 옳지 않은 것은? (단, A~C는 경기, 경북, 울산 중 하나임.)

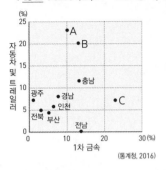

① A는 경기, B는 울산, C는 경북이다.

② A는 B보다 정보 통신 제조업 출하액이 많다.

③ A는 C보다 제조업 총출하액이 많다.

④ B는 A보다 코크스, 석유 정제품 제조업 출하액이 많다.

⑤ C는 B보다 선박 제조업 출하액이 많다.

02 | 수능 기출 |

(가)~(다) 제조업의 특성에 대한 설명으로 옳은 것은? (단, (가)~(다)는 자동차 및 트레일러, 전자 부품·컴퓨터·영상·음향 및 통신 장비, 1차 금속 중 하나임.)

〈시·도별 지역 내 총생산과   〈A~D의 제조업별
1인당 지역 내 총생산〉   출하액 비중〉

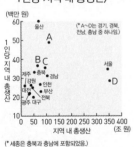 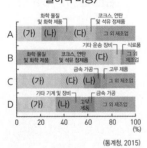

① (가)는 계열화된 공정이 필요한 집적 지향형 제조업이다.

② (나)는 1970년대 우리나라의 주력 수출 제조업이다.

③ (다)는 운송비에 비해 부가 가치가 크며 입지가 자유로운 제조업이다.

④ (가)는 (나)보다 최종 제품의 무게가 무겁고 부피가 크다.

⑤ (다)에서 생산된 최종 제품은 (나)의 주요 재료로 이용된다.

03 | 신유형 |

그래프는 세 지역의 주요 업종별 출하액을 나타낸 것이다. (가)~(다)에 해당하는 지역을 지도의 A~C에서 고른 것은?

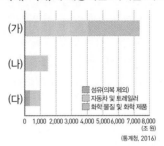

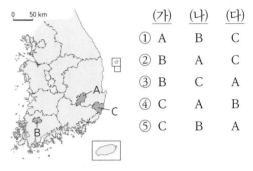

	(가)	(나)	(다)
①	A	B	C
②	B	A	C
③	B	C	A
④	C	A	B
⑤	C	B	A

04 | 평가원 응용 |

(가)~(다)에 대한 설명으로 옳은 것은? (단, (가)~(다)는 그래프에 제시된 공업 중 하나임.)

〈주요 공업의 총생산액과 종사자 수〉

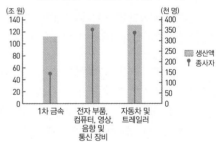

〈(가)~(다)의 지역별 생산액 비중〉

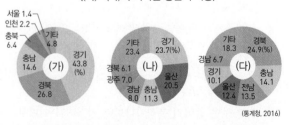

① (가)는 한 가지 원료에서 다양한 제품을 생산하는 계열화된 공업이다.

② (나)는 중량의 원료를 해외에서 수입하여 가공하는 공업이다.

③ (가)는 (다)보다 총생산액이 적다.

④ (나)는 (다)보다 종사자 1인당 생산액이 많다.

⑤ (다)에서 생산된 제품은 (나)의 주요 재료로 이용된다.

05 | 평가원 응용 |

다음 자료의 (가)~(다)에 해당하는 업종으로 옳은 것은? (단, A~C는 영남 지방의 세 광역시 중 하나임.)

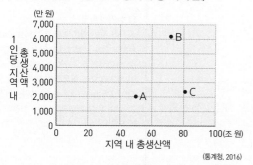

〈지역 내 제조업 부문별 종사자 수 비중〉 (단위:%)

순위	A		B		C	
	부문	비중	부문	비중	부문	비중
1	(가)	16.9	(나)	30.2	기타 기계 및 장비	14.4
2	(나)	16.6	기타 운송 장비	27.5	(가)	12.5
3	(다)	14.8	화학물질 및 화학제품	9.6	고무 및 플라스틱 제품	7.4
4	기타 기계 및 장비	12.8	전기 장비	6.4	1차 금속	7.3
5	고무 및 플라스틱 제품	8.5	(가)	5.1	식료품	7.0

	(가)	(나)	(다)
①	금속 가공 제품	섬유 제품	자동차 및 트레일러
②	금속 가공 제품	자동차 및 트레일러	섬유 제품
③	섬유 제품	금속 가공 제품	자동차 및 트레일러
④	섬유 제품	자동차 및 트레일러	금속 가공 제품
⑤	자동차 및 트레일러	금속 가공 제품	섬유 제품

06 | 평가원 기출 |

다음 탐구 주제에 대한 학생의 조사 내용으로 적절한 것을 고른 것은?

학생	탐구 주제	조사 내용
갑	공간적 분업	울산시 석유 화학 공업 성장에 따른 환경 오염 현황
을	공업의 지역적 편중	전국 대비 시도별 제조업 사업체 수, 종사자 수, 출하액 현황
병	공업의 집적 이익	서울시 의류 제조 업체들 간 지역 내 정보 교환 및 협업 현황
정	공업의 이중 구조	○○ 기업의 본사, 연구소, 생산 공장 입지 변화

① 갑, 을 　　② 갑, 병 　　③ 을, 병
④ 을, 정 　　⑤ 병, 정

07 | 수능 응용 |

그래프는 세 지역의 제조업 업종별 생산액 비중을 나타낸 것이다. (가)~(다)에 해당하는 지역을 지도의 A~C에서 고른 것은?

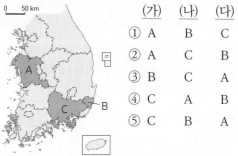

	전자 부품·컴퓨터·영상·음향 및 통신 장비		기타 운송 장비
	화학 물질 및 화학 제품		기타 기계 및 장비
	코크스·연탄 및 석유 정제품		금속 가공 제품
	자동차 및 트레일러		기타

(통계청, 2016)

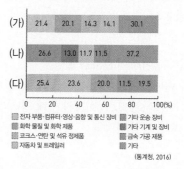

	(가)	(나)	(다)
①	A	B	C
②	A	C	B
③	B	C	A
④	C	A	B
⑤	C	B	A

08 | 평가원 기출 |

그래프는 7대 도시의 제조업체 규모별 현황에 관한 것이다. 이에 대한 분석으로 옳은 것은?

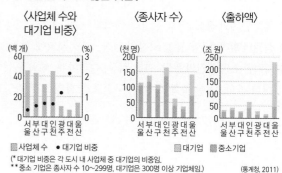

| | 사업체 수 | | 대기업 비중 | | 대기업 | | 중소기업 |

(* 대기업 비중은 각 도시 내 사업체 중 대기업의 비중임.
** 중소 기업은 종사자 수 10~299명, 대기업은 300명 이상 기업체임.)　　(통계청, 2011)

① 사업체 평균 종사자 수는 서울이 광주보다 많다.

② 중소기업의 종사자 수와 출하액은 대구가 부산보다 많다.

③ 중소기업의 종사자 1인당 출하액은 서울이 울산보다 많다.

④ 7대 도시 중에서 대기업 수가 가장 많은 곳은 서울이다.

⑤ 7대 도시 중에서 종사자 수의 대기업 비중과 출하액의 대기업 비중이 가장 높은 곳은 울산이다.

04 서비스업의 변화와 교통 · 통신의 발달

1 상업의 입지와 변화

1. 상업❶의 의미와 입지 요인

(1) 상업의 의미

① 생산과 소비를 연결하는 여러 가지 유통 활동

② 좁은 의미로는 상품 매매, 넓은 의미로는 운송업, 보관업, 보험업, 무역업 등도 포함

(2) 상업의 입지 요인 소비자의 수요, 소비자의 구매 행태와 이동 특성, 인구 분포, 교통·통신의 발달, 도시 구조의 변화, 집적 이익 등

2. 상업의 입지

(1) 상점의 유지·존속 조건 최소 요구치 ≤ 재화의 도달 범위 [자료 01]

최소 요구치	중심지(상점)와 그 기능을 유지하기 위한 최소한의 수요
재화의 도달 범위	• 중심지(상점) 기능이 영향을 미치는 최대한의 공간 범위 • 교통이 발달할수록 범위가 넓어짐.

(2) 상품 종류에 따른 입지 특성 소비자는 상품의 종류에 따라 이동 행태를 달리함. → 상업 입지에 영향 [자료 02]

생활용품	이동 거리를 최소화하기 위해 주거지와 가까운 주변 상점 이용 → 상대적으로 상점의 수가 많고, 상점 간 거리가 가까우며, 소비자 분포에 따라 분산하여 입지 예 식품
전문 용품	이동 거리가 멀더라도 감수하는 경향 → 상대적으로 상점의 수가 적고, 상점 간 거리가 멀거나 특정 지역에 집중하여 입지 예 귀금속, 자동차

3. 상업 공간의 변화

(1) 전통 시장의 쇠퇴

① 배경 시설 노후화, 편의 시설 부족, 대형 마트 증가 등

② 대응 시설 현대화 및 다양한 마케팅 전략 도입으로 활성화 도모

(2) 유통 단계의 감소 전자 상거래 활성화 → 도매업의 기능 약화, 택배업 및 물류업❷ 발달

(3) 상권의 확대 대형 상업 시설의 성장, 교외 지역에 전문 쇼핑몰 등장

(4) 다양한 쇼핑 공간의 등장 전통 시장, 슈퍼마켓, 백화점 등에서 편의점, 기업형 슈퍼마켓(SSM)❸, 대형 마트, 대형 복합 쇼핑몰, 무점포 상점 등으로 다양화됨.
└ 인터넷 쇼핑몰, 텔레비전 홈쇼핑 등

2 서비스업의 입지와 변화

1. 탈공업화와 서비스업의 발달 [자료 03]

(1) 우리나라 산업 구조의 변화

1960년대 이전	전 공업화 사회: 농업 중심의 1차 산업 비중이 높음.
1960년대~1980년대	공업화 사회: 산업화에 따라 2차 산업 비중이 빠르게 증가함.
1990년대 이후	탈공업화 사회: 2차 산업 비중 감소하고, 3차 산업 비중이 증가함.

---

❶ 상업의 발달

초기의 상업 활동은 물물 교환의 형태로 이루어지다가 화폐가 등장하면서 매매의 형태로 변화하였다. 과거에는 상품의 수요가 적어 주기적으로 이동하며 판매하는 정기 시장이 발달하였으나, 오늘날에는 상설 시장과 같이 항상 개설되어 있는 상점이 나타나게 되었다.

❷ 물류업

업체의 물품을 통합 관리하는 산업으로 제품 포장, 라벨 작업, 물품 보관 및 배분 등의 기능을 담당한다. 무점포 상점의 증가는 물류업 발달에 큰 영향을 미친다.

고득점을 위한 셀파 Tip

소매 업태별 특징

편의점	• 기본 생활용품 취급 • 24시간 운영
슈퍼마켓	• 생활용품 취급 • 편의점보다 크고 대형 마트보다 작음.
대형 마트	• 생활용품을 저렴한 가격으로 대량 판매 • 넓은 매장과 주차장
대형 복합 쇼핑몰	쇼핑 시설, 여가 활동 시설, 식당 등이 결합된 시설
무점포 상점	시공간 제약이 적어 입지가 자유로움.

❸ 기업형 슈퍼마켓(SSM)

대규모 유통 기업에서 가맹점 형태로 운영하는 상점으로, 대형 마트보다 면적이 작고 출점 비용이 저렴하여 최근 많이 등장하고 있으나, 골목 상권을 침해한다는 비판이 제기되기도 한다.

자료 01 [공통 자료] 상점의 유지·존속 조건

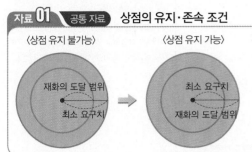

〈상점 유지 불가능〉 〈상점 유지 가능〉

재화의 도달 범위
최소 요구치

최소 요구치
재화의 도달 범위

자료 분석 | 상점을 유지하는 데 필요한 최소한의 수요를 최소 요구치라고 하고, 상점으로부터 재화가 도달할 수 있는 최대의 공간 범위를 재화의 도달 범위라고 한다. 따라서 상점이 유지되기 위해서는 재화의 도달 범위가 최소 요구치보다 넓거나 같아야 한다.

교과서 자료 더 보기

| 상설 시장의 형성 과정 |

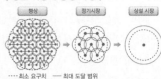

행상과 정기 시장은 최소 요구치를 충족할 수 없어 상인이 이동하였지만, 인구가 증가하고 교통이 발달함에 따라 점차 상설 시장으로 변화하였다.

자료 02 백화점과 편의점의 입지 특성

● 백화점

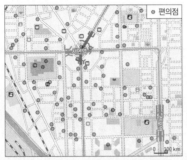
● 편의점

구분	상점 수	최소 요구치	재화의 도달 범위	1일 평균 매출액	평균 이용 빈도	취급하는 재화의 종류
백화점	적음	큼	넓음	많음	낮음	고급 상품
편의점	많음	작음	좁음	적음	높음	생활용품

자료 분석 | 백화점은 유동 인구가 많고 접근성이 높은 도심이나 부도심에 주로 입지하며, 고급 상품을 판매한다. 반면, 편의점은 소비자의 분포에 따라 곳곳에 분산되어 입지하며, 생활용품을 24시간 판매하여 소비자에게 기본적인 편의를 제공한다. 편의점은 백화점에 비해 1일 평균 매출액이 적고 상점 크기가 작지만 소비자의 이용 빈도는 높다.

교과서 자료 더 보기

| 주요 소매 업태별 매출액 변화 |

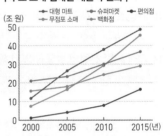

2015년 기준 매출액은 대형마트, 무점포 소매, 슈퍼마켓, 백화점, 편의점 순으로 높게 나타난다. 한편 2000년과 비교할 때 무점포 소매의 매출액이 급증하였다.

자료 03 [공통 자료] 우리나라의 산업 구조 변화

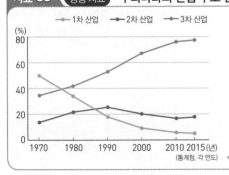

◀ 우리나라 산업별 종사자 비중 변화
(통계청, 각 연도)

자료 분석 | 우리나라는 1960년대 이전에는 1차 산업 종사자 수 비중이 가장 높았으나 1960년대 이후 경제 개발이 본격화되면서 제조업과 서비스업 종사자 수의 비중이 높아졌다. 그러다가 1990년을 기점으로 제조업 종사자의 비중이 감소하는 탈공업화 현상이 나타났으며, 경제 성장과 생활 수준의 향상으로 서비스에 대한 수요가 점차 다양해지고 있다.

교과서 자료 더 보기

| 경제 발전에 따른 산업 구조의 변화 |

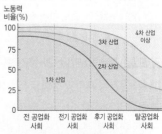

경제가 발전함에 따라 산업 구조가 변화하는데, 탈공업화 사회에서는 2차 산업의 비중이 낮아지고 3차 산업의 비중이 높아진다.

(2) 탈공업화

① 의미 산업 전체에서 2차 산업의 비중이 감소하고, 3차 산업의 비중이 증가하는 현상

② 특징 지식 기반 산업[4]과 전문직·관리직·연구직 종사자 수의 비중 증가

> 지식 기반 서비스업: 지식과 정보를 바탕으로 서비스 제공
> 지식 기반 제조업: 첨단 기술을 바탕으로 제품 생산

(3) 서비스업

① 의미 다른 산업이나 일반 소비자에게 재화와 용역 등을 제공하는 활동

② 특징 기계화와 자동화 수준이 낮고, 대량 생산이 어려움. → 1인당 실질 부가 가치가 제조업에 비해 낮음.

③ 수요자 유형에 따른 서비스업의 분류[5] (자료 04)

구분	소비자 서비스업	생산자 서비스업
정의	개인의 일상적인 활동을 돕는 서비스업	다른 재화, 용역의 생산 및 유통 과정에 투입되는 서비스업
입지	소비자의 이동 거리를 최소화하고, 업체 간 일정 거리 유지를 위해 분산 입지	고객과의 접근성이 높고, 관련 정보 습득이 용이한 대도시의 도심, 부도심에 집적하여 입지
사례	도·소매업, 음식업, 숙박업 등	금융업, 법률, 회계, 마케팅, 광고업 등

2. 서비스업의 고도화와 공간 변화 (자료 05)

(1) 서비스업의 고도화 서비스업이 세분화·전문화되면서 부가 가치가 높은 서비스업의 비중이 증가하는 현상 → 생산자 서비스업의 성장이 두드러짐.

(2) 지식 기반 산업의 발달과 입지 특성

① 탈공업화 사회에서는 지식 기반 서비스업이 전체 서비스 산업의 성장을 주도함.

② 입지 특성

- 고급 인력 및 정보 확보가 용이한 지역, 대학 및 연구소가 인접한 지역, 관련 산업들이 집적한 지역, 교통이 편리한 지역 등을 선호 → 대도시에 집중

- 우리나라에서는 수도권 집중도가 높음. → 서울은 지식 기반 서비스업, 경기도는 지식 기반 제조업 비중이 높음.

3 교통·통신의 발달과 공간 변화

1. 우리나라의 교통 발달[6] (자료 06)

20세기 초반	X자형의 간선 철도망 건설 → 근대적 교통 체계 수립
1960년대	경제 성장과 함께 산업 철도, 도로 건설
1970년대	경부 고속 국도 개통(1970년), 대도시 교통 혼잡을 해결하기 위해 지하철 개통(1974년)
2000년 이후	경부 고속 철도와 호남 고속 철도 개통 → 전국이 반나절 생활권에 들게 됨.

2. 교통·통신의 발달[7]과 공간 변화

(1) 시·공간적 제약의 완화 지역 간 인적·물적 교류의 증가, 생활권의 확대

(2) 공간의 재조직 교통이 편리한 곳에 인구와 산업, 경제 활동의 '집중 → 과밀화 → 분산 →재집중' 현상 반복

(3) 공간적 불균형 교통이 편리한 지역은 성장하고, 교통이 불편한 지역은 정체하거나 쇠퇴함.

(4) 생산·유통 공간의 확대 전자 상거래 확대 → 물류업, 택배업 성장

④ 지식 기반 산업

지식과 정보를 이용해 상품과 서비스의 부가 가치를 창출하는 산업을 말하며, 지식 기반 제조업과 지식 기반 서비스업으로 나뉜다.

⑤ 공급 주체에 따른 서비스업의 분류

서비스업은 공급 주체에 따라 공공 서비스업과 민간 서비스업으로 구분한다. 공공 서비스업은 국가, 공공 단체 등이 공공의 복리 증진을 위해 제공하는 서비스업으로 교육, 의료, 국방 등이 있다. 민간 서비스업은 개인이나 기업, 민간 단체 등이 이윤 획득을 위해 제공하는 서비스업으로 도·소매업, 금융업 등이 있다.

⑥ 우리나라 철도 교통의 발달

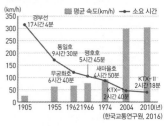

▲ 서울–부산 간 시간 거리 변화

⑦ 통신 서비스 가입자 수 변화

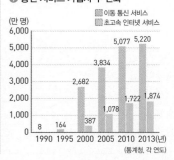

자료 04 서비스업의 분포

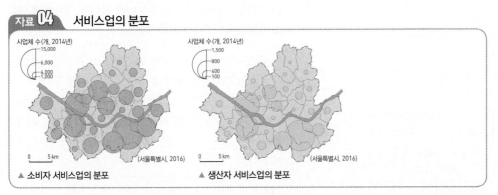

▲ 소비자 서비스업의 분포

▲ 생산자 서비스업의 분포

자료 분석 | 서비스 산업은 수요자의 유형에 따라 소비자 서비스업과 생산자 서비스업으로 구분된다. 소비자 서비스업은 인구 분포에 따라 분산 입지하며, 생산자 서비스업은 기업과의 접근성이 우수하고 정보 획득에 유리한 대도시의 도심 및 부도심과 같은 핵심 지역에 집중적으로 입지한다.

자료 05 공통 자료 서비스업의 변화

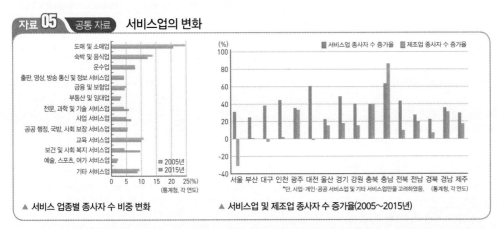

▲ 서비스 업종별 종사자 수 비중 변화

▲ 서비스업 및 제조업 종사자 수 증가율(2005~2015년)

자료 분석 | 서비스 업종별 종사자 수 비중 변화를 보면 생산자 서비스업 종사자 수 비중은 증가하고, 소비자 서비스업 종사자 수 비중은 감소하는 경향이 나타난다. 시도별 서비스업 및 제조업 종사자 수 증가율을 보면 서울, 대구 등 대도시에서 탈공업화 현상이 뚜렷하게 나타난다. 충남은 서울로부터 제조업이 이전하였고, 이 제조업체를 위한 생산자 서비스업이 함께 증가하고 있다.

자료 06 공통 자료 교통수단별 수송 분담률

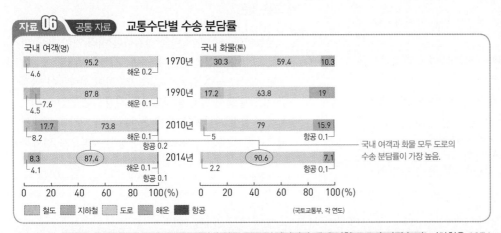

▲ 국내 여객과 화물 모두 도로의 수송 분담률이 가장 높음.

자료 분석 | 국내 교통수단별 수송 분담률은 여객과 화물 모두 단거리 수송에 유리한 도로가 가장 높다. 지하철은 1974년에 개통된 이래 도로 다음으로 여객 수송 분담률이 높으며, 대도시 통근·통학 인구의 수송 및 대도시권 확대에 큰 영향을 미치고 있다. 산업 철도의 쇠퇴로 철도의 화물 수송 분담률은 낮아졌으며, 최근 택배 산업의 성장 등으로 도로를 이용한 화물 수송 비중은 높아지고 있다.

교과서 자료 더 보기 +

| 서비스업의 분포 |

*소비자 서비스업: 도매 및 소매업, 숙박 및 음식점업
*생산자 서비스업: 금융 및 보험업, 부동산업 및 임대업, 전문·과학 및 기술 서비스업, 사업 시설 관리 및 사업 지원 서비스업

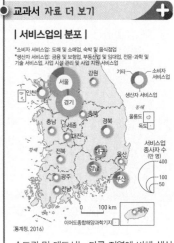

수도권 및 대도시는 다른 지역에 비해 생산자 서비스업 종사자 수가 많다.

교과서 탐구 풀이 ✏

Q 서비스업 종사자 수 비중이 증가한 업종과 감소한 업종을 구분하고 각 특징을 설명해 보자.

A 증가한 업종은 전문, 과학 및 기술 서비스업, 사업 시설 관리 및 사업 지원 서비스업 등으로 생산자 서비스업이며, 감소한 업종은 도매 및 소매업, 숙박 및 음식업으로 소비자 서비스업이다.

교과서 자료 더 보기 +

| 운송비 구조 |

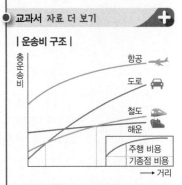

교통수단별로 기종점 비용과 주행 비용이 다르기 때문에 구간별로 운송비가 달라진다. 기종점 비용은 항공, 해운, 철도, 도로 순으로 높게 나타나며, 주행 비용의 증가율은 도로가 가장 높고, 선박이 가장 낮다.

1 상업의 입지와 변화

상점의 유지 조건	최소 요구치 ≤ 재화의 도달 범위	
	최소 요구치	상점의 기능을 유지하기 위한 최소한의 수요
	재화의 도달 범위	상점의 기능이 영향을 미치는 최대한의 공간 범위
상점의 입지 특성	생활용품	상점 간 거리가 가까우며, 소비자 분포에 따라 (❶)하여 입지
	전문 용품	상점 간 거리가 멀거나, 특정 지역에 (❷)하여 입지
상업 공간의 변화	전통 시장의 쇠퇴 및 다양한 상점 등장: 대형 마트, 백화점, 대형 복합 쇼핑몰, 무점포 상점 등	

2 서비스업의 입지와 변화

(❸)	• 전체 산업에서 2차 산업 비중이 감소하고 3차 산업 비중이 증가하는 현상 • 우리나라는 1990년대 이후에 나타남. • 지식 기반 산업의 비중 증가	
서비스업의 입지 특성	소비자 서비스업	소비자 분포에 따라 분산 입지
	생산자 서비스업	기업과의 접근성이 좋고 관련 정보를 획득하기 유리한 곳에 집적 입지
(❹)	• 지식과 정보를 이용해 상품과 서비스의 부가 가치를 창출하는 산업 • 기술 혁신 속도가 빠르고 고급 인력 확보가 유리한 곳에 입지 예 수도권 • 주로 지식 기반 서비스업은 서울에, 지식 기반 제조업은 경기에 분포	

3 교통·통신의 발달과 공간 변화

교통수단별 특징	도로	기동성과 문전 연결성 우수, 단거리 수송에 유리
	철도	안전성과 정시성 우수, 중거리 수송에 유리
	(❺)	기상 제약이 큼, 대량 화물의 장거리 수송에 유리
	항공	신속성 우수, 기상 제약이 큼, 장거리 여객 수송에 유리
교통·통신의 발달과 공간 변화	• 시·공간적 제약 완화: 생활권 확대 • 공간의 불균형: 교통이 발달한 지역은 인구와 산업 집중, 교통이 불편한 지역은 정체하거나 쇠퇴 • 생산·유통 공간의 확대: (❻) 확대 → 물류업·창고업 성장	

정답 ❶ 분산 ❷ 집중 ❸ 탈공업화 ❹ 지식 기반 산업 ❺ 해운 ❻ 전자 상거래

01 다음 자료는 상점의 성립 조건에 대한 것이다. ㉠~㉤에 대한 옳은 설명을 〈보기〉에서 고른 것은?

> 상점은 ㉠ 접근성이 뛰어나고, 유동 인구 또는 상주 인구가 많아 소비자 확보에 유리한 곳이 입지에 유리하다. 상점의 성립 조건은 ㉡ 재화의 도달 범위와 ㉢ 최소 요구치 범위를 비교하여 파악할 수 있다. 상점이 유지되기 위해서는 (㉣)가 (㉤)보다 같거나 커야 한다.

┃ 보기 ┃
ㄱ. ㉠은 도로, 철도 등 교통 시설 건설을 통해 향상시킬 수 있다.
ㄴ. ㉡은 상점으로부터 재화가 도달할 수 있는 최대한의 범위이다.
ㄷ. ㉢은 상점의 규모가 커질수록 작아지는 경향이 나타난다.
ㄹ. ㉣에는 최소 요구치, ㉤에는 재화의 도달 범위가 적절하다.

① ㄱ, ㄴ
② ㄱ, ㄷ
③ ㄴ, ㄷ
④ ㄴ, ㄹ
⑤ ㄷ, ㄹ

02 다음 글의 (가)에 들어갈 적절한 내용만을 〈보기〉에서 있는 대로 고른 것은?

> 상업이란 생산과 소비를 연결하는 여러 가지 유통 활동을 담당하는 일을 말한다. 물물 교환의 형태로 이루어지던 초기의 상업 활동은 점차 발달하여 사람들이 일정한 장소에 모여 물건을 사고파는 시장으로 발전하였다. 시장은 일정 기간에만 장이 열리는 정기 시장의 형태를 따다가 ___(가)___ 등으로 점차 상설 시장으로 변화하였다.

┃ 보기 ┃
ㄱ. 인구 증가
ㄴ. 교통 발달
ㄷ. 생활 수준의 향상
ㄹ. 무점포 소매업의 성장

① ㄱ, ㄴ
② ㄱ, ㄹ
③ ㄱ, ㄴ, ㄷ
④ ㄱ, ㄴ, ㄹ
⑤ ㄴ, ㄷ, ㄹ

딱풀 p. 44

[03~04] 그래프는 소매 업태별 매출액과 사업체 수 변화를 나타낸 것이다. 이를 보고 물음에 답하시오. (단, (가)~(마)는 백화점, 편의점, 대형마트, 슈퍼마켓, 무점포 소매 중 하나임.)

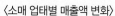

〈소매 업태별 매출액 변화〉　〈소매 업태별 사업체 수 변화〉

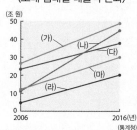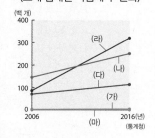

03 (가)~(다)에 들어갈 소매 업태를 바르게 연결한 것은?

	(가)	(나)	(다)
①	슈퍼마켓	대형 마트	무점포 소매
②	슈퍼마켓	무점포 소매	대형 마트
③	대형 마트	슈퍼마켓	무점포 소매
④	대형 마트	무점포 소매	슈퍼마켓
⑤	무점포 소매	대형 마트	슈퍼마켓

04 (라)와 비교한 (마)의 상대적 특징을 〈보기〉에서 고른 것은?

〈보기〉
ㄱ. 점포당 매출액이 많다.
ㄴ. 재화의 도달 범위가 넓다.
ㄷ. 소비자의 이용 빈도가 높다.
ㄹ. 소매 업체 간 평균 거리가 가깝다.

① ㄱ, ㄴ　　② ㄱ, ㄷ　　③ ㄴ, ㄷ
④ ㄴ, ㄹ　　⑤ ㄷ, ㄹ

05 (가), (나) 상거래 유형에 대한 옳은 설명을 〈보기〉에서 고른 것은?

(가)　　(나)

→ 상품 이동　⇒ 정보 이동

〈보기〉
ㄱ. (가)는 (나)보다 재화의 도달 범위가 좁다.
ㄴ. (가)는 (나)보다 택배업의 성장에 미친 영향이 크다.
ㄷ. (나)는 (가)보다 널리 이용되기 시작한 시기가 이르다.
ㄹ. (나)는 (가)보다 공간적 제약이 적다.

① ㄱ, ㄴ　　② ㄱ, ㄷ　　③ ㄴ, ㄷ
④ ㄴ, ㄹ　　⑤ ㄷ, ㄹ

06 다음 글을 읽고 일상 생활용품 판매점과 비교한 귀금속 전문 판매점의 상대적 특징을 그림의 A~E에서 고른 것은?

소비자는 식품과 일상 생활용품을 살 때에는 이동 거리와 이동에 따르는 비용을 최소화하기 위해 대부분 주거지와 가까운 주변의 상점을 이용한다. 그러나 귀금속이나 자동차와 같은 전문 상품을 구입할 때에는 이동 거리가 멀고 이동에 따르는 비용이 더 들더라도 이를 감수하는 경향이 있다.

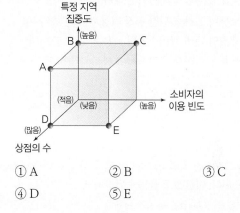

① A　　② B　　③ C
④ D　　⑤ E

07 (가), (나) 소매 업태에 대한 설명으로 옳지 않은 것은? (단, (가), (나)는 백화점, 편의점 중 하나임.)

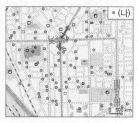

① (가)는 (나)보다 업체당 매출액이 많다.
② (가)는 (나)보다 소비자의 1회당 구매액이 많다.
③ (가)는 (나)보다 고가 상품의 판매 비중이 높다.
④ (나)는 (가)보다 소비자의 이용 빈도가 높다.
⑤ (나)는 (가)보다 상점을 이용하기 위한 소비자의 평균 이동 거리가 길다.

08 (가) 현상이 나타나게 된 원인만을 〈보기〉에서 있는 대로 고른 것은?

> 산업 구조가 고도화되면서 경제 전체에서 공업이 차지하는 비중이 감소하는 것을 ____(가)____ 현상이라고 한다. 우리나라는 1960년대 경제 개발이 이루어지면서 2, 3차 산업에 종사하는 인구가 늘어났다. 그러다가 1990년대부터 ____(가)____ 현상이 나타나기 시작하였다.

┤ 보기 ├
ㄱ. 소득 증가로 서비스업에 대한 수요 증가
ㄴ. 노동비 절감을 위한 공장 자동화 시설 증가
ㄷ. 제조업 대비 서비스업의 고용 창출 효과 미미
ㄹ. 빠른 산업화로 촌락에서 도시로의 활발한 인구 이동

① ㄱ, ㄴ ② ㄴ, ㄷ ③ ㄱ, ㄴ, ㄷ
④ ㄱ, ㄷ, ㄹ ⑤ ㄴ, ㄷ, ㄹ

[09~10] 다음 그래프는 우리나라의 산업별 종사자 수 비중 변화를 나타낸 것이다. 이를 보고 물음에 답하시오.

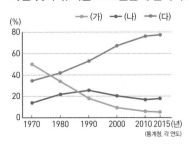

09 (가)~(다)에 들어갈 항목으로 옳은 것은?

	(가)	(나)	(다)
①	1차 산업	2차 산업	3차 산업
②	1차 산업	3차 산업	2차 산업
③	2차 산업	3차 산업	1차 산업
④	3차 산업	2차 산업	1차 산업
⑤	3차 산업	1차 산업	2차 산업

10 1970년과 비교한 2015년의 상대적 특징만을 〈보기〉에서 있는 대로 고른 것은?

┤ 보기 ├
ㄱ. 도시화율이 높다.
ㄴ. 1차 산업 종사자당 생산액이 적다.
ㄷ. 생산 요소로서 지식과 정보의 중요성이 크다.
ㄹ. 국내 총생산에서 서비스업이 차지하는 비중이 높다.

① ㄱ, ㄴ ② ㄱ, ㄹ ③ ㄴ, ㄷ
④ ㄱ, ㄷ, ㄹ ⑤ ㄴ, ㄷ, ㄹ

11 지도는 수요자 유형에 따라 분류한 시도별 서비스업 종사자 수를 나타낸 것이다. 이에 대한 설명으로 옳은 것은?

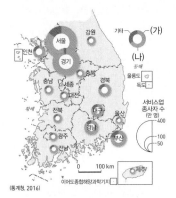

① (가)는 생산자 서비스업, (나)는 소비자 서비스업이다.
② (가)는 금융업, 사업 서비스업 등이 해당된다.
③ (나)에는 음식업, 숙박업, 도·소매업 등이 해당된다.
④ 소비자 서비스업 종사자 비중은 경기가 가장 높다.
⑤ 광역시는 소비자 서비스업 종사자보다 생산자 서비스업 종사자가 많다.

12 지도는 도·소매업과 전문 서비스업의 분포를 나타낸 것이다. 이에 대한 옳은 분석을 〈보기〉에서 고른 것은?

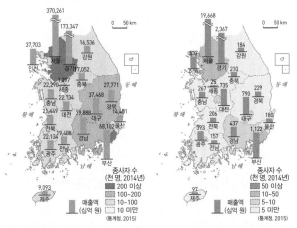

▲ 도·소매업 분포 ▲ 전문 서비스업 분포

┤ 보기 ├
ㄱ. 도·소매업의 매출액이 가장 많은 곳은 전문 서비스업의 매출액도 가장 많다.
ㄴ. 영남권에서 매출액의 광역시 집중도는 도·소매업이 전문 서비스업보다 높다.
ㄷ. 전국에서 차지하는 서울의 종사자 집중도는 전문 서비스업이 도·소매업보다 높다.
ㄹ. 모든 시도에서 전문 서비스업 종사자 수가 도·소매업 종사자 수보다 많다.

① ㄱ, ㄴ ② ㄱ, ㄷ ③ ㄴ, ㄷ
④ ㄴ, ㄹ ⑤ ㄷ, ㄹ

13 그림은 교통수단별 운송비 구조를 나타낸 모식도이다. 이에 대한 설명으로 옳지 <u>않은</u> 것은? (단, 도로, 철도, 항공, 해운만 고려함.)

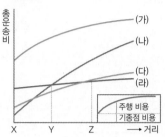

① 기종점 비용이 가장 비싼 것은 (가)이다.
② 거리 증가에 따른 운송비 증가율이 가장 높은 것은 (나)이다.
③ X–Y 구간에서 도로는 해운보다 기종점 비용은 적고, 주행 비용은 많다.
④ X–Z 구간에서 단위 거리당 운송비가 가장 저렴한 것은 해운이다.
⑤ X–Z 구간에서 주행 비용이 가장 비싼 것은 항공이다.

14 다음 글의 밑줄 친 부분의 사례로 적절한 내용을 〈보기〉에서 고른 것은?

> 2015년에 서울~포항 고속 철도가 개통되어 포항역에서 서울역까지 평균 2시간 30분이면 갈 수 있게 되었다. 이는 4시간 정도 걸리는 고속버스보다 1시간 30분 정도 줄어든 것이다. 고속 철도 개통에 따라 <u>포항에는 여러 변화가 나타났다.</u>

▮ 보기 ▮
ㄱ. 포항역 주변의 교통 혼잡 문제가 해결되었다.
ㄴ. 수도권에서 유입되는 관광객의 수가 증가하였다.
ㄷ. 서울의 백화점으로 쇼핑을 가는 주민이 증가하였다.
ㄹ. 서울에 가기 위해 고속버스를 이용하는 주민의 비중이 높아졌다.

① ㄱ, ㄴ   ② ㄱ, ㄷ   ③ ㄴ, ㄷ
④ ㄴ, ㄹ   ⑤ ㄷ, ㄹ

15 제시된 개념을 모두 사용하여 상점이 성립하기 위한 조건을 서술하시오.

> • 재화의 도달 범위   • 최소 요구치의 범위

---

16 지도는 수요 주체에 따라 분류한 서울의 서비스업 분포이다. 이를 보고 물음에 답하시오.

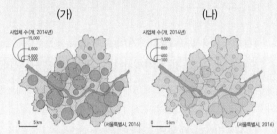

(1) (가), (나) 서비스업의 종류를 쓰시오.

---

(2) (가)와 비교한 (나)의 상대적 특징을 세 가지 서술하시오.

---

17 그래프는 교통수단별 국내 여객 수송 분담률을 나타낸 것이다. 이를 보고 물음에 답하시오.

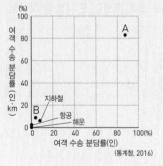

(1) A, B 교통수단의 명칭을 쓰시오.

---

(2) A, B 교통수단의 특징을 각각 두 가지씩 서술하시오.

| 신유형 |

01 그래프는 (가), (나) 지역의 A~C 소매 업태의 사업체 수와 매출액을 나타낸 것이다. 이에 대한 설명으로 옳지 않은 것은? (단, (가), (나)는 서울과 경기 중 하나이며, A~C는 무점포 소매, 백화점, 편의점 중 하나임.)

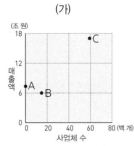
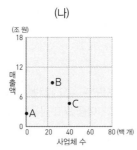

① (가)는 서울, (나)는 경기이다.
② (가)의 B 간 평균 거리는 (나)의 B 간 평균 거리보다 가깝다.
③ A는 B보다 점포의 도심 집중도가 높다.
④ A는 C보다 재화의 도달 범위가 넓다.
⑤ C는 A보다 점포당 유지 비용이 적다.

| 수능 기출 |

02 그래프의 (가)~(다) 소매 업태에 대한 설명으로 옳은 것은? (단, (가)~(다)는 무점포 소매, 백화점, 편의점 중 하나임.)

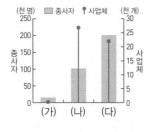
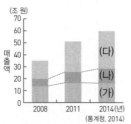

① (가)는 (나)보다 사업체 간 평균 거리가 멀다.
② (가)는 (다)보다 2008년부터 2014년까지 매출액 증가율이 높다.
③ (나)는 (가)보다 고가 제품의 판매 비중이 높다.
④ (나) 사업체는 (가) 사업체보다 2014년에 전국 대비 특별·광역시에 분포하는 비중이 높다.
⑤ (가)~(다) 중 2014년에 종사자당 매출액은 (다)가 가장 많다.

| 신유형 |

03 그래프는 A, B 서비스업의 시도별 매출액 비중을 나타낸 것이다. 이에 대한 설명으로 옳지 않은 것은? (단, A, B는 음식업, 전문 서비스업 중 하나임.)

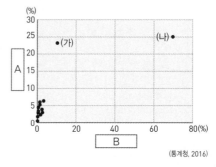

(통계청, 2016)

① B는 개인 소비자보다 기업과의 거래액이 많다.
② A는 B보다 총 사업체 수가 많다.
③ B는 A보다 종사자당 부가 가치 생산액이 많다.
④ (가)는 (나)보다 생산자 서비스업이 발달하였다.
⑤ (가), (나) 모두 수도권에 위치하고 있다.

| 수능 응용 |

04 (가), (나) 소매 업태에 대한 설명으로 옳지 않은 것은? (단, 슈퍼마켓과 대형 마트만 고려함.)

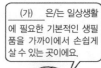
(가) 은/는 일상생활에 필요한 기본적인 생필품을 가까이에서 손쉽게 살 수 있는 곳이에요.

(나) 은/는 넓은 주차 공간을 갖추고 있고, 다양한 상품을 대량으로 구매할 수 있는 곳이에요.

① (가)는 (나)보다 상점 간 평균 거리가 가깝다.
② (가)는 (나)보다 소비자의 1회 구매당 평균 구매액이 적다.
③ (나)는 (가)보다 최소 요구치의 범위가 넓다.
④ (나)는 (가)보다 판매하는 상품의 종류가 다양하다.
⑤ (가), (나) 모두 교통이 편리한 도심에 주로 입지한다.

| 교육청 기출 |

05 그래프는 교통수단별 국내 수송 분담률을 나타낸 것이다. A~C에 대한 설명으로 옳은 것은? (단, A~C는 도로, 철도, 해운 중 하나임.)

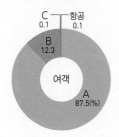 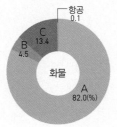

(통계청, 2015)

① A는 기종점 비용이 가장 비싸다.

② B는 기상 조건의 영향을 가장 크게 받는다.

③ C는 대량 화물의 장거리 수송에 유리하다.

④ A는 B보다 정시성과 안전성이 우수하다.

⑤ C는 A보다 기동성과 문전 연결성이 우수하다.

| 평가원 기출 |

06 A~C 교통수단에 대한 옳은 설명을 〈보기〉에서 고른 것은?

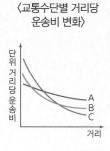 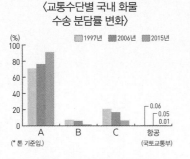

〈교통수단별 거리당 운송비 변화〉

〈교통수단별 국내 화물 수송 분담률 변화〉

(* 톤 기준임.) (국토교통부)

┃ 보기 ┃

ㄱ. A는 B보다 기종점 비용이 높다.

ㄴ. B는 C보다 국내 여객 수송에서 차지하는 비중이 높다.

ㄷ. C는 A보다 주행 비용 증가율이 낮다.

ㄹ. C는 B보다 수송 시 기상 제약을 적게 받는다.

① ㄱ, ㄴ ② ㄱ, ㄷ ③ ㄴ, ㄷ

④ ㄴ, ㄹ ⑤ ㄷ, ㄹ

| 평가원 기출 |

07 (가), (나)에 해당하는 소매 업태를 그래프의 A~D에서 고른 것은? (단, A~D는 대형 마트, 무점포 소매, 백화점, 편의점 중 하나임.)

(가) TV 홈쇼핑, 인터넷 쇼핑몰, 통신 판매 등을 포함한 업태로 시공간적 제약을 적게 받아 입지가 자유롭다. 정보 통신의 발달과 더불어 빠르게 성장하여 매출액이 대형 마트에 버금가게 되었다.

(나) 24시간 영업을 하는 소규모 업태로 유동 인구가 많은 곳에 입지하여 현대인에게 편의를 제공한다. 증가하는 수요에 힘입어 2006년 대비 2016년 판매액 증가율이 가장 높은 업태이다.

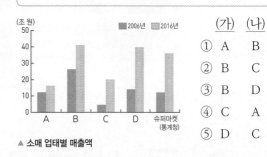

▲ 소매 업태별 매출액

	(가)	(나)
①	A	B
②	B	C
③	B	D
④	C	A
⑤	D	C

| 신유형 |

08 그래프는 세 업종의 전국 상위 5개 시도의 취업자 수 비중을 나타낸 것이다. (가)~(다)에 해당하는 업종으로 옳은 것은?

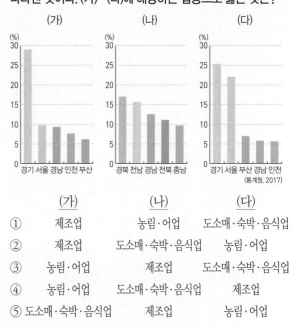

(통계청, 2017)

	(가)	(나)	(다)
①	제조업	농림·어업	도소매·숙박·음식업
②	제조업	도소매·숙박·음식업	농림·어업
③	농림·어업	제조업	도소매·숙박·음식업
④	농림·어업	도소매·숙박·음식업	제조업
⑤	도소매·숙박·음식업	제조업	농림·어업

VI

인구 변화와
다문화 공간

이 단원의 핵심 포인트

중단원	핵심 포인트	학습일
01 인구 변화 및 인구 문제와 공간 변화	• 인구 분포와 인구 이동 • 인구 구조의 변화 • 저출산·고령화 현상의 원인 • 저출산·고령화 현상의 영향 • 저출산·고령화 현상에 따른 대책	월 일 ~ 월 일
02 외국인 이주와 다문화 공간	• 외국인 이주자의 증가 • 다문화 사회의 형성 • 지속 가능한 다문화 사회를 위한 노력	월 일 ~ 월 일

셀파와 내 교과서 단원 비교

셀파	천재교과서	미래엔	비상교육
01 인구 변화 및 인구 문제와 공간 변화	01 인구 분포와 인구 구조의 변화	01 인구 분포와 인구 구조의 변화	01 인구 분포의 특성과 인구 구조의 변화
	02 인구 문제와 공간 변화	02 인구 문제와 공간 변화	02 인구 문제와 공간 변화
02 외국인 이주와 다문화 공간	03 외국인 이주와 다문화 공간	03 외국인 이주와 다문화 공간	03 외국인 이주와 다문화 공간

01 인구 변화 및 인구 문제와 공간 변화

1 인구 분포와 인구 이동 자료01

1. 전통적 인구 분포 자연적 요인❶의 영향을 많이 받음.

(1) **인구 조밀 지역** 기후가 온화하고 경지 비율이 높은 남서부 평야 지대 → 인구 밀도❷ 높음.

(2) **인구 희박 지역** 춥고 산지가 많은 북동부 지역 → 인구 밀도 낮음.

2. 인구 이동에 따른 오늘날 인구 분포❸ 사회적·경제적 요인의 영향을 많이 받음.

(1) **인구 조밀 지역**

① **1960~1980년대** 산업화·도시화에 따라 이촌 향도 현상이 나타남. → 수도권과 영남권에 인구 집중
└ 농촌에서 도시로 인구가 이동하는 현상

② **1990년대 이후** 대도시의 인구 과밀화로 대도시 주변 위성 도시로 인구가 이동하는 교외화 현상이 나타남. → 수도권과 영남권의 대도시 주변 지역의 인구 증가

(2) **인구 희박 지역** 태백산맥, 소백산맥 산간 지역 및 농어촌 지역

2 인구 구조의 변화

1. 인구 성장 자료02

(1) **의미** 자연적 증감(출생자 수−사망자 수)+사회적 증감(전입자 수−전출자 수)

(2) **우리나라의 인구 성장**❹

조선 시대까지	높은 출생률과 사망률 → 낮은 인구 성장률
일제 강점기	근대 의료 기술 도입, 의료 시설 확충으로 사망률 감소, 식량 증산 → 인구 급증
광복 이후	재외 동포 귀국, 북한 동포 월남 → 인구의 사회적 증가
6·25 전쟁	전쟁 중 사망률 급증, 전쟁 이후 출산 붐으로 출산율 급증 └ 전쟁이나 불경기가 끝난 후 사회가 안정되면서 출산율이 급증하는 현상
1960년대~1990년대	정부 주도의 적극적인 산아 제한 정책 실시 → 출산율 빠르게 감소
2000년대 이후	지나친 출산율 감소로 저출산 문제 발생 → 출산 장려 정책 실시

2. 인구 구조의 변화 자료03

(1) **인구 구조** 어떤 인구 집단의 자연적·사회적 특성을 기준으로 하는 인구의 구성 상태
└ 연령, 성 등 └ 직업, 국적 등

(2) **연령별 인구 구조**

① **구분** 유소년층(0~14세 이하), 청장년층(15~64세, 생산 연령층), 노년층(65세 이상)

② **인구 구조의 변화**

- 1960년대 이전: 유소년층 비율이 높고 노년층 비율이 낮음. → 전형적인 **피라미드형 인구 구조**

- 1990년대 후반 이후: 출생률과 사망률 감소 → **종형 인구 구조**

(3) **성별 인구 구조**

┌ 남초 현상이 두드러짐.
① 과거 남아 선호 사상으로 성비 불균형 현상이 나타났으나 점차 완화되고 있음.

② 중화학 공업이 발달한 지역에서는 **남초** 현상이, 촌락 지역에서는 **여초** 현상이 나타남.
왜? 촌락 지역은 노년 인구 비중이 높으며, 여성의 평균 수명이 길기 때문임.

---

❶ 인구 분포에 영향을 주는 요인

자연적 요인	기후, 지형 등
사회적·경제적 요인	산업, 경제, 문화, 교육 등

과거에는 자연적 요인이 인구 분포에 영향을 많이 주었으나, 오늘날에는 사회적·경제적 요인의 영향을 많이 받는다.

❷ 인구 밀도

단위 면적당(km^2) 인구수로 나타내며, 인구 밀도의 높고 낮음을 통해 인구 분포를 알 수 있다. 자연환경이 유리하고 산업이 발달한 곳에서 대체로 인구 밀도가 높게 나타난다.

❸ 인구 중심점

2010년 충청북도 청주시
1990년 충청북도 보은군
1970년 충청북도 옥천군
(국토지리정보원, 2014.)

인구 중심점은 어떤 지역에 사는 모든 사람과의 거리의 합이 가장 작은 지점을 말한다. 우리나라는 과거 남서부 지역에 인구가 많이 분포하였으나, 산업화와 대도시의 성장으로 인구 분포가 변화함에 따라 인구 중심점이 점차 북서쪽으로 이동하고 있다.

❹ 우리나라의 인구 성장

(통계청, 각 연도)

셀파 자료 탐구

자료 01 공통 자료 인구 분포의 변화

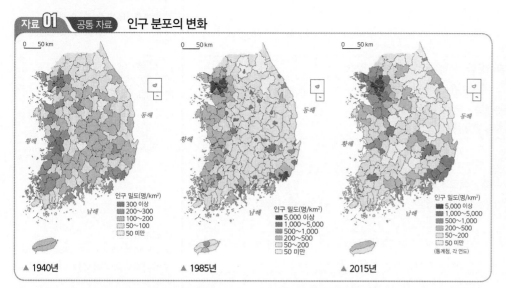

▲ 1940년　　▲ 1985년　　▲ 2015년

자료 분석 | 인구 분포는 인구 밀도를 통해 파악할 수 있다. 우리나라는 1960년대 이전까지 벼농사에 유리한 남서부 지역에 인구가 주로 분포하였다. 1960년대 이후 산업화·도시화가 진행되면서 개발이 집중된 수도권과 영남권의 대도시로 인구가 집중하였다. 1990년대 이후 대도시가 과밀화되면서 대도시 주변에 위성 도시가 건설되고 인구와 산업이 분산되면서 대도시와 인접한 근교 지역에 인구가 증가하였다.

자료 02 인구 변천 모델

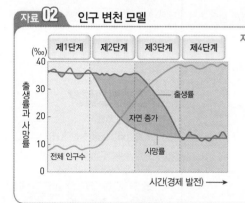

자료 분석 | 제1단계는 재해, 기근, 위생 시설의 불량 등으로 출생률과 사망률이 모두 높은 고위 정체기로 인구 성장률이 낮은 다산 다사(多産多死)의 단계이다. 제2단계는 출생률은 여전히 높으나 의학 발달, 경제 발전 등으로 사망률이 급감하여 인구가 급증하는 다산 감사(多産減死)의 단계이다. 제3단계는 자녀에 대한 가치관 변화, 가족계획 등으로 출생률이 낮아지는 감산 소사(減産少死)의 단계이다. 제4단계는 출생률과 사망률이 낮은 수준으로 안정되는 저위 정체기로 소산 소사(少産少死)의 단계이다. 노년 인구 비율이 증가한다.

자료 03 공통 자료 인구 구조 변화

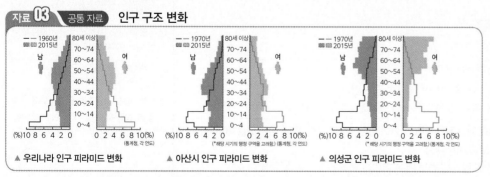

▲ 우리나라 인구 피라미드 변화　　▲ 아산시 인구 피라미드 변화　　▲ 의성군 인구 피라미드 변화

자료 분석 | 인구 피라미드는 인구의 성별·연령별 구성을 나타낸 것으로 이를 통해 인구 구조를 파악할 수 있다. 1960년 우리나라의 인구 구조는 높은 출생률과 사망률로 인해 유소년층 인구 비율이 높고, 노년층 인구 비율이 낮은 전형적인 피라미드형 인구 구조를 보였다. 이후 경제 발전과 산업화가 진행되고 산아 제한 중심의 가족계획 정책, 출산 및 양육 비용 증가 등으로 출생률이 감소하면서 종형 인구 구조로 변화하였다. 지역별 인구 피라미드를 살펴보면 상대적으로 공업이 발달하여 인구가 유입되는 아산시는 청장년층 인구 비중이 높게 나타나지만, 인구가 유출되는 의성군은 노년층 인구 비중이 높게 나타난다.

● 교과서 탐구 풀이

Q 인구 분포의 변화를 인구 이동과 관련지어 설명해 보자.

A 과거에는 농업에 유리한 남서부 지방의 인구 밀도가 높았으나, 산업화의 영향으로 일자리가 풍부한 도시 지역으로 인구가 이동(이촌 향도)하면서 도시 인구가 급증하였으며, 특히 산업 시설이 발달한 경부축을 중심으로 인구가 밀집하였다. 서울, 부산 등의 대도시가 과밀화되면서 1990년대 이후에는 대도시 근교 지역으로의 인구가 이동하였다.

● 교과서 자료 더 보기

| 미래의 인구 추이 |

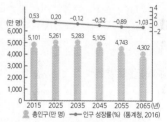

2015년 이후 인구 성장률이 지속적으로 감소하여 2035년경에는 총인구도 감소할 것으로 예상된다.

● 교과서 자료 더 보기

| 성비 |

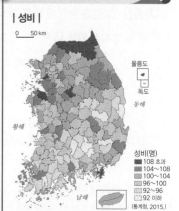

대체로 중공업 도시, 군사 도시 등에서는 남초 현상이 나타나며, 촌락 지역에서는 여초 현상이 나타난다.

3 인구 문제와 공간 변화

★ 1. 저출산·고령화 현상 자료04

(1) 저출산 현상

> ─ 현재의 인구 규모를 유지하기 위한 수준으로
> 일반적으로 합계 출산율 2.1명을 의미함.

현황	• 1980년대 중반 이후부터 출산율이 인구 대체 수준 이하로 감소 • 2015년 기준 합계 출산율 1.24명으로 세계 최저 수준임. ─ 경제협력개발기구(OECD) 기준에 따르면 합계 출산율 1.3명 이하를 초저출산 국가로 분류함.
원인	• 결혼 및 자녀에 대한 가치관 변화 → 만혼, 비혼, 무자녀 부부 증가 • 출산과 육아 비용 증가, 교육비 부담 증가

(2) 고령화 현상

현황	• 출산율이 낮아지는 반면 노년층은 빠르게 증가 • 2000년 노년층 인구 비율이 7%를 넘어 고령화 사회에 진입, 2015년 노년층 비율은 13%로 고령 사회 진입
원인	• 출산율 감소 ─ 왜? 출산율이 감소하면 전체 인구 구성에서 유소년층 비율은 감소하고 상대적으로 노년층 비율은 증가하기 때문임. • 의학 기술의 발달과 생활 수준의 향상으로 기대 수명 연장 및 사망률 감소

★ 2. 저출산·고령화 현상의 영향

(1) 사회적 변화 자료05

저출산 현상의 영향	• 단기적으로 유소년 부양비를 낮추어 경제 발전에 도움 • 장기적으로 미래 생산 인구 및 소비 인구 감소 → 생산성 하락, 소비 시장 축소, 경제 활동 위축에 따른 경기 침체 → 국가 경쟁력 약화
고령화 현상의 영향	• 생산 가능 인구 감소로 노동력 부족 및 노동력 고령화 • 노년 부양비 증가로 청장년층 부담 가중 • 연금 등 사회 복지 비용 부담 증가로 국가 재정 부담

(2) 공간적 변화

① 유소년층을 위한 사회 기반 시설 수요 감소, 노년층을 위한 사회 기반 시설 수요 증가
② 공간 분포 불균형 심화 정주 여건이 잘 갖추어진 대도시 지역으로 인구 유입이 활발해지는 반면 지방 중소 도시 및 구 시가지는 쇠퇴함.

3. 저출산·고령화 현상에 따른 대책 자료06

(1) 사회적 변화에 따른 대책

저출산 대책	• 출산 및 양육에 대한 재정적 지원 • 일과 가정이 양립할 수 있도록 사회적·제도적 지원 강화 • 신혼부부를 위한 주거·복지·행정 지원 확대 → 비혼·만혼 추세에 대응
고령화 대책	• 노년층의 경제적 안정을 위한 지원 확대 → 정년 연장, 재취업 기회 확대, 공적 연금 확대 등 • 고령 친화 산업(실버 산업) 적극 육성 • 건강과 관련된 정책 확대 및 노인 전문 병원, 요양원 등 노인 복지 시설 확충

(2) 공간적 변화에 따른 대책

① 정주 여건이 취약한 지역을 중심으로 교육, 의료 등의 사회 기반 시설 확충
② 고령자의 신체적·정신적 행동 양식을 고려한 환경 조성 예 노인 보호 구역 지정, 실버 주택 단지 조성 등

---

⑤ 합계 출산율 및 출생아 수 변화

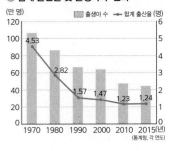

(통계청, 각 연도)

⑥ 합계 출산율

여성 1명이 가임 기간(15~49세) 동안 낳을 것으로 예상되는 평균 출생아 수를 말한다.

⑦ 고령 사회 구분

구분	65세 이상 인구 비율
고령화 사회	7~14%
고령 사회	14~20%
초고령 사회	20% 이상

고득점을 위한 셀파 Tip

인구 관련 통계 지표

• 인구 부양비: 청장년 인구(15~64세)에 대한 유소년 인구(0~14세)와 노년 인구(65세 이상)의 합의 비율

총 부양비	$\dfrac{\text{유소년 인구+노년 인구}}{\text{청장년 인구}} \times 100$
유소년 부양비	$\dfrac{\text{유소년 인구}}{\text{청장년 인구}} \times 100$
노년 부양비	$\dfrac{\text{노년 인구}}{\text{청장년 인구}} \times 100$

• 노령화 지수: 유소년 인구 100명에 대한 노년 인구의 비율

노령화 지수	$\dfrac{\text{노년 인구}}{\text{유소년 인구}} \times 100$

• 중위 연령: 총인구를 연령순으로 나열할 때 정중앙에 있는 사람의 해당 연령

---

⑧ 노인 보호 구역

교통 약자인 노인을 교통사고 위험에서 보호하기 위해 경로당, 노인 복지 시설 등 노인들의 통행량이 많은 곳에 지정하는 교통 약자 보호 구역이다.

셀파 자료 탐구

자료 04 공통 자료 | 연령별 인구 구성비 변화

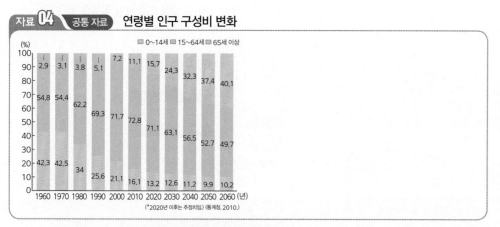

자료 분석 | 1970년 42.5%인 유소년 인구 비중은 이후 꾸준히 감소하여 2010년에는 16.1%로 1970년의 절반에도 미치지 못하였다. 반면 1970년 노년 인구 비중은 3.1%에 불과하였으나 2010년에는 11.1%로 약 3배 증가하였다. 이처럼 저출산·고령화 현상이 지속되면 미래 생산 인구 및 소비 인구가 감소하여 국내 시장이 축소되고 국가 경쟁력이 약화될 수 있으며, 노년 인구 부양비 부담이 증가하여 사회의 안정적 유지가 어려울 수 있다.

자료 05 공통 자료 | 지역별 인구 부양비

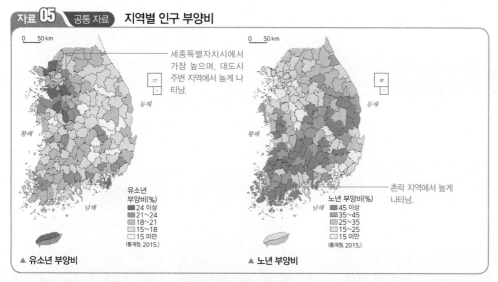

▲ 유소년 부양비   ▲ 노년 부양비

자료 분석 | 유소년 부양비는 수도권과 충남 북부, 세종 등 주로 인구가 유입되어 청장년층 비중이 높은 지역에서 높게 나타난다. 노년 부양비는 주로 인구가 유출되어 고령화가 빠르게 진행되는 촌락 지역에서 높게 나타난다. 이들 지역에서는 사회 기반 시설이 쇠퇴하거나 방치되어 정주 여건이 악화될 수 있다.

자료 06 | 브릿지 플랜 2020

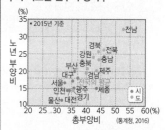

자료 분석 | '브릿지 플랜 2020'은 저출산·고령화 현상에 대응하기 위한 정책으로 모든 세대가 함께 행복한 지속 발전 사회 구현을 비전으로 제시하고 있다. 2020년까지 합계 출산율 1.5명을 달성하여 인구 대체 수준인 2.1명에 도달하기 위한 교두보를 마련하고 고령 사회에 대응하기 위한 각각의 추진 전략을 제시하고 있다.

교과서 탐구 풀이

Q 2060년 무렵 우리나라에 나타날 수 있는 인구 문제에 대해 설명해 보자.

A 유소년 인구 비율이 꾸준히 감소하고, 노년 인구가 꾸준히 증가하고 있어 2060년경에는 청장년층의 노동력 부족 문제 및 노동력의 고령화 문제가 나타날 수 있으며, 노년 인구 부양비, 사회 복지 비용 등의 부담 증가로 청장년층 및 국가의 부담이 가중될 수 있다.

교과서 자료 더 보기

| 각 시도별 인구 부양비 |

2015년 기준 인구 부양비가 가장 낮은 지역은 울산으로 공업이 발달하여 상대적으로 청장년층 비중이 높은 지역이다. 인구 부양비가 가장 높은 지역은 전남으로 이촌 향도에 따른 인구 유출로 상대적으로 청장년층 비중이 낮으며, 특히 노년층 비중이 높아 인구 부양비가 높게 나타난다.

교과서 자료 더 보기

| 인구 절벽 |

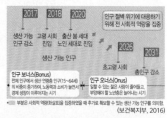

인구 절벽은 생산 가능 인구가 감소하는 현상으로, 소비가 감소하여 경제에 부담을 줄 수 있다.

1 인구 분포와 인구 이동

전통적 인구 분포	남서부 평야 지대의 인구 밀도가 높고, 산지가 많은 북동부 지역은 인구 밀도가 낮음.
오늘날 인구 분포	• 1960~1980년대: 산업화·도시화에 따른 (❶) → 수도권과 영남권에 인구 집중 • 1990년대 이후: 대도시의 과밀화에 따른 교외화 → 수도권과 영남권 주변 지역의 인구 증가 • 태백산맥, 소백산맥 산간 지역 및 농어촌 지역은 인구 밀도가 낮음.

2 우리나라의 인구 성장

조선 시대까지	높은 출생률과 사망률 → 낮은 인구 성장률
일제 강점기	의학 보급으로 사망률 감소 → 인구 급증
광복 이후	재외 동포 귀국 등에 따른 인구의 사회적 증가
6·25 전쟁	전쟁 중 사망률 급증, 전쟁 후 (❷)으로 출산율 급증
1960~1990년대	산아 제한 정책 실시 → 출산율 급감
2000년대 이후	지나친 출산율 감소 → 출산 장려 정책 실시

3 인구 구조의 변화

연령별 인구 구조의 변화	• 출산율 감소로 유소년층 감소, 노년층 증가 • (❸) 인구 구조 → 종형 인구 구조
성별 인구 구조의 변화	과거 남아 선호 사상으로 (❹) 불균형이 나타났으나 점차 완화됨.

4 인구 문제와 공간 변화

저출산 현상	원인	결혼 및 자녀에 대한 가치관 변화, 출산과 육아 비용 증가, 교육비 부담 증가
	영향	• 단기적: 유소년 부양비를 낮추어 경제 발전에 도움 • 장기적: 미래 생산 인구 및 소비 인구 감소 → 경기 침체 및 국가 경쟁력 약화
	대책	출산 및 양육에 대한 제도적·사회적 지원 강화, 신혼부부를 위한 주거 지원 등
고령화 현상	원인	의학 기술 발달과 생활 수준 향상에 따른 (❺) 연장
	영향	• 생산 가능 인구 감소 → 노동력 부족 및 고령화 • 노년 인구 부양비 증가에 따른 청장년층 부담 • 연금 등 사회 복지 비용 부담
	대책	• 노년층의 경제적 안정을 위한 경제적 지원 확대 • 노인 건강 및 복지 시설 확충

정답 ❶ 이촌 향도 ❷ 출산 붐 ❸ 피라미드형 ❹ 성비 ❺ 기대 수명

01 다음 글의 (가)에 들어갈 내용으로 가장 적절한 것은?

▲ 인구 중심점의 이동

인구 중심점은 어떤 지역에 사는 모든 사람들과의 거리의 합이 가장 작은 지점을 의미한다. 지도에서 같이 인구 중심점이 변화한 것은 _____(가)_____ 때문이다.

① 지구 온난화로 중부 지방의 기후가 온화해졌기
② 자연적 요인이 인구 분포에 미치는 영향이 커졌기
③ 남동 임해 지역에 대규모 공업 단지가 형성되었기
④ 수도권을 중심으로 산업화가 활발하게 이루어졌기
⑤ 지역 간 형평성을 고려한 지역 개발 정책이 실시되었기

02 지도는 우리나라의 시기별 인구 밀도를 나타낸 것이다. 이에 대한 옳은 설명을 〈보기〉에서 고른 것은?

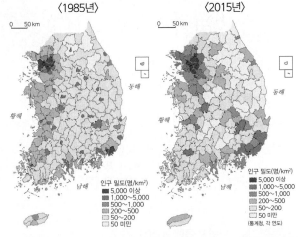

보기
ㄱ. 인구 분포의 불균등 현상이 완화되었다.
ㄴ. 인구 밀도 50명/km² 미만 시·군은 1985년이 2015년보다 많다.
ㄷ. 수도권은 1985~2015년에 인구가 증가한 시·군이 감소한 시·군보다 많다.
ㄹ. 호남 지방에서 서해안과 접하고 있는 시·군은 1985~2015년에 대부분 인구 밀도가 낮아졌다.

① ㄱ, ㄴ   ② ㄱ, ㄷ   ③ ㄴ, ㄷ
④ ㄴ, ㄹ   ⑤ ㄷ, ㄹ

딱풀 p. 47

03 (가)~(다)는 영남권의 인구 순 이동자 수 변화를 나타낸 것이다. 이에 대한 옳은 설명을 〈보기〉에서 고른 것은?(단, (가)~(다)는 부산, 경남, 경북 중 하나임.)

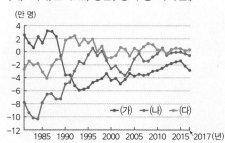

┤ 보기 ├

ㄱ. (가)는 인구 교외화 현상으로 1990년대에 인구 유출이 활발하였다.

ㄴ. (다)는 (나)보다 1970~2017년에 인구의 사회적 감소가 많았다.

ㄷ. 1980년대에 (가)에서 (다)로의 인구 이동보다 (다)에서 (가)로의 인구 이동이 활발하였을 것이다.

ㄹ. (가)는 부산, (나)는 경남, (다)는 경북이다.

① ㄱ, ㄴ ② ㄱ, ㄷ ③ ㄴ, ㄷ
④ ㄴ, ㄹ ⑤ ㄷ, ㄹ

04 (가)~(라)는 인구 변천 모델에 대한 내용이다. 이에 대한 옳은 설명을 〈보기〉에서 고른 것은?

(가) 출생률과 사망률이 모두 낮은 수준으로 안정되는 소산 소사(小産小死)의 단계이다.

(나) 출생률과 사망률이 모두 높은 수준의 고위 정체기로 다산 다사(多産多死)의 단계이다.

(다) 자녀에 대한 가치관 변화, 가족계획 등으로 출생률이 낮아지는 감산 소사(減産小死)의 단계이다.

(라) 출생률은 높으나 의학 발달, 경제 발전 등으로 사망률이 급감하여 인구가 급증하는 다산 감사(多産減死)의 단계이다.

┤ 보기 ├

ㄱ. (나)의 인구 구조는 피라미드형이다.

ㄴ. (가)는 (나)보다 노년 부양비가 높다.

ㄷ. (나)는 (다)보다 인구의 자연 증가율이 높다.

ㄹ. (라)는 (다)보다 총인구가 많다.

① ㄱ, ㄴ ② ㄱ, ㄷ ③ ㄴ, ㄷ
④ ㄴ, ㄹ ⑤ ㄷ, ㄹ

05 그래프는 우리나라의 인구 성장을 나타낸 것이다. 이에 대한 설명으로 옳지 않은 것은?

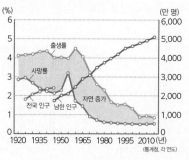

① 1950년대 후반에 출산 붐 현상이 나타났다.

② 1920년은 1965년보다 인구의 자연 증가율이 높다.

③ 1970년대는 인구 변천 모델의 제3단계에 해당한다.

④ 1960~1990년대에 인구 정책의 영향으로 출생률이 낮아졌다.

⑤ 1920년대에 사망률이 낮아진 주요 요인은 근대 의료 기술의 보급이다.

06 (가), (나)는 우리나라의 시기별 인구 구조를 나타낸 것이다. 이에 대한 설명으로 옳지 않은 것은? (단, (가), (나)는 1960년 2015년 중 하나임.)

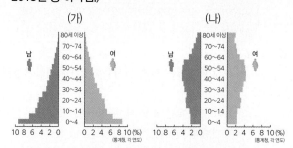

① (가) 시기는 출산 억제 정책의 필요성이 컸다.

② (나) 시기는 출산 장려 정책이 실시되었다.

③ (가) 시기는 (나) 시기보다 출생아 수가 많다.

④ (나) 시기는 (가) 시기보다 총부양비가 높다.

⑤ (나) 시기는 (가) 시기보다 노년 부양비가 높다.

07 그래프는 우리나라 두 지역의 인구 구조 변화를 나타낸 것이다. 이에 대한 옳은 설명만을 〈보기〉에서 있는 대로 고른 것은? (단, 두 지역은 충남 아산과 경북 의성만 고려함.)

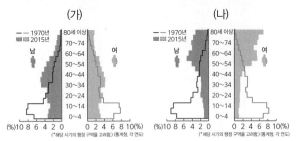

┤ 보기 ├
ㄱ. (가)는 2015년이 1970년보다 총인구가 많을 것이다.
ㄴ. (나)는 교외화 현상이 활발한 대도시와 인접한 지역일 것이다.
ㄷ. (가)는 (나)보다 1970~2015년에 총부양비 증가율이 높을 것이다.
ㄹ. (가), (나) 모두 1970년대에 청장년층 인구의 순 유출 현상이 나타났을 것이다.

① ㄱ, ㄴ   ② ㄱ, ㄹ   ③ ㄴ, ㄷ
④ ㄱ, ㄷ, ㄹ   ⑤ ㄴ, ㄷ, ㄹ

09 (가), (나) 지도의 제목으로 옳은 것은?

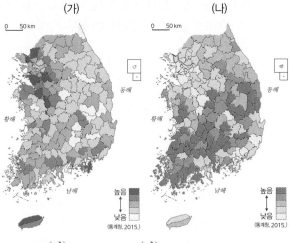

	(가)	(나)
①	총부양비	노년 부양비
②	총부양비	유소년 부양비
③	노년 부양비	총부양비
④	유소년 부양비	총부양비
⑤	유소년 부양비	노년 부양비

08 다음은 우리나라의 시기별 가족계획 표어이다. 이에 대한 적절한 추론만을 〈보기〉에서 있는 대로 고른 것은?

1960년대	3명 자녀를 3년 터울로 35세 이전에 단산하자.
1970년대	딸·아들 구별 말고 둘만 낳아 잘 기르자.
1980년대	잘 키운 딸 하나 열 아들 안 부럽다.
1990년대	엄마 건강 아기 건강 적게 낳아 밝은 생활
2000년대	가가 호호 아이 둘 셋 하하 호호 희망 한국

┤ 보기 ├
ㄱ. 1960년대에는 합계 출산율이 2.0명 이상이었을 것이다.
ㄴ. 1980년대에는 출생 시 성비가 100보다 낮은 현상이 뚜렷했을 것이다.
ㄷ. 2000년대에는 출산 장려 정책이 실시되었을 것이다.
ㄹ. 1960~1990년에는 합계 출산율을 낮추기 위한 정책이 지속적으로 실시되었을 것이다.

① ㄱ, ㄴ   ② ㄱ, ㄹ   ③ ㄴ, ㄹ
④ ㄱ, ㄷ, ㄹ   ⑤ ㄴ, ㄷ, ㄹ

10 그래프는 시·도별 인구 부양비를 나타낸 것이다. 이에 대한 옳은 해석을 〈보기〉에서 고른 것은?

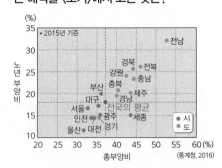

┤ 보기 ├
ㄱ. 부산은 광주보다 노령화 지수가 높다.
ㄴ. 제주는 노년 인구가 유소년 인구보다 많다.
ㄷ. 전남은 청장년 인구 비중이 50% 이상이다.
ㄹ. 수도권은 영남권보다 노년 부양비가 높다.

① ㄱ, ㄴ   ② ㄱ, ㄷ   ③ ㄴ, ㄷ
④ ㄴ, ㄹ   ⑤ ㄷ, ㄹ

11 다음은 인구 문제에 대해 정리한 내용이다. ㉠~㉣에 대한 설명으로 옳지 <u>않은</u> 것은?

- 저출산 현상
  - 원인: ㉠ 초혼 연령 상승, ㉡ 비혼 인구 증가, 출산과 육아 비용 증가 등
  - 영향: 생산 인구 감소 등
- 고령화 현상
  - 원인: 사망률 감소, 기대 수명 연장, ㉢ 출산율 감소
  - 영향: ㉣ 청장년층의 사회적 부담 증가, 사회 복지 비용 증가, 노동력 고령화 등

⊣ 보기 ⊢

ㄱ. ㉠은 학업 기간이 길어지고, 여성의 경제 활동 참가율이 증가했기 때문이다.

ㄴ. ㉡은 결혼할 여성에 비해 결혼할 남성의 수가 적기 때문이다.

ㄷ. ㉢으로 인해 상대적으로 노년층 비중이 높아지기 때문이다.

ㄹ. ㉣은 자녀 양육비가 큰 폭으로 늘어났기 때문이다.

① ㄱ, ㄴ ② ㄱ, ㄷ ③ ㄴ, ㄷ
④ ㄴ, ㄹ ⑤ ㄷ, ㄹ

12 다음 글에 나타난 인구 문제의 근본적인 해결 방안으로 적절한 내용을 〈보기〉에서 고른 것은?

2017년 3월 현재 주민등록상 인구가 2만 4,368명에 불과한 경북 군위군은 최근 10년 새 초등학교 6개가 문을 닫았다. 인구가 줄면서 약국, 병원 등 생활 기반 시설도 사라지고 있다. 이런 추세라면 앞으로 30년 후에는 인근 자치 단체에 통폐합되어 군위군이라는 이름이 아예 지도에서 사라질지도 모른다. 행정자치부는 3월 말 기준 전국 229개 시·군·구 가운데 37.1%인 85곳은 향후 30년 이내에 자치 단체가 폐지될 위기에 몰릴 만큼 인구가 급감할 것으로 전망하였다.

⊣ 보기 ⊢

ㄱ. 촌락에 노인 일자리를 만든다.

ㄴ. 촌락의 정주 여건을 개선한다.

ㄷ. 합계 출산율을 높이기 위한 정책을 실시한다.

ㄹ. 농업 노동력 확보를 위한 외국인 인력 유입을 촉진한다.

① ㄱ, ㄴ ② ㄱ, ㄷ ③ ㄴ, ㄷ
④ ㄴ, ㄹ ⑤ ㄷ, ㄹ

13 (가), (나)는 두 지역의 인구 구조를 나타낸 것이다. 이를 보고 물음에 답하시오. (단, (가), (나)는 전남과 울산만 고려함.)

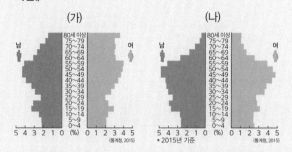

(1) (가)와 비교한 (나)의 인구 구조 특징을 빈칸에 쓰시오.

노년 부양비	청장년 인구 비중	총부양비	중위 연령	노령화 지수

(2) (1)과 같은 특징이 나타나게 된 이유를 서술하시오.

14 그래프는 우리나라의 인구 부양비 변화를 나타낸 것이다. 이를 보고 물음에 답하시오.

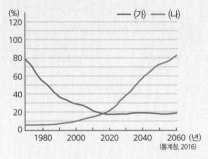

(1) (가), (나)에 해당하는 부양비를 각각 쓰시오.

(2) 위 그래프를 토대로 총부양비의 변화 경향을 서술하시오.

| 신유형 |

01 그래프는 권역별 인구 변화를 나타낸 것이다. (가)~(라)에 해당하는 권역을 지도의 A~D에서 고른 것은?

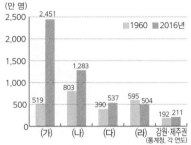

	(가)	(나)	(다)	(라)
①	A	B	C	D
②	A	C	B	D
③	A	D	B	C
④	B	A	C	D
⑤	B	A	D	C

| 신유형 |

02 그래프는 경상남도 세 지역의 총인구와 성비 변화를 나타낸 것이다. (가)~(다) 지역을 지도의 A~C에서 고른 것은?

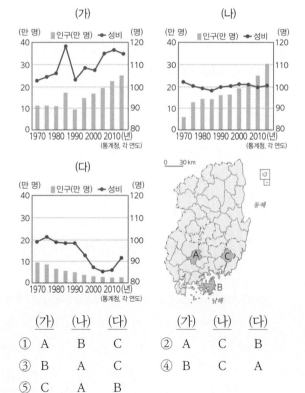

	(가)	(나)	(다)		(가)	(나)	(다)
①	A	B	C	②	A	C	B
③	B	A	C	④	B	C	A
⑤	C	A	B				

| 평가원 기출 |

03 다음 그래프에 대한 옳은 설명을 〈보기〉에서 고른 것은? (단, (가)~(라)는 경기, 울산, 전남, 충북 중 하나임.)

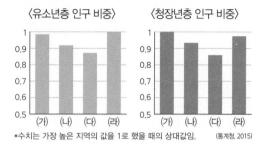

〈유소년층 인구 비중〉 〈청장년층 인구 비중〉

*수치는 가장 높은 지역의 값을 1로 했을 때의 상대값임. (통계청, 2015)

┌ 보기 ┐
ㄱ. (가)는 울산, (나)는 충북이다.
ㄴ. 총부양비는 (다)가 가장 높다.
ㄷ. (가)는 (라)보다 유소년 부양비가 높다.
ㄹ. (다)는 (라)보다 노령화 지수가 낮다.
└────────┘

① ㄱ, ㄴ   ② ㄱ, ㄷ   ③ ㄴ, ㄷ
④ ㄴ, ㄹ   ⑤ ㄷ, ㄹ

| 수능 응용 |

04 그래프는 (가), (나) 지역의 인구 피라미드를 나타낸 것이다. 이에 대한 옳은 설명을 〈보기〉에서 고른 것은? (단, (가), (나)는 광주, 전남 중 하나임.)

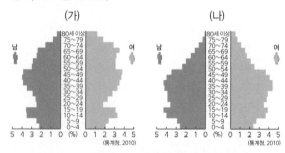

┌ 보기 ┐
ㄱ. (가)는 노령화 지수가 100보다 크다.
ㄴ. (나)는 유소년층 성비가 노년층 성비보다 높다.
ㄷ. (가)는 (나)보다 중위 연령이 낮다.
ㄹ. (나)는 (가)보다 1차 산업 종사자 비중이 높다.
└────────┘

① ㄱ, ㄴ   ② ㄱ, ㄷ   ③ ㄴ, ㄷ
④ ㄴ, ㄹ   ⑤ ㄷ, ㄹ

| 신유형 |

05 (가), (나) 지역의 연령층별 인구 구조를 A~C에서 고른 것은?

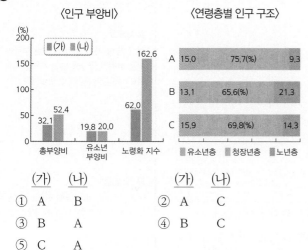

〈인구 부양비〉　　　〈연령층별 인구 구조〉

	(가)	(나)
①	A	B
③	B	A
⑤	C	A

	(가)	(나)
②	A	C
④	B	C

| 수능 기출 |

06 (가)~(다)에 해당하는 인구 부양비로 옳은 것은?

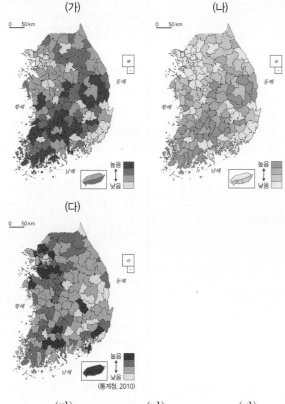

(가)　　　　　　(나)

(다)

(통계청, 2010)

	(가)	(나)	(다)
①	총부양비	노년 부양비	유소년 부양비
②	총부양비	유소년 부양비	노년 부양비
③	노년 부양비	총부양비	유소년 부양비
④	노년 부양비	유소년 부양비	총부양비
⑤	유소년 부양비	노년 부양비	총부양비

| 평가원 응용 |

07 그래프는 A, B 지역의 인구 특성을 나타낸 것이다. A, B의 상대적 특성을 비교할 때, 그림의 (가), (나)에 들어갈 지표로 옳은 것은?

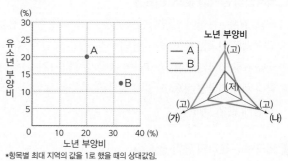

*항목별 최대 지역의 값을 1로 했을 때의 상대값임.

	(가)	(나)
①	총부양비	노령화 지수
②	노령화 지수	청장년층 인구 비중
③	유소년 부양비	총부양비
④	유소년 부양비	청장년층 인구 비중
⑤	청장년층 인구 비중	총부양비

| 교육청 기출 |

08 그래프는 우리나라의 전체 읍·면·동별 인구 특성이다. 이에 대한 설명으로 옳지 않은 것은?

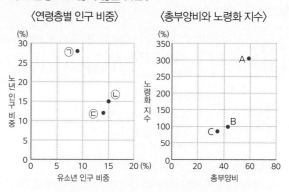

〈연령층별 인구 비중〉　　〈총부양비와 노령화 지수〉

① 도시화 과정에서 C는 인구 유입이 활발하였다.

② 우리나라 총인구에서 차지하는 비중은 C가 A보다 높다.

③ ㉠은 유소년 부양비보다 노년 부양비가 2배 이상 높다.

④ ㉠은 ㉡보다 군청 소재지가 많이 분포한다.

⑤ ㉡과 B는 읍·면·동 중에서 읍에 속한다.

02 외국인 이주와 다문화 공간

1 외국인 이주자의 증가

1. 외국인의 증가와 분포 _{자료 01}

(1) **배경** 교통·통신이 발달하면서 자본·노동력 등이 국경을 넘나드는 세계화❶가 빠르게 진행됨.

(2) **국내 체류 외국인 유형** 외국인 근로자, 결혼 이민자, 유학생 등

(3) **국내 체류 외국인 국적** 중국인이 절반가량을 차지하며, 베트남, 미국 등의 외국인 비중이 높음.

(4) **국내 체류 외국인 분포** 산업이 발달한 서울을 포함한 수도권과 공업이 발달한 충청 지방, 영남 지방에 많이 거주함.

2. 외국인 근로자의 유입 _{자료 02}

배경	국내 생산직 근로자의 임금 상승, 3D 업종❷ 기피 현상 → 외국인 근로자에 대한 수요 증가
현황	• 1990년대 초 중국을 비롯하여 동남아시아, 남부 아시아 등의 지역에서 저임금 노동력 유입 • 최근 연구 개발, 국제 금융 등 다양한 분야에서 고임금·전문직 외국인 근로자의 유입 증가

3. 국제결혼의 증가 _{자료 02}

배경	• 세계화에 따라 외국인에 대한 거부감 감소 및 가치관 변화 • 촌락 지역에서 젊은 여성 인구가 도시로 이주 → 결혼 적령기 성비 불균형❸ 현상 발생
현황	• 2000년대부터 국제결혼 급증❹ → 최근 다소 감소 추세 • 총 국제결혼 건수는 도시 지역이 많지만, 국제결혼 비중은 촌락 지역이 높음.

2 다문화 사회의 형성

1. 다문화 사회의 형성과 영향

(1) **다문화 사회의 형성** 외국인 근로자 유입 및 국제결혼 증가로 다문화 사회 형성

(2) **다문화 사회의 영향**

긍정적 영향	• 제조업 및 단순 서비스업의 인력난 완화에 도움 → 경제 성장에 기여 • 저출산·고령화에 대한 대안 • 다양한 문화 자산 공유 등
부정적 영향	• 국내 근로자와의 일자리 경쟁 • 인종적·종교적 편견에 따른 차별 • 문화적 이질감에 따른 갈등 등

> **왜?** 외국인 근로자는 저출산·고령화 현상에 따른 노동력 부족에 대안이 될 수 있으며, 촌락 지역의 다문화 가정은 공동체 유지에 이바지함.

(3) **다문화 공간** 국적·종교 등 문화적 배경이 비슷한 이주자들이 모여 공동체 형성 → 이주자 공동체 문화와 우리나라 문화가 융합되어 다문화 공간 형성 _{자료 03}

2. 지속 가능한 다문화 사회를 위한 노력

(1) **국가적·사회적 노력** 「다문화 가족 지원법」❺과 같은 제도적 장치 마련, 시민 단체 등의 외국인 이주자 및 다문화 가정 자녀를 지원하는 프로그램 실시 등

(2) **개인적 노력** 문화적 다양성 존중, 세계 시민 의식 고양 등
— 국적, 인종, 문화 등이 다른 가족으로 구성된 가정

---

❶ **세계화**
정치, 경제, 사회, 문화 등 모든 부문의 인간 활동 범위가 국경을 넘어 세계로 확대되고 상호 연관성이 증가하는 현상이다.

❷ **3D 업종**
어렵고(Difficult), 더럽고(Dirty), 위험한(Dangerous) 분야의 산업을 일컫는 말이다.

❸ **촌락 지역의 결혼 적령기 성비 불균형**
1980년대 말부터 이촌 향도 현상으로 촌락 지역의 인구, 특히 젊은 여성들이 도시로 이주함에 따라 결혼 적령기 인구의 성비 불균형 현상이 뚜렷하게 나타났다.

❹ **국제결혼 추이**

한국인 남성과 외국인 여성의 국제결혼이 한국인 여성과 외국인 남성의 국제결혼보다 많이 이루어지고 있다. 2000년대 중반까지 국제결혼이 급격히 증가하였으나 이후 다소 감소하고 있다.

❺ **「다문화 가족 지원법」**
다문화 가족 구성원이 안정적인 가족생활을 영위하고 사회 구성원으로서의 역할과 책임을 다할 수 있도록 함으로써 이들의 삶의 질 향상과 사회 통합에 이바지하는 것을 목적으로 제정된 법이다.

자료 01 | 공통 자료 | 국내 체류 외국인의 유형·국적

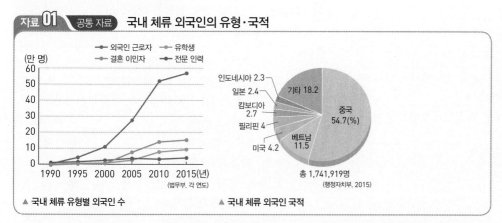

▲ 국내 체류 유형별 외국인 수

▲ 국내 체류 외국인 국적

자료 분석 | 국내 체류 외국인 수는 1990년 이후 꾸준히 증가하고 있다. 유형별로 살펴보면 외국인 근로자 비중이 가장 높으며, 그다음 결혼 이민자, 유학생 등 순으로 나타난다. 국내 체류 외국인의 절반 이상은 중국인이며, 아시아 출신 외국인이 많다. 이는 1990년대 초부터 중국, 동남아시아, 남부 아시아 등지에서 저임금 제조업에 종사하는 외국인 근로자가 유입되었기 때문이다.

자료 02 | 공통 자료 | 국내 체류 외국인의 분포

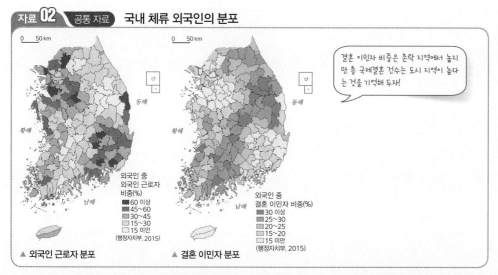

결혼 이민자 비중은 촌락 지역에서 높지만 총 국제결혼 건수는 도시 지역이 높다는 것을 기억해 두자!

▲ 외국인 근로자 분포

▲ 결혼 이민자 분포

자료 분석 | 국내 체류 외국인 근로자는 산업이 발달하여 일자리가 풍부한 수도권과 영남권에 주로 분포한다. 최근에는 충남, 전북, 전남 일부 지역에도 많이 거주하고 있다. 결혼 이민자 비중은 촌락 지역에서 높게 나타난다. 이는 이촌 향도 현상에 따라 촌락 지역의 결혼 적령기 인구의 성비 불균형 현상이 나타났기 때문이다.

자료 03 | 다문화 공간

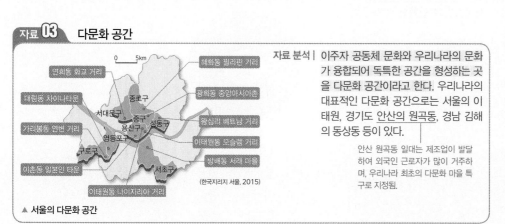

▲ 서울의 다문화 공간

자료 분석 | 이주자 공동체 문화와 우리나라의 문화가 융합되어 독특한 공간을 형성하는 곳을 다문화 공간이라고 한다. 우리나라의 대표적인 다문화 공간으로는 서울의 이태원, 경기도 안산의 원곡동, 경남 김해의 동상동 등이 있다.

> 안산 원곡동 일대는 제조업이 발달하여 외국인 근로자가 많이 거주하며, 우리나라 최초의 다문화 마을 특구로 지정됨.

| 국내 체류 외국인 취업 직종 |

총 938,000명
(통계청, 2015)

국내 체류 외국인 근로자는 주로 제조업과 단순 서비스업에 종사한다. 특히 내국인들이 취업을 기피하는 3D 업종에 많이 취업하고 있다.

Q 외국인 근로자와 결혼 이민자 비중이 높은 지역의 특성을 각각 말해 보자.

A 외국인 근로자의 40% 이상이 제조업에 종사하고 있으므로 외국인 근로자 비중이 높은 지역은 제조업이 발달하였음을 알 수 있다. 결혼 이민자 비중은 결혼 적령기 성비 불균형 현상이 나타나는 촌락 지역에서 높다.

| 다문화 수용성 조사 |

연령대	점수
20대	57.50
30대	56.75
40대	54.42
50대	51.47
60대 이상	48.77

*2015년 전국 19~74세 성인 4천 명을 대상으로 한 결과임.

2015년 여성가족부에서 실시한 다문화 수용성 조사에 따르면 연령층이 낮을수록 다문화 수용성이 높은 것으로 나타났다.

1 외국인 이주자의 증가

배경	자본과 노동력이 국경을 넘나드는 (❶)에 따라 외국인 이주자 유입 증가
유형	외국인 근로자, 결혼 이민자, 유학생, 전문 인력 등
국적	중국 출신이 절반 이상을 차지함, 동남아시아, 남부 아시아 등지의 출신 비율이 높음.
분포	주로 서울을 비롯한 수도권 및 공업이 발달한 충청권, 영남권 등에 거주

2 외국인 근로자의 유입

배경	• 국내 생산직 근로자의 임금 상승 • (❷) 기피 현상 등
영향	1990년대 초 중국, 동남아시아, 남부 아시아 출신 저임금 노동력 유입 → 최근 고임금·전문직 근로자의 유입 증가
분포	산업이 발달하고 일자리가 풍부한 수도권 및 영남권 등

3 국제결혼의 증가

배경	• 외국인에 대한 거부감 감소, 가치관 변화 • 촌락 지역의 결혼 적령기 (❸) 현상
영향	2000년대부터 국제결혼 급증 → 최근 다소 감소
분포	총 국제결혼 건수는 (❹) 지역이 많으나 국제결혼 비중은 (❺) 지역이 높음.

4 다문화 사회의 형성

영향	긍정적 영향	• 제조업 및 단순 서비스업의 인력난 완화에 기여 • 저출산·고령화 현상의 대안 • 다양한 문화 사산 공유 등
	부정적 영향	• 국내 근로자와 일자리 경쟁 • 인종적·종교적 편견에 따른 차별 • 문화적 이질감에 따른 갈등 등
다문화 공간		이주자 공동체 문화와 우리나라 문화가 융합되어 독특한 문화를 형성하는 공간

정답 ❶ 세계화 ❷ 3D 업종 ❸ 성비 불균형 ❹ 도시 ❺ 촌락

01 다음은 ○○시에 대해 정리한 내용이다. ○○시를 지도의 A∼E에서 고른 것은?

〈○○시의 특징〉
• 국내 최초 다문화 마을 특구로 지정됨.
• 매년 상권 조사를 실시하여 특구 발전 방안에 대한 의견을 수렴하고 있음.
• 특구 내 다문화 음식 거리 조성, 다문화 축제 개최 등 음식·문화·관광이 어우러진 다문화 공간으로 발전해 나가기 위해 노력하고 있음.

60,538명 64,709명 75,137명 83,648명
2012 2013 2014 2015(년)
(행정자치부, 각 연도)
▲ ○○시 외국인 주민 수

① A
② B
③ C
④ D
⑤ E

02 그래프는 국내 체류 외국인의 국적을 나타낸 것이다. (가), (나) 국가로 옳은 것은?

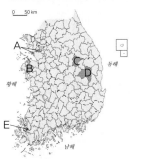

기타 33.8
총 1,741 천 명
(가) 54.7(%)
(나) 11.5

(행정자치부, 2015)

	(가)	(나)		(가)	(나)
①	중국	미국	②	중국	베트남
③	미국	중국	④	미국	베트남
⑤	베트남	중국			

딱풀 p. 50

03 (가), (나) 지도에서 나타내는 인구 통계 지표로 옳은 것은?

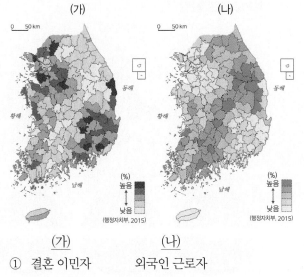

(가)　　　　　(나)

	(가)	(나)
①	결혼 이민자	외국인 근로자
②	결혼 이민자	외국인 유학생
③	외국인 근로자	결혼 이민자
④	외국인 근로자	외국인 유학생
⑤	외국인 유학생	결혼 이민자

04 다음은 한국지리 수업 장면의 일부이다. 교사의 질문에 대한 학생의 대답으로 가장 적절한 것은?

교사: 국내 체류 외국인이 증가하는 가장 중요한 이유는 무엇일까요?

① 갑: 세계화로 관광객의 유입이 증가하고 있기 때문입니다.
② 을: 저출산 현상으로 우리나라 인구가 감소하고 있기 때문입니다.
③ 병: 한국 여성과 결혼하는 외국 남성의 수가 급증했기 때문입니다.
④ 정: 다국적 기업에 근무하는 외국인 전문 인력의 유입이 많기 때문입니다.
⑤ 무: 상대적으로 높은 임금을 찾아오는 외국인 근로자의 유입이 많기 때문입니다.

05 그래프는 우리나라의 국제결혼 추이를 나타낸 것이다. 이에 대한 옳은 설명을 〈보기〉에서 고른 것은?

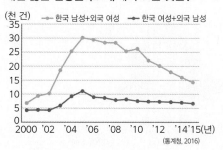

┤ 보기 ├
ㄱ. 외국 남성은 외국 여성보다 아시아 출신의 비중이 높다.
ㄴ. 한국 남성은 한국 여성보다 촌락에 거주하는 비중이 높다.
ㄷ. 한국 남성의 평균 나이가 한국 여성의 평균 나이보다 많다.
ㄹ. 한국 남성과 외국 여성의 결혼은 2005년 이후 증가하는 추세이다.

① ㄱ, ㄴ　　② ㄱ, ㄷ　　③ ㄴ, ㄷ
④ ㄴ, ㄹ　　⑤ ㄷ, ㄹ

06 그래프는 국내 체류 유형별 외국인 수를 나타낸 것이다. (가)~(다)를 바르게 연결한 것은?

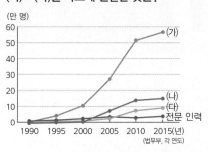

	(가)	(나)	(다)
①	유학생	결혼 이민자	외국인 근로자
②	결혼 이민자	유학생	외국인 근로자
③	결혼 이민자	외국인 근로자	유학생
④	외국인 근로자	유학생	결혼 이민자
⑤	외국인 근로자	결혼 이민자	유학생

07 그래프는 국내 체류 외국인의 인구 구조를 나타낸 것이다. 이에 대한 옳은 설명만을 〈보기〉에서 있는 대로 고른 것은?

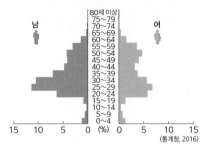

(통계청, 2016)

┤ 보기 ├

ㄱ. 20~30대 연령층의 비중이 50% 이상이다.
ㄴ. 유소년층의 성비는 청장년층의 성비보다 높다.
ㄷ. 총 여성 외국인 수가 총 남성 외국인 수보다 많다.
ㄹ. 우리나라의 인구 구조에 비해 청장년층의 인구 비중이 높다.

① ㄱ, ㄴ　　　② ㄱ, ㄹ　　　③ ㄱ, ㄴ, ㄷ
④ ㄱ, ㄴ, ㄹ　　　⑤ ㄴ, ㄷ, ㄹ

08 그래프는 성별·업종별 외국인 취업자 수를 나타낸 것이다. (가)~(다) 업종으로 옳은 것은?

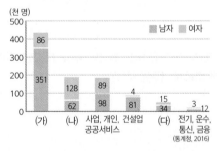

(통계청, 2016)

	(가)	(나)	(다)
①	농림·어업	광업·제조업	도소매 및 숙박, 음식점업
②	광업·제조업	농림·어업	도소매 및 숙박, 음식점업
③	광업·제조업	도소매 및 숙박, 음식점업	농림·어업
④	도소매 및 숙박, 음식점업	농림·어업	광업·제조업
⑤	도소매 및 숙박, 음식점업	광업·제조업	농림·어업

09 다음은 (가)~(다) 지역의 외국인 인구 현황이다. (가)~(다) 지역으로 옳은 것은?

〈인구 구조〉

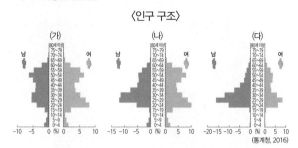

(통계청, 2016)

〈출신 국가별 비중〉

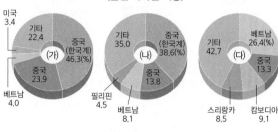

〈결혼 이민자 중 여성 비중〉

(단위: %)

(가)	(나)	(다)
73.6	81.4	96.3

	(가)	(나)	(다)
①	서울	경기	전남
②	서울	전남	경기
③	경기	서울	전남
④	경기	전남	서울
⑤	전남	서울	경기

서술형 문제

10 다음 그래프의 (가)에 해당하는 국내 체류 외국인의 유형을 쓰고, 유입 배경을 두 가지 서술하시오.

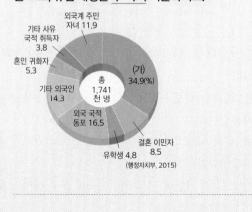

(행정자치부, 2015)

도전 수능 문제

01 그래프는 두 지역에는 거주하는 외국인의 성별·출신 국가별 비중을 나타낸 것이다. 이에 대한 옳은 설명을 〈보기〉에서 고른 것은? (단, (가), (나)는 충청권의 영동과 아산 중 하나임.)

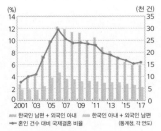

(가) / (나)

┤ 보기 ├

ㄱ. (가)는 (나)보다 외국인 중에서 근로자 비율이 높다.

ㄴ. (가)는 (나)보다 지역 내에서 차지하는 국제결혼 비율이 높다.

ㄷ. (나)는 (가)보다 총 외국인 수가 많다.

ㄹ. (가)는 아산, (나)는 영동이다.

① ㄱ, ㄴ   ② ㄱ, ㄷ   ③ ㄴ, ㄷ

④ ㄴ, ㄹ   ⑤ ㄷ, ㄹ

02 다음은 한국지리 수업 장면의 일부이다. 교사의 질문에 대한 학생의 대답으로 옳은 것은?

> 교사: 그래프는 우리나라의 국제결혼 추이를 나타낸 것입니다. 이에 대해 발표해 보세요.
>
> (그래프: 한국인 남편 + 외국인 아내 / 한국인 아내 + 외국인 남편 / 혼인 건수 대비 국제결혼 비율) (통계청, 각 연도)
>
> 갑: 결혼 이민자 수는 촌락이 많지만, 결혼 이민자 비율은 도시가 높습니다.
>
> 을: 결혼 이민자가 증가한 것은 외국인에 대한 거부감이 감소한 것과 관련이 있습니다.
>
> 병: 외국인 아내와 한국인 남편 간의 연령 차이보다 외국인 남편과 한국인 아내 간의 연령 차이가 큽니다.
>
> 정: 외국인 남편보다 외국인 아내가 많은 것은 촌락의 결혼 적령기 성비 불균형 현상과 관련이 있습니다.

① 갑, 을   ② 갑, 병   ③ 을, 병

④ 을, 정   ⑤ 병, 정

03 그래프는 국내 체류 외국인의 유형을 나타낸 것이다. (가)~(다)에 대한 옳은 설명만을 〈보기〉에서 있는 대로 고른 것은? (단, (가)~(다)는 유학생, 결혼 이민자, 외국인 근로자 중 하나임.)

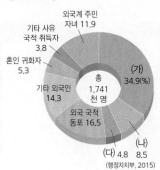

(행정자치부, 2015)

┤ 보기 ├

ㄱ. (가)는 남성이 여성보다 많다.

ㄴ. (나)는 주로 촌락에 거주한다.

ㄷ. (가)는 (나)보다 도시에 거주하는 인구 비율이 높다.

ㄹ. (나)는 (다)보다 평균 연령이 높다.

① ㄱ, ㄴ   ② ㄱ, ㄹ   ③ ㄴ, ㄷ

④ ㄱ, ㄷ, ㄹ   ⑤ ㄴ, ㄷ, ㄹ

04 그래프는 수도권 세 지역의 외국인 현황을 나타낸 것이다. (가)~(다) 지역으로 옳은 것은?

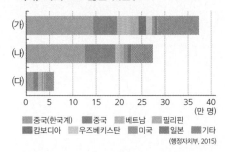

(중국(한국계) / 중국 / 베트남 / 필리핀 / 캄보디아 / 우즈베키스탄 / 미국 / 일본 / 기타) (행정자치부, 2015)

	(가)	(나)	(다)
①	서울	경기	인천
②	서울	인천	경기
③	경기	서울	인천
④	경기	인천	서울
⑤	인천	서울	경기

VII

우리나라의
지역 이해

이 단원의 핵심 포인트

중단원	핵심 포인트	학습일
01 지역 구분 및 북한 지역의 지리적 특성	• 지역과 지역 구분 • 북한의 자연환경과 자원 • 북한의 인문 환경 • 남북 교류와 통일 국토의 미래	월 일 ~ 월 일
02 수도권과 강원 지방의 지리적 특성	• 수도권의 공간 범위와 지역 특성 • 수도권의 경제적·문화적 공간 구조 변화 • 수도권의 문제점과 해결 방안 • 강원 지방의 위치와 지역 특성 • 강원 지방의 산업 구조 변화와 주민 생활	월 일 ~ 월 일
03 충청 지방과 호남 지방의 지리적 특성	• 충청 지방의 위치와 지역 특성 • 충청 지방의 지역 구조 변화 • 호남 지방의 위치와 지역 특성 • 호남 지방의 산업 구조 변화	월 일 ~ 월 일
04 영남 지방과 제주도의 지리적 특성	• 영남 지방의 위치와 지역 특성 • 영남 지방의 주요 도시 • 제주도의 위치와 지역 특성 • 제주도의 발전 노력과 미래	월 일 ~ 월 일

셀파와 내 교과서 단원 비교

01 지역 구분 및 북한 지역의 지리적 특성

1 지역의 의미와 지역 구분

1. 지역의 의미와 지역성

(1) **지역** 지리적 특성이 다른 곳과 구별되는 일정한 공간적 범위 → 자연환경, 인문 환경으로 구성되며, 다양한 규모를 지님.

(2) **지역성** 다른 지역과 구분되는 그 지역의 고유한 특성, 자연환경과 인문 환경의 결합으로 형성됨.

① 시간의 흐름, 교통·통신의 발달, 지역 간 교류 확대 등에 따라 변화함.

② 교통·통신의 발달로 지역 간 교류가 증가하여 지역성이 점차 약화됨.

③ 지역 축제를 통해 지역성을 부각하여 지역 이미지를 제고함.

2. 지역 구분과 유형

(1) **지역 구분**❶ 일정한 기준에 따라 지표를 다양하게 구분하는 것

(2) **동질 지역과 기능 지역** 자료 01

구분	동질 지역	기능 지역
의미	특정한 지리적 현상이 동일하게 나타나는 공간적 범위	하나의 중심지와 그 주변 지역이 기능적으로 결합된 공간 범위
사례	기후 지역, 농업 지역, 종교 지역, 문화권 등	통학권, 통근권, 상권, 도시 세력권 등

(3) **점이 지대**❷ 인접한 두 지역의 경계에서 지리적 특성이 함께 섞여 나타나는 지역 예 주택 지역과 상업 지역의 경계에서 주택과 상점이 함께 나타나는 지역

2 우리나라의 지역 구분 자료 02

왜? 교통·통신이 발달하지 않은 과거에 교류를 어렵게 하는 장애물이었음.

1. 전통적 지역 구분 주로 대하천이나 고개, 산줄기 등의 지형지물을 이용하여 구분함.

구분	구분 기준	행정 구역❹	주요 도시
관북 지방	• 백두대간의 철령관❸을 기준으로 관북 지방, 관서 지방, 관동 지방으로 구분	함경도	함흥, 경성
관서 지방		평안도	평양, 안주
관동 지방	• 낭림산맥을 기준으로 관북 지방, 관서 지방 구분 • 관동 지방은 대관령을 기준으로 영동 지방, 영서 지방으로 구분	강원도	강릉, 원주
해서 지방	한양을 기준으로 바다(경기만) 건너 지역	황해도	황주, 해주
경기 지방	한양과 그 주변 지역	경기도	한양, 개성
호서 지방	호강(금강) 상류 또는 제천 의림지의 서쪽 지역	충청도	충주, 청주
호남 지방	호강(금강)의 남쪽 지역	전라도	전주, 나주
영남 지방	조령(문경 새재)의 남쪽 지역	경상도	경주, 상주

2. 오늘날의 다양한 지역 구분

(1) **위치와 정치적 특성에 따른 지역 구분** 북부 지방(북한), 중부 지방(수도권, 충청권, 강원권), 남부 지방(호남권, 영남권, 제주권)
└─행정 구역상 경기도, 강원도에 속하더라도 휴전선 이북에 있으면 북부 지방으로 분류함.

(2) **행정 구역에 따른 지역 구분** 1개 특별시, 1개 특별자치시, 6개 광역시, 8개 도, 1개 특별자치도

(3) **권역에 따른 지역 구분** 수도권, 충청권, 호남권, 영남권, 강원권, 제주권

---

❶ **지역 구분의 필요성**

일정한 기준에 따라 지역을 구분하면 국토 공간을 보다 쉽게 이해할 수 있으며, 특징이 서로 다른 두 지역의 비교를 통해 지역 간의 차이점과 지역성을 파악할 수 있다.

❷ **점이 지대**

지역은 행정 구역과 같이 명확하게 선으로 구분되기도 하지만 그 경계가 불분명하여 인접한 두 지역의 특성이 함께 섞여 있는 점이 지대가 나타나는 경우가 많다.

▲ 농촌과 도시 경관이 함께 나타나는 점이 지대(경기도 김포시)

❸ **철령관**

철령은 함경남도 안변군과 강원도 회양군을 연결하는 고개로, 군사적 요충지이자 함경도에서 한양로 들어오는 길목으로서 중요한 역할을 하였다. 철령관은 철령에 설치된 관문으로, 이곳을 오가는 사람이나 화물을 조사하였다.

❹ **조선 시대의 행정 구역**

조선 시대는 전국을 8도로 나누었으며, 경기도를 제외한 행정 구역의 명칭은 해당 지역 주요 도시의 앞 글자를 따서 정하였다.

자료 01 [공통 자료] 동질 지역과 기능 지역

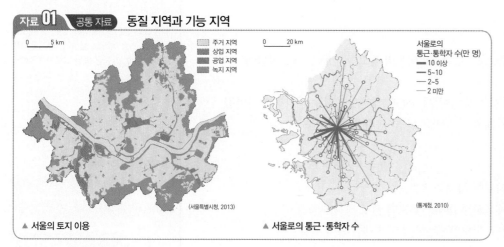

주거 지역
상업 지역
공업 지역
녹지 지역

▲ 서울의 토지 이용 (서울특별시청, 2013)

서울로의
통근·통학자 수(만 명)
— 10 이상
— 5~10
— 2~5
— 2 미만

▲ 서울로의 통근·통학자 수 (통계청, 2010)

자료 분석 | 서울의 토지 이용 지도에서 주거 지역, 상업 지역, 공업 지역, 녹지 지역으로 구분된 곳은 토지 이용이라는 동일한 지리적 현상이 나타나므로 동질 지역에 해당한다.
　서울로의 통근·통학자 수 지도는 중심지인 서울과 주변 지역이 기능적으로 결합된 공간 범위를 나타내므로 기능 지역에 해당한다.

자료 02 [공통 자료] 우리나라의 지역 구분

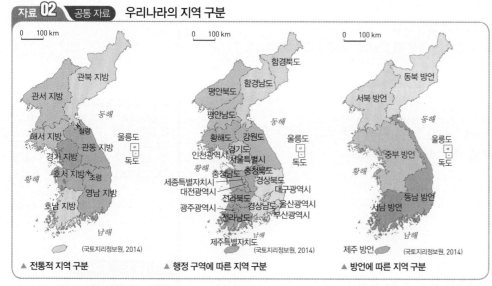

관북 지방
관서 지방
동해
철령
해서 지방
관동 지방
울릉도
경기 지방
독도
호서 지방
조령
황해
영남 지방
호남 지방
남해

▲ 전통적 지역 구분 (국토지리정보원, 2014)

함경북도
함경남도
평안북도
평안남도
동해
황해도
강원도
울릉도
인천광역시 경기도
서울특별시
독도
충청북도
황해
세종특별자치시 충청남도
경상북도
대전광역시
전라북도
대구광역시
경상남도 울산광역시
광주광역시
부산광역시
전라남도
남해
제주특별자치도

▲ 행정 구역에 따른 지역 구분 (국토지리정보원, 2014)

동북 방언
서북 방언
동해
중부 방언
울릉도
독도
황해
동남 방언
서남 방언
남해
제주 방언 (국토지리정보원, 2014)

▲ 방언에 따른 지역 구분

자료 분석 | 우리나라는 다양한 기준에 따라 여러 지역으로 구분할 수 있다. 전통적 지역 구분은 대하천이나 산줄기, 고개 등 주로 지형지물을 기준으로 이루어졌다. 철령관은 관북·관서·관동 지방을 나누는 기준이며, 해서 지방은 경기만의 서쪽을 의미한다. 호서·호남 지방을 나누는 기준은 호강(금강) 또는 제천 의림지이며, 영남 지방은 조령의 남쪽 지방을 말한다. 전통적인 지역 구분의 일부는 현재에도 영향을 미치고 있으나 행정 구역의 변화에 따라 각 지역이 의미하는 공간적인 범위는 변화하였다.
　행정적 기준에 따라 남한의 행정 구역은 1개 특별시, 1개 특별자치시, 6개 광역시, 8개 도, 1개 특별자치도로 구분한다.
　우리나라는 방언에 따라 동북 방언 지역(함북·함남), 서북 방언 지역(평북·평남), 중부 방언 지역(경기·충북·충남·강원·황해), 서남 방언 지역(전북·전남), 동남 방언 지역(경북·경남), 제주 방언 지역으로 나눌 수도 있다.

Q [자료 01] 지도에 나타난 지역 구분 유형의 다양한 사례를 찾아보자.

A 서울의 토지 이용 지도는 지역 구분 유형 중 동질 지역에 해당한다. 동질 지역의 다른 사례로는 기후 지역, 농업 지역, 문화권 등을 들 수 있다. 서울로의 통근·통학자 수 지도는 지역 구분 유형 중 기능 지역에 해당한다. 기능 지역의 다른 사례로는 상권, 도시 세력권 등을 들 수 있다.

| 도시 세력권에 따른 지역 구분 |

● 중심 도시
□ 대도시권
⬚ 중소 도시권

속초시
울릉도
원주시 강릉시
서울특별시 동해
충주시 독도
서산시 청주시
천안시 문경시 안동시
대전광역시
대구광역시
전주시 포항시
진주시
광주광역시 부산광역시
목포시 순천시 통영시
남해
제주시
(한국 도시 지리 학회지, 2012)

도시 세력권은 중심 도시와 기능적으로 밀접한 관계를 형성하고 있는 공간 범위로 지역 구분 유형 중 기능 지역에 해당한다. 우리나라는 통행을 기준으로 21개의 도시 세력권으로 구분할 수 있다.

3 북한의 자연환경과 자원 [자료 03]

1. 지형 특성

(1) 산지와 고원

① **특징** 남한보다 산지가 많으며, 해발 고도 2,000m 이상의 높고 험준한 산지가 발달함.

② **주요 산맥**

- **낭림산맥**: 관북 지방과 관서 지방의 경계를 이루는 산맥, 해안으로 갈수록 고도가 낮아짐.
- **함경산맥**: 동해 쪽 사면은 급경사, 내륙 쪽 사면은 완경사, 개마고원[5] 분포

(2) 하천과 평야

① **하천**

- 산지 분포의 영향으로 대부분의 하천이 황해로 흐름.
- 동해로 흐르는 하천은 두만강을 제외하면 대부분 유로가 짧고 경사가 급함.

② **평야** 큰 평야는 주로 서해안에 발달, 동해안에는 소규모의 해안 평야 발달

2. 기후 특성

(1) 기온

① 기온의 연교차가 큰 대륙성 기후 → 북부 내륙으로 갈수록 기온의 연교차가 큼.

② 지형과 바다의 영향으로 동해안이 서해안보다 겨울 기온이 높음.

(2) 강수 대체로 남한보다 연 강수량이 적음, 지역에 따라 차이가 큼.

① **다우지** 청천강 중·상류, 강원도 원산 이남의 동해안 지역 등

② **소우지** 대동강 하류, 개마고원, 관북 해안 지역 등

3. 자연환경과 주민 생활

(1) 밭농사 중심의 농업[6] 산지가 많고 겨울이 길고 추우며 무상 기간이 짧음. → 논농사보다 밭농사 발달 → 감자, 옥수수 등 밭작물을 이용한 음식 발달

(2) 폐쇄적인 가옥 구조 겨울철 기온이 낮은 관북 지역은 겹집 구조 및 정주간[7] 발달

4. 전력 생산과 지하자원 [자료 04]

왜? 산지가 많고 낙차가 커 수력 발전에 유리함.

(1) 전력 생산 수력 발전과 화력 발전 중심
└ 전력 소비가 많은 평양 주변에 주로 분포함.

(2) 지하자원[8] 시생대부터 신생대까지 여러 시대의 지질 구조가 분포하여 다양한 종류의 지하자원이 매장되어 있음. 예) 철광석, 텅스텐, 흑연, 마그네사이트 등

4 북한의 인문 환경

1. 산업과 교통 체계

(1) 산업 [자료 05]

① **공업** 군수 공업 중심의 중공업 우선 정책 추진 → 농업, 경공업의 생산성 악화로 식량 및 생활필수품 부족 현상 발생

② **서비스업** 1990년대 이후 비중이 증가하고 있으나 계획 경제 체제의 영향으로 발달이 미약함.

(2) 교통 체계 서해안 및 동해안을 따라 발달, 지형의 영향으로 동서 간 연결 미약

① **철도 중심의 교통 체계** 여객 수송의 약 60%, 화물 수송의 약 90% 담당, 도로와 해운은 철도 수송 연계를 위한 보조적 역할 담당

② **도로 교통** 지형의 영향으로 경사가 심하고 폭이 협소함, 대도시를 제외하고 포장률이 낮음.

③ **해운 교통** 서해 갑문(남포)과 동해안 공업 도시를 중심으로 발달
└ 갑문은 조차가 큰 항만이나 수로를 가로질러 댐이나 둑을 쌓은 경우 선박을 통과시키기 위해 수위를 조절하는 장치로 서해 갑문을 통해 대동강 하구에 배가 다닐 수 있게 되었으며, 농업용수, 생활용수, 공업용수를 확보하게 됨.

---

⑤ 개마고원

함경도와 평안도 일대에 있는 고원으로 '한국의 지붕'이라고 불린다. 면적은 1만 4,300km²이고 평균 해발 고도가 1,340m에 이른다.

⑥ 남북한의 논밭 비율

북한 (2015년)	총경지 면적 1,910(천 ha)	
	논 29.9(%)	밭 70.1

남한 (2015년)	총경지 면적 1,679(천 ha)	
	논 54.1(%)	밭 45.9

(통계청, 2016)

북한은 남한보다 경지 면적이 넓으나 논의 면적은 남한이 북한보다 넓다.

⑦ 정주간

정주간은 부엌과 안방 사이의 공간으로 벽이 없고, 부뚜막이 있어 난방이 되는 실내 공간이다. 주로 겹집 구조가 발달한 관북 지방에서 볼 수 있는 독특한 가옥 시설로, 혹독하게 추운 겨울을 대비한 공간이다.

⑧ 남북한의 주요 지하자원 매장량

지하자원	남한	북한
철광석	0.4억 톤	50억 톤
텅스텐	12.9만 톤	24.6만 톤
흑연	12.2만 톤	200만 톤
마그네사이트	–	60억 톤

고득점을 위한 셀파 Tip

북한의 주요 공업 지역

평양·남포 공업 지역	• 북한 최대의 공업 지역 • 경공업 비중이 높음.
관북 해안 공업 지역	• 중화학 공업 발달 • 청진, 김책, 함흥, 원산 등
안주 공업 지역	북한 최대의 화학 공업 지역
신의주 공업 지역	화학, 섬유, 제지 공업 발달
강계 공업 지역	기계 공업 및 군수 공업 발달

자료 03 공통 자료 북한의 지형과 기후

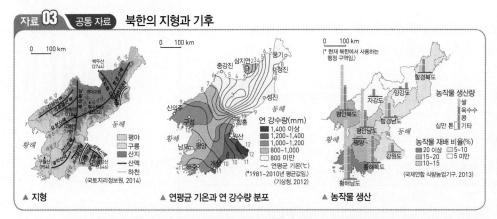

▲ 지형   ▲ 연평균 기온과 연 강수량 분포   ▲ 농작물 생산

자료 분석 | 마천령산맥과 함경산맥이 발달한 관북 지방은 높고 험준한 산들이 분포하며, 해안을 따라 좁은 평야가 나타난다. 관서 지방은 낮고 완만한 구릉성 산지와 평야로 이루어져 있다. 북한은 남한보다 위도가 높고 대륙의 영향을 많이 받아 연교차가 큰 대륙성 기후가 나타난다. 강수량은 지역에 따라 차이가 큰 편으로, 지형 등의 영향으로 대동강 하류와 관북 지방은 소우지에, 강원도 해안 지역과 청천강 중·상류 지역은 다우지에 해당한다. 북한의 농업은 지형과 기후의 영향으로 논농사보다 밭농사가 주로 이루어지며, 평야가 발달한 관서 지방의 생산량이 많다.

자료 04 공통 자료 북한의 전력 생산과 지하자원 분포

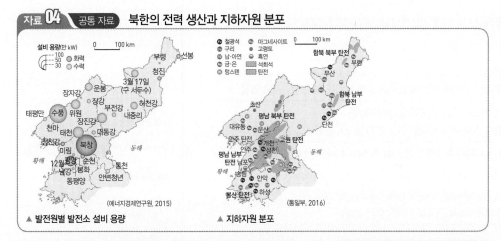

▲ 발전원별 발전소 설비 용량   ▲ 지하자원 분포

자료 분석 | 북한은 높은 산지가 많고 급경사 사면에서 큰 낙차를 얻을 수 있어 수력 발전 비중이 높다. 화력 발전은 전력 소비가 많은 평양과 그 주변에 주로 분포한다. 북한의 지하자원 중 텅스텐, 흑연, 금 등의 매장량은 세계 10위권 이내이며, 마그네사이트의 매장량은 세계 1위이다.

자료 05 공통 자료 북한의 산업 구조

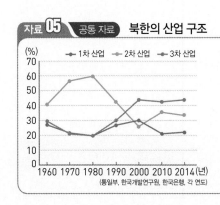

자료 분석 | 북한은 1980년 2차 산업 비중이 약 60%에 이를 정도로 매우 높았으나 1990년대 후반에는 1차 산업보다 비중이 낮아지기도 하였다. 오늘날에는 2차, 3차 산업의 비중이 높고 1차 산업의 비중이 가장 낮지만, 남한과 비교하면 3차 산업 비중은 낮고 1차 산업 비중은 높은 편이다. 3차 산업의 비중 증가는 실제 서비스업 부문의 증가라기보다는 정부 주도의 사회 간접 자본 부문의 비율이 높아졌기 때문이다.

교과서 탐구 풀이

Q 북한의 농작물 생산 특성을 자연환경과 관련지어 설명해 보자.

A 상대적으로 평야가 많고 기온이 온화한 관서 지방은 쌀 생산량이 많은 편이며, 산지가 발달하고 연평균 기온이 낮은 관북 지방과 내륙 지방은 농작물 생산량이 적은 편이다. 특히 관북 지방은 논농사보다 밭농사가 주로 이루어져 옥수수와 감자를 비롯한 밭작물이 많이 재배된다.

교과서 자료 더 보기

| 남북한의 1차 에너지 공급량 변화 |

북한의 전력 생산량은 일정하지 않은 강수량과 경제난, 시설 노후화 등으로 남한 전력 생산량의 약 4%에 머물고 있다.

교과서 자료 더 보기

| 북한의 교통망 |

북한은 철도 교통이 발달하였으며, 고속 국도는 평양을 중심으로 방사상으로 뻗어 있다.

2. 인구와 도시 분포 _{자료 06}

(1) 인구

① **특징** 2015년 기준 약 2,400만 명으로 남한 인구의 절반 수준^⑨, 경제난으로 출산율이 저하되고 영아 사망률이 높아 인구 증가율이 둔화됨. → 출산 장려 정책 실시

② **분포** 지역별로 불균형하게 분포

인구 밀집 지역	서부 평야 지대 → 넓은 평야와 온화한 기후를 바탕으로 농업과 공업이 발달하여 인구의 약 40% 이상이 거주함.
인구 희박 지역	북부 내륙 지방 → 산지가 발달하고 기후가 한랭하여 인구의 약 10% 미만이 거주함.

(2) 도시 서부 평야 지대와 관북 지역의 좁은 해안 평야를 따라 발달

평양	• 북한 최대의 도시, 정치·경제·사회·문화의 중심지 • 평양을 중심으로 평성, 사리원 등 위성 도시가 발달하여 대도시권을 형성함.
남포	평양의 외항, 서해 갑문 설치 이후 기능이 강화됨.
신의주	철도 교통의 중심지, 중국과의 교역 통로
관북 해안 지역	함흥, 청진, 원산 등 일제 강점기에 공업 도시로 성장

5 북한의 개방 지역과 남북 교류

1. 북한의 개방 지역

(1) **개방의 필요성** 폐쇄적인 경제 정책의 한계 극복 및 경제난 해결, 대외 교역의 필요성 인식^⑩

(2) **주요 개방 지역**^⑪

나진·선봉 경제 무역 지대	• 북한 최초의 개방 지역(1991년), 중국, 러시아와의 접경 지역에 위치 • 태평양과 대륙을 연결하는 지리적 이점이 있으나 외자 유치에 어려움을 겪고 있음.
신의주 국제 경제 지대	• 2002년 독립 개방 지역으로 지정, 홍콩식 경제특구 모방 • 2011년 황금평·위화도 경제 무역 지대를 별도로 지정하여 중국과의 경제 협력 추진
원산·금강산 국제 관광 지대	• 2002년 지정된 금강산 관광특구에 원산, 통천을 추가하여 2014년 새로 지정 • 이산가족 상봉 등 남북 교류의 장으로 활용 _{관광특구 지정으로 2003년부터 남한 사람들의 육로 관광이 이루어졌으나 2008년 이후 잠정 중단됨.}
개성 공업 지구	• 2002년 조성, 남한의 기술과 자본, 북한의 노동력을 결합한 합작 공단 • 남북 교류 및 경제 협력에 이바지(2016년 이후 잠정 폐쇄)

2. 남북 교류 _{자료 07}

(1) **경제 교류** 초기의 단순 상품 교역에서 점차 위탁 가공 교역, 대북 직접 투자 등으로 확대됨.

(2) **인도적 교류, 인적·문화적 교류** 식량과 비료 지원, 이산가족 상봉, 문화 공연 등

6 통일 국토의 미래

1. 통일의 필요성

(1) **정치적·군사적·사회적 국력 낭비** 정치적 불안으로 경제 발전 저해, 막대한 국방비 지출, 이산가족 및 이질화 문제 등
_{언어, 가치관, 생활 방식 등이 달라짐.}

(2) **국토의 단절** 대륙과 해양을 연결하는 위치적 장점을 살리지 못함, 국토의 효율적 이용 불가능
_{남한의 자본·기술과 북한의 지하자원·노동력의 상호 보완성이 사라짐.}

2. 통일 국토의 미래^⑫ _{자료 08}

(1) **국가 경쟁력 향상** 남한의 자본·기술과 북한의 지하자원·노동력의 상호 보완성 증대

(2) **대륙으로 육상 교통로 연결** 주변국과의 교류 증대, 물류비용 감소

---

⑨ 남북한 인구 비교

(통계청, 각 연도)

⑩ 북한의 개방 정책

북한은 1990년대 초 구소련과 동유럽 사회주의 국가들이 붕괴하면서 대외 교역 시장이 크게 축소되었으며, 계획 경제의 한계와 자연재해로 식량난이 겹치면서 대외 무역 및 국제 경제 협력의 필요성을 인식하고 개방 정책을 추진하였다.

⑪ 북한의 개방 지역

(통일부, 2015)

⑫ 2050년 통일 한국의 미래

구분	남한	통일 한국
인구	4,710만 명	7,350만 명
국내 총생산	4조 730억 달러	6조 560억 달러
국력 지수	1.21	1.71

(현대경제연구원, 2012)

자료 06 공통 자료 북한의 인구와 도시 분포

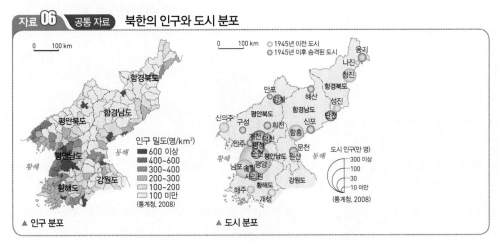

▲ 인구 분포   ▲ 도시 분포

자료 분석 | 북한의 인구는 농업과 공업이 발달한 평양과 평안도에 밀집해 있으며, 북동부 내륙 지방은 산지가 널리 분포하여 인구가 희박하다. 도시는 주로 서부 지역과 관북 지역의 좁은 해안 평야를 따라 분포한다. 서부 지역에는 북한 최대의 도시인 평양을 비롯하여 남포, 개성 등이 분포한다. 일제 강점기부터 활발한 공업화가 이루어진 관북 지역에는 함흥, 청진, 원산 등의 도시가 발달하였다.

자료 07 공통 자료 남북한 간의 교역 현황

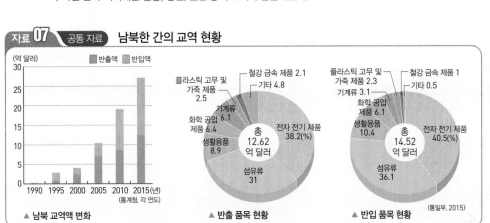

▲ 남북 교역액 변화   ▲ 반출 품목 현황   ▲ 반입 품목 현황

자료 분석 | 남북 교역은 국가 내에서 이루어지므로 수출과 수입이라는 용어 대신 반출과 반입이라는 용어를 사용한다. 남북 간 교역액은 꾸준히 증가하고 있으며, 2010년을 기점으로 반입액이 반출액의 규모를 넘어서게 되었다. 2015년 남북 간 교역 물품은 전자 전기 제품, 섬유류, 생활용품 등이었다.

자료 08 공통 자료 통일 국토의 미래

TCR: 중국 횡단 철도
TMR: 만주
TMGR: 몽골
TSR: 시베리아
(국토 교통부, 2015)

자료 분석 | 통일이 되면 유라시아 대륙과 태평양을 연결하는 위치적 장점을 살릴 수 있다. 특히 남한은 끊어졌던 육상 교통로가 회복되어 유라시아 횡단 철도, 아시안 하이웨이와 연결되면 물류비용이 감소하고 주변국과의 교류도 더욱 활발해져 동북아시아 지역의 성장 구심점이 될 수 있다.

● 교과서 자료 더 보기 +

| 북한의 공업 지역 |

북한의 공업은 관서 지방과 관북 지방의 주요 도시 지역에 분포한다.

● 교과서 탐구 풀이 ✎

Q 남한과 북한의 반출·반입 품목 특징을 설명해 보자.

A 반출 품목과 반입 품목 모두 전자 전기 제품, 섬유류, 생활용품, 화학 공업 제품, 기계류 순으로 교역이 이루어지고 있다. 반출 품목과 반입 품목이 동일한 이유는 개성 공업 지구에서 제품을 생산하기 위해 원자재를 반출하고 완제품을 반입하기 때문이다.

● 교과서 자료 더 보기 +

| 접경 지역 발전 종합 계획 |

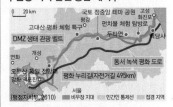

비무장 지대가 가지고 있는 생태 자원의 우수성, 평화의 상징성 등을 활용하여 비무장 지대 일원을 세계적인 생태·평화의 상징 공간으로 조성하는 계획이다.

1 지역 구분

(①　　　　) 지역	특정한 지리적 현상이 동일하게 나타나는 공간 범위 ⑳ 기후 지역, 종교 지역, 문화권 등
(②　　　　) 지역	하나의 중심지와 그 주변 지역이 기능적으로 결합된 공간 범위 ⑳ 통학권, 통근권, 상권 등
점이 지대	인접한 두 지역의 지리적 특성이 함께 나타나는 지역

2 북한의 자연환경

지형	• 산지와 고원의 비중이 높음. • 대부분의 하천이 황해로 흐름. • 큰 평야는 서해안에 발달
기후	• 연교차가 큰 (③　　　　) 기후 • 연 강수량은 남한보다 적은 편
주민 생활	• 기후와 지형의 영향으로 밭농사 발달 • 겨울철 혹독한 추위 → 겹집 구조 및 정주간 발달
자원	• 전력 자원: 수력 발전과 화력 발전 중심 • 지하자원: 마그네사이트, 철광석 등의 매장량이 풍부함.

3 북한의 인문 환경

산업	(④　　　　) 공업 중심의 중공업 우선 정책 추진 → 농업, 경공업의 생산성 악화로 식량, 생필품 부족 현상 발생
교통	• (⑤　　　　) 교통 중심의 교통 체계 • 지형의 영향으로 동서 간 연계 미약
인구	• 남한 인구의 절반 수준, 경제난으로 인구 증가율 둔화 • 서부 평야 지대에 인구의 약 40% 거주
도시	서부 평야 지대(평양, 남포 등)와 관북 해안 지역(함흥, 원산 등)에 도시 발달

4 북한의 개방 지역

(⑥　　　　) 경제 무역 지대	북한 최초의 개방 지역
신의주 국제 경제 지대	• 홍콩식 경제특구 모방 • 중국과의 경제 협력 추진
원산·금강산 국제 관광 지대	• 관광객 유치를 위해 지정 • 남북 교류의 장으로 활용
(⑦　　　　) 공업 지구	남한의 기술과 자본, 북한의 노동력이 결합된 합작 공단

정답 ① 동질 ② 기능 ③ 대륙성 ④ 군수 ⑤ 철도 ⑥ 나진·선봉 ⑦ 개성

탄탄 내신 문제

01 (가), (나) 지역 구분의 유형에 대한 설명으로 옳은 것은?

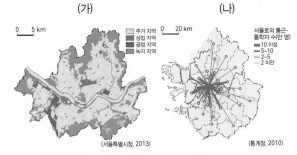

(서울특별시청, 2013)　　(통계청, 2010)

① (가)는 중심지와 그 영향을 받는 범위로 나타낸다.
② (나)는 특정 지표를 기준으로 공통적인 성격이 나타난다.
③ (나)는 (가)보다 지역 간 상호 작용을 파악하기에 유리하다.
④ (가)는 기능 지역, (나)는 동질 지역에 해당한다.
⑤ (가)의 사례로 상권, (나)의 사례로 문화권을 들 수 있다.

[02~03] 다음 그림을 보고 물음에 답하시오.

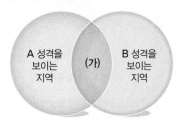

02 (가)에 해당하는 용어로 옳은 것은?

① 결절 지대　　　　② 기능 지역
③ 동질 지역　　　　④ 인지 지역
⑤ 점이 지대

03 (가)의 특성이 나타나는 사례로 적절하지 않은 것은?

① 수도권의 광역 자치 단체 행정 구역 구분
② 북부 방언 지역과 남부 방언 지역의 구분
③ 도시 근교에서 도시와 농촌의 토지 이용 현황
④ 대도시 내부 구조에서 도심과 주변 지역의 구분
⑤ 중부 지방과 남부 지방의 전통 가옥 구조의 구분

04 다음 글의 (가), (나)에 해당하는 지역으로 옳은 것은?

> (가) 태백산 왼쪽에서 나온 하나의 큰 지맥은 동해로 바싹 붙어 내려오다가 동래 바닷가에서 그쳤고, 오른쪽에서 나온 하나의 큰 지맥은 소백, 덕유, 지리 등의 산이 된 다음, 남해가에서 그쳤는데 두 지역 사이에 기름진 들판이 천 리이다.
>
> (나) 철령에서 남쪽으로 태백산까지는 산등성이가 가로 뻗어서 하늘과 구름에 닿은 듯하며, 산등성이 동쪽에는 아홉 고을이 있다. 이 아홉 고을은 모두 동해가에 있어 남북으로는 거리가 거의 천 리나 되지만 동서는 함경도와 같이 100리도 못된다.
>
> – 이중환, 『택리지』 –

	(가)	(나)		(가)	(나)
①	경기도	강원도	②	경상도	강원도
③	강원도	경상도	④	경상도	경기도
⑤	경기도	경상도			

05 다음 글의 (가)~(라)에 들어갈 말로 옳은 것은?

> 산지와 하천은 전통적으로 지역을 나누는 경계가 된다. 특히 연속성이 뚜렷한 산맥은 두 지역 간 교류를 방해하기 때문에 지역 경계로서의 기능이 크다. 전통적으로 관동 지방은 ___(가)___ 산맥을 가로지르는 ___(나)___ 을/를 기준으로 영동 지방과 영서 지방으로 나뉜다. 또한 영남 지방은 ___(다)___ 산맥을 가로지르는 ___(라)___ 의 남쪽에 위치하기 때문에 그 명칭이 붙게 되었다.

	(가)	(나)	(다)	(라)
①	태백	대관령	소백	조령
②	태백	조령	소백	대관령
③	태백	대관령	소백	철령
④	소백	대관령	태백	조령
⑤	소백	철령	태백	조령

06 지도는 우리나라의 전통적 지역 구분을 나타낸 것이다. (가)~(라)에 해당하는 지역을 바르게 연결한 것은?

(국토지리정보원, 2014)

	(가)	(나)	(다)	(라)
①	관북	관동	호서	호남
②	관북	경기	호서	영남
③	관서	해서	관동	호남
④	관서	경기	호남	영남
⑤	관동	해서	호남	관북

07 지도는 북한의 지형을 나타낸 것이다. 이에 대한 설명으로 옳지 <u>않은</u> 것은?

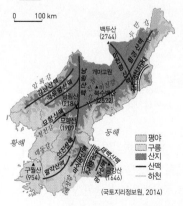

(국토지리정보원, 2014)

① 산지의 비율이 평야의 비율보다 높다.

② 대부분의 하천이 동해로 흘러 들어간다.

③ 함경산맥은 대하천의 분수계 역할을 한다.

④ 관서 지방은 관북 지방보다 평야의 면적이 넓다.

⑤ 2,000m 이상의 산지는 대체로 관북 지방에 분포한다.

08 (가), (나) 기후 특성이 나타나는 지역을 지도의 A~D에서 고른 것은?

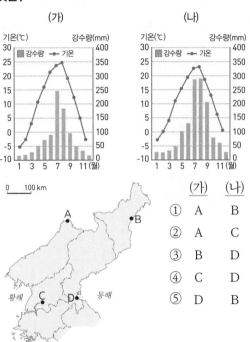

	(가)	(나)
①	A	B
②	A	C
③	B	D
④	C	D
⑤	D	B

10 지도는 북한의 발전 설비 용량을 나타낸 것이다. (가), (나) 발전 양식에 대한 설명으로 옳지 <u>않은</u> 것은?

(에너지경제연구원, 2015)

① (가)는 주로 전력의 대소비지에 가까이 입지한다.
② (나)는 화석 연료를 1차 에너지원으로 이용한다.
③ (가)는 (나)보다 발전소 입지에 지형적 제약이 적다.
④ (가)는 (나)보다 발전 과정에서 대기 오염 물질을 많이 배출한다.
⑤ (나)는 (가)보다 발전소 가동에 기후적 제약이 크다.

09 지도는 북한의 농작물 생산 현황을 나타낸 것이다. 이에 대한 옳은 분석만을 〈보기〉에서 있는 대로 고른 것은?

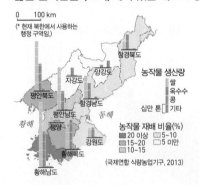

┤ 보기 ├
ㄱ. 관서 지방은 관북 지방보다 쌀 생산량이 많다.
ㄴ. 모든 지역에서 쌀 생산량이 옥수수 생산량보다 많다.
ㄷ. 황해남도는 평안북도보다 단위 면적당 쌀 생산량이 많다.
ㄹ. 평균 해발 고도가 높은 지역일수록 옥수수 생산량이 많다.

① ㄱ, ㄷ　　② ㄴ, ㄹ　　③ ㄱ, ㄴ, ㄷ
④ ㄱ, ㄷ, ㄹ　　⑤ ㄴ, ㄷ, ㄹ

11 (가), (나)에 해당하는 공업 지역을 지도의 A~E에서 고른 것은?

(가) 내륙에 위치한 공업 지역으로 군수 공업과 기계 공업이 발달하였다.
(나) 풍부한 지하자원, 편리한 교통, 많은 노동력을 바탕으로 한 북한 최대의 공업 지역이다.

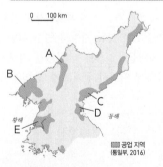

■ 공업 지역
(통일부, 2016)

	(가)	(나)			(가)	(나)
①	A	C		②	A	E
③	C	E		④	E	B
⑤	E	D				

12 북한의 인구 및 도시에 대한 설명으로 옳은 것은?

① 인구의 분산 정책으로 전국적으로 인구가 고르게 분포하고 있다.

② 평양이 위치한 관서 평야 지역은 북한에서 인구 밀도가 가장 높다.

③ 대체로 도시가 고르게 발달하여 종주 도시화 현상은 나타나지 않는다.

④ 인구 증가율이 높으며 가족계획 등을 통한 출산 억제 정책을 실시하고 있다.

⑤ 관북 지방은 수력 발전소가 위치한 내륙을 중심으로 도시 발달이 이루어졌다.

★**13** (가), (나)에 해당하는 북한의 개방 지역을 지도의 A~D에서 고른 것은?

> (가) 중국 내의 홍콩처럼 개발하기 위해 2002년 지정된 독립적인 개방 지역으로 2014년 국제 경제 지대로 명칭을 변경하였다.
>
> (나) 2002년부터 조성되었으며, 남한의 기술과 자본, 북한의 노동력이 결합한 형태의 합작 공단으로 남북한 경제 협력을 활성화하는 데 기여하였다.

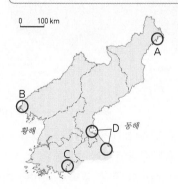

	(가)	(나)		(가)	(나)
①	A	B	②	A	C
③	B	C	④	B	D
⑤	C	D			

14 다음은 어느 햄버거 가게의 배달권을 나타낸 것이다. 이를 보고 물음에 답하시오.

(1) 위 지도와 같은 지역 구분의 유형을 쓰시오.

(2) 위 지도와 같은 지역 구분 유형의 의미와 사례를 두 가지 서술하시오.

15 다음은 통일 국토의 교통망을 나타낸 것이다. 이와 같은 육상 교통로가 회복될 경우 예상되는 효과를 두 가지 서술하시오.

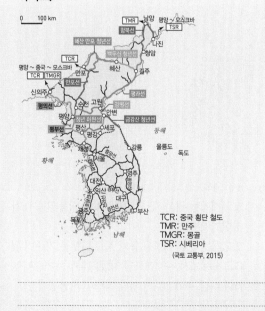

TCR: 중국 횡단 철도
TMR: 만주
TMGR: 몽골
TSR: 시베리아
(국토 교통부, 2015)

| 신유형 |

01 다음은 전통적 지역 구분의 일부를 나타낸 것이다. 이에 대한 설명으로 옳은 것은? (단, A~C는 경주, 전주, 충주 중 하나임.)

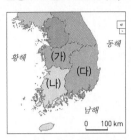

구분	구분 기준 및 위치	주요 도시
(가)	호강(금강) 상류의 서쪽	A
(나)	호강(금강)의 남쪽	B
(다)	조령의 남쪽	C

① (가)는 남부 지방에 포함된다.

② B, C에는 세계 문화유산이 있다.

③ A, B, C 모두 도청 소재지이다.

④ 조령은 백두대간을 넘는 고개이다.

⑤ 호강(금강)의 하구에는 삼각주가 발달하였다.

| 교육청 기출 |

02 지도는 조선 후기의 주요 간선 도로를 나타낸 것이다. A~D에 대한 옳은 설명을 〈보기〉에서 고른 것은?

┌ 보기 ┐

ㄱ. A 고개에는 관북·관서·관동 지방 이름의 유래가 된 시설이 있었다.

ㄴ. B 고개는 관동 지방을 동과 서로 나누는 기준이 된다.

ㄷ. C 고개는 호서 지방과 호남 지방을 나누는 기준이 된다.

ㄹ. D의 이남은 예로부터 영남 지방이라 불렸다.

① ㄱ, ㄴ　　　② ㄱ, ㄷ　　　③ ㄴ, ㄷ

④ ㄴ, ㄹ　　　⑤ ㄷ, ㄹ

| 신유형 |

03 다음과 같은 지역 구분 유형의 사례로 가장 적절한 것은?

	옥수수
	옥시끼
	옥수꾸

▲ 충청북도 옥수수 방언 분포

① 방송 청취권　　　② 전통 문화권

③ 중국 음식 배달권　　④ 백화점 상권

⑤ 대도시 통근·통학권

| 수능 응용 |

04 (가)는 벼의 지역별 방언, (나)는 대도시로의 통근·통학권을 나타낸 지도이다. 이에 대한 설명으로 옳지 않은 것은?

(가)　　　　　　(나)

① (가)를 통해 벼 방언의 점이 지대를 알 수 있다.

② (나)의 범위는 교통 발달에 따라 변화한다.

③ (나)를 통해 대도시로의 통근·통학자 경향을 파악할 수 있다.

④ (가)는 (나)보다 중심지와 배후지 간의 상호 관계를 파악하기에 유리하다.

⑤ (가)는 동질 지역, (나)는 기능 지역에 속한다.

| 교육청 기출 |

05 그래프는 남북한의 농업 특징을 비교한 것이다. 이에 대한 옳은 설명을 〈보기〉에서 고른 것은?

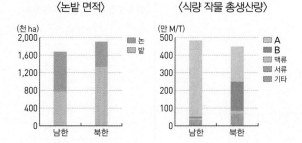

〈논밭 면적〉 〈식량 작물 총생산량〉

┤ 보기 ├

ㄱ. A는 쌀, B는 옥수수이다.

ㄴ. 남한이 북한보다 토지 생산성이 높다.

ㄷ. 남한에서 A는 식량 작물 중 자급률이 가장 낮다.

ㄹ. 남한이 북한보다 논 면적 대비 밭 면적의 비율이 높다.

① ㄱ, ㄴ ② ㄱ, ㄷ ③ ㄴ, ㄷ
④ ㄴ, ㄹ ⑤ ㄷ, ㄹ

| 평가원 기출 |

06 다음 자료에 대한 옳은 설명만을 〈보기〉에서 있는 대로 고른 것은?

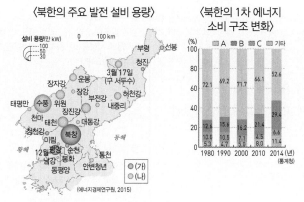

〈북한의 주요 발전 설비 용량〉 〈북한의 1차 에너지 소비 구조 변화〉

(에너지경제연구원, 2015)

┤ 보기 ├

ㄱ. (가)는 A를 연료로 한다.

ㄴ. (나)는 B를 이용한다.

ㄷ. (가)는 (나)보다 대기 오염 물질 배출량이 많다.

ㄹ. 남한에서 A는 C보다 해외 의존도가 높다.

① ㄱ, ㄴ ② ㄱ, ㄷ ③ ㄴ, ㄷ
④ ㄱ, ㄴ, ㄷ ⑤ ㄱ, ㄷ, ㄹ

| 수능 기출 |

07 (가)~(다)에서 설명하는 지역을 지도의 A~E에서 고른 것은?

(가)	(나)	(다)
화산 활동으로 형성된 산지이며, 정상부에는 칼데라호가 있음.	경원선의 종착지로 일제 강점기부터 공업 도시로 성장함.	2002년에 외자 유치 및 교역 확대를 위해 특별행정구로 지칭함.

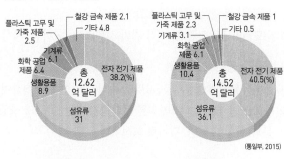

	(가)	(나)	(다)
①	B	A	C
②	B	D	C
③	B	D	E
④	C	D	E
⑤	C	E	A

| 신유형 |

08 그래프는 품목별 남북 교역 현황을 나타낸 것이다. 이에 대한 설명으로 옳은 것은?

총 12.62 억 달러
전자 전기 제품 38.2(%)
섬유류 31
생활용품 8.9
화학 공업 제품 6.4
기계류 6.1
플라스틱 고무 및 가죽 제품 2.5
철강 금속 제품 2.1
기타 4.8

총 14.52 억 달러
전자 전기 제품 40.5(%)
섬유류 36.1
생활용품 10.4
화학 공업 제품 6.1
기계류 3.1
플라스틱 고무 및 가죽 제품 2.3
철강 금속 제품 1
기타 0.5

(통일부, 2015)

▲ 반출 품목 ▲ 반입 품목

① 교역 품목 중 섬유류의 교역액이 가장 많다.

② 남한은 북한과의 교역에서 흑자를 기록하고 있다.

③ 섬유류의 반입액은 전자 전기 제품의 반출액보다 많다.

④ 북한에서 남한으로의 반입 제품은 대부분 자본·기술 집약적 공업 제품이다.

⑤ 교역 품목 중 중화학 공업 제품의 교역액이 경공업 제품의 교역액보다 많다.

02 수도권과 강원 지방의 지리적 특성

1 수도권의 위치와 지역 특성

1. 수도권의 위치와 공간 범위

(1) 위치

① 한반도 중서부에 위치

② 서울을 중심으로 대도시권 형성 - 교통의 발달로 공간 범위가 점차 확대되고 있음.

(2) 공간의 범위

서울특별시	• 우리나라의 수도 → 정치·경제·사회·문화의 중심지 • 국가 기관, 기업 본사, 대학, 언론사 등 집중 → 인구와 경제 활동의 중심지
인천광역시	인천항, 인천 국제공항 → 국제 물류의 중심지
경기도	• 수도권에서 면적과 인구 규모가 가장 큼. • 인구와 산업의 교외화로 빠르게 성장

2. 인구와 기능의 집중 [자료 01]

(1) 인구의 집중 면적은 우리나라 전체의 약 12%에 불과하지만, 전체 인구의 절반가량(약 2,500만 명)이 거주함.

(2) 산업의 집중 제조업, 서비스업의 집중으로 국내 총생산의 절반가량(약 49%)을 차지함.

(3) 교통망의 결절지 도로, 철도, 항공 노선 등 교통망이 서울을 중심으로 연결됨. → 다른 지역으로의 접근성이 뛰어남. ┌산업, 행정, 교육, 문화 등 여러 가지 기능이 집중되는 곳을 └중심으로 기능적으로 밀접하게 연결되는 지역

2 수도권의 공간 구조 변화

1. 경제적 공간 구조 변화 [자료 02]

(1) 수도권의 제조업 발달 1960년대 서울을 중심으로 경공업 발달 → 지가 상승, 교통 혼잡, 환경 오염 등으로 1980년대 이후 인천, 경기로 제조업 분산

(2) 탈공업화 수도권의 제조업 비중이 감소하고, 서비스업 비중이 증가함[1], 2000년대 이후 지식 기반 산업, 생산자 서비스업 성장 ┌수도권은 고급 기술 인력이 풍부 └하고, 연구 개발 시설이 잘 구축 되어 있으며, 접근성이 우수하여

(3) 수도권의 공간적 분업 지식 기반 서비스업 → 서울, 지식 기반 제조업 → 경기 지식 기반 산업 입지에 유리함.

2. 문화적 공간 구조 변화

(1) 전통적 문화의 중심지 과거부터 중심지 역할을 수행하여 다양한 역사 유적이 남아 있음.

(2) 수도권 광역화·다핵화에 따른 문화 공간 확산 인구와 산업의 교외화에 따라 서울에 집중되었던 문화 시설이 인천, 경기로 확산됨.

3 수도권의 문제점과 해결 방안

1. 수도권의 문제점

(1) 수도권의 집적 불이익 발생 인구와 기능의 지나친 집중 → 생활 기반 시설 부족, 교통 혼잡[2], 환경 오염 심화 등

(2) 수도권과 비수도권 간의 격차 심화 국토 공간의 불균형 → 지역 갈등 및 사회적 비용 증가

2. 해결 방안 [자료 03]

(1) 인구 및 기능의 집중 억제 과밀 부담금 제도[3], 수도권 공장 총량 제도[4] 등

(2) 인구 및 기능의 분산 수도권 정비 계획[5], 비수도권 지역에 혁신 도시 및 기업 도시 등 조성

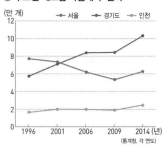

❶ 수도권 제조업 사업체 수 변화

(통계청, 각 연도)

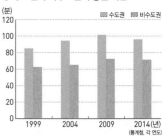

❷ 수도권과 비수도권의 통근 시간

(통계청, 각 연도)

수도권은 인구와 기능이 집중해 있으며, 특히 주변 지역에서 서울로 통근하는 인구가 많아 비수도권보다 통근 시간이 길다.

❸ 과밀 부담금 제도

인구 집중을 유발하는 일정 규모 이상의 상업·업무 시설을 신·증축할 때 부담금을 부과하는 제도이다.

❹ 수도권 공장 총량 제도

수도권 공장 면적의 총량을 설정하고, 기준을 초과할 경우 공장의 신·증설을 막는 제도이다.

❺ 수도권 정비 계획

수도권에 과도하게 집중된 인구와 산업을 적정하게 배치하여 수도권을 질서 있게 정비하고 균형 있게 발전시키기 위한 종합 계획이다.

자료 01 | 공통 자료 | 수도권 집중도

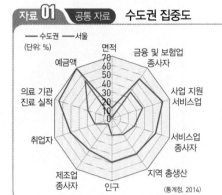

자료 분석 | 수도권의 면적은 약 12%에 불과하지만 우리나라 전체 인구와 국내 총생산의 약 절반가량이 집중되어 있으며, 다양한 분야에서 집중도가 높게 나타난다. 항목에 따라 지역별로 차이가 나타나는데, 서울은 금융 및 보험업, 사업 지원 서비스업과 같은 생산자 서비스 비중이 높게 나타나는 반면 제조업 종사자 비중은 낮게 나타난다.

자료 02 | 공통 자료 | 수도권의 제조업 및 공간적 분업

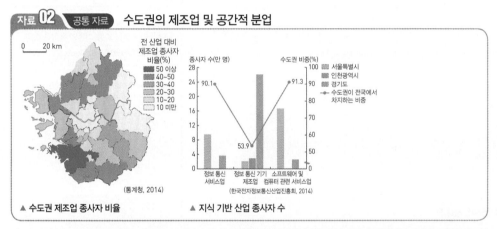

▲ 수도권 제조업 종사자 비율   ▲ 지식 기반 산업 종사자 수

자료 분석 | 수도권의 제조업은 지역별로 차이가 있다. 서울은 지가 상승, 교통 혼잡 등으로 제조업이 다른 지역으로 이전하고 있어 제조업 종사자 비중이 낮으며, 경기는 서울의 제조업이 이전하여 저렴한 지가와 넓은 부지를 바탕으로 한 제조업이 발달하고 있다. 지식 기반 산업 또한 수도권 내에서 분포가 다르게 나타난다. 상대적으로 넓은 부지를 필요로 하는 지식 기반 제조업은 경기에, 고급 인력과 최신 정보 확보 및 관련 업체와의 협력을 필요로 하는 지식 기반 서비스업은 서울에 주로 분포한다.

자료 03 | 공통 자료 | 제3차 수도권 정비 계획

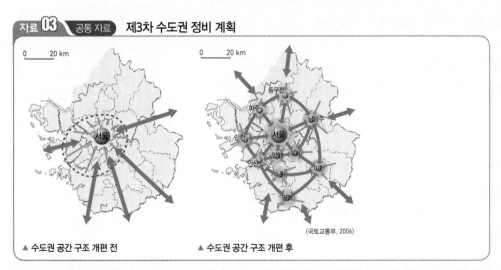

▲ 수도권 공간 구조 개편 전   ▲ 수도권 공간 구조 개편 후

자료 분석 | 제3차 수도권 정비 계획(2006~2020년)의 목표는 지역별 중심 도시를 육성하여 서울 중심의 도시 구조를 다핵 연결형 공간 구조로 전환하고 서울과 주변 지역의 과밀화를 완화하는 것이다. 이에 따라 통근권, 생활권, 역사성 등을 고려하여 인천과 경기 지역에 자립적 도시권을 형성하고 이에 맞게 교통 체계도 서울 중심의 방사형에서 환상 격자형으로 개편하고 있다.

● **교과서 자료 더 보기** +

| **수도권의 인구 변화** |

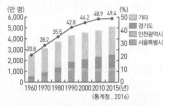

그래프의 꺾은선은 수도권의 인구 비중을 나타낸 것으로, 수도권의 인구는 지속적으로 증가하였으며, 전국에서 차지하는 비중도 높아졌다. 1990년 이후 서울의 인구는 정체되어 있지만, 경기도가 수도권의 인구 증가를 주도하고 있다.

● **교과서 탐구 풀이**

Q 수도권의 지식 기반 산업 업종별 분포 특성을 파악하고, 이러한 특성이 나타나는 원인을 설명해 보자.

A 정보 획득에 유리하고 관련 기업이 집적한 서울은 지식 기반 서비스업이, 비교적 넓은 공장 용지를 확보할 수 있는 인천과 경기에서는 지식 기반 제조업이 발달하였다.

● **교과서 자료 더 보기** +

| **수도권 정비 권역** |

제3차 수도권 정비 계획에 따라 수도권을 과밀 억제 권역, 성장 관리 권역, 자연 보전 권역으로 구분하고 권역 특성별로 차등 규제를 실시하고 있다.

4 강원 지방의 위치와 지역 특성

1. 위치와 구분

(1) **위치** 중부 지방 동부에 위치

(2) **구분** 태백산맥을 경계로 영동 지방과 영서 지방으로 구분

2. 영동 지방과 영서 지방의 특성 자료04

(1) **영동 지방과 영서 지방의 특성** 태백산맥의 영향으로 자연환경과 인문 환경에 차이가 나타남.

구분	영동 지방	영서 지방
지형	• 동서 폭이 좁고 급경사를 이룸. → 해안을 따라 소규모 평야가 남북으로 발달함. • 하천의 유로가 짧고 경사가 급함.	• 완경사를 이루는 산지와 고원, 침식 분지 발달 • 하천 중·상류에 하안 단구, 감입 곡류 하천 등 발달
기후	• 영서 지방보다 겨울철 기온이 온화함. • 겨울철 북동 기류의 영향으로 눈이 많이 내림.	• 영동 지방보다 기온의 연교차가 큼. • 여름철 남서 기류의 영향으로 강수량이 많음.
음식	해안과 접해 있어 해산물을 이용한 음식 발달	밭농사 발달 → 감자, 메밀 등을 활용한 음식 발달
방언	북부 동해안 및 영남 동해안 지역과 유사	경기도(수도권)와 유사

(2) **최근의 변화** 영동 지방과 영서 지방을 연결하는 터널이 건설됨에 따라 상대적으로 두 지역 간의 교류가 활발해짐.

5 강원 지방의 산업 구조 변화와 주민 생활

1. 산업 구조 변화 자료05

(1) **광업의 발달과 쇠퇴** ┌매장량이 풍부하여 현재도 생산이 이루어짐.
└생산 지역에서는 시멘트 공업이 발달함.

① 무연탄, 텅스텐, 석회석 등 풍부한 지하자원을 토대로 우리나라 최대의 광업 지역으로 성장 → 인구 급증, 지역 경제 활성화 ┌가정용 연료가 무연탄에서 석유 및 천연가스로 변화함.

② **석탄 산업 합리화 정책(1989년)** 1980년대부터 가정용 연료의 변화, 채광 여건 악화 등으로 무연탄 생산량 감소 → 경제성 없는 광산 폐광 → 인구 감소, 지역 경제 침체

(2) **1차 산업**

① 풍부한 수산 자원, 임산 자원 → 수산업, 임업 발달

② **고랭지 농업** 발달 고위 평탄면에서 무, 배추 등의 작물 재배

2. 산업 구조 고도화와 주민 생활 변화

(1) **관광 산업 육성** 자료06

① 폐광 지역의 관광 산업 육성 폐광 지역의 산업 유산을 관광 자원으로 활용 → 지역 경제 활성화에 기여 예 정선 레일 바이크, 영월 탄광 문화촌, 태백 석탄 박물관 등

② 청정 자연환경, 수도권과의 우수한 접근성 → 생태 관광, 리조트 관광 ─ 스키장, 카지노 등 조성

③ 동계 올림픽 개최 2018년 평창 동계 올림픽 개최를 통해 교통 시설, 숙박 시설 등 다양한 기반 시설 확충

(2) **지식 기반 산업 육성** 춘천(바이오 산업), 강릉(신소재·바이오 산업), 원주(의료 기기), 철원(신소재 산업) 등

(3) **남북 교류의 중심지** 관광 산업 추진 및 비무장 지대의 환경 보존

---

⑥ 강원 지방의 방언권

0   20km

동해

■ 영동 방언권
■ 북단 영동 방언권
■ 강릉 방언권
■ 삼척 방언권
□ 서남 영동 방언권
영서 방언권
□ 영서 방언권

(한국지리지 강원권, 2007)

고득점을 위한 셀파 Tip

영동 지방과 영서 지방

영동 지방	• 급경사 산지, 좁은 해안 평야 • 온화한 겨울철 기온 • 겨울철 북동 기류의 유입으로 강수량 많음.
영서 지방	• 완경사 산지, 고원, 침식 분지 • 기온의 연교차가 큼. • 여름철 남서 기류의 유입으로 강수량 많음.

⑦ 고랭지 농업

영동 고속 국도의 개통으로 대도시 지역에 채소를 신속하게 공급할 수 있고, 평지보다 수확 시기가 빨라 경쟁력이 높기 때문에 강원 지방의 고위 평탄면에서는 상업적 성격의 고랭지 농업이 확대되고 있다.

⑧ 원주 의료 기기 산업

수도권과의 접근성이 높아 제조업 발달에 유리한 조건을 갖춘 원주는 1990년대 후반 이후 의료 기기 산업을 지역 특화 산업으로 발전시켜 나가고 있다.

⑨ 비무장 지대

남북 간의 군사적 충돌을 방지하기 위한 완충 지대로 오랫동안 인간의 출입이 제한되어 생태적 가치가 높은 지역이다.

자료 04 <공통 자료> 영동 지방과 영서 지방의 기후

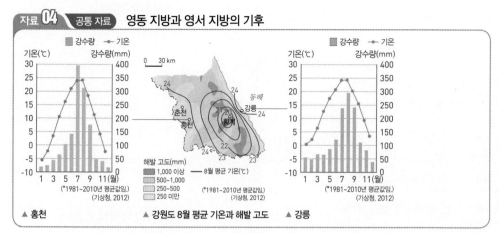

▲ 홍천   ▲ 강원도 8월 평균 기온과 해발 고도   ▲ 강릉

자료 분석 | 강원 지방은 태백산맥을 기준으로 영동 지방과 영서 지방으로 나뉜다. 영동 지방은 동서 폭이 좁고 급경사를 이루며, 영서 지방은 완경사를 이루며 고원과 침식 분지가 발달하였다. 동해와 태백산맥의 영향으로 강릉은 홍천보다 겨울철 기온이 온화하며 북동 기류의 유입으로 겨울철 강수량이 많은 편이다. 내륙에 위치한 홍천은 강릉보다 기온의 연교차가 크며 남서 기류의 유입으로 여름철 강수량이 많다.

● **교과서 탐구 풀이**

Q 횡계의 8월 평균 기온이 주변 지역보다 낮은 이유를 추론해 보자.

A 횡계는 해발 고도가 높은 곳에 위치하여 주변 지역보다 여름철 기후가 서늘하다.

자료 05 <공통 자료> 태백시의 산업별 종사자 비율 변화

금융·보험, 부동산 및 사업 서비스업 2.5
운수, 창고, 통신업 1.9
도·소매 및 음식·숙박업 18.1
건설업 2.5
전기, 가스 및 수도 사업 0.3
제조업 3.3
농림·어업 0.1(%)
기타 서비스업 10.2
광업 61.1
총 30,320명
(통계청, 기획재정부, 1986)
▲ 1986년

농림·어업 0.1(%)
광업 5
제조업 5.9
전기, 가스 및 수도 사업 1.2
건설업 8.3
도·소매 및 음식·숙박업 28.7
운수, 창고, 통신업 7.3
금융·보험, 부동산 및 사업 서비스업 9.3
기타 서비스업 34.2
총 17,573명
(강원도청, 2014)
▲ 2014년

자료 분석 | 석탄 소비가 감소하자 정부는 석탄 산업 합리화 정책을 추진하였고, 이로 인해 주요 석탄 생산지였던 태백시는 인구가 감소하고 지역 경제가 침체되었다. 이를 극복하기 위해 태백시는 관광 상품 개발, 신사업 유치 등 지역 경제 활성화를 위해 노력하고 있으며, 관광 산업 중심의 산업 구조로 변화하고 있다.

● **교과서 자료 더 보기**

| 강원 지방 산업별 취업자 수 변화 |

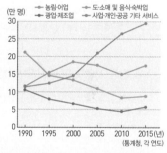

강원 지방은 석탄 산업 합리화 정책 이후 광업·제조업 종사자 수가 감소하는 반면, 서비스업 종사자는 증가하는 추세에 있다.

자료 06 강원 지방의 관광 자원

▲ **양 떼 목장(평창)** 고위 평탄면은 초지 형성에 유리하기 때문에 이를 이용하여 양, 젖소 중심의 목축업이 발달하였다.

▲ **정동진(강릉)** 광화문의 정동쪽에 있다고 하여 이름 붙여진 정동진은 바다와 접한 정동진역, 일출 장소 등으로 유명하다.

▲ **레일 바이크(정선)** 과거 석탄을 실어 나르던 산업 철도 구간에 레일 바이크를 만들어 관광 자원으로 활용하고 있다.

● **교과서 자료 더 보기**

| 강원 지방 지역별 관광객 수 |

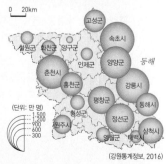

산지와 해안 등 관광 자원이 풍부한 강원 지방은 많은 관광객이 방문하고 있다.

1 수도권의 위치와 지역 특성

공간 범위	• 서울특별시: 우리나라의 수도, 정치·문화·경제의 중심지 • 인천광역시: 인천항, 인천 국제공항 → 국제 물류 중심지 • 경기도: 서울의 인구와 산업의 교외화로 성장
지역 특성	인구와 기능의 집중: 인구와 국내 총생산의 절반가량 집중됨.

2 수도권 공간 구조 변화

경제적 측면	• 1960년대: 서울을 중심으로 경공업 발달 • 1980년대: 지가 상승, 교통 혼잡, 환경 오염 등으로 인천, 경기로 제조업 이전 • 1990년대: 탈공업화로 수도권 제조업 비중 감소 • 2000년대 이후: (❶) 산업 성장, 지식 기반 서비스업은 서울에, 지식 기반 제조업은 경기에 주로 분포
문화적 측면	서울을 중심으로 분포하던 문화 시설이 수도권 광역화·다핵화에 따라 인천, 경기로 확산됨.

3 수도권의 문제점과 해결 방안

문제점	• 과도한 집중으로 (❷) 발생 • 수도권과 비수도권 간의 격차 심화
해결 방안	• 집중 완화: 과밀 부담금 제도, 공장 총량 제도 등 • 기능 분산: 수도권 정비 계획 등

4 영동 지방과 영서 지방의 자연환경

구분	(❸) 지방	(❹) 지방
지형	급경사 사면, 소규모 해안 평야 발달	완경사의 고원과 침식 분지 발달
기후	• 영서 지방보다 겨울철 기온이 온화함. • 겨울철 북동 기류의 영향으로 눈이 많이 내림.	• 영동 지방보다 기온의 연교차가 큼. • 여름철 남서 기류의 영향으로 강수량이 많음.

5 강원 지방의 산업 구조 변화

광업의 발달과 쇠퇴	풍부한 (❺)을 바탕으로 광업 발달 → 가정용 연료 변화, 채광 여건 악화 → 석탄 산업 합리화 정책에 따른 폐광 → 인구 감소 및 지역 경제 침체
관광 산업과 첨단 산업의 발달	• 관광 산업: 아름다운 자연환경과 폐광 지역의 산업 유산을 활용한 관광 산업 발달 • 첨단 산업: 춘천(바이오 산업), 강릉(신소재·바이오 산업), 원주(의료 기기) 등

정답 ❶ 지식 기반 ❷ 집적 불이익 ❸ 영동 ❹ 영서 ❺ 지하자원

01 (가) 지역에 대한 설명으로 옳지 <u>않은</u> 것은?

① 서울, 인천, 경기를 포함하는 지역이다.
② 교통의 발달로 지역 간 교류가 확대되고 있다.
③ 서울을 중심으로 대도시권을 형성하고 있다.
④ 인구 규모는 서울＞경기＞인천 순으로 많다.
⑤ 경기는 서울의 교외화로 빠르게 성장하고 있다.

02 다음은 수도권 집중도를 나타낸 것이다. 이에 대한 분석으로 옳은 것은?

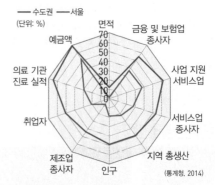

① 총인구는 서울이 인천·경기보다 많다.
② 수도권은 비수도권보다 인구 밀도가 낮다.
③ 서비스업 종사자는 인천·경기가 서울보다 많다.
④ 1인당 지역 총생산은 인천·경기가 서울보다 많다.
⑤ 예금액의 서울 집중도는 인구의 수도권 집중도보다 높다.

03 다음 지도의 제목으로 가장 적절한 것은?

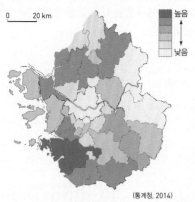

0 ㅡㅡㅡ 20 km

높음
↑
낮음

(통계청, 2014)

① 겸업농가 비율
② 서울로의 통근율
③ 외국인 근로자 비율
④ 유소년층 인구 비율
⑤ 제조업 종사자 비율

★04 다음은 수도권의 지식 기반 산업 종사자 수를 나타낸 것이다. 이에 대한 옳은 설명을 〈보기〉에서 고른 것은?

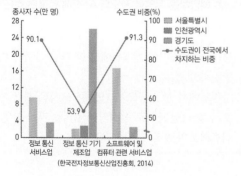

종사자 수(만 명)   수도권 비중(%)

■ 서울특별시
■ 인천광역시
■ 경기도
◆ 수도권이 전국에서 차지하는 비중

정보 통신 서비스업 / 정보 통신 기기 제조업 / 소프트웨어 및 컴퓨터 관련 서비스업

(한국전자정보통신산업진흥회, 2014)

┤ 보기 ├

ㄱ. 정보 통신 기기 제조업 종사자 수는 서울이 가장 많다.

ㄴ. 서울의 정보 통신 서비스업의 종사자 수는 비수도권 보다 많다.

ㄷ. 지식 기반 산업의 총 종사자 수는 경기 > 서울 > 인천 순으로 많다.

ㄹ. 수도권의 지식 기반 산업 종사자 수는 소프트웨어 및 컴퓨터 관련 서비스업 부문이 가장 많다.

① ㄱ, ㄴ
② ㄱ, ㄷ
③ ㄴ, ㄷ
④ ㄴ, ㄹ
⑤ ㄷ, ㄹ

05 다음은 수도권의 스크린 비율 변화를 나타낸 것이다. (가)~(다)에 해당하는 지역으로 옳은 것은?

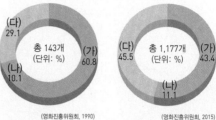

(다) 29.1 / 총 143개 (단위: %) / (가) 60.8 / (나) 10.1

(다) 45.5 / 총 1,177개 (단위: %) / (가) 43.4 / (나) 11.1

(영화진흥위원회, 1990)   (영화진흥위원회, 2015)

▲ 1990년도 수도권 스크린 비율   ▲ 2015년도 수도권 스크린 비율

	(가)	(나)	(다)
①	서울	경기	인천
②	서울	인천	경기
③	경기	인천	서울
④	경기	서울	인천
⑤	인천	서울	경기

06 (가), (나)에 해당하는 문화 공간이 위치한 지역을 지도의 A~C 에서 고른 것은?

(가) 국내 최대 규모의 예술 마을로, 미술가, 건축가 등 예술인들의 작업실과 일반인들이 이용할 수 있는 미술관, 공연장, 체험장, 박물관 등이 조성된 문화 예술 공간이다.

(나) 정조가 주민 거주 공간 마련과 국가 방어 등의 이유로 축성한 계획 도시이며, 역사적·문화적 가치를 인정 받아 세계 문화유산으로 등재된 전통문화 공간이다.

0 ㅡㅡㅡ 20 km

	(가)	(나)		(가)	(나)
①	A	B	②	A	C
③	B	A	④	B	C
⑤	C	A			

07 다음은 제3차 수도권 정비 계획을 나타낸 것이다. 공간 구조 개편 후 나타날 수 있는 현상을 추론한 내용으로 옳은 것은?

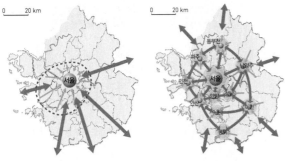

▲ 수도권 공간 구조 개편 전   ▲ 수도권 공간 구조 개편 후

① 서울의 중심지 기능이 강화될 것이다.

② 서울로의 통근·통학 인구가 증가할 것이다.

③ 서울과 주변 지역의 과밀화가 완화될 것이다.

④ 서울의 중심 업무 기능이 주변 도시로 분산될 것이다.

⑤ 교통의 결절 지역에 위치한 도시들의 자족 기능이 약화될 것이다.

08 다음 지도의 (가), (나) 지방에 대한 설명으로 옳지 <u>않은</u> 것은?

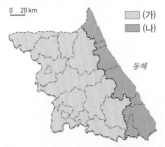

① 고위 평탄면은 주로 (가)에 분포한다.

② (가)는 (나)보다 평균 경사가 완만하다.

③ (가)는 (나)보다 겨울철 강설량이 적다.

④ (가)는 (나)보다 겨울철이 온화한 편이다.

⑤ (가), (나)의 지명은 대관령에서 유래하였다.

09 (가), (나)는 강원 지방 두 지역의 기후 그래프이다. 이에 대한 옳은 설명만을 〈보기〉에서 있는 대로 고른 것은? (단, (가), (나)는 홍천, 강릉 중 하나임.)

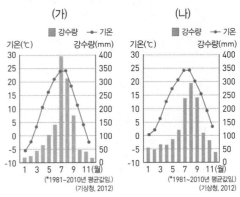

┤ 보기 ├

ㄱ. (가)는 (나)보다 기온의 연교차가 크다.

ㄴ. (가)는 (나)보다 겨울철 강수량이 많다.

ㄷ. (나)는 (가)보다 여름철 강수 집중률이 높다.

ㄹ. (나)는 (가)보다 바다의 영향을 많이 받는다.

① ㄱ, ㄹ   ② ㄴ, ㄷ   ③ ㄱ, ㄴ, ㄷ

④ ㄱ, ㄷ, ㄹ   ⑤ ㄴ, ㄷ, ㄹ

10 (가), (나)에 해당하는 지역을 지도의 A~E에서 고른 것은?

(가) 고위 평탄면에서 고랭지 농업이 이루어지며, 2018년 동계 올림픽이 개최됨에 따라 관광 산업이 더욱 발전하고 있다.

(나) 강원도에서 인구 규모가 가장 큰 도시로 최근 기업 도시 및 혁신 도시로 선정되면서 의료 기기 산업 클러스터로의 발전이 기대되고 있다.

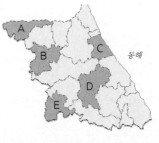

	(가)	(나)		(가)	(나)
①	A	B	②	B	C
③	C	D	④	D	E
⑤	E	A			

11 강원도 각 지역의 관광 홍보 문구로 적절하지 <u>않은</u> 것은?

① 철원: 화산 지형이 준 선물, 용암 대지에서 생산된 햅쌀을 맛보러 오세요.

② 춘천: 호반의 도시, 분지의 도시, 안개의 도시, 맛있는 닭갈비 드시러 오세요.

③ 평창: 고위 평탄면에 조성된 목장에서 한가롭게 풀을 뜯는 양 떼를 구경하러 오세요.

④ 강릉: 석호와 해안 단구의 도시에서 수평선 너머 떠오르는 태양을 보며 새해 소원을 빌어 보세요.

⑤ 삼척: 민족의 젖줄 남한강 상류의 감입 곡류 하천에서 급류 타기의 짜릿한 체험을 경험해 보세요.

12 다음은 한국지리 수업 장면이다. (가)에 들어갈 말로 옳은 것은?

> 교사: 다음은 강원 지방의 8월 평균 기온 분포를 나타낸 지도입니다. 횡계 지역이 주변보다 기온이 낮은 이유는 무엇일까요?
>
>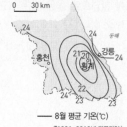
>
> ── 8월 평균 기온(℃)
> (*1981~2010년 평균값임.)
> (기상청, 2012)
>
> 학생: 네, 그것은 횡계 지역이 [(가)] 때문입니다.

① 바람이 강하게 불기

② 주변에 호수가 많기

③ 주변보다 해발 고도가 높기

④ 여름철 한류의 영향을 받기

⑤ 주변이 산지로 둘러싸여 있기

13 다음은 제3차 수도권 정비 계획에 의한 권역 구분을 나타낸 것이다. 이를 보고 물음에 답하시오.

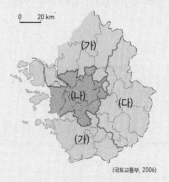

(국토교통부, 2006)

(1) (가)~(다) 권역의 명칭을 쓰시오.

(2) (가)~(다) 권역의 특징을 서술하시오.

14 그래프는 강원도 태백시의 산업별 종사자 비율 변화를 나타낸 것이다. 이를 보고 물음에 답하시오.

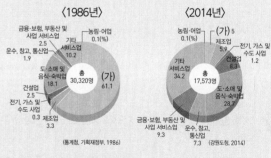

(통계청, 기획재정부, 1986)　(강원도청, 2014)

(1) (가)에 들어갈 산업을 쓰시오.

(2) 태백시의 산업별 종사자 비율이 변화하게 된 이유를 제시된 조건을 고려하여 서술하시오.

> • 에너지 소비 구조 변화　• 정부 정책
> • 산업 구조 변화

| 신유형 |

01 그래프는 수도권의 제조업 사업체 수 변화를 나타낸 것이다. 이에 대한 설명으로 옳은 것은? (단, (가)~(다)는 서울, 인천, 경기 중 하나임.)

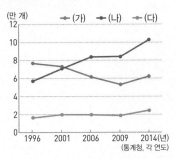

(만 개)
12
10
8
6
4
2
0
1996 2001 2006 2009 2014(년)
(통계청, 각 연도)
━●━ (가) ━●━ (나) ━●━ (다)

① (가)로 수도권 제조업이 집중하고 있다.
② (나)에서는 집적 불이익이 발생하고 있다.
③ (다)에서는 탈공업화 현상이 나타나고 있다.
④ (가)는 (나)보다 지가가 저렴하다.
⑤ (가)는 (다)보다 지식 기반 서비스업 종사자 비중이 높다.

| 수능 기출 |

02 다음 그래프의 (가)~(다) 지역을 지도의 A~C에서 고른 것은?

〈아파트 호수〉
1
0.8
0.6
0.4
0.2
0
(가) (나) (다)

〈외국인 수〉
1
0.8
0.6
0.4
0.2
0
(가) (나) (다)

〈중위 연령〉
1
0.8
0.6
0.4
0.2
0
(가) (나) (다)
(통계청, 2015)

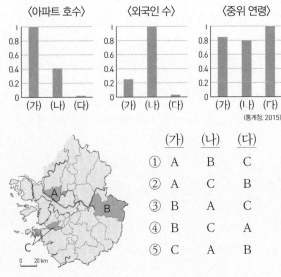

	(가)	(나)	(다)
①	A	B	C
②	A	C	B
③	B	A	C
④	B	C	A
⑤	C	A	B

| 신유형 |

03 A~D 지역에 대한 옳은 설명을 〈보기〉에서 고른 것은?

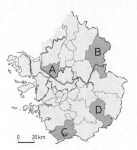

0   20 km

| 보기 |

ㄱ. A는 B보다 서울로의 통근·통학자 수가 많다.
ㄴ. B는 C보다 제조업 종사자 비율이 높다.
ㄷ. D에서는 도자기를 활용한 축제가 열린다.
ㄹ. A~D 중 주간 인구 지수는 A가 가장 높다.

① ㄱ, ㄴ   ② ㄱ, ㄷ   ③ ㄴ, ㄷ
④ ㄴ, ㄹ   ⑤ ㄷ, ㄹ

| 평가원 응용 |

04 수도권의 각 지역에 대한 설명으로 옳은 것은? (단, (가)~(다), A~C는 서울, 인천, 경기 중 하나임.)

〈수도권 지역 내 총생산 및 산업별 부가 가치〉

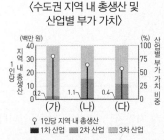

(백만 원)
40
30
20
10
0.2   1.1   0.4
(가)   (나)   (다)
지역 내 1인당 총생산
산업별 부가 가치 비중 (%)
100
75
50
25
0
○ 1인당 지역 내 총생산
■ 1차 산업 ■ 2차 산업 ■ 3차 산업

〈수도권 내 전입·전출 인구수〉

(단위: 천 명)

A
246 341   74 63
B ←33→ C
47
(통계청, 2013)

① (가)는 A보다 인구 순 이동이 많다.
② (나)는 C보다 1인당 지역 내 총생산액이 많다.
③ (다)는 (나)보다 전입 인구가 많다.
④ B는 A보다 1차 산업 부가 가치 비중이 높다.
⑤ C는 (가)보다 백화점 수가 많다.

| 신유형 |

05 다음은 강원도 세 지역의 홍보 문구이다. (가)~(다) 지역을 지도의 A~E에서 고른 것은?

> (가) '얼지 않은 인정, 녹지 않은 추억' 얼음나라 ○○에서 산천어 축제와 함께 추억을 만드세요.
>
> (나) 한강과 낙동강이 발원하는 ☆☆에서 씨컴스(🐾)와 함께하는 백두대간의 환상적인 눈꽃을 감상하세요.
>
> (다) 한우가 사람보다 많은 고장, □□에서 축산물 지리적 표시제 1호 명품 한우를 맛보러 오세요.

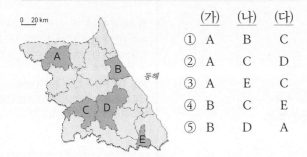

	(가)	(나)	(다)
①	A	B	C
②	A	C	D
③	A	E	C
④	B	C	E
⑤	B	D	A

| 평가원 기출 |

06 그래프는 강원 지방 (가)~(다) 산업 종사자 수의 시·군별 비중을 순위별로 나타낸 것이다. 이에 해당하는 산업으로 옳은 것은?

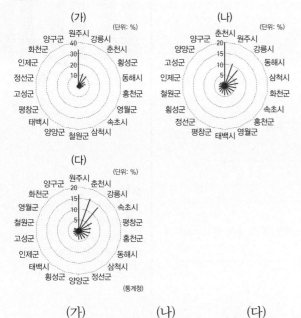

	(가)	(나)	(다)
①	제조업	숙박 및 음식점업	공공 및 기타 행정
②	제조업	공공 및 기타 행정	숙박 및 음식점업
③	숙박 및 음식점업	공공 및 기타 행정	제조업
④	공공 및 기타 행정	제조업	숙박 및 음식점업
⑤	공공 및 기타 행정	숙박 및 음식점업	제조업

| 신유형 |

07 그래프는 강원 지방의 산업별 취업자 수 변화를 나타낸 것이다. (가)~(다)에 대한 옳은 설명을 〈보기〉에서 고른 것은? (단, (가)~(다)는 농림·어업, 광업·제조업, 도·소매 및 음식·숙박업 중 하나임.)

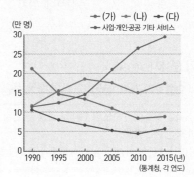

| 보기 |

> ㄱ. 1990년 이후 (다)의 감소는 국내 에너지 소비 구조의 변화와 관련이 깊다.
> ㄴ. (가)는 (나)보다 2015년에 취업자 수가 많다.
> ㄷ. (가)는 1차 산업, (나)는 3차 산업이다.
> ㄹ. 1990년 대비 2015년 (가)~(다)의 취업자 수는 모두 증가하였다.

① ㄱ, ㄴ　　② ㄱ, ㄷ　　③ ㄴ, ㄷ
④ ㄴ, ㄹ　　⑤ ㄷ, ㄹ

| 수능 응용 |

08 A~E 지역 특성을 활용한 탐구 주제로 적절하지 않은 것은?

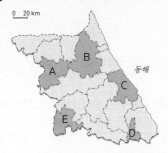

① A – 수도권과의 전철 연결에 따른 도시 상권의 변화

② B – 겨울철 빙어 축제를 통한 지역 이미지 홍보

③ C – 석호와 해안 단구를 활용한 관광 자원 개발

④ D – 석탄 산업 합리화 정책 이후 서비스업 중심의 산업 구조 개선 방안

⑤ E – 국토 정중앙 테마 공원 조성을 통한 관광객 유치 방안

03 충청 지방과 호남 지방의 지리적 특성

1 충청 지방의 위치와 지역 특성

1. 위치와 공간 범위

(1) **위치** 수도권과 남부 지방을 잇는 남한 중심부에 위치

(2) **공간 범위** 대전광역시, 세종특별자치시, 충청북도, 충청남도

2. 도로와 철도 교통의 중심지 [자료 01]

(1) **경부 축과 호남 축의 교통로가 교차** 전국 각 지역과의 접근성이 우수함.

1900년대 이전	• 금강을 통한 내륙 수운이 황해와 연결 → 금강 유역의 강경❶, 부여, 공주 등이 수운 교통의 중심지로 발달 • 남한강 수운이 한강과 연결 → 충주가 중요한 하항으로 발달
1900년대 초	경부선과 호남선 철도의 개통 → 대전이 철도 교통의 중심지로 발달
1970년 이후	경부 고속 국도와 호남 고속 국도 등의 건설 → 지리적 접근성의 향상
2000년대 이후	고속 철도의 개통, 수도권 전철의 연장 → 수도권과 밀접한 생활권 형성

(2) **물류 거점 역할 수행** 발달된 교통망을 바탕으로 중부 지방 물류 거점❷으로 성장

(3) **수도권과 인접한 충청 지방**

① **수도권의 배후지 역할 강화** 고속 철도 개통, 수도권 전철 연장 → 수도권과의 접근성 향상

② **수도권의 기능 이전** 수도권 과밀화에 따른 분산 정책의 시행으로 수도권의 산업, 행정, 교육 등 다양한 기능이 이전함.

_{국토 균형 발전 및 행정 기능 분담을 위해 2012년 7월 1일 세종특별자치시가 출범함.}

2 충청 지방의 지역 구조 변화

1. 충청 지방의 공업 발달❸ [자료 02]

(1) **발달 요인** 편리한 교통, 수도권 공장 총량 제도에 따른 공업 기능의 이전 등

(2) **공업의 입지 요인**

중화학 공업	• 서해안 지역 • 서산(석유 화학 공업), 당진(제철 공업), 아산(자동차 공업)
첨단 산업	• 내륙 지역 • 청주(오송 생명 과학 단지, 오창 과학 산업 단지), 대전(대덕 연구 개발 특구), 충북 경제 자유 구역(충주, 청주 일대 → 첨단 산업 집적)

2. 충청 지방의 도시 성장 [자료 03]

(1) **세종특별자치시** 국토 균형 발전과 중앙 행정 기능 분산을 위해 2012년 7월 1일 출범

(2) **내포 신도시** 충청남도의 균형 발전을 위해 상대적으로 낙후된 서북부 내륙 지역에 조성 → 충청남도청, 도의회, 교육청 등 충청남도의 행정 기능 이전

_{충청남도 홍성군, 예산군 삽교읍 일대}

(3) **혁신 도시**❹ 충청북도 진천·음성 → 오창 과학 산업 단지와 함께 정보 통신 기술(IT), 생명 공학 기술(BT) 중심 도시로 조성

_{생물이 가지고 있는 고유한 기능을 높이거나 개량하여 필요한 물질을 대량으로 생산하거나 유용한 물질을 만드는 기술}

(4) **기업 도시**❺ 충주(지식 기반형), 태안(관광 레저형)

---

❶ 강경

강경은 금강 수운의 중심지로 강경 포구는 각종 교역물이 들어오는 금강 하구의 관문이었다. 그러나 육상 교통이 발달하면서 금강 수운이 쇠퇴하고 강경의 중심지도 철도역을 중심으로 이동하였다.

❷ 중부권 물류 기지

택배 산업의 성장에 따라 정부와 민간이 고효율, 저비용의 물류 체계를 구축하고 물류비 절감을 위해 전국 5대 권역 내륙 물류 기지를 건설하였다. 그중 중부권 물류 기지는 세종특별자치시에 위치하여 중부권 물류 산업의 중심지 역할을 수행하고 있다.

❸ 충청 지방 산업별 생산액 비중 변화

■ 농림·어업 ■ 광업·제조업 ■ 사회 간접 자본 및 서비스업
(* 세종특별자치시는 과거 행정 구역을 기준으로 충청북도 및 충청남도에 포함함. / * 총 부가 가치 기준임.) (통계청, 각 연도)

❹ 혁신 도시

공공 기관 지방 이전과 산·학·연·관이 서로 협력하여 최적의 혁신 여건과 수준 높은 생활 환경을 갖추어 지역의 새로운 성장 동력을 창출하도록 개발하는 미래형 도시를 말한다.

❺ 기업 도시

산업 입지와 경제 활동을 위해 민간 기업이 산업·연구·관광·레저 등의 주된 기능과 주거·교육·의료·문화 등의 자족적 복합 기능을 고루 갖추도록 개발하는 도시를 말한다.

자료 01 공통 자료 충청 지방의 교통망

(국토 교통부, 2016)

자료 분석| 남한 중심부에 위치한 충청 지방은 주요 고속 국도가 지나며, 고속 철도와 수도권 전철 등 다양한 교통로가 집중되는 육상 교통의 요충지로 전국 각지로의 접근성이 우수하다. 특히 교통로의 발달로 수도권과 인접한 충청 지방으로 수도권의 산업, 행정, 교육 등 다양한 기능이 이전해 오고 있어 충청 지방의 발달이 가속화되고 있다.

자료 02 공통 자료 충청 지방의 인구 증가와 산업 발달

> 수도권 인구와 기능의 이전으로 수도권과 인접한 충청 지방 북부 지역의 성장이 두드러지고 있음을 알아두자!

(* 2000년 청원군 인구는 청주시에 포함하여 계산함. / * 세종특별자치시는 2000년 연기군 대비 인구 증감률 계산함.)

▲ 충청 지방의 인구 증감(2000~2015년)

(통계청, 각 연도)

▲ 충청 지방의 제조업 출하액

(통계청, 2016 / 한국산업단지공단, 2016)

자료 분석| 충청 지방의 인구는 주요 교통로가 지나가거나 산업이 발달한 지역에서 많이 증가하였다. 주요 교통로가 지나가는 천안, 아산, 세종과 제조업이 발달한 당진, 서산, 아산 등에서 인구 증가가 두드러진다. 특히 중앙 행정 기능이 이전함에 따라 인구가 이동한 세종의 인구가 가장 많이 증가하였다. 충청 지방의 제조업 출하액은 수도권과 인접한 서산, 당진, 아산, 천안 등에서 높게 나타난다.

자료 03 충청 지방의 발전 방향

(충청남도청, 2014)

▲ 충청남도 지역 발전 공간 구상

(충청북도청, 2013)

▲ 충청북도 지역 발전 공간 구상

자료 분석| 충청남도는 북부 지역에 조성된 산업 단지를 바탕으로 첨단 산업 발전축을 구축하고, 세종-대전을 연계하는 도시 네트워크를 구축하여 지역 간 연계를 강화하고자 한다. 충청북도는 신성장 동력 발전축을 중심으로 내륙 지역의 첨단 산업 육성, 세종-대전-청주권을 연계한 바이오 산업 육성 등 지역 연계 협력을 강화하여 동반 성장 효과를 극대화하고자 한다.

● **교과서 자료 더 보기** +

| 수도권 전철 연장 |

수도권 전철 1호선은 2005년 충청남도 천안역까지 연장 개통되면서 수도권과 충청 지방을 연결하게 되었으며, 2008년에는 아산시 신창역까지 연장되었다.

● **교과서 탐구 풀이**

Q 충청 지방에서 인구가 증가한 지역을 파악하고 그 원인을 제조업 출하액을 고려하여 설명해 보자.

A 세종특별자치시의 인구가 가장 많이 증가하였고 천안, 아산 등 충청 북부 지역의 인구 증가율이 대체로 높게 나타난다. 이는 수도권에 인접한 충청 북부 지역에 산업 단지가 밀집해 있고, 경제 활동이 활발하기 때문으로 볼 수 있다.

● **교과서 자료 더 보기** +

| 내포 신도시 |

충청남도청은 대전이 광역시로 승격한 이후에도 계속 대전에 위치하여 행정 업무의 효율성이 떨어지고 주민들이 불편을 겪었다. 이에 충청남도 홍성군 홍북면과 예산군 삽교읍 일대에 내포 신도시를 조성하고 2012년 12월 도청을 이전하였다.

3 호남 지방의 위치와 지역 특성

1. 위치와 공간 범위

(1) **위치** 한반도 서남부에 위치

(2) **공간 범위** 광주광역시, 전라북도, 전라남도

(3) **자연환경**

_{우리나라에서 유일하게 지평선을 볼 수 있는 곳}

평야	호남평야(김제·만경평야), 나주평야 → 우리나라 최대의 곡창 지대
산지	노령산맥과 소백산맥 일대의 산지 발달 → 임업, 목축업, 고랭지 농업 발달 └진안고원 일대
해안	• 갯벌과 리아스 해안⑥ 발달 → 연안 어업, 양식업 발달 • 크고 작은 섬이 많아 다도해 해상 국립 공원을 이룸. → 관광 산업 발달

(4) **문화 자원**

① 넓은 평야와 바다, 온화한 기후 등의 자연환경을 바탕으로 예로부터 음식, 예술, 문화 발달

② 다양한 문화 자원을 활용한 문화 산업 발달 및 지역 축제 개최 → 지역 경제 발전의 원동력

2. 호남 지방의 농지 개간 및 간척 사업 (자료 04)

(1) **일제 강점기** 수탈을 위한 간척 사업 → 농지 확보

_{대규모 벼농사가 본격적으로 이루어짐.}

(2) **광복 이후**

① 특징 정부, 민간 주도의 대규모 간척 사업이 이루어짐, 농업 용지 외에 산업 용지, 관광 단지 및 신도시 건설 등 간척지의 용도가 다양화됨.

② 주요 간척 산업

계화도 지구	• 1974~1979년, 섬진강 댐 건설로 수몰된 지역의 주민을 수용하기 위해 조성 • 대규모 농지 확보로 식량 생산 증대에 이바지
새만금 지구	• 1991년~현재(2020년 완공 예정) • 간척된 땅은 농업 용지, 산업 용지, 관광·레저 용지, 환경 생태 용지 등 다양하게 활용될 예정

4 호남 지방의 산업 구조 변화

★ 1. 호남 지방의 산업 구조⑦

(1) **1차 산업** 평야와 바다를 바탕으로 다른 지역보다 1차 산업 비중 높음.

(2) **공업의 발달** (자료 05)

1970년대	• 여수 국가 산업 단지(석유 화학 공업), 이리(현재 익산) 수출 자유 지역 조성 • 수도권, 영남권에 비해 발달 부진 → 이촌 향도로 인구 감소
1980년대	광양 제철소 건설 → 광양만을 중심으로 제철 공업 등 중화학 공업 발달
1990년대 이후	대중국 교역 거점으로 부상 → 대불 국가 산업 단지, 군장 국가 산업 단지 조성

(3) **관광 산업의 육성** (자료 06)

① 청정 자연환경 보전 슬로 시티⑧(완도군 청산면, 담양군 창평면, 전주 한옥 마을)

② 전통문화 계승 판소리⑨, 대사습놀이 등

③ 지역 축제 개최 김제 지평선 축제, 순천만 갈대 축제, 보성 다향 대축제, 함평 나비 축제 등

2. 호남 지방의 발전 방향

(1) **신산업 육성** 광산업(광주), 신·재생 에너지 산업(새만금 일대) 등

(2) **혁신 도시** 전북 혁신 도시(전주), 광주·전남 공동 혁신 도시(나주)

---

⑥ **리아스 해안**

하천에 의해 침식된 육지가 침강하거나 해수면이 상승해 만들어진 굴곡이 심한 해안을 말한다. 우리나라의 서·남해안이 대표적이다.

호남 지방 주요 문화 자원

음식	• 전주 비빔밥 • 보성 녹차 • 담양 떡갈비 등
문화	• 판소리 • 대사습놀이 등
유적, 민속 마을	• 순천 낙안 읍성 • 전주 한옥 마을 • 순창 고추장 민속 마을 등

⑦ **호남 지방의 산업별 생산액 비중 변화**

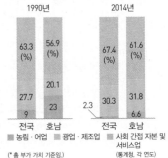

(* 총 부가 가치 기준임.)   (통계청, 각 연도)

⑧ **슬로 시티**

지역 공동체를 중심으로 지역 고유의 자연환경과 먹거리, 전통문화를 보전하면서 느림의 미학을 기반으로 지속 가능한 발전을 추구하는 도시를 말한다.

⑨ **판소리**

판소리는 호남 정맥을 기준으로 섬진강 문화권의 동편제와 영산강 문화권의 서편제로 구분된다. 동편제는 성량에 의존하며 남성스럽고, 서편제는 여성스러우며 부드럽고 섬세하다. 유네스코 인류 무형 문화유산에 등재되었다.

자료 04 공통 자료 │ 호남 지방의 주요 간척 사업

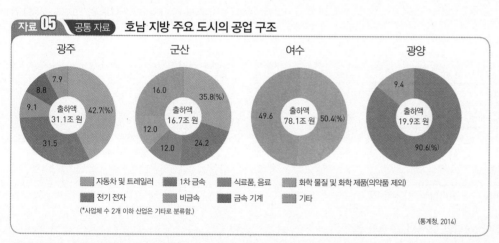

새만금 지구 283km²
계화도 지구 24.67km²
영산강 2지구 48.65km²
영산강 3지구 125km²
해남 지구 22.44km²
고흥 지구 20.75km²

전라북도
광주광역시
전라남도

0 ——— 20 km
(국토지리정보원, 2014)

자료 분석 | 호남 지방은 범람원과 갯벌이 넓게 분포하여 오래전부터 농지 개간 및 간척 사업이 이루어졌으나 대규모 간척 사업이 본격적으로 이루어지기 시작한 것은 1960년대 이후이다. 이 시기의 간척 사업은 주로 농지 확보를 위한 것이었다. 1970년대 이후 영산강, 해남, 고흥, 새만금 일대에 대규모 간척 사업이 진행되었거나 진행 중이며, 간척지는 농업 용지 이외에도 산업 용지, 관광단지 및 신도시 건설 등 다양하게 활용되고 있다. 한편 간척 사업을 통한 지역 개발로 외부에서 인구가 유입되고, 산업화와 도시화가 진행되면서 지역 경관이 크게 변화하였다. 주로 1차 산업에 종사하던 주민들의 활동 영역도 제조업, 서비스업 분야로 다양해지면서 지역의 산업 구조도 변화하였다.

● 교과서 자료 더 보기 ＋

│ 광양의 인구 변화 │

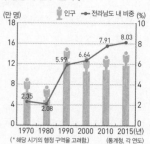

(만 명) 인구 ━ 전라남도 내 비중 (%)
18 ┤ 10
16 ┤ 8.03
│ 7.91 8
│ 5.99 6.64
│ 2.35 2.08
0 ┴ 1970 1980 1990 2000 2010 2015(년)
(* 해당 시기의 행정 구역을 고려함) (통계청, 각 연도)

과거 광양은 한적한 반농 반어촌이었으나 광양 제철소가 건설됨에 따라 인구가 증가하였다.

자료 05 공통 자료 │ 호남 지방 주요 도시의 공업 구조

광주
출하액 31.1조 원
7.9
8.8
9.1
31.5
42.7(%)

군산
출하액 16.7조 원
16.0
12.0
12.0
24.2
35.8(%)

여수
출하액 78.1조 원
49.6
50.4(%)

광양
출하액 19.9조 원
9.4
90.6(%)

■ 자동차 및 트레일러　■ 1차 금속　■ 식료품, 음료　■ 화학 물질 및 화학 제품(의약품 제외)
■ 전기 전자　■ 비금속　■ 금속 기계　▨ 기타
(*사업체 수 2개 이하 산업은 기타로 분류함.)
(통계청, 2014)

자료 분석 | 호남 지방은 서해안 고속 국도와 호남 고속 철도의 개통으로 다른 지역과의 접근성이 향상되었으며, 중국과의 교역 증가, 지역 균형 발전을 위한 정부 지원 등을 바탕으로 제조업이 빠르게 성장하고 있다. 광주와 군산은 자동차, 여수는 석유 화학 공업, 광양은 제철 공업이 특화되어 있다.

● 교과서 자료 더 보기 ＋

│ 호남 지방 제조업 종사자 비중 │

0 ——— 20km
제조업 종사자 비율(%) (2014년 기준)
■ 25 이상
■ 20~25
■ 15~20
□ 10~15
□ 10 미만
황해
남해
(통계청, 2016)

국가 산업 단지가 조성된 군산, 여수, 광양 등에서 제조업 종사자 수 비중이 높게 나타나며 호남 지방의 성장을 이끌고 있다.

자료 06 │ 호남 지방의 문화 자원과 지역 축제

0 ——— 20 km

무주 반딧불 축제
전주 세계 소리 축제
김제 지평선 축제
덕유산 국립 공원
전주 한옥 마을
아리랑 문화촌
변산반도 국립 공원
내장산 국립 공원
고창 고인돌군
남원 춘향제
순창 장류 축제
담양 대숲 마을
지리산 국립 공원
광주 비엔날레
광양 매화 문화 축제
함평 나비 대축제
무등산 국립 공원
순천만 갈대 축제
보성 다향제
월출산 국립 공원
여수 거북선 축제
강진 청자 축제
영암 왕인 문화 축제
한려 해상 국립 공원
진도 신비의 바닷길 축제
다도해 해상 국립 공원
완도 장보고 축제
여수 나로 우주 센터
다도해 해상 국립 공원
황해
남해
(전라남·북도청, 2016)

▲ 김제 지평선 축제

▲ 순천만 갈대 축제

▲ 보성 다향 대축제

▲ 함평 나비 대축제

자료 분석 | 호남 지방은 과거부터 문학, 음악, 미술 등이 유입되는 통로였으며, 다양한 문화 자원이 조화를 이루는 예향(藝鄕)으로 유명하다. 이를 활용한 여러 축제들이 개최되고 있으며, 전통 계승뿐만 아니라 지역 경제의 발전에도 이바지하고 있다.

1 충청 지방의 위치와 지역 특성

위치	남한의 중심부 → 수도권과 남부 지방을 이어 줌.
지역 특성	• (❶) 교통의 중심지: 경부 축과 호남 축 교통로 교차 → 전국 각 지역과의 접근성 우수 • 발달된 교통망을 바탕으로 중부 지방 물류 거점으로 성장 • 수도권과 밀접한 생활권 형성: 수도권 분산 정책 시행으로 수도권의 산업, 행정 등 기능 이전

2 충청 지방의 공업 발달

발달 요인	편리한 교통 및 수도권 공업 기능 이전
공업 입지	• 중화학 공업: (❷) 지역 → 서산, 당진, 아산 • 첨단 산업: (❸) 지역 → 대전, 청주, 충주

3 충청 지방의 도시 성장

세종특별자치시	중앙 행정 기능 분담
(❹)	충남도청 이전 → 충청남도 균형 발전에 기여
혁신 도시	진천·음성(IT, BT)
기업 도시	충주(지식 기반형), 태안(관광 레저형)

4 호남 지방의 자연환경과 간척 사업

자연환경	• 평야: 호남평야, 나주평야 → 우리나라 최대의 곡창 지대 • 산지: 노령산맥, 소백산맥 → 임업, 목축업, 고랭지 농업 발달 • 해안: 갯벌과 (❺) 해안 발달 → 연안 어업, 양식업 발달
간척 사업	• 일제 강점기: 수탈을 위한 간척 사업 → 농지 확보 • 광복 이후: 정부, 민간 주도의 대규모 간척 사업 → 계화도 지구, 새만금 지구 등

5 호남 지방의 산업과 발전 방향

공업	• 1970년대: 여수 국가 산업 단지(석유 화학 공업) • 1980년대: 광양 제철소(제철 공업) • 1990년대 이후: 대불 국가 산업 단지, 군장 국가 산업 단지(대중국 교역 거점)
관광 산업	자연환경 및 문화 자원 활용 → 슬로 시티, 판소리, 대사습놀이 등 다양한 지역 축제 개최
발전 방향	• 신산업 육성: 광주(광산업), 새만금 일대(신·재생 에너지 산업) • 전북 혁신 도시, 광주·전남 공동 혁신 도시

정답 ❶ 육상 ❷ 서해안 ❸ 내륙 ❹ 내포 신도시 ❺ 리아스

---

01 (가) 지역에 대한 설명으로 옳지 않은 것은?

① 총 4개의 광역 자치 단체로 이루어져 있다.
② 수도권과 남부 지방을 잇는 중심부에 위치한다.
③ 경부 축과 호남 축의 교통로가 교차하는 곳이다.
④ 수도권으로의 인구 이동이 많아 인구가 감소하고 있다.
⑤ 수도권과의 접근성 향상으로 수도권과 밀접한 생활권을 형성하고 있다.

02 다음 글의 (가) 지역을 지도의 A~E에서 고른 것은?

> 교통로는 지역의 성쇠에 큰 영향을 미친다. 오늘날 ___(가)___ 은/는 우리나라 교통의 요지이자 충청 지방의 중심지이지만 1900년대 초 충청 지방의 경제 및 교통 중심지는 공주였다. ___(가)___ 은/는 우리말로 한밭, 즉 넓은 들판이라는 의미의 한자식 표현으로 지명에서 당시 이 지역이 한가로운 농촌이었음을 알 수 있다.

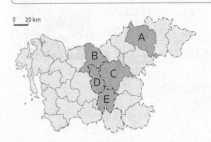

① A　　　　② B　　　　③ C
④ D　　　　⑤ E

03 다음은 충청 지방의 산업별 생산액 비중 변화를 나타낸 것이다. (가)~(다) 지역을 바르게 연결한 것은?

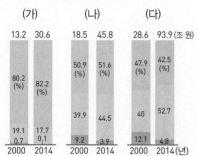

	(가)		(나)		(다)	
	13.2	30.6	18.5	45.8	28.6	93.9 (조 원)
	80.2 (%)	82.2 (%)	50.9 (%)	51.6 (%)	47.9 (%)	42.5 (%)
			39.9	44.5	40	52.7
	19.1	17.7	9.2	3.9	12.1	4.8
	0.7	0.1				
	2000	2014	2000	2014	2000	2014(년)

■ 농림·어업 ■ 광업·제조업 ■ 사회 간접 자본 및 서비스업
(* 세종특별자치시는 과거 행정 구역을 기준으로 충청북도 및 충청남도에 포함함. /* 총 부가 가치 기준임.) (통계청, 각 연도)

	(가)	(나)	(다)
①	대전	충북	충남
②	대전	충남	충북
③	충북	충남	대전
④	충북	대전	충남
⑤	충남	충북	대전

★04 다음은 충청 지방의 제조업 출하액을 나타낸 것이다. 이에 대한 옳은 설명만을 〈보기〉에서 있는 대로 고른 것은?

┌ 보기 ┐
ㄱ. 수도권과 인접한 지역의 제조업 출하액이 많다.
ㄴ. 산업 단지가 입지한 지역이 제조업 출하액이 많다.
ㄷ. 충청 지방 북부 지역이 남부 지역보다 제조업이 발달하였다.
ㄹ. 서산, 당진, 아산은 첨단 산업, 대전, 충주, 청주는 중화학 공업이 발달하였다.

① ㄱ, ㄴ ② ㄴ, ㄷ ③ ㄱ, ㄴ, ㄷ
④ ㄱ, ㄴ, ㄹ ⑤ ㄴ, ㄷ, ㄹ

★05 다음은 충청 지방의 인구 증감을 나타낸 것이다. 이에 대한 옳은 설명을 〈보기〉에서 고른 것은?

(* 2000년 청원군 인구는 청주시에 포함하여 계산함. /* 세종특별자치시는 2000년 연기군 대비 인구 증감을 계산함.)

┌ 보기 ┐
ㄱ. 인구가 가장 많은 도시가 인구 증가율이 가장 높다.
ㄴ. 인구가 증가하는 지역이 인구가 감소하는 지역보다 많다.
ㄷ. 충청남도는 충청북도보다 인구가 증가하는 지역이 많다.
ㄹ. 수도권과 인접한 지역은 영남권과 인접한 지역보다 인구 증가율이 높다.

① ㄱ, ㄴ ② ㄱ, ㄷ ③ ㄴ, ㄷ
④ ㄴ, ㄹ ⑤ ㄷ, ㄹ

06 다음 글에 해당하는 도시를 지도의 A~E에서 고른 것은?

이전 공공 기관을 수용하여 기업·대학·연구소·공공 기관 등의 기관이 서로 긴밀하게 협력할 수 있는 혁신 여건과 수준 높은 주거·교육·문화 등의 정주 환경을 갖추도록 개발하는 미래형 도시를 말한다.

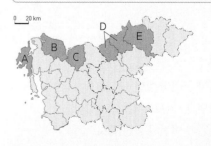

① A ② B ③ C
④ D ⑤ E

07 (가) 지역에 대한 옳은 설명만을 〈보기〉에서 있는 대로 고른 것은?

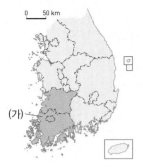

▏보기▕
ㄱ. 우리나라에서 쌀 생산량이 가장 많다.
ㄴ. 해안선이 복잡한 리아스 해안이 발달한다.
ㄷ. 큰 조차를 이용한 조력 발전소가 입지한다.
ㄹ. 일제 강점기에 산미 증식 계획을 위해 간척 사업이 추진되었다.

① ㄱ, ㄹ   　② ㄴ, ㄷ   　③ ㄱ, ㄴ, ㄷ
④ ㄱ, ㄴ, ㄹ   　⑤ ㄴ, ㄷ, ㄹ

08 자료는 (가) 지역의 인구 변화를 나타낸 것이다. 1980년대 이후 (가) 지역에서 인구가 증가한 원인으로 가장 적절한 것은?

① 석유 화학 공업의 발달
② 간척 사업과 대규모 제철소의 입지
③ 공공 기관의 이전과 혁신 도시 건설
④ 슬로 시티 지정에 따른 관광 자원의 개발
⑤ 도청 소재지의 이전에 따른 행정 기능의 집중

09 다음은 호남 지방의 주요 간척 사업을 나타낸 것이다. 이에 대한 설명으로 옳은 것은?

① 전북이 전남보다 간척 면적이 넓다.
② 남해안이 서해안보다 간척 면적이 넓다.
③ 간척지의 용도는 대부분 공업 용지이다.
④ 간척 이후 호남 지방의 해안선 길이는 길어졌다.
⑤ 간척 이후 호남 지방 해안의 오염 물질 정화 능력은 향상되었다.

★10 다음 글의 (가)~(다)에 해당하는 지역을 지도의 A~C에서 고른 것은?

> 호남 지방에는 자연환경과 전통문화를 활용한 다양한 축제가 발달하였다. ___(가)___의 지평선 축제, ___(나)___의 다향 대축제, ___(다)___의 장류 축제 등은 호남 지방의 대표적인 축제이다.

	(가)	(나)	(다)
①	A	B	C
②	A	C	B
③	B	A	C
④	B	C	A
⑤	C	A	B

11 그래프는 호남 지방 주요 도시의 공업 구조를 나타낸 것이다. 이에 대한 설명으로 옳지 <u>않은</u> 것은?

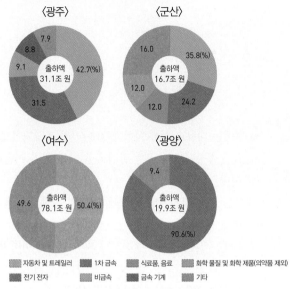

〈광주〉　　　　〈군산〉

출하액 31.1조 원　42.7(%)

출하액 16.7조 원　35.8(%)

〈여수〉　　　　〈광양〉

출하액 78.1조 원　50.4(%)

출하액 19.9조 원　90.6(%)

■ 자동차 및 트레일러　■ 1차 금속　■ 식료품, 음료　■ 화학 물질 및 화학 제품(의약품 제외)
■ 전기 전자　■ 비금속　■ 금속 기계　■ 기타

① 여수의 출하액은 광양보다 2배 이상 많다.

② 제조업 출하액은 전남이 전북보다 많을 것이다.

③ 광주는 군산보다 자동차 및 트레일러의 출하액이 많다.

④ 여수에는 전후방 연계 효과가 큰 조립형 공업이 발달하였다.

⑤ 광양은 광주보다 주력 공업과 관련된 원료의 수입 의존도가 높을 것이다.

12 다음 글에서 설명하는 (가) 지역으로 옳은 것은?

> **자연이 창출하는 가치,** ［ (가) ］
>
> 　［ (가) ］은/는 방치되던 자연이 천혜의 관광 자원으로 탈바꿈한 대표적인 사례이다. 쓰레기와 악취로 몸살을 앓았던 ［ (가) ］은/는 민관의 협력으로 생태적 기능을 회복하여 천연기념물 흑두루미를 비롯하여 771종의 각종 동식물이 서식하는 생태계의 보고가 되었다. 또한 2006년 람사르 협약 등록, 2015년 대한민국 국가 정원 제1호로 지정되면서 전라남도의 대표 생태 관광지로 발돋움하였다.

① 광양만　　② 순천만　　③ 보성만
④ 여수만　　⑤ 증도 갯벌

13 다음은 충청남도 도청의 이전을 나타낸 것이다. 이를 보고 물음에 답하시오.

(1) (가) 지역의 명칭을 쓰시오.

(2) 충청남도 도청을 (가) 지역으로 이전하게 된 이유를 서술하시오.

14 다음은 호남 지방의 산업별 생산액 비중을 나타낸 것이다. 이를 보고 물음에 답하시오.

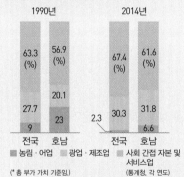

1990년　　　　　2014년

63.3(%)　56.9(%)　　67.4(%)　61.6(%)

27.7　20.1　　30.3　31.8

9　23　　2.3　6.6

■ 농림·어업　■ 광업·제조업　■ 사회 간접 자본 및 서비스업

전국　호남　　　전국　호남

(* 총 부가 가치 기준임.)　（통계청, 각 연도）

(1) 전국과 비교한 호남 지방의 산업 특징을 서술하시오.

(2) 호남 지방이 농림·어업의 비중이 높은 이유를 서술하시오.

| 신유형 |

01 지도는 충청 지방의 제조업 출하액 및 산업 단지 분포를 나타 낸 것이다. 이에 대한 옳은 설명만을 〈보기〉에서 있는 대로 고른 것은?

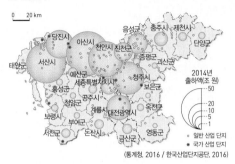

(통계청, 2016 / 한국산업단지공단, 2016)

┌ 보기 ┐
ㄱ. 제조업 출하액은 충남이 충북보다 많다.
ㄴ. 일반 산업 단지는 대체로 해안을 중심으로 입지한다.
ㄷ. 국가 산업 단지는 주로 백두대간이 지나는 지역에 조성되었다.
ㄹ. 제조업 출하액은 경부 고속 국도가 지나는 지역의 합 이 서해안 고속 국도를 지나는 지역의 합보다 많다.

① ㄱ, ㄹ   ② ㄴ, ㄷ   ③ ㄱ, ㄴ, ㄷ
④ ㄱ, ㄴ, ㄹ   ⑤ ㄴ, ㄷ, ㄹ

| 평가원 기출 |

02 A~C 지역에 대한 설명으로 옳은 것은?

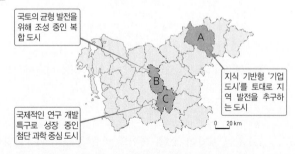

① A는 수도권 전철 노선이 연결된 곳이다.
② B는 충청남도의 도청 소재지이다.
③ C는 생명 과학 단지와 국제공항이 있다.
④ A는 C보다 총인구가 많다.
⑤ B는 A보다 행정 및 공공 기관 종사자 수가 많다.

| 신유형 |

03 A~D 지역에 대한 설명으로 옳지 않은 것은?

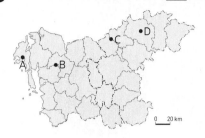

① A에는 대규모 석유 화학 공업 단지가 조성되어 있다.
② B는 충청남도의 균형 발전을 위해 도청이 이전한 곳 이다.
③ C는 공공 기관 이전을 통해 지역의 성장 동력을 창출 하고 있다.
④ D에는 민간 투자를 촉진하고 지역 경제에 이바지하려 는 목적으로 지식 기반형 신도시가 건설되고 있다.
⑤ A, D는 기업 도시, C는 혁신 도시이다.

| 수능 기출 |

04 다음 자료에 대한 옳은 설명을 〈보기〉에서 고른 것은? (단, (가)~(다)와 A~C는 대전, 세종, 충북·충남 중 하나임.)

〈연령별 인구 비중〉

연령 \ 지역	(가)	(나)	(다)
15세 미만	19.8	14.3	14.6
15~64세	69.7	70.1	74.6
65세 이상	10.5	15.6	10.8

〈산업별 종사자 비중〉

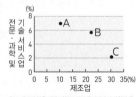

(* 그래프의 값은 해당 지역의 전체 종사자에서 산업별 종 사자가 차지하는 비중임.) (통계청)

┌ 보기 ┐
ㄱ. (가)는 충북·충남, (나)는 세종이다.
ㄴ. 대전은 세종보다 유소년 부양비가 낮다.
ㄷ. 세종은 충북·충남보다 노령화 지수가 낮다.
ㄹ. 충북·충남은 대전보다 제조업 종사자 비중이 낮다.

① ㄱ, ㄴ   ② ㄱ, ㄷ   ③ ㄴ, ㄷ
④ ㄴ, ㄹ   ⑤ ㄷ, ㄹ

| 신유형 |

05 표는 호남 지방의 1차 에너지 공급량 비중을 나타낸 것이다. 이에 대한 설명으로 옳은 것은? (단, (가)~(다)는 광주, 전북, 전남 중 하나임.)

(단위: %)

시·도	석탄	석유	천연가스	수력	원자력	신·재생
(가)	1.8	57.9	37.3	0.0	0.0	3.0
(나)	0.6	47.1	38.1	3.5	0.0	10.7
(다)	27.1	45.3	5.6	0.1	19.0	2.9

(2013)

① (가)는 (나)보다 면적이 넓다.
② (가)는 (다)보다 노년 인구 비중이 높다.
③ (나)는 (다)보다 도청 소재지의 위도가 낮다.
④ (다)는 (나)보다 부속 도서의 수가 많다.
⑤ (나)는 내륙에 위치하며, (가), (다)는 해안에 접한다.

| 신유형 |

07 다음은 호남 지방 세 도시의 제조업 출하액을 나타낸 것이다. (가)~(다) 지역으로 옳은 것은? (단, (가)~(다)는 광양, 군산, 여수 중 하나임.)

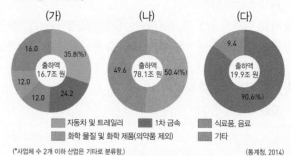

■ 자동차 및 트레일러 ■ 1차 금속 ■ 식료품, 음료
■ 화학 물질 및 화학 제품(의약품 제외) ■ 기타

(*사업체 수 2개 이하 산업은 기타로 분류함.)

(통계청, 2014)

	(가)	(나)	(다)
①	군산	여수	광양
②	군산	광양	여수
③	광양	여수	군산
④	광양	군산	여수
⑤	여수	광양	군산

| 평가원 기출 |

06 (가)~(다)는 심벌마크에 반영된 지역 특성을 나타낸 것이다. 이에 해당하는 지역을 지도의 A~D에서 고른 것은?

(가)	(나)	(다)
넓은 평야와 발달한 농업을 벼와 지평선으로 표현함.	옛 읍성의 성곽 형태와 갯벌을 형상화하여 표현함.	지리적 표시제 1호로 등록된 차의 잎을 형상화하여 표현함.

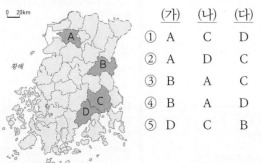

	(가)	(나)	(다)
①	A	C	D
②	A	D	C
③	B	A	C
④	B	A	D
⑤	D	C	B

| 수능 응용 |

08 A~E 지역에서 열리는 축제로 옳지 않은 것은?

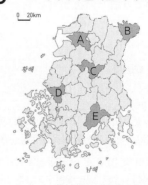

① A - 황금빛 들판과 지평선을 보며 즐기는 전통 농경 문화 축제
② B - 여름철 시원한 고원에서 아름다운 밤하늘을 수놓은 반딧불 축제
③ C - 다양한 고추장을 맛볼 수 있는 장류 축제
④ D - 수만 마리 나비와 꽃이 어우러진 친환경적 생태 관광 축제
⑤ E - 수많은 꽃으로 장식된 국가 정원과 갯벌이 함께 어우러진 축제

04 영남 지방과 제주도의 지리적 특성

1 영남 지방의 위치와 지역 특성

1. 위치와 공간 범위

(1) **위치** 한반도 남동부, 유라시아 대륙과 태평양을 연결하는 곳 → 해상 교역에 유리

(2) **공간 범위** 부산광역시, 대구광역시, 울산광역시, 경상북도, 경상남도

★ 2. 영남 지방의 공업 발달 [자료 01]

(1) 발달 과정

1960년대	산업 기반 시설이 잘 갖추어져 있고 노동력이 풍부한 부산, 대구를 중심으로 신발, 섬유 공업 등 노동 집약적 경공업 발달
1970년대 이후	• 정부의 중화학 공업 육성 정책 → 울산, 포항, 창원, 거제 등을 중심으로 중화학 공업 발달 • 높은 기술력과 관련 산업의 집중을 바탕으로 우리나라 기간산업❶의 중심지로 성장

(2) 주요 공업 지역❷

영남 내륙 공업 지역	• 입지 요인: 풍부한 노동력과 경부 고속 국도가 지나는 편리한 육상 교통 • 대표 도시: 대구, 구미
남동 임해 공업 지역	• 우리나라 최대의 중화학 공업 지역, 사업체의 규모가 크고 종사자 수 대비 생산액이 많음. • 입지 요인: 조차가 작고 수심이 깊어 항만 발달에 유리 → 원료의 수입과 제품의 수출에 유리 • 대표 도시: 울산, 포항, 창원, 거제

3. 영남 지방의 인구 분포 [자료 02]

(1) 인구 분포

① 대도시인 부산, 대구와 공업 도시로 성장한 구미, 포항, 울산, 창원 등지에 많이 거주함.

② 경상북도 북부, 경상남도 서부 지역은 이촌 향도와 고령화 현상이 나타남.

(2) **1990년대 이후** 교외화 현상으로 대도시와 인접한 김해, 양산 및 경산의 인구 증가
└부산의 위성 도시 └대구의 위성 도시

2 영남 지방의 주요 도시 [자료 03]

1. 주요 대도시

부산	• 항만과 도시 기반 시설을 바탕으로 국제 물류 도시로서 기능 강화 • 영상·영화 산업❸, 문화·해양 자원을 활용한 관광 상품 개발 노력
대구	• 쇠퇴하는 섬유 산업의 첨단화 도모 → 국제 섬유 박람회, 대구 패션 페어 개최 • 고부가 가치 산업 육성 → 첨단 의료 복합 단지, 테크노폴리스 조성 └고급 기술과 연구 시설이 집중된 작은 도시
울산	• 자동차·조선·석유 화학 공업을 기반으로 한 첨단 산업 육성 • 과거 공해 도시의 이미지를 벗고 생태 도시로 거듭나고 있음.
창원	2010년 마산, 진해와 통합 → 기계 산업의 첨단화 도모, 해양·물류 산업 육성

2. 전통문화 도시

안동	• 2006년 경상북도청 이전 → 상대적으로 소외된 경상북도의 발전을 이끌 것으로 기대 • 조선 시대의 고택, 서원 등이 잘 보존된 전통 마을을 바탕으로 관광 산업 육성❹
경주	유네스코 세계 문화유산으로 등재된 경주 역사 지구, 양동 마을 등을 토대로 관광 산업 발달

---

❶ 기간산업

한 국가 산업의 기초가 되는 산업으로, 중요 생산재를 생산하는 산업을 이르는데, 금속·기계·석유 화학 공업 등이 있다.

❷ 영남 지방의 산업 단지 분포

❈ 국가 산업 단지
○ 일반 산업 단지
(한국산업단지공단, 2016)

고득점을 위한 셀파 Tip

영남 지방의 공업 지역

영남 내륙 공업 지역	대구	섬유 공업
	구미	전자 공업
남동 임해 공업 지역	포항	제철 공업
	울산	자동차·조선·석유 화학 공업
	창원	기계 공업
	거제	조선 공업

❸ 부산 국제 영화제

우리나라에서 열린 첫 번째 국제 영화제로 세계 영화계에 한국 영화의 위상을 높이는 계기를 마련하였으며 아시아 영화 산업의 중심지 역할을 한다.

❹ 하회 마을

풍산 유씨의 동족촌으로 조선 시대의 건축물, 전통 생활 양식, 별신굿 탈놀이 등 유교 문화와 전통문화가 잘 보존되어 2010년 유네스코 세계 문화유산에 등재되었다.

자료 01 공통 자료 영남 지방 주요 도시의 공업 구조

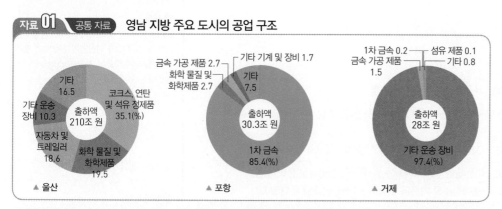

기타 16.5
기타 운송 장비 10.3
자동차 및 트레일러 18.6
화학 물질 및 화학제품 19.5
코크스, 연탄 및 석유 정제품 35.1(%)
출하액 210조 원
▲ 울산

금속 가공 제품 2.7
화학 물질 및 화학제품 2.7
기타 기계 및 장비 1.7
기타 7.5
1차 금속 85.4(%)
출하액 30.3조 원
▲ 포항

1차 금속 0.2
금속 가공 제품 1.5
섬유 제품 0.1
기타 0.8
기타 운송 장비 97.4(%)
출하액 28조 원
▲ 거제

자료 분석 | 영남 지방은 도시별로 산업이 특화되어 있다. 울산은 우리나라 최대의 공업 도시로 석유 화학·자동차·조선 공업의 비중이 높으며, 포항은 제철 공업, 거제는 기타 운송 장비 공업(조선 공업)의 비중이 압도적으로 높다.

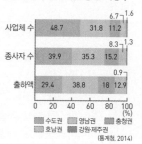

교과서 **자료 더 보기** +

| 우리나라의 지역별 공업 비중 |

사업체 수 48.7 / 31.8 / 11.2 / 6.7 / 1.6
종사자 수 39.9 / 35.3 / 15.2 / 8.3 / 1.3
출하액 29.4 / 38.8 / 18 / 12.9 / 0.9

수도권 영남권 충청권 호남권 강원·제주권
(통계청, 2014)

영남 지방은 우리나라에서 공업 생산액이 가장 많으며, 수도권보다 사업체 수 대비 출하액과 1인당 출하액이 많다.

자료 02 공통 자료 영남 지방의 인구 분포

인구수(만 명)
300
100
50
10
(통계청, 2015)

부산광역시 —영남 지방에서 인구 규모가 가장 큰 도시임.

자료 분석 | 영남 지방의 인구는 전통적 대도시인 부산과 대구가 가장 많고, 대규모 산업 단지가 조성되면서 공업 도시로 성장한 울산, 창원, 포항, 구미 등지도 많다. 또한 경상북도청 소재지인 안동과 최근 부산의 교외화에 따라 성장한 김해와 양산, 대구의 교외화로 성장한 경산도 비교적 인구 규모가 큰 도시들이다. 반면 산업화·도시화 과정에서 소외된 경상북도 북부, 경상남도 서부 지역은 이촌 향도와 고령화 현상이 나타난다.

 교과서 **자료 더 보기** +

| 영남 지방 인구 규모 변화 |

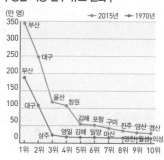

(만 명)
2015년 1970년

1위 2위 3위 4위 5위 6위 7위 8위 9위 10위

공업이 발달한 울산, 창원, 포항, 구미 등과 부산의 교외화에 따라 성장한 김해, 양산 등의 인구 성장이 두드러진다.

자료 03 영남 지방 주요 도시의 특징

구미의 산업 변화

섬유·전자 공업 등 지역 주요 산업의 쇠퇴로 위기를 맞은 구미는 디스플레이, 정보 기술 융·복합 산업 등 기존 산업 단지를 산·학·연 융합 단지로 바꾸면서 연구 개발 기능 강화에 총력을 기울였다. 이러한 노력은 기업의 연구소 개설로 이어져 2008년 179개였던 기업 부설 연구소가 2016년 4월 400개로 급증하였다.
– 「경북문화신문」, 2016. 8. 22. –

안동의 관광 산업 육성 계획

안동은 조선 시대의 고택, 고서 등의 유교 문화를 바탕으로 한 관광 산업 육성 계획을 발표하였다. 이를 위해 관광 홍보, 안동 문화 세계화, 관광 안내원 육성, 에듀테인먼트형 관광 프로그램 개발, 대한민국 테마 여행 10선, 한문화 콘텐츠와 정보 통신 기술을 융합한 관광 신성장 동력 육성 등의 전략을 내세우고 있다.
– 「국제뉴스」, 2017. 4. 18.–

자료 분석 | 국내 임금 상승에 따른 생산 공장의 해외 이전, 경기 침체 등의 산업 여건 변화로 구미의 섬유·전자 공업은 쇠퇴를 맞게 되었다. 이를 극복하기 위해 기존 산업 단지의 연구 개발 기능을 강화하고, 디스플레이, 의료 기기 등 신산업을 육성하고 있다. 조선 시대의 건축물과 유교 문화를 잘 보존하고 있는 안동은 이를 활용하여 관광 산업을 적극 육성하고 있다.

 교과서 **자료 더 보기** +

| 경주 역사 지구 |

▲ 첨성대

신라 시대의 뛰어난 불교 유적이 집중적으로 분포한 남산, 월성, 대릉원, 황룡사, 산성 지구 등 5개 구역으로 이루어졌으며, 2010년 유네스코 세계 문화유산에 등재되었다.

3 제주도의 위치와 지역 특성

1. 제주도의 위치와 자연환경

(1) **위치** 남해상에 위치, 우리나라에서 가장 큰 섬

(2) **자연환경**

기후	난류의 영향으로 연교차가 작고 겨울이 온화한 해양성 기후
지형	• 신생대의 화산 활동으로 형성된 화산섬 → 기생 화산(오름), 용암 동굴, 주상 절리 등 독특한 화산 지형 분포 • 한라산: 전체적으로 순상 화산, 정상부는 종상 화산이며 정상에는 화구호인 백록담이 있음.
식생	• 난대성 식물 서식: 겨울철에도 따뜻하여 저지대에서는 동백나무, 감귤나무 등이 자람. • 수직적 식생 분포: 해발 고도가 높아질수록 기온이 낮아져 온대림, 냉대림 등이 분포

2. 제주도의 독특한 문화 〔자료 04〕

취락 입지	지표가 현무암으로 덮여 있어 하천 발달 미약 → 해안가 용천⑤대에 취락 발달
농목업	• 밭농사 중심: 지표수 부족으로 밭농사와 과수 농업 발달 • 목축업 발달: 중산간 지대에 초지가 형성되어 말이나 소를 키움.
전통 가옥	• 강한 바람에 대비하기 위해 지붕을 줄로 엮고 돌담을 쌓음. • 온화한 기후로 취사와 난방이 분리됨.
방언과 풍속	• 방언: 육지와 멀리 떨어져 독특한 방언 발달 • 민간 신앙, 세시 풍습, 해녀 문화⑥ 등 독특한 풍속 발달

4 제주도의 발전 노력과 미래 〔자료 05〕 〔자료 06〕

1. 제주특별자치도 지정

(1) **배경 및 과정**

① **배경** 1차 산업과 관광 산업 중심의 3차 산업 발달⑦ → 개방화·세계화에 따라 지역 발전 방향 모색

② **과정** 국제 자유 도시 지정(2002년) → 제주특별자치도 지정(2006년)

(2) **특징**

① 외교, 국방, 사법 등을 제외한 광범위한 분야에서 자치권 확보

② 경제 활동의 자유를 최대한 보장 국내외 기업에 대한 규제 완화, 조세 혜택, 사람·상품·자본의 자유로운 이동 보장 등

(3) **주력 육성 산업** 관광 산업, 청정 1차 산업, 교육산업, 의료 산업, 첨단 산업 등

① 관광 산업 청정 자연환경으로 가치를 인정받아 유네스코 생물권 보전 지역, 세계 자연 유산, 세계 지질 공원으로 등재됨. → 생태 관광 상품 개발
_{올레길 탐방, 오름 트래킹 등}

② 고부가 가치 관광 산업 마이스 산업⑧, 게임 산업, 스포츠 관광 산업 등

2. 제주특별자치도의 미래

(1) **국제 자유 도시 개발의 문제점** 각종 기반 시설 부족, 무분별한 개발 및 환경 훼손, 수익의 도외 유출 등

(2) **발전 방향** 지역성을 고려한 개발, 개발 이익이 지역 경제 성장에 이바지할 수 있는 방안 마련 등 타 지역과 차별을 꾀하면서 질적·양적 성장 추구

---

⑤ **용천**

지하수가 자연 상태에서 지표로 분출하는 것으로, 제주도의 기반암인 현무암은 절리가 발달하여 빗물이 지하로 스며들었다가 해안에서 솟아난다.

⑥ **해녀 문화**

제주도의 해녀 문화는 물질 기술, 작업복, 도구, 해녀 노래 등 해녀로부터 파생된 모든 문화를 포함하는 것으로 그 우수성을 인정받아 2016년 유네스코 인류 무형 문화유산에 등재되었다.

⑦ **제주도의 산업별 취업자 비중**

	전국	제주도
사회 간접 자본 및 서비스업	77.4(%)	79.6(%)
광업·제조업	17.4	3.9
농림·어업	5.2	16.5

_(통계청, 2015)

⑧ **마이스(MICE) 산업**

기관 및 기업 등의 회의(Meetings), 포상 여행(Incentives), 국제회의(Conventions), 전시(Exhibitions)의 약자로 이것을 유치하고 진행하는 것과 관련된 산업을 말한다.

자료 04 제주도의 전통 가옥

줄로 엮은 지붕 ▶

▼ 아궁이

풍채 ▶

자료 분석 | 제주도의 전통 가옥은 제주도의 자연환경을 반영한다. 강한 바람에 대비하기 위해 지붕을 유선형으로 만들고 줄로 엮어 고정하였으며, 풍채를 설치하여 비바람이 집안으로 들이치는 것을 막았다. 한편 겨울철이 온화한 해양성 기후로 인해 아궁이를 외벽 쪽으로 설치하여 취사와 난방을 분리하였다.

자료 05 [공통 자료] 제주도의 관광 산업

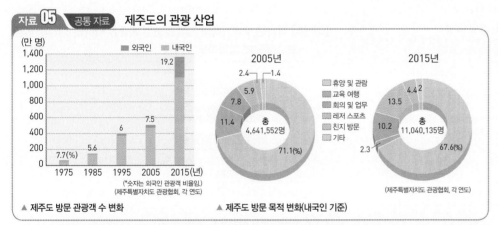

▲ 제주도 방문 관광객 수 변화

▲ 제주도 방문 목적 변화(내국인 기준)

자료 분석 | 제주도는 아름다운 자연환경, 독특한 섬 문화를 바탕으로 관광 산업이 발전하였다. 특히 항공 교통의 발달과 유네스코 세계 자연 유산 등재 등에 따른 인지도 상승으로 관광객이 꾸준히 증가하고 있다. 최근에는 단순한 휴양 관광을 넘어 마이스 산업, 레저 스포츠 관광 산업 등 고부가 가치를 창출하는 관광 산업으로의 변화를 추구하고 있다.

자료 06 세계가 인정한 제주도의 자연환경

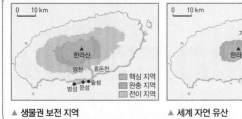

▲ 생물권 보전 지역

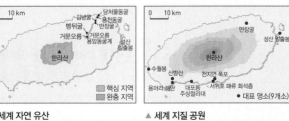

▲ 세계 자연 유산

▲ 세계 지질 공원

자료 분석 | 제주도는 섬 전체가 화산 박물관이라고 불릴 만큼 다양하고 독특한 화산 지형으로 이루어져 있으며, 섬 중앙에 위치한 한라산의 해발 고도가 높아 식생도 다양하다. 이러한 자연 경관을 바탕으로 2002년에 생물권 보전 지역으로 승인, 2007년에 세계 자연 유산으로 등재, 2010년에 세계 지질 공원으로 인증되어 세계 유일의 유네스코 자연환경 3관왕으로 등극하였다.

● 교과서 자료 더 보기

| 돌담과 올레 |

제주도에서는 강한 바람을 막기 위해 집이나 밭, 무덤 등을 돌담으로 에워싼다. 올레는 거리에서 가옥으로 이어지는 구부러진 형태의 길로 바람이 직접 집으로 불어 들어오는 것을 막아 준다.

● 교과서 탐구 풀이

Q 제주도의 관광 산업 변화를 설명해 보자.

A 제주도를 방문하는 전체 관광객 수, 외국인 관광객 비중이 꾸준히 증가하고 있는 것으로 보아 세계적인 관광지로 성장하고 있다. 또한 단순 휴양에서 레저 스포츠, 회의 업무를 목적으로 하는 방문이 증가하는 등 고부가 가치 관광 산업으로 발전할 가능성이 있다.

● 교과서 자료 더 보기

| 제주도의 발전 방향 |

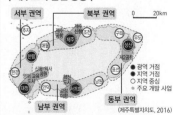

제주도는 급격한 인구 및 관광객 증가에 대응하고 지속 가능한 개발을 위해 제주를 4개 권역으로 구분하는 분산형 도시 공간 구조를 계획하였다.

1 영남 지방의 공업 발달

1960년대	경공업 발달: 노동력이 풍부한 부산, 대구 중심으로 신발·섬유 공업 발달
1970년대 이후	중화학 공업 발달: 정부의 중화학 공업 육성 정책 → 울산, 포항, 창원, 거제 등이 기간산업의 중심지로 성장

2 영남 지방의 주요 공업 지역

(❶) 공업 지역	• 풍부한 노동력, 편리한 육상 교통 • 대구(섬유 공업), 구미(전자 공업)
(❷) 공업 지역	• 우리나라 최대의 중화학 공업 지역 • 해안을 끼고 있어 원료의 수입과 제품의 수출에 유리 • 포항(제철 공업), 울산(자동차·조선·석유 화학 공업), 창원(기계 공업), 거제(조선 공업)

3 영남 지방의 주요 도시

부산	• 국제 물류 도시로서 기능 강화 • (❸) 산업, 관광 산업 육성
대구	섬유 산업의 첨단화 도모, 테크노폴리스 조성
울산	자동차·조선·석유 화학 공업의 첨단화 도모
창원	• 2010년 마산, 진해와 통합 • 기계 산업의 첨단화 도모
안동, 경주	전통문화를 바탕으로 관광 산업 육성

4 제주도의 자연환경

기후	연교차가 적은 (❹) 기후, 강수량이 많은 편
지형	화산섬 → 기생 화산(오름), 용암 동굴, 주상 절리 등 다양한 화산 지형이 나타남.
식생	• 해안 저지대에 난대성 식물이 자람. • 해발 고도가 높아질수록 온대림, 냉대림 분포

5 제주특별자치도의 미래

제주특별자치도 지정	• 개방화·세계화에 따라 (❺)로 발전시키기 위해 지정 • 광범위한 분야에 걸쳐 자치권 확보 • 경제 활동의 자유를 최대한 보장
발전 방향	• 자연환경과 지역성을 고려한 개발 • 개발 이익이 지역 경제 성장에 이바지할 수 있는 개발

정답 ❶ 영남 내륙 ❷ 남동 임해 ❸ 영상·영화 ❹ 해양성 ❺ 국제 자유 도시

탄탄 내신 문제

01 전국 대비 지도에 표시된 지역의 지표가 높은 항목만을 〈보기〉에서 있는 대로 고른 것은?

┌ 보기 ┐
ㄱ. 쌀 생산량　　　　　　ㄴ. 과실 생산량
ㄷ. 광역시의 수　　　　　ㄹ. 제조업 생산액

① ㄱ, ㄴ　　　② ㄱ, ㄷ　　　③ ㄴ, ㄷ
④ ㄱ, ㄷ, ㄹ　　⑤ ㄴ, ㄷ, ㄹ

[02~03] 다음은 우리나라의 지역별 공업 비중을 나타낸 것이다. 이를 보고 물음에 답하시오.

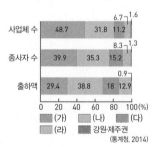

	(가)	(나)	(다)	(라)	강원·제주권
사업체 수	48.7	31.8	11.2	6.7	1.6
종사자 수	39.9	35.3	15.2	8.3	1.3
출하액	29.4	38.8	18	12.9	0.9

(통계청, 2014)

02 (가)~(라) 지역으로 옳은 것은?

	(가)	(나)	(다)	(라)
①	수도권	영남권	호남권	충청권
②	수도권	영남권	충청권	호남권
③	수도권	충청권	영남권	호남권
④	영남권	수도권	호남권	충청권
⑤	영남권	수도권	충청권	호남권

03 위 그래프에 대한 분석으로 옳은 것은?

① 호남권은 충청권보다 출하액이 많다.
② 종사자당 출하액은 영남권이 가장 많다.
③ 사업체당 출하액은 충청권이 가장 많다.
④ 영남권은 수도권보다 사업체당 종사자 수가 많다.
⑤ 수도권은 사업체 수, 출하액 모두 전국 대비 비중이 가장 높다.

04 그래프는 영남 지방 주요 도시의 공업 구조를 나타낸 것이다. (가)~(다)에 해당하는 지역을 지도의 A~C에서 고른 것은?

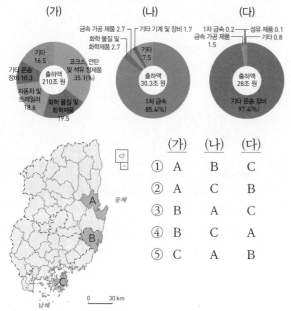

	(가)	(나)	(다)
①	A	B	C
②	A	C	B
③	B	A	C
④	B	C	A
⑤	C	A	B

06 다음 글의 (가) 지역을 지도의 A~E에서 고른 것은?

기계 공업이 발달한 ____(가)____ 은/는 최근 첨단 기계 산업 육성, 물류 기능 활성화 및 제2 자유 무역 지대 조성, 국제 해양 도시 건설 등을 통해 미래 지향적 발전을 도모하고 있으며, 2010년 인근 두 도시와 통합된 후 인구 100만 명 이상의 대도시가 되었다.

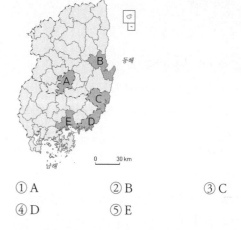

① A ② B ③ C
④ D ⑤ E

05 지도는 영남 지방의 산업 단지 분포를 나타낸 것이다. (가) 공업 지역과 비교한 (나) 공업 지역의 상대적 특성을 〈보기〉에서 고른 것은?

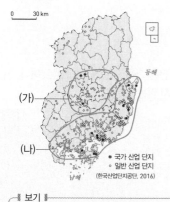

| 보기 |
ㄱ. 공업 발달의 시기가 이르다.
ㄴ. 섬유 공업의 출하액이 많다.
ㄷ. 중화학 공업의 비중이 높다.
ㄹ. 원료의 수입과 제품의 수출에 유리하다.

① ㄱ, ㄴ ② ㄱ, ㄷ ③ ㄴ, ㄷ
④ ㄴ, ㄹ ⑤ ㄷ, ㄹ

07 표는 영남 지방의 시기별 인구 증가율 상위 도시를 나타낸 것이다. (가) 시기 도시군과 비교한 (나) 시기 도시군의 상대적 특성을 그림의 A~E에서 고른 것은?

(단위: %)

시기 순위	(가) 1975~1990년	(나) 1990~2010년
1위	울산(113)	김해(167)
2위	구미(103)	양산(145)
3위	창원(78)	경산(83)

(*2010년 행정 구역을 기준으로 인구수를 계산함.)

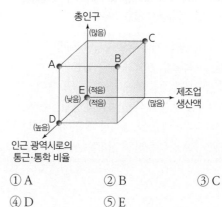

① A ② B ③ C
④ D ⑤ E

08 다음 지도의 A~E 지역에 대한 설명으로 옳지 <u>않은</u> 것은?

① A로 경상북도청이 이전하였다.

② B는 섬유 산업의 첨단화를 도모하고 있다.

③ C는 공해 도시라는 오명을 벗고 생태 도시로 거듭나고 있다.

④ D는 국제 영화제를 개최하는 등 영상·영화 산업을 육성하고 있다.

⑤ E는 마산, 진해와의 통합에 따른 동반 성장 효과를 추구하고 있다.

09 다음은 영남 지방 주요 도시를 탐구하기 위해 정리한 키워드이다. ㉠~㉤ 중 적절하지 않은 것은?

〈영남 지방 주요 도시의 특징〉

㉠ 경주 – 석굴암, 불국사, 양동 마을
㉡ 대구 – 국제 섬유 박람회, 근대 골목 투어
㉢ 울산 – 고래 문화 마을, 자동차 공업, 공업탑
㉣ 통영 – 이순신 공원, 동피랑 마을, 해저 터널
㉤ 포항 – 항공 우주 산업, 삼천포, 거북선 마을

① ㉠   ② ㉡   ③ ㉢
④ ㉣   ⑤ ㉤

10 다음 지도에 표시된 지역의 자연환경에 대한 옳은 설명을 〈보기〉에서 고른 것은?

┌ 보기 ┐
ㄱ. 한라산의 정상에는 칼데라호인 백록담이 있다.
ㄴ. 한라산의 주변에는 360여 개의 기생 화산이 분포한다.
ㄷ. 지하에는 기반암의 용식 작용으로 동굴이 형성되어 있다.
ㄹ. 겨울철 기온이 온화하여 동백나무, 감귤나무 등 난대성 식물이 자란다.
└───────────────────┘

① ㄱ, ㄴ   ② ㄱ, ㄷ   ③ ㄴ, ㄷ
④ ㄴ, ㄹ   ⑤ ㄷ, ㄹ

11 사진은 어느 지역의 전통 가옥 경관을 나타낸 것이다. 이 지역에 대한 설명으로 옳지 <u>않은</u> 것은?

① 연중 바람이 많이 분다.

② 화산 활동으로 형성되었다.

③ 수직적 식생 분포가 뚜렷하다.

④ 강수량이 많아 하천의 유량이 많다.

⑤ 전통 취락은 해안가를 중심으로 형성되어 있다.

12 자료는 제주도 관광 산업에 대한 것이다. 자료를 보고 나눈 대화 내용 중 옳지 <u>않은</u> 것은?

▲ 제주도 방문 관광객 수 변화

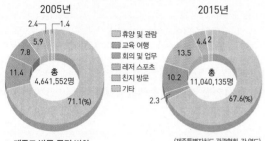

▲ 제주도 방문 목적 변화

(제주특별자치도 관광협회, 각 연도)

① 갑: 제주도의 관광객이 꾸준히 증가하고 있어.

② 을: 제주도를 방문하는 목적이 다양해졌어.

③ 병: 내국인 관광객보다 외국인 관광객의 증가 폭이 더 커.

④ 정: 1975~1995년의 관광객 증가 폭보다 1995~2015 년의 관광객 증가 폭이 더 커.

⑤ 무: 고부가 가치를 창출할 수 있는 관광 산업의 다변화가 이루어지고 있어.

13 다음 글의 (가)에 해당하는 사례로 적절하지 <u>않은</u> 것은?

> 제주도는 2006년 제주특별자치도로 새롭게 출범하여 관광 산업, 청정 1차 산업, 교육산업, 의료 산업 등 다양한 산업 분야를 육성하고 있다. 특히 관광 산업은 가장 중점적으로 육성되는 분야로 _____(가)_____ 와/과 같은 다양한 발전 전략을 마련하고 있다.

① 개발 이익이 제주도민에게 돌아갈 수 있도록 한다.

② 제주도의 지역성을 고려한 관광 상품을 개발한다.

③ 마이스 산업, 레저 스포츠 관광 산업 등 고부가 가치 관광 산업을 추진한다.

④ 세계적인 여행사, 숙박업체 등을 적극적으로 유치하여 외국인 관광객을 유도한다.

⑤ 올레길 탐방, 오름 트래킹 등 제주도만의 자연환경을 체험할 수 있는 생태 관광 상품을 개발한다.

14 다음은 영남 지방의 공업 지역을 나타낸 것이다. 이를 보고 물음에 답하시오.

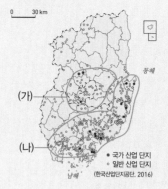

(1) (가), (나) 공업 지역의 명칭을 쓰시오.

(2) (가), (나) 공업 지역의 입지 요인을 서술하시오.

15 다음 그래프를 보고 제주도의 산업 특징을 서술하시오.

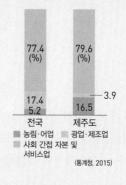

(통계청, 2015)

| 신유형 |

01 지도는 영남 지방의 인구 분포를 나타낸 것이다. 이에 대한 설명으로 옳은 것은?

① 2015년 현재 종주 도시화 현상이 나타난다.

② 제조업 출하액이 가장 많은 도시가 인구도 가장 많다.

③ 북부 산간 지역이 남동부 해안 지역보다 인구가 많다.

④ 경북도청 소재지는 경남도청 소재지보다 인구가 많다.

⑤ 경남의 인구 최대 도시는 경북의 인구 최대 도시보다 인구수가 많다.

| 평가원 기출 |

02 A~E 지역의 특성을 고려한 탐구 학습 주제로 적절하지 **않은** 것은?

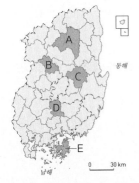

① A – 국제 탈춤 페스티벌 개최와 지역 경제 활성화

② B – 정보 통신 산업 중심으로의 산업 구조 고도화

③ C – 유네스코 세계 문화유산으로 지정된 마을의 취락 특성

④ D – 국제 협약에 의해 보존 중인 내륙 습지의 생태계 다양성

⑤ E – 광역시와의 연륙교 건설에 따른 지역 변화

| 신유형 |

03 그래프는 영남 지방 두 도시의 인구 구조를 나타낸 것이다. (가) 지역과 비교한 (나) 지역의 상대적 특성만을 〈보기〉에서 있는 대로 고른 것은? (단, (가), (나)는 거제, 남해 중 하나임.)

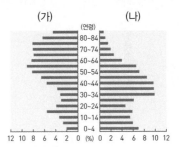

| 보기 |

ㄱ. 중위 연령이 낮다.

ㄴ. 제조업 출하액이 많다.

ㄷ. 노인 인구 부양비가 높다.

ㄹ. 1인당 지역 내 총생산액이 많다.

① ㄱ, ㄴ ② ㄷ, ㄹ ③ ㄱ, ㄴ, ㄷ

④ ㄱ, ㄴ, ㄹ ⑤ ㄴ, ㄷ, ㄹ

| 평가원 기출 |

04 다음은 영남 지방 어느 지역에 대한 학습 노트의 일부이다. (가) 지역을 지도의 A~E에서 고른 것은?

- **(가) 시의 특징**
- ·대도시의 교외 지역이며, 인구 100만 명 이상의 대도시들과 접해 있음.
- ·2003년 이후 대규모 택지 개발
- ·과수, 채소 및 화훼 등 원예 농업 발달
- **(가) 시의 변화**
- ·2000년 약 35만 명이던 인구가 2015년 약 55만 명으로 크게 증가
- ·인근 대도시로부터 제조업 이전에 따른 산업 단지 면적 증가
- ·2000년 10,698ha이던 경지 면적이 2015년에는 8,153ha로 대폭 감소

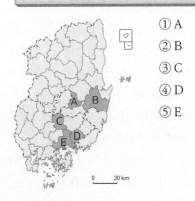

① A
② B
③ C
④ D
⑤ E

| 신유형 |

05 다음은 제주도의 관광객 변화를 나타낸 것이다. 이에 대한 옳은 분석만을 〈보기〉에서 있는 대로 고른 것은?

▲ 제주도 방문 관광객 수 변화

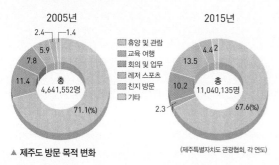

▲ 제주도 방문 목적 변화

(제주특별자치도 관광협회, 각 연도)

| 보기 |

ㄱ. 내국인 관광객보다 외국인 관광객의 증가 비율이 높다.

ㄴ. 1975년부터 2015년까지 외국인 관광객 비율은 지속적으로 증가하였다.

ㄷ. 2005년 대비 2015년에 교육 여행 목적의 관광객 수는 감소하였다.

ㄹ. 2005년 대비 2015년에 마이스(MICE) 산업 관련 관광객 수는 2배 이상 증가하였다.

① ㄱ, ㄴ   ② ㄷ, ㄹ   ③ ㄱ, ㄴ, ㄷ
④ ㄱ, ㄴ, ㄹ   ⑤ ㄴ, ㄷ, ㄹ

| 신유형 |

06 다음은 제주도의 세계 자연 유산 지역을 나타낸 것이다. (가)~(다)에 대한 설명으로 옳지 않은 것은?

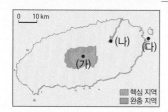

① (가)에는 정상부에 칼데라호가 있다.

② (나)는 용암의 냉각 속도 차이로 인해 형성되었다.

③ (다)는 바다에서 분출한 기생 화산이다.

④ (다)는 육계사주로 연결된 육계도이다.

⑤ (가)는 (다)보다 평균 해발 고도가 높다.

| 수능 기출 |

07 다음 대화가 이루어지는 지역의 특색으로 알맞지 않은 것은?

안내인: 여기는 ○○ 민속 마을입니다. 전통 가옥들이 잘 보존되어 있지요.

관광객: 지붕을 밧줄로 묶어 놓은 이유가 있나요?

안내인: 태풍과 같은 강한 바람이 불기 때문입니다.

관광객: 이 항아리는 무엇인가요?

안내인: 빗물을 받아 저장해 놓는 항아리입니다.

① 흑갈색의 간대토양이 넓게 분포한다.

② 해안의 주상 절리를 관광 자원으로 활용하고 있다.

③ 화산 쇄설물로 이루어진 오름을 흔하게 볼 수 있다.

④ 중산간 지대의 초지에서는 소나 말의 목축이 행해진다.

⑤ 연중 따뜻하고 다습하여 대규모의 벼농사가 이루어진다.

| 수능 응용 |

08 다음 지도의 A~D 지역에 대한 옳은 설명을 〈보기〉에서 고른 것은?

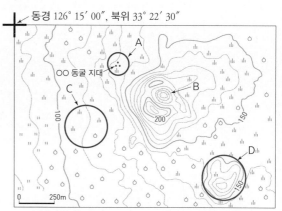

| 보기 |

ㄱ. A 동굴은 화학적 풍화 작용을 받아 형성되었다.

ㄴ. A에서 동굴의 진행은 대체로 등고선과 평행하다.

ㄷ. B는 화산 분출이 일어난 기생 화산의 분화구이다.

ㄹ. C는 D보다 유동성이 큰 용암이 굳어 형성되었다.

① ㄱ, ㄴ   ② ㄱ, ㄷ   ③ ㄴ, ㄷ
④ ㄴ, ㄹ   ⑤ ㄷ, ㄹ

Memo.

배움으로 행복한 내일을 꿈꾸는
천재교육 커뮤니티 안내

교재 안내부터 구매까지 한 번에!
천재교육 홈페이지

천재교육 홈페이지에서는 자사가 발행하는 참고서,
교과서에 대한 소개는 물론 도서 구매도 할 수 있습니다.
회원에게 지급되는 별을 모아 다양한 상품 응모에도
도전해 보세요.

구독, 좋아요는 필수! 핵유용 정보 가득한
천재교육 유튜브 <천재TV>

신간에 대한 자세한 정보가 궁금하세요?
참고서를 어떻게 활용해야 할지 고민인가요?
공부 외 다양한 고민을 해결해 줄 채널이 필요한가요?
학생들에게 꼭 필요한 콘텐츠로 가득한 천재TV로 놀러 오세요!

다양한 교육 꿀팁에 깜짝 이벤트는 덤!
천재교육 인스타그램

천재교육의 새롭고 중요한 소식을 가장 먼저 접하고 싶다면?
천재교육 인스타그램 팔로우가 필수!
누구보다 빠르고 재미있게 천재교육의 소식을 전달합니다.
깜짝 이벤트도 수시로 진행되니 놓치지 마세요!

개념을 잡아 주는 **자율학습 기본서**

고등 **셀파**

한국지리

개념을 잡아 주는 **자율학습 기본서**

고등 **셀파**

Sherpa

한국지리

BOOK **2**

믿고 보는 정답 및 해설 **딱 맞는 풀이집**

천재교육

한국지리
BOOK
2

믿고 보는 정답 및 해설

딱 맞는 풀이집

I 국토 인식과 지리 정보

01 우리나라의 위치와 영토

01 우리나라의 수리적·지리적 위치   답 ⑤

우리나라는 북위 33°~43°의 중위도에 위치하여 사계절의 변화가 뚜렷한 냉·온대 기후가 나타난다. 또한 동경 124°~132°에 위치하며 동경 135°를 표준 경선으로 채택하여 본초 자오선이 지나는 영국보다 9시간이 빠르다. 유라시아 대륙 동안에 위치한 우리나라는 대륙성 기후가 나타나며 계절풍의 영향을 받는데, 여름철에는 태평양에서, 겨울철에는 유라시아 대륙에서 계절풍이 불어온다. 또한 국토의 삼면이 바다로 둘러싸인 반도 국가로 대륙과 해양으로의 진출에 유리하다.

02 우리나라의 4극   답 ③

A는 극북으로 함경북도 온성군 유원진, B는 극서로 평안북도 용천군 마안도(비단섬), C는 극동으로 경상북도 울릉군 독도 동도, D는 극남으로 제주특별자치도 서귀포시 마라도이다.

정답을 찾아가는 셀파 - Tip

ㄱ. A는 D보다 연평균 기온이 높다. (×)
→ A는 D보다 고위도에 위치하기 때문에 연평균 기온이 낮다.

ㄴ. B는 C보다 일출 시각이 늦다. (○)
→ 일출은 동쪽에서부터 먼저 이루어지기 때문에 극서인 B가 극동인 C보다 일출 시각이 늦다.

ㄷ. C는 A보다 기온의 연교차가 작다. (○)
→ 기온의 연교차는 위도가 높을수록, 대륙의 영향을 많이 받을수록 커진다. C는 A보다 위도가 낮고 해양의 영향을 많이 받기 때문에 기온의 연교차가 작다.

ㄹ. A~D 중 우리나라의 표준 경선과 가장 가까운 지점은 B이다. (×)
→ 우리나라의 표준 경선은 동경 135°로 독도의 동쪽 동해상을 지나기 때문에 표준 경선과 가장 가까운 지점은 C이다.

03 우리나라의 관계적 위치   답 ①

(가)는 근대 우리나라의 관계적 위치로 이 시기에 우리나라는 중국, 러시아 등 대륙 세력과 일본 해양 세력의 각축장이 되었다. (나)는 현재 우리나라의 관계적 위치로 우리나라는 오늘날 동북아시아의 중심 국가로 도약하고 있다. 과거에 비해 현재의 우리나라는 주변국들과 활발히 교류하고 있고 경제 성장으로 인해 국내 총생산액이 크게 증가하였다.

정답을 찾아가는 셀파 - Tip

ㄷ. 남북 간의 인구 이동이 자유롭다. (×)
→ 현재는 남북한이 분단 상태에 있기 때문에 인구 이동이 자유롭지 못하다.

ㄹ. 중국의 문화를 수용하여 일본에 전달한다. (×)
→ 근대 이전의 우리나라의 관계적 위치에 해당한다.

04 우리나라의 위치   답 ④

우리나라는 대륙에서 해양으로 돌출한 반도국이기 때문에 대륙과 해양 양방향으로 진출하기에 유리한 지리적 특성이 나타난다.

정답을 찾아가는 셀파 - Tip

① 갑: 중국보다 시간이 빠릅니다. (×)
→ 수리적 위치 중 경도의 특징으로 나타나는 현상이다.

② 을: 사계절이 뚜렷하게 나타납니다. (×)
→ 수리적 위치 중 위도의 특징으로 나타나는 현상이다.

③ 병: 현재 동북아시아의 중심 국가로 발전하고 있습니다. (×)
→ 관계적 위치에 대한 설명이다.

⑤ 무: 유럽의 여러 나라보다 기온의 연교차가 크게 나타납니다.
(×) → 유라시아 대륙의 동안에 위치한 지리적 위치 특성으로 나타나는 현상이다.

05 우리나라와 각국 수도 간의 거리   답 ③

ㄴ. 부에노스아이레스는 우리나라의 대척점 근처에 위치하기 때문에 계절과 낮과 밤이 서로 반대이다. ㄷ. 우리나라가 북반구에 위치하기 때문에 우리나라는 남반구 국가들보다 북반구 국가들과의 평균 거리가 가깝다.

정답을 찾아가는 셀파 - Tip

ㄱ. 워싱턴은 캔버라보다 표준시가 빠르다. (×)
→ 본초 자오선을 기준으로 워싱턴은 서반구에, 캔버라는 동반구에 위치하기 때문에 캔버라가 워싱턴보다 표준시가 빠르다.

ㄹ. 우리나라에서 브라질리아로 가기 위해서는 태평양을 지나는 길이 가장 효율적이다. (×)
→ 극지방을 지나 대서양을 건너가는 것이 가장 효율적이다.

06 우리나라의 위상   답 ②

우리나라는 유럽과 아시아, 북아메리카를 잇는 지리적 교차로에 위치하여 동아시아의 교통 허브로 발돋움하고 있으며, 국제연합(UN), 경제협력개발기구(OECD), G20 등 여러 국제기구에 회원국으로 가입하여 국제적 영향력을 확대해 가고 있다. 또한 최근에는 한류 문화의 확산으로 우리나라의 문화가 전 세계로 확대되고 있다.

07 영역의 특징   답 ①

영역은 영토, 영해, 영공으로 이루어진, 국가의 주권이 미치는 배타적 공간 범위이다. 영토는 무인도, 유인도를 포함한 땅으로 구성된다. 영해는 연안국의 주권이 미치는 해양의 범위이며, 일반적으로 기선에서 12해리까지이다. 영해 설정의 기선은 통상적으로 최저 조위선을 기준으로 한다. 영공은 영토와 영해의 수직 상공으로 일반적으로 수직적 범위는 대기권까지이다.

08 우리나라의 영해 범위   답 ①

A는 서해안의 영해, B는 제주도의 영해, C는 대한 해협의 영해이다. 서해안에서는 최외곽 도서를 연결한 직선 기선을 기준으로 12해리까지를 영해로 설정한다. 제주도는 통상 기선을 적용하여 12해리까지가 영해이다. 대한 해협은 일본과의 거리가 협소하여 직선 기선을 기준으로 3해리까지가 영해이다. 해안에서 간척 사업이 이루어지더라도 최외곽 도서를 기준으로 기선이 설정되므로 영해의 범위는 변화가 없으며, 내수의 면적이 축소된다.

09 우리나라의 주변 수역 · 답 ②

A는 한중 잠정 조치 수역, B와 D는 우리나라의 영해, C와 E는 한일 중간 수역이다. 국제법상으로 영해에서 무해 통항권이 인정되기 때문에 상선, 여객선 등은 연안국의 허가 없이도 자유롭게 통항할 수 있다.

정답을 찾아가는 셀파 - Tip

① A에서는 중국 어선만 조업할 수 있다. (×)
→ A는 중국과 우리나라의 어선 모두 조업할 수 있다.

③ C는 우리나라와 중국의 배타적 경제 수역이 중첩된 곳이다. (×)
→ C는 우리나라와 일본의 배타적 경제 수역이 중첩된 곳이다.

④ D에서는 우리나라와 일본의 어선이 자유롭게 조업할 수 있다. (×)
→ D는 우리나라의 영해이므로 일본의 어선이 조업할 수 없다.

⑤ E에서는 우리나라와 일본을 제외한 타국의 어선은 지나갈 수 없다. (×)
→ 배타적 경제 수역에서는 타국의 어선이 자유롭게 통항할 수 있다.

내 것으로 만드는 셀파 - Tip

▶ **배타적 경제 수역 내 연안국의 권리**
- 해수면과 해저의 천연자원 탐사 및 개발 · 보존 → 어업 및 광물 자원에 대한 경제적 권리
- 인공 섬과 시설물 설치 및 사용
- 해양 과학 조사, 해양 환경의 보호와 보전에 대한 권리
- 해수, 해류 및 해풍을 이용한 에너지 생산
- 항행, 상공 비행, 해저 전선 부설 등의 활동은 타국도 가능함.

10 이어도의 특징 · 답 ③

(가)는 이어도이다. 이어도는 우리나라 배타적 경제 수역에서 가장 가까운 공해상에 위치하는 수중 암초이다. 수중 암초는 영토에 해당하지는 않으나 가장 가까운 유인도에 귀속되므로 우리나라에 관할권이 있다. 우리나라는 2003년 6월 이어도에 종합 해양 과학 기지를 설립하였으며, 주변 해역은 연중 난류의 영향을 받아 조기, 민어, 갈치 등 난류성 어종이 다양하게 분포한다.

11 독도와 이어도의 특징 · 답 ②

(가)는 독도, (나)는 이어도이다. 독도는 우리나라 영토의 최동단에 위치하며, 주변 해역은 한류와 난류가 교차하는 조경 수역이 형성되어 있다. 이어도는 해수면 아래 수심 4.6m에 있는 수중 암초로 독도보다 해발 고도가 낮다.

정답을 찾아가는 셀파 - Tip

ㄴ. (나)는 우리나라 영토의 최남단에 해당한다. (×)
→ 우리나라 영토의 최남단은 마라도이다.

ㄷ. (가)는 (나)보다 태풍의 영향을 많이 받는다. (×)
→ 태풍은 적도 부근에서 발생해서 고위도로 이동하는 열대성 저기압으로 위도가 낮은 이어도가 독도보다 영향을 자주 받는다.

12 울릉도와 독도의 특징 · 답 ②

(가)는 울릉도, (나)는 독도로 울릉도와 독도는 동해상에 위치한 우리나라 영토이다. 두 섬 모두 신생대 화산 활동으로 형성된 화산섬으로, 경상북도에 소속되어 있다. 또한 두 섬은 주변에 조경 수역이 형성되어 있으며, 영해 설정 시 최저 조위선이 기준이 되는 통상 기선을 적

용한다. 독도는 천연기념물 제336호로 독도 천연 보호 구역으로 지정되어 특별하게 관리 · 보호되고 있으나, 울릉도는 천연기념물로 지정되어 있지 않다.

13 동해의 특징 및 표기 · 답 ⑤

동해는 신생대 제3기 말에 지각 변동으로 형성된 해저 분지이다. 동해라는 명칭은 『삼국사기』의 「동명왕편」에 처음 등장하며, 기원전부터 우리 민족에게 익숙하게 불리고 있었다. 그러나 일제 강점기에 일본에 의해 국제 사회에 일본해로 등록되었고, 우리나라는 동해의 고유 명칭을 되찾기 위해 노력하고 있다. 최근 동해와 일본해를 병기하는 지도 제작사가 증가하고 있으며, 동해만 단독 표기하는 지도 제작사도 나타나고 있다.

서술형 문제

14 우리나라의 표준 경선과 표준시

(1) 동경 135°

(2) **모범 답안** | 실제 시각보다 30분 정도 빠른 시간대를 사용하게 되었으나, 30분 단위의 표준시를 잘 사용하지 않는 국제 사회의 관례에 따른 불편함이 해소되었다.

주요 단어 | 30분, 표준시

채점 기준	배점
(1)을 쓰고, (2)에서 표준시 변경에 따른 변화를 적절하게 서술한 경우	상
(1)을 쓰고, (2)에서 표준시 변경에 따른 변화를 적절하게 서술하지 못한 경우	중
(1)만 쓴 경우	하

15 우리나라의 주변 수역

(1) A는 한중 잠정 조치 수역, B는 한일 중간 수역이다.

(2) **모범 답안** | 우리나라는 배타적 경제 수역을 설정할 때, 한일 간, 한중 간의 배타적 경제 수역이 상당 부분 겹친다. 따라서 우리나라는 중국, 일본과 어업 협정을 통해 겹치는 수역에서 양국이 공동으로 어족 자원을 보존 · 관리한다.

주요 단어 | 배타적 경제 수역, 어업 협정

채점 기준	배점
배타적 경제 수역을 설정한 배경을 적절히 서술한 경우	상
배타적 경제 수역을 설정한 이유를 적절히 서술하지 못한 경우	하

16 독도에 대한 주권

모범 답안 | 「삼국접양지도」는 일본에서 제작한 지도로 독도를 조선의 땅으로 나타내었다. 이는 일본이 독도를 우리나라의 땅으로 인식하고 있었다는 근거가 된다.

주요 단어 | 일본 제작 지도, 조선의 땅

채점 기준	배점
지도를 근거로 하여 독도가 우리나라의 영토인 이유를 서술한 경우	상
독도가 우리나라의 영토인 이유를 서술하지 못한 경우	하

01 우리나라의 위치 답 ⑤

우리나라는 북위 33°~43°, 동경 124°~132°에 위치한다.

정답을 찾아가는 셀파 - Tip

ㄱ. 우리나라의 표준 경선은 A를 지난다. (×)
→ A는 우리나라의 중앙 경선이며 표준 경선은 동경 135°를 사용한다.

ㄴ. 우리나라는 경도가 0°인 영국보다 시간이 늦다. (×)
→ 우리나라는 영국보다 9시간 빠르다.

ㄷ. 우리나라는 중위도에 위치하여 냉·온대 기후가 나타난다. (○)
→ 우리나라는 북위 33°~43°의 중위도에 위치하여 사계절이 뚜렷하고, 냉·온대 기후가 나타난다.

ㄹ. 남위 38°, 서경 52°30′인 지점은 우리나라와 계절이 서로 반대이다. (○)
→ 남위 38°, 서경 52°30′인 지점은 A의 대척점이므로 낮과 밤, 계절이 반대이다.

02 백령도, 양구, 마라도, 독도의 특징 답 ⑤

(가)는 백령도, (나)는 강원도 양구, (다)는 마라도, (라)는 독도이다. 마라도와 독도는 모두 영해 설정에 통상 기선을 적용하고 있다.

정답을 찾아가는 셀파 - Tip

① (가)는 우리나라 영토의 최서단(극서)에 위치한다. (×)
→ 백령도는 남한의 최서단이며, 우리나라 영토의 최서단은 평안북도 용천군 마안도이다.

② (나)는 우리나라의 표준 경선이 지나는 곳이다. (×)
→ 우리나라의 표준 경선은 동경 135°이다.

③ (다)는 종합 해양 과학 기지가 건설된 곳이다. (×)
→ 종합 해양 과학 기지가 건설된 곳은 이어도이다.

④ (가)는 (라)보다 일몰 시각이 이르다. (×)
→ 일출과 일몰은 동쪽에 위치할수록 이르다.

03 우리나라 영토의 4극 답 ③

(가)는 극북인 함경북도 온성군 유원진, (나)는 극서인 평안북도 용천군 마안도(비단섬), (다)는 극동인 경상북도 울릉군 독도 동도, (라)는 제주특별자치도 서귀포시 마라도이다. ③ 독도와 마라도는 천연기념물로 지정되어 있다.

자료를 분석하는 셀파 - Tip

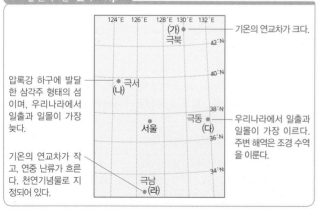

기온의 연교차가 크다.

압록강 하구에 발달한 삼각주 형태의 섬이며, 우리나라에서 일출과 일몰이 가장 늦다.

우리나라에서 일출과 일몰이 가장 이르다. 주변 해역은 조경 수역을 이룬다.

기온의 연교차가 작고, 연중 난류가 흐른다. 천연기념물로 지정되어 있다.

04 독도, 마라도, 울릉도의 특징 답 ④

(가)는 독도, (나)는 마라도, (다)는 울릉도이다.

정답을 찾아가는 셀파 - Tip

ㄱ. (가)는 (나)보다 우리나라의 표준 경선과 가깝다. (○)
→ 우리나라의 표준 경선은 동경 135°로, (가)가 (나)보다 가깝다.

ㄴ. (나)는 (다)보다 연평균 기온이 높다. (○)
→ 우리나라 최남단에 위치한 마라도는 울릉도보다 연평균 기온이 높다.

ㄷ. (다)는 (가)보다 일출 시각이 이르다. (×)
→ 우리나라 최동단인 독도가 울릉도보다 일출 시각이 이르다.

ㄹ. (가), (나), (다) 모두 통상 기선을 적용하여 영해를 설정한다. (○)
→ 독도, 마라도, 울릉도는 썰물 때의 해안선인 통상 기선에서 12해리까지를 영해로 규정하고 있다.

05 우리나라의 영해 답 ③

A와 D는 직선 기선 기준 12해리 영해, C는 직선 기선 기준 3해리 영해이며, B는 내수에 해당한다. 내수는 간척 사업이 이루어지면 범위가 축소된다.

06 우리나라 주변 수역 답 ⑤

A와 B는 우리나라의 배타적 경제 수역, C는 우리나라의 영해이다. 영해 및 배타적 경제 수역에서는 다른 나라가 인공 섬을 설치할 수 없다.

자료를 분석하는 셀파 - Tip

영해선 바깥쪽에 있으나 200해리 이내의 수역에 해당하므로 우리나라의 배타적 경제 수역이다.

영해선 안에 위치하므로 우리나라의 영해이다.

07 우리나라 주변 수역 답 ③

A는 한중 잠정 조치 수역, B는 우리나라의 배타적 경제 수역, D는 우리나라의 영해, C, E는 한일 중간 수역이다. 한일 중간 수역은 우리나라와 일본의 어업 수역이 중첩되는 곳이다.

08 우리나라의 영역 및 배타적 경제 수역 답 ①

ㄱ. 우리나라는 한반도와 유인도와 무인도를 포함한 약 22.3만 km² 의 영토를 가지고 있다. ㄴ. 대한 해협은 일본의 대마도와 거리가 가까워 직선 기선으로부터 3해리를 적용하여 영해를 설정하고 있다.

ㄷ. 직선 기선에서 12해리가 적용되는 동해안 일부 지역은 영일만과 울산만이다. ㄹ. 우리나라의 배타적 경제 수역은 중국, 일본과 거리가 가까워 중첩되는 수역이 많다.

02 국토의 인식 변화 및 지리 정보와 지역 조사

01 풍수지리 사상　　답 ⑤

제시된 그림은 풍수지리 사상의 명당도이다. 풍수지리 사상은 음양 오행설과 지모(地母) 사상이 결합하여 우리 환경에 맞게 토착화된 전통적인 국토관이다. 풍수지리 사상은 땅속 기의 흐름을 파악하여 명당을 찾는 데 목적을 두었으며, 도읍지, 묘지 선정 등에 영향을 주었다. 또한 인간과 자연의 상생을 중시하였다. ⑤ 조선 후기 실학사상은 실증적·과학적 측면을 중시하는 학문으로, 풍수지리 사상과는 거리가 멀다.

02 한양의 입지 특징　　답 ⑤

그림은 경복궁 주변의 한양 입지를 나타낸 것이다. 경복궁의 입지 선정에는 풍수지리가 반영되었다. 경복궁은 북악산(주산), 남산(안산), 낙산(좌청룡), 인왕산(우백호)으로 둘러싸인 명당에 자리 잡고 있다. 풍수지리에서 말하는 명당은 장풍득수 지점이어서 배후 산지가 차가운 겨울철 바람을 막아주고 명당수인 청계천으로부터 물을 얻을 수 있다.

03 고문헌에 나타난 국토관　　답 ⑤

제시된 지리지들은 조선 후기에 실학사상의 영향으로 실학자들에 의해 제작된 사찬 지리지이다.

> **정답을 찾아가는 셀파 - Tip**
>
> ㄱ. 중화사상이 반영되었다. (×)
> 　→ 실학사상
> ㄴ. 국가 주도로 제작되었다. (×)
> 　→ 개인에 의해

04 조선 전기와 조선 후기의 지리지 특성 비교　　답 ④

(가)는 조선 후기에 이중환이 제작한 『택리지』, (나)는 조선 전기에 국가에서 통치 목적으로 제작한 『신증동국여지승람』이다. (가)는 사찬 지리지, (나)는 관찬 지리지이다. 관찬 지리지는 통치 목적으로 제작되었으며, 사찬 지리지는 조선 후기 실학사상의 영향을 받아 객관적 근거를 바탕으로 실학자 개인의 주관적 견해가 많이 반영되었다.

> **내 것으로 만드는 셀파 - Tip**
>
> ▶ 조선 시대의 지리지
>
> | 조선 전기 | • 국가 주도로 국가 통치에 필요한 자료 수집을 위해 제작
• 백과사전식으로 기술
• 예 『세종실록지리지』, 『신증동국여지승람』 등 |
> |---|---|
> | 조선 후기 | • 실학사상의 영향으로 국토를 실용적·객관적으로 파악
• 특정 주제를 설명식으로 기술
• 예 『택리지』, 『도로고』, 『아방강역고』 등 |

05 가거지의 조건　　답 ③

『택리지』의 「복거총론」에서는 사람이 살만한 곳인 가거지의 조건을 서술하고 있다. 가거지의 조건에는 풍수지리상의 명당을 의미하는 지리(地理), 경제적 기반이 유리한 곳인 생리(生利), 사람들의 인심이 좋은 곳인 인심(人心), 아름다운 경치를 의미하는 산수(山水)가 있다. (가)는 경제적으로 유리한 곳을 설명한 생리, (나)는 경치가 좋은 곳을 설명한 산수이다.

06 「천하도」의 특징　　답 ⑤

제시된 지도는 「천하도」로 지도의 중심에 중국이 그려져 있어 중화 사상이 반영되었음을 알 수 있으며, 도교 사상이 반영되어 지도의 바깥쪽에 상상의 국가들이 표현되어 있다. 천하도는 천원지방의 세계관을 바탕으로 제작되었으며, 내대륙에는 중국, 조선, 내해에는 일본이 표현되어 있다. ⑤ 「천하도」의 중심에는 실재하는 국가가, 바깥에는 상상의 국가가 그려져 있다.

07 조선 전기와 조선 후기 지도의 특징　　답 ③

조선 전기의 지도는 중화사상의 영향을 받았으며, 효율적인 국가 통치를 위해 국가 주도로 제작되었다. 조선 후기의 지도는 개인의 관심과 실학사상이 반영되어 제작되었다. 「혼일강리역대국도지도」는 현존하는 우리나라에서 가장 오래된 세계 지도로 아시아, 아프리카, 유럽 등이 표현되어 있으며, 아메리카는 표현되어 있지 않다. 정상기가 제작한 「동국지도」에는 '백리척'이라는 축척의 개념이 최초로 사용되었다.

08 「대동여지도」의 특징　　답 ③

「대동여지도」는 1861년에 김정호가 제작한 지도로, 도로에는 10마다 방점을 찍어 실제 거리를 파악할 수 있도록 하였다.

> **정답을 찾아가는 셀파 - Tip**
>
> ① 하천은 직선, 도로는 곡선으로 표현하였다. (×)
> 　→ 도로는 직선, 하천은 곡선으로 표현하였다.
> ② 수운이 가능한 하천은 굵은 단선으로 표시하였다. (×)
> 　→ 수운 기능이 가능한 하천은 쌍선, 불가능한 하천은 단선으로 표시하였다.
> ④ 금속 활자본으로 제작하여 지도의 대량 생산이 가능하였다. (×)
> 　→ 목판본으로 제작되었다.
> ⑤ 산지는 선의 굵기를 달리하여 해발 고도를 정확하게 파악할 수 있다. (×)
> 　→ 산지의 해발 고도는 정확하게 파악할 수 없다.

09 「혼일강리역대국도지도」와 「지구전후도」의 특징　　답 ②

(가)는 「혼일강리역대국도지도」, (나)는 「지구전후도」이다. 「혼일강리역대국도지도」는 조선 전기에 제작되었으며, 중화사상이 반영되었다. 「지구전후도」는 조선 후기 실학자 최한기가 서양의 지도의 영향을 받아 보다 사실적으로 제작한 세계 지도로 경위도를 사용하였다.

10 지리 정보의 유형　　답 ②

지리 정보는 지리적 현상의 위치, 형태 등을 나타내는 공간 정보, 지역의 인문적·자연적 특성을 나타내는 속성 정보, 주변 지역과의 상호 관계를 나타내는 관계 정보로 나뉜다. ㉠은 남해도의 경위도 정보와 지역의 크기와 형태를 나타내므로 공간 정보, ⓒ은 남해도와 주변 지역과의 상대적 관계를 나타내는 관계 정보, ⓒ은 남해도만의 고유 속성에 해당하는 기후적 특징을 나타내는 속성 정보이다.

11 통계 지도의 유형   답 ④

등치선도는 같은 값을 가진 지점을 선으로 연결하여 표현하는 통계 지도로 연평균 기온, 단풍 시작일, 꽃 개화일 등을 표현하는 데 적절하다.

▶ 통계 지도의 유형

점묘도	통곗값을 일정한 단위의 점으로 환산하여 지리 현상의 분포를 표현한 지도 예 백화점 분포, 인구 분포 등
등치선도	통곗값이 같은 지점을 선으로 연결하여 표현한 지도 예 연평균 기온, 단풍 시작일, 꽃 개화일 등
유선도	사람, 물자 등의 이동을 화살표의 방향과 굵기로 표현한 지도 예 인구 이동, 항공기 운항 편수 등
단계 구분도	등급을 나눌 수 있는 자료를 색상 등 유형을 달리하여 표현한 지도 예 인구 밀도, 경지 이용률 등
도형 표현도	도형의 크기를 달리하여 자료의 공간적 차이를 표현하거나 도형을 세분화하여 두 가지 이상의 지리 정보를 한번에 표현한 지도 예 수출액, 1·2·3차 산업 생산액 등

12 종이 지도와 수치 지도의 특징   답 ④

ㄱ은 종이 지도, ㄴ은 수치 지도이다. 수치 지도는 디지털 데이터베이스로 구성되어 있기 때문에 자료의 변환이 자유롭고, 지도의 확대와 축소 등이 가능하다.

ㄴ. 여러 지리 정보를 수집하고 디지털화하는 데 드는 비용은 종이 지도에 비해 비싼 편이다.

13 최적 입지 선정   답 ③

제시된 조건을 모두 만족하는 지역은 C이다.

구분	A	B	C	D	E
땅값	○	○	○	×	○
도로와의 거리	○	×	○	○	○
일일 평균 유동 인구	○	×	○	○	×
동종 상점 개수	×	×	○	○	×

14 지역 조사 과정   답 ②

(가)는 지역 정보 수집 과정 중 실내 조사, (나)는 지역 조사 계획 수립, (다)는 지역 정보 수집 과정 중 야외 조사, (라)는 지리 정보 분석이다. 따라서 지역 조사 과정을 순서대로 나열하면 (나)-(가)-(다)-(라)이다.

서술형 문제

15 「대동여지도」의 특징

(1) 「대동여지도」

(2) **모범 답안** | 하천은 곡선, 도로는 직선으로 표현하여 하천과 도로를 구분하였다. 하천은 쌍선과 단선으로 구분하여 운항 가능 여부를 표시하였고, 도로에 10리마다 방점을 찍어 실제 거리를 파악할 수 있게 하였다.

주요 단어 | 하천-곡선, 도로-직선, 쌍선, 단선, 방점, 10리

채점 기준	배점
(1)을 쓰고, (2)의 하천과 도로의 표현 방법과 각각의 특징을 서술한 경우	상
(1)을 쓰고, (2)의 하천과 도로의 표현 방법만 서술한 경우	중
(1)만 쓴 경우	하

16 지역 조사 과정과 유의점

(1) **모범 답안** | ㄱ은 실내 조사로 인터넷 검색, 문헌 조사, 통계 자료 조사, 설문지 제작 등이 있다.

주요 단어 | 실내 조사, 인터넷 검색, 문헌 조사, 통계 자료 조사, 설문지 제작

(2) **모범 답안** | ㄴ은 야외 조사이다. 야외 조사를 실시할 때에는 답사 윤리를 지키면서 효율적이고 지속 가능한 답사가 이루어지도록 해야 한다.

주요 단어 | 야외 조사, 답사 윤리, 지속 가능한 답사

채점 기준	배점
ㄱ의 명칭과 조사 방법, ㄴ의 명칭과 유의점을 모두 서술한 경우	상
ㄱ, ㄴ의 명칭을 쓰고, ㄱ의 조사 방법 또는 ㄴ의 유의점 중 한 가지만 서술한 경우	중
ㄱ, ㄴ의 명칭만 쓴 경우	하

▶ 지역 조사 과정

조사 계획 수립	• 조사 주제 선정 • 조사 목적에 맞는 조사 지역 선정	
지리 정보 수집	실내 조사	문헌 조사, 인터넷 조사, 설문지 제작 등
	야외 조사	면담, 설문 조사, 사진 촬영 등
지리 정보 분석	• 수집한 정보의 분류 및 분석 • 분석한 자료를 도표, 수치 지도, 통계 지도 등으로 제작	
보고서 작성	조사 목적, 방법, 결론 등이 드러나도록 보고서 작성	

도전 수능 문제   p. 30 ~ p. 31

| 01 ② | 02 ① | 03 ④ | 04 ④ | 05 ② | 06 ① |
| 07 ③ | 08 ⑤ |

01 풍수지리 사상의 특징   답 ②

(가)는 풍수지리 사상이다. 풍수지리 사상은 땅의 좋은 기(氣)가 모여드는 명당을 찾는 것으로 예로부터 집터, 마을, 도읍지 등의 입지를 결정하는 데 영향을 주었다.

ㄴ. (가)와 같은 국토 인식은 산업화 시대에 활발히 반영되었다. (×)
→ 산업화 시대에는 국토를 경제적 관점에서 보고 개발·이용하였다.

ㄹ. ⓒ은 우리나라 전통 민간 신앙의 일종이다. (×)
→ 음양오행설은 인간 사회와 우주의 현상을 음양과 오행으로 설명하는 중국의 이론이다.

02 「동국지도」와 「대동여지도」의 특징 답 ①

(가)는 1750년 정상기가 제작한 「동국지도」로 우리나라에서 최초로 축척의 개념(백리척)을 사용하였으며, 조선 전기의 지도에 비해 북부 지방의 정확도가 크게 개선되었다. (나)는 1861년 김정호가 제작한 「대동여지도」로 목판본으로 제작되어 대량 인쇄가 가능하였으며, 10리마다 방점을 찍어 대략적인 거리를 파악하도록 하였다. 항해가 가능한 하천은 쌍선, 항해가 불가능한 하천은 단선으로 표현하였다. 또한 현대 지도의 범례에 해당하는 지도표의 기호를 사용하여 지리 정보를 쉽게 파악하도록 하였다. 「동국지도」의 축척은 약 1:42만, 「대동여지도」의 축척은 약 1:16만이므로 실제 거리를 더 축소해 표현한 지도는 「동국지도」이다.

03 조선 전기와 후기의 지리지 특성 비교 답 ④

(가)는 이중환의 『택리지』의 일부로 충주에 대한 설명이며, (나)는 『신증동국여지승람』의 일부로 춘천에 대한 설명이다. 조선 후기에 제작된 사찬 지리지인 『택리지』는 조선 전기에 제작된 관찬 지리지인 『신증동국여지승람』에 비해 저자의 주관적 해석이 많이 반영되어 있다.

04 「대동여지도」의 특징 답 ④

「대동여지도」에서 하천은 곡선, 도로는 직선으로 표현되어 있으며, 도로에는 10리마다 방점이 찍혀 있다.

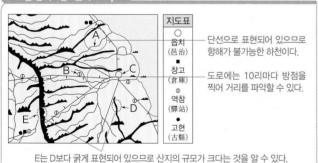

지도표	
읍치(邑治)	단선으로 표현되어 있으므로 항해가 불가능한 하천이다.
창고(倉庫)	도로에는 10리마다 방점을 찍어 거리를 파악할 수 있다.
역참(驛站)	
고현(古縣)	

E는 D보다 굵게 표현되어 있으므로 산지의 규모가 크다는 것을 알 수 있다.

ㄱ. A는 항해가 가능한 하천이다. (×)
→ 단선으로 표현되어 있으므로 항해가 불가능한 하천이다.

ㄴ. C는 관아가 있는 행정의 중심지이다. (○)
→ 읍치는 관아가 있는 행정 구역이다.

ㄷ. C부터 B까지는 20리 이내의 거리이다. (×)
→ C에서 B까지의 거리는 20리 이상이다.

ㄹ. E는 D보다 규모가 큰 산지이다. (○)
→ E는 D보다 굵게 표현되어 있으므로 규모가 더 크다.

05 「천하도」와 「혼일강리역대국도지도」의 특징 답 ②

(가)는 「천하도」, (나)는 「혼일강리역대국도지도」이다. 「천하도」는 조선 중기 이후 민간 주도로 제작되었으며, 「혼일강리역대국도지도」는 조선 전기에 국가 주도로 제작되었다. 「천하도」에는 아시아 대륙 중 중국, 우리나라, 일본과 상상의 국가가 표현되어 있으며, 「혼일강리역대국도지도」에는 아시아, 유럽, 아프리카 대륙이 표현되어 있다.

06 『택리지』와 「대동여지도」의 특징 답 ①

(가)는 이중환의 『택리지』, (나)는 김정호의 「대동여지도」이다. 『택리지』는 조선 후기 실학사상의 영향을 받아 제작된 사찬 지리지이다.

07 통계 지도의 유형 답 ③

등치선도는 통곗값이 같은 지점을 연결한 지도로 꽃의 개화 시기, 단풍 시기 등을 표현하기에 적절하다. 유선도는 사람, 물자 등의 이동 현황을 나타내기에 적절하며, 도형 표현도는 도형의 크기를 달리하여 자료의 공간적 차이를 표현하거나 도형을 세분화하여 두 가지 이상의 지리 정보를 한번에 표현하기에 적절하다. 따라서 ③ 벚꽃의 개화 시기는 등치선도, ⓒ 어종의 이동 경로는 유선도, ⓒ 포획되는 어종의 유형은 도형 표현도를 통해 표현하는 것이 적절하다.

08 최적 입지 선정 답 ⑤

주택 구입지로 선정된 B는 방이 3개이며, 상가 또는 공원 접근성이 양호하고, 가격은 3 미만인 곳이다. A도 조건을 만족하지만 B가 선정된 이유는 역이 가깝기 때문이다.

▶ 지리 정보 체계의 분석 방법

중첩 분석	다양한 조건을 층(layer)으로 만든 후, 이를 중첩시켜 최적의 조건을 만족하는 지역을 선정하는 방법으로 각종 시설의 입지 선정에 활용된다.
네트워크 분석	도로와 같은 선 형태로 구성된 데이터에서 주어진 기준을 만족하는 최적 경로 등을 분석하는 방법으로 차량용 내비게이션 등에 활용된다.
버퍼 분석	기준 지점에서 일정한 거리 내에 있는 범위를 선정하여 인접성을 분석하는 방법으로 하천 범람 시 피해 위험 지역 예측 등 자연 재해 예방에 활용된다.

II 지형 환경과 인간 생활

01 한반도의 형성과 산지의 모습

탄탄 내신 문제					p. 38 ~ p. 41
01 ②	02 ②	03 ③	04 ③	05 ⑤	06 ②
07 ③	08 ⑤	09 ②	10 ⑤	11 ②	12 ⑤
13 해설 참조		14 해설 참조			

01 한반도의 지체 구조 ❨답❩ ②

형성 시기가 가장 오래되었고 지반이 견고하며, 편마암 및 편암과 같은 변성암이 분포하는 지체 구조는 시·원생대에 형성된 안정 지괴에 해당하는 평북·개마 지괴(B), 경기 지괴(D), 영남 지괴(F)이다.

02 고생대와 중생대의 지체 구조 ❨답❩ ②

(가)는 고생대에 형성된 지체 구조로, 평남 분지(C)와 옥천 습곡대(E)가 해당된다. (나)는 중생대에 형성된 지체 구조로, 경상 분지(G)와 관련 있다.

자료를 분석하는 셀파 - Tip

A는 두만 지괴, 길주·명천 지괴, B는 평북·개마 지괴, C는 평남 분지, D는 경기 지괴, E는 옥천 습곡대, F는 영남 지괴, G는 경상 분지이다.

평북·개마 지괴, 영남 지괴는 시·원생대에 형성된 안정 지괴로 주로 변성암이 분포한다. 평남 분지, 옥천 습곡대는 고생대에 퇴적되어 형성되었고, 하부층인 조선 누층군과 상부층인 평안 누층군으로 구성되어 있다.

경상 분지는 중생대에 습지 및 호수였던 곳에 퇴적물이 쌓여 형성된 육성층으로, 공룡의 발자국 및 뼈 화석이 발견되는 것이 특징이다.

03 지질 시대별 한반도 지체 구조의 특성 ❨답❩ ③

시·원생대에 형성된 지각에는 열과 압력에 의해 변성된 변성암이 주로 분포하며, 편마암·편암이 대표적인 암석이다. 조선 누층군은 고생대 초기에, 평안 누층군은 고생대 말기에서 중생대 초기에 형성되었다. 신생대 제3기 지층에는 갈탄이 매장되어 있고, 신생대 제3기 말~제4기 초에 화산 활동이 일어나 백두산, 제주도, 울릉도 등지에 화산 지형이 형성되었다. ③ 중생대에 일어난 대규모 지각 변동으로 지질 구조선이 형성되었고, 지질 구조선을 따라 지하에서 마그마가 관입하여 화강암이 형성되었다. 중생대의 화강암 관입은 주로 중남부 지방을 중심으로 이루어졌다.

04 중생대 암석의 특징 ❨답❩ ③

(가), (나)는 모두 중생대에 형성된 암석이다. (가)는 중생대에 일어

난 대보 조산 운동, 불국사 변동으로 관입된 화강암이다. (나)는 중생대 후기에 경상 분지를 중심으로 호수나 습지에 쌓인 퇴적암으로, 공룡 발자국 화석이 발견된다.

정답을 찾아가는 셀파 - Tip

① (가)에는 지층이 수평으로 분포한다. (×)
→ (가)는 화강암이다. 지층이 수평으로 분포하는 암석은 퇴적암이다.

② (나)는 주로 중생대 초기에 형성되었다. (×)
→ 중생대 초기에는 평안 누층군이, 중기에는 대동 누층군이, 후기에는 경상 누층군이 형성되었다.

④ (가)는 퇴적암, (나)는 화성암이다. (×)
→ (가)는 화강암으로 화성암, (나)는 퇴적암이다.

⑤ (가)는 호수 밑에서, (나)는 지하에서 형성되었다. (×)
→ (가)는 관입암으로 지하 깊은 곳에서, (나)는 육성 퇴적암으로 호수 밑에서 형성되었다.

05 중생대의 지각 운동 특성 ❨답❩ ⑤

중생대 지각 운동은 초기에 송림 변동, 중기에 대보 조산 운동, 말기에 불국사 변동이 일어났다. 이 중 대보 조산 운동이 가장 격렬한 지각 변동이었다. 중생대 지각 변동을 통해 한반도의 지질 구조선이 형성되었는데 송림 변동으로 랴오둥 방향(동북동–서남서)의 구조선이, 대보 조산 운동으로 중국 방향(북동–남서)의 구조선이 형성되었다. 중생대 말기에는 불국사 변동으로 경상도 일대에 소규모로 마그마가 관입하여 화강암이 형성되었다.

내 것으로 만드는 셀파 - Tip

▶ **중생대의 대규모 지각 변동 발생**

송림 변동	· 중생대 초기 · 랴오둥 방향의 지질 구조선 형성
대보 조산 운동	· 중생대 중기(쥐라기) · 중국 방향의 지질 구조선 형성 · 대보 화강암 관입
불국사 변동	· 중생대 후기(백악기) · 불국사 화강암 관입

06 빙기와 후빙기의 특성 ❨답❩ ②

(가) 시기는 후빙기, (나) 시기는 빙기이다. 후빙기에 비해 빙기에는 기후가 한랭 건조하고 해수면이 하강하여 육지의 평균 해발 고도가 높다.

ㄴ. 하천의 길이가 길고 날씨가 춥기 때문에 화학적 풍화 작용보다 물리적 풍화 작용이 활발하다. ㄹ. 최후 빙기에는 육지에 빙하가 최대로 확장되었기 때문에 후빙기에 비해 빙하로 덮인 면적이 넓다.

내 것으로 만드는 셀파 - Tip

▶ **빙기와 후빙기의 특성 비교**

구분	빙기	후빙기
기후 변화	한랭 건조	온난 습윤
해수면 변동	하강	상승
침식 기준면 변동	하강	상승
풍화 작용	물리적 풍화 우세	화학적 풍화 우세
하천 상류	퇴적 작용 우세	침식 작용 우세
하천 하류	침식 작용 우세	퇴적 작용 우세

07 최후 빙기의 기후 및 지형 특성   답 ③

(가) 시기는 최후 빙기에 빙하가 최대로 확장되었던 시기이다. 따라서 (가) 시기에는 해수면이 하강하여 육지 면적이 최대가 되었으며, 침식 기준면도 하강하여 전체적으로 침식 지형이 발달하였다. 기후는 한랭 건조하여 산지의 식생 밀도도 낮아졌다.

ㄹ. 하천 상류에서는 유량이 적어 퇴적 작용이 활발하였다.

08 산지 지형의 특징   답 ⑤

제시된 동서 단면을 살펴보면 중심에 높은 산맥이 지난다는 것을 알 수 있다. 소백산맥은 한반도의 중심을 지나며, 덕유산, 가야산 등 해발 고도 1,000m가 넘는 산지로 이루어져 있다.

09 경동성 요곡 운동과 지형 발달   답 ②

자료는 경동성 요곡 운동을 나타낸 것이다. 경동성 요곡 운동은 동해안을 축으로 발생한 비대칭 융기 운동으로, 동고서저의 경동 지형 형성에 영향을 미쳤으며, 함경산맥, 태백산맥 등 1차 산맥의 형성과 관련 있다.

ㄱ. 신생대 제3기에 일어났다. ㄹ. 지질 구조선을 따라 마그마가 관입한 시기는 대보 조산 운동, 불국사 변동이 일어났던 중생대이다.

10 고위 평탄면의 특징   답 ⑤

(가)는 고위 평탄면이다. 고위 평탄면은 신생대 중기 이전까지 오랜 침식으로 평탄해졌던 지형이 신생대 제3기 경동성 요곡 운동으로 인해 융기되어 형성된 지형이다.

정답을 찾아가는 셀파 - Tip

① 기온 역전 현상이 자주 발생한다. (×)
　→ 침식 분지에 대한 설명이다.
② 연 강수량이 적어 가뭄 피해가 자주 발생한다. (×)
　→ 고위 평탄면은 지형적 영향으로 강수량이 많다.
③ 서로 다른 기반암의 차별 침식으로 형성되었다. (×)
　→ 침식 분지에 대한 설명이다.
④ 지형이 평탄하여 벼농사 중심의 농업이 이루어진다. (×)
　→ 고위 평탄면은 해발 고도가 높아 고랭지 밭농사가 주로 이루어진다.

11 돌산과 흙산의 특징   답 ②

(가)는 도봉산, (나)는 지리산이다. 도봉산은 화강암을 주요 기반암으로 하는 돌산, 지리산은 편마암을 주요 기반암으로 하는 흙산이다. 흙산은 돌산에 비해 식생의 밀도가 높고, 기반암의 풍화 정도가 심하다. 흙산의 기반암인 편마암은 시·원생대, 돌산의 기반암인 화강암은 중생대에 형성되었다.

내 것으로 만드는 셀파 - Tip

▶ 돌산과 흙산

구분	돌산	흙산
기반암	화강암	편마암
식생 밀도	낮음.	높음.
토양층	얇고, 암석 노출 많음.	두꺼움.
사례	금강산, 설악산 등	지리산, 덕유산 등

12 인간에 의한 산지의 변화   답 ⑤

북한산은 중생대에 관입된 화강암이 오랜 기간 지속된 풍화와 침식의 결과로 지표에 노출되어 형성된 돌산이다. 흙산에는 지리산, 오대산, 덕유산 등이 있다.

서술형 문제

13 한반도의 지질 시대별 주요 지각 변동

(1) (가)는 석회암, (나)는 무연탄이다.
(2) 모범 답안 | A는 대보 조산 운동이며, B는 불국사 변동이다. 대보 조산 운동과 불국사 변동 과정에서 모두 지질 구조선을 따라 지하에서 마그마가 관입하였으며, 마그마는 오랜 기간 서서히 냉각되어 화강암이 되었다.
주요 단어 | 대보 조산 운동, 불국사 변동, 마그마 관입, 화강암

채점 기준	배점
(1)을 쓰고, (2)의 A, B 지각 운동 명칭과 그 과정의 공통점을 모두 서술한 경우	상
(1)을 쓰고, (2)의 항목 중 A, B 지각 운동 명칭만 서술한 경우	중
(1)만 쓴 경우	하

14 고위 평탄면의 토지 이용

(1) 고위 평탄면
(2) 모범 답안 | (가)는 해발 고도가 높아 다른 지역에 비해 여름철 기온이 낮다. 따라서 여름철에는 배추와 같은 고랭지 채소가 재배되고 초지가 조성되어 목축업이 행해진다. 겨울철에는 지형성 강설로 인한 눈이 자주 내려 스키장이 운영되며, 겨울철 특성을 살려 눈꽃 축제 등이 개최된다.
주요 단어 | 여름철-배추, 고랭지 농업, 목축업, 겨울철-스키장, 눈꽃 축제

채점 기준	배점
(1)을 쓰고, (2)의 항목 중 여름철과 겨울철 토지 이용 사례를 각각 두 가지 이상 포함하여 서술한 경우	상
(1)을 쓰고, (2)의 항목 중 여름철과 겨울철 토지 이용 사례를 각각 한 가지만 포함하여 서술한 경우	중
(1)을 쓰고, (2)의 항목 중 여름철 또는 겨울철 토지 이용 사례를 한 가지만 포함하여 서술한 경우	하

도전 수능 문제   p. 42 ~ p. 43

01 ①　02 ⑤　03 ②　04 ④　05 ③　06 ③
07 ⑤　08 ②

01 우리나라의 지질 시대별 암석 특징   답 ①

(가)는 고생대, (나)는 중생대이다. A는 조선 누층군, B는 평안 누층군, C는 화강암, D는 경상 누층군이다. 2차 산맥의 방향을 결정하는 구조선은 중생대 지각 변동으로 형성되었다.

② (가) 시기는 (나) 시기보다 지각 운동이 활발하였다. (×)
→ 고생대에는 완만한 조륙 운동, 중생대에는 활발한 조산 운동이 일어났다.

③ A는 B보다 형성 시기가 늦다. (×)
→ A는 고생대 초기, B는 고생대 후기에 형성되었다.

④ A, B는 바다 밑에서, D는 육지의 호소 밑에서 형성되었다. (×)
→ A는 바다 밑에서, B, D는 육지의 호소 밑에서 형성되었다.

⑤ A, C는 화성암, B, D는 퇴적암이다. (×)
→ C는 화성암, A, B, D는 퇴적암이다.

02 지질 시대별 지질 계통　　　🅐 ⑤

(가)는 변성암류로 흙산의 기반암을 이룬다. (나)는 조선 누층군, (다)는 평안 누층군, (라)는 경상 누층군이다. (마)는 신생대 제3기 경동성 요곡 운동이다. 경동성 요곡 운동으로 한국 방향의 지질 구조선 및 동고서저의 경동 지형이 형성되었다. ⑤ 중국(북동-남서) 방향의 지질 구조선은 중생대 대보 조산 운동으로 형성되었다.

03 빙기와 후빙기의 특성　　　🅐 ②

(가)와 ㉠은 후빙기, (나)와 ㉡은 최후 빙기에 해당한다. 후빙기는 최후 빙기보다 기후가 온화하고 강수량이 많아 식생 밀도가 높았다.
ㄴ. 지형의 해발 고도는 해수면이 하강한 빙기가 후빙기보다 높았다. ㄹ. 후빙기에 하천의 상류(A)에서는 침식 작용, 하천의 하류(B)에서는 퇴적 작용이 활발하였다.

04 빙기와 후빙기의 자연환경 특성　　　🅐 ④

(가) 시기는 빙기, (나) 시기는 후빙기이다. 후빙기는 빙기에 비해 기온이 높고 해수면이 상승하여 바다로 유입되는 하천의 길이가 짧았다. 또한 온난 습윤하여 물리적 풍화보다 화학적 풍화 작용이 활발하였다.
ㄴ. 한라산의 해발 고도는 해수면이 하강한 빙기가 후빙기보다 높다.

05 중생대 지각 운동의 특징　　　🅐 ③

침식 분지의 중앙부는 중생대에 관입한 화강암, 주변 산지는 변성암으로 이루어져 있다. 화강암은 변성암에 비해 침식에 약하기 때문에 차별 침식을 받아 침식 분지가 형성되었다.

① ㉠의 영향으로 남북 방향의 1차 산맥이 형성되었다.(×)
→ 대보 조산 운동의 영향으로 중국 방향의 구조선이 형성되었으며, 대보 화강암이 관입하였다.

② ㉡이 산 정상부를 이루는 경우 주로 흙산이 나타난다. (×)
→ 화강암은 돌산을 이룬다.

④ ㉣은 동고서저 지형 형성의 주요 원인이다. (×)
→ 동고서저 지형은 경동성 요곡 운동으로 형성되었다.

⑤ ㉤에는 갈탄이 광범위하게 매장되어 있다. (×)
→ 갈탄은 신생대 제3기층에 매장되어 있다.

06 우리나라의 산맥 특징　　　🅐 ③

(가)는 1차 산맥, (나)는 2차 산맥이다. A는 랴오둥 방향(서남서-동북동), B는 중국 방향(남서-북동)의 지질 구조선 산지의 일부이다. ③ A의 지질 구조선은 중생대 초기 송림 변동으로 결정되었다.

(가)는 1차 산맥이다. 백두대간을 구성하는 산맥이며, 연속성이 뚜렷하다.

(나)는 2차 산맥으로, 차별 침식의 결과로 형성된 산맥이다.

A는 랴오둥 방향의 지질 구조선으로 중생대 초기에 형성되었다.

B는 중국 방향의 지질 구조선으로 중생대 중기에 형성되었다.

▶ 1차 산맥과 2차 산맥

구분	1차 산맥	2차 산맥
형성 과정	경동성 요곡 운동으로 융기한 산지	중생대 지각 운동 이후의 차별 침식으로 형성된 산지
특징	해발 고도가 높고 연속성이 강함.	오랜 침식으로 해발 고도가 낮고 연속성이 약함.
분포	함경·낭림·태백산맥 등	묘향·차령·노령산맥 등

07 북부 지방의 산지 지형 특색　　　🅐 ⑤

(가)는 백두산, (나)는 함경산맥, (다)는 낭림산맥, (라)는 금강산이다. 함경산맥과 낭림산맥은 신생대 지각 운동으로 형성된 1차 산맥으로 해발 고도가 높고 연속성이 뚜렷하다. 한국 방향의 산맥은 산맥 방향이 남북으로 뻗은 산맥으로 마천령산맥, 낭림산맥, 태백산맥 등이 있다. 금강산은 중생대에 관입된 마그마가 지하 깊은 곳에서 굳어 형성된 화강암이 오랜 기간 풍화와 침식으로 노출되면서 형성된 돌산이다.
ㄱ. 백두산은 신생대 화산 활동으로 형성되었으며, 산지를 구성하는 암석은 현무암 등 화산암이다.

08 돌산과 흙산의 특징　　　🅐 ②

(가)는 화강암이 주요 기반암인 돌산, (나)는 변성암이 주요 기반암인 흙산이다. 돌산은 산정상부에 화강암이 노출되어 있어 흙산에 비해 암석이 차지하는 비율이 높으며 식생 밀도가 낮다.
ㄴ. 화강암은 중생대, 변성암은 시·원생대에 형성되었다. ㄹ. 돌산 중 북한산은 1차 산맥에 위치하지 않는다.

02 하천 지형과 해안 지형

01 하계망의 이해 답 ③

(가)는 분수계로, 인근 하천과의 유역 경계이다. A는 하천의 상류, B는 하천의 하류이다. 하천은 해발 고도가 높은 지역에서 여러 갈래의 지류가 발생하여 해발 고도가 낮은 지역에서 본류에 합쳐진다. 따라서 하천의 상류는 하류에 비해 퇴적물의 평균 입자 크기가 크다.

02 우리나라 하천의 특성 답 ⑤

우리나라의 하천은 동고서저의 경동 지형의 영향으로 대부분의 하천이 황·남해로 흐르고 대체로 하천의 규모도 크다. 또한 황해로 흘러드는 하천은 조류의 영향을 받아 하천의 하구에 감조 구간이 나타난다.

정답을 찾아가는 셀파 - Tip

① 큰 하천은 주로 동해로 흘러든다. (×)
→ 두만강을 제외한 대부분의 큰 하천은 황·남해로 흘러든다.
② 유럽의 하천에 비해 하상계수가 작다. (×)
→ 여름철 강수 비중이 높아 유럽에 비해 하상계수가 크다.
③ 큰 하천은 대부분 2차 산맥에서 발원한다. (×)
→ 큰 하천은 태백산맥이나 소백산맥 등 1차 산맥에서 발원한다.
④ 계절별 유량 변동이 작아 수운 교통에 유리하다. (×)
→ 유량 변동이 커 수운 교통에 불리하다.

03 감조 하천의 이용과 변화 답 ④

금강, 영산강, 낙동강 하구에는 하굿둑을 건설하여 하천 하구의 수위 변동 폭이 작아지게 되었다. 이를 통해 감조 하천의 피해를 예방하고 용수를 확보하고 있다.

04 금강, 영산강, 낙동강의 특성 답 ②

(가)는 금강, (나)는 영산강, (다)는 낙동강이다. 금강 하류는 충청남도와 전라북도의 경계를 이룬다. (가)~(다) 모두 하구에 염해 방지를 위한 하굿둑이 건설되어 있다.

ㄴ. 영산강은 금남 호남 정맥에서 발원한다. ㄷ. 유역 면적은 분수계로 둘러싸인 하천의 면적으로, 낙동강이 금강보다 유역 면적이 넓다.

05 감입 곡류 하천과 하안 단구의 특징 답 ⑤

감입 곡류 하천은 하천의 중·상류 지역에서 산지 사이를 곡류하며 흐르는 하천이다. 과거의 곡류 하천이 신생대 제3기 이후 경동성 요곡 운동에 의해 지반이 융기하고 하방 침식이 활발해지면서 깊은 골짜기를 이루며 곡류한다. 곡류 시에는 하천의 측방 침식보다 하방 침식이 더 활발하며, 측방 침식으로 하천의 퇴적 사면에 하안 단구와 구하도가 형성되기도 한다. 하안 단구는 비교적 지면이 평탄하고 침수의 위험이 낮아 마을이 형성되며 주로 밭농사가 이루어진다.

06 침식 분지의 특성 답 ③

(가) 지역은 침식 분지의 평야에 해당한다. 침식 분지는 변성암과 화강암의 차별 침식에 의해 형성되었다. 침식 분지의 평야에서는 기온 역전 현상으로 안개가 자주 발생하고, 주로 논농사 중심의 농업이 이루어진다. 갑. 현무암은 화산 지형에 분포한다. 정. 고랭지 농업은 고위 평탄면에서 주로 이루어진다.

07 하천의 유로 변경 과정 답 ①

자료는 자유 곡류 하천에서 유로 변경 과정을 나타낸 것이다. 자유 곡류 하천에서 침식 작용이 활발한 만곡부는 시간이 지나면 절단되어 우각호가 형성된다.

ㄷ. 하천의 수심은 유속이 빠른 공격 사면(A) 쪽이 퇴적 사면(B) 쪽보다 깊다. ㄹ. 우각호는 시간이 지나면 규모가 점점 축소된다.

자료를 분석하는 셀파 - Tip

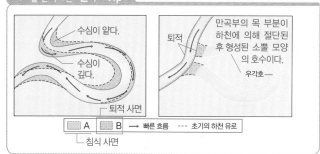

수심이 얕다.
수심이 깊다.
퇴적 사면
침식 사면

만곡부의 목 부분이 하천에 의해 절단된 후 형성된 소뿔 모양의 호수이다.
퇴적
우각호

| A | B | → 빠른 흐름 | --- 초기의 하천 유로 |

08 선상지와 삼각주의 특징 답 ⑤

(가)에는 선상지, (나)에는 삼각주의 수치가 높은 항목이 들어가야 한다. 선상지는 하천의 상류에, 삼각주는 하천의 하구에 형성된다. 따라서 선상지는 삼각주에 비해 평균 해발 고도가 높고, 퇴적물의 평균 입자 크기가 크다. 이에 비해 삼각주는 선상지에 비해 토지 중 논의 비율이 높고, 퇴적물의 원마도가 높다.

09 도시화 전후의 하천 유출량 변화 답 ②

(가)는 도시화 후의 하천 유출 곡선, (나)는 도시화 전의 하천 유출 곡선이다. 도시화 후는 도시화 전에 비해 지표 포장 면적 비율이 높아 빗물의 하천 유출량이 많고 최고 수위에 도달하는 시간도 짧아진다.

① 도시 사막화는 도시화가 진행된 후에 발생하고 심화된다. ③ 도시화 전보다 도시화 후에 최고 수위에 도달하는 시간도 짧아진다. ④ 도시 내부의 포장 면적 비중은 도시화 후가 높다. ⑤ 도시화가 진행되면 하천 유출 곡선은 (나)에서 (가)로 변한다.

10 우리나라 해안의 특성 답 ⑤

(가), (나)는 빙기에 육지였던 부분이 후빙기 해수면 상승으로 인해 바닷물에 잠겨 형성된 리아스 해안이며, (다)는 지반의 융기로 인해 산맥과 해안이 평행하게 달리는 단조로운 이수 해안이다. 동해안은 서해안보다 흘러드는 하천의 길이가 짧고 평균 경사가 급하기 때문에 퇴적물의 평균 입자 크기가 크다.

① 서해안은 대체로 산맥과 수직으로 만나기 때문에 해안선이 복잡하다. ② 갯벌의 분포 면적은 서해안이 가장 넓다. ③ 동해안은 지반

융기의 영향을 받은 융기 해안이다. ④ 해안의 조차는 서해안>남해안>동해안 순으로 크다.

11 연안류의 지형 형성 작용 　답 ①

연안류에 의한 모래 이동은 대체로 해안 퇴적 지형을 만든다. 해안 퇴적 지형에는 사취, 사주, 사빈 등이 있으며, 시 스택, 해식애 등은 파랑의 침식 작용으로 형성된 해안 침식 지형이다. 파랑은 해안 퇴적 지형과 해안 침식 지형의 형성에 모두 영향을 미친다.

12 곶과 만의 특징 　답 ⑤

(가)는 곶(串), (나)는 만(灣)이다. 곶은 바다로 돌출되어 있기 때문에 파랑 에너지가 집중하여 주로 해안 침식 지형이 형성된다. 만은 곶에서 침식된 물질들이 쌓여 사빈 등의 해안 퇴적 지형이 형성된다.

① 곶은 시간이 지날수록 파랑의 침식 작용으로 인해 육지 쪽으로 후퇴한다. ② 지반이 융기하면 곶에 형성된 해식애와 파식대가 계단 모양으로 나타나는 해안 단구가 만들어진다. ③ 파랑 에너지가 집중하는 곳은 곶이다. ④ (가)는 곶, (나)는 만이다.

13 해안 침식 지형의 특징 　답 ①

(가)는 해안 절벽인 해식애, (나)는 파식대, (다)는 시 스택이다. (가)~(다) 모두 파랑의 침식 작용으로 형성되었다. ② 파식대는 해수면이 하강하거나 지반이 융기하면 해안 단구의 단구면이 된다. ③, ④ 시 스택은 과거의 육지의 일부였지만 파랑의 차별 침식으로 인해 주변 지역은 사라지고 침식에 강한 부분만 남겨져 있는 지형이다. ① 해안 지형의 형성 과정에서 바람은 주로 침식 작용보다 퇴적 작용에 영향을 미친다.

▶ 해안 침식 지형

해식애	파랑에 의해 해안의 산지나 구릉이 침식되어 기반암이 노출된 절벽
파식대	파랑의 침식 작용으로 해식애 밑에 형성된 경사가 완만한 기반암의 평탄면
시 스택	해식애가 후퇴하면서 암석의 단단한 부분이 침식되지 않고 남은 지형
해식동	해식애의 약한 부분이 차별 침식을 받아 형성된 동굴

14 해안 사구와 갯벌의 특징 　답 ③

(가)는 해안 사구, (나)는 갯벌이다. 해안 사구는 사빈의 배후에 모래가 바람에 날려 퇴적된 것이며, 갯벌은 조차가 큰 해안에서 조류에 의한 퇴적 작용으로 형성된 것이다. 해안 사구와 갯벌은 해안의 만입부에서 발달하며, 해안 사구가 갯벌보다 평균 해발 고도가 높고 퇴적물의 평균 입자 크기가 크다.

15 석호와 사주의 특징 　답 ③

(가)는 석호, (나)는 사주이다. 후빙기에 해수면이 상승하면서 만의 입구에 사주가 형성되고 만은 사주에 의해 바다와 격리되어 석호가 되었다. 석호는 바다와 통해 있어 염호이나 석호로 유입되는 하천으로 인해 염도는 바다보다 낮은 편이다. 사주에는 해안 쪽으로는 사빈이, 석호 쪽으로는 사구가 형성되어 있다. 이는 해풍에 의해 사빈의 모래가 날려와 쌓였기 때문이다.

16 해안 침식 방지를 위한 노력 　답 ①

해안에 설치된 A 구조물은 그로인이다. 오늘날 지역 개발로 사빈에 각종 위락 시설이 들어서면서 해안 침식이 일어나 모래가 빠른 속도로 줄어들고 있다. 이러한 사빈에 바다 쪽으로 돌출한 인공 구조물인 그로인을 설치할 경우 연안류에 의해 모래가 운반되어 그로인 안쪽으로 모래가 퇴적되기 때문에 사빈의 모래 침식을 막을 수 있다.

17 해안 단구의 형성 과정

(1) 해안 단구

(2) **모범 답안** | 해안 단구는 지형이 평탄하고 해발 고도가 높아 농경지, 취락, 교통로, 각종 위락 시설 부지 등 다양한 용도로 이용된다.

주요 단어 | 농경지, 취락, 교통로, 각종 위락 시설 부지

채점 기준	배점
A 지형의 명칭을 쓰고, A 지형의 토지 이용 사례를 세 가지 이상 서술한 경우	상
A 지형의 명칭을 쓰고, A 지형의 토지 이용 사례를 두 가지만 서술한 경우	중
A 지형의 명칭만 쓴 경우	하

18 갯벌과 사빈의 특징

(1) A는 갯벌(간석지), B는 사빈이다.

(2) **모범 답안** | A는 조류의 퇴적 작용으로 형성되며, B는 파랑이나 연안류의 퇴적 작용으로 형성된다. A는 염전, 양식장, 체험 학습장으로 이용되며, B는 주로 해수욕장, 피서지 등으로 이용된다.

주요 단어 | 조류의 퇴적 작용, 파랑이나 연안류의 퇴적 작용, A-염전, 양식장, 체험 학습장, B-해수욕장, 피서지

채점 기준	배점
(1)을 쓰고, (2)의 항목 중 A, B의 형성 원인과 용도 사례를 한 가지 이상 포함시켜 서술한 경우	상
(1)을 쓰고, (2)의 항목 중 A, B의 형성 원인만 서술한 경우	중
(1)을 쓰고, (2)의 항목 중 A, B 중 한 가지만 형성 원인을 서술한 경우	하

19 석호의 형성 과정

(1) (가) → (다) → (나)

(2) **모범 답안** | 빙기에 현재 하천의 하구 부분에 침식 작용으로 깊게 파

여 협곡이 형성된 후 후빙기에 해수면이 상승하면서 바닷물이 들어오게 되어 해안의 만입부가 되었다. 이후 파랑과 연안류의 퇴적 작용으로 만입부의 입구에 사주가 형성되면서 만입부를 가로막아 석호가 형성되었다.

주요 단어 | 후빙기, 해수면 상승, 만입부, 사주

채점 기준	배점
(1)을 쓰고, (2)의 제시된 용어를 모두 포함하여 석호의 형성 과정을 서술한 경우	상
(1)을 쓰고, (2)의 제시된 용어 중 일부만 포함하여 석호의 형성 과정을 서술한 경우	중
(1)을 쓰고, (2)의 제시된 용어를 활용하지 않고 석호의 형성 과정을 서술한 경우	하

20 갯벌과 해안 사구의 기능

(1) (가)는 갯벌, (나)는 해안 사구이다.

(2) **모범 답안 |** (가)는 생태계의 보고로 다양한 생물 종이 서식하고 있으며, 육지에서 바다로 배출되는 오염 물질을 정화하는 기능이 탁월하다. 또한 해일이나 태풍으로부터의 피해를 완화시켜 주는 역할을 한다. (나)는 방풍림을 조성하여 배후 농경지와 마을을 해풍이나 염분 등으로부터 보호하고, 지하수를 저장하여 마을 주민에게 용수를 공급하는 역할을 한다. 또한 태풍이나 해일의 1차 충격을 흡수하여 그 피해를 완화시키는 기능이 탁월하다.

주요 단어 | (가)-생물 종 서식지 제공, 오염 물질 정화, 해일·태풍 피해 완화, (나)-방풍림 조성, 해풍 피해 및 염해 완화, 지하수 저장, 해일·태풍 피해 완화

채점 기준	배점
(1)을 쓰고, (2)의 항목 중 (가), (나)의 기능을 각각 두 가지 이상 서술한 경우	상
(1)을 쓰고, (2)의 항목 중 (가), (나)의 기능을 각각 한 가지만 서술한 경우	중
(1)을 쓰고, (2)의 항목 중 (가) 또는 (나)의 기능을 각각 한 가지만 서술한 경우	하

도전 수능 문제
p. 55 ~ p. 57

01 ②	02 ⑤	03 ⑤	04 ③	05 ④	06 ⑤
07 ⑤	08 ③	09 ②	10 ⑤	11 ①	12 ⑤

01 감입 곡류 하천과 자유 곡류 하천의 특성 🖩②

(가)는 감입 곡류 하천, (나)는 자유 곡류 하천이다. 자유 곡류 하천은 하천의 중·하류에 형성되기 때문에 감입 곡류 하천에 비해 유로 변동 가능성이 높다. 또한 자유 곡류 하천은 감입 곡류 하천보다 주변 농경지가 넓고 유량이 많기 때문에 용수로 제공하는 물의 양이 많다.

ㄴ, ㄷ. 감입 곡류 하천은 하천의 상류에 발달하기 때문에 하천의 중·하류에 발달하는 자유 곡류 하천보다 하상의 평균 해발 고도가 높고 퇴적물의 평균 입자 크기도 크다.

02 주요 하천 지형의 특성 🖩⑤

(가)는 상류, (나)는 하류 지역이다. A는 구하도, B는 하안 단구, D는 자연 제방, E는 배후 습지이다. ① 하천의 하방 침식은 상류에서 활발하다. ③ B는 지반 융기의 영향을 받아 형성된 하안 단구이기 때문에 하천 퇴적 지형인 C보다 고도가 높다. ④ C는 상류, E는 하류에 위치하기 때문에 C가 E보다 퇴적물의 평균 입자 크기가 크다. ⑤ D는 E보다 해발 고도가 높고 밭으로 이용되는 것으로 보아 배수는 D의 토양이 E의 토양보다 양호하다.

03 침식 분지의 형성 과정과 특징 🖩⑤

(가)는 침식 분지이다. 침식 분지는 시·원생대에 형성된 변성암과 중생대에 관입한 화강암의 차별 침식으로 형성되었다. A는 변성암, B는 화강암, C는 충적층이다.

내 것으로 만드는 셀파 - Tip

▶ **침식 분지**

의미	높은 산지로 둘러싸인 비교적 경사가 완만한 평지 지형
형성	차별적인 풍화·침식이나 하천의 침식으로 형성
특징	주거 및 농경 중심지로 발달 → 춘천, 양구, 충주 등

04 우리나라 주요 하천의 특징 🖩③

A는 한강의 지류 하천, B는 한강의 상류 구간, C는 백두대간, D는 낙동강의 지류 하천, E는 낙동정맥이다. 낙동강의 하구에는 하굿둑이 건설되어 있으며, 한강은 서해안으로 흘러들기 때문에 남해안으로 흘러드는 낙동강보다 하구의 조차가 크다.

정답을 찾아가는 셀파 - Tip

ㄱ. B 하천의 주변에는 범람원이 넓게 발달해 있다. (×)
→ B는 하천의 상류이기 때문에 범람원이 넓지 못하고 주로 하안 단구 등이 형성되어 있다.

ㄹ. C와 E 모두 중생대 지각 운동으로 형성되었다. (×)
→ C와 E는 1차 산맥에 해당되며, 신생대 지각 운동으로 형성되었다.

05 선상지와 삼각주의 특징 🖩④

(가)는 선상지, (나)는 삼각주이다. 선상지는 하천의 상류에, 삼각주는 하천의 하구에 형성된다. 따라서 삼각주는 선상지에 비해 홍수로 인한 침수 가능성이 높다. ①, ②, ③, ⑤ 삼각주는 하천의 하류에 형성되기 때문에 선상지에 비해 지하수면이 얕고, 하천의 경사가 완만하다. 또한 평균 해발 고도가 낮고 퇴적물의 평균 입자 크기가 작다.

06 선상지와 범람원의 특징 🖩⑤

A는 범람원의 배후 습지, B는 선상지이다. 선상지와 배후 습지는 모두 하천의 퇴적 작용으로 형성되며, 해발 고도가 낮은 배후 습지가 선상지보다 침수 가능성이 높다.

ㄱ, ㄴ. 범람원의 배후 습지는 선상지보다 경사가 완만하며, 퇴적물의 입자가 작기 때문에 배수가 불량하다.

07 자연 제방과 배후 습지의 특징 🖩⑤

A는 배후 습지, B는 자연 제방이다. 자연 제방은 배후 습지에 비해

평균 해발 고도가 높아 마을이 입지하기 유리하며, 퇴적물의 평균 입자 크기가 크다.

▶ **자유 곡류 하천 주변의 퇴적 지형 특징**

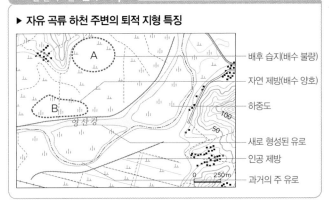

- 배후 습지(배수 불량)
- 자연 제방(배수 양호)
- 하중도
- 새로 형성된 유로
- 인공 제방
- 과거의 주 유로

08 하천 상류 지역의 주요 지형 특성 ❸ ③

A는 하안 단구, B는 습지, C는 카르스트 지형의 돌리네이다. B는 A보다 해발 고도가 낮기 때문에 ○○강의 범람에 의한 침수 가능성이 높다.

① C의 기반암은 중생대에 마그마의 관입으로 형성되었다. (×)
→ C의 기반암은 석회암으로 고생대 초기에 얕은 바다 밑에서 형성되었다.
② A는 B보다 퇴적 물질의 평균 입자 크기가 작다. (×)
→ 크다.
④ C는 B보다 배수가 불량하다. (×)
→ C는 카르스트 지형으로 절리가 잘 발달하여 배수가 양호하다.
⑤ ○○강의 상류는 측방 침식 작용이 하방 침식 작용보다 활발하다. (×)
→ 하방   → 측방

09 하안 단구와 해안 단구의 공통적 특징 ❸ ②

A는 하안 단구, B는 해안 단구이다. 하안 단구와 해안 단구 모두 지반 융기의 영향을 받아 해발 고도가 높아진 계단 모양의 지형이다.

ㄴ. 하안 단구, 해안 단구의 단구면에서는 주로 밭농사가 이루어진다. ㄹ. 하안 단구는 하천의 상류에 위치하기 때문에 홍수 발생 가능성이 낮고, 해안 단구는 하천 발달이 미약하고 해안에 위치하기 때문에 홍수가 잘 발생하지 않는다.

10 다양한 해안 지형의 특징 ❸ ⑤

A는 지반 융기로 형성된 해안 단구의 단구면, B는 파랑의 차별 침식으로 형성된 시 스택, C는 조류의 퇴적 작용으로 형성된 갯벌, D는 파랑이나 연안류의 퇴적 작용으로 형성된 사빈, E는 바람의 퇴적 작용으로 형성된 해안 사구이다. ⑤ 해안 사구는 사빈에서 가벼운 입자가 바람에 운반되어 퇴적되기 때문에 사빈보다 퇴적물의 평균 입자 크기가 작다.

11 해안 지형과 인간 생활 ❸ ①

A는 속초로 동해안의 대표적인 관광 및 어업 도시이다. 속초에는 후빙기 해수면 상승으로 형성된 석호인 청초호와 영랑호가 있다. 갑문식 독은 인천에 있다.

12 다양한 해안 지형의 특성 비교 ❸ ⑤

A는 사빈, B는 해식애, C는 갯벌, D는 석호, E는 사주이다. 사빈은 모래, 갯벌은 점토의 비율이 높기 때문에 사빈이 갯벌보다 퇴적물의 평균 입자 크기가 크다. 석호는 육지의 하천으로부터 담수가 유입되기 때문에 바다보다 염도가 낮다. 사주에는 바다 쪽에 백사장, 석호 쪽에 방풍림이 조성되어 있다.

ㄱ. B는 곶으로 파랑 에너지가 집중된다.

03 화산 지형과 카르스트 지형

p. 60 ~ p. 62

| 01 ① | 02 ① | 03 ⑤ | 04 ① | 05 ④ | 06 ④ |
| 07 ④ | 08 ② | 09 해설 참조 | | 10 해설 참조 | |

01 칼데라호의 형성과 분포 지역 ❸ ①

그림은 칼데라호의 형성 과정을 나타낸 것이다. 칼데라호는 대규모 화산 폭발 후 화구가 함몰하면서 화구의 규모가 커져 형성된 지형에 물이 고여 형성된 호수로, 우리나라에는 백두산 천지가 대표적이다. A는 백두산, B는 용암 대지, C는 울릉도, D는 독도, E는 한라산이다. 울릉도에는 칼데라 분지인 나리 분지가 있고 한라산의 산 정상부에는 화구호인 백록담이 있다.

02 백두산과 울릉도의 화산 지형 ❸ ①

(가)는 백두산 정상부에 해당하는 천지, (나)는 울릉도이다. 백두산 정상부와 울릉도는 모두 화산체의 꼭대기 부분에 해당하며 점성이 큰 용암이 분출하여 사면의 경사가 급하다. 또한 두 지역 모두 화구의 함몰로 형성된 칼데라가 있다.

ㄷ, ㄹ. 기생 화산 및 용암 동굴은 제주도에 형성되어 있는 화산 지형이다.

03 용암 대지의 특징 ❸ ⑤

지형도는 한탄강 일대의 용암 대지를 나타낸 것이다. 용암 대지는 시·원생대 지층 사이에서 열하(틈새) 분출한 현무암질 용암이 하곡을 메워 형성된 것으로, A는 현무암질 용암 대지, B는 시·원생대에 형성된 변성암이다.

정답을 찾아가는 셀파 - Tip

① A의 기반암은 배수가 불량하다. (×)
→ 현무암은 절리가 발달하여 배수가 양호하다.

② B의 기반암은 고생대에 형성되었다. (×)
→ 시·원생대

③ 논농사의 농업용수는 주로 배후 산지에서 공급된다. (×)
→ 양수 시설을 갖춘 후 한탄강에서 공급한다.

④ 한탄강의 양측면에는 홍수를 방지하기 위해 제방을 쌓았다. (×)
→ 한탄강의 양측면에는 주상 절리가 형성되어 있다.

04 제주도 주상 절리의 특성 | 답 ①

제시된 사진은 제주도의 주상 절리이다. 주상 절리는 화산 활동으로 분출된 유동성이 큰 용암이 굳는 과정에서 수축이 일어나면서 다각형 모양의 수직 절리로 이루어진 기둥 모양의 지형이다.

ㄷ. 제주도의 주상 절리는 신생대 제4기의 화산 활동으로 형성되었다. ㄹ. 열하 분출은 용암 대지의 형성과 관련 있다.

05 제주도의 화산 지형 특성 | 답 ④

제주도는 한라산 정상부를 중심으로 넓게 펼쳐진 방패 모양의 화산체이다. 제주도에는 기생 화산, 주상 절리, 용암 동굴, 화구호 등 다양한 화산 지형들이 형성되어 있다. ④ 용천대는 해안 저지대를 중심으로 발달한다.

내 것으로 만드는 셀파 - Tip

▶ 종상 화산과 순상 화산

종상 화산	• 급한 경사 – 종 모양 • 점성이 커서 유동성이 작은 용암 분출 • 기반암 – 조면암, 안산암 등 • 사례 – 울릉도, 백두산 및 한라산의 산 정상부
순상 화산	• 완만한 경사 – 방패 모양 • 점성이 작아 유동성이 큰 용암 분출 • 기반암 – 현무암 • 사례 – 백두산 및 한라산의 산록부

06 주요 카르스트 지형의 특징 | 답 ④

자료는 카르스트 지형의 모식도이다. A는 돌리네, B는 우발레, C는 종유석, D는 석회암이다. 돌리네는 지표의 깔때기 모양의 우묵한 용식 지형이며, 돌리네가 규모가 커지면 우발레가 된다. 석회암은 고생대 전기에 형성되었다.

ㄴ. 종유석은 탄산 칼슘 성분의 침전 현상으로 시간이 지날수록 길어진다.

07 카르스트 지형의 특징 | 답 ④

(가) 마을은 강원도 정선군에 있는 발구덕 마을이다. 발구덕 마을은 고생대 조선계 지층에 위치하기 때문에 석회암의 용식 작용으로 다양한 카르스트 지형이 분포한다. 카르스트 지형의 사례로는 석회동굴, 돌리네, 우발레, 종유석, 석순, 붉은색의 석회암 풍화토 등이 있다. ④ 카르스트 지형은 절리가 발달하기 때문에 배수가 잘 되어 벼농사에는 불리하다.

08 석회암의 이용과 문제점 | 답 ②

제시된 광산은 석회석 광산이다. 석회석은 고생대 조선 누층군에 매장되어 있으며, 채굴된 광석은 대부분 시멘트 공업의 원료로 이용된다. 시멘트 공업은 많은 분진과 소음을 발생시켜 인근 주민들의 건강에 위협을 주고 있다.

을. 석회석은 제철 공업에서 철광석에 포함된 철 이외의 불순물을 제거하는 용도로 일부 활용되지만 대부분 시멘트 공업에 활용된다.
병. 석회석 광산은 조선 누층군이 집중 분포하는 강원도와 충청북도 일대에 분포한다.

서술형 문제

09 제주도 화산 지형의 특징

(1) A는 기생 화산, C는 주상 절리이다.
(2) **모범 답안 |** A는 형성 과정에서 점성이 큰 용암이 분출하여 형성되었기 때문에 급경사로 이루어져 있으며, B는 유동성이 큰 용암이 분출하여 형성되었기 때문에 경사가 완만하다.
주요 단어 | 점성이 큰 용암, 유동성이 큰 용암

채점 기준	배점
(1)을 쓰고, (2)에서 A, B의 경사도 차이를 용암 특성과 옳게 연결지어 서술한 경우	상
(1)을 쓰고, (2)에서 A, B 중 한 가지만 경사도와 용암 특성을 옳게 연결지어 서술한 경우	중
(1), (2) 중 한 가지만 옳게 썼을 경우	하

10 우리나라 카르스트 지형의 분포

(1) (가)는 고생대 초에 형성된 조선 누층군이다.
(2) **모범 답안 |** (가)에 발달하는 지형은 카르스트 지형이다. 카르스트 지형은 석회암이 화학적 풍화(용식) 작용을 받아 형성된 것으로, 지표에는 돌리네, 우발레, 붉은색의 석회암 풍화토가 형성되고 지하에는 석회동굴이 발달하는데, 동굴 속에는 종유석, 석순, 석주 등 다양한 지형들이 발달한다.
주요 단어 | 석회암, 화학적 풍화(용식) 작용, 지표(돌리네, 우발레, 붉은색의 석회암 풍화토), 지하(석회동굴–종유석, 석순, 석주)

채점 기준	배점
(1)을 쓰고, (2)에 제시된 조건을 모두 포함하여 바르게 서술한 경우	상
(1)을 쓰고, (2)에 제시된 조건을 한 가지만 포함하여 서술한 경우	중
(1), (2) 중 기본적 개념만 제시한 경우	하

자료를 분석하는 셀파 - Tip

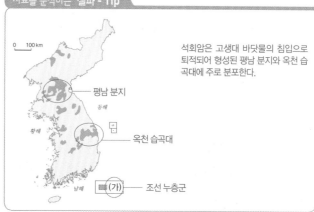

석회암은 고생대 바닷물의 침입으로 퇴적되어 형성된 평남 분지와 옥천 습곡대에 주로 분포한다.

평남 분지
옥천 습곡대
(가) 조선 누층군

01 용암 대지와 울릉도 화산 지형의 특징 ❘답❘ ①

A는 용암 대지, B는 변성암 산지, C는 울릉도의 중앙 화구구, D는 외륜산이다. 용암 대지에서는 한탄강의 관개수를 이용하여 주로 논농사를 한다. 변성암은 시·원생대, 용암 대지의 기반암은 신생대에 형성되었다.

자료를 분석하는 셀파 - Tip

변성암이 기반암인 주변 산지

중앙 화구구(알봉) → 주변 산지(외륜산)보다 형성 시기가 늦다.

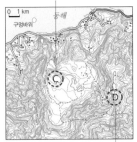

현무암이 기반암인 평탄한 용암 대지이며, 한탄강의 물을 관개하여 벼농사가 이루어진다.

급경사로 등고선의 간격이 조밀하다. → 점성이 큰 용암 분출(종상 화산)

02 화산 지형과 카르스트 지형의 공통점 ❘답❘ ①

(가)는 기생 화산, (나)는 돌리네이다. 따라서 (가)는 제주도, (나)는 카르스트 지형으로 두 지역 모두 절리가 발달하기 때문에 하천은 주로 건천이다.

② 카르스트 지형의 특징이다. ③ 화산 지형의 특징이다. ④ 제주도 화산 지형에는 검은색 계통, 카르스트 지형에는 붉은색 계통의 토양이 나타난다. ⑤ 화산 활동은 해발 고도를 높이지만 카르스트 지형은 용식 작용으로 인해 해발 고도가 낮아진다.

내 것으로 만드는 셀파 - Tip

▶ **제주도와 카르스트 지형 분포 지역의 공통점**
• 물이 지하로 잘 스며들어 배수가 양호함. → 밭농사 발달
• 기반암의 영향을 받아 형성된 간대토양 분포
• 용암 동굴, 석회동굴 등 자연 동굴 분포
• 지형도에 저하 등고선으로 표현되는 와지 분포
 (제주도의 저하 등고선은 기생 화산의 분화구, 카르스트 지형의 저하 등고선은 돌리네임.)

03 석회동굴과 용암 동굴의 특징 ❘답❘ ⑤

(가)는 석회동굴, (나)는 용암 동굴이다. 석회암이 분포하는 지역은 석회암의 용식 작용으로 형성된 붉은색의 석회암 풍화토가 분포하며, 현무암이 분포하는 지역에는 흑갈색의 현무암 풍화토가 분포한다.

① 석회동굴의 기반암인 석회암은 고생대 초기에, 용암 동굴의 기반암인 현무암은 신생대에 형성되었다. ② 용암 동굴에 대한 설명이다. ③ 시멘트 공업은 석회암이 기반암인 카르스트 지형에서 발달한다. ④ 석회동굴에 대한 설명이다.

04 제주도 화산 지형과 카르스트 지형의 특징 ❘답❘ ④

A는 유동성이 큰 용암이 흘러 이루어진 완경사의 화산 지형, B는 기생 화산, C는 돌리네이다. 기생 화산은 대부분 화산 쇄설물로 이루어졌다. 돌리네 주변에는 붉은색의 토양, 기생 화산 주변에는 검은색의 토양이 분포한다. 제주도 화산 지대와 석회암 지대는 절리가 발달하여 배수가 잘된다. 따라서 두 지역 모두 주로 밭농사 중심의 농사가 이루어진다.

④ A의 기반암인 현무암은 신생대, C의 기반암인 석회암은 고생대에 형성되었다.

자료를 분석하는 셀파 - Tip

제주도 중산간 지역에 발달한 순상 화산체

석회암이 용식 작용을 받아 형성된 돌리네

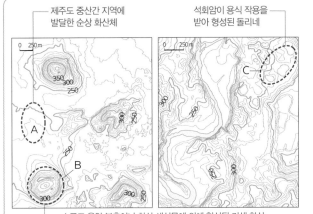

소규모 용암 분출이나 화산 쇄설물에 의해 형성된 기생 화산

III 기후 환경과 인간 생활

01 우리나라의 기후 특성

탄탄 내신 문제   p. 70 ~ p. 73

01 ⑤	02 ①	03 ⑤	04 ①	05 ⑤	06 ⑤
07 ②	08 ⑤	09 ③	10 ⑤	11 ④	12 ④
13 ③	14 해설 참조		15 해설 참조		

01 기후 요인과 기후 요소   답 ⑤

기후 요인은 기후 요소의 분포에 영향을 미친다. (가) 홍천이 강릉보다 기온의 연교차가 큰 것은 홍천이 내륙에 위치하여 강릉보다 여름에 기온이 높고 겨울에 기온이 낮기 때문이다. 대구가 포항보다 최난월 평균 기온이 높은 것은 바다의 영향을 적게 받기 때문이다. 대구와 포항은 위도가 비슷한데, 대구는 내륙에 위치하여 해안에 위치하는 포항보다 최난월 평균 기온이 높은 것이다. 따라서 (가)는 수륙 분포가 적절하다. (나) 서귀포가 제주보다 여름 강수량이 많은 것은 한라산의 남쪽에 위치하여 남서·남동 계절풍이 불 때 바람받이가 되기 때문이다. 호남 지방이 영남 내륙 지방보다 연 강수량이 많은 것은 지형의 영향이 크다. 따라서 (나)는 지형이 적절하다.

02 위도와 기온   답 ①

지역 간의 기온 차이에 가장 큰 영향을 미치는 기후 요인이 위도이다. 저위도에서 고위도로 가면서 일사량이 감소하여 기온이 낮아진다. 따라서 적절한 사례는 위도의 차이로 나타나는 현상을 찾으면 된다.

정답을 찾아가는 셀파 - Tip

ㄱ. 홍천은 중강진보다 연평균 기온이 높다. (○)

ㄴ. 목포는 인천보다 최한월 평균 기온이 높다. (○)

ㄷ. 강릉은 대관령보다 최난월 평균 기온이 높다. (×)
 → 강릉과 대관령은 위도가 비슷하기 때문에 두 지역 간의 기온 차이는 위도가 아니라 해발 고도와 관계가 깊다. 대관령이 강릉보다 해발 고도가 높기 때문에 최한월 평균 기온이 낮다.

ㄹ. 서울은 울릉도보다 최한월 평균 기온이 높다. (×)
 → 서울이 울릉도보다 최한월 평균 기온이 높은 것은 내륙에 위치하기 때문이다.

03 우리나라의 기후 특성   답 ⑤

중위도 지역은 태양의 회귀에 의해 사계절이 뚜렷하게 나타나는데, 이는 냉·온대 기후의 특색에 해당한다. 우리나라는 대륙 동안에 위치해 계절풍이 불기 때문에 기온의 연교차가 큰 대륙성 기후가 나타난다.

04 중위도 대륙 동안과 서안의 기후 차이   답 ①

런던은 중위도 대륙 서안에 위치하는 도시로 연중 바다에서 불어오는 편서풍의 영향을 받고 연안에는 난류가 흘러 연중 강수량이 고르고 기온의 연교차가 작다. 서울은 대륙 동안에 위치하는 도시로 겨울에 시베리아 기단에서 불어오는 차가운 북서 계절풍의 영향을 받아 춥고 건조하며, 여름에 북태평양 기단에서 불어오는 고온 다습한 남서 계절

풍의 영향을 받아 덥고 습하다. 서울은 런던보다 연 강수량이 많고, 기온의 연교차가 크다.

ㄷ. 강수량은 여름에 집중되며, ㄹ. 최한월 평균 기온이 낮다.

05 소우지 분포와 특징   답 ⑤

A는 관북 해안 지역으로 남서 계절풍에 대해 함경산맥의 바람그늘 지역에 해당하고 연안에는 한류가 흐른다. B는 대동강 하류로 지형적 장애가 적어 주변 지역에 비해 강수량이 적은 편이다. C는 영남 내륙 지역으로 남서 계절풍이 불 때에 소백산맥의 바람그늘에 해당되어 강수량이 적다.

06 강수량 분포   답 ⑤

우리나라의 강수 분포는 지형의 영향을 많이 받는다. A는 평양, B는 원산, C는 서울, D는 강릉, E는 군산, F는 목포, G는 대구, H는 부산이다.

ㄱ. 대동강 하류부에 위치하는 평양(A)은 지형 장애가 적어 연 강수량이 적은 편이고, 원산(B)은 북한에서 다우지에 속한다.

내 것으로 만드는 셀파 - Tip

▶ 강수 분포의 지역 차

다우지	습윤한 남서 기류의 바람받이 지역, 남해안 일대, 한강 중·상류, 청천강 중·상류
소우지	바람그늘 지역인 개마고원과 영남 내륙, 저평한 대동강 하류
다설지	북서 계절풍의 영향을 받는 울릉도, 충남 및 호남 서해안 지역, 북동 기류의 바람받이 지역인 영동 지방

07 기후 요소의 분포   답 ②

인천, 양평, 대관령, 울릉도 중에서 연 강수량이 가장 많은 곳은 대관령, 가장 적은 곳은 인천이다. 기온의 연교차는 내륙에 위치한 양평이 가장 크고, 동해에 위치한 울릉도가 가장 작다. 따라서 A는 울릉도, B는 대관령, C는 양평, D는 인천이다. ② 대관령이 양평보다 해발 고도가 높다.

정답을 찾아가는 셀파 - Tip

① A는 D보다 하계 강수 집중률이 높다. (×)
 → 울릉도는 인천보다 겨울에 눈이 많이 내리기 때문에 하계 강수 집중률이 낮다.

③ B는 D보다 최한월 평균 기온이 높다. (×)
 → 대관령은 인천보다 해발 고도가 높기 때문에 최한월 평균 기온이 낮다.

④ C는 A보다 바다의 영향을 크게 받는다. (×)
 → 양평은 내륙에 위치하고 울릉도는 동해안에 위치하므로 울릉도는 양평보다 바다의 영향을 크게 받는다.

⑤ D는 A보다 태양의 남중 시각이 이르다. (×)
 → 인천이 울릉도보다 서쪽에 위치하기 때문에 태양이 정남쪽에 오는 시각인 태양의 남중 시각은 울릉도가 인천보다 이르다.

08 기후 요소 분포   답 ⑤

지도에서 A는 군산, B는 포항, C는 부산이다. 세 지역 중에서 연 강수량이 가장 많고 기온의 연교차가 가장 작은 지역은 부산이므로 (가)는 부산(C)이다. 연 강수량이 가장 적고 기온의 연교차가 중간인 지역은 포항이므로 (나)는 포항(B)이다. 연 강수량이 두 번째로 많고 기온의 연교차가 가장 큰 지역은 군산이므로 (다)는 군산(A)이다.

09 기후 요소 분포 답 ③

A의 시작점은 구성이며 도착점은 청진이다. B의 시작점은 대동강 하구의 남포이며, 도착점은 장전이다. C의 시작점은 인천, 도착점은 울진이다. 세 지역 모두 시작점이 도착점보다 ㄴ. 기온의 연교차가 크고, ㄷ. 여름 강수 집중률이 높다.

ㄱ. 연 강수량은 B의 경우 시작점보다 도착점이 많고, ㄹ. 농작물 재배 가능 기간은 세 지역 모두 도착점이 시작점보다 길다.

10 바람의 특성 답 ⑤

(가)는 북서풍이 탁월하므로 1월, (나)는 (가)보다 특정 풍향의 집중 빈도가 낮고 상대적으로 남서풍의 빈도가 높으므로 7월이다.

11 겨울철 일기도의 특징과 영향 답 ④

일기도에서 강력한 고기압이 대륙에 자리 잡고 있고 저기압이 바다에 자리 잡고 있으므로 제시된 일기도는 겨울철의 일기도에 해당한다. 겨울철에 시베리아 기단의 영향으로 삼한 사온 현상이 나타난다. ① 비가 자주 내리는 것과 ② 무더위가 지속되는 것, ③ 남서 계절풍이 부는 것, ⑤ 한낮에 소나기가 내리는 현상은 모두 여름철에 나타나는 현상이다.

12 우리나라에 영향을 미치는 주요 기단의 영향 답 ④

(가) 시베리아 기단은 겨울에 주로 영향을 미치며 고위도 내륙에 위치하여 한랭 건조하다. 이와 관련이 있는 기상 현상은 한파, 삼한 사온, 꽃샘추위, 북서 계절풍이다. (나) 북태평양 기단은 여름에 주로 영향을 미치며 저위도 해양에 위치하여 고온 다습하다. 이와 관련이 있는 기상 형상은 폭염, 장마, 열대야, 남서 계절풍이다.

13 여름과 겨울의 일기도 답 ③

(가)는 바다에 강력한 고기압이 발달하고 내륙에 저기압이 발달하였으므로 여름, (나)는 내륙에 고기압이 발달하고 등압선 간격이 좁으므로 겨울이다. ③ 대류성 강수는 지면 가열이 원인이 되어 내리는 비

이다. 여름이 겨울보다 대류성 강수 빈도가 높다.

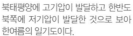
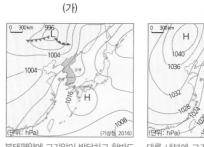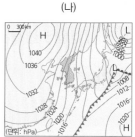
서술형 문제

14 중부 지방에서 동해안이 서해안보다 기온이 높은 배경

(1) **모범 답안** | 1월 평균 기온은 B 지역이 더 높다. 태백산맥이 차가운 북서 계절풍을 막아주고, A 연안의 수온에 비해 B 연안의 수온이 높기 때문이다.

주요 단어 | 태백산맥, 북서 계절풍, 수온

(2) **모범 답안** | 태백산맥이 해안을 따라 평행하게 분포하기 때문이다.

주요 단어 | 태백산맥, 해안, 평행

채점 기준	배점
기온이 높은 곳을 쓰고, 그 이유와 등온선이 해안에 평행한 이유를 모두 서술한 경우	상
기온이 높은 곳을 쓰고, 그 이유나 등온선이 해안에 평행한 이유 중 하나만 서술한 경우	중
기온이 높은 곳, 그 이유, 등온선이 해안에 평행한 이유 중 하나만 서술한 경우	하

15 기온의 연교차 분포

모범 답안 | A 지역은 중강진이다. 중강진은 격해도가 커서 해양의 영향보다 대륙의 영향을 크게 받으며, 다른 지역보다 상대적으로 위도가 높다.

주요 단어 | 중강진, 격해도, 대륙, 위도

채점 기준	배점
중강진의 기온의 연교차가 큰 이유를 두 가지 이상 서술한 경우	상
중강진의 기온의 연교차가 큰 이유를 한 가지만 서술한 경우	중
중강진의 기온 연교차가 큰 이유를 서술하였으나 내용이 미흡한 경우	하

01 기후 요소의 분포 답 ④

지도의 A는 서울, B는 대전, C는 대구, D는 목포이다. 서울, 대전, 대구, 목포 중에서 서울은 고위도 내륙에 위치하기 때문에 기온의 연교차가 가장 크다. 따라서 (다)는 서울이다. 대구는 연 강수량이 가장 적기 때문에 (가)는 대구이다. 대전과 목포 중에서 목포가 저위도 해안에 위치하기 때문에 기온의 연교차가 더 작으므로 (나)는 목포이다. 따라서 남은 (다)는 대전이다. 목포는 북한의 남포처럼 지형적 장애가 없어 호남 지방에서는 연 강수량이 적은 편에 속한다.

02 기후 요소의 분포 답 ④

지도의 A는 동두천, B는 대관령, C는 울릉도이다. 동두천은 한강 중·상류에 위치하는 지역인데, 한강 중·상류는 다우지이면서 여름철 강수 집중률이 높은 곳이다. 대관령은 해발 고도가 높아 기온이 낮고 눈이 많이 내리는 곳이다. 울릉도는 동해에 위치하며 사계절 강수량이 비교적 고르기 때문에 다른 지역에 비해 여름철 강수 집중률은 낮고, 겨울철 강수 집중률이 높다. 또한 비슷한 위도의 다른 지역에 비해 기온의 연교차가 가장 작다.

(가)는 울릉도가 가장 높고 동두천이 가장 낮은 항목, (나)는 동두천이 가장 높고 대관령이 가장 낮은 항목이다. 기온의 연교차는 동두천＞대관령＞울릉도 순으로 높고, 연 강수량은 대관령＞동두천＞울릉도 순으로 많다. 겨울 강수 집중률은 울릉도＞대관령＞동두천 순으로 높으며, 최난월 평균 기온은 동두천＞울릉도＞대관령 순으로 높다.

03 우리나라의 바람 특징 답 ④

㉠은 편서풍, ㉡은 계절풍, ㉢은 북서 계절풍, ㉣은 남서·남동 계절풍, ㉤은 높새바람, ㉥은 푄 현상이다. ④ 높새바람이 불면 바람받이인 영동 지방이 바람그늘인 영서 지역보다 상대 습도가 높다.

04 기후 현상의 분포 답 ④

(가)는 해발 고도가 높은 곳의 수치가 낮고 대구, 광주 등 내륙 지역의 수치가 높으므로 일평균 기온 30℃ 이상 일수이고, (나)는 강원도, 호남 지방 등의 수치가 높으므로 적설량이다.

05 기후 요소의 분포 답 ③

지도에서 A는 대관령, B는 강릉, C는 울릉도, D는 대구, E는 제주이다. A∼E 중에서 대관령은 연 강수량이 뚜렷하게 많은 곳, 강릉은 여름 강수 집중률이 낮고 겨울철 눈이 많이 내리는 곳, 울릉도는 여름철 강수 집중률이 낮은 곳이고, 대구는 연 강수량이 가장 적은 곳, 제주는 남쪽에 위치하여 기온의 연교차가 가장 작고, 연평균 기온은 가장 높은 곳이다.

그래프의 (가)는 여름 강수 집중률이 가장 낮으므로 울릉도(C)이다. (나)는 울릉도 다음으로 여름 강수 집중률이 낮고 기온의 연교차가 비교적 큰 것으로 보아 강릉(B)이다. (다)는 연평균 기온이 가장 높고 기온의 연교차가 가장 작으므로 제주(E)이다. (라)는 연 강수량이 가장 적으므로 대구(D)이다. (마)는 연평균 기온이 가장 낮으므로 대관령이다.

06 강수량의 분포 특징 답 ②

지도의 세 지역은 경기의 동두천, 전북의 정읍, 경북의 구미이다. A∼C 중에서 A는 겨울 강수량이 가장 많으므로 정읍, B는 연 강수량이 가장 적으므로 구미, C는 연 강수량이 가장 많고 여름에 강수량이 집중되므로 동두천이다.

> #### 정답을 찾아가는 셀파 - Tip
>
> ㄱ. A는 B보다 바다의 영향을 많이 받는다. (○)
> → 정읍이 구미보다 바다와 가깝고, 구미는 영남 내륙 분지에 위치하므로 정읍이 구미보다 바다의 영향을 많이 받는다.
>
> ㄴ. A는 C보다 장마 전선의 영향을 늦게 받는다. (×)
> → 장마 전선은 남쪽에서 북쪽으로 이동하므로 정읍이 동두천보다 장마 전선의 영향을 먼저 받는다.
>
> ㄷ. B는 C보다 최난월 평균 기온이 높다. (○)
> → 최난월 평균 기온은 상대적으로 위도가 높은 동두천이 가장 낮으므로 구미가 동두천보다 최난월 평균 기온이 높다.
>
> ㄹ. A는 한강 유역, B는 낙동강 유역에 위치한다. (×)
> → 정읍은 동진강 유역, 구미는 낙동강 유역에 위치한다.

07 남부 지방 세 지역의 기후 요소 분포 답 ①

지도의 A는 군산, B는 구미, C는 포항이다. 세 지역 중에서 연 강수량은 군산이 가장 많고 기온의 연교차는 구미가 가장 크며, 연평균 기온은 포항이 가장 높다. 군산이 가장 높고 구미가 가장 낮은 (가)는 연 강수량, 포항이 가장 높고 군산이 가장 낮은 (나)는 연평균 기온이다. 구미가 가장 높고 포항이 가장 낮은 (다)는 기온의 연교차이다.

08 지역 간 기후 요소 차이 답 ④

기후 값의 차이는 울릉도의 값에서 해당 지역을 뺀 것이므로 울릉도보다 값이 크면 음(−)의 값을 갖는다.

> #### 자료를 분석하는 셀파 - Tip
>
>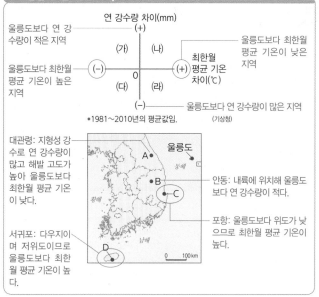

01 계절 음식의 종류   답 ②

ㄱ은 화전, ㄴ은 송편, ㄷ은 삼계탕이다. 화전은 봄철, 송편은 가을, 삼계탕은 여름철 음식이다.

02 기온과 생활   답 ②

김장은 추운 겨울을 나기 위한 저장 식품이므로 겨울이 빨리 시작되는 추운 지역이 따뜻한 지역보다 먼저 담근다. 지도에서 남해안은 12월 25일경이고, 중부 내륙 지방은 11월 20일경으로 추위가 시작되는 시기와 관계가 깊다.

03 남부 지방과 북부 지방의 김치   답 ③

남부 지방은 북부 지방에 비해 겨울이 따뜻하기 때문에 저장성을 높이기 위해 짜고 맵게 담그는 경향이 있다. 따라서 맵고 짜며 국물이 거의 없게 담그는 남부 지방(나)은 싱겁고 고춧가루를 적게 사용하는 북부 지방(가)에 비해 기온의 연교차가 작고 최한월 평균 기온이 높으며, 농작물 생육 기간이 길다.

04 제주도와 울릉도의 전통 가옥 구조   답 ①

(가)는 고팡, 물항 등이 있으므로 제주도의 전통 가옥 구조, (나)는 방설벽인 우데기가 있으므로 울릉도의 전통 가옥 구조이다. 제주도는 겨울에 비교적 따뜻하기 때문에 다른 지역에 비해 온돌이 더 발달하지는 않았다.

05 남부 지방과 관북 지방의 가옥 구조   답 ⑤

(가)는 대청마루(㉠)가 발달한 남부 지방의 가옥 구조, (나)는 정주간(㉡)과 전(田)자형의 가옥 구조가 나타나므로 겨울이 추운 관북 지방의 가옥 구조이다. ⑤ 대청마루는 목재로 만들지만 정주간은 부엌과 온돌로 연결되어 있어 나무로 만들면 안 된다. 전통 가옥에서는 흙으로 만들었다.

내 것으로 만드는 셀파 - Tip

▶ 기온과 주민 생활

구분	의복	음식	가옥
남부 지방	모시옷, 삼베옷	김장 김치가 짜고 매움, 염장 식품 발달	개방적 구조(대청마루, 온돌)
북부 지방	솜옷, 가죽옷	김장 김치가 담백하고 싱거움.	폐쇄적 구조(정주간)

06 여름철 기후에 적응한 가옥 구조 특징   답 ⑤

자료는 대청마루에 대한 것이다. 대청마루는 여름철의 무더위에 대비한 가옥 구조로 북부 지방보다는 남부 지방에서 더 발달하였다.

07 제주도의 기후와 전통 가옥   답 ③

제주도 전통 가옥의 지붕 경사가 완만하고, 지붕을 줄로 엮은 것은 바람이 강하기 때문이다.

자료를 분석하는 셀파 - Tip

▶ 제주도의 전통 가옥

물항 풍채 — 완만한 지붕 경사, 줄로 엮은 지붕
— 돌담

08 강수와 주민 생활   답 ⑤

사진은 울릉도의 우데기와 강원도의 눈이 많이 오는 지역에서 사용되던 설피이다. 우데기는 눈이 많이 오는 울릉도의 전통 가옥에 나타나는 방설벽이고, 설피는 산간 지역에서 눈밭을 걸을 때 신던 일종의 덧신이다. 이것을 신으면 눈이 깊어도 빠지지 않으며 비탈에서 미끄러지지 않는다.

09 높새바람의 특징   답 ④

자료에 나타난 바람은 높새바람이다. 높새바람은 늦은 봄에서 초여름에 걸쳐 동해로부터 태백산맥을 넘어 불어오는 고온 건조한 바람이다. 높새바람이 불면 기온이 높아지고, 대기가 건조해진다. 따라서 높새바람은 ㄱ. 습도가 낮은 건조한 바람이고, ㄴ. 늦봄과 초여름 사이에 주로 분다. ㄹ. 오호츠크해 기단이 동해에 정체될 때 잘 발생한다.

ㄷ. 높새바람이 불면 영서 지방은 건조해지므로 모내기에 도움이 되지 않는다.

내 것으로 만드는 셀파 - Tip

▶ 높새바람

예로부터 영서 지방의 농민들은 높새바람으로 인하여 초목이 말라 죽으니 이를 녹색풍(綠塞風)이라고 하였고, '7월 동풍이 벼를 말린다.'고 하여 살곡풍(殺穀風)이라고도 불렀다. 높새바람은 주로 영서 지방을 비롯하여 경기도·충청도·황해도에 걸쳐 영향을 미치나 때로는 그 외의 지역까지 영향을 미치기도 한다.

강희맹(姜希孟)의 『금양잡록(衿陽雜錄)』에는 '영동 지방은 바람이 바다를 거쳐 불어와 따뜻해서 쉽게 비를 내리게 하여 식물을 잘 자라게 하나, 이 바람이 산을 넘어가면 고온 건조해져 식물에 해를 끼친다.'라고 하였다. 따라서 영동 지방 사람들은 농사철에 동풍이 불기를 바랐으나 영서 지방 사람들은 동풍 대신 서풍이 불기를 바랐다고 한다.

10 기온 역전 현상   답 ③

정상적인 대기 상태에서는 해발 고도가 높아질수록 기온이 낮아진다. 그러나 해발 고도가 높아질수록 기온이 높아지는 현상이 나타날 때 이를 기온 역전 현상이라고 한다. 기온 역전 현상은 늦가을에서 초봄 사이의 맑은 날 밤에 복사 냉각이 활발하게 일어나면서 지표 부근의 기온이 하강하고, 이로 인해 산지에서 형성된 찬 공기가 더 무겁게 되어 사면을 따라 아래로 흘러내리면서 발생한다. 따라서 기온 역전 현상은 분지나 산간 계곡에서 바람이 없고 맑은 날 밤에 잘 나타난다.

정답을 찾아가는 셀파 - Tip

ㄱ. 새벽보다는 저녁에 잘 발생한다. (×)
→ 복사 냉각이 활발하여 지면이 차갑게 식는 새벽에 발생한다.

ㄴ. 여름철보다는 겨울철에 잘 발생한다. (○)
→ 여름철보다는 복사 냉각으로 차가운 공기가 산지에서 평지로 잘 흘러내리는 겨울에 잘 발생한다.

ㄷ. 흐린 날보다는 맑은 날에 잘 발생한다. (○)
→ 복사 냉각이 활발한 맑은 날이 흐린 날보다 잘 발생한다.

ㄹ. 바람이 약하게 부는 날보다는 강하게 부는 날에 잘 발생한다.
(×) → 바람이 강하면 대기가 섞이기 때문에 바람이 없는 날 잘 발생한다.

11 강수량과 주민 생활　답 ③

사과 생산량이 가장 많은 지역은 경북이므로 A는 경북, 감귤 생산량이 가장 많은 지역은 제주이므로 B는 제주이다. ㄴ. 경북이 제주보다 기온의 연교차가 크고, ㄷ. 제주는 경북보다 겨울에 따뜻하다.

정답을 찾아가는 셀파 - Tip

ㄱ. A는 B보다 연 강수량이 많다. (×)
→ 경북은 제주보다 연 강수량이 적다. 경북은 여름철 남서 기류가 유입될 때 소백산맥의 비그늘에 해당되어 연 강수량이 적은 편이다.

ㄹ. B는 A보다 연평균 풍속이 약하다. (×)
→ 바다는 바람의 장애물이 없기 때문에 풍속이 강하다. 따라서 섬인 제주가 경북보다 연평균 풍속이 강하다.

12 여름과 겨울의 일기도　답 ②

(가)는 고기압이 북태평양에 위치하므로 한여름, (나)는 유라시아 대륙 내부에 고기압이 위치하므로 한겨울의 일기도이다. ㄱ. 한여름에는 피서지가 붐비고, ㄷ. 한겨울에는 난방을 많이 한다.

ㄴ. 신록은 늦봄이나 초여름에 새로 나온 잎의 푸른빛을 의미하며, ㄹ. 단풍놀이는 가을과 관련 있다.

서술형 문제

13 홍수와 가뭄에 대비한 시설

모범 답안 | 우리나라는 여름에 강수량이 집중되기 때문에 여름에는 홍수, 다른 계절에는 가뭄 피해를 입기 쉽다. 사진에 나타난 다목적 댐은 강수량이 많을 때 물을 저장했다가 강수량이 적을 때 사용하기 위한 시설이다.

주요 단어 | 여름철 강수 집중, 다목적 댐, 홍수와 가뭄 피해 대비

채점 기준	배점
설치 목적을 우리나라의 기후 특성과 관련지어 설명하고 홍수와 가뭄 예방을 모두 서술한 경우	상
설치 목적을 우리나라의 기후 특성과 관련지어 설명하고 홍수와 가뭄 예방 중 한 가지만 서술한 경우	중
설치 목적, 우리나라의 기후 특성, 홍수와 가뭄 예방 중에서 한 가지만 서술한 경우	하

14 도시 열섬 현상

(1) 도시 열섬 현상

(2) **모범 답안 |** 고층 건물이 많아 이들 건물로부터 나오는 인공 열이 많다. 포장 면적이 넓고 녹지 공간이 적다. 고층 빌딩이 많아 야간의 복사 냉각 시에 대기로의 복사 에너지 배출이 원활하지 않다. 등

주요 단어 | 고층 건물, 인공 열, 지표 포장 면적 증가, 녹지 공간 부족, 대기 복사 에너지 배출

채점 기준	배점
(1)을 쓰고, 도심 지역의 기온이 주변 지역의 기온보다 높은 이유를 세 가지 모두 서술한 경우	상
(1)을 쓰고, 도심 지역의 기온이 주변 지역의 기온보다 높은 이유를 한 가지 이상 서술한 경우	중
(1)만 쓴 경우	하

자료를 분석하는 셀파 - Tip

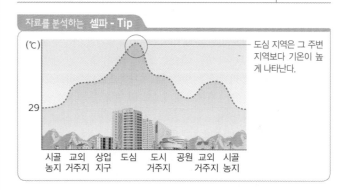

도심 지역은 그 주변 지역보다 기온이 높게 나타난다.

도전 수능 문제　p. 84 ~ p. 85

| 01 ③ | 02 ① | 03 ④ | 04 ③ | 05 ⑤ | 06 ③ |
| 07 ④ | 08 ② |

01 대청마루와 온돌의 기능　답 ③

(가)는 대청마루, (나)는 온돌이다. 대청마루는 여름철의 덥고 습한 기후에 대비한 시설이며, 온돌은 겨울철의 추운 기후에 대비한 가옥 구조로 우리나라 전역에서 나타난다.

ㄱ. 대청마루는 북부 지방보다 남부 지방에서 뚜렷하게 나타난다.
ㄹ. (가)는 여름철, (나)는 겨울철에 대비한 가옥 구조이므로 하나의 가옥에 대청마루와 온돌이 모두 나타나는 경우가 많다.

02 울릉도와 제주의 가옥 구조　답 ①

(가)는 방설벽인 우데기가 있으므로 울릉도, (나)는 고팡과 물항이 있으므로 제주도의 전통 가옥 구조이다. 물항은 물항아리라는 뜻이다. 옛날에는 냇물이나 마을의 공동 우물에서 물을 길어다 식수로 사용하였기 때문에 집집마다 물을 저장하는 항아리가 필요하였다. 제주도는 지표수가 부족하여 다른 지역에 비해 물항의 필요성이 컸으며, 부엌의 한견에 세워 두거나 부뚜막의 한 부분을 파서 묻고 사용하였다.

ㄱ. (가) 지역은 (나) 지역보다 연 강설량이 많다. (○)
→ 울릉도   → 제주도

ㄴ. (가), (나) 지역 모두 화산 활동으로 형성된 섬이다. (○)
→ 신생대 제3기 말~제4기 초 화산 활동으로 제주도, 울릉도가 형성되었다.

ㄷ. (가), (나) 지역 모두 온돌을 이용한 난방 시설이 발달하지 않았
다. (×)
→ 울릉도 전통 가옥 구조에서 방 쪽을 향한 아궁이를 보아 온돌이 발달한 것을 알
수 있다. 제주도의 전통 가옥은 밥을 짓는 솥이 가옥 바깥쪽을 향해 있으나 추울
때 난방을 할 수 있도록 별도의 아궁이를 설치해 온돌을 깔았다. 따라서 두 지역
모두 온돌을 이용한 난방 시설이 발달하였다.

ㄹ. (가) 지역에서는 벼농사, (나)는 밭농사가 발달하였다. (×)
→ 두 지역 모두 지표수가 부족하여 경지의 대부분을 밭으로 이용하며, 벼농사 발달
이 미약하다.

03 관북 지방과 남부 지방의 가옥 구조   답 ④

(가)는 전(田)자형으로 방을 배치하고 부엌의 열기를 난방에 활용할
수 있는 시설인 정주간이 있는 것으로 보아 겨울이 춥고 긴 관북 지방
의 전통 가옥 구조이다. (나)는 방을 일(一)자형으로 배치하고, 통풍이
잘되는 대청마루가 있는 것으로 보아 여름이 덥고 습하며 긴 남부 지
방의 전통 가옥 구조이다.

ㄹ. 남부 지방은 북부 지방보다 첫 서리일이 늦다.

04 강수량과 주민 생활   답 ③

비가 많이 내리는 여름철에는 집중 호우로 홍수가 발생하기 쉬우므
로 평야 지역에서는 터를 돋우고 그 위에 집을 짓는 터돋움집(ㄴ)이 발
달하였다. 강수가 적은 지역은 일조 시수가 길기 때문에 천일제염업
(ㄱ)이 발달하였다. ㄷ은 까대기로 눈·바람과 관련이 있다.

▶ 까대기

까대기는 기본적으로 바람을 막는 역
할을 한다. 찬 바람이 불어오기 시작할
무렵 처마에 이어지는 차양을 따라서 볏
짚으로 새로운 벽을 만든 것으로, 차가
운 북서 계절풍과 눈보라를 막아 집 안
을 따뜻하게 하는 데 도움을 준다. 까대
기는 찬 북서풍이 잦아들고 포근한 봄이 찾아올 무렵 그 벽을 걷어 낸다. 이처
럼 매년 늦가을에 설치하고 봄이 되면 걷는 것이 울릉도의 우데기와 구별된다.
까대기의 흔적은 전라도의 바닷가나 내륙 마을 어디에서나 볼 수 있다.

05 대설의 긍정적 측면과 부정적 측면   답 ⑤

겨울철에 눈이 많이 내리면 비닐하우스가 붕괴될 수 있고 또한 눈이
비닐하우스를 덮으면 햇빛이 작물을 비추기 어려워 작물의 생장을 저
해한다.

06 우리나라 도시 기후 특징   답 ③

도시 기후는 지표면이 포장되어 있어 식생이 자리 잡고 있는 촌락과
는 다른 기후가 나타난다.

ㄷ. 열섬 현상은 바람이 없고 난방이 활발한 겨울철의 새벽녘에 뚜
렷하게 나타난다.

07 기온 역전 현상과 열섬 현상   답 ④

(가)는 해발 고도가 높아지면서 기온이 상승하는 현상이 나타나므
로 기온 역전 현상, (나)는 도심 지역의 기온이 주변 지역에 비해 높게
나타나므로 열섬 현상이다.

ㄱ. 기온 역전 현상은 분지 지형에서 잘 나타난다. ㄷ. 바람이 강하
면 대기가 서로 섞이게 되어 기온 역전 현상이나 열섬 현상 모두 뚜렷
하게 나타나지 않는다.

08 열섬 현상   답 ②

열섬 현상은 녹지 공간이 넓은 주변 지역보다 산업 시설이 많은 도
심이나 공업 지역에서 높은 경향이 나타난다. ㄱ. 도심은 주로 상업 및
업무 기능이, 주변 지역은 주거 기능이 상대적으로 탁월하므로 도심
지역이 주변 지역보다 일평균 기온이 높을 것이다. ㄷ. 그래프에서 녹
지 지역은 다른 지역보다 기온이 낮으므로 녹지 공간을 늘리면 열섬
현상을 완화할 수 있다.

03   자연재해와 기후 변화

01 ⑤	02 ③	03 ②	04 ④	05 ⑤	06 ⑤
07 ④	08 ②	09 ④	10 ④	11 ⑤	12 ⑤
13 해설 참조		14 해설 참조			

01 대설, 태풍, 호우 피해액의 연 변화   답 ⑤

자연재해 피해액 규모가 가장 작은 (다)는 대설이다. 태풍은 내습하
는 횟수에 따라 피해액 차이가 크기 때문에 피해액 변동 폭이 큰 (나)
는 태풍이다. 태풍에 비해 피해액 변동 폭이 작고 대설보다 피해액이
많은 (가)는 호우이다.

02 자연재해의 피해액 분포   답 ③

자연재해별로 피해를 입는 지역은 다소 차이가 나타난다. 상대적으
로 태풍은 전남, 경남 등 남부 지방의 피해액 비중이 높고, 호우는 여
름철 강수 집중률이 높은 한강 중·상류가 위치하는 경기의 피해액 비
중이 높으며, 대설은 강원의 피해액 비중이 높다. 따라서 (가)는 태풍,
(나)는 호우, (다)는 대설이다.

① (나)는 서고동저의 기압 배치에서 잘 발생한다. (×)
→ 호우는 주로 여름에 발생하는데 여름에는 남고북저형의 기압 배치가 잘 나타난다. 서고동저의 기압 배치는 겨울에 잘 나타난다.

② (다)는 강풍과 많은 비를 동반한다. (×)
→ 강풍과 많은 비를 동반하는 것은 태풍이다.

④ (나)는 주로 겨울, (다)는 주로 여름에 발생한다. (×)
→ 호우는 주로 여름, 대설은 주로 겨울에 발생한다.

⑤ (다)는 (나)보다 우리나라의 연 강수량에 미치는 영향이 크다. (×)
→ 우리나라의 연 강수량에 미치는 영향은 호우가 대설보다 크다.

03 황사 현상의 특징   답 ②

봄에 집중적으로 발생하고 여름에는 발생하지 않는 것으로 보아 황사 발생 횟수를 나타낸 것이다. ② 황사가 발생하면 대기 중의 먼지 농도가 높아진다.

① 각종 용수 부족을 초래한다. (×)
→ 각종 용수 부족을 초래하는 자연재해는 가뭄이다.

③ 남고북저의 기압 배치에서 잘 발생한다. (×)
→ 남고북저의 기압 배치에서 잘 발생하는 자연재해에는 무더위와 관련된 폭염, 열대야 등이 있다.

④ 하천 주변 저지대에서 침수 피해가 발생한다. (×)
→ 하천 주변 저지대에서 침수 피해가 발생하는 자연재해는 홍수이다.

⑤ 미끄럼으로 인한 교통사고 위험성이 높아진다. (×)
→ 미끄럼으로 인한 교통사고 위험성이 높아지는 자연재해는 대설이다.

04 대설, 태풍, 호우의 특징   답 ④

(가)는 주로 겨울에 발생하므로 대설, (나)는 주로 장마 전선이 형성되는 7월에 발생하므로 호우, (다)는 주로 8~9월에 발생하므로 태풍이다. ④ 호우는 태풍보다 바람에 의한 피해가 적다.

① 소백산맥의 서사면은 겨울철 북서풍의 바람받이로 많은 눈이 내리므로 대설 피해액이 영남 지방보다 많다. ② 호우로 인한 피해는 주로 하천의 범람으로 발생하므로 하천 주변의 충적지에서 피해가 크다. ③ 태풍이 지나는 길목인 남부 지방은 중부 지방보다 피해액이 많다. ⑤ 태풍은 강풍과 강수를 동반해 대설에 비해 피해가 크게 나타난다.

05 서울, 대구, 부산의 기온 상승   답 ⑤

ㄴ. 부산, 대구, 서울 중에서 서울이 가장 고위도이고 부산이 가장 저위도이므로 (가)는 기온이 높은 부산, (다)는 기온이 낮은 서울, (나)는 대구이다. ㄷ. 부산은 해안, 대구와 서울은 내륙에 위치한다. ㄹ. 세지역 모두 연평균 기온이 상승하는 경향이 나타난다.

ㄱ. 서울은 온난화와 도시 기후의 영향으로 봄꽃의 개화 시기가 빨라지고 있다.

06 한반도의 기온 상승 분포   답 ⑤

한반도는 평균적으로는 기온이 상승했지만, 지역에 따라 차이가 크다. ㄷ. 소백 산지가 지나는 곳은 기온이 소폭 상승했거나 변화가 없는 곳도 있다. ㄹ. 서울, 대구 등 대도시 주변의 기온 상승 폭이 크다.

ㄱ. 해안 지방과 내륙 지방은 기온 상승의 규칙성이 뚜렷하게 드러나지 않는다. ㄴ. 해발 고도가 높은 태백 산지와 소백 산지의 기온 상

승 폭이 낮으므로 해발 고도와 기온 상승 폭은 반비례한다.

07 기온 상승의 영향   답 ④

(가) 시기에 비해 (나) 시기에 봄 시작일이 빨라질 것으로 예상된다. 봄 시작일이 빨라진다는 것은 기온이 상승한다는 것을 의미한다. 기온 상승은 자연환경에 큰 영향을 미친다. 강원도의 고랭지 배추 재배 적지 면적은 감소하고, 한라산 고산 식물 분포 면적도 감소하며 냉대림의 해발 고도 한계는 높아진다.

▶ **기온 상승이 한반도에 미친 영향**
- 해수면 온도 상승, 해수면 상승
- 열대야 증가, 성하일 증가
- 영하일 감소, 서리일 감소, 결빙일 감소
- 겨울 짧아짐, 여름 길어짐.
- 봄꽃 개화 시기 빨라짐, 단풍 시기 늦어짐.
- 난방 수요 감소, 냉방 수요 증가
- 난대림, 온대림, 냉대림 식생대 북상
- 봄꽃 축제 시기 빨라짐.
- 스키장 개장 시기 느려짐, 스키장 폐장 시기 빨라짐.
- 여름 방학 기간 증가, 겨울 방학 기간 감소

08 농작물 재배지 변화 원인   답 ②

농작물 주요 재배지가 북상한다는 것은 기온이 상승했음을 의미한다. 특히 감귤의 경우 난대성 작물이기 때문에 겨울이 추운 곳에서는 재배하기 어렵다. 그러므로 이 작물의 주요 재배지가 북상한다는 것은 지구 온난화로 겨울 기온이 따뜻해졌음을 의미한다.

09 온실 효과의 영향과 대책   답 ④

자료는 증가한 이산화 탄소 때문에 지구 대기에서 방출되는 에너지가 감소하고 더 많은 에너지가 흡수되어 대기가 더욱 가열되고 온실 효과가 강화되는 원리를 보여주고 있다. 온실 효과가 강화되면 지구의 평균 기온이 상승한다. ④ 석탄 화력 발전소를 늘리면 온실가스가 증가하여 지구 온난화 현상이 악화된다.

10 우리나라의 식생 분포   답 ④

식생은 남쪽에서 북쪽으로 가면서, 해발 고도가 높아지면서 난대림, 온대림, 냉대림 순으로 분포한다. ㄴ. 냉대림은 주로 북부 지방의 해발 고도가 높은 산지를 중심으로 분포하며, ㄹ. 남해안과 제주도 등지의 해발 고도가 낮은 곳에는 난대림인 상록 활엽수가 분포한다.

ㄱ. 냉대림의 고도 한계는 북부 지방이 남부 지방보다 낮다. ㄷ. 우리나라의 식생 분포는 강수량보다 기온의 영향이 더 크다.

11 토양의 분포와 특징   답 ⑤

(가)는 강원도 남부와 충청북도 북부를 중심으로 분포하므로 석회암 풍화토, (나)는 큰 하천의 유로를 따라 주로 분포하므로 충적토, (다)는 해안 지역을 중심으로 분포하므로 염류토이다. ⑤ 충적토(나)와 염류토(다)는 미성숙 토양이다. 기후와 식생의 영향으로 형성된 토양은 성대 토양으로, 갈색 삼림토, 회백색토 등이 있다.

내 것으로 만드는 셀파 - Tip

▶ **토양의 구분**

토양은 지형, 기후, 식생 등의 영향을 받아 형성된다. 식물 성장의 근본적인 토대가 되고, 농업·임업·축산업 등과 같은 1차 산업의 토대를 이룬다.

토양 층위에 따른 구분	성숙토	형성 시기가 길고, 토양층의 분화가 잘 이루어짐.
	미성숙토	형성 시기가 짧고, 토양층의 분화가 잘 나타나지 않음.
토양 형성 요인에 따른 구분	성대 토양	• 기후나 식생의 영향을 받아 토양층이 뚜렷하게 구분되는 성숙한 토양 • 위도와 평행하게 발달, 식생 분포와 유사함.
	간대토양	기반암(모암)의 성질을 강하게 반영한 성숙한 토양

12 지표면의 변화가 도시 공간에 미치는 영향   답 ⑤

도시화 이전은 지표면에 식생이 자리 잡고 있었던 반면 도시화 이후에는 지표면에 건축물이 자리 잡고 포장 면적 비율이 높다. ㄷ. 인공 열의 배출량이 늘어나 열섬 현상이 나타나게 되어 기온이 상승하므로 주변 지역과의 기온 차이가 커졌을 것이다. ㄹ. 유출량이 9%에서 47%로 늘어나기 때문에 강수 시에 지표로 흐르는 빗물의 양이 증가했을 것이다.

ㄱ. 건물이 바람의 장애물이 되면서 평균 풍속이 약해진다. ㄴ. 대기에 수분을 공급하는 곳은 줄어들고 기온은 상승하기 때문에 상대 습도는 낮아지게 된다.

자료를 분석하는 셀파 - Tip

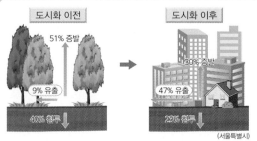

빗물이 땅속으로 스며들지 못하면서 녹지가 메마르고 토지와 환경이 건조한 상태로 황폐해지는 현상을 도시 사막화라고 한다. 도시화로 포장 면적이 증가하고 이에 따른 빗물의 지표 유출과 열섬 현상에 의한 상대 습도의 감소로 가로수 등의 수목이 말라 죽는 등 도시 사막화가 두드러지게 나타나고 있다.

서술형 문제

13 자연재해의 특징

(1) (가)는 대설, (나)는 호우, (다)는 태풍이다.

(2) **모범 답안** | 태풍은 강풍과 많은 비를 동반하므로 이로 인한 피해를 입을 수 있다. 강풍으로 가로수가 쓰러지거나 간판이 날아갈 수 있으므로 바람에 날아갈 위험이 있는 지붕, 간판 등을 단단히 고정한다. 많은 양의 비가 내려 저지대 침수, 산사태 등의 위험이 있으니 안전한 곳으로 대피한다.

주요 단어 | 강풍, 많은 비, 간판, 고정, 침수, 산사태, 대피

14 도시의 지표 공간 변화 영향

모범 답안 | (가) 시기는 지표면의 포장 면적 비율이 낮고 나무와 풀이 자랄 수 있는 녹지 공간이 넓다. 반면, (나)는 지표면의 포장 면적 비율이 높고 인공 구조물이 많은 반면 녹지 공간이 적다. 이러한 변화로 인해 (나) 시기는 (가) 시기에 비해 인공 열의 발생이 많아 기온이 높고, 하천의 지표 유출량이 많아 상대 습도가 낮으며, 빌딩이 바람이 부는데 장애물 역할을 하여 풍속이 약하다.

주요 단어 | 지표면 포장 면적 비율, 녹지 공간, 인공 열, 하천의 지표 유출량, 풍속

채점 기준	배점
기온, 습도, 바람의 세 측면에서 모두 서술한 경우	상
기온, 습도, 바람의 두 측면에서만 서술한 경우	중
기온, 습도, 바람의 한 측면에서만 서술한 경우	하

도전 수능 문제   p. 94 ~ p. 95

01 ②	02 ④	03 ③	04 ③	05 ⑤	06 ②
07 ②	08 ①				

01 황사와 폭염의 특징   답 ②

(가)는 주로 봄철에 발생 횟수 비중이 높고, 창문을 닫고 공기 정화기를 사용하는 것, 외출 시 마스크를 착용하는 것 등과 같은 재해 대응 행동 요령을 보아 황사임을 알 수 있다. (나)는 7~8월에 발생 횟수 비중이 높고, 출입문 개방, 가벼운 옷차림을 하는 것 등과 같은 재해 대응 행동 요령을 보아 폭염임을 알 수 있다.

정답을 찾아가는 셀파 - Tip

① (가)는 열대 해상에서 발생하여 고위도로 이동한다. (×)
→ 열대 해상에서 발생하여 고위도로 이동하는 것은 태풍이다.

③ (나)를 대비한 전통 가옥 시설로 터돋움집이 있다. (×)
→ 터돋움집은 호우로 인한 침수 피해를 방지하기 위해 집터를 높게 돋우고 그 위에 지은 집이다.

④ (나)는 서고동저형 기압 배치가 전형적으로 나타나는 계절에 주로 발생한다. (×)
→ 서고동저형 기압 배치는 한겨울에 주로 나타난다. 폭염은 여름철에 발생하는데, 여름철의 전형적인 기압 배치는 남고북저형이다.

⑤ (가)는 강수, (나)는 기온과 관련된 재해이다. (×)
→ 황사는 강수와 관련된 재해가 아니다. 폭염은 기온과 관련된 재해이다.

02 대설, 태풍, 호우의 특징 답 ④

기후적 요인의 자연재해는 특정 지역의 기후와 관련되어 있기 때문에 자연재해별 피해액의 지역 차이가 다소 있다. 호우의 경우 여름철 강수 집중률이 높은 중부 지방인 수도권과 강원권에서 많은 경향이, 태풍은 상대적으로 태풍의 영향을 많이 받는 남부 지방에서 많은 경향이, 대설은 겨울에 눈이 많이 내리는 강원, 호남 지방, 충남 지방에서 많은 경향이 나타난다. 제주의 경우 호우보다는 태풍의 피해액이 많은 경향이 나타난다. 따라서 (가)는 태풍, (나)는 호우, (다)는 대설이다.

ㄹ. 대설, 태풍, 호우 중에서 우리나라 연 강수량에서 차지하는 비중은 호우가 대설보다 높다.

자료를 분석하는 셀파 - Tip

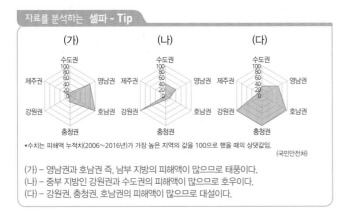

*수치는 피해액 누적치(2006~2016년)가 가장 높은 지역의 값을 100으로 했을 때의 상댓값임. (국민안전처)

(가) – 영남권과 호남권 즉, 남부 지방의 피해액이 많으므로 태풍이다.
(나) – 중부 지방인 강원권과 수도권의 피해액이 많으므로 호우이다.
(다) – 강원권, 충청권, 호남권의 피해액이 많으므로 대설이다.

03 태풍, 호우, 대설의 특징 답 ③

지도의 A는 경기, B는 강원, C는 전남이다. 경기, 강원, 전남 중에서 강원은 경기나 전남에 비해 대설의 피해액 비중이 높으므로 (가)는 강원이다. 경기는 태풍이나 대설에 비해 호우의 피해액 비중이 높으므로 (나)는 경기이다. 전남은 태풍의 피해액 비중이 경기나 강원에 비해 높으므로 (다)는 전남이다. 따라서 (가)는 B, (나)는 A, (다)는 C이다.

04 대설, 지진, 황사의 영향 답 ③

(가)는 대설, (나)는 황사, (다)는 지진이다. ③ 열대 해상에서 발생하여 우리나라로 이동하는 것은 태풍과 관련 있다.

05 기온 상승의 영향 답 ⑤

그래프는 서울의 여름이 길어지고 겨울은 짧아졌으며 2090년에는 이러한 현상이 더욱 심화될 것이라는 것을 보여주고 있다. 이러한 변화가 나타나는 이유는 기온 상승 때문이다. 기온이 상승하면 해수면이 상승하여 해안 지역의 침수 피해가 증가할 것이고, 겨울이 따뜻해져 난방 수요는 감소하고 냉방 수요는 증가할 것이다. 또한 한라산에서 고산 식물의 고도 한계가 높아질 것이고, 냉대림 면적은 감소하며 난대림 면적은 증가할 것이다. ⑤ 여름철에 기온이 너무 높아지면 사과 재배가 어려워지기 때문에 영남 지방에서 사과의 재배 적지 면적은 감소하게 될 것이다.

06 계절별 기온 변화 답 ②

ㄱ. 우리나라는 여름보다 겨울에 기온의 지역 차이가 크다. 부산, 인천, 제주 중에서 겨울 기온이 가장 높은 (다)는 제주, 겨울 기온이 가장 낮은 (나)는 인천, (가)는 부산이다. ㄷ. 겨울 기온은 인천(나)>부산

(가)>제주(다) 순으로 크게 상승하였다. 위도는 인천>부산>제주 순으로 높으므로 위도가 높을수록 겨울 기온 상승 폭이 크다.

ㄴ. 겨울에 추운 인천(나)은 겨울에 따뜻한 제주(다)보다 무상 일수가 적다. ㄹ. 인천은 겨울 기온, 제주는 봄 기온이 가장 크게 상승하였다.

자료를 분석하는 셀파 - Tip

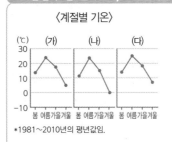

*1981~2010년의 평년값임.

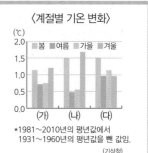

*1981~2010년의 평년값에서 1931~1960년의 평년값을 뺀 값임. (기상청)

우리나라는 여름보다 겨울에 기온의 지역 차이가 뚜렷하기 때문에 여름 기온보다 겨울 기온을 토대로 할 때 지역을 더 잘 파악할 수 있다.
(나) – 겨울 기온이 가장 낮으므로 가장 고위도에 위치한 인천이다.
(다) – 겨울 기온이 가장 높으므로 가장 저위도에 위치한 제주이다.

봄 – 제주에서 기온 상승 폭이 가장 크다.
여름 – 인천과 부산은 기온 상승 폭이 가장 작고 제주는 겨울과 비슷하다.
겨울 – 인천과 부산에서 기온 상승폭이 가장 크다.

07 동해 표층 수온 변화 답 ②

동해의 표층 수온은 2월과 8월 모두 상승하는 경향이 나타난다. 이와 같은 수온의 변화는 지구 온난화와 관련이 깊다. 지구의 평균 기온이 상승하면 ㄱ. 단풍이 드는 시기가 늦어지고, ㄹ. 한류성 어종이 감소하고 난류성 어종이 증가한다.

ㄴ. 감나무의 재배 고도 한계는 높아지며, ㄷ. 수온이 상승하여 아열대 수산 생물의 출현 빈도가 증가한다.

08 토양의 분포와 특징 답 ①

(가)는 기반암의 영향을 강하게 받은 간대토양이다. 우리나라에 분포하는 주요 간대토양은 석회암 풍화토와 현무암 풍화토이다. 이 중에서 토양의 색이 붉은 것은 석회암 풍화토이다. (나)는 토양의 형성 시기가 짧은 미성숙토로 하천의 운반 물질이 퇴적되어 형성되었으므로 충적토이다. (다)는 토양의 형성 시기가 짧은 미성숙토로 주로 간척지와 해안에 분포하므로 염류토이다. 지도에서 A는 고생대 조선 누층군이 분포하는 강원 남부 지역에 주로 분포하므로 석회암 풍화토, B는 하천 유로를 따라 분포하므로 충적토, C는 간척지와 해안에 분포하므로 염류토이다. 따라서 (가)는 A, (나)는 B, (다)는 C이다.

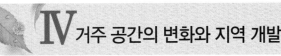

IV 거주 공간의 변화와 지역 개발

01 촌락의 변화와 도시 발달

탄탄 내신 문제   p. 102 ~ p. 105

01 ③	02 ①	03 ⑤	04 ③	05 ④	06 ⑤
07 ④	08 ②	09 ④	10 ②	11 ④	12 ③
13 해설 참조		14 해설 참조			

01 촌락의 변화 　　　　　　　　　　　　　　　　답 ③

전통적으로 벼농사가 활발하게 이루어져 온 농촌은 협동 노동의 필요성이 크기 때문에 집촌(集村)을 이루는 경우가 많다. 가옥은 산지와 평지가 만나는 배산임수 지역에 입지한 경우가 많았다. 이 지역은 산에서 땔감을 확보하기 쉽고, 지하수 개발이 용이하며, 하천 주변 농경지 개척에도 유리한 장소이다. 산지촌은 경지가 좁아 많은 인구를 농사만으로 부양할 수 없기 때문에 임업을 겸하는 경우가 많았으며, 산촌을 이루었다.

ㄹ. 암석 해안은 경지가 부족하기 때문에 농경이 어렵다. 반농 반어촌은 암석 해안에 입지한 촌락보다 모래 해안에 입지한 촌락에서 더 잘 나타난다.

02 촌락의 입지 요인 　　　　　　　　　　　　　답 ①

제주도는 지표수가 부족하기 때문에 샘이 솟아나는 해안 지역에 전통 취락이 입지하였고, 선상지에는 선정과 하천이 복류하다가 샘솟는 선단을 중심으로 취락이 입지하였다. 따라서 ㉠, ㉡에 공통적으로 들어갈 내용은 '용천이 있어 물을 구하기 쉽기 때문이다'가 옳다.

내 것으로 만드는 셀파 - Tip

▶ 촌락의 입지 요인과 입지 장소

입지 요인		입지 장소
자연적 요인	용수 확보	영농에 필요한 물과 경지를 얻을 수 있는 곳 → 제주도 해안의 용천대, 선상지의 선단
	피수 유리	홍수를 피할 수 있는 곳 → 범람원의 자연 제방, 산록 완사면
사회적·경제적 요인	교통 유리	• 육상 교통이 발달한 곳 → 역원 취락 • 하천 교통이 발달한 곳 → 수운의 요충지, 나루터 취락
	방어 유리	지형적으로 방어에 유리한 지역이나 국경 및 해안 지역 → 진 취락, 영 취락, 산성 취락

03 인구 유출이 활발했던 촌락의 변화 　　　　답 ⑤

전라북도 임실은 1970년 이후 인구가 큰 폭으로 감소하였고, 유소년층 및 청장년층 인구가 큰 폭으로 감소하고 노년층 인구는 소폭 줄어들어 상대적으로 노년층 인구 비중이 큰 폭으로 증가하였다.

정답을 찾아가는 셀파 - Tip

ㄱ. 1990년은 2015년보다 중위 연령이 높다. (×)
→ 중위 연령은 인구를 연령 순으로 세웠을 때, 가운데에 있는 사람의 연령이다. 노년층 인구 비중이 증가하였으므로 2015년이 1990년보다 중위 연령이 높다.

ㄴ. 1970~2015년에 경지 이용률이 높아졌다. (×)
→ 인구 유출로 노동력 부족 및 노동력 고령화 현상이 나타났으므로 1970~2015년에 경지 이용률은 낮아졌다.

ㄷ. 1970~2015년에 폐교되는 초등학교가 나타났다. (○)
→ 인구가 감소, 특히 유소년층 인구가 크게 줄었으므로 1970~2015년에 폐교되는 초등학교가 나타났다.

ㄹ. 1970~2015년에 청장년층 중심으로 인구 유출이 이루어졌다.
(○) → 청장년층 인구가 크게 감소하였으므로 1970~2015년에 청장년층 중심의 인구 유출이 이루어졌다.

04 이촌 향도의 인구 이동 　　　　　　　　　　답 ③

1960년대 산업화 과정에서 촌락 인구가 도시로 유입되는 이촌 향도 현상이 나타났고, 인구 유출로 인한 촌락의 인구 감소로 서비스 수요 감소와 취업 기회 부족이라는 악순환이 반복되었다. 촌락 유출 인구는 여성층이 많았는데 도시에서의 취업이 남성에 비해 유리했기 때문이다. 따라서 촌락에서는 결혼 적령기 연령층의 성비가 높아져 남초 현상이 가속화되었다. 인구 고령화로 촌락의 노년층 인구 비중이 높아졌으며, 촌락 전체의 성비가 낮아졌는데, 이는 노년층 여성이 남성보다 평균 수명이 길기 때문이다.

05 강원도의 폐교 증가 원인 　　　　　　　　　답 ④

폐교가 발생한다는 것은 학생 수가 감소한다는 의미이다. 학생 수 감소는 산업화와 도시화에 따른 이촌 향도, 가정용 에너지 소비 구조의 변화에 따른 폐광 증가, 가족계획 정책과 양육비 증가에 따른 합계 출산율의 감소에 영향을 받았다.

ㄴ. 농공 단지 입지는 촌락에 일자리를 증가시키므로 이촌 향도를 완화하는 방안에 해당한다.

06 지역별 도시 성장 차이 　　　　　　　　　　답 ⑤

지도의 세 지역은 경기 용인시, 충북 청주시, 울산시이다. 이 중에서 (가)는 현재 인구 규모가 120만 명에 조금 못 미치고 1970~1990년에 빠르게 성장한 광역시이므로 울산(C)이고, (나)는 1970년 이후 현재까지 꾸준하게 성장하고 있으므로 지방 중심 도시인 청주(B)이며, (다)는 1990년대부터 빠르게 성장한 도시이므로 대도시의 인구 교외화에 따라 빠르게 성장한 위성 도시인 용인(A)이다.

07 도시 발달의 역사 　　　　　　　　　　　　　답 ④

㉠ 1970년대 대도시의 성장과 함께 중화학 공업이 빠르게 발달한 공업 도시로는 남동 임해 공업 지역의 울산, 포항, 창원 등이 대표적이다. ㉡ 1990년대 이후 대도시 주변 지역의 위성 도시가 빠르게 성장한 사례로는 서울 주변의 고양시, 성남시 등이 있다. 지도에서 A는 고양시, B는 원주시, C는 창원시이다. 따라서 ㉠에는 남동 임해 지역의 울산, 포항, 창원(C) 등의 도시가, ㉡에는 고양(A), 성남 등이 해당된다.

08 중심지 이론 　　　　　　　　　　　　　　　답 ②

ㄴ. 최소 요구치의 범위는 동일 규모의 중심 기능인 경우 도시가 촌

락보다 좁다. 최소 요구치의 범위는 최소 요구치를 확보할 수 있는 범위이기 때문에 인구 밀도가 높고 소비자의 분포 밀도가 높은 도시가 촌락보다 좁은 것이다. ㄹ. 중심지가 성립하기 위해서는 최소 요구치의 범위가 재화의 도달 범위보다 더 작거나 같아야 한다.

▶ **중심지 이론**

의미	중심지의 계층 구조와 분포에 관한 일반 법칙을 체계화한 이론
특징	• 중심지: 주변 지역에 재화와 서비스를 공급하는 중심 기능이 모여 있는 곳 • 배후지: 중심지로부터 재화와 서비스를 공급 받는 주변 지역
중심지의 성립 조건	• 최소 요구치: 중심지가 성립하기 위한 최소한의 수요 • 재화의 도달 범위: 중심지가 수행하는 기능이 미치는 공간적 한계 범위 • 최소 요구치보다 재화의 도달 범위가 더 넓거나 같아야 중심지가 성립됨.

09 우리나라의 도시화율 변화 답 ④

우리나라는 도시화율이 지속적으로 높아지면서 도시 면적이 넓어졌으므로 시가지 면적이 지속적으로 넓어졌다. 도시화율은 도시 인구 비율로 도시 인구가 50% 미만이면 도시보다 촌락에 거주하는 인구가 많다는 것을 의미한다. 2015년에 도시화율이 91%이므로 촌락에 거주하는 인구 비율은 9.0%이다. 따라서 2015년에 도시에 거주하는 인구는 촌락에 거주하는 인구보다 10배 이상 많다.

ㄴ. 이촌 향도 현상은 1995~2015년보다 산업화와 도시화가 활발했던 1960~1990년에 활발하였다.

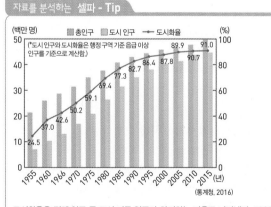

도시화율은 전체 인구 중 도시 거주 인구가 차지하는 비율로 나타낸다. 1960년대부터 도시화가 빠르게 진행되면서 가속화 단계에 진입하였으며 1990년대 이후에는 종착 단계에 진입하여 현재 전체 인구의 90% 이상이 도시에 거주하고 있다.

10 우리나라의 도시 분포 답 ②

1960년과 2015년의 도시 분포를 비교해 보면 중소 도시에 비해 대도시의 인구 성장이 뚜렷했음을 알 수 있다. 도시화가 가장 활발하게 진행된 곳은 수도권으로, 이 기간에 도시 수와 도시 인구가 뚜렷하게 증가하였다. 또한 도시 수와 도시 인구는 대전-광주 축보다 서울-대전 축에서 그 규모가 눈에 띄게 성장하였다. 1960~2015년에 수원, 고양, 포항, 창원 등 위성 도시 및 공업 도시가 전통적인 지방 중심 도시보다 인구 성장이 뚜렷하였다. 영남 지방은 원료 수입과 제품 수출에

유리하여 공업이 발달한 해안 지역이 내륙 지역보다 도시 인구 규모가 더 크게 증가하였다.

11 도시 체계 이해 답 ④

도시 간 상호 작용은 두 도시의 인구 규모가 클수록, 거리가 가까울수록 활발해진다. 인천이 대구보다 인구가 많고 서울과의 거리도 가까우므로 서울~인천 간의 상호 작용이 서울~대구 간의 상호 작용보다 사람과 물자의 이동이 활발하다. 교통이 발달하면 거리 이동에 드는 시간과 비용이 감소하기 때문에 더욱 다양한 선택을 할 수 있는 상위 중심지의 이용 빈도가 높아진다. 종주 도시는 인구 규모 1위 도시인 수위 도시의 인구가 인구 규모 2위 도시의 인구보다 2배 이상 많은 현상이다. 서울의 인구가 부산의 인구보다 2배 이상 많으므로 서울은 종주 도시이다. 지방 행정 중심 도시와 같은 고차 중심지는 중심지의 수가 읍급 도시보다 적다.

④ 부산, 인천 등 광역시는 도시 규모와 중심 기능에 차이가 있기 때문에 배후지에 제공하는 재화와 서비스의 종류에 차이가 있다.

12 강원, 경기, 경남의 도시 체계 답 ③

강원, 경기, 경남 중에서 (가)는 인구 1위 도시의 인구가 가장 많고 다른 지역에 비해 인구가 많은 도시가 많으므로 경기이고, (나)는 인구 규모 1위 도시(창원 통합시) 인구가 약 100만 명이지만 다른 도시의 인구는 적은 편이므로 경남, (다)는 인구 규모 1위 도시의 인구도 40만 명에 미치지 못하고 다른 지역의 인구 규모도 작으므로 강원이다. ③ 강원에서 인구가 가장 많은 도시는 원주로 석탄을 생산하지 않는다. 석탄 생산이 활발한 도시는 태백, 정선 등이다.

① (가)의 도시는 서울 대도시권의 확대 과정에서 인구가 증가하였다. (○)
→ 경기에 위치한 도시들은 서울 대도시권의 확대 과정에서 서울 인구의 교외화로 인구가 증가하였다.

② (나)의 1위 도시는 남동 임해 공업 지역에 위치한다. (○)
→ 경남의 1위 도시는 창원으로 남동 임해 공업 지역에 위치한다. 남동 임해 공업 지역은 경북 포항에서 전남 여수에 이르는 해안 공업 지역이다.

④ (가)는 (다)보다 도시에 거주하는 인구 비율이 높다. (○)
→ 경기가 강원보다 도시화율이 높다.

⑤ (나)는 (다)보다 도시 인구가 많다. (○)
→ 경남은 강원보다 도시 인구가 많다.

13 인구 유출이 활발한 촌락의 특성

(1) **모범 답안** | 대도시에서 멀리 떨어져 있고, 산업이 발달하지 못하여 이촌 향도로 인한 인구 유출이 활발하였다.
주요 단어 | 대도시, 산업, 이촌 향도, 인구 유출 활발
(2) **모범 답안** | 청장년층 인구가 감소하여 노동력이 부족해졌고, 유소년 인구의 감소로 폐교가 증가하였다. 노년층 인구 비중의 증가로 고령화 현상이 심화되고 있다.
주요 단어 | 노동력 부족, 폐교 증가, 인구 고령화 심화

채점 기준	배점
인구가 감소한 이유와 인구 구조의 변화로 인해 나타난 문제점 두 가지를 모두 서술한 경우	상
인구가 감소한 이유를 옳게 적고, 인구 구조의 변화로 인해 나타난 문제점을 한 가지만 서술한 경우	중
인구가 감소한 이유와 인구 구조의 변화 중 한 문항만 바르게 서술한 경우	하

14 고차 중심지와 저차 중심지

(1) ㉠ 적 ㉡ 많 ㉢ 적 ㉣ 좁 ㉤ 넓

(2) **모범 답안 |** 대도시는 중소 도시에 비해 보유하고 있는 기능이 많기 때문에 더 넓은 배후지가 필요하다. 이로 인해 대도시의 수가 중소 도시에 비해 적다.

주요 단어 | 도시 기능, 많다, 배후지, 넓다.

채점 기준	배점
(1)을 모두 적고, (2)의 대도시가 중소 도시보다 그 수가 적은 이유를 논리적으로 서술한 경우	상
(1)을 모두 적고, (2)의 대도시가 중소 도시보다 그 수가 적은 이유를 서술하였으나 논리적이지 못한 경우	중
(1), (2) 중 한 문항만 바르게 서술한 경우	하

도전 수능 문제 p. 106 ~ p. 107

01 ③   02 ③   03 ④   04 ③   05 ①   06 ⑤
07 ③   08 ④

01 촌락의 변화   답 ③

(가) 시기보다 (나) 시기에 경지 면적이 감소하였고 시가지 면적과 도로 면적 등은 증가하였다.

정답을 찾아가는 셀파 - Tip

ㄱ. (가)는 (나)보다 중심 기능이 다양할 것이다. (×)
→ 시가지가 발달한 (나)가 (가)보다 중심 기능이 다양할 것이다.

ㄴ. (가)는 (나)보다 1차 산업 종사자 비율이 높을 것이다. (○)
→ (가)는 농업 활동이 주로 이루어지던 시기이므로 도시화가 진행된 (나) 시기보다 1차 산업 종사자 비율이 높을 것이다.

ㄷ. (나)는 (가)보다 농가의 농업 외 소득 비중이 높을 것이다. (○)
→ 도시화가 진행되어 농업 이외의 부분에서 소득을 올릴 기회가 증가하므로 (나)는 (가)보다 농가구의 농업 외 소득 비중이 높다.

ㄹ. (나)는 (가)보다 농가에서 차지하는 전업 농가의 비율이 높을 것이다. (×)
→ 전업 농가는 농업 이외의 분야에서 소득이 없는 농가이다. 도시화가 진행되면 전업 농가의 비율은 낮아지고 겸업농가의 비율은 높아진다.

02 전통 촌락의 입지   답 ③

제주도는 기반암에 절리가 발달하였기 때문에 강수량은 많지만 쉽게 지하로 스며들어 지표수가 부족하다. 그래서 내륙 지역은 촌락이 발달하기 어려웠고, 해안의 용천대에서는 물을 구할 수 있어 해안 지역에서 취락이 발달하였다.

03 집촌과 산촌의 특징   답 ④

(가)는 특정 장소에 가옥이 밀집하여 분포하므로 집촌(集村), (나)는 가옥이 서로 어느 정도 거리를 유지하면서 흩어져 분포하므로 산촌이다. ㉠ 협동 노동의 필요성이 큰 벼농사 지역에서는 집촌이 발달하였고, ㉡ 혈연 중심의 동족촌에서도 집촌이 발달하였다. ㉢ 가옥과 경지의 결합도는 경지 내에 가옥이 분포하는 산촌이 집촌보다 높고, ㉣ 경지가 협소한 산간 지역은 여러 집이 모여 살면 식량이 부족해지므로 산촌이 발달하였다.

04 지역별 도시 성장 특징   답 ③

(가)는 경기의 고양시와 성남시, (나)는 강원의 원주시와 제주의 서귀포시, (다)는 전북의 익산시와 경북의 경주시, (라)는 경북의 구미시와 전남의 광양시, (마)는 충남의 보령시와 강원의 태백시이다. ③ 전라북도의 도청은 전주에 그대로 있고, 경상북도의 도청은 대구에서 안동으로 이전하였다.

정답을 찾아가는 셀파 - Tip

① (가) – 대규모 주택 공급 이후 서울로의 통근자 수 변화 (○)
→ 고양과 성남은 서울의 인구 교외화로 빠르게 성장한 도시로 신도시가 입지하였다.

② (나) – 공공 기관의 지방 이전이 지역 경제에 미친 영향 (○)
→ 원주와 서귀포는 모두 혁신 도시이다. 혁신 도시는 수도권에 소재하는 공공 기관의 지방 이전을 목표로 개발이 추진되고 있는 도시이다.

④ (라) – 정부의 공업 육성 정책으로 인한 도시의 발달 (○)
→ 정부의 공업 육성 정책으로 구미는 정보 통신 산업이, 광양은 1차 금속 공업이 발달하게 되었다.

⑤ (마) – 석탄 산업 합리화 정책 이후 지역의 산업 변화 (○)
→ 보령과 태백은 석탄을 채굴하는 광업이 발달하였으나, 가정용 연료 구조의 변화, 정부 정책 등으로 석탄 생산량이 감소하였고 탄광 시설을 관광 자원으로 활용하는 등 관광 산업 중심으로 변모하고 있다.

05 경기, 충남, 경남의 도시 체계   답 ①

100만 명 이상의 도시가 없는 (나)는 충남(B)이다. 경기는 경남보다 50~100만 명의 도시 수와 도시 인구 비중이 높으므로 (가)는 경기(A), (다)는 경남(C)이다.

06 우리나라의 도시 성장과 도시 체계   답 ⑤

공업 발달, 정부 정책 등의 영향을 받으며 성장한 도시는 상호 작용 과정에서 도시 체계가 형성되었다. ① 도시 간의 상호 작용은 도시의 인구 규모가 클수록 도시 간의 거리가 가까울수록 활발하다. ② 도시가 수행하고 있는 기능의 보유 정도에 따라 도시 간 계층이 형성되는데, 상위 계층의 도시는 다양한 중심 기능을 수행하고 넓은 배후지를 가지며 하위 계층의 도시는 좁은 배후지를 갖는다. ③ 서울의 인구 규모가 부산의 인구 규모보다 두 배 이상 크기 때문에 종주 도시화 현상이 나타나고 있다. ④ 남동 임해 지역의 공업 도시는 중량의 원료를 수입하여 제품을 생산하고 이를 수출하는 형태의 공업이 발달하였다.

⑤ 위성 도시는 중심 도시의 기능을 분담하는 도시로, 중심 도시로 통근하는 사람이 많기 때문에 출근 시간대에는 통근·통학 유입 인구보다 통근·통학 유출 인구가 많다.

07 도시 체계 이해   답 ③

서울과의 배차 간격이 짧고 운행 차종이 다양한 지역일수록 서울과의 상호 작용이 활발한 도시이다. 표에서 목적지인 서울까지의 배차 간격이 짧은 순으로 나열하면 A>C>B>D>E 순이므로 A가 가장 상위 중심지, E가 가장 하위 중심지이다. 따라서 ㄴ. 상대적으로 C가 D보다 상위 계층 중심지이므로 중심지 기능이 다양할 것이다. ㄷ. 상대적으로 하위 중심지인 D는 상위 중심지인 B보다 도시 규모가 작을 것이다.

ㄱ. 상위 중심지인 A가 C보다 고차 계층 중심지이고, ㄹ. 서울과의 고속버스 이용객은 하위 중심지인 E가 상위 중심지인 C보다 적다.

08 우리나라 도시의 인구 규모와 순위 답 ④

1975년 영남권 도시는 부산, 대구, 창원, 울산, 포항이고, 2015년 영남권 도시는 부산, 대구, 울산, 창원으로 1개가 감소하였다. 충청권은 그대로이다.

자료를 분석하는 셀파 - Tip

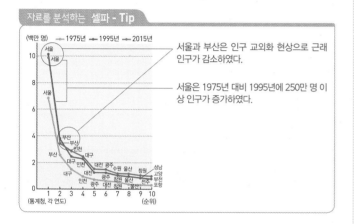

- 서울과 부산은 인구 교외화 현상으로 근래 인구가 감소하였다.
- 서울은 1975년 대비 1995년에 250만 명 이상 인구가 증가하였다.

02 도시 구조와 대도시권

탄탄 내신 문제

01 도시의 기능 지역 분화 답 ②

도시는 성장하면서 접근성 및 지대와 지가의 차이로 인해 기능 지역의 분화가 나타난다. ㄱ. A는 상업·업무 기능과 공업 기능의 지대가 같으므로 두 기능이 모두 나타나는 점이 지대에 해당한다. ㄷ. 도심은 접근성이 좋아 지대가 높기 때문에 높은 지대 지불 능력이 있는 상업 및 업무 기능이 입지하고, 주변 지역에는 주거 기능이 입지하게 된다.

ㄴ. 도시 내에서 차지하는 면적은 주거 지역이 가장 넓다. ㄹ. 도심으로부터의 거리 증가에 따른 지대 감소율은 상업·업무 기능이 가장 크다.

02 도심에서 학교의 이심 현상이 나타나는 원인 답 ④

자료는 서울과 대구의 학교 이전을 나타낸 것이다. 대도시는 도시 성장 과정에서 도심에서 주변 지역으로 학교가 이전하는 현상이 나타난다. 대도시의 도심에서 학교가 주변 지역으로 이전하는 것은 주거 기능의 이심 현상으로 주거 단지가 주변 지역에 조성되면서 도심의 학생 수가 감소하였기 때문이다. 또한 도심에 상업·업무 기능이 집중하는 경향이 뚜렷하므로 도심의 지가 상승으로 학교, 공장 등은 주변 지역으로 이전한다.

내 것으로 만드는 셀파 - Tip

▶ 집심 현상과 이심 현상

집심 현상	• 지대 지불 능력이 높은 기능이 접근성이 높은 도심에 집중하는 현상 • 주요 관청, 언론사, 기업 및 은행 본사, 고급 호텔, 백화점 등
이심 현상	• 지대 지불 능력이 낮은 기능이 지가가 저렴한 외곽 지역으로 이전하는 현상 • 주택, 학교, 공장 등

03 대전의 도심과 주변 지역의 특징 답 ①

(가)는 은행, 시청 등 업무 기능이 발달하였으므로 도심, (나)는 주로 아파트가 입지하고 있으므로 주변 지역이다.

ㄷ. 주변 지역은 도심보다 상업 용지의 평균 지가가 낮고, ㄹ. 인구 천 명당 사업체 수도 적다.

04 부산의 도시 내부 구조 답 ③

지도에서 지가는 B>A>C 순으로 높다. A는 제조업 사업체 수 비율이 높고 제조업 종사자 수도 많으므로 공업 지역이고, B는 도시 중심부에 위치하고 생산자 서비스업인 금융 및 보험업의 사업체 수 비율이 높고 종사자 수도 많으므로 도심이다. C는 생산자 서비스업인 금융 및 보험업의 사업체 수 비율이 낮고 제조업 사업체 수 비중과 종사자 수도 적으므로 주거 지역이다. 따라서 A는 공업 지역, B는 도심, C는 주거 지역이다.

05 도시 내부 구조 특성 답 ②

대기업 본사와 백화점 등이 밀집되어 있는 고층 빌딩의 숲으로 낮에 사람들이 북적거리는 곳인 (가)는 도심이고, 아파트 숲이 멀리까지 펼쳐져 있고 그 중간에 학교, 상점들이 있지만 공장과 업무용 빌딩이 드문 곳인 (나)는 주변 지역이다. 서울에서 주간 인구 지수가 세 번째로 높은 곳이지만 통근 시간대 유입 인구가 가장 많은 곳인 (다)는 부도심이다.

06 도시 내부 구조 이해 답 ②

그림에서 A는 도심, B는 주변 지역이다. (가)에 해당되는 도심에서 높은 항목에는 토지 이용 집약도, 출근 시간대 순 유입 인구수 등이 있고, (나)에 해당되는 주변 지역에서 높은 항목에는 거주자의 평균 통근 거리, 출근 시간대 순 유출 인구수 등이 있다.

07 서울의 도시 내부 구조 답 ③

ㄱ. (가)는 주간 인구 지수는 높지만 상주인구는 적은 곳으로 도심에

해당한다. ㄴ. (마)는 주간 인구 지수가 낮고 상주인구가 많은 주거 기능이 발달한 주변 지역이다. 따라서 출근 시간대에 유출 인구가 유입 인구보다 많다. ㄹ. (라)는 (나)보다 주간 인구 지수가 높고 상주인구도 많으므로 (나)보다 주거 기능이 발달하고 도시 규모가 크다는 것을 알 수 있다. 따라서 (라)는 (나)보다 초등학생 수가 많다.

ㄷ. (다)는 (나)보다 상주인구가 많고 주간 인구 지수도 높으므로 상주인구의 차이보다 주간 인구의 차이가 크다.

08 수도권의 주간 인구 지수 분포 目 ②

서울에서는 도심에서 높고 주변 지역에서 낮다. 도심은 인구 공동화 현상이 나타나고 상업·업무용 빌딩이 많아 주간 인구 지수가 높다. 경기에서는 서울과 인접한 지역에서 낮고 먼 지역에서 높다. 서울과 가까운 지역은 서울로의 통근률이 높아 주간 인구 지수가 낮은 편이다. 따라서 두 지도의 공통적인 제목은 주간 인구 지수이다.

정답을 찾아가는 셀파 - Tip

① 상주인구 밀도 (×)
→ 상주인구 밀도의 경우 서울에서는 도심에서 낮고 주변 지역에서 높은 경향을 보이고, 경기도에서는 서울 주변 지역(교외 지역)이 높고 서울에서 먼 지역에서 낮은 경향이 나타난다.
③ 초등학교 학생 수 (×)
④ 주거지 면적 비중 (×)
→ 상주인구 밀도와 비슷한 경향이 나타난다.
⑤ 통근자의 평균 통근 거리 (×)
→ 통근자의 평균 통근 거리는 서울에서는 도심이 낮고 주변 지역이 높으며, 경기도에서는 서울 주변 지역이 멀고 서울에서 먼 지역에서 가까운 경향이 나타나지만 서남부 지역의 공업이 발달한 지역의 경우는 도시별로 차이가 있다. 이는 서울 주변 지역은 서울로 통근하는 비율이 높은 반면 서울에서 먼 지역은 서울로 통근하는 비율이 낮고, 경기도 서남부의 공업이 발달한 지역은 지역 내 일자리가 많기 때문이다.

09 도시권의 형성과 공간 구조 目 ④

대도시권은 대도시를 중심으로 일상적인 생활이 이루어지는 범위로 중심 도시로의 통근·통학권, 쇼핑권 등이 해당된다. 대도시권의 형성은 중심 도시와 교외 지역, 배후 농촌 지역을 연결하는 지하철·시내버스 등 대중교통 노선의 발달과 관계 있다. 대도시의 인구 과밀을 해결하기 위해 조성한 신도시는 지역 내 일자리가 적은 경우가 많다. 대도시권이 확장되면서 인구 교외화 현상이 활발해지고 도심의 인구 공동화가 뚜렷해지며 대도시권에서 중심 도시가 차지하는 인구 비중이 낮아진다. 이 때문에 중심 도시는 상주인구는 감소하고 주간에 출근하는 유입 인구가 증가하여 주간 인구 지수가 높아지게 된다. 중심 도시와 가까운 교외 지역은 멀리 떨어진 배후 농촌 지역에 비해 공장 용지, 주거 용지 비중이 높아 도시적 경관이 뚜렷하다.

10 대도시권의 공간 구조 目 ⑤

대도시권은 기능적으로 상호 밀접한 관계를 갖는 대도시와 그 주변 지역으로 대도시를 중심으로 일상생활이 이루어지는 범위이다. 대도시권은 대도시의 과밀화, 교통 발달, 정부의 인구 분산 정책 및 쾌적한 환경에 대한 욕구 증가 등으로 형성되었다. A는 위성 도시, B는 중심 도시, C는 교외 지역, D는 배후 농촌 지역이다. ① 대도시권에서 중심 도시는 도시와 주변 지역 간의 거리가 멀기 때문에 도심의 기능을 분담하는 부도심이 성장하면서 다핵 구조가 형성되는 등 기능에 따라 분화된 현상이 나타난다. ② 교외 지역은 초기에는 농촌 경관이 우세하

였지만 시간이 지나면서 도시적 경관이 증가하게 되어 도시 경관과 촌락 경관이 혼재된 모습이 나타난다. ③ 배후 농촌 지역은 중심 도시로의 최대 통근 가능 지역으로 교통 발달로 확대된다. ④ 위성 도시는 대도시의 기능을 분담하는 도시이다.

⑤ 대도시에서 중심 도시와 가까운 교외 지역은 중심 도시로 통근하는 비율이 높으므로 배후 농촌 지역보다 주간 인구 지수가 낮다.

자료를 분석하는 셀파 - Tip

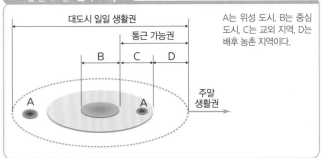

A는 위성 도시, B는 중심 도시, C는 교외 지역, D는 배후 농촌 지역이다.

11 대도시권의 교외 지역 변화 目 ②

A, B 지역 모두 중심 도시의 인구 교외화로 인구 증가와 그에 따른 변화를 겪은 촌락 지역이다.

정답을 찾아가는 셀파 - Tip

ㄴ. 동질성이 커져 공동체 의식이 강화되었다. (×)
→ 새롭게 인구가 유입되면 주민들 간의 이질성이 커지기 때문에 공동체 의식이 약화되기 쉽다.
ㄹ. 경지에서 차지하는 논의 비율이 증가하였다. (×)
→ 경지는 상업적 원예 작물 재배 증가 등으로 논의 비율이 감소하고 밭의 비율이 증가한다.

12 대도시권의 확대 目 ④

수도권에서 신도시가 개발된 것은 서울의 인구 분산과 관계가 깊다. 지하철 종착역이 서울에서 먼 지역까지 확대된 것은 서울로의 통근권 범위가 확대되었음을 의미한다. 따라서 두 지도는 서울 대도시권의 확대 배경에 해당한다.

④ 대도시권이 확대되면 수도권 거주자의 평균 통근 거리가 늘어나게 된다.

서술형 문제

13 집심 현상과 이심 현상

모범 답안 | 집심 현상은 상대적으로 지대 지불 능력이 높은 상업·업무 기능이 도심으로 집중하는 현상이고, 이심 현상은 상대적으로 지대 지불 능력이 낮은 주택, 학교, 공장 등이 도심을 떠나 주변으로 분산되는 현상이다.
주요 단어 | 집심 현상, 상업·업무 기능, 도심, 집중, 이심 현상, 주거·공업 기능, 주변, 분산

채점 기준	배점
집심 현상과 이심 현상을 모두 설명한 경우	상
집심 현상과 이심 현상 중에서 하나만 설명한 경우	하

14 인구 공동화 현상

모범 답안 | A는 주변 지역, B는 도심이다. 도심에서는 주간 인구가 급증하고 야간의 상주인구가 감소하는 인구 공동화 현상이 나타나 통근 시간대에 교통 혼잡이 발생한다. 또한 주간 인구 지수가 높은 도심에서는 행정의 어려움, 생활 기반 시설 부족 등의 문제가 나타난다.

주요 단어 | 주변 지역, 도심, 인구 공동화, 교통 혼잡, 높은 주간 인구 지수, 생활 기반 시설 부족

채점 기준	배점
주변 지역과 비교한 도심의 특징을 제시된 용어를 모두 활용하여 옳게 서술한 경우	상
주변 지역과 비교한 도심의 특징을 제시된 용어 중 2~3개를 활용하여 옳게 서술한 경우	중
주변 지역과 비교한 도심의 특징을 제시된 용어 중 한 개만 활용하여 옳게 서술한 경우	하

15 대도시권의 형성 과정

모범 답안 | 대도시와 주변 지역을 연결하는 교통로 신설, 대중교통(지하철, 버스)의 노선의 연장 등 교통이 발달하여 주변 지역에서 대도시로의 이동이 편리해지면서 인구 교외화 현상이 나타났다.

주요 단어 | 교통 발달, 인구 교외화

채점 기준	배점
대도시권의 형성 과정을 교통 발달 및 인구 교외화 용어를 모두 활용하여 옳게 서술한 경우	상
대도시권의 형성 과정을 옳게 서술하였으나, 교통 발달 및 인구 교외화 용어를 모두 활용하지 못한 경우	하

도전 수능 문제
p. 116 ~ p. 117

01 ②   **02** ⑤   **03** ④   **04** ④   **05** ⑤   **06** ③
07 ①   **08** ③

01 서울의 도시 내부 구조 　　답 ②

(가) 역은 주변 지역, (나) 역은 도심에 위치한다. 출근 시간대에 주변 지역에 위치하는 (가) 역은 승차 인원이 하차 인원보다 많고 (나) 역은 반대이다. 퇴근 시간대에 주변 지역에 위치하는 (가) 역은 하차 인원이 승차 인원보다 많고, (나) 역은 승차 인원이 하차 인원보다 많다.

ㄴ. 승하차 인원의 합은 (나) 역이 (가) 역보다 많다. 도심은 여러 주변 지역에서 통근하는 인구가 많아 유동 인구가 많기 때문에 주변 지역에 위치한 역들에 비해 승하차 인원의 합이 많다. 실제로 도심의 역은 주변 지역에 위치한 역보다 혼잡하다. ㄹ. 생산자 서비스업은 도심에 집중하는 경향이 뚜렷하므로 주변 지역에 위치한 (가) 역 주변보다 도심에 위치한 (나) 역 주변에 많다.

02 부산의 도시 내부 구조 　　답 ⑤

세 지역 중에서 A는 면적에 비해 상주인구가 적은 편이고, 통근·통학 순 이동이 많으며 제조업 종사자가 많으므로 공업 지역이다. B는 상주인구가 많고 통근·통학 인구가 음의 값을 가지며 제조업·전체 산업 종사자 모두 세 지역 중에서 가장 적으므로 주거 지역이다. C는 면적이 가장 좁은 데다 상주인구가 가장 적고, 통근·통학 인구는 양의 값을 갖는다. 또한 제조업 종사자는 적은 반면 전체 산업 종사자 수는 많은 편이므로 도심에 해당한다.

정답을 찾아가는 셀파 - Tip

① A는 B보다 인구 밀도가 높다. (×)
→ 인구 밀도는 좁은 지역임에도 상주인구가 가장 많은 B가 A보다 높다.

② C는 A보다 초등학교 수가 많다. (×)
→ 초등학교 수는 상주인구와 관계 깊다. C는 도심이고 상주인구도 적으므로 A보다 초등학교 수가 많지 않다.

③ C는 B보다 주거 기능이 우세하다. (×)
→ 상주인구가 많은 B가 도심인 C보다 주거 기능이 우세하다.

④ 주간 인구는 A가 가장 많다. (×)
→ 주간 인구는 상주인구에서 통근·통학 인구를 빼서 비교할 수 있다. 주간 인구는 B>A>C 순으로 많다.

⑤ 생산자 서비스업 종사자 비중은 C가 가장 높다. (○)
→ 생산자 서비스업은 도심에서 발달하므로 생산자 서비스업 종사자 비중은 도심인 C가 가장 높다.

03 대구의 도심과 주변 지역 특징 　　답 ④

(가)는 통근·통학 순 유입 인구가 두 시기 모두 가장 많으므로 도심, (나)는 통근·통학 순 유입 인구가 두 시기 모두 가장 적으므로 주거 기능이 발달한 주변 지역이다. 따라서 주변 지역인 (나)는 도심인 (가)에 비해 주간 인구 지수가 낮고, 인구 증가율이 높으며, 구내 상업 용지의 면적 비율이 낮다.

04 서울의 도심과 주변 지역 특징 　　답 ④

(가)는 통근·통학 유출 인구와 통근·통학 유입 인구가 비슷하지만 통근·통학 유출 인구가 많으므로 주거 기능이 발달한 지역, (나)와 (다)는 통근·통학 유출 인구보다 통근·통학 유입 인구가 매우 많은 지역이므로 상업 및 업무 기능이 발달한 지역이다. 두 지역 중에서는 (나)가 (다)보다 통근·통학 유입 인구와 통근·통학 유출 인구가 모두 많다.

A~C 중에서 서울에서 아파트 수가 많다는 것은 주거 기능이 발달했다는 것이고, 생산자 서비스업인 금융업 및 보험업 업체 수가 많다는 것은 도심, 또는 부도심이라는 의미이다. (가)는 주거 기능이 발달한 곳이므로 아파트 수는 많은 반면 금융업 및 보험업 업체 수는 적은 C이다. (나)는 통근·통학 유출 인구와 통근·통학 유입 인구가 많고 금융업 및 보험업 업체 수가 많으므로 A, (다)는 B이다.

05 대도시권의 공간 구조 　　답 ⑤

(가)는 가평군, (나)는 구리시이다. 가평군은 구리시에 비해 서울에서 멀고 20대 연령층의 성비가 매우 높고 노년층 인구 비중도 높다. 서울과 가까운 구리시는 가평군보다 중위 연령이 낮고, 서울로의 통근자 비율이 높으며 현 거주지에서 출생한 인구 비율이 낮다.

06 대도시권의 공간 구조 　　답 ③

(가)는 서울과 인접한 하남시, (나)는 상대적으로 서울과 먼 이천시이다. 서울과 인접한 하남시는 서울에서 먼 이천시보다 상업지 평균

지가와 아파트 거주 비율이 높고 농업 종사자 비율과 경지 면적 비율이 낮다.

07 대도시권의 공간 구조 달 ①

대도시의 통근·통학권에서 경기는 전역이 서울의 통근권이고 다른 도시는 인접한 지역을 중심으로 통근권이 형성되었다. 시·도별 주간 인구 지수에서 주간 인구 지수가 100 미만이라는 것은 통근 시간대에 유출 인구가 유입 인구보다 많다는 것을 의미한다.

ㄷ. 경기를 제외한 광역시와 인접한 도(道)의 주간 인구 지수는 모두 100 이상이다. 주간 인구 지수가 대구는 100 미만이고, 경북은 100 이상이므로 ㄹ. 경북에서 대구로의 통근·통학자보다 대구에서 경북으로의 통근·통학자가 더 많다.

자료를 분석하는 셀파 - Tip

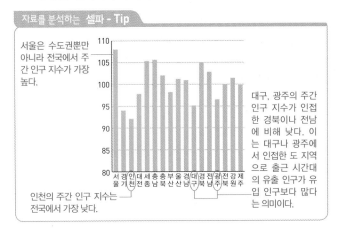

서울은 수도권뿐만 아니라 전국에서 주간 인구 지수가 가장 높다.

대구, 광주의 주간 인구 지수가 인접한 경북이나 전남에 비해 낮다. 이는 대구나 광주에서 인접한 도 지역으로 출근 시간대의 유출 인구가 유입 인구보다 많다는 의미이다.

인천의 주간 인구 지수는 전국에서 가장 낮다.

08 서울·부산·광주 대도시권의 상대적 특징 달 ③

수도권, 부산권, 광주권 중에서 도심과 중심 도시의 인구 비중이 가장 작고 낮아지고 있는 A는 수도권이다. 수도권은 부산권이나 광주권에 비해 대도시권의 규모가 크기 때문에 중심 도시의 인구 비중이 낮다. B는 도심과 중심 도시의 인구 비중이 낮아지는 것을 통해 인구 교외화가 활발한 도시임을 알 수 있다. 이에 해당되는 것은 우리나라 제2의 도시인 부산의 대도시권이다. 따라서 C는 광주권이다. 광주권은 수도권과 부산권에 비해 중심 도시의 인구 비중이 높아지고 주변 지역의 인구 비중이 낮아지고 있다.

자료를 분석하는 셀파 - Tip

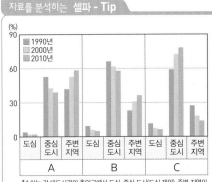

*수치는 각 대도시권의 총인구에서 도심, 중심 도시(도심 제외), 주변 지역의 인구가 차지하는 비중임.

A 대도시권 - 도심은 인구 비중이 낮고 감소하고 있다. 중심 도시 인구 비중도 B, C에 비해 낮고 낮아지고 있다. 반면, 주변 지역은 B, C보다 인구 비중이 매우 높다. 따라서 서울권이다.
C 대도시권 - 중심 도시의 인구 비중이 증가하고 주변 지역의 인구 비중이 감소하고 있다. 대도시권의 형성이 미약하다는 의미로 세 대도시권 중 중심 도시의 인구가 가장 적은 광주권이다.

---

03 도시 계획과 재개발 및 지역 개발과 공간 불평등

탄탄 내신 문제 p. 122 ~ p. 125

01 ②	02 ⑤	03 ③	04 ①	05 ③	06 ⑤
07 ④	08 ②	09 ⑤	10 ①	11 ④	12 ③
13 해설 참조		14 해설 참조			

01 서울의 시기별 도시 계획 달 ②

청계천 복개 및 고가 도로 건설, 여의도 종합 개발 계획, 난지도 쓰레기 매립지 지정 등은 상하수도 확충, 도로 및 하천 정비 등 인구 급증에 따른 기반 시설 확충(ㄱ)에 해당한다. 잠실 지구 개발 계획, 올림픽대로 및 남산1호터널 개통, 난지도 생태 공원 조성 등은 환경 개선 사업, 부도심 지역 개발, 교통 시설 정비 등 서울의 기반 시설의 포화에 대비하는 정책(ㄷ)에 해당한다. 청계천 복원, 서울 도심 역사 문화 보존, 상암 디지털 미디어 시티 조성 등은 하천 복원, 대중교통 시스템 개선 등 도시의 양적 성장 대신 질적 변화를 추구하는 것(ㄴ)에 해당한다. 따라서 (가)는 ㄱ, (나)는 ㄷ, (다)는 ㄴ이다.

02 서울의 주거 유형별 주택 수 변화 달 ⑤

서울은 도시 재개발 과정을 통해 아파트와 다세대 주택은 증가하고 단독 주택은 감소하는 변화가 나타났다. ⑤ 1990년 대비 2015의 주거 유형별 증가율이 가장 높은 것은 다세대 주택이다.

03 도시 재개발 사례 달 ③

ㄴ. (나)는 철거 재개발과 함께 수복 재개발이 이루어지므로 원거주민의 일부는 원거주지에서 그대로 살 수 있다. 따라서 (가) 철거 재개발보다는 원거주민의 공동체 문화가 잘 유지된다. ㄷ. (가), (나) 모두 주거지를 개선하기 위해 아파트가 들어서므로 개발 이후 토지 이용의 집약도는 높아진다.

정답을 찾아가는 셀파 - Tip

ㄱ. (가)는 (나)보다 기존 건축물을 재활용하는 비율이 높다. (×)
→ (가)는 철거 재개발이므로 기존 건축물을 재활용하지 않는다.

ㄹ. (가)는 보존 재개발, (나)는 철거 재개발 방법이다. (×)
→ (가)는 철거 재개발, (나)는 수복 재개발과 철거 재개발 방식을 합한 개발 방식에 해당한다.

04 부산 감천동의 도시 재개발 특징 달 ①

부산 감천동의 지역 개발은 수복 재개발 방식을 활용한 도시 재개발이다. 이 도시 재개발은 기업 자본이 대규모로 투자되지 않았다. 일반적으로 지역 개발에 기업 자본이 대규모로 투입되는 것은 철거 재개발이다. 부산 감천동의 도시 개발은 정부의 지원을 토대로 이루어졌으며, 도시 재개발의 결과 방문객이 증가하여 사생활 침해 문제가 발생할 수 있고 관광객 증가로 새로운 소득을 창출할 수 있다.

05 지역 개발 방식 달 ③

(가)는 성장 거점 개발 방식, (나)는 균형 개발 방식이다. 성장 거점 개발 방식은 균형 개발 방식보다 경제적 효율성이 높고, 지역 주민의 참여도가 낮으며, 지역 간 성장 격차를 심화시킨다.

06 혁신 도시와 기업 도시의 특징　답 ⑤

(가) 혁신 도시는 수도권에 소재하는 공공 기관의 지방 이전을 계기로 지방의 성장 거점 지역에 조성되는 미래형 도시이고, (나) 기업 도시는 민간 기업이 주도하여 개발하는 도시로 산업·연구·관광 등의 특정 경제 기능 중심의 자족적 복합 기능을 갖춘 도시이다. ㄴ. 혁신 도시는 지역의 새로운 성장 동력을 창출하는 것을 목적으로 하며, ㄷ. 기업 도시는 민간 기업이 주도하여 개발한다. ㄹ. 혁신 도시와 기업 도시는 제4차 국토 종합 계획 수정 계획 때에 시작되었으며, 수도권과 비수도권 간의 격차 해소를 위한 목적이 크다.

ㄱ. 혁신 도시는 수도권에 소재하는 공공 기관의 지방 이전을 통해 정체된 지역의 성장을 기대한다.

07 제1차 및 제3차 국토 종합 개발 계획　답 ④

(가)는 1970년대 중심의 제1차 국토 종합 개발 계획, (나)는 1990년대 이후의 제3차 국토 종합 개발 계획을 나타낸 것이다. 제1차 국토 종합 개발 계획 시기에 남동 임해 지역을 중심으로 많은 투자가 이루어졌고 중화학 공업이 발달하였다. 제3차 국토 종합 개발 계획에서는 균형 개발 방식이 채택되었다. ④ 1970년대에는 중화학 공업의 성장이 두드러졌고 첨단 산업은 1980년대 이후에 발달하기 시작하였다.

08 제1차 국토 종합 개발 계획의 특징　답 ②

자료는 제1차 국토 종합 개발 계획에 대한 것으로 (가)는 성장 거점 개발 방식이다. 성장 거점 개발 방식은 형평성보다 경제적 효율성을 우선시한다. 낙후 지역을 우선적으로 개발하는 것, 개발 도상국보다는 주로 선진국에서 채택하는 것, 지역 주민의 참여를 바탕으로 개발 계획을 수립하는 것, 지역 개발을 둘러싼 지역 간 갈등과 지역 이기주의가 표면화될 가능성이 높은 것은 모두 균형 개발 방식과 관련된 것이다.

09 우리나라 국토 계획 특징　답 ⑤

(가)는 균형 개발 방식으로 제3차 국토 종합 개발 계획 이후 채택되었고, (나)는 성장 거점 개발 방식으로 제1차 국토 종합 개발 계획 때에 채택되었다. 성장 거점 개발 방식은 균형 개발 방식에 비해 투자의 효율성을 우선시하지만, 역류 효과의 발생 가능성이 높고 지역 주민의 참여도가 낮으며 지역 간 분배의 형평성도 낮다.

10 공간 불평등 문제 해결　답 ①

제시된 자료는 예술, 법률 등 다양한 기능이 수도권에 집중되어 있음을 보여준다. 이러한 공간 불평등 문제를 해결하기 위해서는 수도권 집중을 억제하고 비수도권 지역에 대한 투자를 늘려야 한다. ㄱ. 수도권 정비 계획법 실시, ㄴ. 혁신 도시와 기업 도시 정책 추진은 수도권 집중을 억제하고 지방을 육성하려는 정책이다.

ㄷ. 도시와 농촌의 농산물 직거래 장터 운영은 도시와 농촌의 상호 보완적 교류이다. ㄹ. 서울의 주거 기능을 분담하는 신도시 건설은 서울의 인구 과밀을 해결하는 목적이며, 경기도, 즉 수도권에 건설되는 것이기 때문에 수도권과 비수도권 간의 공간 불평등 문제 해결에 도움이 되지 않는다.

11 도시와 농촌의 소득 격차　답 ④

그래프는 농가 소득과 도시 근로자 가구 소득을 나타낸 것이다. 도시 근로자 가구 소득은 지속적으로 증가하고 있지만 농가 소득은 일시적으로 줄어들기도 하였다. ④ 도시 근로자 가구 대비 농촌 가구의 소득 비율은 낮아지는 추세이지만 2000~2005년처럼 일시적으로 높아지기도 하였다. 2000년 65.1%, 2005년 78.2%로 2005년이 2000년보다 도시 근로자 가구 대비 농촌 가구의 소득 비율이 높다.

12 지역 개발　답 ③

외딴섬 영흥도에 석탄 화력 발전소가 입지하면서 지역에 큰 변화가 나타났다. 이곳에 건설된 화력 발전소에서 나온 전력은 영흥도뿐만 아니라 다른 지역에도 공급된다.

ㄱ. 영흥도에 입지한 것은 영흥도가 화력 발전소 입지 조건에 적절하기 때문이며 낙후된 지역을 개발하기 위한 것은 아니다. ㄹ. 발전소 건설에 따라 일자리가 증가하여 청장년층 인구가 유입되어 나타난 현상이다.

서술형 문제

13 도시 재개발의 영향

모범 답안 | 철거 이주 가구는 일반 이주 가구보다 기존 주거지에서 더 먼 외곽 지역으로 이주하였다.
주요 단어 | 외곽 지역, 이주

채점 기준	배점
자료를 토대로 철거 이주의 특징을 잘 서술한 경우	상
철거 이주의 일반적인 특성을 서술한 경우	하

14 성장 거점 개발과 파급 효과

(1) **모범 답안 |** 성장 거점 개발 방식은 투자 효과가 큰 지역을 선정하여 집중적으로 투자하는 불균형 개발 방식으로, 경제 성장을 극대화하고 경제적 효율성을 추구한다.
주요 단어 | 거점 지역, 집중 투자, 불균형 개발, 경제적 효율성 추구
(2) ㉠은 파급 효과, ㉡은 역류 효과이다.
(3) **모범 답안 |** 중심 지역과 주변 지역 간의 발전 수준의 격차가 확대된다.

채점 기준	배점
(1)~(3)을 모두 정확히 서술한 경우	상
(1)~(3) 중 두 문항만 옳게 서술한 경우	중
(1)~(3) 중 한 문항만 옳게 서술한 경우	하

도전 수능 문제　p. 126 ~ p. 127

01 ②　02 ④　03 ④　04 ②　05 ③　06 ③
07 ⑤　08 ①

01 도시 재개발 사례   답 ②

(가)는 기존에 있던 것을 잘 활용하는 도시 재개발 방식으로 수복 재개발 방식, (나)는 철거 재개발 방식에 해당한다. 철거 재개발 방식에 비해 수복 재개발 방식은 기존 건물 활용도가 높고, 투입 자본의 규모가 작으며, 원거주민의 이주율이 낮다.

02 도시 재개발 사례   답 ④

(가)는 철거 재개발 방식, (나)는 수복 재개발 방식에 의한 도시 재개발이다. ④ 기존 건물의 활용도는 수복 재개발이 철거 재개발보다 높다.

03 도시 재개발 사례   답 ④

변화 전에 공업 시설이었던 지역이 변화 후에 고층 주택, 상업 업무지, 교육 시설 등으로 변화되었다. 변화 전보다 변화 후에 ㄴ. 상주인구가 증가하였으며, ㄹ. 공업 용지 면적 비중은 감소하였다.

ㄱ. 일반적으로 상업·업무 지구는 공업 지구에 비해 접근성이 좋은 곳에서 발달하고, 접근성이 좋은 곳은 지가도 비싸다. 따라서 상업 업무지로 이용된다는 것은 지가가 하락하지 않았다는 것을 의미한다. ㄷ. 토지 이용의 집약도는 높아졌다.

04 도시 재개발   답 ②

제시된 자료는 판자촌을 재개발하여 대규모 아파트 단지로 변화된 도시 재개발 사례이다. 이러한 변화로 인해 건물이 고층화되어 토지 이용의 효율성이 높아졌는데, 이러한 철거 재개발 방식은 보존 재개발 방식보다 기존 건물의 활용도가 낮다.

을. 제시된 자료는 철거 재개발 방식에 의한 도시 재개발이다. 역사·문화적으로 보존이 필요한 지역에서는 보존 재개발 방식을 채택한다. 정. 수복 재개발 방식에 비해 원거주민의 재정착률이 낮게 나타난다.

내 것으로 만드는 셀파 - Tip

▶ 시행 방식에 따른 도시 재개발의 구분

철거 재개발	• 기존의 시설을 완전히 철거하고 새로운 시설로 대체함. • 원거주민의 재정착률이 낮고 자원 낭비가 심하다는 단점이 있음.
보존 재개발	역사적·문화적으로 보존할 가치가 있는 지역의 환경 악화를 예방하고 유지·관리함.
수복 재개발	• 기존의 건물들을 최대한 보존하는 수준에서 필요한 부분만 수리·개조하여 부족한 점을 보완함. • 철거 재개발에 비해 투입 자본의 규모가 작고 원거주민의 재정착률이 높으며 주민의 참여도가 높음.

05 우리나라 국토 종합 개발 계획   답 ③

제1차 국토 종합 개발 계획은 경제 기반 확충을 위해 공업 기반을 구축하고 사회 간접 자본을 확충하였으며, 제2차 국토 종합 개발 계획은 인구의 지방 분산을 유도하기 위해 대도시와 배후 지역을 포함한 지역 생활권을 설정하는 종합 개발 방법, 즉 광역 개발 정책을 시행하였다.

ㄱ. 투자 효과가 큰 지역을 선정하여 집중 투자하는 방식은 성장 거점 개발 방식이다. 제3·4차 국토 종합 개발 계획은 낙후 지역에 우선 투자하는 균형 개발 방식이 채택되었다. ㄹ. 혁신 도시와 기업 도시는 지역의 균형 발전을 목표로 하는 제4차 국토 종합 개발 계획과 관련 있다.

06 우리나라의 지역 개발 특징   답 ③

제1차 국토 종합 개발 계획은 성장 거점 개발, 제3차 국토 종합 개발 계획은 균형 개발 방식으로 추진되었다.

ㄱ, ㄹ. (가)는 하향식 개발 방식이며, 사회 간접 자본 및 공업 기반 구축 등 생산 환경을 마련하는 데 우선을 두었다.

07 우리나라의 지역 개발 특징   답 ⑤

① 특정 지역에 자본을 집중 투자하여 효율성을 높이는 개발 방식은 성장 거점 개발 방식이다. 지역 주민의 참여를 바탕으로 개발 지역이 선정되는 것은 균형 개발 방식과 관계가 깊다. ② 지역 간 격차는 파급 효과보다 역류 효과가 클 때 발생한다. ③ 농공 단지는 도시와 농촌 간의 소득 격차를 완화하기 위한 정책이다. 수도권과 비수도권 간의 불균형 완화 정책으로는 혁신 도시, 기업 도시 등이 있다. ④ 수도권이 전국에서 차지하는 비중은 제조업 부문이 농업 부문보다 높다.

⑤ 신·재생 에너지 개발은 지속 가능한 발전 방안에 해당한다. 1987년 채택한 도쿄 선언에서 지속 가능한 개발은 '장래의 세대가 스스로의 필요를 충족할 능력을 손상 받음이 없이 현재 세대의 필요를 충족시킬 수 있는 인류 사회의 진보를 위한 대응'이라고 정의하였다.

08 혁신 도시 특징   답 ①

지도는 강원의 원주, 충북의 진천·음성 등에 위치한 혁신 도시의 정책을 나타내고 있다.

ㄷ. 혁신 도시 정책은 제4차 국토 종합 개발 계획 기간에 추진된 균형 발전형 도시 육성 정책이다. ㄹ. 혁신 도시는 기업과 대학, 연구소 등 우수한 인력들이 한 곳에 모여 서로 협력하면서 지식 기반 사회를 이끌어 가는 첨단 도시로 구성된다. 2차 산업 육성을 위한 산업 용지 공급을 통해 자족적 복합 기능을 갖춘 도시를 육성하는 것은 기업 도시와 관련이 있다.

내 것으로 만드는 셀파 - Tip

▶ 혁신 도시와 기업 도시

혁신 도시	• 수도권에 소재하는 공공 기관의 지방 이전을 계기로 지역의 성장 거점으로 개발을 유도하는 도시 • 혁신 도시에는 공공 기관과 청사, 공공 기관 종사자의 주거 단지, 기업, 대학, 연구소, 산업체 등이 함께 들어섬.
기업 도시	• 민간 기업이 자발적인 투자 계획을 가지고 기업 활동에 필요한 지역에 직접 개발하는 도시 • 산업, 연구, 관광 등의 특정 경제 기능과 함께 주택·교육·의료·문화 등 자족적 복합 기능을 가진 도시로 조성됨.

V 생산과 소비의 공간

01 자원의 의미와 자원 문제

01 자원의 의미와 특성　　　　　　　　　　　답 ①

자원은 인간에게 이용 가치가 있는 것 중에서 기술적·경제적으로 개발 가능한 모든 것을 의미한다.

정답을 찾아가는 셀파 - Tip

① ㉠은 기술적 의미의 자원에 해당한다. (✕)
→ ㉠ 중에서 기술적으로 개발이 가능한 것이 기술적 의미의 자원이다.

③ ㉢은 자원 민족주의가 나타나게 된 배경으로 작용하였다. (○)
→ 자원의 유한성과 편재성으로 인해 자원을 가진 국가가 자원을 무기화하는 자원 민족주의가 나타나게 되었다.

내 것으로 만드는 셀파 - Tip

▶ 자원의 특성

가변성	자원의 가치가 기술적·경제적·문화적 조건에 따라 변화함.
유한성	대부분의 자원은 매장량이 한정되어 있어 언젠가는 고갈됨.
편재성	일부 자원은 특정 지역에 편중되어 분포함.

02 자원의 의미 변화　　　　　　　　　　　答 ③

자원은 기술적·경제적·문화적 조건 등에 따라 가치가 달라진다. 철광석은 사용량과 투자 정도에 따라 재생 수준이 달라지는 자원에 해당한다. 제시된 강원도 양양의 철광산은 과거에 철광석 가격의 하락으로 폐광되었지만 다시 생산을 재개한 사례이다. 이는 기술적 의미의 자원에서 경제적 의미의 자원으로 변화한 사례이므로 C → D의 변화에 해당한다. 표의 A, C, E는 기술적 의미의 자원, B, D, F는 기술적으로 자원 개발이 가능하고 경제적으로도 이용되는 자원이다.

03 재생 가능성에 따른 자원의 분류　　　　　答 ⑤

(가)는 식물, 동물 등이 일부 포함되므로 사용함에 따라 고갈되는 비재생 자원이며, A는 석탄, 석유, 천연가스 등의 화석 연료이다. (나)는 비금속 광물이 포함되고 중간 정도의 재생 수준을 가지므로 사용량과 투자 정도에 따라 재생 수준이 달라지는 자원이며, B는 금속 광물이다. (다)는 대기, 물 등의 일부가 포함되므로 사용량과는 무관한 재생 자원으로 C는 태양광, 수력, 풍력 등이다. ⑤ 대기 오염 물질 배출량은 화석 연료가 재생 자원보다 많다.

04 1차 에너지원별 발전량 변화　　　　　　　答 ①

(가)는 발전량이 가장 많으므로 석탄, (나)는 발전량이 두 번째로 많고 큰 변화가 없으므로 원자력, (다)는 발전량이 세 번째로 많고 발전량이 빠르게 증가하고 있으므로 천연가스이다.

05 우리나라의 1차 에너지 소비 구조 변화　　　答 ③

(가)는 가정용 연료의 사용은 감소했지만, 산업용·발전용 연료의 소비량 증가로 소비가 늘어나고 있는 석탄, (나)는 우리나라에서 소비량이 가장 많은 에너지 자원인 석유, (다)는 1980년대 중반 도입되어 소비가 급증한 천연가스, (라)는 다른 에너지 자원에 비해 소비 비중이 매우 낮은 수력, (마)는 1970년대 후반 도입되어 소비 비중이 커지고 있는 원자력이다.

06 1차 에너지원의 특징　　　　　　　　　　答 ④

(가)는 석탄, (나)는 석유, (다)는 천연가스, (라)는 수력, (마)는 원자력이다.

정답을 찾아가는 셀파 - Tip

① (가)는 우리나라에서 소비량이 가장 많은 에너지 자원이다. (✕)
→ 우리나라에서 소비량이 가장 많은 에너지 자원은 석유(나)이다.

② (나)는 (다)보다 연소 시 대기 오염 물질의 배출량이 적다. (✕)
→ 석유(나)는 천연가스(다)보다 연소 시 대기 오염 물질의 배출량이 많다.

③ (다)는 발전 후 폐기물 처리 비용이 많이 든다. (✕)
→ 발전 후 폐기물 처리 비용이 많이 드는 에너지원은 원자력(마)이다.

④ (라)는 입지에 지형적 제약이 크며, 안정적인 전력 생산이 어렵다. (○)
→ 수력은 낙차가 크고 유량이 많은 곳에 입지하는 것이 유리하므로 지형적 제약이 크며, 유량 변화의 영향을 받아 안정적인 전력 생산이 어렵다.

⑤ (마)는 전력 소비가 많은 대소비지에 입지한다. (✕)
→ 원자력 발전은 지반이 안정되고 냉각수를 확보할 수 있는 해안에 주로 입지한다.

07 우리나라의 에너지 자원 수입국　　　　　答 ②

우리나라는 에너지 자원의 대부분을 수입에 의존하고 있다. 우리나라에는 석탄의 한 종류인 무연탄이 고생대 평안 누층군에 주로 매장되어 있으나 석탄 산업 합리화 정책 이후 대부분 폐광되었으며, 산업용·발전용으로 이용되는 역청탄은 오스트레일리아 등지에서 전량 수입하고 있다. 석유는 우리나라에서 가장 많이 사용되는 에너지원이지만 국내 생산이 미미하여 소비량의 대부분을 서남아시아에서 수입하고 있으며, 천연가스 또한 국내에서 소량 생산되지만 대부분을 동남아시아와 서남아시아에서 수입하고 있다. ② 석유는 주로 수송용으로 이용되며, 화력 발전의 주요 에너지원은 석탄이다.

자료를 분석하는 셀파 - Tip

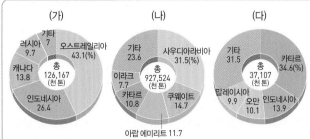

오스트레일리아, 인도네시아에서 주로 수입하므로 석탄이다.

사우디아라비아, 쿠웨이트 등에서 주로 수입하므로 석유이다.

카타르, 인도네시아에서 주로 수입하므로 천연가스이다.

08 석탄의 주요 생산지와 지역별 소비량   冒⑤

지도에서 (가)는 고생대 평안 누층군 지역(ㄱ)에 분포하므로 석탄이다. 석탄은 화력 발전, 제철 공업에 많이 소비되기 때문에(ㄴ) 이러한 시설이 있는 곳에서 소비량이 많다. 충남은 대규모 제철소와 석탄 화력 발전소가 입지하여, 전남과 경북은 대규모 제철소가 입지하여, 경남과 인천은 대규모 석탄 화력 발전소가 입지하여 석탄 소비량이 많다.

09 광물 자원의 시도별 생산량   冒③

고령토, 석회석, 철광석 중에서 생산량이 가장 많은 것은 석회석이고, 가장 적은 것은 철광석이다. 석회석은 강원과 충북의 생산량 비중이 높고, 고령토는 강원과 경남의 생산량 비중이 높으며, 철광석은 거의 강원에서만 생산된다. 따라서 (가)는 석회석, (나)는 고령토, (다)는 철광석이다.

10 광물 자원의 특징   冒①

석회석은 시멘트 공업의 원료이고, 제철 공업의 첨가물이다.

> **정답을 찾아가는 셀파 - Tip**
>
> ② (나)는 주로 고생대 조선 누층군에 매장되어 있다. (×)
> → (가)
> ③ (다)는 대부분 도자기, 내화 벽돌의 원료로 이용된다. (×)
> → (나)
> ④ (다)는 (가)보다 우리나라의 자급률이 높다. (×)
> → (가) → (다)
> ⑤ (가), (나)는 금속 광물, (다)는 비금속 광물에 해당한다. (×)
> → (다)   → (가), (나)

11 우리나라의 주요 1차 에너지 생산 지역   冒②

(가)는 원자력 생산량이 가장 많고 소량의 수력 생산량이 있는 지역이므로 경북, (나)는 원자력 생산량만 있는 지역이므로 부산, (다)는 원자력 생산량이 있고 소량의 수력과 석탄 생산량이 있으므로 전남, (라)는 수력과 석탄 생산량만 있으므로 강원이다. A는 강원, B는 경북, C는 전남, D는 부산이다.

> **자료를 분석하는 셀파 - Tip**
>
>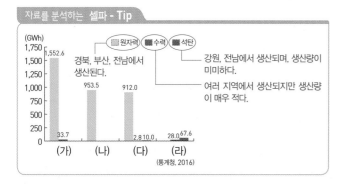
>
> 경북, 부산, 전남에서 생산된다.
> 강원, 전남에서 생산되며, 생산량이 미미하다.
> 여러 지역에서 생산되지만 생산량이 매우 적다.

12 우리나라의 에너지 수입 및 소비 과정   冒④

우리나라는 1차 에너지를 대부분 수입에 의존하고 있으며, 공급량은 석유 > 석탄 > 천연가스 > 원자력 순으로 많다. 소비는 산업용 > 가정·상업용 > 수송용 순으로 많다. 따라서 ㉠은 석유, ㉡은 석탄, ㉢은 천연가스, ㉣은 원자력이고, A는 산업용, B는 가정·상업용이다. ④ 서

남아시아 국가에서 주로 수입하는 에너지는 석유이다. 원자력의 원료인 우라늄은 러시아, 캐나다 등지에서 수입한다.

13 주요 신·재생 에너지의 도별 발전량   冒①

(가)는 태양광 발전, (나)는 풍력 발전에 대한 설명이다. 태양광은 일사량이 풍부한 전남, 전북의 비중이 높고, 풍력은 제주, 강원 등의 비중이 높으며, 수력은 강원, 충북, 경기 등의 비중이 높다. 따라서 (가)는 A, (나)는 B이다.

> **내 것으로 만드는 셀파 - Tip**
>
> ▶ **신·재생 에너지의 입지**
>
> | 풍력 | 강한 바람이 지속적으로 부는 해안이나 산간 지역 ⑩ 대관령, 제주 등 |
> |---|---|
> | 태양광 | 일조량이 풍부한 지역 ⑩ 신안, 진도 등 |
> | 해양 에너지 | • 조력: 조수 간만의 차가 큰 만입부 ⑩ 서해안(시화호)
• 조류: 바닷물의 흐름이 빠른 해협이나 좁은 수로 ⑩ 울돌목
• 파력: 파도가 센 곳 ⑩ 제주 |

14 자원 문제의 해결 방안   冒⑤

제시된 자료는 신·재생 에너지의 발전 비중을 높인다는 내용을 담고 있다. 신·재생 에너지는 초기 투자 비용이 많이 들고 아직 효율성이 낮고 입지 제약이 크다는 단점이 있지만, 친환경적이면서 화석 연료 에너지가 안고 있는 고갈 문제와 환경 오염 문제에 대한 부담이 적어 그 중요성이 점차 커지고 있다.

서술형 문제

15 발전 양식별 발전소 분포

(1) (가)는 수력 발전, (나)는 화력 발전, (다)는 원자력 발전이다.
(2) **모범 답안** | 충남 해안 지역은 발전용 원료인 석탄을 수입하는 데 유리하며, 수도권은 대소비지와 가까워 송전에 유리하기 때문이다.
주요 단어 | 원료, 수입, 소비지, 송전

채점 기준	배점
(1)을 쓰고, (2)에서 화력 발전소의 분포를 원료 수입과 소비지와의 거리를 모두 포함하여 서술한 경우	상
(1)을 쓰고, (2)에서 화력 발전소의 분포를 원료 수입 또는 소비지와의 거리 중 한 가지만 포함하여 서술한 경우	중
(1)만 쓴 경우	하

16 우리나라의 1차 에너지 소비 구조 변화

(1) (가)는 석유, (나)는 천연가스이다.
(2) **모범 답안** | 천연가스는 석유에 비해 연소 시 오염 물질 배출량이 적으며, 주로 상업·가정용으로 이용된다.
주요 단어 | 연소, 오염 물질 배출량, 가정·상업용

채점 기준	배점
(1)을 쓰고, (2)에서 석유와 비교한 천연가스의 특징을 두 가지 모두 서술한 경우	상
(1)을 쓰고, (2)에서 석유와 비교한 천연가스의 특징을 한 가지만 서술한 경우	중
(1)만 쓴 경우	하

도전 수능 문제　　　　　　　　　　p. 138 ~ p. 139

| 01 ⑤ | 02 ③ | 03 ④ | 04 ① | 05 ⑤ | 06 ③ |
| 07 ③ | 08 ⑤ | | | | |

01 자원의 의미 변화　　　　　　　　　　답 ⑤

(가)는 철광석의 생산 재개 사례이고, (나)는 태양광의 생산과 거래가 증가한다는 사례이다. 철광석은 재생 수준이 가변적인 자원이고 생산을 재개했다는 것은 기술적 의미의 자원에서 경제적 의미의 자원으로 자원의 의미가 변화한 것을 뜻한다. 태양광은 사용량과 무관한 재생 자원이고 시험적으로 사용되다가 생산과 거래가 급증했다는 것은 기술적 의미의 자원에서 경제적 의미의 자원으로 변화되었다는 의미이다. 따라서 (가)는 D → C, (나)는 F → E가 적절하다.

02 광물 자원의 분포와 이용　　　　　　　　답 ③

(가)는 도자기 및 내화 벽돌의 원료이며, 산청과 합천 등지에 주로 분포하는 것으로 보아 고령토이다. (나)는 시멘트 공업의 주원료이며, 삼척과 단양 등지에 주로 분포하는 것으로 보아 석회석이다. (다)는 제철 공업의 원료이며, 북한 지방에 매장량이 풍부하고 남한에는 양양, 홍천, 충주 등지에 주로 분포한다는 것으로 보아 철광석이다.

정답을 찾아가는 셀파 - Tip

> ㄱ. (나)는 주로 고생대 평안 누층군에 분포한다. (×)
> 　　→ 조선
> ㄴ. (가)는 (나)보다 연간 국내 생산량이 많다. (×)
> 　　→ (나) → (가)

03 신·재생 에너지 발전량 분포　　　　　　　답 ④

전북은 풍력이나 수력보다 태양광의 생산량이 많으므로 A는 태양광이다. 태양광은 전남의 생산량이 가장 많으므로 (가)는 전남이다. 강원과 경북 중에서 태양광은 경북이 강원보다 많으므로 (나)는 강원, (다)는 경북이다. 지도의 네 지역 중에서 수력은 강원이 가장 많으므로 C는 수력이다. 따라서 B는 풍력이다.

정답을 찾아가는 셀파 - Tip

> ㄱ. A의 생산량은 봄철이 겨울철보다 많다. (○)
> 　　→ 일사량의 영향을 받는 태양광의 생산량은 봄철이 겨울철보다 많다.
> ㄴ. B 발전소의 입지는 유량이 풍부하고 낙차가 큰 곳이 유리하다. (×)
> 　　→ C

04 충남, 경남, 울산의 1차 에너지원별 공급량　　　답 ①

지도의 세 지역 중에서 1차 에너지원별 공급량이 가장 많은 곳은 화력 발전과 공업이 발달한 충남이므로 (다)는 충남이다. 충남은 석탄과 석유 공급량이 많으므로 A는 석탄, B는 석유, C는 천연가스이다. 따라서 정유 및 석유 화학 공업이 발달하여 석유 공급량이 많은 (나)는 울산이고, (가)는 경남이다. ① 경남은 충남보다 1차 에너지원별 공급량에서 석탄이 차지하는 지역 내 비중이 크다.

05 경북, 전남, 부산의 1차 에너지원별 공급량　　　답 ⑤

지도의 세 지역 중에서 1차 에너지원별 공급량이 가장 적은 곳은 부

산이므로 (나)는 부산이다. 부산에서 공급량이 가장 많은 것은 원자력이므로 C는 원자력이다. 경북과 전남 중에서 석유 공급량은 전남이 더 많으므로 (가)는 전남이며, A는 석유이다. 따라서 (다)는 경북이며, B는 천연가스이다. ⑤ 우리나라의 1차 에너지 소비 구조에서 차지하는 비중은 석유(A)가 가장 높다.

06 우리나라의 1차 에너지 소비 구조 변화　　　答 ③

우리나라의 1차 에너지 소비 구조는 석유 > 석탄 > 천연가스 > 원자력 > 신·재생 및 기타 순으로 많고 1차 에너지원별 발전량 비중은 석탄 > 원자력 > 천연가스 > 신·재생 및 기타 > 석유 순으로 많다. 따라서 (가)는 석유, (나)는 석탄, (다)는 천연가스, (라)는 원자력이다. ③ 천연가스를 이용하는 화력 발전소는 원자력, 수력 등에 비해 입지가 비교적 자유로운 편이다.

07 1차 에너지원의 권역별 생산 비중　　　　答 ③

A는 다른 에너지원에 비해 전국에서 고르게 생산되므로 수력이다. B는 강원권에서 대부분 생산되고 호남권에서 일부 생산되므로 무연탄, C는 영남권과 호남권에서만 생산되고 영남권의 생산량 비중이 높으므로 원자력, D는 영남권(울산)에서만 생산되므로 천연가스이다. ③ 수력은 천연가스보다 우리나라 1차 에너지 소비 구조에서 차지하는 비중이 낮다.

자료를 분석하는 셀파 - Tip

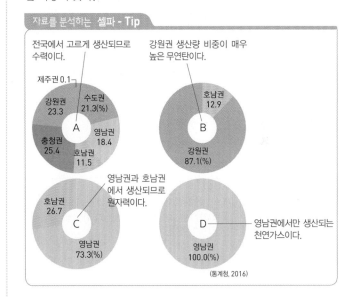

(통계청, 2016)

08 우리나라의 에너지 수입 및 소비 과정　　　答 ⑤

우리나라의 1차 에너지 공급은 석유 > 석탄 > 천연가스 > 원자력 등의 순으로 많은데, 이러한 에너지는 대부분 수입된다. ㄱ. 석유는 주로 서남아시아에서, 천연가스는 카타르, 인도네시아 등지에서, 원자력의 원료인 우라늄은 캐나다, 러시아 등지에서 수입한다. 1차 에너지는 가공하여 도시가스, 열에너지, 전력 생산 등에 이용되는데 도시가스는 천연가스에서, 열에너지는 석유, 석탄, 천연가스 등에서, 전력은 석탄, 원자력, 천연가스 등에서 생산된다. 최종 에너지는 산업용, 수송용, 가정 및 상업용 등으로 소비되는데, 전력은 산업용 > 가정·상업용 > 공공용 등의 순으로 소비량이 많다. ㄴ. 천연가스는 난방용으로 이용되는 비중이 높아 원자력보다 여름과 겨울의 공급량 차이가 크다.

탄탄 내신 문제   p. 144 ~ p. 147

01 ①   02 ⑤   03 ①   04 ②   05 ②   06 ⑤
07 ④   08 ③   09 ④   10 ⑤   11 ①   12 ⑤
13 해설 참조   14 해설 참조

01 농업의 입지 요인 　답①

농업 입지에 영향을 미치는 자연적 요인으로는 기온, 강수량 등이 있는데, 농작물 재배 북한계는 기온, 특히 최한월 평균 기온의 영향을 크게 받는다. 우리나라는 남쪽에서 북쪽으로 갈수록 최한월 평균 기온이 낮아지며, 이에 따라 농작물 재배 북한계가 정해진다.

내 것으로 만드는 셀파 - Tip

▶ **농업의 입지 요인**

자연적 요인	• 전통적 농업 입지에 영향 • 기후, 지형, 토양 등
사회·경제적 요인	• 산업화·도시화로 중요성이 증가함. • 교통, 소비자의 기호, 농업 정책, 영농 기술 등

02 경지 면적과 시설 재배 면적의 비율 변화 　답⑤

그래프는 경지 면적은 감소하고 시설 재배 면적 비율은 증가하였음을 보여 준다. 시설 재배 면적 비율이 높아진 것은 작물의 상품성을 높이거나 기후적 제약을 극복하는 등 상업적 농업이 발달하였기 때문이다. 대도시 근교에서 신선한 채소를 재배하기 위한 것도 큰 영향을 미쳤다.

정답을 찾아가는 셀파 - Tip

ㄱ. 2000년보다 2015년의 시설 작물 재배 면적이 넓다. (×)
　→ 2015년은 2000년보다 경지 면적이 좁고 시설 재배 면적 비율도 낮으므로, 2015년의 시설 재배 면적이 더 좁다.

ㄴ. 1980년 대비 2015년의 경지 면적은 20% 이상 감소하였다. (○)
　→ 1980년 대비 2015년의 경지 면적은 20% 이상 감소하였는데, 이는 경지가 공장 용지, 주거 용지 등으로 전환되었기 때문이다.

ㄷ. 농업 입지에서 사회·경제적 요인의 중요성이 커지고 있다. (○)
　→ 시설 재배 면적 비율의 증가를 통해 농업 입지에서 교통, 소비자의 기호, 영농 기술 등의 사회·경제적 요인의 중요성이 커진 것을 짐작할 수 있다.

03 시도별 농업 분포 　답①

(가)는 평야가 발달한 충남, 전북, 전남 등에서 높으므로 논 면적 비율, (나)는 산지가 많은 강원과 논이 거의 없는 제주에서 높으므로 밭 면적 비율, (다)는 일부 대도시 및 대도시와 인접한 경기, 경남 등지에서 높으므로 시설 재배 면적 비율이다.

04 시설 재배의 특징 　답②

(다)에 나타난 농업은 시설 재배이다. 시설 재배는 비닐하우스 등을 이용하여 재배하는 방식으로, 주로 대도시 근교에서 이루어지며, 주로 원예 작물을 재배하므로 곡물 생산량 증가와는 관련이 없다.

05 농촌 및 농업 구조의 변화 　답②

㉠ 우리나라는 산업화 과정에서 이촌 향도가 활발하여 농가 인구가 빠르게 감소하였는데, 청장년층 중심의 인구 유출로 노년층 인구 비중이 증가하고 농가 1호당 인구는 감소하였다. ㉡ 산업화와 도시화로 경지 면적이 감소하였지만 농가 인구가 경지 면적보다 더 큰 폭으로 감소하여 농가 1호당 경지 면적은 증가하였다. ㉢ 경지 이용률은 휴경지 증가와 그루갈이 감소로 낮아졌다. ㉣ 농가 1호당 경지 면적이 증가하면서 영농 조합, 위탁 영농 회사들이 늘어 났다. ㉤ 소득 수준 향상과 식생활 변화로 상업적 농업이 확대되었다.

06 경지 면적 및 경지 이용률 변화 　답⑤

1970~2015년에 경지 면적과 경지 이용률은 감소하고 농가 호당 경지 면적은 증가하였다.

정답을 찾아가는 셀파 - Tip

ㄱ. 1970~2015년에 경지 면적 감소율이 경작 면적 감소보다 높다. (×)
　→ 경지 이용률이 낮아졌으므로 경지 면적 감소율보다 경작 면적 감소율이 높다.

ㄴ. 1970~2015년에 농가 호수 감소율이 경지 면적 감소율보다 높다. (○)
　→ 농가 호당 경지 면적이 증가한 것은 경지 면적 감소보다 농가 호수가 더 많이 감소했기 때문이다.

07 시·도별 작물 재배 현황 　답④

(가)는 논농사 비중이 매우 낮은 제주를 제외한 전 지역, 특히 충남, 전북, 전남에서 비중이 높으므로 쌀, (나)는 강원, 제주에서 비중이 높으므로 채소, (다)는 경북, 제주에서 비중이 높으므로 과수이다.

08 근교 농업 지역과 원교 농업 지역의 상대적 특징 　답③

(가)는 대도시와 가까운 곳에 위치한 남양주, (나)는 먼 곳에 위치한 김제이다. 대도시와의 접근성이 높은 지역은 낮은 지역보다 논 면적 비율이 낮고, 농외 소득 비율과 시설 재배 면적 비율이 높다.

내 것으로 만드는 셀파 - Tip

▶ **근교 농업 지역과 원교 농업 지역의 특징**

구분	근교 농업 지역	원교 농업 지역
분포	대도시 주변의 농촌	대도시와 멀리 떨어진 농촌
토지 이용	시설 재배, 집약적 토지 이용	노지 재배, 조방적 토지 이용
농가 형태	겸업농가의 비중 높음.	전업농가의 비중 높음.
소득	농외 소득 비율 높음.	농업 소득 비율 높음.

09 권역별 작물 생산량 비중 　답④

(가)는 맥류, 쌀, 과수의 생산량 비중이 모두 낮으므로 수도·강원권이며, (나)는 맥류와 과수의 생산량 비중은 낮으나 쌀의 생산량 비중은 (다) 다음으로 많으므로 충청권이다. (다)는 맥류와 쌀의 생산량 비중이 가장 높으므로 호남·제주권이다. (라)는 맥류의 생산량 비중이 호남·제주권 다음으로 높고, 과수의 생산량 비중이 가장 높으므로 영남권이다.

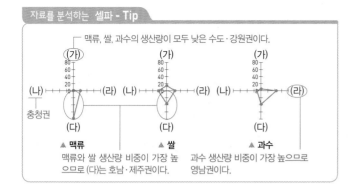

맥류, 쌀, 과수의 생산량이 모두 낮은 수도·강원권이다.

▲ 맥류
맥류와 쌀 생산량 비중이 가장 높으므로 (다)는 호남·제주권이다.

▲ 쌀

▲ 과수
과수 생산량 비중이 가장 높으므로 영남권이다.

10 도별 작물 생산량 비중   답 ⑤

(가)는 C를 제외한 대부분의 지역에서 비교적 고르게 재배되므로 쌀이다. (나)는 경북과 C에서 생산량 비중이 높으므로 과수, (다)는 대부분의 지역에서 생산량 비중이 낮고 전북, 경남, B에서 상대적으로 비중이 높으므로 맥류이다. A는 쌀의 생산량 비중이 높고 맥류의 생산량 비중이 낮으므로 충남, B는 다른 지역에 비해 맥류의 생산량 비중이 높으므로 전남, C는 다른 지역에 비해 쌀의 생산량 비중이 매우 낮고, 과수의 생산량 비중이 매우 높으므로 제주이다.

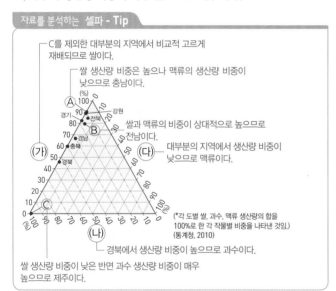

C를 제외한 대부분의 지역에서 비교적 고르게 재배되므로 쌀이다.

쌀 생산량 비중은 높으나 맥류의 생산량 비중이 낮으므로 충남이다.

쌀과 맥류의 비중이 상대적으로 높으므로 전남이다.

대부분의 지역에서 생산량 비중이 낮으므로 맥류이다.

(*각 도별 쌀, 과수, 맥류 생산량의 합을 100%로 한 각 작물별 비중을 나타낸 것임.) (통계청, 2010)

경북에서 생산량 비중이 높으므로 과수이다.

쌀 생산량 비중이 낮은 반면 과수 생산량 비중이 매우 높으므로 제주이다.

11 도별 농업 현황   답 ①

경기는 대도시인 서울과 인접하고 있어 경지의 가격이 높기 때문에 가구당 경지 면적이 좁고 겸업농가 비중이 높다. 전북은 대도시와 멀리 떨어져 있기 때문에 경지의 가격이 경기에 비해 낮은 편이어서 가구당 경지 면적이 넓은 편이고 전업농가의 비중이 높은 편이다. 제주는 경기나 전남에 비해 농가 호수가 매우 적다. 따라서 (가)는 경기, (나)는 전북, (다)는 제주이며, A는 경기, B는 전북, C는 제주이다.

12 농촌 문제의 해결 방안   답 ⑤

(가)는 경관 농업, (나)는 지리적 표시제에 대한 설명이다. 경관 농업과 지리적 표시제 모두 농촌의 경쟁력 향상을 위한 노력이다.

13 주요 곡물 자급률 변화

모범 답안 | 우리나라의 전체 곡물 자급률은 꾸준히 감소하고 있으며, 쌀을 제외한 주요 곡물의 자급률이 매우 낮다.
주요 단어 | 곡물 자급률 감소, 쌀 제외

채점 기준	배점
주요 곡물 자급률 변화의 특징을 적절하게 서술한 경우	상
주요 곡물 자급률 변화의 특징을 적절하게 서술하지 못한 경우	하

14 경지 면적 및 경지 이용률 변화

(1) 모범 답안 | 농업 노동력의 고령화에 따른 휴경지 증가, 그루갈이 감소 등으로 경지 이용률이 감소하였다.
주요 단어 | 농업 노동력의 고령화, 휴경지 증가, 그루갈이 감소

채점 기준	배점
경지 이용률의 감소하는 이유를 적절하게 서술한 경우	상
경지 이용률의 감소하는 이유를 적절하게 서술하지 못한 경우	하

(2) 모범 답안 | 경지 면적의 감소보다 농가 인구의 감소가 더 빨랐기 때문에 농가 호당 경지 면적은 증가하였다.
주요 단어 | 경지 면적 감소, 농가 인구 감소

채점 기준	배점
경지 면적 감소와 농가 인구 감소를 관련지어 서술한 경우	상
경지 면적 감소와 농가 인구 감소를 관련지어 서술하지 못한 경우	하

p. 148 ~ p. 149

| 01 ③ | 02 ① | 03 ② | 04 ⑤ | 05 ⑤ | 06 ③ |
| 07 ⑤ | 08 ② | | | | |

01 도별 작물 재배 현황 및 특징   답 ③

(가)는 세 지역 중 도별 작물 재배 면적과 농가 수가 가장 많으며, 벼의 재배 비중이 높으므로 전남이다. (나)는 (다)보다 벼의 재배 비중이 높으므로 충북, (다)는 강원이다. A는 강원에서 비중이 높게 나타나므로 채소, B는 전남에서 비중에 높게 나타나므로 맥류, C는 과수이다.

① (가)는 전남, (나)는 강원이다. (×)
　　→ 충북
② 농가당 작물 재배 면적은 (다)가 (가)보다 넓다. (×)
　　　　　　　　　　　　　　　　→ 좁다.
③ (가)~(다) 중 채소 재배 면적은 전남이 가장 넓다. (○)
　　→ 전남은 강원보다 채소 재배 비중은 낮지만 면적은 약 1.8배 이상이다.
④ 도내 과수 재배 면적 비중은 강원이 충북보다 높다. (×)
　　→ 강원이 3.2%, 충북이 13.9%로, 강원이 충북보다 낮다.
⑤ 도내 맥류 재배 면적 비중은 충북이 전남보다 높다. (×)
　　→ 충북이 0.2%, 전남이 5.8%로 충북이 전남보다 낮다.

02 경기, 강원, 충남의 농업 특징   답 ①

밭 면적 비중은 산지가 많은 강원에서 높고 평야가 넓은 충남에서

낮다. 젖소 사육 농가 수와 시설 재배 농가 수는 대도시와 인접한 경기가 가장 많고 강원이 가장 적다. 따라서 A는 강원에서 높고 충남에서 낮으므로 밭 면적 비중, B는 경기에서 높고 강원에서 낮으므로 젖소 사육 농가 수, C는 다른 두 지역에 비해 강원에서 특히 낮으므로 시설 작물 재배 농가 수이다.

03 맥류, 옥수수, 고랭지 배추의 도별 생산량 　답 ②

고랭지 배추는 강원의 고위 평탄면에서 주로 재배되며, 주로 벼의 그루갈이 작물로 재배되는 맥류는 벼농사가 이루어지며 겨울철 기온이 온화한 전남, 전북, 경남 등지에서 생산량이 많다.

04 도별 농업 현황 　답 ⑤

A는 전남의 재배 면적 비중이 높고 전국에서 고르게 재배되므로 쌀이고, B는 전남의 재배 면적 비중이 가장 높으므로 맥류이며, 따라서 C는 과수이다. (라)는 밭의 비중이 100%에 가까우므로 제주이며, (다)는 밭의 비중이 높고 과수 재배 면적 비중이 가장 높으므로 경북이다. (가)는 (나)보다 전업농가 비율과 맥류 재배 면적 비중이 낮으나 쌀 재배 면적 비중이 높으므로 충남이며, 따라서 (나)는 전북이다.

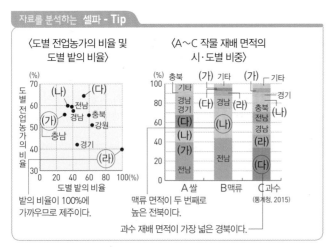
05 경기, 경북, 전북의 농업 특징 　답 ⑤

(가)는 세 지역 모두에서 고르게 낮은 편이므로 농가 인구 비율, (나)는 경북에서 특히 높으므로 과수 재배 면적 비율, (다)는 경기에서 높으므로 겸업농가 비율이다. 농가 인구는 전국에 비교적 고르게 분포하므로 전국 대비 농가 인구 비율은 특정 지역이 매우 높기 어렵다. 과수 재배 면적 비율은 과수 재배가 활발한 경북, 제주에서 높게 나타난다.

겸업농가 비율은 대도시와 인접한 경기에서 높고 대도시와 멀리 떨어진 지역에서 낮게 나타난다.

06 도별 작물 재배 면적 비중 　답 ③

(가)는 강원에서 재배 면적 비중이 높으므로 채소, (나)는 전북, 전남 등지에서 재배 면적 비중이 높으므로 벼, (다)는 A를 제외한 대부분의 지역에서 재배 면적 비중이 낮으므로 과수이다. A는 벼 재배 면적 비중이 매우 낮고, 과수 재배 면적 비중이 높으므로 제주, B는 제주 다음으로 과수 재배 면적 비중이 높으므로 경북, C는 벼 재배 면적 비중이 높으므로 충남이다.

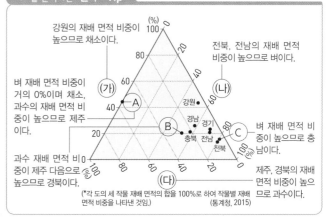
07 경기, 충북, 전북의 농업 현황 　답 ⑤

세 지역 중에서 (가)는 농가 호수가 가장 많고 겸업농가 비율이 가장 낮으므로 전북(C), (나)는 겸업농가 비율이 가장 높으므로 경기(A), (다)는 농가 호수가 가장 적고 밭 면적 비율이 가장 높으므로 산지가 많은 충북(B)이다.

08 근교 농업 지역과 원교 농업 지역의 상대적 특징 　답 ②

(가)는 (나)보다 농가당 경지 규모가 크고, 식량 작물 재배 비중이 높다. 일반적으로 대도시에서 먼 지역은 대도시에서 가까운 지역에 비해 농가당 경지 규모가 크고 식량 작물 재배 비중이 높다. 따라서 (가)는 원교 농업 지역, (나)는 근교 농업 지역이다. 근교 농업 지역은 원교 농업 지역에 비해 평균 지가가 높고, 겸업농가 비중이 높으며, 농가당 경지 규모가 작고, 시설 작물 재배 비중이 높다.

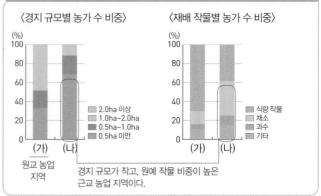

03 공업의 발달과 지역 변화

탄탄 내신 문제   p. 154 ~ p. 157

01 ①	**02** ③	**03** ③	**04** ③	**05** ④	**06** ②
07 ⑤	**08** ③	**09** ③	**10** ②	**11** ①	**12** ⑤
13 ③	**14** 해설 참조		**15** 해설 참조		

01 우리나라의 공업 특징   답 ①

제조업 사업체 수와 종사자 수 비중은 수도권＞영남권＞충청권＞호남권 등의 순으로 높다. 따라서 (가)는 수도권, (나)는 영남권, (다)는 충청권이다.

02 우리나라의 공업 특징   답 ③

ㄴ. 그래프는 제조업 사업체 수와 종사자 수 모두 수도권과 영남권이 높음을 보여 주고 있으므로 공업의 지역적 편재가 나타남을 알 수 있다. ㄷ. 사업체당 종사자 수는 종사자 수 비중을 사업체 수 비중으로 나누어 비교할 수 있다. 사업체당 종사자 수에서 수도권은 39.9/48.7이고 충청권은 15.2/11.2이므로 충청권이 수도권보다 많다.

03 공업의 입지 원리   답 ③

공업은 최대 이윤을 얻을 수 있는 장소에 입지하는데, 일반적으로 이윤을 극대화하기 위해서는 생산비를 최소화하거나 수요를 극대화해야 한다. 생산비에 영향을 주는 요소는 원료비, 운송비, 노동비, 집적 이익 등이 있으며, 공업의 특징에 따라 생산비가 달라져 공업 입지에 영향을 준다. 원료 지향형 공업, 시장 지향형 공업, 적환지 지향형 공업은 총운송비가 최소인 지점에 입지하는 공업이다.

04 우리나라 공업의 특징   답 ③

우리나라는 짧은 기간 동안 경공업에서 중화학 공업, 첨단 산업으로 공업 구조가 고도화되었으며 이 과정에서 성장 잠재력이 큰 수도권과 영남권에 산업 시설이 집중되어 공업의 지역적 편재가 심화되는 현상이 나타났다. 기업 규모별 공업 구조에서는 중소기업의 사업체 수와 종사자 수 비중이 대기업보다 압도적으로 높지만, 생산액은 대기업의 비중이 매우 높은 공업의 이중 구조가 나타나고 있다.

05 적환지 지향형 공업의 사례   답 ④

우리나라는 공업의 원료가 되는 여러 자원이 부족하여 해외에서 수입한 중량의 원료를 가공하여 공업 제품을 만들고, 이의 일부를 해외에 수출하는 가공 무역 형태의 공업이 발달하였다. 원료를 수입하고 제품을 수출하는 공업은 적환지에 입지하는 것이 유리한데, 석유를 원료로 하는 정유 공업, 석탄(역청탄)과 철광석을 주원료로 하는 제철 공업 등이 해당한다.

정답을 찾아가는 셀파 - Tip

ㄱ. 섬유 공업 (✕)
→ 섬유 공업은 제품 생산비에서 노동비의 비중이 높은 노동 지향형 공업이다.

ㄷ. 자동차 공업 (✕)
→ 자동차 공업은 많은 부품을 조립하여 제품을 생산하는 집적 지향형 공업이다.

06 우리나라의 공업 구조 변화   답 ②

1980년에 비해 2014년에 우리나라는 특히 두 업종에서 종사자 비중 변화가 큰데 섬유 공업의 종사자 비중은 감소하고 기계·조립 금속 공업의 종사자 비중은 증가하였다. 따라서 (가)는 섬유 공업, (나)는 기계·조립 금속 공업이다.

정답을 찾아가는 셀파 - Tip

ㄱ. (가)는 (나)보다 전국에서 차지하는 대구의 생산액 비중이 높다. (○)
→ 대구는 풍부한 노동력을 바탕으로 섬유 공업이 발달하였으며, 최근에는 섬유 산업의 첨단화를 도모하고 있다.

ㄴ. (가)는 (나)보다 2000년대에 우리나라의 총수출액에서 차지하는 비중이 높다. (✕)
→ 2000년대 우리나라의 총수출액에서 차지하는 비중은 기계·조립 금속 공업이 섬유 공업보다 높다.

ㄷ. (나)는 (가)보다 제품 생산비에서 노동비가 차지하는 비중이 높다. (✕)
→ 섬유 공업은 대표적인 노동 지향형 공업으로 제품 생산비에서 노동비가 차지하는 비중이 높다.

자료를 분석하는 셀파 - Tip

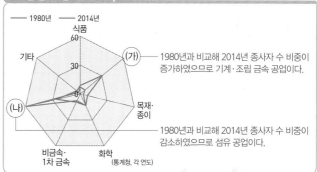

1980년과 비교해 2014년 종사자 수 비중이 증가하였으므로 기계·조립 금속 공업이다.

1980년과 비교해 2014년 종사자 수 비중이 감소하였으므로 섬유 공업이다.

07 섬유 공업의 특징   답 ⑤

지도에서 경기, 경북, 대구 등지의 종사자 수 및 생산액 비중이 높게 나타나므로 섬유 공업이다. 섬유 공업은 1990년대에 국내 인건비 상승의 영향으로 공장의 해외 이전이 활발하였다. ②는 제철 공업, ③은 조선 공업, ④는 첨단 공업이다.

08 1차 금속 공업과 자동차 공업의 특징   답 ③

(가)는 경북, 경남, 충청 등지에서 종사자 수 비중 및 생산액이 높으므로 1차 금속 공업, (나)는 경기, 울산, 충남 등지에서 종사자 수 비중 및 생산액이 높으므로 자동차 공업이다.

정답을 찾아가는 셀파 - Tip

ㄱ. (가)는 원료의 해외 의존도가 높다. (○)
→ 1차 금속 공업의 주원료는 철광석, 석탄(역청탄)으로 두 자원 모두 대부분 수입에 의존한다.

ㄷ. (가)의 최종 생산품은 (나)의 원료로 이용된다. (○)
→ 1차 금속 공업의 최종 생산인 철강 제품은 자동차 공업의 원료로 이용된다.

ㄹ. (가), (나) 모두 생산비에 비해 부가 가치가 높은 입지 자유형 공업이다. (✕)
→ 1차 금속 공업은 적환지 지향형 공업, 자동차 공업은 집적 지향형 공업이다.

09 1차 금속 공업, 섬유 공업, 조선 공업의 특징 답 ③

(가)는 경북, 전남, 충남 등지의 비중이 높으므로 1차 금속 공업, (나)는 경기, 경북, 대구의 비중이 높으므로 섬유 공업, (다)는 경남, 울산의 비중이 높으므로 조선 공업이다. 1차 금속 공업은 포항, 광양, 당진에서 발달하였고, 섬유 공업에 비해 대규모 자본을 투자한 공업으로 종사자당 생산액이 많다. 조선 공업은 1차 금속 공업이나 섬유 공업에 비해 주로 주문에 의한 생산이 이루어지고, 제품 생산 기간이 길다. 섬유 공업은 생산비에서 노동비가 차지하는 비중이 높다.

자료를 분석하는 셀파 - Tip

(가)		(나)		(다)	
지역	비중(%)	지역	비중(%)	지역	비중(%)
경북	22.9	경기	23.1	경남	53.7
전남	13.9	경북	19.8	울산	28.6
충남	13.4	대구	12.3	전남	9.4
울산	12.8	부산	7.9	부산	3.8
경기	9.9	서울	7.0	전북	2.2
기타	27.1	기타	29.9	기타	2.3

제철소가 입지한 경북(포항), 전남(광양), 충남(당진)의 비중이 높으므로 1차 금속 공업이다.

노동력이 풍부한 경기, 경북, 대구의 비중이 높으므로 섬유 공업이다.

조선소가 입지한 경남(거제), 울산의 비중의 높으므로 조선 공업이다.

10 우리나라의 주요 공업 지역 답 ②

(가)는 태백산 공업 지역, (나)는 충청 공업 지역에 대한 설명이다. A는 수도권 공업 지역, B는 태백산 공업 지역, C는 충청 공업 지역, D는 영남 내륙 공업 지역, E는 호남 공업 지역, F는 남동 임해 공업 지역이다. 따라서 (가)는 B, (나)는 C이다.

내 것으로 만드는 셀파 - Tip

▶ 우리나라의 주요 공업 지역

수도권 공업 지역	• 우리나라 최대의 종합 공업 지역 • 집적 불이익 발생 → 공업 분산 정책 실시
태백산 공업 지역	• 풍부한 지하자원을 바탕으로 원료 지향형 공업 발달 • 교통 불편, 소비 시장과 멀리 떨어짐. → 공업 비중 낮음.
충청 공업 지역	• 수도권과 인접, 교통 편리 → 수도권 공장의 이전 • 해안 지역에 중화학 공업, 내륙 지역에 첨단 산업 발달
호남 공업 지역	대중국 교역 증가, 서해안 개발 및 국토 균형 발전 → 제2의 임해 공업 지역으로 성장 가능성이 큼.
영남 내륙 공업 지역	• 풍부한 노동력, 편리한 교통 → 노동 집약적 경공업 발달 • 최근 업종 첨단화 도모
남동 임해 공업 지역	• 우리나라 최대의 중화학 공업 지역 • 항만을 중심으로 적환지 지향 공업 발달

11 수도권 공업 지역과 남동 임해 공업 지역의 특징 답 ①

남동 임해 공업 지역은 수도권 공업 지역보다 제조업 종사자 수는 적고, 석유 화학 공업과 조선 공업 생산액은 많다.

12 집적 이익 답 ⑤

같은 종류 혹은 다른 종류의 공장이 한 지역에 집중할 때에 많은 이익을 얻을 수 있는데, 이를 집적 이익이라고 한다. 집적 이익으로는 노동력과 원료를 공급받기 쉽고, 원료 및 제품의 수송비를 절감할 수 있다는 장점이 있다. 하지만 지나치게 집중하게 되면, 교통 혼잡이 심화될 수 있고, 임대료가 상승하는 등의 집적 불이익이 발생하기도 한다.

내 것으로 만드는 셀파 - Tip

▶ 집적 이익과 집적 불이익

집적 이익	연관 업체들끼리 가까이 입지하여 얻는 이익 예 원료의 공동 구입, 시설의 공동 이용, 정보 교환 용이 등
집적 불이익	한 지역에 과도하게 집중하여 발생하는 불이익 예 교통 혼잡, 환경 오염, 지가 상승 등

13 공업 지역의 변화 답 ③

제시된 사례는 서울 구로 공업 단지로, 현재는 서울 디지털 산업 단지로 명칭을 바꾸었다.

정답을 찾아가는 셀파 - Tip

ㄱ. ⓛ의 주요 원인으로 지가와 국내 인건비의 상승을 들 수 있다. (○)
→ 섬유, 봉제 산업이 중국 등 해외로 이전하게 된 것은 지가와 국내 인건비 상승이 주요 원인이다.

ㄹ. ⓐ은 ⓓ보다 근로자에서 차지하는 남성의 비중이 높다. (×)
→ 섬유, 봉제 산업은 첨단 산업에 비해 여성 근로자의 비중이 상대적으로 높다.

서술형 문제

14 우리나라 공업의 특징

(1) (가)는 공업의 이중 구조, (나)는 공업의 지역적 편재에 대해 알 수 있다.

(2) **모범 답안** | 수도권과 영남권의 공업 집중도가 높은 것은 공업화 과정에서 성장 잠재력이 큰 두 지역에 산업 시설이 집중되었기 때문이다. 이를 해결하기 위해서는 공업 분산 정책을 실시해야 한다.

주요 단어 | 성장 잠재력, 산업 시설 집중, 공업 분산 정책

채점 기준	배점
(1)을 쓰고, (2)에서 수도권과 영남권에 공업 집중도가 높은 원인과 해결 방안을 적절하게 서술한 경우	상
(1)을 쓰고, (2)에서 수도권과 영남권에 공업 집중도가 높은 원인 또는 해결 방안 중 한 가지만 서술한 경우	중
(1)만 쓴 경우	하

15 1차 금속 공업과 섬유 공업의 입지 특성

모범 답안 | (가)는 섬유 공업, (나)는 1차 금속 공업이다. 섬유 공업은 노동 지향형 공업으로 저렴한 노동력이 풍부한 지역에 주로 입지하며, 1차 금속 공업은 원료를 해외에서 수입하여 가공한 뒤 제품의 일부를 수출하는 적환지 지향형 공업으로 운송비를 줄이기 위해 적환지(항만)에 주로 입지한다.

주요 단어 | 1차 금속 공업, 섬유 공업, 노동 지향형 공업, 노동력, 적환지 지향형 공업, 운송비, 적환지

채점 기준	배점
(가), (나) 공업을 쓰고, 각각의 입지 특성을 적절하게 서술한 경우	상
(가), (나) 공업을 쓰고, (가), (나) 중 한 가지의 입지 특성만 서술한 경우	중
(가), (나) 공업만 쓴 경우	하

도전 수능 문제   p. 158 ~ p. 159

01 ⑤	02 ⑤	03 ⑤	04 ⑤	05 ②	06 ③
07 ②	08 ⑤				

01 경기, 경북, 울산의 공업 특징   답 ⑤

경기, 경북, 울산 중에서 자동차 및 트레일러 제조업 출하액이 가장 많고 1차 금속 제조업 출하액이 가장 적은 A는 경기, 자동차 및 트레일러 제조업 출하액이 경기(A)에 이어 두 번째로 많고 1차 금속 제조업 출하액이 C보다 적은 B는 울산, 1차 금속 제조업 출하액 가장 많은 C는 경북이다. 선박 제조업 출하액은 조선 공업이 발달한 울산이 경북보다 많다.

02 경기, 경북, 전남, 충남의 공업 특징   답 ⑤

A~D 중 1인당 지역 내 총생산이 가장 많은 A는 충남이며, 지역 내 총생산이 가장 많은 D는 경기이다. B는 화학 물질 및 화학 제품 출하액 비중이 가장 높으므로 전남이며, 따라서 C는 경북이다. (가)는 특히 경북에서 출하액 비중이 높으므로 전자 부품·컴퓨터·영상·음향 및 통신 장비이다. (나)는 경기와 충남에서 출하액 비중이 높으므로 자동차 및 트레일러, (다)는 경북에서 출하액 비중이 높은 편이므로 1차 금속이다. 1차 금속 제조업에서 생산된 제품은 자동차 및 트레일러 제조업의 주요 재료로 이용된다.

자료를 분석하는 셀파 - Tip

화학 물질 및 화학 제품 출하액 비중이 가장 높으므로 전남이다.

경북에서 출하액 비중이 높은 편이므로 1차 금속이다.

〈시·도별 지역 내 총생산과 1인당 지역 내 총생산〉

〈A~D의 제조업별 출하액 비중〉

A~D 중 1인당 지역 내 총생산이 가장 많으므로 충남이다.

A~D 중 지역 내 총생산이 가장 많으므로 경기이다.

경북에서 비중이 특히 높으므로 전자 부품·컴퓨터·영상·음향 및 통신 장비이다.

03 광주, 대구, 울산의 공업 특징   답 ⑤

A는 대구, B는 광주, C는 울산이다. 대구, 광주, 울산 중에서 주요 업종별 출하액의 합이 가장 많으며, 자동차 및 트레일러, 화학 물질 및 화학 제품 출하액이 많은 (가)는 울산이다. (다)는 상대적으로 섬유(의복 제외) 출하액이 많으므로 대구, (나)는 자동차 및 트레일러 제조업 출하액이 많은 광주이다.

04 주요 공업의 특징   답 ⑤

(가)는 경기와 경북의 생산액 비중이 높으므로 전자 부품, 컴퓨터, 영상, 음향 및 통신 장비이다. (나)는 경기, 울산, 충남의 비중이 높으므로 자동차 및 트레일러, (다)는 경북, 충남, 전남의 비중이 높으므로 1차 금속이다.

정답을 찾아가는 셀파 - Tip

① (가)는 한 가지 원료에서 다양한 제품을 생산하는 계열화된 공업이다. (×)
→ 석유 화학 공업은

② (나)는 중량의 원료를 해외에서 수입하여 가공하는 공업이다. (×)
→ (다)

③ (가)는 (다)보다 총생산액이 적다. (×)
→ 많다.

④ (나)는 (다)보다 종사자 1인당 생산액이 많다. (×)
→ 적다.

05 영남 지방 세 광역시의 공업 특징   답 ②

부산, 대구, 울산 중에서 1인당 지역 내 총생산액은 울산이 가장 많으므로 B는 울산이다. 부산은 울산보다 1인당 지역 내 총생산액이 적지만 인구가 3배 정도 많기 때문에 지역 내 총생산액은 울산보다 많으므로 C는 부산이며, 따라서 A는 대구이다. 표에서 (다)는 대구에서만 종사자 수 규모 5위 이내에 속하므로 섬유 제품이다. (나)는 울산에서 종사자 수가 가장 많으므로 자동차 및 트레일러이며, 따라서 (가)는 금속 가공 제품이다.

06 공업의 주요 개념   답 ③

기업 조직이 성장하면서 기능의 공간적 입지가 분리되는 것을 공간적 분업이라고 하며, 이를 탐구하기 위해서는 본사, 연구소, 생산 공장이 서로 다른 곳에 입지하는 사례를 조사해야 한다. 공업의 지역적 편중은 특정 지역에 산업 시설이 집중하여 사업체 수, 종사자 수, 출하액 등이 지역별로 큰 차이를 보이는 것을 의미한다. 집적 이익이란 연관 업체들끼리 가까이 입지하여 얻는 이익을 말한다. 공업의 이중 구조는 중소기업의 사업체 수와 종사자 수 비중이 대기업보다 월등히 높지만 생산액은 대기업 비중이 높은 현상으로, 이를 탐구하기 위해서는 기업 규모에 따른 생산성 차이를 조사해야 한다.

07 경남, 울산, 충남의 공업 특징   답 ②

경남, 울산, 충남 중에서 (가)는 전자 부품·컴퓨터·영상·음향 및 통신 장비와 화학 물질 및 화학 제품의 비중이 높으므로 경기와 인접하고 석유 화학 단지(서산)가 있는 충남(A)이다. (나)는 기타 운송 장비의 비중이 높으므로 조선소(거제)가 있는 경남(C)이다. (다)는 코크스·연탄 및 석유 정제품과 자동차 및 트레일러의 비중이 높으므로 울산(B)이다.

08 7대 도시의 제조업 규모   답 ⑤

7대 도시 중에서 종사자 수와 출하액 모두 대기업 비중이 가장 높은 곳은 울산이다. 울산은 대기업의 종사자가 울산 전체 제조업 종사자의 약 50%를 차지하고 있고, 대기업 출하액이 울산 전체 제조업 출하액의 약 70%를 차지하고 있다.

01 상점의 성립 조건 　　　　　답 ①

상점은 인구가 많고 접근성이 좋은 곳에 입지하는 것이 유리하다. 도로, 철도 등 교통 시설을 건설하면 목적지까지 이동하는 데 드는 시간과 비용이 줄어들 수 있기 때문에 접근성이 향상된다. 재화의 도달 범위란 중심지 또는 상점으로부터 재화가 도달할 수 있는 최대한의 공간 범위이고, 최소 요구치는 중심지 또는 상점이 유지될 수 있는 최소한의 수요로 상점의 규모가 커질수록 커지는 경향(ㄷ)이 나타난다. 상점이 유지되기 위해서는 재화의 도달 범위가 최소 요구치의 범위보다 같거나 커야(ㄹ) 한다.

02 시장 발달 과정 　　　　　답 ③

정기 시장은 정기적으로 열리는 시장이고 상설 시장은 한 장소에서 항상 열리는 시장이다. 상설 시장이 형성되기 위해서는 재화의 도달 범위가 최소 요구치의 범위보다 같거나 커야 하는데, 인구가 증가하거나 생활 수준이 향상되면 최소 요구치의 범위가 줄어들고 교통이 발달하면 재화의 도달 범위가 넓어진다. ㄹ. 무점포 소매업의 등장은 전자 상거래의 확대에 따른 것으로, 택배업·물류업 성장에 영향을 주었다.

03 소매업 유형별 매출액과 사업체 수 특징 이해 　　　　　답 ④

(가)는 매출액이 가장 많고 사업체 수는 매우 적으므로 대형 마트, (나)는 매출액이 대형 마트에 이어 두 번째로 많고, 사업체 수가 빠르게 증가했으므로 무점포 소매, (다)는 매출액은 세 번째로 많지만 사업체 수는 정체되어 있으므로 슈퍼마켓이다. (라)는 사업체 수가 빠르게 증가하여 2016년에 그 수가 가장 많은 편의점, (마)는 사업체 수가 가장 적은 백화점이다.

04 편의점과 백화점의 특징 　　　　　답 ①

(라)는 편의점, (마)는 백화점이다. 백화점은 편의점보다 점포당 매출액이 많고 재화의 도달 범위가 넓다. 반면 편의점은 백화점보다 소비자의 이용 빈도가 높고 업체 간 평균 거리가 가깝다.

내 것으로 만드는 셀파 - Tip

▶ 편의점과 백화점의 특징 비교

	상점 수	최소 요구치	재화의 도달 범위	평균 매출액	판매 상품의 종류
백화점	적다	크다	넓다	많다	고급 상품
편의점	많다	작다	좁다	적다	생활용품

05 전통적 상거래와 전자 상거래의 특징 　　　　　답 ③

(가)는 전자 상거래, (나)는 도매상, 소매상 등을 거치는 전통적 상거래 방식이다. 전자 상거래는 상점을 직접 방문하지 않고 물건을 구매할 수 있으므로 재화의 도달 범위가 오프라인 매장에 비해 매우 넓고, 구매한 상품은 택배업체를 통해 소비자에게 전달하는 경우가 대부분이다. 전자 상거래는 상대적으로 최근인 인터넷이 발달한 이후에 크게 성장하였으며, 공간적 제약을 거의 받지 않는다.

06 상품 특성에 따른 상점의 입지 　　　　　답 ②

상대적으로 일상 생활용품 판매점은 고차 중심지와 저차 중심지 모두에 분포하는 반면 귀금속 전문 판매점은 주로 고차 중심지에 분포하는 경향이 있다. 따라서 일상 생활용품 판매점과 비교한 귀금속 전문 판매점의 특징으로는 특정 지역 집중도가 높고, 소비자의 이용 빈도는 낮으며 상점의 수는 적다는 점이 있다.

07 백화점과 편의점의 특징 　　　　　답 ⑤

상대적으로 점포 수가 적고 점포 간 거리가 먼 (가)는 백화점, (나)는 편의점이다. 상대적으로 고차 기능인 백화점은 편의점보다 업체당 매출액과 소비자의 1회당 구매액이 많고, 고가 상품의 판매 비중이 높으며, 점포를 이용하기 위한 소비자의 평균 이동 거리가 멀다. 반면 편의점은 백화점보다 소비자의 이용 빈도가 높다.

08 탈공업화 현상 　　　　　답 ①

(가)는 탈공업화이다. 탈공업화 현상이 나타난 배경은 소득 증가에 따른 서비스업에 대한 수요 증가, 노동비 절감을 위한 공장 자동화 시설 증가 등이다. ㄷ. 서비스업이 제조업에 비해 고용 창출 효과가 크다. ㄹ. 빠른 산업화에 따른 촌락에서 도시로의 활발한 인구 이동은 이촌 향도라고 한다.

09 우리나라의 산업별 종사자 수 비중 변화 　　　　　답 ①

우리나라는 1차 산업 종사자 수 비중은 지속적으로 감소하였고, 3차 산업 종사자 수 비중은 지속적으로 증가하였으며, 2차 산업 종사자 수 비중은 증가하다가 감소하였다. 따라서 (가)는 1차 산업, (나)는 2차 산업, (다)는 3차 산업이다.

10 산업 구조 변화의 영향 　　　　　답 ④

1970년에 비해 2015년은 도시화율이 높고, 생산 요소로서 지식과 정보의 중요성이 크며, 국내 총생산에서 서비스업이 차지하는 비중이 높다. ㄴ. 영농의 기계화와 영농 방식 발달 등으로 1차 산업 종사자당 생산액은 증가하였다.

11 소비자 서비스업과 생산자 서비스업 　　　　　답 ④

소비자 서비스업은 일반 소비자에게 서비스를 제공하는 서비스업으로 도·소매업, 음식업, 숙박업 등이 있으며, 소비자의 이동 거리를 최소화하고 업체 간 일정 거리를 유지하기 위해 인구 분포에 따라 분산하여 입지하는 경향이 있다. 생산자 서비스업은 기업을 대상으로 제공하는 서비스업으로 금융업, 사업 서비스업(법률, 회계 등) 등이 있으며, 기업 본사가 집중된 대도시를 중심으로 집중 분포한다. 따라서 (가)는 소비자 서비스업, (나)는 생산자 서비스업이다. ④ 경기는 소비자 서비스업의 비중이 약 75%에 이르므로 전국에서 가장 높다.

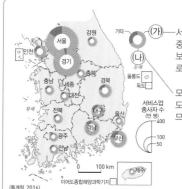

⑦ 서울특별시를 제외한 모든 시도에서 비중이 50% 이상으로 나타나는데, 대도시보다 도 지역에서 높은 경향이 나타나므로 소비자 서비스업이다.

⑭ 모든 시도에서 (가)보다 비중이 낮고, 대도시가 도 지역보다 높은 경향이 나타나므로 생산자 서비스업이다.

12 소비자 서비스업과 생산자 서비스업의 분포 답 ②

소비자 서비스업인 도·소매업은 인구 분포에 따라 분산하여 입지하는 경향이 있으며, 생산자 서비스업인 전문 서비스업은 대도시의 도심, 부도심과 같은 핵심 지역에 집중하여 입지하는 경향이 있다.

정답을 찾아가는 셀파 - Tip

ㄱ. 도·소매업의 매출액이 가장 많은 곳은 전문 서비스업의 매출액도 가장 많다. (○)
→ 서울은 도·소매업과 전문 서비스업의 매출액 모두 가장 많다.

ㄴ. 영남권에서 매출액의 광역시 집중도는 도·소매업이 전문 서비스업보다 높다. (×)
→ 영남권에서 매출액의 광역시 집중도는 전문 서비스업이 도·소매업보다 높다.

ㄹ. 모든 시도에서 전문 서비스업 종사자 수가 도·소매업 종사자 수보다 많다. (×)
→ 종사자 수는 모든 시도에서 도·소매업이 전문 서비스업보다 많다.

13 교통수단별 운송비 구조 답 ⑤

기종점 비용은 항공＞해운＞철도＞도로 순으로 높고, 주행 거리 비용은 도로＞항공＞철도＞해운 순으로 증가율이 높다. 따라서 (가)는 항공, (나)는 도로, (다)는 철도, (라)는 해운이다. 도로는 모든 구간에서 주행 비용 증가율이 가장 높으므로 X-Z 구간에서 주행 비용이 가장 비싼 운송 수단 역시 도로이다.

자료를 분석하는 셀파 - Tip

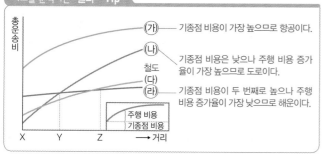

(가) 기종점 비용이 가장 높으므로 항공이다.

(나) 기종점 비용은 낮으나 주행 비용 증가율이 가장 높으므로 도로이다.

(라) 기종점 비용이 두 번째로 높으나 주행 비용 증가율이 가장 낮으므로 해운이다.

14 교통의 발달이 지역에 미치는 영향 답 ③

서울~포항 고속철도가 개통되면서 서울과 포항의 접근성이 향상되었다. 따라서 수도권에서 포항으로 유입되는 관광객의 수가 증가하고 포항에서 서울의 백화점으로 쇼핑을 가는 주민이 증가한다. 포항에서

서울로 갈 때 고속 철도가 시간을 단축할 수 있으므로 고속버스를 이용하는 주민의 비중은 낮아졌을 것이다.

서술형 문제

15 상점의 성립 조건

모범 답안 | 상점이 성립하기 위해서는 재화의 도달 범위가 최소 요구치의 범위보다 넓거나 같아야 한다.

채점 기준	배점
제시된 조건을 모두 사용하여 상점의 성립 조건을 서술한 경우	상
상점의 성립 조건을 서술하지 못한 경우	하

16 생산자 서비스업과 소비자 서비스업의 분포 특징

(1) (가)는 소비자 서비스업, (나)는 생산자 서비스업이다.

(2) 모범 답안 | 생산자 서비스업은 소비자 서비스업에 비해 지식 집약적인 특성이 크고, 도심 집중도가 높으며, 주요 고객이 기업이므로 개인 소비자와의 거래액 비중이 낮다.

주요 단어 | 지식 집약, 도심 집중, 기업

채점 기준	배점
(가), (나) 서비스업의 명칭을 쓰고, 소비자 서비스업과 비교한 생산자 서비스업의 상대적 특징을 3가지 모두 서술한 경우	상
(가), (나) 서비스업의 명칭을 쓰고, 소비자 서비스업과 비교한 생산자 서비스업의 상대적 특징을 1~2가지만 서술한 경우	중
(가), (나) 서비스업의 명칭만 쓴 경우	하

17 교통수단별 국내 여객 수송 분담률

(1) A는 도로, B는 철도이다.

(2) 모범 답안 | 도로는 기동성과 문전 연결성이 우수하고 지형적 제약이 적으며, 단거리 수송에 유리하다. 철도는 정시성과 안전성이 우수하지만 지형적 제약이 큰 편이며, 중거리 수송에 유리하다.

주요 단어 | 기동성, 문전 연결성, 정시성, 안전성

채점 기준	배점
A, B 교통수단의 명칭을 쓰고, 그 특징을 두 가지 모두 적절하게 서술한 경우	상
A, B 교통수단의 명칭을 쓰고, A, B 중 한 가지의 특징만 서술한 경우	중
A, B 교통수단의 명칭만 쓴 경우	하

자료를 분석하는 셀파 - Tip

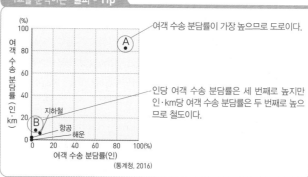

여객 수송 분담률이 가장 높으므로 도로이다.

인당 여객 수송 분담률은 세 번째로 높지만 인·km당 여객 수송 분담률은 두 번째로 높으므로 철도이다.

01 소매업의 특징   🅐 ④

A는 (가), (나) 모두에서 업체 수가 가장 적으므로 백화점이다. 백화점 매출액은 경기보다 서울이 많으므로 (가)는 서울, (나)는 경기이다. B는 서울보다 경기에서 매출액이 많고, 서울에서 매출액이 가장 적으므로 편의점이다. 무점포 소매업은 서울 집중도가 매우 높으므로 C는 무점포 소매업이다. ④ 백화점은 무점포 소매업보다 재화의 도달 범위가 좁다.

자료를 분석하는 셀파 - Tip

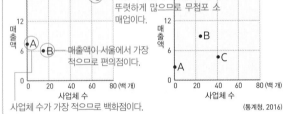

서울의 매출액에 사업체 수가 뚜렷하게 많으므로 무점포 소매업이다.

매출액이 서울에서 가장 적으므로 편의점이다.

사업체 수가 가장 적으므로 백화점이다.   (통계청, 2016)

02 소매업의 특징   🅐 ①

(가)는 사업체 수, 종사자 수가 가장 적으나 매출액은 상대적으로 많은 편인 백화점, (나)는 사업체 수 대비 종사자 수가 가장 적은 편의점, (다)는 최근 매출액이 크게 증가한 무점포 소매업이다.

정답을 찾아가는 셀파 - Tip

① (가)는 (나)보다 사업체 간 평균 거리가 멀다. (○)
→ 백화점은 편의점보다 재화의 도달 범위가 넓어 사업체 간 평균 거리가 멀다.

② (가)는 (다)보다 2008년부터 2014년까지 매출액 증가율이 높다. (×)
→ 낮다.

③ (나)는 (가)보다 고가 제품 판매 비중이 높다. (×)
→ 낮다.

④ (나) 사업체는 (가) 사업체보다 2014년에 전국 대비 특별·광역시에 분포하는 비중이 높다. (×)
→ 낮다.

⑤ (가)~(다) 중 2014년에 종사자당 매출액은 (다)가 가장 많다. (×)
→ (가)

03 소비자 서비스업과 생산자 서비스업 특징   🅐 ④

소비자 서비스업인 음식업은 생산자 서비스업인 전문 서비스업에 비해 특정 지역 집중도가 낮다. A에서 가장 집중도가 높은 (나)는 25%인 반면 B에서 가장 집중도가 높은 (나)는 60% 이상이다. 따라서 A는 음식업, B는 전문 서비스업이다. 전문 서비스업은 서울 집중도가 매우 높으므로 (가)는 경기, (나)는 서울이다. ④ 생산자 서비스업은 경기보다 서울에서 더 발달하였다.

04 대형 마트와 슈퍼마켓의 특징   🅐 ⑤

(가)는 슈퍼마켓, (나)는 대형 마트에 대한 설명이다. 소매업은 도심

보다 주거 기능이 발달한 곳을 중심으로 입지하며, 특히 대형 마트는 넓은 주차장을 필요로 하므로 상대적으로 지가가 저렴하고 교통이 편리한 외곽 지역에 입지한다.

05 교통수단별 국내 수송 분담률   🅐 ③

여객과 화물의 수송 분담률이 가장 높은 A는 도로, 여객의 수송 분담률은 2번째로 많지만 화물 분담률은 3번째로 많은 B는 철도, C는 해운이다. 도로는 기종점 비용이 저렴한 반면 주행 비용 증가율이 높고, 기동성과 문전 연결성이 우수하다. 철도는 지형적 제약을 많이 받지만 정시성과 안전성이 우수하다. 해운은 기상 조건의 영향을 많이 받고 대량 화물의 장거리 수송에 유리하다.

자료를 분석하는 셀파 - Tip

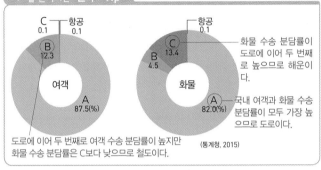

도로에 이어 두 번째로 여객 수송 분담률이 높지만 화물 수송 분담률은 C보다 낮으므로 철도이다.

화물 수송 분담률이 도로에 이어 두 번째로 높으므로 해운이다.

국내 여객과 화물 수송 분담률이 모두 가장 높으므로 도로이다.   (통계청, 2015)

06 교통수단별 특징   🅐 ③

A는 거리 증가에 따라 단위 거리당 운송비 감소액이 가장 적으며, 국내 화물 수송 분담률이 가장 높으므로 도로, B는 단위 거리당 운송비 감소액이 중간이고, 국내 화물 수송 분담률이 빠르게 낮아졌으므로 철도이다. C는 거리 증가에 따라 단위 거리당 운송비가 가장 많이 감소하고 2015년 기준 국내 화물 수송 분담률이 도로에 이어 두 번째로 높으므로 해운이다. 기종점 비용은 해운 > 철도 > 도로 순으로 높으며, 기상 제약은 해운이 철도보다 많이 받는다.

07 무점포 소매와 편의점의 특징   🅐 ⑤

(가)는 무점포 소매, (나)는 편의점에 대한 설명이다. 그래프에서 A는 백화점, B는 대형 마트, C는 편의점, D는 무점포 소매이다. 따라서 (가)는 D, (나)는 C이다.

08 시도별·업종별 취업자 비중   🅐 ①

(가)는 경기의 비중이 특히 높으므로 제조업, (나)는 경북, 전남 등 도 지역에서 높으므로 농림·어업, (다)는 경기와 서울의 비중이 특히 높으므로 도소매·숙박·음식업의 취업자 수 비중이다.

VI 인구 변화와 다문화 공간

01 인구 변화 및 인구 문제와 공간 변화

01 우리나라의 인구 이동   답 ④

2010년의 인구 중심점은 1970년에 비해 북서쪽(수도권 방향)으로 이동하였다. 이는 수도권에 거주하는 인구 비중이 높아졌다는 것을 의미한다. 수도권에 인구가 집중하는 것은 수도권을 중심으로 산업화가 활발하게 이루어져 일자리가 증가했기 때문이다.

02 우리나라의 인구 밀도 변화   답 ⑤

2015년은 1985년에 비해 인구가 증가하였기 때문에 우리나라 전체의 인구 밀도가 높아졌고, 특히 수도권 및 남동 해안 지역의 인구 밀도가 높아졌다.

> **정답을 찾아가는 셀파 - Tip**
>
> ㄱ. 인구 분포의 불균등 현상이 완화되었다. (×)
> → 1985년보다 2015년에 수도권과 남동 연안 지역의 인구 집중 현상이 뚜렷해졌다.
>
> ㄹ. 호남 지방에서 서해안과 접하고 있는 시·군은 1985~2015년에 대부분 인구 밀도가 낮아졌다. (○)
> → 1985년에 200~500명/km²에 속했던 시·군의 대부분이 2015년에는 50~200명/km²에 속한다.

> **자료를 분석하는 셀파 - Tip**
>
> 수도권은 지속적으로 인구가 증가하여 인구 밀도가 높아졌다.
>
>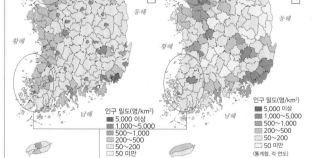
>
> 제조업 발달이 미약한 호남 서해안은 인구 밀도가 낮아졌다.

03 영남 지방의 인구 순이동   답 ②

전입 인구와 전출 인구의 차이를 나타내는 인구 순 이동은 인구의

사회적 변화를 나타낸다. 1980년대에는 대도시인 부산으로 인구가 집중하였기 때문에 부산은 인구 순 이동이 양의 값을, 경북과 경남은 음의 값을 나타낸다. 1990년대 들어 부산은 인구 교외화 현상으로 인구 순 이동이 음의 값을, 부산의 인구 교외화로 부산으로부터 인구가 유입된 경남은 대체로 양의 값을 갖는다. 경북은 과거에 비해 유출 인구 수는 감소했지만 인구 순 이동자 수가 음의 값을 기록하는 경우가 많았다. 따라서 (가)는 부산, (나)는 경북, (다)는 경남이다.

> **자료를 분석하는 셀파 - Tip**
>
>
>
> 1980년대에 감소하였으나 1990년대 이후 대체로 증가하고 있으므로 경남이다.
>
> 1980년대 이후 대부분의 시기에 감소하였으므로 경북이다.
>
> 1980년대에는 증가하였으나 1990년대 이후 감소하고 있으므로 부산이다.

04 인구 변천 모델   답 ①

(가)~(라)를 순서대로 나열하면 (나)-(라)-(다)-(가)이다.

> **정답을 찾아가는 셀파 - Tip**
>
> ㄱ. (나)의 인구 구조는 피라미드형이다. (○)
> → 출생률과 사망률이 높으면 피라미드형 인구 구조가 나타난다.
>
> ㄴ. (가)는 (나)보다 노년 부양비가 높다. (○)
> → 출생률과 사망률이 모두 낮은 수준의 국가는 노년 부양비가 높다.
>
> ㄷ. (나)는 (다)보다 인구의 자연 증가율이 높다. (×)
> → 인구의 자연 증가율은 (다)가 높다.
>
> ㄹ. (라)는 (다)보다 총인구가 많다. (×)
> → 총인구는 (다)가 (라)보다 많다.

> **내 것으로 만드는 셀파 - Tip**
>
> ▶ 인구 변천 모델
>
> | 1단계(다산 다사) | 출생률과 사망률이 모두 높은 고위 정체기, 인구 성장률 낮음. |
> |---|---|
> | 2단계(다산 감사) | 출생률은 높으나 의료 기술 보급 등으로 사망률이 급격히 감소함. 인구 급증 |
> | 3단계(감산 소사) | 자녀에 대한 가치관 변화 등으로 출생률이 감소하는 단계 |
> | 4단계(소산 소사) | 출생률과 사망률이 모두 낮은 저위 정체기 |

05 우리나라의 인구 성장   답 ②

우리나라는 일제 강점기에 들어서면서 근대 의료 기술이 도입되고 농업 생산성이 높아짐에 따라 인구가 급증하였다. 광복 후에는 해외 동포의 귀국, 북한 동포의 월남 등으로 인구의 사회적 증가가 나타났다. 1950년 6·25 전쟁으로 사망률이 급증하면서 인구 증가율이 낮아졌으며, 이로 인해 1950년대 후반에는 출산 붐 현상이 나타났다. 1960~1990년대는 산아 제한 정책을 추진하면서 출생률이 빠르게 낮아졌으나, 2000년대 이후 지나친 출산율의 감소로 출산 장려 정책을

실시하고 있다. 인구의 자연 증가율은 출생률에서 사망률을 뺀 것으로 1920년보다 1965년이 더 높다.

06 우리나라의 인구 구조 변화   립 ④

우리나라는 1960년대 이전까지 높은 출생률과 사망률로 인해 전형적인 피라미드형 인구 구조가 나타났다. 이후 산아 제한 중심의 가족계획 정책으로 출생률이 감소하고 평균 기대 수명이 높아지면서 사망률이 감소하여 종형 인구 구조로 변화하였다. 따라서 (가)는 1960년, (나)는 2015년이다.

정답을 찾아가는 셀파 - Tip

② (나) 시기는 출산 장려 정책이 실시되었다. (○)
→ 2000년대 이후 지나친 출산율 감소로 출산 장려 정책이 실시되고 있다.

④ (나) 시기는 (가) 시기보다 총부양비가 높다. (×)
→ 총부양비는 청장년층 인구 비중과 반비례하므로 청장년층 인구 비중이 높은 2015년이 1960년보다 총부양비가 낮다.

⑤ (나) 시기는 (가) 시기보다 노년 부양비가 높다. (○)
→ 노년 인구 비중이 높은 2015년이 1960년보다 노년 부양비가 높다.

07 지역별 인구 구조의 변화   립 ②

인구 이동에 따라 지역의 인구 구조가 변화하기도 한다. 인구 전입이 활발한 지역에서는 청장년층 인구 비중이 높은 경향이 나타나며, 인구 전출이 활발한 지역에서는 노년층 인구 비중이 상대적으로 높게 나타난다. (가)는 1970년과 비교해 2015년 청장년층 인구 비중이 증가한 것으로 보아 인구가 유입되는 지역임을 알 수 있다. (나)는 1970년과 비교해 청장년층 인구 비중이 감소하고 상대적으로 노년층 인구 비중이 크게 증가한 것으로 보아 인구가 유출되는 지역임을 알 수 있다. 따라서 (가)는 충남 아산, (나)는 경북 의성이다.

정답을 찾아가는 셀파 - Tip

ㄴ. (나)는 교외화 현상이 활발한 대도시와 인접한 지역일 것이다. (×)
→ (나)는 대도시와 멀리 떨어져 인구가 유출되는 촌락이다.

ㄷ. (가)는 (나)보다 1970~2015년에 총부양비 증가율이 높을 것이다. (×)
→ 총부양비는 청장년층 인구 비중에 반비례하므로 (가)보다 (나)의 총부양비가 더 많이 증가하였을 것이다.

ㄹ. (가), (나) 모두 1970년대에 청장년층 인구의 순 유출 현상이 나타났을 것이다. (○)
→ (가), (나) 모두 1970년에 유소년층 인구 비중에 비해 청장년층 인구 비중이 뚜렷하게 낮은데, 이는 청장년층 인구 유출에 따른 것이다.

08 우리나라의 인구 정책 변화   립 ④

우리나라는 1960~1990년대에는 인구의 급격한 증가를 억제하기 위해 산아 제한 정책을 실시하였으며, 이로 인해 출산율이 급감하자 2000년대부터는 출산 장려 정책을 실시하고 있다. 1965년 우리나라의 합계 출산율은 5.6명이었으며, 남아 선호 사상으로 출생 시 성비가 100이 넘는 남초 현상이 나타나기도 하였으나 남아 선호 사상이 완화되면서 출생 시 성비가 점차 낮아지고 있다.

09 유소년 부양비와 노년 부양비의 분포   립 ⑤

(가)는 대도시 주변 지역에서 비중이 높게 나타나므로 유소년 부양

비, (나)는 촌락 지역에서 높게 나타나므로 노년 부양비이다.

10 시·도별 인구 부양비 분포   립 ②

유소년 부양비는 청장년 인구(15~64세)에 대한 유소년 인구(0~14세)의 비율로 나타내며, 노년 부양비는 청장년 인구에 대한 노년 인구(65세 이상)의 비율로 나타낸다. 따라서 총부양비는 청장년 인구에 반비례한다.

정답을 찾아가는 셀파 - Tip

ㄱ. 부산은 광주보다 노령화 지수가 높다. (○)
→ 부산과 광주는 총부양비가 비슷하지만 부산의 노년 부양비가 더 높으므로 부산이 광주보다 노령화 지수가 높다.

ㄴ. 제주는 노년 인구가 유소년 인구보다 많다. (×)
→ 제주도는 유소년 부양비가 노년 부양비보다 높으므로 유소년 인구가 노년 인구보다 많다.

ㄷ. 전남은 청장년 인구 비중이 50% 이상이다 (○)
→ 전남의 총부양비가 100보다 작으므로 청장년 인구 비중은 50% 이상이다.

11 저출산·고령화 현상의 원인과 영향   립 ②

저출산 현상의 원인으로는 초혼 연령의 상승, 교육비를 비롯한 양육 비용의 증가, 결혼과 자녀에 대한 가치관 변화, 고용 불안 등을 꼽을 수 있다. 한편 출산율이 낮아지는 반면 노년 인구는 빠르게 증가하고 있어 고령화 현상이 가중되고 있으며, 이에 따라 노년 부양비가 증가함에 따라 청장년층의 사회적 부담이 증가할 수 있다.

12 저출산·고령화 현상에 따른 공간 변화와 대책   립 ③

제시된 글은 고령화가 빠르게 진행되는 촌락 지역의 인구 감소와 정주 기반 악화에 대한 내용이다. 이에 대한 근본적인 대책은 ㄴ. 촌락의 정주 여건 개선, ㄷ. 합계 출산율을 높이기 위한 정책 실시 등이 적절하다.

서술형 문제

13 지역별 인구 구조 특징

(1)
노년 부양비	청장년 인구 비중	총부양비	중위 연령	노령화 지수
낮음.	높음.	낮음.	낮음.	낮음.

(2) **모범 답안** | (가) 지역은 산업화 과정에서 청장년층 중심의 인구 유출이 활발하게 나타난 반면, (나) 지역은 산업화 과정에서 인구 유입이 활발하였기 때문이다.

주요 단어 | 산업화, 인구 유출, 인구 유입

채점 기준	배점
(1)을 쓰고, (2)에서 두 지역의 인구 구조 특징이 나타난 원인을 인구 유출과 인구 유입 측면에서 서술한 경우	상
(1)만 쓴 경우	하

14 인구 부양비

(1) (가)는 유소년 부양비, (나)는 노년 부양비이다.

(2) **모범 답안** | 총부양비는 1970년대 이후 계속 감소하다가 2020년경부터 증가할 것으로 예상된다.

채점 기준	배점
(1)을 쓰고, 총부양비 변화 경향을 옳게 서술한 경우	상
(1)을 쓰고, 총부양비 변화 경향을 미흡하게 서술한 경우	중
(1)만 쓴 경우	하

도전 수능 문제
p. 180 ~ p. 181

01 ③	02 ④	03 ①	04 ①	05 ①	06 ①
07 ②	08 ④				

01 권역별 인구 비중 변화 〔답〕③

지도의 A는 수도권, B는 충청권, C는 호남권, D는 영남권이다. 1960~2015년에 우리나라 인구는 빠르게 증가했는데, 특히 수도권의 인구 증가가 두드러지며 지역에 따라서는 감소한 곳도 있다. 1960년의 권역별 인구는 영남권>호남권>수도권>충청권>강원·제주권 순으로 많았으나 수도권으로의 인구 집중, 이촌 향도 등으로 2015년에는 수도권>영남권>충청권>호남권>강원·제주권 순으로 인구가 많다. 따라서 (가)는 수도권, (나)는 영남권, (다)는 충청권, (라)는 호남권이다.

02 지역별 인구 및 성비 변화 〔답〕④

지도에서 A는 의령, B는 거제, C는 양산이다. (가)는 인구가 증가 추세에 있으며 남초 현상이 나타나므로 조선 공업이 발달한 거제이다. (나)는 1990년대 이후 인구가 증가하고 있으며, 성비에서는 뚜렷한 특징이 나타나지 않는다. 따라서 1990년대 이후 부산의 교외화로 인구가 유입된 양산이다. (다)는 인구가 감소하고 있으며 여초 현상이 나타나므로 대도시에서 멀리 떨어진 의령이다. 대도시와 멀리 떨어진 촌락 지역은 노년 인구 비중이 높아 여초 현상이 나타난다. 따라서 (가)는 B, (나)는 C, (다)는 A이다.

자료를 분석하는 셀파 - Tip

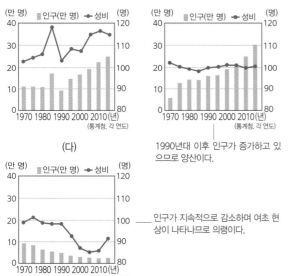

인구가 대체로 증가하며 남초 현상이 나타나므로 거제이다.

1990년대 이후 인구가 증가하고 있으므로 양산이다.

인구가 지속적으로 감소하며 여초 현상이 나타나므로 의령이다.

03 지역별 인구 특징 〔답〕①

경기는 인구 유입이 활발한 지역으로 청장년층과 유소년층의 인구 비중이 비교적 높은 지역이고, 울산은 제조업이 발달하면서 청장년층의 인구 전입이 활발하여 2015년 기준 청장년층 인구 비중이 가장 높은 지역이다. 전남은 촌락이 넓게 분포하고 산업화 과정에서 청장년층의 인구 유출이 많아 시·도 중에서 청장년층 인구 비중이 가장 낮고 노년층 인구 비중은 가장 높다. 충북은 유소년층과 청장년층의 비중이 경기와 울산에 비해서는 낮고 전남에 비해서는 높다. 따라서 (가)는 울산, (나)는 충북, (다)는 전남, (라)는 경기이다.

정답을 찾아가는 셀파 - Tip

ㄴ. 총부양비는 (다)가 가장 높다. (○)
→ 청장년층 인구 비중이 가장 낮은 (다)가 총부양비가 가장 높다.

ㄷ. (가)는 (라)보다 유소년 부양비가 높다. (✕)
→ (가)는 (라)보다 청장년층 인구 비중은 높고, 유소년층 인구 비중은 낮으므로 유소년 부양비가 낮다.

ㄹ. (다)는 (라)보다 노령화 지수가 낮다. (✕)
→ 노령화 지수는 유소년 인구 100명에 대한 노년 인구의 비율이므로 유소년층 비중이 가장 낮은 (다)가 노령화 지수가 가장 높다.

04 지역별 인구 구조 특징 〔답〕①

(가)는 (나)보다 유소년층 및 청장년층 비중이 낮고 노년층 비중이 높으므로 전남, (나)는 광주이다. 전남은 노년층 비중이 유소년층 비중보다 높으므로 노령화 지수가 100보다 크다. 광주에서 유소년층의 성비는 100 이상이며, 노년층에서는 여초 현상이 나타나 100 이하이다.

05 인구 부양비와 노령화 지수 〔답〕①

연령층별 인구 구조를 토대로 인구 부양비를 계산할 수 있다. A의 총부양비는 $(15.0+9.3)/75.7×100=32.1$, 유소년 부양비는 $15.0/75.7×100=19.8$, 노령화 지수는 $9.3/15.0×100=62.0$이므로 (가)에 해당한다. (나)는 노령화 지수가 162.6으로 매우 높은데, 이는 유소년층에 비해 노년층 비중이 높다는 의미이다. 따라서 (나)는 B이다.

내 것으로 만드는 셀파 - Tip

▶ 인구 관련 통계 지표

인구 부양비	• 청장년 인구(15~64세)에 대한 유소년 인구(0~14세)와 노년 인구(65세 이상)의 합의 비율 • 총부양비: $\dfrac{유소년 인구+노년 인구}{청장년 인구}×100$ • 유소년 부양비: $\dfrac{유소년 인구}{청장년 인구}×100$ • 노년 부양비: $\dfrac{노년 인구}{청장년 인구}×100$
노령화 지수	• 유소년 인구 100명에 대한 노년 인구의 비율 • $\dfrac{노년 인구}{유소년 인구}×100$

06 인구 부양비의 분포 〔답〕①

(나)는 대체로 촌락 지역에서 높으므로 노년 부양비, (다)는 대체로 대도시 주변 지역에서 높으므로 유소년 부양비, 그 중간인 (가)는 총부양비이다. 유소년 부양비는 유소년 인구 비중이 높은 도시, 특히 대도

시 주변 신도시에서 높게 나타나고, 노년 부양비는 청장년층 인구 유출이 활발한 촌락 지역에서 높게 나타난다. 총부양비는 상대적으로 청장년층 인구 비중이 높은 도시 지역에서 낮게 나타난다.

07 인구 부양비　답 ②

총부양비는 유소년 부양비와 노년 부양비의 합이며, 청장년층 인구 비중에 반비례한다. A는 유소년 부양비와 노년 부양비가 모두 약 20이므로 총부양비는 약 40이다. B는 유소년 부양비가 약 13, 노년 부양비가 약 32이므로 총부양비는 45이다. (가)에는 B 지역에서 높은 항목인 총부양비 또는 노령화 지수, (나)에는 A 지역에서 높은 항목인 유소년 부양비, 청장년층 인구 비중이 들어갈 수 있다.

08 읍·면·동별 인구 특징　답 ④

연령층별 인구 비중 그래프에서 노년 인구 비중이 가장 높고, 유소년 인구 비중은 가장 낮은 ㉠은 면, 그다음으로 노년 인구 비중이 높은 ㉡은 읍, ㉢은 동이다. 총부양비와 노령화 지수 그래프에서 A는 노령화 지수가 가장 높으므로 면, B는 읍, C는 총부양비와 노령화 지수가 가장 낮으므로 동이다. 면은 촌락, 동은 도시이며, 군청 소재지는 대부분 읍에 위치한다.

> **정답을 찾아가는 셀파 - Tip**
>
> ① 도시화 과정에서 C는 인구 유입이 활발하였다. (○)
> → 도시화 과정에서 동, 즉 도시로의 인구 유입이 활발하였다.
> ② 우리나라 총인구에서 차지하는 비중은 C가 A보다 높다. (○)
> → 우리나라 총인구에서 차지하는 비중은 도시가 촌락보다 높다.
> ③ ㉠은 유소년 부양비보다 노년 부양비가 2배 이상 높다. (○)
> → ㉠은 유소년 인구 비중이 약 8%이고 노년 인구 비중이 약 28%이므로 노년 부양비가 유소년 부양비보다 2배 이상 높다.

02 외국인 이주와 다문화 공간

01 안산시의 특징　답 ①

안산은 제조업 공장이 많은 지역으로 외국인 근로자가 많이 거주하며 우리나라 최초로 다문화 마을 특구로 지정되었다. A는 안산, B는 서산, C는 단양, D는 안동, E는 목포이다.

02 국내 체류 외국인의 국적　답 ②

국내 체류 외국인의 국적은 우리나라와 지리적으로 가깝고 우리 동포가 많은 중국이 절반 이상이며, 그다음으로 베트남, 미국, 필리핀 순으로 비중이 높다. 외국인 근로자의 유입 배경은 국내 생산직 근로자의 임금 상승과 3D 업종 기피 현상 등이므로, 외국인 근로자의 국적은 우리나라보다 임금 수준이 낮은 국가의 출신이 많다. 따라서 (가)는 중국, (나)는 베트남이다.

03 외국인 근로자와 결혼 이민자의 분포　답 ③

(가)는 제조업 공장이 많은 지역에서 비중이 높으므로 외국인 근로자의 비중, (나)는 촌락에서 비중이 높으므로 결혼 이민자의 비중이다. 외국인 결혼 이민자와 관련하여 국제결혼 건수는 도시가 촌락보다 많지만 국제결혼 비중은 촌락이 도시보다 높다.

04 국내 체류 외국인 근로자의 증가 배경　답 ⑤

그래프를 통해 국내 체류 외국인의 수와 비율이 꾸준히 증가하는 것을 알 수 있다. 국내 체류 외국인의 증가는 1990년대 초 중국, 동남아시아, 남부 아시아 등지로부터 제조업 근로자가 유입되면서 시작되었다. 이 시기에 국내 생산직 근로자의 임금 상승과 3D 업종 기피 현상 등으로 외국인 근로자에 대한 수요가 증가하였기 때문이다. 최근에는 연구 개발, 국제 금융 등 다양한 분야에서 고임금·전문직 외국인 근로자의 유입도 증가하고 있다. 세계화, 한국 여성과 결혼하는 외국 남성의 증가, 다국적 기업에 근무하는 외국인 전문 인력 증가 등도 영향을 미쳤지만 외국인이 증가하는 가장 중요한 배경은 상대적으로 높은 임금을 찾아 아시아의 여러 국가에서 오는 근로자들이 많기 때문이다.

05 국제결혼 추이　답 ③

2000~2015년에 국제결혼 추이는 모든 시기에서 한국 남성과 외국 여성의 국제결혼 건수가 그 반대의 경우보다 많다. 한국 여성과 외국 남성의 국제결혼 추이는 2005년에 가장 많았고 이후에 비교적 완만하게 감소하고 있다. 한국 남성과 외국 여성의 결혼은 2005년에 가장 많았으며 이후 빠르게 감소하고 있다.

> **정답을 찾아가는 셀파 - Tip**
>
> ㄱ. 외국 남성은 외국 여성보다 아시아 출신의 비중이 높다. (×)
> → 우리나라 국제결혼에서 외국 남성은 미국 등이 높고 외국 여성은 베트남, 필리핀 등 아시아 출신 비중이 높으므로 외국 남성은 외국 여성보다 아시아 출신의 비중이 낮다.
> ㄴ. 한국 남성은 한국 여성보다 촌락에 거주하는 비중이 높다. (○)
> → 촌락 지역의 결혼 적령기 성비 불균형 현상이 국제결혼 증가의 주요 배경이므로 한국 남성은 한국 여성보다 촌락에 거주하는 비중이 높다.
> ㄹ. 한국 남성과 외국 여성의 결혼은 2005년 이후 증가하는 추세이다. (×)
> → 2005년 이후 한국 남성과 외국 여성, 한국 여성과 외국 남성의 국제결혼 모두 감소하는 추세이다.

06 국내 체류 외국인의 유형　답 ⑤

국내 체류 외국인의 유형별 수는 외국인 근로자 > 결혼 이민자 > 유학생 순으로 높다. 따라서 (가)는 외국인 근로자, (나)는 결혼 이민자, (다)는 유학생이다.

07 국내 체류 외국인의 인구 구조　답 ②

국내 체류 외국인의 인구 구조는 우리나라의 인구 구조에 비해 청장년층 인구 비중이 매우 높은 것이 특징이다. 국내 체류 외국인의 인구 구조에서 20~30대 연령층의 비중은 약 57%로 국내 체류 외국인의 절반 이상을 차지한다.

08 국내 체류 외국인의 취업 직종　답 ③

(가)는 업종별 외국인 취업자 수가 가장 많고 여성에 비해 남성 취업자 수가 많으므로 광업 및 제조업이다. (나)는 업종별 외국인 취업자 수가 사업, 개인 공공 서비스와 비슷하지만 여성의 비중이 높으므로 도소매 및 숙박, 음식점업이다. (다)는 농림·어업이다.

09 지역별 외국인 현황 〈답〉 ①

서울, 경기, 전남 중에서 서울은 다양한 체류 유형별 외국인이 있기 때문에 청장년층에서 연령층별 외국인 수의 비중 차이가 경기나 전남에 비해 작고 결혼 이민자 중 여성의 비율이 낮다. 경기는 전남과 함께 20~30대 연령층의 비중이 높고 남성이 여성보다 많다. 하지만 국적 비중에서 중국인의 비중이 높고 결혼 이민자 중 여성 비중이 전남보다 낮다. 전남은 베트남 국적 비중이 가장 높고 결혼 이민자 중 여성 비중이 가장 높다. 따라서 (가)는 서울, (나)는 경기, (다)는 전남이다.

자료를 분석하는 셀파 - Tip

〈인구 구조〉

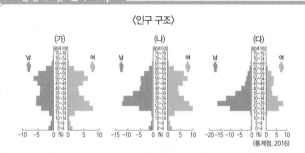

(통계청, 2016)

(가)는 (나), (다)에 비해 청장년층에서 연령층별 차이가 작고, 여성이 남성이 비해 많으므로 서비스업이 발달하고 다양한 체류 유형의 외국인이 거주하는 서울이다.

〈출신 국가별 비중〉

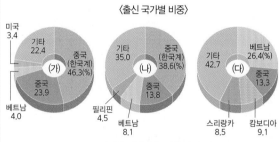

〈결혼 이민자 중 여성 비중〉

(단위: %)

(가)	(나)	(다)
73.6	81.4	96.3

(다)는 베트남 출신 외국인 비중이 가장 높으며, 결혼 이민자 중 여성 비중이 매우 높은 것으로 보아 촌락이 넓게 분포한 전남이다.

서술형 문제

10 국내 체류 외국인 현황

모범 답안 | (가)는 국내 체류 외국인 중에서 가장 높은 비중을 차지하므로 외국인 근로자이다. 1990년대 초 국내 생산직 근로자의 임금 상승하고, 3D 업종 기피 현상 등의 영향으로 외국인 근로자가 증가하게 되었다.

주요 단어 | 외국인 근로자, 임금 상승, 3D 업종 기피 현상

채점 기준	배점
(가)의 외국인 유형을 쓰고, 유입 배경을 두 가지 서술한 경우	상
(가)의 외국인 유형만 쓴 경우	하

도전 수능 문제 p. 187

| 01 ③ | 02 ④ | 03 ④ | 04 ③ |

01 지역별 국내 체류 외국인의 특징 〈답〉 ③

촌락의 경우 국제결혼 비율이 상대적으로 높기 때문에 동남아시아 국가 출신 외국인의 비중이 상대적으로 높고, 남성보다 여성의 비율이 상대적으로 높다. (가)는 (나)에 비해 동남아시아 국가의 비중이 높으며, 이들 국가의 여성 비중이 높으므로 촌락인 영동이다. 따라서 (나)는 아산이다. 아산은 제조업이 발달하여 영동에 비해 외국인 근로자의 비중이 높은데, 외국인 근로자는 남성이 여성보다 많다.

정답을 찾아가는 셀파 - Tip

ㄴ. (가)는 (나)보다 지역 내에서 차지하는 국제결혼 비율이 높다. (○)
→ 국제결혼 비율은 촌락이 도시보다 높으므로 영동은 아산보다 국제결혼 비율이 높다.

ㄷ. (나)는 (가)보다 총 외국인 수가 많다. (○)
→ 산업이 발달한 도시 지역에는 촌락 지역보다 많은 외국인이 거주한다.

02 결혼 이민자의 특징 〈답〉 ④

촌락 지역에서 젊은 여성 인구가 도시로 이주함에 따라 결혼 적령기의 성비 불균형 현상이 나타나고, 세계화에 따라 외국인에 대한 거부감이 감소하고 가치관이 변화하면서 2000년대 이후 국제결혼이 증가하였다. 촌락 지역은 도시 지역보다 외국인 여성과의 혼인 비율이 높지만 총 결혼 건수는 도시 지역이 촌락 지역보다 많다.

03 국내 체류 외국인의 유형 〈답〉 ④

유학생, 결혼 이민자, 외국인 근로자 중에서 국내 체류 유형별 외국인은 외국인 근로자 > 결혼 이민자 > 유학생 순으로 많다. 따라서 (가)는 외국인 근로자, (나)는 결혼 이민자, (다)는 유학생이다. 외국인 근로자는 남성이 여성보다 많다. 우리나라 인구는 90% 이상이 도시에 거주하고 있으며 결혼 이민자도 촌락보다 도시에 더 많이 거주한다. 다만 국제결혼 비율은 촌락이 도시보다 높다. 외국인 근로자는 결혼 이민자보다 도시에 거주하는 인구 비율이 높고, 결혼 이민자는 유학생보다 평균 연령이 높다.

04 수도권의 외국인 현황 〈답〉 ③

수도권 세 지역 중에서 체류 외국인은 경기 > 서울 > 인천 순으로 많다. 국적별 체류 외국인 수에서 서울은 경기에 비해 비교적 소득이 높은 국가인 미국과 일본 출신이 많다. 반면 경기는 서울에 비해 제조업 공장이 많으며 이곳에서 일하는 근로자들이 많아 동남아시아 국가 출신의 외국인이 많다.

01 지역 구분 및 북한 지역의 지리적 특성

01 지역 구분의 유형 답 ③

(가)는 서울의 토지 이용을 나타낸 것으로 동질 지역에 해당하며, (나)는 수도권 통근·통학자 수를 나타낸 기능 지역이다. 동질 지역은 특정한 지리적 현상이 동일하게 나타나는 공간 범위이며, 기능 지역은 중심지와 배후지가 기능적으로 결합된 공간 범위이다. 따라서 지역 간 상호 작용은 기능 지역을 통해 파악하기 쉽다. 동질 지역의 사례로는 기후 지역, 문화권, 농업 지역 등이 있으며, 기능 지역의 사례로 상권, 통근·통학권, 도시 세력권 등이 있다.

02 점이 지대의 의미 답 ⑤

인접한 두 지역의 경계에서 두 지역의 지리적 특성이 함께 섞여 나타나는 지역을 점이 지대라고 한다.

03 점이 지대의 특성 답 ①

(가)는 점이 지대로, 인접한 두 지역의 지리적 특성이 함께 섞여 나타나는 지역이다. 동질 지역이나 기능 지역의 경계에서는 모두 인접한 두 지역의 경계를 중심으로 점이 지대가 나타난다. 행정 구역은 인위적으로 구분한 지역의 경계로 명확한 선으로 구분되어 점이 지대가 나타나지 않는다.

04 전통적 지역 구분 답 ②

(가)에 표현된 지역은 백두대간과 낙동정맥 사이에 넓은 들판이 펼쳐져 있다고 하였으므로 경상도임을 알 수 있다. (나)에 표현된 지역은 동해안에 주요 고을이 분포하며 함경도와 같이 세로로 긴 형태를 띠고 있다고 하였으므로 강원도임을 알 수 있다.

내 것으로 만드는 셀파 - Tip

▶ **전통적 지역 구분과 행정 구역 및 주요 도시**

관북	함경도	함흥, 경성	경기	경기도	서울 부근
관서	평안도	평양, 안주	호서	충청도	충주, 청주
관동	강원도	강릉, 원주	호남	전라도	전주, 나주
해서	황해도	황주, 해주	영남	경상도	경주, 상주

05 전통적 지역 구분의 기준 답 ①

(가)는 강원도를 남북으로 달리는 태백산맥, (나)는 영동 지방과 영서 지방을 구분하는 대관령, (다)는 소백산맥, (라)는 조령(문경새재)이다.

06 전통적 지역 구분 답 ②

오늘날의 행정 구역과는 달리 과거에는 대하천, 고개, 산줄기 등을 기준으로 하여 지역을 구분하였다. (가)는 백두대간의 철령관을 기준으로 북쪽에 위치한 관북 지방, (나)는 한양과 그 주변 지역인 경기 지방, (다)는 호강(금강) 또는 제천 의림지의 서쪽 지역에 위치한 호서 지방, (라)는 조령(문경새재)의 남쪽 지역에 위치한 영남 지방이다.

내 것으로 만드는 셀파 - Tip

(국토지리정보원, 2014)

▶ **우리나라의 전통적 지역 구분**
- 관북·관서·관동 지방은 각각 철령관의 북쪽·서쪽·동쪽 지방을 말한다.
- 해서 지방은 황해도 일대로 한양을 기준으로 바다(경기만) 건너 지역을 말한다.
- 경기 지방은 한양을 포함한 그 주변 지역을 말한다.
- 호서 지방은 금강(호강) 또는 제천 의림지의 서쪽 지역을 말한다.
- 호남 지방은 금강(호강)의 남쪽 지역을 말한다.
- 영남 지방은 소백산맥을 경계로 조령(문경새재)의 남쪽 지역을 말한다.

07 북한의 자연환경 답 ②

북한은 남한보다 산지가 많으며, 특히 마천령산맥과 함경산맥이 발달한 관북 지방은 2,000m 이상의 높은 산들이 분포한다. 큰 평야는 주로 서해안 지역에 발달하며 동해안에 좁은 해안 평야가 나타난다. 한편 지형의 영향으로 대부분의 하천이 황해로 흐르지만, 두만강은 동해로 흐른다.

08 평양과 원산의 기후 특징 답 ④

(가)는 기온의 연교차가 크고 연 강수량이 적은 평양의 기후 그래프이다. (나)는 여름철뿐만 아니라 겨울철에도 비교적 강수량이 많고 겨울철이 온화한 원산의 기후 그래프이다. A는 중강진, B는 청진, C는 평양, D는 원산이다. 중강진은 우리나라에서 기온의 연교차가 가장 크며, 1월 평균 기온이 -15℃ 미만으로 매우 춥다. 원산과 같이 동해안에 위치한 청진은 원산보다 연평균 기온이 낮다.

09 북한의 농업 특성 이해 답 ①

북한은 산지가 많고 겨울이 길고 추우며 무상 기간이 짧아 논농사보다는 밭농사가 발달하였다.

정답을 찾아가는 셀파 - Tip

ㄱ. 관서 지방은 관북 지방보다 쌀 생산량이 많다. (○)
→ 북한의 넓은 평야는 서해안에 주로 분포하므로 쌀 생산량은 관서 지방이 많다.

ㄴ. 모든 지역에서 쌀 생산량이 옥수수 생산량보다 많다. (×)
→ 산지가 발달한 관북 지역은 쌀 생산량보다 옥수수 생산량이 많다.

ㄷ. 황해남도는 평안북도보다 단위 면적당 쌀 생산량이 많다. (○)
→ 황해남도는 평안북도보다 면적이 좁지만 쌀 생산량이 더 많으므로 단위 면적당 쌀 생산량도 더 많다.

ㄹ. 평균 해발 고도가 높은 지역일수록 옥수수 생산량이 많다. (×)
→ 해발 고도가 높은 관북 지방보다 평야가 발달한 관서 지방의 옥수수 생산량이 많다.

10 북한의 전력 생산 답 ②

(가)는 화력 발전, (나)는 수력 발전이다. 화력 발전은 북한에서 생산되는 석탄을 1차 에너지원으로 이용한다. 화력 발전은 입지가 비교적 자유롭기 때문에 전력 수요가 많은 평양 주변에 주로 분포하며, 발전 과정에서 대기 오염 물질을 많이 배출한다. 북한은 높은 산지가 많고 하천의 폭이 좁을 뿐만 아니라 급경사의 사면에서 큰 낙차를 얻을 수 있어 수력 발전에 유리하다. 특히 함경산맥에서는 내륙 쪽의 완경사 사면으로 흐르는 하천의 상류부를 막아 동해 쪽의 급경사 사면으로 유로를 바꾼 유역 변경식 발전이 이루어진다.

11 북한의 주요 공업 지역 답 ②

(가)는 군수 공업이 발달한 강계 공업 지역, (나) 북한 최대의 공업 지역인 평양·남포 공업 지역에 대한 설명이다. A는 강계 공업 지역, B는 신의주 공업 지역, C는 함흥 공업 지역, D는 원산 공업 지역, E는 평양·남포 공업 지역이다.

12 북한의 인구 및 도시 특성 답 ②

평양이 위치한 관서 평야 지역의 인구 밀도가 가장 높게 나타난다.

정답을 찾아가는 셀파 - Tip

① 인구의 분산 정책으로 전국적으로 인구가 고르게 분포하고 있다. (×)
  → 평양을 중심으로 인구가 편중되어 있으며, 도시 분포도 관서 지방에 집중되어 있다.

③ 대체로 도시가 고르게 발달하여 종주 도시화 현상은 나타나지 않는다. (×)
  → 평양의 인구는 제2의 도시인 남포의 2배 이상이므로 종주 도시화 현상이 나타난다.

④ 인구 증가율이 높으며 가족계획 등을 통한 출산 억제 정책을 실시하고 있다. (×)
  → 북한의 총인구는 남한의 절반 수준이며, 1970년대 이후 출산율 저하와 영아 사망률 증가 등으로 인구 증가율이 낮아지고 있어 최근 출산 장려 정책을 실시하고 있다.

⑤ 관북 지방은 수력 발전소가 위치한 내륙을 중심으로 도시 발달이 이루어졌다. (×) → 관북 지방의 해안을 따라 도시가 발달하였다.

13 북한의 개방 지역 답 ③

(가)는 신의주 국제 경제 지대, (나)는 개성 공업 지구이다. 신의주 국제 경제 지대는 홍콩식 경제 개발 모델을 토대로, 개성 공업 지구는 남북한 경제 협력을 위해 조성되었다. A는 나진·선봉 경제 무역 지대, B는 신의주 국제 경제 지대, C는 개성 공업 지구, D는 원산·금강산 국제 관광 지대이다.

자료를 분석하는 셀파 - Tip

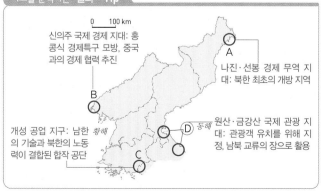

신의주 국제 경제 지대: 홍콩식 경제특구 모방, 중국과의 경제 협력 추진

나진·선봉 경제 무역 지대: 북한 최초의 개방 지역

개성 공업 지구: 남한의 기술과 북한의 노동력이 결합된 합작 공단

원산·금강산 국제 관광 지대: 관광객 유치를 위해 지정, 남북 교류의 장으로 활용

서술형 문제

14 기능 지역의 특징과 사례

(1) 기능 지역

(2) **모범 답안 |** 기능 지역은 하나의 중심지와 주변 지역이 기능적으로 결합된 공간 범위로, 통근·통학권, 상권 등이 있다.

주요 단어 | 기능 지역, 중심지, 주변 지역, 통근·통학권, 상권

채점 기준	배점
(1)을 쓰고, (2)에서 기능 지역의 의미와 사례를 모두 서술한 경우	상
(1)을 쓰고, (2)에서 기능 지역의 의미와 사례 중 한 가지만 서술한 경우	중
(1)만 쓴 경우	하

15 통일 국토의 미래

모범 답안 | 통일로 유라시아 대륙으로의 육상 교통로가 회복되면 철도를 이용한 교역이 가능해져 물류비용이 감소하고, 주변 국가와의 교류가 활성화되어 동북아시아의 성장 구심점이 될 수 있다.

주요 단어 | 육상 교통로, 물류비용, 교류 활성화

채점 기준	배점
육상 교통로 회복에 따른 효과를 두 가지 모두 서술한 경우	상
육상 교통로 회복에 따른 효과를 한 가지만 서술한 경우	하

도전 수능 문제 p. 200~201

| 01 ④ | 02 ① | 03 ② | 04 ④ | 05 ① | 06 ④ |
| 07 ② | 08 ③ | | | | |

01 전통적 지역 구분 답 ④

(가)는 호서 지방, (나)는 호남 지방, (다)는 영남 지방이며, A는 충주, B는 전주, C는 경주이다. 조선 시대 행정 구역으로 호서 지방은 충청도, 호남 지방은 전라도, 영남 지방은 경상도로 불렸는데, 충청도는 충주와 청주, 전라도는 전주와 나주, 경상도는 경주와 상주의 첫 글자를 따서 명칭이 정해졌다.

정답을 찾아가는 셀파 - Tip

① (가)는 남부 지방에 포함된다. (×)
  → 중부 지방

② B와 C에는 세계 문화유산이 있다. (×)
  → 전주에는 세계 문화유산이 없다.

③ A, B, C 모두 도청 소재지이다. (×)
  → 전주는 전라북도의 도청 소재지이나, 충주와 경주는 도청 소재지가 아니다.

④ 조령은 백두대간을 넘는 고개이다. (○)
  → 조령은 백두대간의 일부인 소백산맥을 넘는 고개이다.

⑤ 호강(금강)의 하구에는 삼각주가 발달하였다. (×)
  → 삼각주는 낙동강 하구에 발달하였다.

02 전통적 지역 구분 기준 답 ①

A는 철령, B는 대관령, C는 조령, D는 호강(금강)이다.

ㄱ. A 고개에는 관북·관서·관동 지방 이름의 유래가 된 시설이 있었다. (○)
→ A 고개에는 철령관이라는 시설이 있었으며, 이를 기준으로 관북·관서·관동 지방을 구분하였다.

ㄴ. B 고개는 관동 지방을 동서로 나누는 기준이 된다. (○)
→ 관동 지방은 대관령을 기준으로 영동 지방, 영서 지방으로 나눈다.

ㄷ. C 고개는 호서 지방과 호남 지방을 나누는 기준이 된다. (×)
→ C 고개는 조령으로 영남 지방과 호서 지방을 연결한다. 호남 지방과 호서 지방을 나누는 기준은 금강(호강)이다.

ㄹ. D의 이남은 예로부터 영남 지방이라 불렸다. (×)
→ D는 호강(금강)으로 호강 이남은 호남 지방에 해당한다.

03 동질 지역의 사례　　답 ②

제시된 지역 구분 유형은 동질 지역이다. 동질 지역의 사례로는 문화권, 기후 지역, 공업 지역, 상업 지역 등이 있다. ① 방송 청취권, ③ 중국 음식 배달권, ④ 백화점 상권, ⑤ 대도시 통근·통학권 등은 중심지와 배후지 간의 상호 관계로 구성되는 기능 지역의 사례이다.

04 동질 지역과 기능 지역의 특징 비교　　답 ④

(가)는 동질 지역, (나)는 기능 지역이다. 동질 지역은 특정 지리적 현상이 동일하게 나타나는 공간적 범위이며, 기능 지역은 중심지와 주변 지역이 기능적으로 밀접한 관련을 맺고 있는 공간 범위로 공간적 상호 작용에 의한 지역 특성 파악에 유리하다.

05 남북한의 농업 특징　　답 ①

남한의 생산량이 많은 A는 쌀, 북한의 생산량이 많은 B는 옥수수이다. 총 논밭 면적은 북한이 남한보다 넓으나 식량 작물 생산량은 남한이 더 많으므로 남한의 토지 생산성이 북한보다 높다.

06 북한의 전력 생산과 1차 에너지 소비 구조　　답 ④

전력 소비량이 많은 평양 주변에 주로 분포하는 (가)는 화력 발전, 주요 하천의 중·상류에 주로 분포하는 (나)는 수력 발전이다. 북한의 1차 에너지 소비에서 가장 높은 비중을 차지하는 것은 석탄이며, 다음으로 수력, 석유의 순으로 높은 비중을 차지한다. 따라서 A는 석탄, B는 수력, C는 석유이다.

〈북한의 주요 발전 설비 용량〉

〈북한의 1차 에너지 소비 구조 변화〉

전력 대소비지인 평양 주변에 주로 분포하는 화력 발전이다.

가장 높은 비중을 차지하는 석탄

ㄱ. (가)는 A를 연료로 한다. (○)
→ 북한의 화력 발전은 석탄을 주 연료로 한다.

ㄹ. 남한에서 A는 C보다 해외 의존도가 높다. (×)
→ 남한에서 석유는 대부분 수입하지만 석탄은 상당량 생산된다.

07 북한 주요 지역의 특징　　답 ②

(가)는 백두산, (나)는 원산, (다)는 신의주에 대한 설명이다. 백두산은 화산 활동으로 형성되었으며, 정상에서는 칼데라호인 천지가 있다. 원산은 경원선 철도의 종착지이고, 풍부한 수력과 지하자원을 바탕으로 일제 강점기부터 중화학 공업이 발달하였다. 신의주는 중국과의 접경 지역으로 중국과의 교역 통로 역할을 하며, 중국 내 홍콩처럼 개발하기 위해 2002년 특별행정구로 지정하였다. A는 나진, B는 백두산, C는 신의주, D는 원산, E는 개성이다.

08 남북 교역 현황　　답 ③

남북한 교역에서 섬유류의 반입액은 14.52억 달러×36.1%=5.24억 달러이다. 전자 전기 제품의 반출액은 12.62억 달러×38.2%=4.82억 달러이다. 따라서 섬유류의 반입액이 전자 전기 제품의 반출액보다 많다.

02 수도권과 강원 지방의 지리적 특성

01 수도권의 지역 특성 　　　　　　　　답 ④

수도권은 서울특별시, 인천광역시, 경기도를 포함한 지역으로 전국에서 차지하는 인구 규모가 지속적으로 증가해 왔으며, 인구는 경기 > 서울 > 인천 순으로 많다. 또한 교통의 발달로 인해 접근성이 높아지면서 서울을 중심으로 수도권은 대도시권을 형성하고 있다.

02 수도권의 집중도 　　　　　　　　답 ⑤

1960년대 이후 산업화 과정에서 인구 및 다양한 기능이 수도권에 집중하면서 수도권은 우리나라 인구와 국내 총생산의 절반가량을 차지하고 있다.

> **정답을 찾아가는 셀파 - Tip**
>
> ① 총인구는 서울이 인천·경기보다 많다. (×)
> → 총인구는 서울이 약 20%, 인천·경기가 약 30%를 차지한다.
> ② 수도권은 비수도권보다 인구 밀도가 낮다. (×)
> → 수도권은 약 12%의 면적에 약 50%의 인구가 거주하므로 비수도권보다 인구 밀도가 높다.
> ③ 서비스업 종사자는 인천·경기가 서울보다 많다. (×)
> → 인천·경기가 약 25%, 서울이 약 28%를 차지한다.
> ④ 1인당 지역 총생산은 인천·경기가 서울보다 많다. (×)
> → 인천·경기의 총인구는 약 30%, 지역 내 총생산은 약 27%이고, 서울은 각각 약 20%, 약 23%를 차지하므로 서울이 인천·경기보다 1인당 지역 총생산이 많다.
> ⑤ 예금액의 서울 집중도는 인구의 수도권 집중도보다 높다. (○)
> → 예금액의 서울 집중도는 약 54%, 인구의 수도권 집중도는 약 50%이다.

> **자료를 분석하는 셀파 - Tip**
>
> — 수도권　— 서울
> (단위: %)
>
> 면적 / 금융 및 보험업 종사자 / 예금액 / 70 60 50 40 30 20 10 0 / 사업 지원 서비스업 / 의료 기관 진료 실적 / 서비스업 종사자 / 취업자 / 지역 총생산 / 제조업 종사자 / 인구
> (통계청, 2014)
>
> 수도권은 우리나라 전체 면적의 약 12%밖에 되지 않지만, 인구를 비롯하여 다양한 기능이 집중되어 있다.

03 수도권의 제조업 종사자 비율 　　　　　　　　답 ⑤

제시된 자료에서 화성, 평택, 안산, 파주, 포천 등의 비율이 높고, 서울, 의정부, 과천, 가평, 양평 등의 비율이 낮은 것으로 보아 제조업 종사자 비율이 적절하다.

04 수도권의 지식 기반 산업 　　　　　　　　답 ③

수도권은 지식과 정보가 집중되어 있고, 고급 연구 인력이 풍부하며, 관련 업체와의 협력이 쉽기 때문에 지식 기반 산업이 발달하였다. 특히 서울은 연구 개발, 사업 지원 등 지식 기반 서비스업이 발달하였으며, 경기는 지식 기반 제조업이 발달하여 산업 유형에 따른 공간적 분화가 나타난다. 정보 통신 서비스업 부문에서 수도권은 전국 대비 90.1%이며, 이중 서울이 절반 이상을 차지한다. 지식 기반 산업 종사자 수는 수도권 중 경기가 가장 많으며 다음으로 서울, 인천 순이다.

> **정답을 찾아가는 셀파 - Tip**
>
> ㄱ. 정보 통신 기기 제조업 종사자 수는 서울이 가장 많다. (×)
> → 경기가
> ㄹ. 수도권의 지식 기반 산업 종사자 수는 소프트웨어 및 컴퓨터 관련 서비스업 부문이 가장 많다. (×) → 정보 통신 기기 제조업

05 수도권의 스크린 비율 변화 　　　　　　　　답 ②

과거 수도권은 서울에 기능이 집중되어 도시의 과밀화에 따른 여러 부작용이 발생하였으나, 최근에 수도권의 광역화·다핵화로 다양한 기능이 서울 주변 지역으로 분산되고 있다. 문화적 기능도 도시 성장과 함께 경기 및 인천으로 확산되고 있다. 1990년 수도권 스크린 수 비율에서 가장 높은 비율을 차지하는 (가)는 2015년 그 비율이 감소한 것으로 보아 서울이다. (다)는 1990년 약 29%에서 2015년 약 45%로 크게 증가한 것으로 보아 서울의 교외화로 주거 기능이 분산됨에 따라 문화적 기능이 크게 성장한 경기이며, (나)는 인천이다.

06 파주와 수원의 특징 　　　　　　　　답 ①

(가)는 파주 헤이리 예술 마을, (나)는 수원 화성에 대한 설명이다. 파주는 접경지대에 위치하고 있으며, 대규모 출판 단지가 입지해 있다. 또한 최근 첨단 산업 단지가 조성되고 있다. 수원 화성은 정약용이 거중기를 이용하여 과학적으로 성곽을 축조한 것으로 유명하며, 경기 도청이 입지해 있고, 정조와 관련된 문화유산이 많다. A는 파주, B는 수원, C는 여주이다.

07 제3차 수도권 정비 계획 　　　　　　　　답 ③

제3차 수도권 정비 계획을 통한 수도권 공간 구조 개편은 지역별 중심 도시를 육성하여 서울 중심의 도시 구조를 다핵 연계형 공간 구조로 전환하고 서울과 주변 지역의 과밀화를 완화하기 위한 것이다.

> **정답을 찾아가는 셀파 - Tip**
>
> ① 서울의 중심지 기능이 강화될 것이다. (×)
> → 약화
> ② 서울로의 통근·통학 인구가 증가할 것이다. (×)
> → 감소
> ④ 서울의 중심 업무 기능이 주변 도시로 분산될 것이다. (×)
> → 중심 업무 기능은 분산되지 않는다.
> ⑤ 교통의 결절 지역에 위치한 도시들의 자족 기능이 약화될 것이다. (×)
> → 강화

08 영동 지방과 영서 지방의 지역 특성 　　　　　　　　답 ④

(가)는 영서 지방, (나)는 영동 지방이다. 강원 지방은 대관령을 기준으로 영동 지방과 영서 지방으로 나뉜다. 영서 지방은 고원과 침식 분

지가 발달하였으며, 고위 평탄면이 나타난다. 고위 평탄면 등 해발 고도가 높은 곳에서는 여름철 서늘한 기후가 나타나며, 북서 계절풍의 영향으로 영동 지방보다 겨울철 기온이 낮은 편이다. 영동 지방은 동서 폭이 좁고 급경사를 이루며, 소규모 해안 평야가 발달하였다. 태백 산맥이 북서 계절풍을 막아 주어 겨울철 기온이 온화하며, 북동 기류의 영향으로 겨울철 강설량이 많은 편이다.

▶ **영동 지방과 영서 지방의 특성**

	영동 지방	영서 지방
지형	• 급경사 사면, 소규모 해안 평야 발달 • 다양한 해안 지형 발달(사빈, 석호, 해안 단구 등)	• 완경사 사면, 고원과 침식 분지 발달 • 하천 중·상류에 감입 곡류 하천과 하안 단구 발달
기후	• 영서 지방보다 겨울철 기온이 온화함. • 겨울철 북동 기류의 영향으로 눈이 많이 내림.	• 영동 지방보다 기온의 연교차가 큼. • 여름철 남서 기류의 영향으로 강수량이 많음.

09 영서 지방과 영동 지방의 기후 특징 답 ①

(가)는 홍천, (나)는 강릉의 기후 그래프이다. 내륙에 위치한 홍천은 해안에 위치한 강릉보다 기온의 연교차가 크며, 남서 기류의 영향으로 여름철 강수 집중률이 높다.

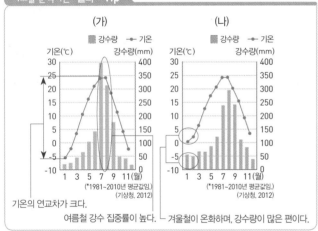

기온의 연교차가 크다.
여름철 강수 집중률이 높다. — 겨울철이 온화하며, 강수량이 많은 편이다.

10 강원 지방의 산업 변화 답 ④

(가)는 평창(D), (나)는 원주(E)에 대한 설명이다. 평창의 고위 평탄면에서는 여름철 서늘한 기후를 활용하여 고랭지 농업이 발달하였으며, 2018년 동계 올림픽을 개최하면서 관광 산업이 더욱 발전하고 있는 지역이다. 원주는 우리나라에서 유일하게 기업 도시와 혁신 도시에 모두 해당하는 지역으로 제조업을 기반으로 최근 급속하게 발전하고 있다. A는 철원으로 화산 지형인 용암 대지가 펼쳐져 있다. B는 춘천으로 강원도의 도청 소재지이다. C는 양양으로 최근 고속 국도가 개통됨에 따라 서울과의 접근성이 향상되었다.

11 강원도 각 지역의 관광 자원 답 ⑤

삼척은 동해안에 위치한 지역으로 석회암 용식 지형인 카르스트 지형이 발달해 있다. 삼척의 대표적 관광 자원으로는 환선굴, 대금굴 등

의 석회동굴과 다양한 해안 침식 지형 등이 있다. 남한강 상류의 감입 곡류천에서 급류 타기를 경험할 수 있는 지역은 영월, 정선, 평창 등이다.

12 고위 평탄면의 기온 특성 답 ③

횡계는 고위 평탄면이 분포하는 지역으로 주변에 비해 해발 고도가 높다. 따라서 해발 고도 상승에 따른 기온의 체감으로 인해 여름철 기온이 주변보다 낮게 나타난다.

13 제3차 수도권 정비 계획의 특징

(1) (가)는 성장 관리 권역, (나)는 과밀 억제 권역, (다)는 자연 보전 권역이다.
(2) **모범 답안** | (가)는 과밀 억제 권역으로부터의 기능 이전을 계획하고 있는 권역이고, (나)는 기능이 과도하게 밀집되어 있어 각종 기능의 이전과 정비가 요구되는 권역이며, (다)는 자연환경을 보전할 필요가 있는 권역이다.
주요 단어 | 과밀, 정비, 기능 이전, 자연환경 보전

채점 기준	배점
(1)을 쓰고, (2)에서 (가)~(다) 권역의 특징을 적절하게 서술한 경우	상
(1)을 쓰고, (2)에서 (가)~(다) 권역의 특징을 미흡하게 서술한 경우	중
(1)만 쓴 경우	하

14 태백의 산업 구조 변화

(1) 광업
(2) **모범 답안** | 1980년대 석유 사용의 증가로 석탄 소비가 감소하자 정부는 석탄 산업 합리화 정책을 실시하였다. 이로 인해 태백시의 많은 석탄 광산이 폐광되었으며, 인구가 감소하고 지역 경제가 침체되었다. 이를 극복하기 위해 관광 산업을 중심으로 산업 구조를 재편하여 서비스업 종사자 비율이 증가하였다.
주요 단어 | 석유, 석탄, 석탄 산업 합리화 정책, 산업 구조 재편, 관광 산업

채점 기준	배점
(1)을 쓰고, (2)에서 세 가지 조건을 모두 충족하여 서술한 경우	상
(1)을 쓰고, (2)에서 두 가지 조건만 충족하여 서술한 경우	중
(1)을 쓰고, (2)에서 한 가지 조건만 충족하여 서술한 경우	하

| 01 ⑤ | 02 ② | 03 ② | 04 ② | 05 ③ | 06 ② |
| 07 ② | 08 ⑤ | | | | |

01 수도권의 제조업 사업체 수 변화 답 ⑤

(가)는 서울, (나)는 경기, (다)는 인천이다. 수도권은 1960년대 서울을 중심으로 경공업이 발달하였으나, 지가 상승, 교통 혼잡, 환경 오

염 등의 집적 불이익이 발생하여 1980년대 이후 경기, 인천으로 제조업이 이전하였다. 한편 산업 구조가 지식·기술 집약적 첨단 산업으로 재편되면서 수도권에 지식 기반 산업이 집중하고 있다. 특히 서울에는 지식 기반 서비스업이, 경기에는 지식 기반 제조업이 분포하여 공간적 분화가 나타난다.

02 수도권의 지역별 특성   답 ②

A는 고양, B는 양평, C는 안산이다. 아파트 호수는 서울의 주거 기능을 분담하기 위해 건설된 신도시인 고양에서 가장 높게 나타나므로 (가)는 고양이다. 외국인 수는 제조업이 발달한 안산이 가장 많으므로 (나)는 안산이다. 중위 연령은 상대적으로 서울과 거리가 멀어 촌락이 많은 양평에서 가장 높게 나타나므로 (다)는 양평이다.

03 수도권의 지역별 특성   답 ②

A는 고양, B는 가평, C는 평택, D는 이천이다. 고양은 가평보다 서울과의 거리가 가까우므로 서울로의 통근·통학자 수가 많다. 이천은 여주와 함께 매년 도자기 축제가 열린다.

ㄴ. B는 C보다 제조업 종사자 비율이 높다. (×)
→ 최근 중국과의 교류가 증가하면서 공업이 발달한 평택이 가평보다 제조업 종사자 비율이 높다.

ㄹ. A~D 중 주간 인구 지수는 A가 가장 높다. (×)
→ 주간 인구 지수는 제조업이 발달한 평택(C)이 가장 높다.

04 수도권의 지역별 특성   답 ②

서비스업 비중이 높은 (가)는 서울, 농림어업과 제조업 비중이 높은 (나)는 경기, (다)는 인천이다. 전입·전출 인구 규모가 가장 큰 A는 경기, 가장 작은 C는 인천이며, B는 서울이다.

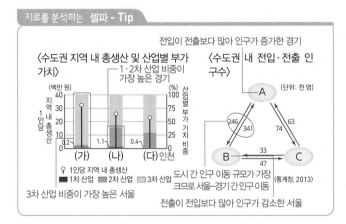

05 강원 지방 주요 지역의 관광 자원   답 ③

(가)는 화천의 산천어 축제, (나)는 태백의 눈꽃 축제, (다)는 횡성의 한우를 소개한 것이다. A는 화천, B는 양양, C는 횡성, D는 평창, E는 태백이다. 양양에는 해안 지형을 활용한 관광 자원이 많으며, 평창은 고위 평탄면에 위치한 목장을 관광 자원으로 활용한다.

06 강원도 주요 지역의 산업 특성   답 ②

원주시의 비중이 높은 (가)는 제조업, 도청 소재지가 있는 춘천의 비중이 높은 (나)는 공공 및 기타 행정, 강원 지방에서 인구가 많은 원주시, 춘천시, 강릉시의 비중이 높은 (다)는 숙박 및 음식점업이다.

07 강원 지방의 산업별 취업자 수 변화   답 ②

(가)는 농림·어업, (나)는 도·소매 및 음식·숙박업, (다)는 광업·제조업이다.

ㄱ. 1990년 이후 (다)의 감소는 국내 에너지 소비 구조의 변화와 관련이 깊다. (○)
→ 1990년 이후 강원 지방의 광업·제조업 취업자의 감소는 에너지 소비 구조 변화에 따른 석탄 수요의 감소 때문이다.

ㄴ. (가)는 (나)보다 2015년에 취업자 수가 많다. (×)
→ 2015년 취업자 수는 (나)가 (가)보다 많다.

ㄷ. (가)는 1차 산업, (나)는 3차 산업이다. (○)
→ 농림·어업은 1차 산업, 도·소매 및 음식·숙박업은 3차 산업으로 분류된다.

ㄹ. 1990년 대비 2015년 (가)~(다)의 취업자 수는 모두 증가하였다. (×)
→ 도·소매 및 음식·숙박업을 제외한 나머지의 취업자 수는 감소하였다.

08 강원 지방 주요 지역의 특성 비교   답 ⑤

A는 춘천, B는 인제, C는 강릉, D는 태백, E는 원주이다. 원주는 기업 도시 및 혁신 도시로서 첨단 의료 산업의 성장이 기대되는 도시이다. 국토 정중앙 테마 공원이 조성된 지역은 양구이다.

03 충청 지방과 호남 지방의 지리적 특성

01 충청 지방의 특징 ⓔ ④

충청 지방은 대전광역시, 세종특별자치시, 충청북도, 충청남도 등 4개의 광역 자치 단체로 이루어져 있으며, 수도권과 남부 지방을 잇는 교통의 요지이다. 최근 충청 지방은 수도권 과밀화에 따른 분산 정책의 시행으로 다양한 기능이 이전하면서 인구와 산업이 빠르게 성장하고 있다.

02 대전광역시의 특징 ⓔ ⑤

(가)는 대전광역시이다. 대전광역시는 경부선과 호남선의 분기점에 위치하여 교통의 요지로 접근성이 높아져 대도시로 빠르게 성장하였다. A는 충주, B는 천안, C는 청주, D는 세종, E는 대전이다.

03 충청 지방의 산업별 생산액 비중 변화 ⓔ ①

대도시인 대전은 사회 간접 자본 및 서비스업의 비중이 높다. 충남은 최근 수도권으로부터 공업 이전이 활발하여 광업·제조업 증가율이 높다. 충북은 충남에 비해 수도권으로부터 공업 이전이 상대적으로 활발하지 못하며, 광업·제조업 생산액 비중이 비교적 낮은 편이다. 따라서 (가)는 대전, (나)는 충북, (다)는 충남에 해당한다.

04 충청 지방의 제조업 특징 ⓔ ③

충청 지방은 수도권의 공업 기능이 이전해 오면서 제조업이 빠르게 성장하고 있다. 특히 수도권과 인접한 충청 북부 지방의 성장이 두드러지는데, 서해안 지역의 서산, 당진, 아산 일원에는 석유 화학, 자동차, 제철 등 중화학 공업이 발달하였다. 충청 지방 내륙의 대전, 청주, 충주 등은 첨단 산업이 발전하고 있다.

자료를 분석하는 셀파 - Tip

수도권과 인접한 충청 북부 지방의 제조업 출하액이 많으며, 산업 단지가 집중하였다.

(통계청, 2016 / 한국산업단지공단, 2016)

05 충청 지방의 인구 증감 특징 ⓔ ⑤

충청 지방은 수도권의 다양한 기능이 이전해 오면서 최근 인구 증가가 두드러지고 있다. 특히 수도권과 인접한 지역들의 인구 증가율이 높다.

ㄱ. 인구가 가장 많은 도시가 인구 증가율이 가장 높다. (×)
→ 인구가 가장 많은 도시는 대전이지만 인구 증가율이 가장 높은 도시는 세종이다.

ㄴ. 인구가 증가하는 지역이 인구가 감소하는 지역보다 많다. (×)
→ 인구가 증가하는 지역은 12곳, 인구가 감소하는 지역은 16곳이다.

ㄷ. 충청남도는 충청북도보다 인구가 증가하는 지역이 많다. (○)
→ 충청남도의 서산, 홍성, 당진, 아산, 천안의 인구가 증가하였고 충청북도의 청주, 증평, 진천, 음성의 인구가 증가하였다.

ㄹ. 수도권과 인접한 지역은 영남권과 인접한 지역보다 인구 증가율이 높다. (○)
→ 수도권과 인접한 당진, 아산, 천안 등은 인구가 증가하고 있으나 영남권과 인접한 영동, 옥천, 보은 등은 인구가 감소하고 있다.

06 충청 지방의 혁신 도시 ⓔ ④

제시된 글에서 설명하는 도시는 혁신 도시이다. 혁신 도시는 수도권에 집중되어 있던 공공 기관을 지방 거점 도시로 이전시켜 지역 균형 발전을 모색하기 위해 지정한 도시이다. 충청 지방에서는 진천·음성에 혁신 도시가 건설되고 있다. A는 관광 레저형 기업 도시인 태안, B는 당진, C는 아산, D는 진천과 음성, E는 지식 기반형 기업 도시인 충주이다.

내 것으로 만드는 셀파 - Tip

▶ 혁신 도시

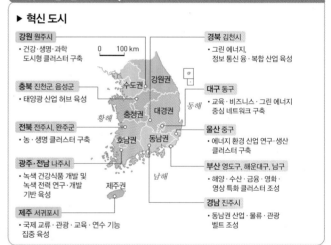

강원 원주시
· 건강·생명·과학 도시형 클러스터 구축

충북 진천군, 음성군
· 태양광 산업 허브 육성

전북 전주시, 완주군
· 농·생명 클러스터 구축

광주·전남 나주시
· 녹색 건강식품 개발 및 녹색 전력 연구·개발 기반 육성

제주 서귀포시
· 국제 교류·관광·교육·연수 기능 집중 육성

경북 김천시
· 그린 에너지, 정보 통신 융·복합 산업 육성

대구 동구
· 교육·비즈니스·그린 에너지 중심 네트워크 구축

울산 중구
· 에너지 환경 산업 연구·생산 클러스터 구축

부산 영도구, 해운대구, 남구
· 해양·수산·금융·영화 영상 특화 클러스터 조성

경남 진주시
· 동남권 산업·물류·관광 벨트 조성

07 호남 지방의 특징 ⓔ ④

한반도의 서남쪽에 위치한 호남 지방은 우리나라에서 쌀 생산량이 가장 많은 지역이다. 또한 후빙기 해수면 상승으로 인해 해안선의 드나듦이 복잡한 리아스 해안이 발달하였다. 김제시 광활면은 일제 강점기에 식량 수탈을 위한 간척 사업이 진행된 곳이다. ㄷ. 우리나라에서 조력 발전소가 입지한 곳은 경기도 안산(시화호 조력 발전소)이다.

08 광양의 인구 증가 원인 ⓔ ②

(가) 지역은 광양이다. 작은 반농 반어촌이었던 광양은 1982년 광양 제철소 건설을 위한 간척 사업이 시작되고 1992년 광양 제철소가 완공되면서 제철 공업과 관련된 제조업 종사자가 급증하였다.

09 호남 지방의 주요 간척 사업 ⓔ ①

전라북도의 새만금 간척 사업은 서울 면적의 거의 절반 가까운 면적을 확보할 만큼 대규모로 이루어졌다.

② 남해안이 서해안보다 간척 면적이 넓다. (×)
→ 호남 지방의 간척 사업은 주로 서해안을 중심으로 이루어졌다.

③ 간척지의 용도는 대부분 공업 용지이다. (×)
→ 간척지의 용도는 농업, 공업, 상업 등 다양하다.

④ 간척 이후 호남 지방의 해안선 길이는 길어졌다. (×)
→ 간척 이후에는 해안선이 단조로워지므로 해안선이 짧아졌다.

⑤ 간척 이후 호남 지방 해안의 오염 물질 정화 능력은 향상되었다. (×)
→ 간척이 이루어지면 갯벌이 감소하기 때문에 해안의 오염 물질 정화 능력이 약해진다.

10 호남 지방의 다양한 축제 답 ②

(가)는 우리나라에서 유일하게 지평선을 볼 수 있는 평야가 발달한 김제, (나)는 지리적 표시제 제1호 녹차의 산지인 보성, (다)는 고추장의 고장 순창이다. A는 김제, B는 순창, C는 보성이다.

11 호남 지방 주요 도시의 공업 특징 답 ④

여수는 우리나라의 대표적인 석유 화학 공업 지역이다. 석유 화학 공업은 집적 지향형 공업에 해당하며, 그중에서도 한 가지 원료에서 여러 제품을 생산하는 계열화된 공업의 대표적 사례이다.

12 자연환경을 활용한 관광 산업 답 ②

순천만은 여수반도와 고흥반도로 둘러싸여 바다가 잔잔하고 조류의 영향을 받아 갯벌이 잘 형성되어 있다. 과거 순천만은 오염된 채 방치되었으나 민관의 노력으로 생태적 기능을 회복하여 생태 관광 자원으로 탈바꿈되었다.

서술형 문제

13 충청남도의 도청 이전

(1) 내포 신도시

(2) 모범 답안 | 충청남도청은 대전이 충청남도로부터 분리되어 광역시로 승격한 이후에도 계속 대전에 있어 행정 업무의 효율성이 떨어지고 도민의 불편이 가중되는 문제가 발생하였다. 이에 따라 충청남도의 균형 발전을 위해 내포 신도시를 조성하여 도청을 이전하게 되었다.
주요 단어 | 대전, 분리, 효율성, 도민의 불편, 균형 발전

채점 기준	배점
(1)을 쓰고, (2)에서 이전 배경을 기존 위치의 불리한 점과 균형 발전의 측면에서 모두 서술한 경우	상
(1)을 쓰고, (2)에서 이전 배경을 기존 위치의 불리한 점 또는 균형 발전의 측면 중 한 가지만 서술한 경우	중
(1)만 쓴 경우	하

14 호남 지방의 산업 특징

(1) 모범 답안 | 호남 지방의 산업은 농림·어업의 비중이 월등히 높은 반면 사회 간접 자본 및 서비스업의 비중은 낮게 나타난다.
주요 단어 | 농림·어업, 사회 간접 자본 및 서비스업

채점 기준	배점
전국과 비교하여 호남 지방의 산업 특징을 적절하게 서술한 경우	상
전국과 비교하여 호남 지방의 산업 특징을 미흡하게 서술한 경우	하

(2) 모범 답안 | 호남 지방은 기후가 온화하고 하천 주변으로 비옥한 평야 지대가 펼쳐져 있어 벼농사에 유리하다. 또한 리아스 해안이 발달하여 갯벌을 이용한 양식업이 발달하기에 유리한 환경을 가지고 있다.
주요 단어 | 온화한 기후, 평야, 리아스 해안, 갯벌, 양식업

채점 기준	배점
호남 지방의 농림·어업의 비중이 높은 이유를 자연환경과 관련하여 적절하게 서술한 경우	상
호남 지방의 농림·어업의 비중이 높은 이유를 미흡하게 서술한 경우	하

도전 수능 문제 p. 220 ~ p. 221

01 ①	02 ⑤	03 ①	04 ③	05 ④	06 ①
07 ①	08 ⑤				

01 충청 지방의 제조업 답 ①

ㄱ. 중국과의 교류가 증가하고 수도권으로부터의 공업 이전이 활발한 충남이 충북보다 지역 내 제조업 출하액이 많다. ㄹ. 충청 지방의 제조업 출하액은 경부 축을 따라 위치한 천안, 청주, 대전 등의 지역이 서해안 고속 국도가 지나는 지역보다 많다.

ㄴ. 일반 산업 단지는 대체로 해안을 중심으로 입지한다. (×)
→ 일반 산업 단지는 해안보다 내륙에 주로 입지해 있다.

ㄷ. 국가 산업 단지는 주로 백두대간이 지나는 지역에 조성되었다. (×)
→ 경상북도와 인접한 보은을 제외하고는 백두대간이 지나는 지역에 국가 산업 단지가 분포하지 않는다.

02 충주, 세종, 대전의 특징 답 ⑤

A는 충주, B는 세종, C는 대전이다. 충주는 기업 도시로 개발되고 있으며, 세종특별자치시는 국토의 균형 발전을 위해 행정 중심 복합 도시로 조성되었다. 따라서 행정 및 공공 기관 종사자 수는 세종이 충주보다 많다.

① A는 수도권 전철 노선이 연결된 곳이다. (×)
→ 충청 지방에서 수도권 전철이 연결된 곳은 천안, 아산이다.

② B는 충청남도의 도청 소재지이다. (×)
→ 충청남도의 도청 소재지는 내포 신도시(충남 홍성, 예산)이다.

③ C는 생명 과학 단지와 국제공항이 있다. (×)
→ 청주에 대한 설명이다.

④ A는 C보다 총인구가 많다. (×)
→ 충청 지방에서 인구가 가장 많은 지역은 대전이다.

03 충청 지방 주요 지역의 특징 답 ①

A는 관광 레저형 기업 도시인 태안, B는 충남의 도청이 이전된 내포 신도시, C는 혁신 도시인 진천·음성, D는 지식 기반형 기업 도시인 충주이다. 혁신 도시는 공공 기관의 지방 이전과 산·학·연·관이 서로 협력하여 최적의 혁신 여건과 수준 높은 생활 환경을 갖추어 지역의 새로운 성장 동력을 창출하는 미래형 도시이다. 기업 도시는 민간 투자를 촉진하고 지역 경제를 활성화시키기 위해 조성된 민간 기업

주도의 신도시 계획이다. 내포 신도시는 충청남도의 균형 발전을 위해 지리적 위치를 고려하여 선정된 도청 소재지이다. ① 대규모 석유 화학 공업 단지는 서산에 조성되어 있다.

04 충청 지방 지역별 인구 및 산업 특징 답 ③

(가)는 유소년 인구 비중이 가장 높은 것으로 보아 세종, (나)는 노년 인구 비중이 가장 높은 것으로 보아 충북·충남, (다)는 대전이다. A는 전문·과학 및 기술 서비스업의 비중이 가장 높은 것으로 보아 대전, 제조업 비중이 가장 높은 C는 충북·충남, B는 세종이다.

정답을 찾아가는 셀파 - Tip

ㄴ. 대전은 세종보다 유소년 부양비가 낮다. (○)
→ 대전의 유소년 부양비는 14.6/74.6×100=19.6, 세종의 유소년 부양비는 19.8/69.7×100=28.4이다.

ㄷ. 세종은 충북·충남보다 노령화 지수가 낮다. (○)
→ 세종의 노령화 지수는 10.5/19.8×100=53.0, 충북·충남의 노령화 지수는 15.6/14.3×100=109.10이다.

05 호남 지방의 1차 에너지 공급량 비중 답 ④

(가)는 석유와 천연가스의 공급 비중이 높으므로 대도시인 광주, (나)는 수력과 신·재생 에너지의 비중이 상대적으로 높으므로 전북, (다)는 원자력 발전소가 입지한 전남이다. 전남은 우리나라에서 부속 도서의 수가 가장 많다.

06 호남 지방 주요 지역의 특징 답 ①

(가)는 넓은 평야와 지평선을 나타내고 있으므로 우리나라에서 유일하게 지평선을 볼 수 있는 김제이다. (나)는 갯벌과 옛 읍성(낙안 읍성)을 나타내고 있으므로 순천, (다)는 녹차로 유명한 보성이다. A는 김제, B는 남원, C는 순천, D는 보성이다.

07 호남 지방 주요 도시의 제조업 특징 답 ①

(가)는 자동차 및 트레일러 제조업의 비중이 가장 높고, (나)는 화학 물질 및 화학 제품 제조업(의약품 제외)의 비중이 가장 높으며, (다)는 1차 금속의 비중이 가장 높다. 따라서 (가)는 군산, (나)는 여수, (다)는 광양이다.

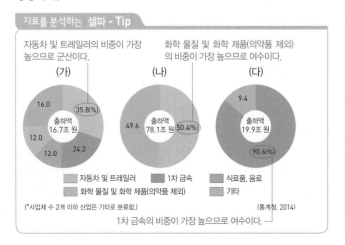

자료를 분석하는 셀파 - Tip

자동차 및 트레일러의 비중이 가장 높으므로 군산이다.
화학 물질 및 화학 제품(의약품 제외)의 비중이 가장 높으므로 여수이다.

(가) 출하액 16.7조 원 / 35.8(%) / 16.0 / 12.0 / 12.0 / 24.2

(나) 출하액 78.1조 원 / 50.4(%) / 49.6

(다) 출하액 19.3조 원 / 90.6(%) / 9.4

■ 자동차 및 트레일러 ■ 1차 금속 ■ 식료품, 음료
■ 화학 물질 및 화학 제품(의약품 제외) ■ 기타

(*사업체 수 2개 이하 산업은 기타로 분류함.) (통계청, 2014)
1차 금속의 비중이 가장 높으므로 여수이다.

08 호남 지방의 축제 답 ⑤

A는 김제, B는 무주, C는 순창, D는 함평, E는 보성이다. 보성에서는 지리적 표시제 1호로 등록된 녹차를 이용한 축제가 열린다. 수많은 꽃으로 장식된 국가 정원과 갯벌이 함께 어우러진 축제는 순천에서 열린다.

내 것으로 만드는 셀파 - Tip

▶ 호남 지방 주요 관광 자원과 지역 축제

(전라·북도청, 2016)

04 영남 지방과 제주도의 지리적 특성

탄탄 내신 문제 p. 226 ~ p. 229

01 ⑤	02 ②	03 ④	04 ③	05 ⑤	06 ⑤
07 ④	08 ②	09 ⑤	10 ④	11 ④	12 ③
13 ④	14 해설 참조		15 해설 참조		

01 영남 지방의 특징 답 ⑤

영남 지방은 광역시는 세 개로 우리나라 권역 중 가장 많으며, 공업이 발달하여 제조업 생산액이 가장 많고, 과실 생산량도 많다.

02 지역별 공업 비중 답 ②

영남권은 전국에서 공업 출하액이 가장 많고 수도권은 전국에서 사업체 수와 종사자 수가 가장 많다. 즉, 사업체 수와 종사자 수는 수도권>영남권>충청권>호남권>강원·제주권 순으로 많으며, 출하액은 영남권>수도권>충청권>호남권>강원·제주권 순으로 많다.

자료를 분석하는 셀파 - Tip

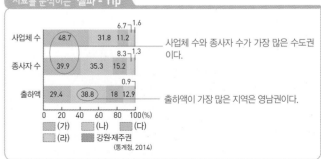

사업체 수와 종사자 수가 가장 많은 수도권이다.

출하액이 가장 많은 지역은 영남권이다.

(통계청, 2014)

03 지역별 공업 비중 답 ④

영남권은 국가의 정책적 지원으로 인해 대기업 중심의 산업 구조가 형성되어 있다. 따라서 수도권에 비해 사업체당 종사자 수, 사업체당 출하액이 많다.

> **정답을 찾아가는 셀파 - Tip**
>
> ① 호남권은 충청권보다 출하액이 많다. (×)
> → 출하액 비중은 호남권이 12.9%, 충청권이 18%로 충청권이 많다.
>
> ② 종사자당 출하액은 영남권이 가장 많다. (×)
>   호남권
>
> ③ 사업체당 출하액은 충청권이 가장 많다. (×)
>   호남권
>
> ⑤ 수도권은 사업체 수, 출하액 모두 전국 대비 비중이 가장 높다. (×)
> → 출하액은 영남권의 비중이 가장 높다.

04 영남 지방 주요 도시의 제조업 특징 답 ③

(가)는 석유 화학 제품의 비중이 높으므로 울산, (나)는 1차 금속의 비중이 높으므로 제철 공업이 발달한 포항, (다)는 기타 운송 장비의 비중이 높으므로 조선 공업이 발달한 거제이다. A는 포항, B는 울산, C는 거제이다.

> **자료를 분석하는 셀파 - Tip**
>
> (가)   (나)   (다)
>
> (가) 금속 가공 제품 2.7 / 화학 물질 및 화학제품 2.7 / 기타 16.5 / 기타 운송 장비 10.3 / 출하액 210조 원 / 코크스, 연탄 및 석유 정제품 35.1(%) / 자동차 및 트레일러 18.6 / 화학 물질 및 화학제품 19.5
>
> (나) 기타 기계 및 장비 1.7 / 기타 7.5 / 출하액 30.3조 원 / 1차 금속 85.4(%)
>
> (다) 1차 금속 0.2 섬유 제품 0.1 / 금속 가공 제품 1.5 / 기타 0.8 / 출하액 28조 원 / 기타 운송 장비 97.4(%)
>
> 석유 화학 공업의 비중이 높으므로 울산(B)이다. / 1차 금속의 비중이 높으므로 제철 공업이 발달한 포항(A)이다. / 기타 운송 장비의 비중이 가장 높으므로 조선 공업이 발달한 거제(C)이다.

05 영남 지방의 산업 단지 분포 답 ⑤

(가)는 영남 내륙 공업 지역, (나)는 남동 임해 공업 지역이다. 영남 내륙 공업 지역은 편리한 육상 교통과 풍부한 노동력을 바탕으로 섬유, 전자 공업 등이 발달하였다. 남동 임해 공업 지역은 우리나라 최대의 중화학 공업 지역으로, 해안에 위치하고 있어 원료의 수입과 제품의 수출에 유리하다.

> **내 것으로 만드는 셀파 - Tip**
>
> ▶ 영남 지방의 공업 지역
>
> | 구분 | 영남 내륙 공업 지역 | | 남동 임해 공업 지역 | | | |
> | --- | --- | --- | --- | --- | --- | --- |
> | 대표 도시 | 대구 | 구미 | 울산 | 포항 | 창원 | 거제 |
> | 주요 산업 | 섬유 | 전자 | 자동차, 석유 화학 | 제철 | 기계 | 조선 |
> | 발달 배경 | 풍부한 노동력, 편리한 육상 교통 | | 해안을 끼고 있어 원료의 수입과 제품의 수출에 유리 | | | |

06 창원의 특징 답 ⑤

기계 공업이 특화된 창원은 첨단 기계 산업으로의 첨단화를 도모하고 있으며, 물류 기능 활성화, 제2 자유 무역 지대 조성, 국제 해양 도시 건설 등을 통해 성장 잠재력을 키우고 있다. 또한 경남도청의 소재지이기도 하며, 2010년에는 인근 도시인 마산, 진해를 통합하여 인구 100만 명 이상의 대도시가 되었다. A는 대구, B는 포항, C는 울산, D는 부산, E는 창원이다.

07 영남 지방의 시기별 인구 증가율 변화 답 ④

(가)는 대규모 공업 단지가 조성되면서 급격한 산업화와 도시화로 인구가 성장한 도시들이다. (나)는 대도시의 교외화에 따라 성장한 도시들이다. 따라서 (나)는 (가)에 비해 인근 광역시로의 통근·통학 비율은 높으며, 총인구와 제조업 생산액은 적다.

08 영남 지방의 주요 지역의 특징 답 ②

A는 안동, B는 구미, C는 울산, D는 부산, E는 창원이다.

> **정답을 찾아가는 셀파 - Tip**
>
> ① A는 경상북도청이 이전하였다. (○)
> → 경상북도청은 2016년 대구에서 안동으로 이전하였다.
>
> ② B는 섬유 산업의 첨단화를 도모하고 있다. (×)
> → 구미는 주력 산업이었던 전자 공업의 연구 개발 기능을 강화하여 첨단 산업으로 발전시키고 있다. 섬유 산업의 첨단화는 대구에서 추진 중이다.
>
> ③ C는 공해 도시라는 오명을 벗고 생태 도시로 거듭나고 있다. (○)
> → 울산은 급속한 공업화로 환경 오염이 심하였으나 꾸준한 노력으로 생태 도시로 거듭나고 있다.
>
> ④ D는 국제 영화제를 개최하는 등 영상·영화 산업을 육성하고 있다. (○) → 부산 국제 영화제의 성공적인 개최로 영상 산업을 특화하고 있다.
>
> ⑤ E는 마산, 진해와의 통합에 따른 동반 성장 효과를 추구하고 있다. (○) → 창원은 2010년 마산, 진해와 통합되었다.

09 영남 지방의 주요 지역의 특징 답 ⑤

포항은 남동 임해 지역에 포함된 곳으로 제철 공업이 발달하였으며, 최근에는 첨단 신소재 개발을 통해 첨단 산업을 육성하고 있다. 항공 우주 산업, 삼천포, 거북선 마을은 사천에 대한 설명이다.

10 제주도의 자연환경 답 ④

제주도는 화산 지형의 박물관이라고 일컬을 만큼 다양한 화산 지형이 나타난다. 한라산의 산록부에는 약 360여 개의 기생 화산이 분포하며, 해안을 따라 수직 절벽인 주상 절리가 발달하였다.

> **정답을 찾아가는 셀파 - Tip**
>
> ㄱ. 한라산의 정상에는 칼데라호인 백록담이 있다. (×)
> → 백록담은 화구호이며, 칼데라호의 대표적 사례는 백두산 천지이다.
>
> ㄷ. 지하에는 기반의 용식 작용으로 동굴이 형성되어 있다. (×)
> → 석회동굴에 대한 설명이며, 제주도에는 지하에 용암의 냉각 속도 차이에 의해 형성된 용암 동굴이 있다.

11 제주도의 특징 답 ④

현무암으로 쌓은 돌담과 그물로 엮은 지붕, 정낭 등으로 보아 제주도의 전통 가옥임을 알 수 있다. 제주도는 신생대 제3기 화산 활동으로 형성된 화산섬으로 기생 화산, 주상 절리, 용암 동굴 등 독특한 화산 지형이 나타난다. 또한 남해상에 위치하여 연교차가 작고 겨울이 온화한 해양성 기후가 나타난다. 이러한 기후 특성으로 해안 저지대에서는 난대성 식물이 자라며 해발 고도가 높아질수록 기온이 낮아져 식생의 수직적 분포가 나타난다. 제주도의 지표는 현무암으로 덮여 있어 하천 발달이 미약하여 전통 취락은 지하수가 용천하는 해안가에 위치한다. 제주도는 연중 강한 바람이 불기 때문에 이에 대비한 가옥이 나타나며 밭이나 가옥을 돌담으로 에워싼다.

12 제주도의 관광 산업 답 ③

제주도는 관광 산업 위주의 3차 산업이 발달하였으며, 제주도를 찾는 관광객이 꾸준히 증가하고 있다. 특히 국제 자유 도시로 개발하면서 관광 산업을 중점적으로 육성하고 있으며, 생태 관광, 마이스 산업, 레저 스포츠 관광 산업 등 고부가 가치를 창출할 수 있는 관광 산업의 다변화를 추구하고 있다.

자료를 분석하는 셀파 - Tip

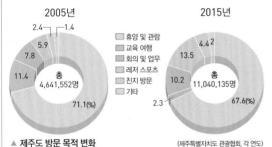

▲ 제주도 방문 관광객 수 변화

관광객 수가 꾸준히 증가하고 있으며, 내국인 관광객의 증가 폭이 외국인 관광객의 증가 폭보다 크다.

▲ 제주도 방문 목적 변화

2005년에 비해 2015년에 휴양 및 관광이 다소 감소한 반면, 회의 및 업무, 레저 스포츠 등 고부가 가치 관광 산업의 비중이 증가하였다.

13 제주도의 발전 방향 답 ④

제주도는 국제 자유 도시로 개발하면서 관광 산업을 비롯하여 다양한 산업을 육성하고 있다. 특히 이러한 개발의 이익이 지역 사회에 돌아가는 것으로 목적으로 하고 있는데, 제주도 외부의 여행사나 숙박 업체를 적극적으로 유치할 경우 관광 산업 성장에 따른 수익이 도외로 유출되어 지역 경제 파급 효과가 적어진다.

서술형 문제

14 영남 지방의 공업 지역

(1) (가)는 영남 내륙 공업 지역, (나)는 남동 임해 공업 지역이다.
(2) 모범 답안 | (가) 영남 내륙 공업 지역은 풍부한 노동력과 편리한 육상 교통을 바탕으로 공업이 성장하였다. (나) 남동 임해 공업 지역은

조차가 작고 수심이 깊은 해안을 끼고 있어 원료의 수입과 제품의 수출을 위한 항만 발달에 유리하다.
주요 단어 | 풍부한 노동력, 편리한 육상 교통, 항만 발달에 유리

채점 기준	배점
(1)을 쓰고, (2)에서 (가), (나) 공업 지역의 입지 요인을 모두 서술한 경우	상
(1)을 쓰고, (2)에서 (가), (나) 공업 지역 중 한 곳의 입지 요인만 서술한 경우	중
(1)만 쓴 경우	하

15 제주도의 산업

모범 답안 | 제주도는 온화한 기후를 바탕으로 감귤, 원예 농업 등 1차 산업이 발달하였으며, 아름다운 자연환경과 독특한 섬 문화를 바탕으로 관광 산업 중심의 3차 산업이 발달하였다.
주요 단어 | 온화한 기후, 1차 산업, 자연환경, 섬 문화, 3차 산업

채점 기준	배점
제주도의 산업 특징을 1차 산업과 3차 산업으로 나누어 적절하게 서술한 경우	상
제주도의 산업 특징을 1차 산업 또는 3차 산업의 측면에서만 서술한 경우	하

도전 수능 문제 p. 230 ~ p. 231

01 ⑤   **02** ③   **03** ④   **04** ④   **05** ②   **06** ①
07 ⑤   **08** ⑤

01 영남 지방의 인구 분포 답 ⑤

부산을 제외한 경남의 인구 최대 도시는 창원, 경북의 인구 최대 도시는 포항이다. 창원은 포항보다 인구가 많다.

정답을 찾아가는 셀파 - Tip

① 2015년 현재 종주 도시화 현상이 나타난다. (×)
→ 인구 1위인 부산의 인구가 2위인 대구의 2배에 미치지 않으므로 종주 도시화 현상은 나타나지 않는다.

② 제조업 출하액이 가장 많은 도시가 인구도 가장 많다. (×)
→ 제조업 출하액이 가장 많은 도시는 울산이며, 인구는 부산이 가장 많다.

③ 북부 산간 지역이 남동부 해안 지역보다 인구가 많다. (×)
→ 남동부 해안 지역에 포항, 울산, 부산, 창원 등 대도시가 분포한다.

④ 경북도청 소재지는 경남도청 소재지보다 인구가 많다. (×)
→ 경남도청 소재지인 창원이 경북도청 소재지인 안동보다 인구가 많다.

내 것으로 만드는 셀파 - Tip

▶ 영남 지방 주요 도시의 인구 변화

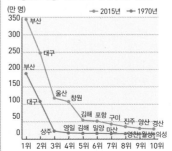

1970년과 비교해 2015년 인구 증가가 두드러진 도시를 살펴보면 공업의 발달로 성장한 울산, 창원, 포항, 구미 등이 있으며, 대도시의 교외화에 따라 성장한 김해, 양산, 경산 등이 있다. 한편 산업화 과정에서 소외된 경상북도 북부와 경상남도 서부는 인구가 유출되고 있다.

02 영남 지방 주요 도시의 특징　답 ③

A는 안동, B는 구미, C는 영천, D는 창녕, E는 거제이다. 유네스코 세계 문화유산으로 지정된 마을로는 안동 하회 마을, 경주 양동 마을 등이 있다.

03 영남 지방 주요 도시의 인구 구조　답 ④

(가)는 남해, (나)는 거제이다. 남해는 인구의 고령화가 진행되어 노년 인구 비중이 높은 반면, 조선 공업이 발달한 거제는 청장년 인구 및 유소년 인구의 비중이 높다. 따라서 거제는 남해보다 중위 연령이 낮으며 제조업 출하액 및 1인당 지역 내 총생산액이 많다.

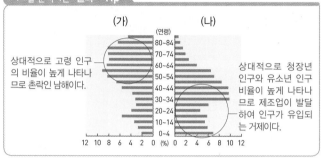

04 영남 지방 주요 도시의 특징　답 ④

A는 경산, B는 경주, C는 창녕, D는 김해, E는 창원이다. (가)시의 특징에서 대도시의 교외 지역이며, 인구 100만 명 이상이 도시들과 접해 있다는 것으로 보아 김해임을 알 수 있다. 김해는 대도시인 부산의 인구와 산업이 분산되는 교외화 현상으로 성장하였으며, 인구 100만 명 이상인 부산, 창원과 접해 있다.

05 제주도의 관광 산업　답 ②

제주도의 관광 산업은 양적·질적 성장이 이루어지고 있다.

정답을 찾아가는 셀파 - Tip

ㄱ. 내국인 관광객보다 외국인 관광객의 증가 비율이 높다. (×)
→ 내국인 관광객은 1997년 약 80만 명에서 2015년 약 1100만 명으로 증가하였다. 따라서 관광객 증가 비율은 내국인 관광객이 더 높다.

ㄴ. 1975년부터 2015년까지 외국인 관광객 비율은 지속적으로 증가하였다. (×)
→ 외국인 관광객 수는 지속적으로 증가했으나, 외국인 관광객 비율은 소폭으로 변동하다 2005~2015년에 크게 증가하였다.

ㄷ. 2005년 대비 2015년에 교육 여행 목적의 관광객 수는 감소하였다. (○)
→ 교육 여행 목적의 관광객 수는 2005년 약 53만 명에서 2015년 약 25만 명으로 감소하였다.

ㄹ. 2005년 대비 2015년에 마이스(MICE) 산업 관련 관광객 수는 2배 이상 증가하였다. (○)
→ 회의 및 업무와 같은 마이스 산업 관련 관광객은 2005년 약 36만 명에서 2015년 약 112만 명으로 증가하였다.

06 제주도의 세계 자연 유산　답 ①

(가)는 한라산 천연 보호 구역, (나)는 거문오름 용암동굴계, (다)는 성산 일출봉이다. 성산 일출봉은 수중에서 분화한 기생 화산으로 초기

에는 독립된 섬이었으나 사주의 발달로 육지와 연결되면서 육계도가 되었다. ① 한라산의 정상부에는 화구호인 백록담이 있다.

07 제주도의 자연 및 인문 환경 특징　답 ⑤

대화가 이루어지는 지역은 제주도이다. 제주도는 현무암을 기반암으로 하는 흑갈색의 간대토양이 분포하고 있다. 주상 절리는 현무암질 용암의 냉각 과정에서 형성되었으며 주로 해안이나 하천 양안을 중심으로 잘 발달되어 있다. 한라산의 주변에는 약 360여 개의 기생 화산(오름)이 분포하는데 대부분의 기생 화산은 화산 쇄설물이 퇴적되어 형성되었다. 제주도의 중산간 지대는 자연 식생이 아닌 인위적 2차 초지대가 형성되어 목장으로 활용되고 있다. 제주도는 절리가 발달하여 배수가 잘되므로 벼농사보다는 주로 밭농사가 이루어진다.

08 제주도의 지형 특징　답 ⑤

지도에 표시된 경위도로 보아 제주도의 어느 지역을 나타낸 지형도로, A는 용암 동굴, B는 기생 화산의 분화구, C는 완경사지, D는 기생 화산이다.

정답을 찾아가는 셀파 - Tip

ㄱ. A 동굴은 화학적 풍화 작용을 받아 형성되었다. (×)
→ A의 동굴은 유동성이 큰 용암의 냉각 속도 차이에 의해 형성되었다.

ㄴ. A에서 동굴의 진행은 대체로 등고선과 평행하다. (×)
→ 제주도에서 동굴의 진행 방향은 대체로 등고선과 수직 방향이다.

ㄷ. B는 화산 분출이 일어난 기생 화산의 분화구이다. (○)
→ B 정상부가 함몰된 것으로 보아 분화구임을 알 수 있다.

ㄹ. C는 D보다 유동성이 큰 용암이 굳어 형성되었다. (○)
→ C의 경사가 D의 경사보다 완만한 것으로 보아 C는 D보다 유동성이 큰 용암이 흘러 형성된 것을 알 수 있다.

Memo.

개념을 잡아 주는 **자율학습** 기본서

고등 **셀파**

BOOK **2** | 딱 맞는 풀이집

한국지리

고등 **셀파**

Sherpa

한국지리

BOOK **3**

학교 시험 기간에 활용하는 **시험 대비 문제집**

천재교육

Sherpa

한국지리
BOOK 3

학교 시험 기간에 활용하는
내신 대비 단원 평가

I단원 국토 인식과 지리 정보

주제 01 우리나라의 위치

수리적 위치	• 위도와 경도로 표현되는 위치 • 위도: 북위 33°~43°(중위도)에 위치 → 사계절의 변화가 뚜렷한 냉·온대 기후가 나타남. • 경도: 동경 124°~132°에 위치 → 본초 자오선이 지나는 영국의 표준시보다 9시간 빠름.
지리적 위치	• 대륙, 해양 등 지형지물로 표현되는 위치 • 유라시아 대륙 동안: 대륙성 기후, 계절풍 기후가 나타남. • 반도 국가: 대륙과 해양 양방향으로의 진출 유리
관계적 위치	• 주변 국가와의 관계에 따라 결정되는 위치 • 과거: 대륙과 해양 세력의 영향을 많이 받음. • 현재: 동북아시아의 지리적 요충지 및 태평양 시대의 중심 국가로 발돋움

주제 02 우리나라의 영역

영토	한반도와 그 부속 도서
영해	• 일반적으로 기선에서 12해리까지 규정 • 통상 기선: 최저 조위선 → 동해안 대부분 수역, 제주도, 울릉도, 독도에 적용 • 직선 기선: 해안의 끝이나 최외곽 섬을 연결한 선 → 서·남해안, 동해안 일부에 적용 • 대한 해협: 직선 기선으로부터 3해리
영공	영토와 영해의 수직 상공
배타적 경제 수역	• 범위: 영해 기선으로부터 200해리까지의 바다에서 영해를 제외한 수역 • 특징: 연안국의 경제적 주권 보장, 다른 국가의 선박이나 항공기의 통행 가능

주제 03 독도와 동해

독도	• 경제적 가치: 주변 해역에 조경수역 형성 → 어족 자원, 가스 하이드레이트, 해양 심층수 풍부 • 영역적 가치: 배타적 경제 수역 설정의 기준, 동해의 중심 • 생태적 가치: 천연 보호 구역으로 지정, 해저 화산 진화 과정의 연구 표본
동해	• 동해 표기의 역사: 『삼국사기』와 광개토대왕릉비, 수많은 고지도·고문헌에 동해 표기 기록이 있음. • 동해 표기를 위한 노력: 일제 강점기에 등록된 일본해 수정 노력 → 일본해 대신 동해 표기, 동해와 일본해 병기

주제 04 풍수지리 사상에 나타난 국토 인식

의미	산줄기와 바람, 물의 흐름 등을 파악하여 좋은 터(명당)를 찾는 사상
배경	지모 사상과 음양오행설이 결합하여 토착화됨.
영향	집터와 마을의 입지, 국가의 도읍지 선정에 영향 → 배산임수

주제 05 지리지에 나타난 국토 인식

관찬 지리지	사찬 지리지
조선 전기에 국가 주도로 제작	조선 후기에 개인(실학자)에 의해 제작
국가 통치의 기초 자료 확보 위함.	실학사상 영향 → 국토를 객관적으로 파악하려 함.
전국 각 지역의 산천, 인구, 산업 등을 백과사전식으로 상세하게 기술	특정 주제를 종합적·체계적으로 고찰하여 설명식으로 기술
예 『신증동국여지승람』: 국가 통치 기초 자료를 백과사전식으로 기술	예 이중환의 『택리지』: 가거지와 각 지역의 특성을 설명식으로 기술

주제 06 고지도에 나타난 국토 인식

조선 전기	• 국가 통치 목적으로 제작 • 「혼일강리역대국도지도」: 현존하는 우리나라의 가장 오래된 세계 지도 → 중화사상과 주체적 국토 인식 반영, 인도·아라비아반도·아프리카·유럽 표현
조선 중기	「천하도」: 민간에서 제작한 관념 지도, 중화사상과 천원지방의 세계관 반영
조선 후기	• 실학사상 영향 → 실용적인 국토관 정립, 목판 인쇄술 발달 • 「대동여지도」: 목판본으로 제작되어 대량 생산 가능, 분첩 절첩식으로 휴대와 열람 편리, 지도표 사용, 10리마다 방점(눈금) 표시, 하천과 도로 구분, 산줄기와 물줄기 표현

주제 07 지리 정보와 지리 정보 시스템

지리 정보	• 의미: 지표상의 지리적 현상들을 확인·분석하고 그 특성을 파악하는 데 필요한 정보 • 유형: 공간 정보, 속성 정보, 관계 정보 • 표현: 도표, 그래프, 지도, 수치 지도 등
지리 정보 시스템	• 의미: 다양한 지리 정보를 수치화하여 컴퓨터에 입력·저장하고, 사용자의 요구에 따라 가공·분석·처리하여 다양하게 표현해 주는 종합 정보 시스템 • 활용: 내비게이션, 재해·재난 관리, 국토 및 환경 관리 등

주제 08 지역 조사 과정

조사 계획 수립	조사 주제와 목적을 정한 후, 조사 주제에 적합한 지역 선정
지리 정보 수집	• 실내 조사: 문헌, 지도, 통계 자료, 인터넷 등을 통해 지리 정보 수집, 야외 조사 준비 • 야외 조사: 관찰, 측정, 면담, 설문, 사진 및 동영상 촬영 → 실내 조사 자료 확인, 현장의 지리 정보 수집
지리 정보 분석	수집한 지리 정보 분류 및 분석, 사용 목적에 따라 그래프, 통계 지도, 표 등으로 표현
보고서 작성	조사 목적과 방법, 분석 자료, 결론이 드러나게 작성

01 다음은 우리나라의 위치를 나타낸 것이다. 이에 대한 설명으로 옳은 것은?

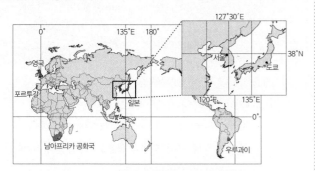

① 영국은 우리나라보다 9시간이 빠르다.
② 서울은 도쿄보다 해 뜨는 시각이 이르다.
③ 우리나라는 우루과이와 계절이 반대이다.
④ 우리나라는 포르투갈보다 기온의 연교차가 작다.
⑤ 우리나라와 남아프리카 공화국은 계절과 낮밤이 항상 정반대로 나타난다.

02 (가)~(라)에 해당하는 지점을 지도의 A~D에서 고른 것은? (단, (가)~(라)는 우리나라 영토의 4극 중 하나임.)

> (가) 은/는 새해에 우리나라에서 해가 가장 먼저 떠오르는 곳이며, (나) 은/는 (가) 보다 최한월 평균 기온이 높게 나타난다. 섬인 (다) 은/는 내륙 지역인 (라) 보다 기온의 연교차가 작다.

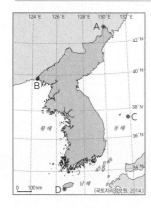

	(가)	(나)	(다)	(라)
①	A	B	C	D
②	B	C	A	D
③	C	B	D	A
④	C	D	B	A
⑤	D	C	B	A

03 그림은 영역의 구성을 모식적으로 나타낸 것이다. A~D에 대한 옳은 설명을 〈보기〉에서 고른 것은?

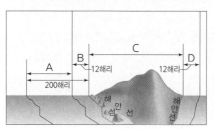

‖ 보기 ‖
ㄱ. 독도 주변의 영해 설정 기준은 B 유형에 해당한다.
ㄴ. C에 거주하는 사람은 A에서 정치적 주권을 가진다.
ㄷ. 간척 사업을 하면 C의 면적은 증가하지만 B의 범위는 변하지 않는다.
ㄹ. 영공은 B, C, D의 수직 상공에 해당한다.

① ㄱ, ㄴ　　　② ㄱ, ㄷ　　　③ ㄴ, ㄷ
④ ㄴ, ㄹ　　　⑤ ㄷ, ㄹ

04 다음은 우리나라의 영해를 나타낸 것이다. 이에 대한 설명으로 옳지 않은 것은?

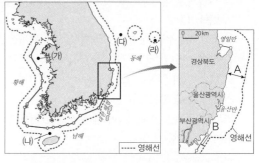

① (가)의 수직 상공은 우리나라의 영공이다.
② (나)는 타국의 여객선이 자유롭게 통과할 수 있다.
③ (다)에서 외국 어선이 해양 과학 조사를 할 수 있다.
④ (라)에서 (다)로 가기 위해서는 반드시 공해를 지나야 한다.
⑤ A와 B 간격의 합은 15해리이다.

05 지도의 (가), (나)에 대한 옳은 설명을 〈보기〉에서 고른 것은?

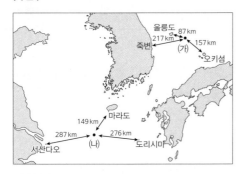

┌─ 보기 ┐
ㄱ. (가)는 (나)보다 여름철 낮의 길이가 길다.
ㄴ. (나)는 (가)보다 태풍의 영향을 자주 받는다.
ㄷ. (가), (나) 모두 주변에 조경수역이 형성되어 있다.
ㄹ. (가), (나) 모두 영해 설정 시 통상 기선을 적용한다.
└─────────┘

① ㄱ, ㄴ   ② ㄱ, ㄷ   ③ ㄴ, ㄷ
④ ㄴ, ㄹ   ⑤ ㄷ, ㄹ

06 다음 글의 (가), (나)에 대한 설명으로 옳지 <u>않은</u> 것은?

• 일본인 하야시 시헤이가 그린 「삼국접양지도」(1785년)에는 동해에 있는 　(가)　과/와 　(나)　을/를 조선과 같은 색으로 그려 　(나)　이/가 조선의 땅임을 나타내었고, 두 섬 옆에 '조선의 것'이라고 명기되어 있다.
• 일본의 공문서인 태정관 지령에서 일본 내무성은 공문서의 붙임 지도인 「기죽도약도」에 표시되어 있는 '　(가)　 외 일도(一島)'를 일본 시마네현에 포함시키지 말 것을 지시하였다. '　(가)　 외 일도(一島)'의 일도(一島)는 　(나)　(이)라는 사실을 지도에서 분명하게 확인할 수 있다.

① (가)는 (나)보다 거주 인구가 많다.
② (가), (나) 모두 화산 활동으로 형성되었다.
③ (가), (나) 모두 영해 설정 시 통상 기선이 적용된다.
④ (가)는 강원도, (나)는 경상북도에 소속되어 있다.
⑤ (가), (나) 주변 바다는 기원전부터 우리 민족에게 동해로 불리고 있었다.

07 다음은 풍수지리 사상과 관련된 그림이다. 이에 대한 설명으로 옳지 <u>않은</u> 것은?

〈풍수지리 사상의 명당도〉　　〈한양의 풍수지리〉

① 한양은 배산임수의 조건을 갖추었다.
② (가)는 땅속의 기(氣)가 모이는 곳이다.
③ 청계천은 명당수에, 한강은 객수에 해당한다.
④ 한양의 풍수지리에서 우백호는 좌청룡에 비해 산세가 상대적으로 위축되어 있다.
⑤ 풍수지리 사상의 명당도는 마을의 입지뿐만 아니라 묘지 선정에도 영향을 미쳤다.

08 다음 글은 조선 시대 지리지에 대한 내용이다. 이와 관련된 설명으로 옳은 것은?

　(가)　은/는 「사민총론」, 「팔도총론」, 「복거총론」, 「총론」 등으로 구성되어 있다. 「팔도총론」에서는 ㉠ 지방의 역사, 지리, 산물 등을 소개하고, 「복거총론」에서는 가거지(可居地)의 조건인 ㉡ 지리(地理), ㉢ 생리(生利), 인심(人心), 산수(山水) 등을 사례를 들어 설명하고 있다.

① (가)는 조선 전기에 제작되었다.
② (가)는 국가 주도로 제작되었다.
③ ㉠은 국가 통치의 기본 자료를 수집하기 위함이다.
④ ㉡은 해당 지역의 아름다운 자연환경이다.
⑤ ㉢에서는 땅속 기(氣)의 흐름보다 도로 위 물자의 흐름을 중시하였다.

09 (가), (나) 지리지에 대한 옳은 설명을 〈보기〉에서 고른 것은?

> (가) [건치 연혁] 본래 맥국인데, 신라의 선덕왕 6년에 우수주로 하여 군주를 두었다.
> [풍속] 풍속이 순후하고 아름답다.
> [산천] 봉산은 부의 북쪽 1리에 있는 진산이다.
> [토산] 옻, 잣, 오미자, 영양, 꿀, 지치, 석이버섯
>
> (나) 춘천은 옛 예맥이 천 년 동안이나 도읍했던 터로 소양강을 임했고, 그 바깥에 우두라는 큰 마을이 있다. …(중략)… 토질이 단단하고 기후가 고요하며 강과 산이 맑고 훤하며 땅이 기름져서 여러 대를 사는 사대부가 많다.

┌─ 보기 ┐
ㄱ. (가)는 (나)보다 제작 시기가 이르다.
ㄴ. 통치를 위한 자료로는 (나)가 (가)보다 유용하다.
ㄷ. (가)는 설명식, (나)는 백과사전식으로 기술되었다.
ㄹ. (가)는 국가 주도로 편찬되었고, (나)는 개인이 제작하였다.
└─────┘

① ㄱ, ㄴ ② ㄱ, ㄷ ③ ㄱ, ㄹ
④ ㄴ, ㄷ ⑤ ㄷ, ㄹ

10 「대동여지도」의 일부와 지도표를 보고 알 수 있는 내용으로 옳은 것은?

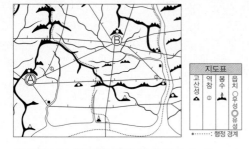

① A와 B는 동일한 행정 구역에 속한다.
② A와 B 사이의 최단 거리는 50리 이상이다.
③ A는 B보다 성을 이용한 외적의 방어에 유리하다.
④ B에서 남쪽의 봉수대에 도착하려면 하천을 네 번 건너야 한다.
⑤ A에서 도로를 따라 배를 탈 수 있는 하천에 도착하려면 20리 이상 가야 한다.

11 다음은 고산자 김정호가 「대동여지도」를 제작하는 과정에서 나눈 가상의 대화 내용이다. ㉠~㉤에 대한 설명으로 옳지 않은 것은?

> 고산자: 이 자식이! 몇 번을 말해야 알아들어! 산봉우리를 띄어서 그리면 안 된다고. ㉠ 산줄기와 산줄기는 이어서 꼭 한 덩어리처럼 보이게 그려 넣고, 하천을 그릴 때는 ㉡ 쌍선, 단선 구분하고! 에헤, ㉢ 도로는 직선, 물길은 곡선이라니까. 너 진짜 이럴래? 엥? 여기 ㉣ 방점은 왜 안 찍었어? ㉤ 목판에 새길 때는 그려 넣은 지도와 같은지 꼼꼼하게 살펴보고!
> 바 우: 아, 대충 좀 합시다. 별 차이도 없구먼.

① ㉠ – 하천과 하천을 나누는 분수계이다.
② ㉡ – 쌍선은 운항 가능한 하천, 단선은 운항 불가능한 하천이다.
③ ㉢ – 지표의 현상을 사실적으로 표현하기 위함이다.
④ ㉣ – 도로에 10리마다 찍어서 대략적인 거리를 알 수 있다.
⑤ ㉤ – 동일한 지도를 대량으로 생산하기에 유리하다.

12 (가), (나) 지도에 대한 설명으로 옳은 것은?

(가)　　　　　　　　(나)

① (가)는 실학사상이 반영된 지도이다.
② (나)는 천원지방 세계관을 토대로 제작되었다.
③ (나)는 (가)보다 제작 시기가 이르다.
④ (나)는 (가)보다 지도 제작자의 세계에 대한 인식 범위가 넓다.
⑤ (가), (나)는 모두 경위도가 표현되어 있다.

13 (가) 지도와 비교한 (나) 지도의 상대적 특성을 〈보기〉에서 고른 것은?

(가) 「조선방역지도」

(나) 「동국대지도」

┤ 보기 ├
ㄱ. 제작 시기가 빠르다.
ㄴ. 개인보다 국가가 주도하여 제작하였다.
ㄷ. 지도 제작에 축척의 개념을 사용하였다.
ㄹ. 북부 지방에 대한 영토 개념이 구체화되었다.

① ㄱ, ㄴ   ② ㄱ, ㄷ   ③ ㄴ, ㄷ
④ ㄴ, ㄹ   ⑤ ㄷ, ㄹ

14 다음은 시대에 따라 다른 국토 인식을 나타낸 것이다. (가)~(다)를 시대 순으로 옳게 나열한 것은?

(가) 우리 국토를 '나약한 토끼의 형상으로 대륙에 의지할 수밖에 없는 운명을 가진 국토'로 간주하여 국토에 대한 인식이 수동적·부정적이었다.
(나) 국토는 단순히 인간의 이익을 위한 개발의 대상이 아니라 미래 세대까지 함께 행복하게 살아가야 할 터전으로서 생태적 국토 인식이 강조되었다.
(다) 경제 성장과 효율성 향상에 중점을 두고 국토를 적극적으로 개발·이용하려는 정책이 시행되었으며, 산업 단지, 항만, 도로, 철도 등을 건설하였다.

① (가) - (나) - (다)   ② (가) - (다) - (나)
③ (나) - (가) - (다)   ④ (나) - (다) - (가)
⑤ (다) - (가) - (나)

15 다음 글의 ㉠~㉢에 대한 설명으로 옳은 것은?

지리 정보란 지표 공간상의 다양한 지리적 현상들을 확인·분석하고 그 특성을 파악하는 데 필요한 모든 정보를 말한다. 지리 정보의 유형에는 ㉠ 공간 정보, 속성 정보, 관계 정보 등이 있다. 지리 정보는 주로 ㉡ 실내 조사와 ㉢ 야외 조사를 통해 수집되며, 최근에는 ㉣ 원격 탐사 기술을 이용하여 수집하는 사례가 증가하고 있다. 수집된 지리 정보는 도표, 그래프, ㉤ 지도 등으로 표현된다.

① ㉠은 지역의 자연적·인문적 특성을 나타내는 정보이다.
② ㉡에는 촬영, ㉢에는 설문지 제작 등이 있다.
③ 대체로 ㉢은 ㉡보다 먼저 이루어진다.
④ ㉣을 이용하면 접근이 어려운 지역의 지리 정보를 얻을 수 있다.
⑤ ㉤ 중 수치 지도는 종이 지도에 비해 자료의 수정과 변환이 어렵다.

16 한 장의 지도에 (가)~(다) 자료를 표현하고자 할 때 가장 적절한 통계 지도의 유형을 〈보기〉에서 고른 것은?

구·군	(가) 상주인구 (명)	(나) 유입 인구 (명)	유출 인구 (명)	(다) 주간 인구 지수
A 구	46,885	48,162	10,458	180.4
B 구	92,306	43,824	21,960	123.7
C 구	167,174	23,887	46,002	86.8
D 군	92,273	20,669	17,907	103.0

┤ 보기 ├

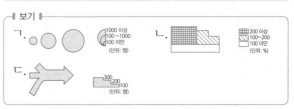

　　(가)　(나)　(다)
①　 ㄱ　 ㄴ　 ㄷ
②　 ㄱ　 ㄷ　 ㄴ
③　 ㄴ　 ㄱ　 ㄷ
④　 ㄴ　 ㄷ　 ㄱ
⑤　 ㄷ　 ㄱ　 ㄴ

17 다음 조건을 고려하여 이사할 지역을 선정하려고 한다. 조건에 적합한 지역을 A~E에서 고른 것은?

┤ 조건 ├
- 여가 시설(공원, 극장)이 1km 이내에 위치해야 한다.
- 교육 시설(학교, 도서관)이 500m 이내에 위치해야 한다.
- 교통 시설(도로, 지하철역)이 500m 이내에 위치해야 한다.
- 상업 시설(시장, 대형 마트, 백화점)이 1km 이내에 위치해야 한다.

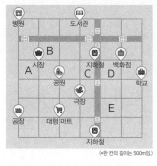

(*한 칸의 길이는 500m임.)

① A   ② B   ③ C   ④ D   ⑤ E

18 다음은 지역 조사 과정을 나타낸 것이다. (가), (나) 과정에 대한 옳은 설명만을 〈보기〉에서 있는 대로 고른 것은?

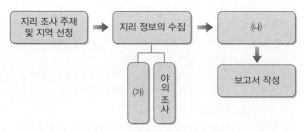

┤ 보기 ├
ㄱ. (가) - 조사 주제와 관련된 자료를 인터넷으로 검색한다.
ㄴ. (가) - 조사 지역을 직접 방문하여 궁금한 사항을 주민들에게 질문한다.
ㄷ. (나) - 수집된 지리 정보를 수치화한 후 데이터베이스로 저장한다.
ㄹ. (나) - 통계 지도를 이용하여 지리 정보를 효과적으로 표현한다.

① ㄱ, ㄹ   ② ㄴ, ㄷ   ③ ㄷ, ㄹ
④ ㄱ, ㄷ, ㄹ   ⑤ ㄴ, ㄷ, ㄹ

서답형 문제

19 다음은 조선 전기에 제작된 세계 지도이다. 이 지도의 명칭과 지도에 표시된 ⓐ~ⓔ 대륙(국가)의 명칭을 쓰시오.

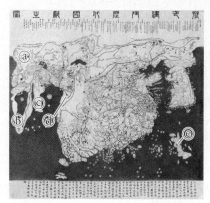

20 다음 글의 ㉠, ㉡과 같은 지리적 위치로 인한 우리나라의 지리적 특성을 서술하시오.

지리적 위치는 대륙, 해양, 산천 등과 같은 자연 지물로 표현되는 위치이다. 우리나라는 ㉠ 유라시아 대륙의 동안에 위치하며 태평양에 접해 있다. 또한 대륙에서 해양으로 돌출해 있는 ㉡ 반도국이다.

21 영역의 범위를 나타낸 그림을 보고, 물음에 답하시오.

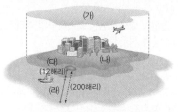

(1) (가)~(라)의 명칭을 쓰시오.

(2) (라)에 대한 연안국의 권리를 세 가지 서술하시오.

II 단원 지형 환경과 인간 생활

주제 01 한반도의 형성 과정

암석 형성	• 변성암: 시·원생대에 형성, 분포 면적이 가장 넓음. • 퇴적암: 대부분 고생대와 중생대에 형성 • 화성암: 화강암(중생대), 화산암(신생대 화산 활동)
지체 구조	• 시·원생대: 평북·개마 지괴, 경기 지괴, 영남 지괴 → 변성암 분포 • 고생대: 평남 분지, 옥천 습곡대 → 석회암 분포 • 중생대: 경상 분지 → 공룡 발자국 화석 분포 • 신생대: 두만 지괴, 길주·명천 지괴 → 갈탄 분포
지각 변동	중생대: • 송림 변동: 평남 분지, 옥천 습곡대 육지화 • 대보 조산 운동: 대보 화강암 관입 • 불국사 변동: 불국사 화강암 형성 신생대: • 경동성 요곡 운동: 신생대 제3기, 경동 지형 형성 • 화산 활동: 신생대 제3기 말~제4기 초, 화산 지형 형성
기후 변화	• 빙기: 한랭 건조, 해수면 하강, 물리적 풍화 작용 활발 • 후빙기: 온난 습윤, 해수면 상승, 화학적 풍화 작용 활발

주제 02 산지 지형

형성	• 1차 산맥: 경동성 요곡 운동으로 형성 • 2차 산맥: 차별 풍화와 침식으로 형성
특징	• 구릉성 산지: 오랜 풍화와 침식으로 해발 고도가 낮음. • 경동 지형: 동고서저의 비대칭적 지형 형성 • 고위 평탄면: 해발 고도가 높은 곳에 나타나는 경사가 완만한 지형 → 여름철 기온이 서늘하여 고랭지 농업 및 목축업 발달
흙산과 돌산	• 흙산: 시·원생대의 편마암이 오랫동안 풍화 작용을 받아 형성 예 지리산, 오대산, 태백산 등 • 돌산: 중생대에 관입한 화강암이 오랫동안 풍화와 침식을 받아 지표 위로 노출 예 북한산, 설악산, 금강산 등

주제 03 하천 지형

특색	• 대부분 황해와 남해로 흐름. • 심한 유량 변동 → 하상계수가 큼. • 감조 하천: 밀물과 썰물의 영향으로 하구의 수위가 변하는 하천 → 염해 발생, 하굿둑 건설
하천 중·상류	• 감입 곡류 하천: 하천 중·상류의 산지를 곡류하는 하천, 하방 침식 우세 • 하안 단구: 감입 곡류 하천 주변에 발달하는 계단 모양의 지형 → 도로, 농경지, 취락 등으로 이용 • 선상지: 골짜기 입구에 나타나는 부채꼴 모양의 퇴적 지형 • 침식 분지: 화강암의 차별 풍화·침식으로 형성된 분지 → 주거지와 농경지로 이용
하천 하류	• 자유 곡류 하천: 하천 중·하류의 평야 위를 곡류하는 하천, 측방 침식 우세 → 범람원, 하중도, 우각호 형성 • 범람원: 자유 곡류 하천 주변에 발달하는 충적 평야 → 자연 제방과 배후 습지로 구성 • 삼각주: 하천 하구에 발달한 삼각형 모양의 충적 평야

주제 04 해안 지형

해안 특색	• 동해안: 단조로운 해안선 → 사빈, 석호 발달 • 서·남해안: 복잡한 해안선(리아스 해안) → 다도해, 갯벌 발달
형성 요인	• 파랑: 곶에서 파랑 에너지 집중, 침식 작용 활발 → 암석 해안 발달, 만에서 파랑 에너지 분산, 퇴적 작용 활발 → 모래 해안 발달 • 연안류: 모래나 자갈 운반 → 사빈, 사주 형성 • 조류: 밀물과 썰물에 의해 갯벌 형성
침식 지형	• 해식애: 파랑의 침식 작용으로 형성된 해안 절벽 • 파식대: 해식애 전면에 발달한 평탄한 대지 • 해식동: 파랑의 침식 작용으로 형성된 동굴 • 시 스택: 해식애 후퇴 과정에서 단단한 부분만 남은 기둥 모양의 지형 • 해안 단구: 지반 융기나 해수면 하강으로 형성되는 계단 모양의 지형
퇴적 지형	• 사빈: 파랑과 연안류에 의해 퇴적된 모래사장 • 해안 사구: 사빈의 모래가 바람에 날려 배후에 쌓인 언덕 • 사주: 모래가 이동하여 바다 쪽으로 길게 퇴적된 지형 • 육계도: 사주로 인해 육지와 연결된 섬 • 석호: 사주가 만의 입구를 막으면서 생긴 호수 • 갯벌: 조류의 퇴적 작용으로 형성된 지형

주제 05 화산 지형

형성	• 신생대 제3기 말~제4기 초 화산 활동으로 형성 • 백두산, 울릉도, 독도, 철원, 제주도 등에 분포
분포 지역	• 백두산: 칼데라호(천지) 형성 • 울릉도: 급경사의 종상 화산, 이중 화산(칼데라 분지인 나리 분지, 중앙 화구구인 알봉) • 독도: 화산체 대부분이 해저에 있는 화산섬 • 철원: 현무암질 용암의 열하 분출로 형성된 용암 대지 → 충적층 발달, 논농사 활발 • 제주도: 순상 화산인 한라산(산 정상부는 종상 화산, 화구호인 백록담 형성)과 기생 화산(오름), 용암동굴, 주상 절리 등이 분포
이용	독특한 화산 지형 경관을 관광 자원으로 이용

주제 06 카르스트 지형

형성	• 석회암이 빗물이나 지하수에 의해 용식되어 형성 • 고생대 조선 누층군에 발달
종류	• 돌리네: 지표면이 용식되어 타원형으로 움푹 파인 와지 → 밭으로 이용 • 우발레: 돌리네가 다른 돌리네와 합쳐져 규모가 커진 것 • 석회동굴: 지하로 유입된 물에 용식되어 형성된 동굴 → 종유석, 석순, 석주 발달 • 테라로사: 붉은색을 띠는 석회암 풍화토
이용	관광 자원, 석회석 채굴 및 시멘트 공업, 밭농사

한국지리

01 다음은 한반도의 지질 시대별 암석 구성을 나타낸 것이다. 이에 대한 설명으로 옳은 것은?

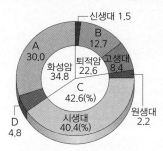

① 지리산의 주요 기반암은 대부분 A로 이루어졌다.

② B에는 공룡의 발자국 화석이 발견된다.

③ C를 기반암으로 하는 산지는 돌산이다.

④ D는 지하에서 마그마가 관입하여 형성되었다.

⑤ A는 C보다 지질 시대의 형성 시기가 이르다.

02 A~D에 해당하는 암석으로 옳은 것은? (단, (가), (나)는 신생대, 중생대 중 하나임.)

	A	B	C	D
①	화성암	퇴적암	퇴적암	화성암
②	화성암	퇴적암	화성암	퇴적암
③	화성암	화성암	퇴적암	퇴적암
④	퇴적암	화성암	퇴적암	화성암
⑤	퇴적암	화성암	화성암	퇴적암

03 다음은 (가), (나) 지질 시대의 암석 분포를 나타낸 것이다. 이에 대한 설명으로 옳지 <u>않은</u> 것은?

(가)   (나)

① (가)는 (나)보다 오래된 지질 시대이다.

② A를 주요 기반암으로 하는 산지는 흙산이다.

③ B는 C보다 형성 시기가 이르다.

④ B는 육성층, C는 해성층이다.

⑤ 석회암은 B에, 무연탄은 C에 주로 매장되어 있다.

04 다음은 고생대 이후 주요 지각 변동과 지질 계통을 나타낸 것이다. 이에 대한 설명으로 옳은 것은?

지질 계통	중생대			신생대	
	평안 누층군	대동 누층군	A	제3기층	B
지각 변동	↑ (가)	↑ (나)	↑ 불국사 변동	↑ (다)	↑ 화산 활동

① (가)의 결과 북동-남서 방향의 구조선이 형성되었다.

② (나) 운동으로 지하 깊은 곳에서 마그마가 관입하였다.

③ (다)의 영향으로 북부 지방의 2차 산맥 방향이 결정되었다.

④ A는 지각 변동의 영향을 크게 받아 지층 대부분이 기울어져 있다.

⑤ B에는 갈탄이 대량으로 매장되어 있다.

05 A~C 암석에 대한 옳은 설명을 〈보기〉에서 고른 것은?

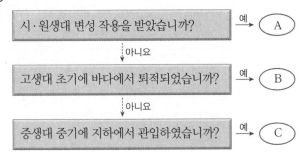

| 시·원생대 변성 작용을 받았습니까? | → 예 → Ⓐ |

↓ 아니요

| 고생대 초기에 바다에서 퇴적되었습니까? | → 예 → Ⓑ |

↓ 아니요

| 중생대 중기에 지하에서 관입하였습니까? | → 예 → Ⓒ |

┤ 보기 ├
ㄱ. B는 시멘트 공업의 주원료로 이용된다.
ㄴ. C는 흙산의 주요 기반암이다.
ㄷ. A는 B보다 우리나라에서 차지하는 비중이 높다.
ㄹ. A~C 중 사찰의 석탑 제작에 가장 많이 이용되는 것은 A이다.

① ㄱ, ㄴ　　② ㄱ, ㄷ　　③ ㄴ, ㄷ
④ ㄴ, ㄹ　　⑤ ㄷ, ㄹ

06 A, B 시기에 (가), (나) 지점의 특성으로 옳은 것은?

〈해수면 변화〉

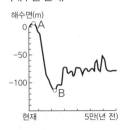

〈금강의 하계망〉

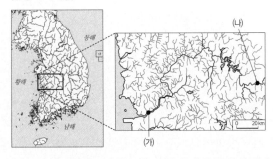

① A 시기에 (가)는 (나)보다 침식 작용이 활발하였다.
② B 시기에 (가)는 (나)보다 퇴적 작용이 활발하였다.
③ B 시기보다 A 시기에 (가)의 해발 고도가 높았다.
④ A 시기보다 B 시기에 (나)의 식생 밀도가 높았다.
⑤ 침식 기준면은 (가), (나) 모두 B 시기보다 A 시기에 높았다.

07 다음은 고위 평탄면의 형성 과정을 나타낸 것이다. (가)에 해당하는 지각 변동이 일어난 시기를 A~E에서 고른 것은?

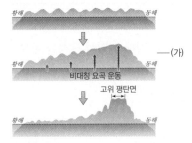

지질시대	중생대			신생대	
	트라이아스기	쥐라기	백악기	제3기	제4기
지질계통	평안누층군	대동누층군	경상누층군	제3계	제4계
주요지각운동	↑ A	↑ B	↑ C	↑ D	↑ E

① A　　② B　　③ C　　④ D　　⑤ E

08 (가), (나)는 우리나라 산지의 동서 단면도이다. 이에 대한 설명으로 옳지 않은 것은? (단, (가), (나)는 A, B의 단면 중 하나임.)

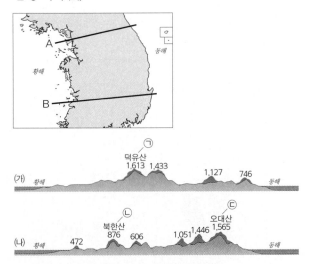

① (가)는 B, (나)는 A의 단면을 나타낸다.
② ㉠과 ㉢은 모두 백두대간에 속하는 산이다.
③ ㉠은 태백산맥, ㉢은 소백산맥에 속하는 산이다.
④ ㉡의 주요 기반암은 ㉠의 주요 기반암보다 형성 시기가 늦다.
⑤ ㉡은 돌산, ㉢은 흙산으로 분류된다.

09 지도의 (가)~(마) 지역에서 산지 지형의 이용 현황으로 옳지 <u>않은</u> 것은?

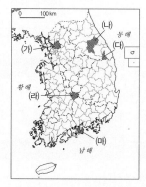

① (가) – 산 정상에서도 앞을 볼 수 없을 만큼 빽빽한 숲 트레킹
② (나) – 하늘과 맞닿은 평야에 펼쳐진 고랭지 배추밭
③ (다) – 폐탄광을 이용한 다양한 체험 학습장
④ (라) – 리프트를 타고 오르는 끝없이 펼쳐진 스키장
⑤ (마) – 경지 부족을 해결하기 위해 산을 깎아 만든 다랑이 논

10 지도에 표시된 A, B 지형에 대한 옳은 설명만을 〈보기〉에서 있는 대로 고른 것은?

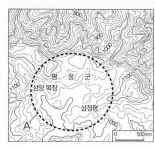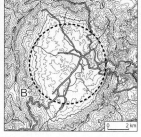

┤ 보기 ├
ㄱ. A는 B보다 풍력 발전소 건설에 유리하다.
ㄴ. A는 B보다 기온 역전 현상이 자주 발생한다.
ㄷ. B는 A보다 지반 융기의 영향을 많이 받았다.
ㄹ. B는 A보다 경지 면적당 논의 비중이 높다.

① ㄱ, ㄹ   ② ㄴ, ㄷ   ③ ㄱ, ㄴ, ㄹ
④ ㄱ, ㄷ, ㄹ   ⑤ ㄴ, ㄷ, ㄹ

11 다음은 우리나라와 세계 주요 하천의 하상계수를 나타낸 것이다. 이에 대해 옳게 추론한 것만을 〈보기〉에서 있는 대로 고른 것은?

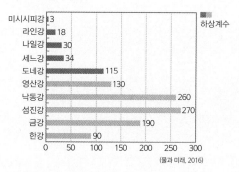

(물과 미래, 2016)

┤ 보기 ├
ㄱ. 라인강은 금강보다 내륙 수운에 유리할 것이다.
ㄴ. 미시시피강은 낙동강보다 유역 면적이 좁을 것이다.
ㄷ. 대체로 여름철 계절풍의 영향이 강하면 하상계수는 작을 것이다.
ㄹ. 섬진강 유역은 세느강 유역보다 여름철 강수 집중률이 높을 것이다.

① ㄱ, ㄹ   ② ㄴ, ㄷ   ③ ㄷ, ㄹ
④ ㄱ, ㄷ, ㄹ   ⑤ ㄴ, ㄷ, ㄹ

12 (가), (나) 하천에 대한 설명으로 옳은 것은? (단, (가), (나) 하천은 동일한 하천으로 황해로 흘러듦.)

(가)　　　　(나)

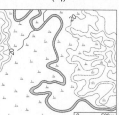

① (가)는 (나)보다 하방 침식 작용이 우세하다.
② (가)는 (나)보다 하상의 평균 해발 고도가 높다.
③ (가)는 (나)보다 퇴적물의 평균 입자 크기가 크다.
④ (나)는 (가)보다 동해안과의 직선거리가 가깝다.
⑤ 하천 주변의 충적층 두께는 (나)가 (가)보다 두껍다.

13 지도의 (가)~(라) 지점에 대한 설명으로 옳은 것은?

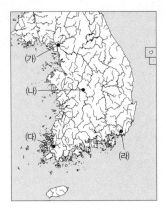

① (가)는 (나)보다 평균 해발 고도가 높다.
② (나)는 (다)보다 퇴적물의 원마도가 높다.
③ (나)는 (라)보다 수력 발전소 건설에 유리하다.
④ (라)는 (나)보다 하상의 평균 경사가 급하다.
⑤ (가)와 (나) 하구에는 염해 방지를 위해 설치한 하굿둑이 있다.

14 지도는 하천 지형을 나타낸 것이다. A 지형과 비교한 B 지형의 상대적 특징만을 〈보기〉에서 있는 대로 고른 것은?

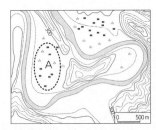

┌─ 보기 ─────────────────────────
ㄱ. 범람의 가능성이 높다.
ㄴ. 평균 해발 고도가 높다.
ㄷ. 바다와의 거리가 가깝다.
ㄹ. 퇴적물의 평균 입자 크기가 크다.
└────────────────────────────

① ㄱ, ㄷ ② ㄴ, ㄹ ③ ㄱ, ㄴ, ㄹ
④ ㄱ, ㄷ, ㄹ ⑤ ㄴ, ㄷ, ㄹ

15 다음은 해안 단구의 형성 과정을 순서 없이 나열한 것이다. 이에 대한 설명으로 옳은 것은?

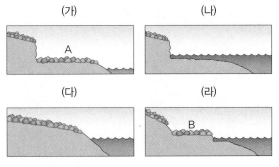

① A는 만조 시 바닷물에 잠긴다.
② A와 B는 동일한 지역으로 파랑의 침식 작용으로 평탄해졌다.
③ (나) 시기는 해안에 사빈이 탁월하게 발달한다.
④ (다) 시기는 지반의 융기 이후에 해당한다.
⑤ 형성 시기가 이른 것부터 나열하면 (다)-(가)-(나)-(라) 순이다.

16 (가) 해안과 비교한 (나) 해안의 상대적 특성을 그림의 A~E에서 고른 것은?

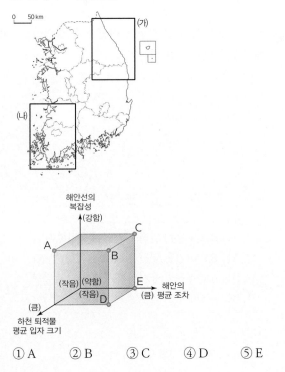

① A ② B ③ C ④ D ⑤ E

17 지도에 나타난 지역에 대한 설명으로 옳은 것은?

① A 산은 알봉보다 형성 시기가 이르다.
② A 산의 기반암은 유동성이 큰 용암이 굳어서 형성되었다.
③ B 분지에서는 주로 논농사가 이루어진다.
④ B 분지는 기반암의 차별 침식으로 형성되었다.
⑤ B 분지에는 터돋움을 한 전통 가옥이 나타난다.

18 지도에 나타난 지역에 대한 설명으로 옳지 <u>않은</u> 것은?

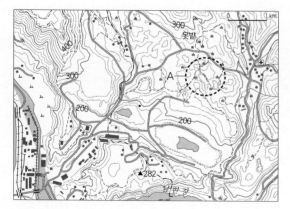

① 못밭의 토양색은 대부분 붉은색이다.
② A는 기반암의 용식 작용으로 형성되었다.
③ 이 지역의 주요 기반암은 고생대에 형성되었다.
④ 시멘트 공장이 들어선 이후 A와 같은 지형은 감소하였다.
⑤ 이 지역은 남한강의 풍부한 용수를 이용하여 주로 벼농사가 이루어진다.

서답형 문제

19 하천의 일부를 나타낸 그림을 보고, 물음에 답하시오.

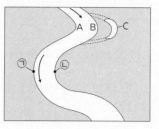

(1) C의 명칭을 쓰시오.

(2) A와 B에서의 유속 및 침식·퇴적 작용의 특징을 비교하여 서술하시오.

_____

_____

(3) ㉠-㉡의 하천 바닥 단면을 그리시오.

20 다음은 해안에서 파랑 에너지의 진행 방향을 나타낸 것이다. 이를 보고 물음에 답하시오.

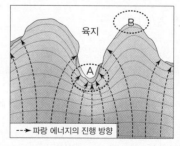

(1) 지형 형태를 기준으로 한 A, B의 명칭을 쓰시오.

(2) A, B의 지형 발달 특성을 파랑 에너지와 관련지어 쓰고, 각각 발달하는 대표적 지형을 쓰시오.

_____

_____

_____

21 카르스트 지형의 형성 원인을 설명하고, 지표면과 지하에서 형성되는 대표적인 카르스트 지형을 쓰시오.

_____

_____

_____

III 단원 기후 환경과 인간 생활

주제 01 우리나라의 기후 특성

기후 요인
- 위도: 고위도로 갈수록 일사량의 감소로 기온이 낮아짐.
- 지형: 산지의 바람받이 사면은 바람그늘 사면보다 강수량이 많음.
- 격해도: 바다에서 떨어진 정도인 격해도가 클수록 기온의 연교차가 큼.

기후 특색
- 대륙성 기후: 유라시아 대륙의 동쪽에 위치하여 기온의 연교차가 큼.
- 계절풍 기후: 여름에는 남동·남서 계절풍, 겨울에는 북서 계절풍의 영향을 받음.

주제 02 기온, 강수, 바람의 특성

기온
- 연평균 기온: 남쪽에서 북쪽으로 갈수록, 해안에서 내륙으로 갈수록 대체로 낮아짐.
- 기온의 지역 차: 여름보다 겨울에 큼.
- 기온 분포의 동서 차: 겨울철 동해안의 기온이 동위도의 서해안보다 높음.
- 기온의 일교차: 장마철과 한여름에 작고, 봄과 가을에 큼.

강수
- 강수의 계절 차: 강수량의 연 변동이 크고, 연 강수량의 절반 이상이 여름철에 집중
- 강수의 지역 차: 대체로 남쪽에서 북쪽으로 갈수록 연 강수량 감소, 지형과 풍향이 강수량 분포에 큰 영향을 줌.
- 다우지: 습윤한 남서 기류의 바람받이 지역 → 한강 중·상류, 제주도와 남해안, 청천강 중·상류
- 소우지: 개마고원, 영남 내륙, 대동강 하류
- 다설지: 울릉도, 충남 및 호남 서해안, 영동 지방

바람
- 여름 계절풍: 북태평양 기단에서 고온 다습한 남풍 계열의 바람이 불어옴.
- 겨울 계절풍: 시베리아 고기압에서 한랭 건조한 북서 계절풍이 불어옴.
- 높새바람: 늦봄~초여름에 부는 북동풍으로 영서·경기 지방에 가뭄 피해를 줌.

주제 03 기후 특성과 주민 생활

기온과 주민 생활
- 의: 여름(더위 극복 → 삼베, 모시)과 겨울(추위 극복 → 털옷, 솜옷)의 의복 차이가 큼.
- 식: 겨울이 길고 추워 김장 문화 발달 → 김치는 남쪽으로 갈수록 짜고 매움.
- 주: 추운 관북 지방은 폐쇄적 가옥 구조(겹집, 정주간), 따뜻한 남부 지방은 개방적 가옥 구조(대청마루)

강수와 주민 생활
- 터돋움집: 범람원에서 홍수에 대비하여 터를 돋우고 그 위에 지은 집
- 염전 발달: 일조량이 풍부한 대동강 하류와 전남 신안
- 우데기: 울릉도의 전통 가옥에 설치된 방설벽

바람과 주민 생활
- 남향의 배산임수 지역에 마을 형성 → 북서 계절풍 차단
- 제주도 전통 가옥: 지붕의 경사가 완만하고 지붕을 그물처럼 엮었으며 돌담을 쌓음.
- 호남의 해안 지역: 바람을 막기 위해 까대기 설치

주제 04 국지 기후와 주민 생활

도시 열섬 현상
- 의미: 도심의 기온이 교외보다 높게 나타나는 현상
- 원인: 도시 인구 증가, 인공 열 배출량 증가, 포장 면적 증가 등
- 바람이 없는 겨울철의 맑은 날 밤에 탁월

기온 역전 현상
- 의미: 지표면의 복사 냉각과 냉기류가 사면을 따라 흘러내려 해발 고도가 높아질수록 기온이 높아지는 현상
- 영향: 대기가 정체되어 대기 오염 심화, 안개와 결합하여 스모그 발생, 농작물 냉해 등
- 늦가을~초봄, 바람이 없는 맑은 날 밤에 분지 지형에서 뚜렷하게 발생

주제 05 자연재해

기후적 요인
- 호우: 주로 여름철에 발생, 저지대의 가옥과 농경지 침수
- 태풍: 주로 여름~초가을에 발생, 위험 반원에 위치하는 남동 해안 지역의 피해가 큼.
- 대설: 교통 혼잡, 각종 시설물 붕괴 등
- 가뭄: 진행 속도가 느리지만 피해 범위가 넓음.

지형적 요인
- 지진: 한반도는 지진 안전지대가 아님, 내진 설계 필요
- 화산: 발생 가능성이 낮은 편임.

주제 06 기후 변화

원인과 현황
- 원인: 화석 에너지 소비 증가로 온실 기체 증가
- 현황: 지난 100년간 우리나라 연평균 기온 1.7℃ 상승

영향
- 계절: 여름이 길어지고 겨울이 짧아짐.
- 농·어업: 작물의 생육 가능 기간이 길어짐, 농작물 재배 북한계선 북상, 난류성 어종의 어획 가능 수역 확대
- 식생: 난대림 북한계선 북상, 봄꽃 개화 시기 빨라지고 가을 단풍 드는 시기 늦어짐.

대책
- 국제 협약 체결, 신·재생 에너지 개발

주제 07 식생과 토양

식생
- 기온의 영향을 크게 받지만 인위적 요인의 영향이 커지고 있음.
- 수평 분포: 남에서 북으로 가면서 난대림, 온대림, 냉대림 분포
- 난대림: 최난월 평균 기온 0℃ 이상인 울릉도와 남해안, 제주도의 해발 고도가 낮은 지역에 분포
- 온대림: 분포 면적이 가장 넓음.
- 냉대림: 개마고원과 고산 지역을 중심으로 분포

토양
- 성대 토양: 기후와 식생의 특성이 반영된 토양 → 온대림 지역(갈색 삼림토), 냉대림 지역(회백색토)에 분포
- 간대 토양: 기반암의 특성이 반영된 토양 → 붉은색의 석회암 풍화토(강원 남부)와 흑갈색의 현무암 풍화토(제주)

한국지리

01 다음과 같은 원리로 설명할 수 있는 기후 현상에 대한 옳은 내용만을 〈보기〉에서 있는 대로 고른 것은?

> 비열은 어떤 물질 1g의 온도를 1℃(=K) 올리는 데 필요한 열량을 나타내며 단위는 cal/g·℃이다. 비열은 물질마다 다른데, 물의 비열은 1cal/g·℃, 화강암의 비열은 0.21cal/g·℃, 알루미늄의 비열은 0.215cal/g·℃ 등으로, 물은 땅의 주요 구성 물질보다 비열이 크다.

┤ 보기 ├
- ㄱ. 여름 한낮에 해안 지역은 바다에서 육지로 바람이 분다.
- ㄴ. 동위도에서 해안에서 내륙으로 갈수록 기온의 연교차가 커진다.
- ㄷ. 동위도에서 해발 고도가 높은 지역은 낮은 지역보다 기온이 낮다.
- ㄹ. 중위도 대륙 동안 지역은 겨울에 대륙에서 해양으로 계절풍이 분다.

① ㄱ, ㄹ　　② ㄴ, ㄷ　　③ ㄱ, ㄴ, ㄷ
④ ㄱ, ㄴ, ㄹ　　⑤ ㄴ, ㄷ, ㄹ

02 (가)~(다)의 기후 특성이 나타나는 지역을 지도의 A~C 에서 고른 것은?

구분	기온의 연교차 (℃)	연 강수량 (mm)	겨울 강수 집중률 (%)
(가)	28.5	1,503.0	4.2
(나)	26.4	1,317.4	9.3
(다)	24.2	1,464.4	9.8

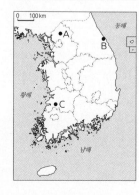

	(가)	(나)	(다)
①	A	B	C
②	A	C	B
③	B	A	C
④	B	C	A
⑤	C	A	B

03 지도의 A~H 지역에 대한 옳은 설명을 〈보기〉에서 고른 것은?

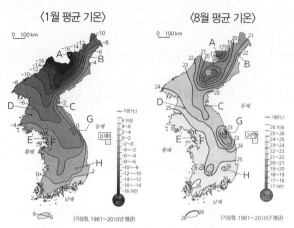

〈1월 평균 기온〉　　〈8월 평균 기온〉

(기상청, 1981~2010년 평균)

┤ 보기 ├
- ㄱ. A는 B보다 최난월 평균 기온이 높다.
- ㄴ. C는 D보다 최한월 평균 기온이 높다.
- ㄷ. F는 H보다 기온의 연교차가 크다.
- ㄹ. G는 E보다 최난월 평균 기온이 높다.

① ㄱ, ㄴ　　② ㄱ, ㄷ　　③ ㄴ, ㄷ
④ ㄴ, ㄹ　　⑤ ㄷ, ㄹ

04 지도는 어느 기후 현상의 연간 일수를 나타낸 것이다. 이에 대한 설명으로 옳은 것은?

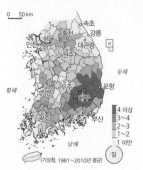

(기상청, 1981~2010년 평균)

① 한여름 일사량이 많은 날에 발생한다.
② 북동 기류가 동해안으로 유입될 때 발생한다.
③ 장마 전선이 우리나라에 정체될 때 나타난다.
④ 이동성 저기압이 우리나라를 통과할 때 발생한다.
⑤ 맑고 바람이 없는 날 복사 냉각이 활발할 때 발생한다.

05 다음 글의 ㉠~㉤에 대한 설명으로 옳지 <u>않은</u> 것은?

> 우리나라는 ㉠ 연 강수량의 50% 이상이 여름철에 집중되어 여름철 강수량이 많은 지역이 연 강수량도 많은 편이다. 우리나라의 ㉡ 연 강수량은 ㉢ 지역별로 차이가 큰 편이다. 연 강수량이 많은 지역으로는 ㉣ 한강 중·상류 지역, 남해안 일대, 청천강 중·상류 지역 등이 있고, 연 강수량이 적은 지역으로는 영남 내륙 지역, 개마고원 일대, ㉤ 대동강 하류 등이 있다.

① ㉠ – 해양에서 발원하는 북태평양 기단의 영향 때문이다.

② ㉡ – 대체로 남부 지방에서 북부 지방으로 갈수록 줄어든다.

③ ㉢ – 지형과 풍향의 영향에 따라 지역 차가 발생한다.

④ ㉣ – 남서 기류의 바람받이 지역이기 때문에 연 강수량이 많다.

⑤ ㉤ – 남서 계절풍이 불 때 바람그늘에 해당하기 때문에 연 강수량이 적다.

06 지도의 A~D에 해당하는 지역의 강수량을 그래프의 ㄱ~ㄹ에서 고른 것은?

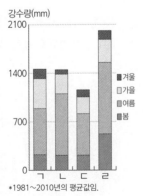

*1981~2010년의 평균값임.

	A	B	C	D
①	ㄱ	ㄴ	ㄷ	ㄹ
②	ㄱ	ㄷ	ㄴ	ㄹ
③	ㄴ	ㄱ	ㄷ	ㄹ
④	ㄴ	ㄱ	ㄹ	ㄷ
⑤	ㄹ	ㄴ	ㄷ	ㄱ

07 다음 글의 밑줄 친 '여러 지역'의 사례로 가장 적절한 지역을 지도의 A~E에서 고른 것은?

> 차가운 북서풍이 상대적으로 따뜻한 황해를 건너오는 과정에서 열과 수증기를 공급받아 눈구름이 만들어지고, 이 눈구름이 <u>여러 지역</u>에 눈을 내리게 한다.

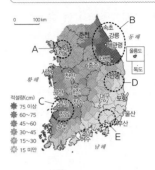

*1981~2010년 평균값임. (기상청, 2012)

① A   ② B   ③ C   ④ D   ⑤ E

08 지도는 계절에 따라 우리나라에 부는 바람을 나타낸 것이다. (가), (나) 계절에 대한 옳은 설명만을 〈보기〉에서 있는 대로 고른 것은? (단, (가), (나)는 여름과 겨울 중 하나임.)

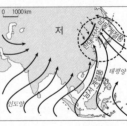
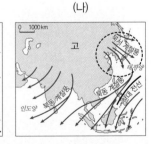

| 보기 |

ㄱ. (가) 계절은 (나) 계절보다 강수량이 많다.

ㄴ. (가) 계절은 (나) 계절보다 평균 풍속이 강하다.

ㄷ. (나) 계절은 (가) 계절보다 낮의 길이가 길다.

ㄹ. (나) 계절은 (가) 계절보다 기온의 지역 차이가 크다.

① ㄱ, ㄹ   ② ㄴ, ㄷ   ③ ㄷ, ㄹ
④ ㄱ, ㄷ, ㄹ   ⑤ ㄴ, ㄷ, ㄹ

09 지도는 어느 시기의 바람장미를 나타낸 것이다. 이에 대한 설명으로 옳은 것은? (단, (가), (나)는 1월과 7월 중 하나임.)

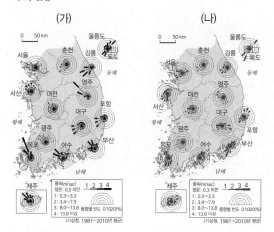

┌─ 보기 ─────────────────────────
ㄱ. (가) 시기에 제주는 포항보다 북서풍이 뚜렷하게 나타난다.
ㄴ. 목포는 (가) 시기보다 (나) 시기에 북서풍이 뚜렷하게 나타난다.
ㄷ. 강릉은 (가), (나) 시기 모두 남서풍이 우세하다.
ㄹ. 울릉도는 (가), (나) 시기 모두 북서풍과 남동풍이 우세하다.
└────────────────────────────

① ㄱ, ㄴ   ② ㄱ, ㄷ   ③ ㄴ, ㄷ
④ ㄴ, ㄹ   ⑤ ㄷ, ㄹ

10 다음은 우리나라에 영향을 미치는 주요 기단에 대한 내용이다. (가)~(다) 내용과 관련 있는 기단을 지도의 A~C에서 고른 것은?

┌─────────────────────────────
(가) 냉량 습윤하고 높새바람, 여름철 냉해 등에 영향을 준다.
(나) 고온 다습하고 무더위, 열대야, 장마 전선 형성과 관계가 깊다.
(다) 한랭 건조하고 한파 및 꽃샘추위 등의 기후 현상에 영향을 준다.
└─────────────────────────────

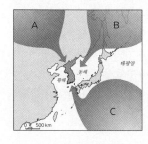

	(가)	(나)	(다)
①	A	C	B
②	B	A	C
③	B	C	A
④	C	A	B
⑤	C	B	A

11 (가), (나) 전통 가옥 구조에 대한 옳은 설명을 〈보기〉에서 고른 것은?

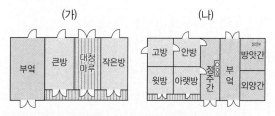

┌─ 보기 ─────────────────────────
ㄱ. (가)는 (나)보다 기온의 연교차가 큰 지역에서 나타나는 구조이다.
ㄴ. (가)는 (나)보다 여름철이 길고 무더운 지역에서 나타나는 가옥 구조이다.
ㄷ. (나)는 (가)보다 무상 일수가 짧은 지역에 주로 분포한다.
ㄹ. (나)는 (가)보다 난방 수요가 적은 지역에 주로 분포한다.
└────────────────────────────

① ㄱ, ㄹ   ② ㄴ, ㄷ   ③ ㄷ, ㄹ
④ ㄱ, ㄷ, ㄹ   ⑤ ㄴ, ㄷ, ㄹ

12 다음은 수업 중 지리적 특색을 파악하기 위한 학생들의 대화 내용이다. 수업과 관련된 탐구 주제로 가장 적절한 것은?

 안동 곳곳에는 사과 과수원이 분포해.

 신안의 해안 지역은 염전이 발달했어.

 태백에서는 겨울에 눈 축제가 열려.

① 기온과 주민 생활   ② 강수와 주민 생활
③ 바람과 주민 생활   ④ 지역 축제와 경제 발전
⑤ 평야 지역의 지리적 특색

13 다음은 바람과 주민 생활을 정리한 내용이다. (가), (나)에 들어갈 사진 자료로 적절한 것을 〈보기〉에서 고른 것은?

1. 바람과 마을: 배산임수 지역에 입지
2. 바람과 가옥: (가)
3. 바람의 이용: (나)

보기

▲ 차 밭의 바람개비   ▲ 까대기

▲ 풍력 발전   ▲ 천일제염업

	(가)	(나)		(가)	(나)
①	ㄱ	ㄴ	②	ㄱ	ㄹ
③	ㄴ	ㄱ	④	ㄴ	ㄷ
⑤	ㄹ	ㄷ			

14 다음과 관련 있는 기후 현상에 대한 옳은 설명을 〈보기〉에서 있는 대로 고른 것은?

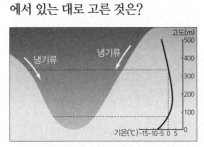

보기

ㄱ. 맑고 바람이 없는 날 밤에 잘 나타난다.
ㄴ. 대기가 불안정하여 공기의 이동이 심하다.
ㄷ. 주요 원인은 인공열 발생량의 지역 차이이다.
ㄹ. 농작물 냉해 피해, 스모그 현상 등이 발생한다.

① ㄱ, ㄹ   ② ㄴ, ㄷ   ③ ㄱ, ㄴ, ㄹ
④ ㄱ, ㄷ, ㄹ   ⑤ ㄴ, ㄷ, ㄹ

15 지도는 시·도별 불투수층 비율을 나타낸 것이다. 이에 대한 적절한 추론만을 〈보기〉에서 있는 대로 고른 것은?

보기

ㄱ. 광역시는 도(道)에 비해 상대 습도가 높을 것이다.
ㄴ. 대구는 울산보다 열섬 현상이 뚜렷하게 나타날 것이다.
ㄷ. 인구 밀도가 높은 지역일수록 불투수층 비율이 높을 것이다.
ㄹ. 경남은 부산보다 빗물이 땅속으로 스며드는 비율이 높을 것이다.

① ㄱ, ㄹ   ② ㄴ, ㄷ   ③ ㄷ, ㄹ
④ ㄱ, ㄷ, ㄹ   ⑤ ㄴ, ㄷ, ㄹ

16 다음은 우리나라의 주요 자연재해를 정리한 내용의 일부이다. ㉠~㉤ 내용 중 옳지 않은 것은?

구분	종류	특징
기후적 요인	가뭄	㉠ 진행 속도는 느리지만 피해 면적이 넓으며 산불 등의 2차 피해가 발생할 가능성이 높음.
	홍수	㉡ 주로 여름철에 발생하며 지표 상태, 배수 관리 체계에 따라 피해 정도가 달라짐.
	태풍	㉢ 진행 방향의 오른쪽인 가항 반원보다 왼쪽인 위험 반원 지역에서 피해가 더 큼.
	폭설	비닐하우스, 축사 등의 붕괴 피해가 발생할 수 있으며 교통 장애를 유발함.
지형적 요인	지진	㉣ 발생 시기의 예측이 어렵고, 미리 대비해야 피해를 줄일 수 있음. ㉤ 시설 붕괴, 해일, 화재 등의 2차 피해를 유발함.

① ㉠   ② ㉡   ③ ㉢   ④ ㉣   ⑤ ㉤

17 지도는 사과 재배 지역의 변화를 나타낸 것이다. 지도와 같은 변화의 원인이 지속될 경우 우리나라에서 나타날 현상에 대한 추론으로 옳은 것은?

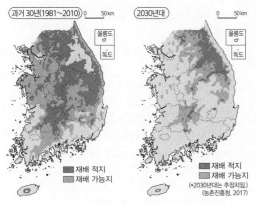

① 여름이 짧아질 것이다.
② 김장을 담그는 시기가 빨라질 것이다.
③ 냉대림의 분포 면적이 확대될 것이다.
④ 열대성 질병의 출현 빈도가 낮아질 것이다.
⑤ 가구당 냉방용 전력 소비량이 증가할 것이다.

18 다음 글의 ㉠~㉤에 대한 설명으로 옳지 <u>않은</u> 것은?

> 식생은 ［ ㉠ ］의 영향을 크게 받는데, 식생의 수평 분포는 위도, 수직 분포는 해발 고도와 밀접한 관련이 있다. 식생의 수평 분포는 남쪽에서 북쪽으로 가면서 ㉡ 난대림, ㉢ 온대림, ㉣ 냉대림의 순서로 나타난다. 식생의 수직 분포는 제주도의 한라산에서 가장 잘 나타나는데, 저지대에서 고지대로 가면서 난대림, 온대림, 냉대림, 관목대, ㉤ 고산 식물대가 순서대로 나타난다. 제주도 중산간 지역의 초지대는 목축을 위해 조성된 인공 식생이다.

① ㉠에 들어갈 가장 적절한 용어는 강수량이다.
② ㉡은 남해안, 제주도, 울릉도의 해발 고도가 낮은 지역에 분포한다.
③ ㉢은 낙엽 활엽수와 침엽수가 섞인 혼합림이다.
④ ㉣은 전나무, 가문비나무 등의 침엽수가 주로 자란다.
⑤ ㉤의 식생은 지구 온난화로 저지대에서 올라온 수종과의 경쟁에서 밀려 감소하고 있다.

서답형 문제

19 지도는 우리나라의 연 강수량을 나타낸 것이다. A~D 중 연 강수량이 가장 많은 곳과 적은 곳을 쓰고, 연 강수량의 차이가 나는 이유를 각각 설명하시오.

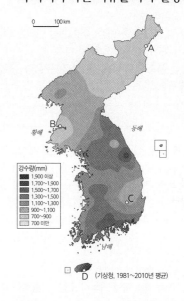

20 그래프는 봄꽃 개화 시기의 변화를 나타낸 것이다. 이를 보고 물음에 답하시오.

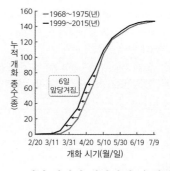

(1) 개화 시기가 변화하게 된 원인을 서술하시오.

(2) (1)의 서술한 내용이 지속될 경우 우리나라의 식생에 나타날 변화를 두 가지 서술하시오.

IV 단원 거주 공간의 변화와 지역 개발

주제 01 전통 촌락과 촌락의 변화

전통 촌락	• 특징: 인구 규모가 작고, 국토 면적의 대부분 차지, 1차 산업 중심, 공동체 의식 강함. • 입지: 배산임수의 입지 선호, 득수와 피수가 유리한 곳, 교통과 방어에 유리한 곳 등 • 형태: 농촌(농업 중심, 집촌 형성), 어촌(반농 반어촌 형성), 산지촌(밭농사, 임업 종사, 산촌 형성)
촌락의 변화	• 인구 변화: 청장년층 인구 감소, 노년층 인구 증가 → 인구 감소, 노동력 부족, 정주 기반 약화 등 • 기능 변화: 시설 재배 및 상업적 농업 확대, 촌락 경관의 관광 자원화

주제 02 도시 발달과 도시 체계

도시 발달 과정	• 1960년대: 대도시 성장, 인구의 대도시 집중 가속화 • 1970년대: 지방 중심 도시와 남동 임해 공업 도시 성장 • 1980년대 후반 이후: 대도시 주변에 신도시와 위성 도시 발달, 도시 인구 분산 정책 시행
도시 체계	• 의미: 도시 간에 이루어지는 계층적 구조 • 고차 중심지: 저차 중심지의 배후지 포함 → 중심지 수가 적고 중심지 간 간격이 넓음. • 저차 중심지: 중심지 수가 많고 중심지 간 간격이 좁음.
종주 도시화	수위 도시인 서울을 중심으로 인구와 각종 기능 집중, 수직적 도시 체계

주제 03 도시의 지역 분화

의미	도시의 여러 기능이 집적 혹은 분리되어 지역이 세분되는 현상
원인	• 접근성: 특정 지역이나 시설에 도달하기 쉬운 정도 • 지대: 토지를 이용해 얻을 수 있는 수익
과정	• 집심 현상: 상업·업무 기능은 접근성이 높은 도심에 집중 • 이심 현상: 주택, 학교, 공장 등은 중간 지역이나 주변 지역에 입지

주제 04 도시 내부 구조

도심	• 접근성과 지대가 높음. → 집약적 토지 이용 • 중심 업무 지구 형성: 높은 지대를 지불할 수 있는 중추 관리 기능, 전문 서비스업 집중 • 인구 공동화 현상 → 출퇴근 시 교통 혼잡 발생
부도심	• 교통의 결절점에 위치 ⓔ 서울의 신촌, 잠실, 영등포, 부산의 서면, 동래, 해운대 등 • 도심의 상업·업무 기능 분담
중간 지역	도심 주변의 상업, 공업, 주거 기능이 혼재된 점이 지대
주변 지역	도시와 농촌 경관 혼재
개발 제한 구역	시가지의 팽창을 막고 자연 녹지 공간을 보전하기 위해 설정함.(=그린벨트)

주제 05 대도시권

의미	대도시를 중심으로 위성 도시와 주변 지역이 하나의 도시처럼 통합된 공간
형성 과정	도시화와 대도시의 과밀화 → 교외화 → 신도시·위성 도시 개발 → 대도시권 형성
공간 구조	• 중심 도시: 주변 지역에 재화·서비스 제공 • 교외 지역: 중심 도시와 연속된 지역 • 대도시 영향권: 도시와 농촌 경관 혼재 • 배후 농촌 지역: 최대 통근 가능 지역 • 위성 도시: 중심 도시의 일부 기능 분담
변화	• 2·3차 산업 비중 증가 • 공장, 창고, 대형 상점 등 도시적 토지 이용 증가 • 상업적 농업 발달, 겸업농가 증가 • 인구 구성 다양화

주제 06 도시 계획과 도시 재개발

도시 계획	의미	도시 기능의 합리적 배치를 위한 계획 수립과 시행
	목적	도시 문제의 해결, 난개발 방지, 친환경적 관리
	변화	• 1970년대: 개발 제한 구역 설정, 급속한 인구 증가 대응 • 1980년대: 도시 기본 계획 제도화, 도시 계획법 개정 • 1990년대 이후: 지역 간 균형, 삶의 질, 환경에 대한 관심 반영, 지속 가능한 도시 계획으로 변화
도시 재개발	의미	노후화된 지역을 개량하고 공공시설을 정비하여 도시 환경을 개선하는 사업
	목적	토지 이용의 효율성 증대, 낙후된 도시 환경 개선, 지역 경제 활성화 등
	방식	• 대상 지역: 도심 재개발, 산업 지역 재개발, 주거지 재개발 • 시행 방법: 철거 재개발, 보존 재개발, 수복 재개발

주제 07 지역 개발과 공간 불평등

지역 개발 방식	• 성장 거점 개발: 하향식 개발, 투자 효과가 큰 지역에 집중 투자, 효율성 추구 → 역류 효과에 따른 지역 격차 심화 • 균형 개발: 상향식 개발, 낙후 지역 우선 투자, 형평성 추구 → 투자 효율성이 낮고, 지역 이기주의 초래
국토 개발	• 제1차 국토 종합 개발 계획(1972~1981): 성장 거점 개발, 사회 간접 자본 확충 등 • 제2차 국토 종합 개발 계획(1982~1991): 광역 개발, 지역 생활권 조성, 인구 및 산업 분산 등 • 제3차 국토 종합 개발 계획(1992~1999): 균형 개발, 수도권 집중 억제, 남북통일 대비 기반 조성 등 • 제4차 국토 종합 개발 계획(2000~2020): 균형 개발, 지역별 경쟁력 고도화, 수도권의 행정 및 공공 기관 이전 등
공간 불평등	• 수도권과 비수도권의 격차: 수도권의 집적 불이익, 비수도권의 경제 침체 및 인구와 자본 유출 심화 • 도시와 농촌의 격차: 농촌 인구 유출로 고령화

한국지리

성명   반   번호

01 다음 글의 ㉠~㉤에 대한 설명으로 옳지 <u>않은</u> 것은?

> 1차 산업을 중심으로 생활하는 촌락은 ㉠ 농촌, 어촌, 산지촌으로 구분한다. 촌락의 입지에는 ㉡ 물, ㉢ 지형, 기후 등의 자연적 조건과 산업, 교통, 방어 등의 사회·경제적 조건이 영향을 끼치는데, 조상들은 전통적으로 ㉣ 남향의 배산임수 입지를 선호하였다. 오늘날에는 ㉤ 상업적 농업이 발달하면서 사회·경제적 요인의 중요성이 커지고 있다.

① ㉠은 생산 기능을 기준으로 구분한 것이다.

② ㉡의 사례로 제주도의 용천대에 촌락이 입지한 것을 들 수 있다.

③ ㉢의 사례로 전통 사회의 주요 거주지가 침식 분지에 분포하는 것을 들 수 있다.

④ ㉣은 겨울에 차가운 북서 계절풍을 막을 수 있기 때문이다.

⑤ ㉤의 영향으로 경지에서 차지하는 논 면적이 증가하고 있다.

02 다음 글의 (가)에 대한 (나)의 상대적 특징을 그래프 A~E에서 고른 것은?

> 농촌은 우리나라의 대표적인 촌락이다. 농업 활동은 협동 노동의 필요성이 큰 경우가 많기 때문에 ☐(가)☐ 을 이루는 경우가 많다. 산지촌은 경사가 급하고 경지가 좁아서 주민의 상당수는 밭농사, 임산물 채취, 목축업 등을 하며 생활한다. 산지촌은 가옥이 드문드문 흩어져 분포하는 ☐(나)☐ 인 경우가 많다.

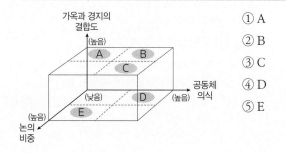

① A
② B
③ C
④ D
⑤ E

03 다음은 ○○군의 인구 구조를 나타낸 것이다. 1990년과 비교한 2015년의 상대적 특징으로 옳은 내용을 〈보기〉에서 고른 것은?

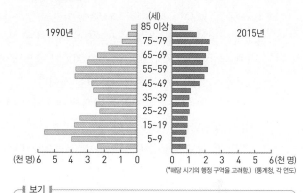

┤ 보기 ├

ㄱ. 경지 이용률이 높다.

ㄴ. 노령화 지수가 높다.

ㄷ. 초등학교의 학급 수가 많다.

ㄹ. 농가 호당 경지 면적이 넓다.

① ㄱ, ㄴ   ② ㄱ, ㄷ   ③ ㄴ, ㄷ
④ ㄴ, ㄹ   ⑤ ㄷ, ㄹ

04 그림은 중심지 이론으로 살펴본 정주 체계를 나타낸 것이다. A와 비교한 B의 상대적 특징으로 옳은 것은? (단, A, B는 읍, 중소 도시 중 하나임.)

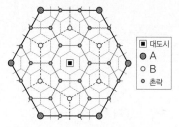

■ 대도시
● A
○ B
· 촌락

① 배후지의 범위가 더 넓다.

② 중심지 간 평균 거리가 멀다.

③ 고차 기능을 수행하는 중심지 수가 많다.

④ 중심지가 수행하는 기능이 복잡하고 다양하다.

⑤ 배후 지역에 거주하는 주민들의 중심지 이용 빈도가 높다.

05 다음은 세 지역의 서비스 업체 수와 인구를 나타낸 것이다. (가)~(다) 지역에 대한 추론으로 적절한 것은?

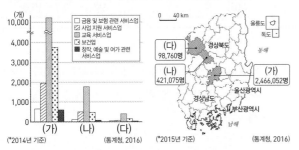

① (가)는 (다)보다 초등학생의 평균 통학 거리가 멀 것이다.

② (가)는 (다)보다 상업 지역의 최고 지가가 낮을 것이다.

③ (나)는 (가)보다 중심 기능이 다양할 것이다.

④ (다)는 (가)보다 교육 서비스 업체당 배후지의 범위가 넓을 것이다.

⑤ 지역 간 상호 작용은 (가)와 (나)보다 (가)와 (다) 간에 활발할 것이다.

06 그래프는 인구 증가에 따른 도시 순위 변화를 나타낸 것이다. 이에 대한 옳은 분석을 〈보기〉에서 고른 것은?

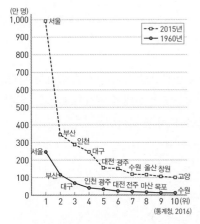

┤ 보기 ├
ㄱ. 두 시기 모두 종주 도시화 현상이 나타난다.
ㄴ. 2015년 수도권의 10대 도시 수는 1960년보다 많다.
ㄷ. 2015년 호남권의 10대 도시 수는 1960년보다 많다.
ㄹ. 1960년과 2015년 모두 대구는 인천보다 도시 순위가 높다.

① ㄱ, ㄴ ② ㄱ, ㄷ ③ ㄴ, ㄷ
④ ㄴ, ㄹ ⑤ ㄷ, ㄹ

07 그래프는 세 도시의 인구 변화를 나타낸 것이다. (가)~(다) 도시를 지도의 A~C에서 고른 것은?

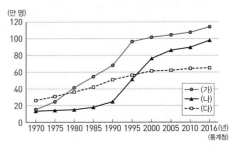

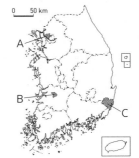

	(가)	(나)	(다)
①	A	B	C
②	A	C	B
③	B	A	C
④	C	A	B
⑤	C	B	A

08 지도는 부산의 금융 및 보험업 사업체 수 비율과 종사자 수를 나타낸 것이다. (가) 지역과 비교한 (나) 지역의 상대적 특징으로 옳은 것을 〈보기〉에서 고른 것은?

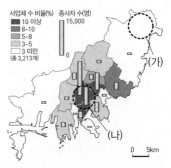

┤ 보기 ├
ㄱ. 주간 인구 지수가 높다.
ㄴ. 시가지의 형성 시기가 이르다.
ㄷ. 거주자의 평균 통근 거리가 멀다.
ㄹ. 상업 용지 대비 주거 용지의 비율이 높다.

① ㄱ, ㄴ ② ㄱ, ㄷ ③ ㄴ, ㄷ
④ ㄴ, ㄹ ⑤ ㄷ, ㄹ

09 서울의 어느 지역의 상대적 수치가 그래프와 같이 나타날 때, (가)~(다) 지역을 지도의 A~C에서 고른 것은?

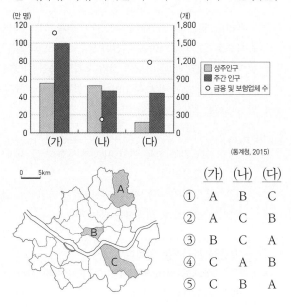

(통계청, 2015)

	(가)	(나)	(다)
①	A	B	C
②	A	C	B
③	B	C	A
④	C	A	B
⑤	C	B	A

10 다음 글의 ㉠에 대한 사례로 적절하지 않은 것은?

> 대도시권은 대도시를 중심으로 일상생활이 이루어지는 범위로, 대도시와 주변 지역은 마치 하나의 도시처럼 통합되어 기능적으로 밀접한 관계를 갖는다. 중심 도시로부터 멀어질수록 연계성은 약해지는 경향을 보이며, 대도시권의 공간적 범위는 중심 도시로 통근할 수 있는 지역까지이다. 대도시권이 확대됨에 따라 ㉠ 대도시 주변 지역의 토지 이용도 변화한다.

① 상업적 농업이 발달한다.
② 경지 중 논의 비율이 증가하고 밭의 비율이 감소한다.
③ 교통이 편리한 곳에는 쇼핑센터가 들어서기도 한다.
④ 경지 면적이 감소하고 비농업적 토지 이용이 늘어난다.
⑤ 자연환경이 아름다운 곳은 도시 주민들의 여가 공간으로 활용된다.

11 그림은 대도시권의 공간 구조를 나타낸 것이다. A~C에 대한 옳은 설명을 〈보기〉에서 고른 것은? (단, A~C는 중심 도시, 교외 지역, 배후 농촌 지역 중 하나임.)

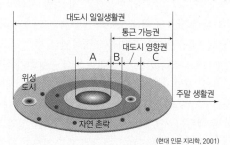

(현대 인문 지리학, 2001)

┨ 보기 ┠
ㄱ. A는 도시 내부 구조의 분화가 뚜렷하다.
ㄴ. 대도시권이 확대되면 A의 주간 인구 지수는 낮아진다.
ㄷ. B는 C보다 A로 통근하는 비율이 낮다.
ㄹ. C의 범위는 교통이 발달하면 확대된다.

① ㄱ, ㄴ　　② ㄱ, ㄷ　　③ ㄱ, ㄹ
④ ㄴ, ㄷ　　⑤ ㄷ, ㄹ

12 다음은 수도권에 있는 A~C 지역의 통근자 수와 주요 통근지를 나타낸 것이다. 이에 대한 설명으로 옳은 것은? (단, A~C는 시·군임.)

구분 지역	12세 이상 인구 (만 명)	통근자 수 (만 명)	주요 통근지로의 통근자 비율(%)			지역 내 통근자 비율(%)
A	60.6	42.2	서울 7.1	시흥 6.3	화성 4.2	70.3
B	15.7	10.7	서울 35.5	남양주 9.0	성남 1.5	45.2
C	3.8	2.5	서울 2.4	동두천 3.6	포천 2.5	84.8

(통계청, 2015)

① A는 B보다 지역 내 종사자 대비 일자리가 많다.
② B는 A보다 통근 시간대에 유출 통근자 수가 많다.
③ B는 C보다 서울과의 거리가 멀다.
④ C는 A보다 지역 내 통근자 수가 많다.
⑤ C는 B보다 주간 인구 지수가 낮다.

13 (가), (나) 도시 재개발에 대한 옳은 설명을 〈보기〉에서 고른 것은?

> (가) 경기도 안양시의 덕천 마을은 도시 기반 시설의 노후화를 해결하기 위해 노후화된 주택들을 철거하고 새로운 고층 아파트 단지를 조성하였다.
>
> (나) 광주광역시 도심인 동구 일대는 도심 공동화가 심화되면서, 지역이 낙후되는 문제를 안게 되었다. 이를 해결하기 위해 광주광역시 동구 계림 지구는 다양한 주체들이 서로의 이해를 절충하여 지역성과 경관을 보전하는 '푸른 마을 만들기'를 추진하고 있다.

> ┤ 보기 ├
> ㄱ. (가)의 영향으로 토지 이용의 집약도가 높아졌다.
> ㄴ. (나)는 철거 재개발에 해당된다.
> ㄷ. (가)는 (나)보다 기존 건물의 활용도가 높다.
> ㄹ. (나)는 (가)보다 원거주민의 공동체 문화가 잘 보전된다.

① ㄱ, ㄴ ② ㄱ, ㄹ ③ ㄴ, ㄷ
④ ㄴ, ㄹ ⑤ ㄷ, ㄹ

14 (가), (나) 지역 개발 방식에 대한 옳은 설명을 〈보기〉에서 고른 것은?

(가)

(나)

> ┤ 보기 ├
> ㄱ. (가)는 지역 간 균형 발전을 개발 목표로 삼고 있다.
> ㄴ. (가)는 (나)에 비해 경제적 효율성이 높다.
> ㄷ. (나)는 지방 정부 및 지역 주민이 개발 주체이다.
> ㄹ. (가)는 지역 이기주의, (나)는 역류 효과가 발생할 가능성이 높다.

① ㄱ, ㄴ ② ㄱ, ㄷ ③ ㄴ, ㄷ
④ ㄴ, ㄹ ⑤ ㄷ, ㄹ

15 다음 글의 ㉠~㉣에 대한 옳은 설명만을 〈보기〉에서 있는 대로 고른 것은?

> 우리나라는 1970년대에 수도권과 남동 임해 지역을 중심으로 ㉠ 거점 개발을 추진하였다. 1980년대에는 ㉡ 광역 개발 정책과 ㉢ 수도권 정비 계획법 등을 시행하였다. 1990년대에는 지방 분산형 국토 골격을 형성하기 위한 ㉣ 균형 개발을 시행하였다.

> ┤ 보기 ├
> ㄱ. ㉠ – 수도권과 남동 연안 지역에 사회 간접 자본 건설이 활발하였다.
> ㄴ. ㉡ – 대도시와 배후 지역을 하나의 광역권으로 설정하여 종합적으로 개발하는 방법이다.
> ㄷ. ㉢ – 수도권의 경쟁력 향상을 위해 생산 기반 시설 확충을 지원하는 법이다.
> ㄹ. ㉣ – 낙후된 지역에 투자를 하여 지역 간 성장 불균형을 완화하는 정책이다.

① ㄱ, ㄹ ② ㄴ, ㄷ ③ ㄱ, ㄴ, ㄹ
④ ㄱ, ㄷ, ㄹ ⑤ ㄴ, ㄷ, ㄹ

16 (가)~(다)에 해당되는 내용을 〈보기〉의 ㄱ~ㄷ에서 고른 것은?

구분	제1차 국토 종합 개발 계획 (1972~1981년)	제2차 국토 종합 개발 계획 (1982~1991년)	제3차 국토 종합 개발 계획 (1992~1999년)
기본 목표	• 사회 간접 자본 확충 • 국민 생활 환경 개선	• 인구의 지방 정착 유도 • 개발 가능성의 전국 확대	• 지방 분산형 국토 골격 형성 • 국민 복지 향상
개발 전략	(가)	(나)	(다)

> ┤ 보기 ├
> ㄱ. 대규모 공업 기반 구축, 국토 교통·통신 및 에너지 공급망 정비
> ㄴ. 수도권 집중 억제, 국민 생활과 환경 부문의 투자 증대, 남북 교류 지역의 개발 관리
> ㄷ. 국토의 다핵 구조 형성과 지역 생활권 조성, 지역 기능 강화를 위한 사회 간접 자본 확충

	(가)	(나)	(다)			(가)	(나)	(다)
①	ㄱ	ㄴ	ㄷ		②	ㄱ	ㄷ	ㄴ
③	ㄴ	ㄷ	ㄱ		④	ㄴ	ㄷ	ㄱ
⑤	ㄷ	ㄱ	ㄴ					

17 A, B와 관련된 정책에 대한 옳은 설명을 〈보기〉에서 고른 것은? (단, A, B는 기업 도시, 혁신 도시 중 하나임.)

(지역 발전 위원회, 2016)

┤ 보기 ├

ㄱ. A는 제3차 국토 종합 개발 계획 때부터 시작되었다.

ㄴ. B에는 각종 공공 기관과 청사가 이전되었다.

ㄷ. A는 정부, B는 기업이 주도한다.

ㄹ. A, B 정책은 수도권과 비수도권 간의 격차 완화에 도움이 된다.

① ㄱ, ㄴ   ② ㄱ, ㄷ   ③ ㄴ, ㄷ
④ ㄴ, ㄹ   ⑤ ㄷ, ㄹ

18 그래프는 권역별 제조업, 농림어업, 서비스업 및 기타의 총 생산액을 나타낸 것이다. (가)~(다) 권역으로 옳은 것은?

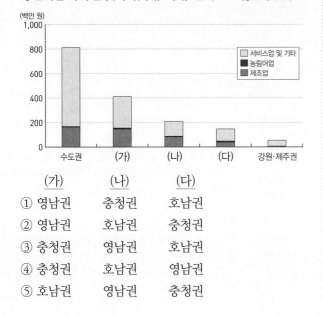

	(가)	(나)	(다)
①	영남권	충청권	호남권
②	영남권	호남권	충청권
③	충청권	영남권	호남권
④	충청권	호남권	영남권
⑤	호남권	영남권	충청권

서답형 문제

19 다음은 전라북도 순창군의 인구 구조 변화를 나타낸 것이다. 이를 보고 물음에 답하시오.

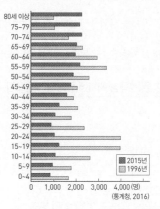

(통계청, 2016)

(1) 1996년과 비교한 2015년의 인구 구성 특징을 쓰고, 이러한 특징이 나타나게 된 원인을 설명하시오.

(2) 1996년과 비교하여 최근 순창에 나타날 인구 문제를 서술하시오.

20 지도는 서울의 주간 인구 지수를 나타낸 것이다. A 지역과 비교한 B 지역의 상대적 특징을 세 가지 쓰시오.

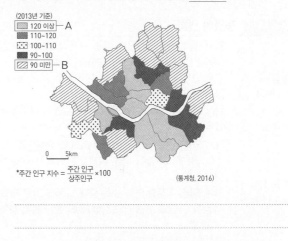

*주간 인구 지수 = 주간 인구/상주인구 ×100 (통계청, 2016)

V 단원 생산과 소비의 공간

주제 01 자원의 의미와 특성

의미	인간에게 유용한 자연물 중에서 경제적·기술적으로 개발 가능한 것
특성	•가변성: 자원의 가치는 경제적·기술적 수준, 문화적 배경에 따라 변화함. •유한성: 대부분의 자원은 매장량이 한정되어 있어 언젠가는 고갈됨. •편재성: 일부 자원은 특정 지역에 편중되어 분포함.

주제 02 자원의 분포와 이용

광물 자원	•철광석: 제철 공업의 원료, 대부분 북한에 매장 → 오스트레일리아, 브라질 등에서 수입 •텅스텐: 합금용 원료, 강원도 영월(상동) 분포 •석회석: 시멘트의 원료, 제철 공업의 첨가물, 국내 매장량 및 생산량이 많은 편임. •고령토: 도자기 및 제지 공업의 원료, 강원도와 경상남도 하동·산청에 분포
에너지 자원	•석탄: 주로 산업용·발전용(역청탄, 갈탄)으로 이용 •석유: 수송용 연료 및 석유 화학 공업의 원료로 이용, 대부분 수입에 의존 •천연가스: 가정·상업용 연료로 이용, 대부분 수입에 의존, 연소 시 대기 오염 물질 배출이 적음.
전력 생산	**화력** •장점: 건설 비용과 송전 비용 저렴 •단점: 대기 오염 물질의 배출량 많음. •입지: 대소비지와 가까운 지역 **원자력** •장점: 발전 단가 저렴 •단점: 건설 비용이 많이 들고 방사능 유출 문제, 방사성 폐기물 처리 문제 발생 •입지: 냉각 용수 획득에 유리한 해안 지역 **수력** •장점: 대기 오염 물질의 배출량 적음. •단점: 높은 송전 비용, 입지적 제약이 큼. •입지: 하천 중·상류 지역

주제 03 농업의 변화

농업 구조의 변화	•인구 변화: 청장년층 인구 유출 → 전체 농가 인구 감소, 노년층 인구 비중 증가, 유소년층 인구 비중 감소 •경지 변화: 산업화·도시화로 경지 면적 감소, 농가 1호당 경지 면적 증가, 경지 이용률 감소 •영농 방식의 변화: 시설 재배 증가, 영농의 다각화와 상업화
주요 작물의 생산과 변화	•쌀: 자급률 높음, 식생활 변화로 소비 및 재배 면적 감소 •맥류: 벼의 그루갈이 작물, 식생활 변화로 소비 및 재배 면적 감소 •원예 작물: 식생활 변화, 소득 증대, 교통 발달로 재배 면적 증가 → 근교 농업 지역(시설 재배), 원교 농업 지역(노지 재배) •축산물: 식생활 변화로 수요 증가

주제 04 공업의 입지 유형

원료 지향형	•제조 과정에서 원료의 무게나 부피가 감소하는 공업 •원료의 부패나 변질이 쉬운 공업
시장 지향형	•제조 과정에서 제품의 무게나 부피가 증가하는 공업 •소비자와의 잦은 접촉이 필요한 공업
노동 지향형	생산비에서 노동비가 차지하는 비중이 큰 공업
적환지 지향형	무게나 부피가 큰 원료를 해외에서 수입하고 제품을 수출하는 공업
집적 지향형	•생산 공정이 계열화된 공업 •제품 생산에 많은 부품이 필요한 조립형 공업
입지 자유형	부가 가치가 큰 첨단 공업

주제 05 우리나라의 공업 지역

수도권 공업 지역	우리나라 최대의 종합 공업 지역
태백산 공업 지역	지하자원을 바탕으로 원료 지향형 공업 발달
충청 공업 지역	수도권의 공업 이전
호남 공업 지역	제2의 임해 공업 지역으로 성장 가능
영남 내륙 공업 지역	노동 집약적 경공업 발달 → 최근 첨단화 추진
남동 임해 공업 지역	우리나라 최대의 중화학 공업 지역

주제 06 상업의 입지와 변화

입지	•상점 유지 조건: 최소 요구치 ≤ 재화의 도달 범위 •최소 요구치: 상점의 기능을 유지하기 위한 최소한의 수요 •재화의 도달 범위: 상점의 기능이 영향을 미치는 최대한의 공간 범위
변화	•전통 시장의 쇠퇴, 유통 단계의 감소, 전자 상거래의 활성화 •다양한 상점의 등장: 대형 마트, 백화점, 대형 종합 쇼핑몰, 무점포 상점 등

주제 07 서비스업의 입지와 변화

탈공업화	•의미: 전체 산업에서 2차 산업의 비중이 감소하고, 3차 산업의 비중이 증가하는 현상 •특징: 지식 기반 산업의 비중 증가
수요자에 따른 분류	•생산자 서비스업: 금융업, 법률, 회계, 마케팅, 광고업 등 → 기업과의 접근성이 높고 관련 정보 습득이 용이한 곳에 입지 •소비자 서비스업: 도·소매업, 음식업, 숙박업 등 → 소비자의 분포에 따라 분산 입지
지식 기반 산업	•의미: 지식과 정보를 이용해 상품과 서비스의 부가 가치를 창출하는 산업 •입지: 기술 혁신 속도가 빠르고 고급 인력 확보가 유리한 곳에 입지 예 서울

01 다음 글의 (가)~(다)에 해당하는 자원의 분포 지역을 지도의 A~C에서 고른 것은?

우리나라에서 생산되는 주요 광물 자원 중 (가) 을/를 주원료로 하는 대규모 산업 시설은 원료의 대부분을 수입하기 때문에 주로 해안 지역에 입지한다. 북한은 (가) 을/를 수출하지만 남한은 많은 양을 수입한다. (나) 은/는 고생대 지층에 분포하며 건축 자재의 원료로 이용된다. (다) 은/는 도자기, 내화 벽돌 등의 원료로 이용된다.

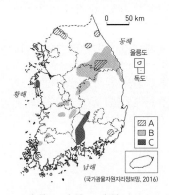

(국가광물자원지리정보망, 2016)

	(가)	(나)	(다)
①	A	B	C
②	A	C	B
③	B	A	C
④	B	C	A
⑤	C	A	B

[02~03] 지도는 주요 발전소의 분포를 나타낸 것이다. 이를 보고 물음에 답하시오.

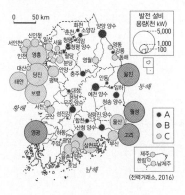

(전력거래소, 2016)

02 A~C 발전 방식으로 옳은 것은? (단, 수력, 화력, 원자력 발전 방식만 고려함.)

	A	B	C
①	수력	화력	원자력
②	수력	원자력	화력
③	화력	수력	원자력
④	화력	원자력	수력
⑤	원자력	수력	화력

03 A~C 발전 방식에 대한 설명으로 옳지 않은 것은?

① A는 송전 설비 건설에 많은 비용이 든다.
② B는 발전 과정에서 나오는 방사성 폐기물 처리에 어려움이 크다.
③ A는 B보다 발전소 가동률이 높다.
④ C는 A보다 발전소 건설 비용이 적게 든다.
⑤ C는 B보다 발전 과정에서 온실가스를 많이 배출한다.

04 지도는 주요 신·재생 에너지 발전소 분포를 나타낸 것이다. A~C 발전에 대한 설명으로 옳지 않은 것은?

(전력거래소, 2016)

① A는 바람이 강하고 지속적으로 부는 산간 지역이나 해안 지역에 입지한다.
② B의 개발 잠재력은 일사량이 풍부한 지역에서 높다.
③ A는 겨울보다 여름에, B는 여름보다 겨울에 발전량이 많다.
④ B는 C보다 발전 시 기상 조건의 영향을 많이 받는다.
⑤ C는 조차가 큰 해안 지역이 발전에 유리하다.

05 그래프는 농가 인구 및 연령층별 농가 인구 구성비의 변화를 나타낸 것이다. 농촌 지역의 변화에 대해 옳게 추론한 것을 〈보기〉에서 고른 것은?

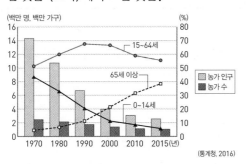

(통계청, 2016)

> **보기**
> ㄱ. 농촌 인구의 고령화가 나타났을 것이다.
> ㄴ. 농가 호당 경지 면적이 감소했을 것이다.
> ㄷ. 노동력 부족으로 경지 이용률이 낮아지는 현상이 나타났을 것이다.
> ㄹ. 노년층 농가 인구 감소율이 청장년층 농가 인구 감소율보다 높을 것이다.

① ㄱ, ㄴ ② ㄱ, ㄷ ③ ㄴ, ㄷ
④ ㄴ, ㄹ ⑤ ㄷ, ㄹ

06 그래프는 세 지역의 농업 현황을 나타낸 것이다. (가)~(다) 지역을 지도의 A~C에서 고른 것은?

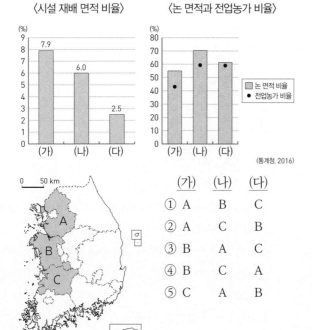

〈시설 재배 면적 비율〉　〈논 면적과 전업농가 비율〉

(통계청, 2016)

	(가)	(나)	(다)
①	A	B	C
②	A	C	B
③	B	A	C
④	B	C	A
⑤	C	A	B

07 그래프는 화훼의 도별 시설 재배 면적과 노지 재배 면적을 나타낸 것이다. (가)~(다) 지역에 대한 옳은 설명만을 〈보기〉에서 있는 대로 고른 것은? (단, (가)~(다)는 경기, 전남, 충북 중 하나임.)

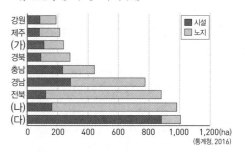

(통계청, 2016)

> **보기**
> ㄱ. (다)의 화훼 재배 면적이 넓은 것은 대도시와의 접근성이 우수하기 때문이다.
> ㄴ. (가)는 (나)보다 화훼의 노지 재배 면적 비율이 높다.
> ㄷ. (나)는 (다)보다 화훼 재배지의 경지 면적당 지가가 비싸다.
> ㄹ. (다)는 (나)보다 화훼 재배가 집약적으로 이루어진다.

① ㄱ, ㄴ ② ㄱ, ㄹ ③ ㄱ, ㄴ, ㄷ
④ ㄱ, ㄴ, ㄹ ⑤ ㄴ, ㄷ, ㄹ

08 다음은 두 도(道)의 농업 현황을 나타낸 것이다. (나)와 비교한 (가)의 상대적 특징을 그림의 A~E에서 고른 것은?

구분	(가)	(나)
화훼 재배 농가 호수(호)	2,363	559
화훼 재배 면적(ha)	1,005	441
우유 생산량(만 톤)	84.9	37.0
농가 인구의 65세 이상 인구 비중(%)	35.5	46.4

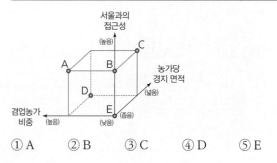

① A ② B ③ C ④ D ⑤ E

09 그래프는 주요 작물의 생산량 변화를 나타낸 것이다. (가)~(다) 작물에 대한 옳은 설명을 〈보기〉에서 고른 것은? (단, (가)~(다)는 쌀, 과실, 맥류 중 하나임.)

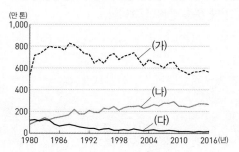

| 보기 |
ㄱ. (가)는 주로 하천 주변의 충적지에서 재배된다.
ㄴ. (다)의 생산량은 남부 지방이 중부 지방보다 많다.
ㄷ. (나)는 (가)의 그루갈이 작물로 많이 재배된다.
ㄹ. (다)는 (나)보다 1980~2016년에 1인당 소비량 증가율이 높다.

① ㄱ, ㄴ   ② ㄱ, ㄷ   ③ ㄴ, ㄷ
④ ㄴ, ㄹ   ⑤ ㄷ, ㄹ

10 다음은 농산물의 생산과 소비 변화에 대해 정리한 내용의 일부이다. ㉠~㉤ 중 옳지 않은 것은?

작물	특징
쌀	• ㉠ 1970년대 다수확 품종의 개발로 생산량 증가 • ㉡ 재배 면적이 감소하였으며 자급률이 높음.
맥류	• 보리는 주로 벼의 그루갈이 작물로 재배되며, ㉢ 남부 지방의 생산량 비중이 높음. • 밀의 소비량이 증가하였으나 국내 생산량이 적어 대부분 수입함.
원예 작물	• ㉣ 교통 발달로 대도시에서 먼 지역의 재배 면적이 늘어남.
축산물	• 식생활 변화로 육류와 낙농 제품의 수요 증가 • ㉤ 육우와 젖소는 산지가 넓은 강원과 경북의 사육 두수 비중이 높음.

① ㉠   ② ㉡   ③ ㉢   ④ ㉣   ⑤ ㉤

11 그래프는 주요 곡물의 자급률 변화를 나타낸 것이다. A~C 곡물에 대한 옳은 설명만을 〈보기〉에서 있는 대로 고른 것은? (단, A~C는 쌀, 보리, 옥수수 중 하나임.)

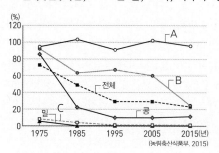

(농림축산식품부, 2015)

| 보기 |
ㄱ. A의 생산량은 호남 지방이 영남 지방보다 많다.
ㄴ. B는 강원, 충북 등 밭이 넓은 산간 지역에서 생산량이 많다.
ㄷ. C는 사료용 소비가 급증하면서 자급률이 낮아졌다.
ㄹ. 1인당 소비량은 A가 B보다 많다.

① ㄱ, ㄴ   ② ㄱ, ㄹ   ③ ㄱ, ㄴ, ㄷ
④ ㄱ, ㄷ, ㄹ   ⑤ ㄴ, ㄷ, ㄹ

12 다음 글에 나타난 농산물 시장 개방에 대한 관점에 반대하는 주장을 〈보기〉에서 고른 것은?

신문

2016년 상반기 경기도의 농식품 수출액이 총 6억 314만 달러로 작년 동기 대비 약 35% 증가한 것으로 집계되었다. 수산물 수출이 2배 이상 늘었고, 임산물은 약 40% 증가율을 기록하였다. 신선 농산물도 약 28% 성장하였는데 인삼은 홍콩과 일본에서, 김치는 미국과 오스트레일리아에서 괄목할 만한 신장세를 보였다. 특히 자유 무역 협정이 발효 중인 국가와의 거래에서 돋보이게 성장한 점은 주목할 만한 점이다. - 「기호일보」, 2016. 8. 2. -

| 보기 |
ㄱ. 해외의 다양한 농산물을 값싸게 즐길 수 있다.
ㄴ. 식량 자급률이 높아져 식량 주권이 강화될 수 있다.
ㄷ. 영농 규모가 영세하여 가격 경쟁에 취약한 농민이 많다.
ㄹ. 가격 경쟁력이 약한 국산 농산물의 생산 기반이 약화된다.

① ㄱ, ㄴ   ② ㄱ, ㄷ   ③ ㄱ, ㄹ
④ ㄴ, ㄷ   ⑤ ㄷ, ㄹ

13 다음 글의 ㉠~㉤에 대한 설명으로 옳지 <u>않은</u> 것은?

> 공업 지역은 집적 이익과 집적 불이익, ㉠ 정부의 정책, ㉡ 교통·통신의 발달, 기업 조직의 성장과 세계화, ㉢ 인건비 변화 등의 영향을 받으면서 변화를 겪고 있다. 기반 시설이 잘 갖추어진 곳은 집적 이익이 발생하여 공업 지역이 형성되지만 공장이 지나치게 집적하면 ㉣ 집적 불이익이 발생한다. 기업 조직이 성장하면서 ㉤ 대도시에는 본사와 연구소가 입지하고, 생산 공장은 지방이나 해외로 이전하는 현상이 나타나기도 한다.

① ㉠의 사례로 국가 산업 단지 조성을 들 수 있다.

② ㉡은 공업 입지에 미치는 운송비의 영향력을 증가시킨다.

③ ㉢은 생산비에서 노동비가 차지하는 비중이 큰 공업의 입지에 영향을 미친다.

④ ㉣에는 지가 상승, 교통 혼잡, 용수 부족 등이 있다.

⑤ ㉤은 기업의 기능에 따른 공간적 분업 현상에 해당한다.

14 다음은 어느 공업에 대한 질문과 대답이다. (가)에 들어갈 적절한 질문을 〈보기〉에서 고른 것은? (단, 섬유, 1차 금속, 기타 운송 장비, 석유 화학 제조업만 고려함.)

질문	대답	
	예	아니요
경공업입니까?		∨
주원료를 대부분 해외에서 수입합니까?	∨	
생산비에서 인건비의 비중이 큽니까?		∨
생산액 상위 3위 이내의 지역에 경북과 전남이 포함됩니까?	∨	
많은 부품을 조립하여 완제품을 생산합니까?		∨
충남에도 대규모 생산 시설이 있습니까?	∨	
(가)	∨	
⋮	⋮	⋮

> ▮ 보기 ▮
> ㄱ. 적환지 지향형 공업에 해당합니까?
> ㄴ. 석탄과 철광석을 주요 원료로 사용합니까?
> ㄷ. 저렴한 노동력을 확보하기 용이한 곳에 입지합니까?
> ㄹ. 생산 시설 입지에서 대학 및 연구소와의 접근성을 우선적으로 고려합니까?

① ㄱ, ㄴ   ② ㄱ, ㄷ   ③ ㄴ, ㄷ

④ ㄴ, ㄹ   ⑤ ㄷ, ㄹ

15 지도는 두 공업의 시도별 생산액과 지역별 종사자 수 비율을 나타낸 것이다. (가) 공업과 비교한 (나) 공업의 상대적 특성을 그림의 A~E에서 고른 것은? (단, 섬유, 1차 금속, 기타 운송 장비만 고려함.)

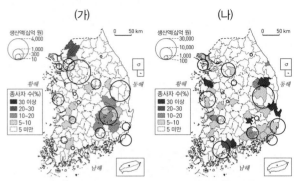

*2014년 기준 자료, 종사자 수는 지역 내 제조업 종사자 중에서 해당 산업의 종사자가 차지하는 비율임.

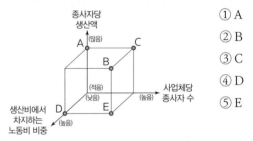

① A
② B
③ C
④ D
⑤ E

16 다음은 어느 지역의 상점과 관련된 공간 변화를 나타낸 것이다. (가)에서 (나)로 변화하게 된 원인에 대한 적절한 추론을 〈보기〉에서 고른 것은?

> (가) 시기는 한 지역에서 최소 요구치를 확보하기 어렵기 때문에 5일을 주기로 하여 다섯 곳을 돌아다니면서 상업 활동이 이루어졌지만, (나) 시기는 한곳에서 상업 활동을 하여도 최소 요구치를 확보할 수 있기 때문에 한곳에서 상업 활동을 한다.
>
> ● 시장   → 상인의 이동 경로
> --- 최소 요구치의 범위   — 재화의 도달 범위

> ▮ 보기 ▮
> ㄱ. 인구가 증가하였다.
> ㄴ. 시간 거리가 증가하였다.
> ㄷ. 지역의 총소득이 증가하였다.
> ㄹ. 상업 활동 종사자 수가 증가하였다.

① ㄱ, ㄴ   ② ㄱ, ㄷ   ③ ㄴ, ㄷ

④ ㄴ, ㄹ   ⑤ ㄷ, ㄹ

17 다음은 수요 주체에 따라 분류한 서비스업의 사례를 나타낸 것이다. (가), (나) 서비스업에 대한 옳은 설명을 〈보기〉에서 고른 것은?

> (가) 도·소매업, 음식·숙박업, 관광업 등의 서비스업
> (나) 광고·회계·금융·보험·부동산·법률 서비스 등의 서비스업

┤ 보기 ├
ㄱ. (가)는 소비자의 이동 거리를 최소화하면서 임대료가 저렴한 곳을 선호한다.
ㄴ. (나)는 개인 소비자보다 기업과의 거래액이 많다.
ㄷ. (가)는 (나)보다 접근성이 좋고 정보 획득에 유리한 도심에 집중 분포한다.
ㄹ. (나)는 (가)보다 업체 간에 일정한 거리를 유지하면서 분산하여 입지한다.

① ㄱ, ㄴ ② ㄱ, ㄷ ③ ㄴ, ㄷ
④ ㄴ, ㄹ ⑤ ㄷ, ㄹ

18 그래프는 국내 택배 시장 물동량 변화를 나타낸 것이다. 이러한 변화와 가장 관계 깊은 소매 업태를 그래프의 A~E에서 고른 것은? (단, A~E는 편의점, 백화점, 슈퍼마켓, 대형 마트, 무점포 소매업체 중 하나임.)

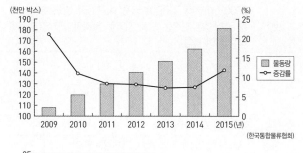

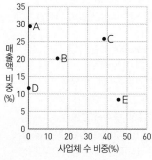

① A ② B ③ C ④ D ⑤ E

서답형 문제

19 자원의 특성 중에서 편재성과 가변성의 개념을 설명하고 각각 사례를 제시하시오.

_____

_____

_____

_____

_____

20 그래프는 경지 면적과 경지 이용률 변화를 나타낸 것이다. 이를 보고 물음에 답하시오.

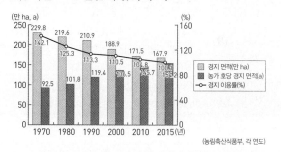

(1) 경지 이용률의 변화 경향을 쓰고, 그 이유를 설명하시오.

_____

_____

(2) 농가 호당 경지 면적이 증가한 이유를 설명하시오.

_____

_____

21 그래프는 교통수단별 수송 분담률을 나타낸 것이다. A~E에 해당되는 교통수단을 쓰고, A와 비교한 C의 상대적 장점을 두 가지 쓰시오.

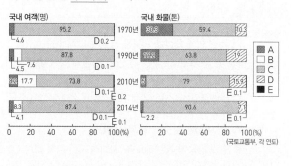

_____

_____

VI 단원
인구 변화와 다문화 공간

주제 01 인구 분포와 인구 이동

전통적 인구 분포	• 인구 조밀 지역: 기후가 온화하고 경지 비율이 높은 남서부 평야 지대 • 인구 희박 지역: 춥고 산지가 많은 북동부 지역
오늘날 인구 분포	• 1960~1980년대: 산업화·도시화에 따른 이촌 향도 → 수도권과 영남권에 인구 집중 • 1990년대 이후: 대도시의 과밀화에 따른 교외화 → 수도권과 영남권 주변 지역의 인구 증가 • 태백산맥, 소백산맥 산간 지역 및 농어촌 지역은 인구 밀도가 낮음.

주제 02 인구 성장

조선 시대까지	높은 출생률과 사망률 → 낮은 인구 성장률
일제 강점기	의학 보급으로 사망률 감소 → 인구 급증
광복 이후	재외 동포 귀국 등에 따른 인구의 사회적 증가
6·25 전쟁	전쟁 중 사망률 급증, 전쟁 후 출산 붐으로 높은 출산율
1960~1990년대	산아 제한 정책 실시 → 출산율 급감
2000년대 이후	지나친 출산율 감소로 출산 장려 정책 시행

주제 03 인구 구조의 변화

인구 구조	어떤 인구 집단의 자연적·사회적 특성을 기준으로 하는 인구의 구성 상태
연령별 변화	• 1960년대 이전: 유소년층 인구 비율이 높고 노년층 인구 비율이 낮음. → 피라미드형 인구 구조 • 1990년대 후반 이후: 출생률과 사망률 감소 → 종형 인구 구조
성별 변화	• 과거 남아 선호 사상으로 성비 불균형이 나타났으나 점차 완화되고 있음. • 중화학 공업이 발달한 지역에서는 남초 현상이, 촌락 지역에서는 여초 현상이 나타남.

주제 04 저출산 현상

현황	• 1980년대 중반 이후부터 출산율 감소 • 2015년 합계 출산율 1.24명 → 세계 최저 수준
원인	결혼 및 자녀에 대한 가치관 변화, 출산과 육아 비용 증가, 교육비 부담 증가 등
영향	• 단기적 영향: 유소년 부양비를 낮추어 경제 발전에 도움 • 장기적 영향: 미래 생산 인구 및 소비 인구 감소 → 생산성 하락, 경기 침체 및 국가 경쟁력 약화
대책	• 출산 및 양육에 대한 제도적·사회적 지원 강화 • 일과 가정이 양립할 수 있도록 사회적·제도적 지원 강화 • 신혼부부를 위한 주거·복지·행정 등 지원 확대

주제 05 고령화 현상

현황	• 출산율이 낮아지는 반면 노년층 인구는 빠르게 증가 • 2000년 노년층 인구 비율이 7%를 넘어 고령화 사회 진입, 2015년 노년층 인구 비율이 약 13%로 고령 사회 진입
원인	의학 기술 발달과 생활 수준 향상에 따른 기대 수명 연장, 사망률 감소
영향	• 생산 가능 인구 감소 → 노동력 부족 및 노동력 고령화 • 노년 인구 부양비 증가에 따른 청장년층 부담 가중 • 연금 등 사회 복지 비용 부담 증가로 국가 재정 부담
대책	• 노년층의 경제적 안정을 위한 경제적 지원 확대 → 정년 연장, 재취업 기회 확대, 공적 연금 확대 등 • 고령 친화 산업(실버 산업) 적극 육성 • 노인 건강 및 복지 시설 확충

주제 06 외국인 근로자의 유입

배경	국내 생산직 근로자의 임금 상승, 3D 업종 기피 현상 → 외국인 근로자에 대한 수요 증가
현황	• 1990년대 초 중국, 동남아시아, 남부 아시아 출신 저임금 노동력 유입 • 최근 고임금·전문직 외국인 근로자의 유입 증가
분포	수도권 및 대도시 지역, 남동 임해 지역 등에 주로 거주

주제 07 국제결혼의 증가

배경	• 외국인에 대한 거부감 감소, 가치관 변화 • 촌락 지역의 결혼 적령기 성비 불균형 현상
현황	• 2000년대부터 국제결혼 급증, 최근 다소 감소 추세 • 총 국제결혼 건수는 도시 지역이 많지만, 국제결혼 비중은 촌락 지역이 높음.

주제 08 다문화 사회

형성		외국인 근로자 유입 증가, 국제결혼 증가
영향	긍정적 영향	• 제조업 및 단순 서비스업의 인력난 완화 → 경제 성장에 기여 • 저출산·고령화에 대한 대안 • 다양한 문화 자산 공유
	부정적 영향	• 국내 근로자와의 일자리 경쟁 • 인종적·종교적 편견에 따른 차별 • 문화적 이질감에 따른 갈등
다문화 공간		문화적 배경이 비슷한 이주자들이 모여 공동체 형성 → 이주자 공동체 문화와 우리나라 문화가 융합되어 형성된 다문화 공간

한국지리

01 다음 글의 ㉠~㉢의 사례 지역을 지도의 A~C에서 고른 것은?

> 1960년대 이후 산업화와 도시화가 진행되면서 ㉠ 산업 발달이 미약하고 기반 시설이 부족한 촌락은 인구가 감소한 반면, ㉡ 산업과 교육·문화 시설 등이 갖추어진 대도시는 인구가 빠르게 증가하였다. 인구 집중으로 대도시가 과밀화되면서 ㉢ 1990년대 이후 대도시 주변에 신도시가 건설되고 이러한 신도시가 입지한 곳은 인구가 빠르게 증가하였다.

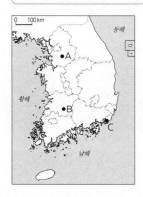

	㉠	㉡	㉢
①	A	B	C
②	A	C	B
③	B	A	C
④	B	C	A
⑤	C	A	B

02 다음은 우리나라 행정 구역별 인구수를 나타낸 것이다. A~C로 옳은 것은?

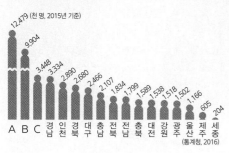

	A	B	C
①	서울	경기	부산
②	서울	부산	경기
③	경기	서울	부산
④	경기	부산	서울
⑤	부산	서울	경기

03 (가)~(다)의 인구 밀도 변화가 나타나는 지역을 지도의 A~C에서 고른 것은?

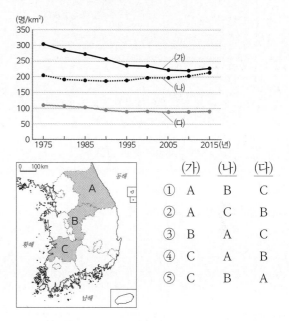

	(가)	(나)	(다)
①	A	B	C
②	A	C	B
③	B	A	C
④	C	A	B
⑤	C	B	A

04 지도는 우리나라의 시기별 인구 이동을 나타낸 것이다. 이른 시기부터 옳게 배열한 것은?

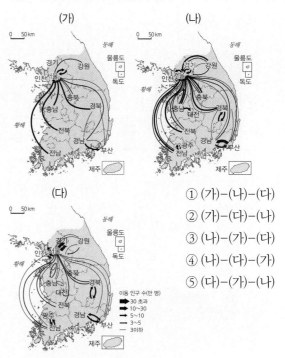

① (가)-(나)-(다)
② (가)-(다)-(나)
③ (나)-(가)-(다)
④ (나)-(다)-(가)
⑤ (다)-(가)-(나)

05 다음은 인구 변천 모델을 나타낸 것이다. (가) 단계와 비교한 (나) 단계의 상대적 특징만을 〈보기〉에서 있는 대로 고른 것은?

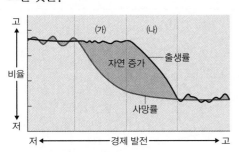

> ┤ 보기 ├
> ㄱ. 총인구수가 많다.
> ㄴ. 중위 연령이 높다.
> ㄷ. 인구 증가율이 낮다.
> ㄹ. 인구 천 명당 사망자 수가 많다.

① ㄱ, ㄴ ② ㄱ, ㄷ ③ ㄱ, ㄴ, ㄷ
④ ㄱ, ㄴ, ㄹ ⑤ ㄴ, ㄷ, ㄹ

06 (가)~(다)의 인구 특성이 나타나는 지역을 지도의 A~C에서 고른 것은?

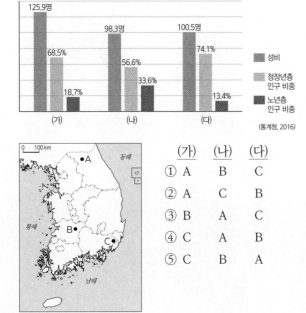

	(가)	(나)	(다)
①	A	B	C
②	A	C	B
③	B	A	C
④	C	A	B
⑤	C	B	A

07 다음 글의 ㉠에 들어갈 사례 지역으로 적절한 것을 〈보기〉에서 고른 것은?

> 성별 인구 구조는 성비를 통해 파악할 수 있는데, 연령대 및 지역에 따라 차이가 나타난다. 연령대별로는 출생 시에는 성비가 높지만, 노년에 이를수록 여성의 평균 수명이 긴 영향으로 성비가 낮아진다. 지역별로는 남성과 여성의 이촌 향도의 차이, 직업 종류의 차이 등으로 청장년층의 성비 차이가 나타나며, 청장년층에서 남초 현상이 나타나는 지역으로는 [㉠   ] 등이 있다.

> ┤ 보기 ├
> ㄱ. 서비스업이 발달한 관광 도시
> ㄴ. 섬유·의류 산업 시설이 밀집된 지역
> ㄷ. 총인구가 적으면서 군부대가 많이 주둔하는 지역
> ㄹ. 1차 금속, 자동차 공업 등의 생산 시설이 집중된 중·소도시

① ㄱ, ㄴ ② ㄱ, ㄷ ③ ㄴ, ㄷ
④ ㄴ, ㄹ ⑤ ㄷ, ㄹ

08 (가), (나) 지도에서 나타내는 인구 통계 지표로 옳은 것은?

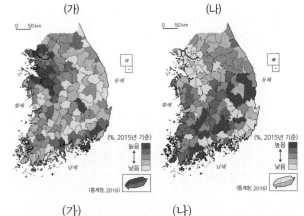

	(가)	(나)
①	노년 인구 비율	유소년 인구 비율
②	노년 인구 비율	청장년 인구 비율
③	유소년 인구 비율	노년 인구 비율
④	유소년 인구 비율	청장년 인구 비율
⑤	청장년 인구 비율	노년 인구 비율

[09~10] 그래프는 우리나라의 합계 출산율과 기대 수명을 나타낸 것이다. 이를 보고 물음에 답하시오.

(통계청, 2016)

09 1960~2015년 우리나라의 인구 구조 변화에 대한 추론으로 적절하지 <u>않은</u> 것은?

① 노년 부양비의 증가 추세가 나타났을 것이다.
② 출생아 수가 감소하는 현상이 나타났을 것이다.
③ 노인 인구의 수가 지속적으로 증가하였을 것이다.
④ 1980년대부터 출산 장려 정책이 시행되었을 것이다.
⑤ 의학 기술이 높아지고 생활 수준이 향상되었을 것이다.

10 위 그래프를 토대로 1960년, 1980년, 2015년의 인구 구조를 A~C에서 고른 것은?

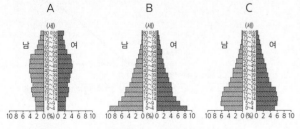

	1960년	1980년	2015년
①	A	B	C
②	A	C	B
③	B	A	C
④	B	C	A
⑤	C	A	B

11 (가), (나) 자료에 대한 해석으로 옳지 <u>않은</u> 것은?

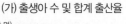
(가) 출생아 수 및 합계 출산율

(나) 주요 (㉠) 기피 원인

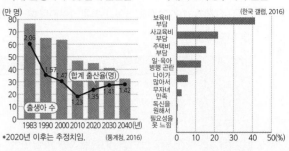

*2020년 이후는 추정치임.   (통계청, 2016)

① (가)에 나타난 문제 해결을 위해서는 자녀 양육에 대한 국가의 지원을 늘려야 한다.
② (가)를 통해 2040년 이후에도 출생아 수가 감소할 것으로 예측된다.
③ (가)에서 1983년 이후 합계 출산율이 지속적으로 감소하고 있음을 알 수 있다.
④ (나)의 ㉠에는 '출산'이라는 말이 들어간다.
⑤ (나)는 (가)에 나타난 문제의 원인을 제시하고 있다.

12 그래프는 우리나라의 노년 인구와 노년 인구 비율 변화를 나타낸 것이다. 이에 대한 옳은 설명만을 〈보기〉에서 있는 대로 고른 것은?

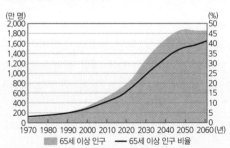

■ 보기 ■
ㄱ. 노년 인구 비율 변화의 주요 원인은 평균 수명 증가이다.
ㄴ. 2020년대에 우리나라는 고령 사회에 진입할 것으로 예상된다.
ㄷ. 2040년대 중반 이후 노년 인구와 노년 인구 비율은 감소할 것으로 예측된다.
ㄹ. 2020년대의 노년 인구 비율 변화는 1960년 전후의 출산 붐 세대와 관계 깊다.

① ㄱ, ㄴ   ② ㄱ, ㄹ   ③ ㄱ, ㄴ, ㄷ
④ ㄱ, ㄴ, ㄹ   ⑤ ㄴ, ㄷ, ㄹ

13 다음은 우리나라의 시기별 가족계획 표어를 나타낸 것이다. (가)~(라) 시기에 대한 설명으로 옳은 것은? (단, (가)~(라)는 1970년대, 1980년대, 1990년대, 2000년대 중 하나임.)

시기	표어
(가)	하나씩만 낳아도 삼천리는 초만원
(나)	아들 바람 부모 세대 짝꿍 없는 우리 세대
(다)	딸·아들 구별 말고 둘만 낳아 잘 기르자
(라)	가가 호호 아이 둘 셋 하하 호호 희망 한국

① (가) 시기의 인구 정책으로 저출산 문제가 완화되었을 것이다.

② (나), (다) 시기에는 출생아의 성비 불균형 문제가 나타났을 것이다.

③ (나) 시기는 (가) 시기보다 합계 출산율이 높았을 것이다.

④ (라) 시기는 (다) 시기보다 유소년 부양비가 높았을 것이다.

⑤ 이른 시기부터 순서대로 나열하면 (나)-(가)-(다)-(라)이다.

14 그래프는 우리나라 시·도별 유소년 부양비와 노년 부양비를 나타낸 것이다. A~D에 대한 설명으로 옳지 <u>않은</u> 것은? (단, A~D는 서울, 세종, 울산, 전남 중 하나임.)

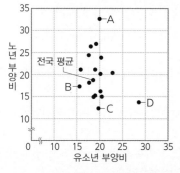

① A는 산업화 과정에서 이촌 향도가 활발하였다.

② B는 노령화 지수가 100보다 크다.

③ A는 전남, D는 세종이다.

④ C는 D보다 청장년층 인구 비중이 높다.

⑤ D는 A보다 총부양비가 높다.

15 그래프는 유소년 부양비와 노년 부양비를 나타낸 것이다. 이를 토대로 2015~2060년의 우리나라 인구 구조의 변화를 그림의 ㉠~㉤에서 고른 것은?

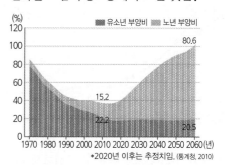

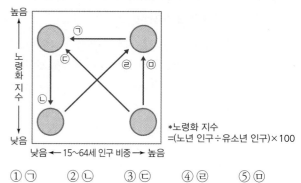

① ㉠   ② ㉡   ③ ㉢   ④ ㉣   ⑤ ㉤

16 그래프는 1970~2060년 우리나라의 인구 부양비를 나타낸 것이다. 이 기간의 인구 구조 변화에 대한 옳은 설명을 〈보기〉에서 고른 것은?

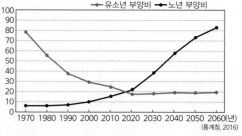

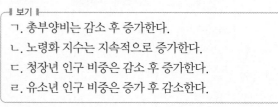

┤ 보기 ├

ㄱ. 총부양비는 감소 후 증가한다.

ㄴ. 노령화 지수는 지속적으로 증가한다.

ㄷ. 청장년 인구 비중은 감소 후 증가한다.

ㄹ. 유소년 인구 비중은 증가 후 감소한다.

① ㄱ, ㄴ   ② ㄱ, ㄷ   ③ ㄴ, ㄷ

④ ㄴ, ㄹ   ⑤ ㄷ, ㄹ

17 지도는 지역별 결혼 이민자의 분포를 나타낸 것이다. 지도에 나타난 현상의 원인으로 가장 적절한 것은?

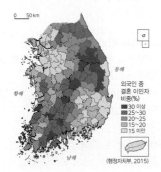

0 50km

외국인 중
결혼 이민자
비중(%)
■ 30 이상
■ 25~30
■ 20~25
■ 15~20
□ 15 미만

(행정자치부, 2015)

① 은퇴한 베이비 붐 세대의 귀농 증가
② 유아 사망률 감소와 평균 수명 증가
③ 촌락 지역의 20~30대 연령층의 성비 불균형
④ 농촌 노동력 고령화로 인한 외국인 근로자의 유입
⑤ 다국적 기업의 국내 진출에 의한 외국 고급 인력 유입

18 그래프는 국제결혼 건수의 변화를 나타낸 것이다. 이를 보고 우리나라의 국제결혼 경향에 대해 옳게 추론한 것을 〈보기〉에서 고른 것은?

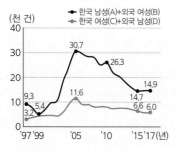

(천 건)
— 한국 남성(A)+외국 여성(B)
— 한국 여성(C)+외국 남성(D)

40
30 ········· 30.7
20 ············· 26.3
10 9.3 ······ 11.6 ··· 14.7 ··· 14.9
3.2 5.4 6.6 6.0
'97 '99 '05 '10 '15 '17(년)

┤ 보기 ├
ㄱ. 한국 남성(A)은 한국 여성(C)보다 평균 연령이 높을 것이다.
ㄴ. 외국 남성(D)은 외국 여성(B)보다 아시아 출신이 많을 것이다.
ㄷ. 외국 여성(B)은 외국 남성(D)보다 도시에 거주하는 비중이 높을 것이다.
ㄹ. 한국 남성(A)은 한국 여성(C)보다 1차 산업에 종사하는 비중이 높을 것이다.

① ㄱ, ㄴ   ② ㄱ, ㄷ   ③ ㄱ, ㄹ
④ ㄴ, ㄷ   ⑤ ㄷ, ㄹ

서답형 문제

19 그래프는 출생아 수 및 합계 출산율의 변화를 나타낸 것이다. 이를 보고 물음에 답하시오.

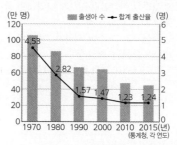

(만 명)   ■ 출생아 수 —— 합계 출산율 (명)
120   6
100 4.53   5
80   4
60   2.82   3
40   1.57 1.47   2
20   1.23 1.24   1
     1970 1980 1990 2000 2010 2015(년)
                            (통계청, 각 연도)

(1) 1970년 이후 합계 출산율이 변화하게 된 원인을 제시된 용어를 모두 활용하여 쓰시오.

> 정부의 인구 정책, 자녀 양육비, 자녀에 대한 가치관 변화

(2) 그래프와 같은 현상이 지속될 경우 인구 부양 측면에서 나타나게 될 문제점을 서술하시오.

20 그래프는 국내 체류 외국인의 국적별 비중을 나타낸 것이다. A, B에 해당하는 국가를 쓰고, A의 비중이 가장 높은 이유를 쓰시오.

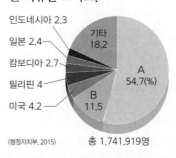

인도네시아 2.3
일본 2.4
캄보디아 2.7
필리핀 4
미국 4.2
기타 18.2
A 54.7(%)
B 11.5

(행정자치부, 2015)   총 1,741,919명

VII 단원

우리나라의 지역 이해

주제 01 지역 구분

지역	지리적 특성이 다른 곳과 구별되는 일정한 공간적 범위
지역 구분	• 동질 지역: 특정한 지리적 현상이 동일하게 나타나는 공간 범위 예 기후 지역, 종교 지역, 문화권 등 • 기능 지역: 하나의 중심지와 그 주변 지역이 기능적으로 결합된 공간 범위 예 통학권, 통근권, 상권 등 • 점이 지대: 인접한 두 지역의 지리적 특성이 혼재된 지역

주제 02 북한 지역

자연환경	• 지형: 산지와 고원의 비중이 높음. • 기후: 연교차가 큰 대륙성 기후, 연 강수량은 남한보다 적음. • 주민 생활: 밭농사 중심, 겹집 구조의 가옥(정주간) 발달 • 자원: 지하자원의 매장량 풍부, 수력 발전과 화력 발전 중심
인문 환경	• 산업: 군수 공업 중심의 중공업 우선 정책 추진 • 교통: 철도 교통 중심, 지형의 영향으로 동서 간 연계 미약 • 인구: 남한 인구의 절반 수준, 경제난으로 인구 증가율 둔화 • 도시: 서부 평야 지대에 인구의 약 40% 거주
개방 지역	• 나진·선봉 경제 무역 지대: 북한 최초의 개방 지역 • 신의주 국제 경제 지대: 중국과의 경제 협력 추진 • 원산·금강산 국제 관광 지대: 남북 교류의 장으로 활용 • 개성 공업 지구: 남한의 기술과 자본, 북한의 노동력이 결합된 합작 공단(2016년 이후 잠정 폐쇄)

주제 03 수도권

지역 특성	• 공간 범위: 서울특별시, 인천광역시, 경기도 • 인구와 기능의 집중: 인구와 국내 총생산의 절반가량 차지함.
경제 공간 구조 변화	• 1960년대: 서울을 중심으로 경공업 발달 • 1980년대: 지가 상승, 교통 혼잡, 환경 오염 → 인천, 경기로 제조업 이전 • 1990년대: 탈공업화로 수도권 제조업 비중 감소 • 2000년대 이후: 지식 기반 산업 성장 → 지식 기반 서비스업은 서울, 지식 기반 제조업은 경기에 분포
문제점	집적 불이익, 수도권과 비수도권 간의 격차 심화

주제 04 강원 지방

지역 구분	**영동 지방** • 급경사 사면, 소규모 해안 평야 발달 • 영서 지방보다 겨울철 온화, 다설지(겨울철 북동 기류 영향) **영서 지방** • 완경사의 고원과 침식 분지 발달 • 영동 지방보다 기온의 연교차 큼, 다우지(여름철 남서 기류 영향)
산업 구조 변화	• 광업의 발달과 쇠퇴: 풍부한 지하자원을 바탕으로 광업 발달 → 가정용 연료 변화, 채광 여건 악화 등으로 쇠퇴 • 관광 산업과 첨단 산업 발달: 자연환경과 폐광을 관광 자원으로 활용, 춘천, 강릉, 원주를 중심으로 바이오·신소재 산업 육성

주제 05 충청 지방

지역 특성	• 육상 교통의 중심지: 경부 축과 호남 축 교통로 교차 • 발달된 교통망을 바탕으로 중부 지방 물류 거점으로 성장 • 수도권과 밀접한 생활권 형성
공업 특징	수도권 공업 기능 이전, 중화학 공업(서산, 당진, 아산 입지), 첨단 산업(충주, 대전 입지) 발달
도시 성장	• 세종특별자치시: 중앙 행정 기능 분담 • 내포 신도시: 충남도청 이전 → 충청남도 균형 발전에 기여 • 혁신 도시: 진천·음성 → IT, BT 중심 도시로 조성 • 기업 도시: 충주(지식 기반형), 태안(관광 레저형)

주제 06 호남 지방

자연환경	• 평야: 호남평야, 나주평야 → 우리나라 최대의 곡창 지대 • 산지: 노령산맥, 소백산맥 → 임업, 목축업, 고랭지 농업 발달 • 해안: 갯벌, 리아스 해안 발달 → 연안 어업, 양식업 발달
공업 발달	• 1970년대: 여수 국가 산업 단지(석유 화학 공업) • 1980년대: 광양 제철소(제철 공업) • 1990년대 이후: 대불·군장 국가 산업 단지(대중국 교역 거점)
관광 산업	슬로 시티, 판소리, 대사습놀이, 다양한 지역 축제 등

주제 07 영남 지방

공업 발달	• 1960년대 경공업 발달: 노동력이 풍부한 부산, 대구를 중심으로 신발, 섬유 공업 발달 • 1970년대 이후 중화학 공업 발달: 정부의 중화학 공업 육성 정책 → 울산, 포항, 창원, 거제 등 기간산업의 중심지로 성장
공업 지역	• 영남 내륙 공업 지역: 풍부한 노동력, 편리한 육상 교통 → 대구(섬유 공업), 구미(전자 공업) • 남동 임해 공업 지역: 우리나라 최대의 중화학 공업 지역 → 포항(제철 공업), 울산(자동차·조선·석유 화학 공업), 창원(기계 공업), 거제(조선 공업)
주요 도시	• 부산: 국제 물류 도시, 영상·영화 산업, 관광 산업 육성 • 대구: 섬유 산업의 첨단화 도모, 문화 산업 육성 • 울산: 자동차·조선·석유 화학 공업의 첨단화 도모 • 안동·경주: 전통문화를 바탕으로 관광 산업 육성

주제 08 제주도

자연환경	• 기후: 연교차가 작은 해양성 기후 • 지형: 화산섬 → 기생 화산(오름), 용암동굴, 주상 절리 등의 화산 지형이 다양함.
발전 방향	• 제주특별자치도: 국제 자유 도시로 발전시키기 위해 지정 • 자연환경과 지역성을 고려한 개발 추구

한국지리

01 다음은 방언에 따른 우리나라의 지역 구분을 나타낸 것이다. 이에 대한 설명으로 옳은 것은?

(국가지도집, 2014)

① 사례 지역은 기능 지역에 해당된다.
② 영서 지방은 동남 방언을 사용한다.
③ 서북 방언과 동북 방언의 경계는 2차 산맥이다.
④ 방언 지역의 경계는 행정 구역의 경계와 일치한다.
⑤ 서로 다른 방언을 사용하는 지역의 경계 부근에는 점이 지대가 나타난다.

02 (가)~(다) 지역을 지도의 A~C에서 고른 것은?

- (가) 은/는 (나) 보다 남쪽에 위치한다.
- (나) 은/는 (다) 보다 일출 시각이 이르다.
- (다) 은/는 (가) 보다 최난월 평균 기온이 높다.

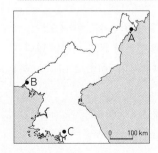

	(가)	(나)	(다)
①	A	B	C
②	B	A	C
③	B	C	A
④	C	A	B
⑤	C	B	A

03 다음은 북한의 기온과 강수량 분포를 나타낸 것이다. 이에 대한 옳은 설명을 〈보기〉에서 고른 것은?

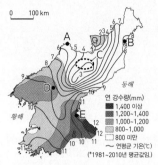

연 강수량(mm)
■ 1,400 이상
▨ 1,200~1,400
▨ 1,000~1,200
▨ 800~1,000
□ 800 미만
~ 연평균 기온(℃)
(*1981~2010년 평균값임.)

┤ 보기 ├
ㄱ. A는 북한에서 연평균 기온이 가장 낮다.
ㄴ. C는 해발 고도가 높기 때문에 기온이 낮다.
ㄷ. B는 바다의 영향으로 A보다 기온의 연교차가 작다.
ㄹ. D와 E는 풍향과 산지가 평행하기 때문에 강수량이 많다.

① ㄱ, ㄴ   ② ㄱ, ㄷ   ③ ㄴ, ㄷ
④ ㄴ, ㄹ   ⑤ ㄷ, ㄹ

04 다음은 북한의 1차 에너지 공급 구조를 나타낸 것이다. A~C 에너지로 옳은 것은?

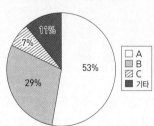

□ A
▨ B
▨ C
■ 기타

	A	B	C
①	석탄	석유	수력
②	석탄	수력	석유
③	수력	석탄	석유
④	수력	석유	석탄
⑤	석유	석탄	수력

05 지도는 북한의 교통망을 나타낸 것이다. 이에 대한 옳은 설명을 〈보기〉에서 고른 것은?

┌─ 보기 ┐
ㄱ. 고속 국도는 모두 평양과 연결되어 있다.
ㄴ. 관서 지방은 관북 지방보다 교통망이 발달하였다.
ㄷ. 경의선 철도와 경원선 철도는 평양이 분기점이다.
ㄹ. 관북 지방에서 생산된 지하자원은 주로 도로를 이용하여 수송한다.
└─────────────────────────────┘

① ㄱ, ㄴ   ② ㄱ, ㄷ   ③ ㄴ, ㄷ
④ ㄴ, ㄹ   ⑤ ㄷ, ㄹ

06 다음은 수도권의 인구 변화를 나타낸 것이다. 이에 대한 분석으로 옳은 것은?

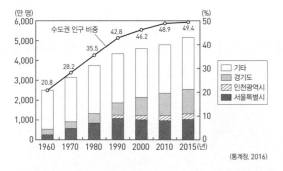

① 1960년 이후 서울의 인구는 지속적으로 증가하였다.
② 1960년 이후 비수도권의 인구는 지속적으로 감소하였다.
③ 1990년 이후 수도권의 인구 증가는 주로 경기도가 주도하였다.
④ 2015년 수도권의 인구는 비수도권 인구보다 많다.
⑤ 1960년 대비 2015년 수도권의 인구 증가율은 인구 비중 증가율보다 작다.

07 다음은 수도권 및 비수도권의 제조업 사업체 수 변화를 나타낸 것이다. (가)~(다) 지역으로 옳은 것은?

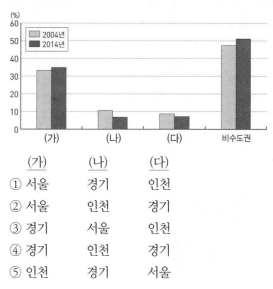

	(가)	(나)	(다)
①	서울	경기	인천
②	서울	인천	경기
③	경기	서울	인천
④	경기	인천	경기
⑤	인천	경기	서울

08 다음은 주요 문화 시설의 지역별 분포를 나타낸 것이다. 이에 대한 설명으로 옳은 것은? (단, (가), (나)는 경기, 서울 중 하나임.)

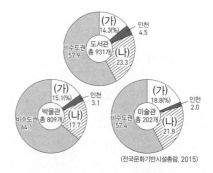

(전국문화기반시설총람, 2015)

① (가)는 경기, (나)는 서울이다.
② 박물관은 미술관보다 수도권 집중률이 높다.
③ (가)는 (나)보다 단위 면적당 문화 시설이 많다.
④ 세 문화 시설 중 전국 대비 인천의 비중은 박물관이 가장 높다.
⑤ 제시된 자료를 토대로 (가)의 박물관 수는 도서관 수보다 많다.

09 다음은 강원도의 1월 평균 기온 분포를 나타낸 것이다. A~D 지역에 대한 설명으로 옳지 <u>않은</u> 것은?

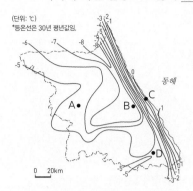

(단위: ℃)
*등온선은 30년 평년값임.

① A는 D보다 해발 고도가 낮다.
② 두 지역 사이의 평균 경사는 B–C가 A–B보다 급하다.
③ B와 D가 위치한 산지는 신생대 제3기에 융기하였다.
④ 초여름에 동풍이 불면 C는 A보다 기온이 높다.
⑤ A~C 중 기온의 연교차는 A가 가장 크다.

10 다음은 강원도의 산업별 특화도를 나타낸 것이다. (가)~(다)에 해당하는 산업으로 옳은 것은?

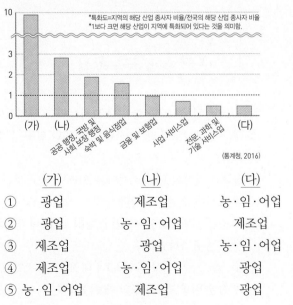

*특화도=지역의 해당 산업 종사자 비율/전국의 해당 산업 종사자 비율
*1보다 크면 해당 산업이 지역에 특화되어 있다는 것을 의미함.

(통계청, 2016)

	(가)	(나)	(다)
①	광업	제조업	농·임·어업
②	광업	농·임·어업	제조업
③	제조업	광업	농·임·어업
④	제조업	농·임·어업	광업
⑤	농·임·어업	제조업	광업

11 (가), (나) 축제의 개최 지역을 지도의 A~C에서 고른 것은?

(가)   (나)

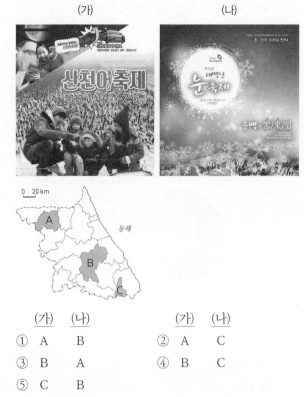

	(가)	(나)		(가)	(나)
①	A	B	②	A	C
③	B	A	④	B	C
⑤	C	B			

12 지도에 표시된 지역에 대한 설명으로 옳지 <u>않은</u> 것은?

① 경부선과 호남선의 분기점이 있다.
② 4개의 광역 자치 단체가 권역을 구성하고 있다.
③ 제주를 제외한 남한의 모든 권역과 인접하고 있다.
④ 타 권역과의 경계는 모두 산맥으로 이루어져 있다.
⑤ 수도권에 집중된 행정 기능을 분담하는 특별자치시가 있다.

13 다음은 충청 지방 세 지역의 제조업 구조를 나타낸 것이다. (가)~ (다) 지역으로 옳은 것은?

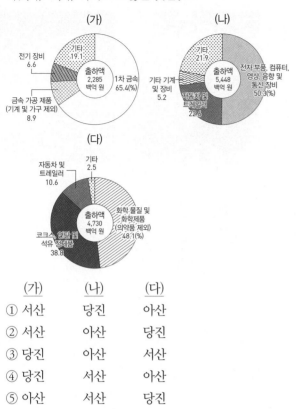

	(가)	(나)	(다)
①	서산	당진	아산
②	서산	아산	당진
③	당진	아산	서산
④	당진	서산	아산
⑤	아산	서산	당진

14 다음 글의 (가) 지역을 지도의 A~E에서 고른 것은?

> [(가)] 은/는 1999년부터 한옥 마을을 정비하여 전통 문화관, 한옥 생활 체험관 등의 문화 시설을 유치했고, 국제 영화제, 한지 문화 축제, 세계 소리 축제 등을 개최하고 있다. 또한 [(가)] 에는 조선을 건국한 태조의 초상화가 보관되어 있는 경기전, 어진 박물관 등이 있으며, 조선의 천주교 최초 순교자의 터에 지어진 전동 성당이 있다.

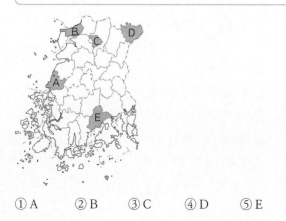

① A 　② B 　③ C 　④ D 　⑤ E

15 지도에 표시된 A~D 지역의 공통점으로 옳은 것은?

① 국립 공원에 포함되어 있다.
② 혁신 도시가 건설되고 있다.
③ 람사르 협약에 등록된 습지가 있다.
④ 관광 레저형 기업 도시로 지정되었다.
⑤ 국제 슬로 시티로 지정된 마을이 있다.

16 다음은 영남 지방의 주요 도시 인구를 나타낸 것이다. 이에 대한 분석으로 옳은 것은?

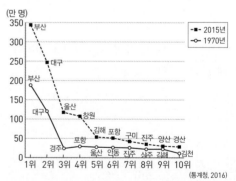

① 2015년 인구 100만 명 이상 도시는 모두 광역시이다.
② 대구는 부산보다 1970년 대비 2015년 인구 증가폭이 크다.
③ 경북과 경남의 도청 소재지는 2015년 인구 상위 10위 내 도시에 모두 포함된다.
④ 1970년 대비 2015년에 인구 상위 10위 내 경남의 도시 수는 증가하였다.
⑤ 2015년 기준, 인구 상위 10위 내 도시 중 광역시 인구의 합은 비광역시 인구의 합보다 적다.

17 다음은 영남 지방 세 도시의 업종별 출하액 비중을 나타낸 것이다. (가)~(다)에 대한 옳은 설명을 〈보기〉에서 고른 것은? (단, (가)~(다)는 구미, 대구, 포항 중 하나임.)

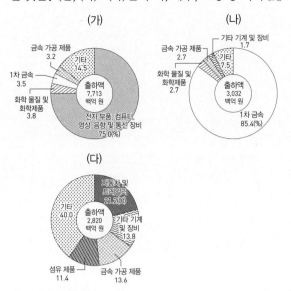

보기
ㄱ. (가)는 (다)보다 인구가 많다.
ㄴ. (가), (다)는 내륙, (나)는 해안에 위치해 있다.
ㄷ. (나)는 (가)보다 공업 원료의 해외 의존도가 높다.
ㄹ. (가)~(다) 중 첨단 산업의 비중은 (나)가 가장 높다.

① ㄱ, ㄴ　　　② ㄱ, ㄷ　　　③ ㄴ, ㄷ
④ ㄴ, ㄹ　　　⑤ ㄷ, ㄹ

18 다음 글에 대한 설명으로 옳지 <u>않은</u> 것은?

제주도는 육지와 멀리 떨어져 있어 독특한 자연환경과 문화가 발달하였으며, 지표의 대부분이 (가) (으)로 덮여 있어 ㉠ 하천 발달이 미약하다. 따라서 전통취락은 ㉡ 지하수가 용천하는 지역을 중심으로 형성되었고, ㉢ 용수 확보를 위해 독특한 문화가 발달하였다. 제주도는 연중 강한 바람이 불기 때문에 ㉣ 이에 대비한 가옥 형태가 나타난다.

① (가)에 들어갈 적절한 암석은 현무암이다.
② ㉠으로 인해 제주도에는 주로 건천이 발달한다.
③ ㉡은 강수량이 많은 중산간 지역이다.
④ ㉢의 대표적 사례로는 물허벅이 있다.
⑤ ㉣의 사례로는 줄로 엮은 지붕이 있다.

서답형 문제

19 우리나라 도별 도청 소재지가 있는 도시를 각각 쓰시오.

20 강원 지방의 (가), (나) 도시를 영동 지방, 영서 지방으로 구분하고 그 이유를 기온 및 강수 특성을 중심으로 설명하시오.

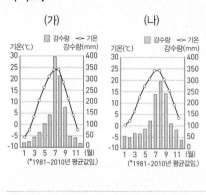

21 다음은 충청 지방의 주요 변화를 나타낸 것이다. 충청 지방의 변화 원인을 위치 특성을 중심으로 서술하시오.

통계로 보는 충청 지방	제조업 생산액 증가율	139%(권역별 1위)
	인구 순 이동 증가율	951%(권역별 1위)
	고속 국도 증가율	41%(권역별 2위)
	지역 내 총생산 증가율	36%(권역별 1위)

*2005년 대비 2014년의 증가율임.(지역 내 총생산은 2010년 대비 증가율임.)　　　(통계청, 2016)

Memo.

정답 및 해설

I 국토 인식과 지리 정보

단원 평가 제**1**회					p. 3 ~ p. 7
01 ③	02 ④	03 ⑤	04 ③	05 ①	06 ④
07 ④	08 ⑤	09 ③	10 ③	11 ③	12 ④
13 ⑤	14 ②	15 ④	16 ②	17 ④	18 ④
19 해설 참조		20 해설 참조		21 해설 참조	

01 우리나라의 위치 특성 　　　　　　답 ③

지구 중심을 사이에 둔 지구상의 반대편 지점은 계절과 낮밤이 서로 반대로 나타난다. 즉 대척점에 있는 두 지점은 기후가 정반대이고 12시간의 시차가 발생한다. 우리나라와 계절 및 낮밤이 서로 반대로 나타나는 지역은 남아메리카의 우루과이 부근이다.

정답을 찾아가는 셀파 - Tip

① 영국은 우리나라보다 9시간이 ~~빠르다~~. (×)
　　　　　　　　　　　　　　　느리다
② 서울은 도쿄보다 해 뜨는 시각이 ~~이르다~~. (×)
　　　　　　　　　　　　　　느리다
③ 우리나라는 우루과이와 계절이 반대이다. (○)
④ 우리나라는 포르투갈보다 기온의 연교차가 ~~작다~~. (×)
　　　　　　　　　　　　　　　　　　크다
⑤ 우리나라와 ~~남아프리카 공화국~~은 계절과 낮밤이 항상 정반대로 나타난다. (×)　　우루과이

02 우리나라 영토의 4극 　　　　　　답 ④

새해에 우리나라에서 해가 가장 먼저 뜨는 곳은 독도(C)이다. 마라도(D)는 독도보다 남쪽에 위치하기 때문에 최한월 평균 기온이 높게 나타난다. 마안도(비단섬)(B)는 우리나라 영토의 극서에 해당하며 극북에 해당하는 유원진(A)보다 기온의 연교차가 작다. 우리나라의 4극은 경상북도 울릉군 독도(극동), 제주특별자치도 서귀포시 마라도(극남), 평안북도 용천군 마안도(비단섬)(극서), 함경북도 온성군 유원진(극북)이다.

03 영역의 특징 　　　　　　답 ⑤

A는 배타적 경제 수역, B는 직선 기선을 기준으로 한 영해, D는 통상 기선을 기준으로 한 영해, C는 영토이다. 간척 사업을 하면 영토의 면적은 증가하고 영해의 범위는 변하지 않지만 내수의 범위는 축소된다. 영공은 영토와 영해의 상공에 해당한다. ㄱ. 독도는 영해 설정 시 통상 기선이 적용되기 때문에 D 유형에 해당한다. ㄴ. 배타적 경제 수역은 경제적 독점권만 인정될 뿐 정치적 주권은 인정되지 않는다.

04 우리나라의 영해 및 배타적 경제 수역 　　　　　　답 ③

(다)는 우리나라의 배타적 경제 수역이므로 외국 어선이 해양 과학 조사 등에 관한 주권적 권한을 행사할 수 없다. ① (가)는 내수이기 때문에 (가)의 수직 항공은 우리나라의 영공이다. ② (나)는 우리나라의

영해이지만 무해 통항권이 인정되기 때문에 타국의 여객선이 자유롭게 통과할 수 있다. ④ 영해선과 영해선 사이는 공해에 해당한다. ⑤ A의 간격은 12해리, B의 간격은 3해리이다.

자료를 분석하는 셀파 - Tip

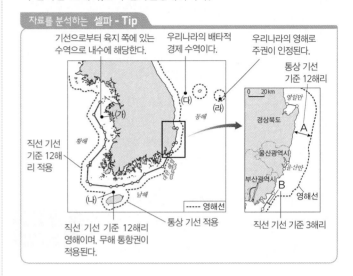

05 독도와 이어도의 특징 　　　　　　답 ①

(가)는 독도, (나)는 이어도이다. 독도는 이어도보다 고위도에 위치하므로 여름철 낮의 길이가 길다. 태풍은 적도 부근에서 발생하여 북상하기 때문에 이어도 주변으로 태풍이 자주 지나간다. ㄷ. 독도 주변 바다에는 한류와 난류가 교차해 조경수역이 형성되어 있지만, 이어도 주변 바다에는 연중 난류만 흐르기 때문에 조경수역이 형성되지 않는다. ㄹ. 독도는 영해 설정 시 통상 기선이 적용된다. 이어도는 수중 암초로, 이어도가 있는 해역은 국제법상 우리나라의 배타적 경제 수역에 포함된다.

06 울릉도와 독도의 특징 　　　　　　답 ④

(가)는 울릉도, (나)는 독도이다. 울릉도와 독도는 신생대 해저 화산의 활동으로 형성되었으며, 모두 영해 설정 시 통상 기선이 적용된다. 거주 인구는 울릉도가 독도보다 많다. 울릉도와 독도의 주변 바다인 동해는 그 명칭이 『삼국사기』 「동명왕편」에 나올 정도로 기원전부터 우리 민족에게 익숙한 바다이다. ④ 울릉도와 독도는 모두 행정 구역상 경상북도에 소속되어 있다.

07 풍수지리 사상의 명당 　　　　　　답 ④

한양은 풍수지리에서 길지에 해당하며, 북한산과 북악산을 북쪽에 두고 한강이 남쪽에 임하는 배산임수의 조건을 갖추고 있다. 풍수지리 사상은 예로부터 마을의 입지, 묘지 선정, 도읍지 선정 등에 영향을 미쳤다. ④ 한양의 풍수지리에서 우백호에 해당되는 산은 인왕산, 좌청룡에 해당되는 산은 낙산이다. 낙산은 인왕산에 비해 해발 고도가 낮아 기(氣)가 약한 편이다.

08 『택리지』의 특징 　　　　　　답 ⑤

(가)는 조선 후기 이중환이 지은 『택리지』이다. 『택리지』에서는 사람이 살 만한 땅인 가거지를 지리, 생리, 인심, 산수의 네 가지 요소로 설명하였다. 가거지의 조건 중 생리는 사람이 살기에 경제적으로 유리한 곳을 의미한다.

① (가)는 조선 전기에 제작되었다. (×)
　　　　　　　　　　　　후기

② (가)는 국가 주도로 제작되었다. (×)
　→ 택리지는 실학자 이중환의 개인적인 관심이 반영된 사찬 지리지이다.

③ ㉠은 국가 통치의 기본 자료를 수집하기 위함이다. (×)
　→ 국가 통치의 기본 자료 수집은 관찬 지리지와 관련된 내용이다.

④ ㉡은 해당 지역의 아름다운 자연환경이다. (×)
　→ 지리는 풍수지리 사상의 명당에 해당하는 지역을 논하는 가거지 조건이다.

⑤ ㉢에서는 땅속 기(氣)의 흐름보다 도로 위 물자의 흐름을 중시
　하였다. (○)

▶ 『택리지』 가거지(可居地)의 조건
　• 지리(地理): 풍수지리의 명당에 해당하는 곳
　• 생리(生利): 땅의 비옥도와 물자 교류의 편리성을 고려한 조건 → 경제적으로 유리한 곳
　• 인심(人心): 당쟁이 없으며 이웃의 인심이 온화하고 순박한 곳
　• 산수(山水): 산과 물이 조화를 이루며 경치가 좋아 풍류를 즐길 수 있는 곳

09 조선 전기와 조선 후기의 지리지 　답 ③

(가)는 조선 전기에 제작된 『신증동국여지승람』, (나)는 조선 후기에 제작된 『택리지』의 내용 일부이다. 『신증동국여지승람』은 통치를 위한 기초 자료를 수집하기 위해 국가에서 편찬한 관찬 지리지이고, 『택리지』는 실학자 이중환이 편찬한 사찬 지리지이다. ㄷ. 관찬 지리지는 방대한 자료를 백과사전식으로 일목요연하게 기술되어 있으며, 사찬 지리지는 저자의 해석이 많이 반영되어 설명식으로 기술되어 있다.

10 「대동여지도」의 특징 　답 ③

「대동여지도」는 조선 후기 김정호가 목판본으로 제작한 실용적인 지도이다. 지도의 A는 유성 읍치, B는 무성 읍치이다. 따라서 성을 이용한 외적의 방어에는 A가 B보다 유리하다. ① 행정 구역의 경계는 「대동여지도」에서 점선으로 구분되어 있다. 따라서 A와 B는 서로 다른 행정 구역에 속한다. ② A에서 B까지는 방점이 3개 찍혀 있으므로 A와 B 사이의 거리는 약 40리이다. ④ B에서 남쪽의 봉수에 도착하려면 하천을 세 번 건너야 한다. ⑤ A에서 배를 탈 수 있는 하천은 도로상으로 10리와 20리 사이에 있다.

11 「대동여지도」의 특징 　답 ③

「대동여지도」는 산경도에 표현된 전통적인 산줄기 인식 체계를 기반으로 제작되었다. 따라서 산줄기는 서로 이어서 표현하였다. 하천의 표현에서는 배를 운항할 수 있는 하천은 쌍선으로, 그렇지 못한 하천은 단선으로 구분하였다. 또한 도로에 10리마다 방점을 찍어서 거리를 알 수 있게 했으며, 목판본으로 제작하여 지도의 대량 생산을 가능하게 하였다. ③ 「대동여지도」에서 도로를 직선, 물길을 곡선으로 표현한 이유는 지도를 단색으로 찍어 낼 수밖에 없는 단점을 보완하기 위해서이다. 당시의 모든 도로가 직선이었다는 의미는 아니다.

12 「천하도」와 「지구전후도」의 특징 　답 ④

(가)는 17~18세기에 제작된 「천하도」, (나)는 19세기에 제작된 「지

구전후도」이다. 「지구전후도」에는 아메리카, 오세아니아 등의 대륙이 표현되어 있어 중국, 조선, 일본만 표현된 「천하도」보다 지도 제작자의 세계에 대한 인식 범위가 넓게 반영되어 있음을 알 수 있다. ① (가)는 중화사상, (나)는 실학사상이 반영되었다. ② 천원지방은 (가) 지도 제작 당시의 세계관이다. ⑤ 경위도는 (나) 지도에만 표시되어 있다.

▶ 「천하도」
천하도는 조선 중기 이후에 천원지방(天圓地方) 세계관을 토대로 제작된 지도로, 세계를 원형으로 나타내었다. 지도의 가운데에 중국이 위치한 것으로 보아 중화사상이 반영되어 있으며, 도교적 세계관과 민간 신앙의 영향을 받아 삼수국, 모민국, 여인국 등 상상의 국가와 지명이 다수 표현되어 있다.

13 「조선방역지도」와 「동국대지도」의 특징 　답 ⑤

(가)는 조선 전기에 제작된 「조선방역지도」(1557년), (나)는 조선 후기에 제작된 「동국대지도」(18세기 중엽)이다. ㄴ. 「조선방역지도」는 국가에서, 「동국대지도」는 개인이 제작하였다. ㄷ. 「동국대지도」는 정상기가 제작한 「동국지도」에 기초하여 제작되었으며, 축척을 사용하여 정확도를 높였다. ㄹ. 「조선방역지도」는 북부 지방의 표현이 명확하지 않지만 「동국대지도」는 북부 지방의 국경이 명확하게 표현되어 있다.

14 국토 인식의 변화 　답 ②

(가)는 일제 강점기 때의 국토관, (나)는 현재의 국토관, (다)는 산업화 시대의 국토관이다. 따라서 국토 인식의 변화 순서는 (가) – (다) – (나) 순이다.

15 지리 정보와 지역 조사 　답 ④

항공 사진 촬영, 인공위성 영상 제작 등의 원격 탐사 기술은 인간이 접근하기 어려운 지역에 대한 정보 수집이 용이하다.

① ㉠은 지역의 자연적·인문적 특성을 나타내는 정보이다. (×)
　　　　　　위치 및 형태

② ㉡에는 촬영, ㉢에는 설문지 제작 등이 있다. (×)
　　설문지 제작　관찰, 촬영, 면담, 설문

③ 대체로 ㉢은 ㉡보다 먼저 이루어진다. (×)
　→ 대체로 실내 조사가 야외 조사보다 먼저 이루어진다.

④ ㉣을 이용하면 접근이 어려운 지역의 지리 정보를 얻을 수 있다. (○)

⑤ ㉤ 중 수치 지도는 종이 지도에 비해 자료의 수정과 변환이 어렵다. (×)
　쉽다

16 통계 지도의 유형 　답 ②

(가) 타 지역과의 절대치를 비교할 때는 도형 표현도가 적합하고, (나) 인구 이동과 같이 지리적 현상의 이동을 표현할 때는 유선도가 적합하다. 표준화된 통곗값을 여러 단계로 구분할 경우에는 패턴을 이해할 수 있는 단계 구분도가 적합하다. 보기의 ㄱ은 도형 표현도, ㄴ은 단계 구분도, ㄷ은 유선도이다.

17 지리 정보 체계를 이용한 입지 선정 답 ④

D 지역은 공원과 극장(여가 시설)이 1km 이내, 백화점(상업 시설)이 500m 이내, 학교(교육 시설)가 500m 이내, 지하철과 도로(교통 시설)가 500m 이내에 위치해 있다.

18 지역 조사 과정 답 ④

(가)는 실내 조사, (나)는 지리 정보 분석에 해당한다. 실내 조사 과정에서는 조사 지역에 대한 정보를 인터넷, 문헌, 지도, 통계 자료 등을 활용하여 미리 살펴본다. ㄴ. 조사 지역을 직접 방문하여 궁금한 사항을 주민들에게 질문하는 것은 야외 조사에 해당된다.

내 것으로 만드는 셀파 - Tip

▶ **지리 정보의 수집**
- **실내 조사**: 각종 통계 자료와 지도, 문헌, 인터넷 등을 활용하여 지리 정보 수집, 야외 조사 준비(조사 경로도 작성, 설문지 제작 등)
- **야외 조사**: 실내 조사에서 준비한 사항을 관찰, 실측, 촬영, 면담, 설문 등을 통해 확인

서답형 문제

19 「혼일강리역대국도지도」의 특징
답 「혼일강리역대국도지도」, ⓐ: 유럽, ⓑ: 아프리카, ⓒ: 아라비아반도, ⓓ: 인도, ⓔ: 일본

20 우리나라의 지리적 위치 특성
모범 답안 | ㉠으로 인해 우리나라는 유라시아 대륙의 서안에 위치한 유럽보다 기온의 연교차가 크며, 계절풍 기후가 나타난다. ㉡으로 인해 우리나라는 대륙과 해양으로의 진출에 유리하다.
주요 단어 | 서안, 기온의 연교차, 계절풍 기후, 대륙, 해양, 진출

채점 기준	배점
㉠, ㉡과 관련된 지리적 특성을 각각의 주요 단어로 정확하게 결합시켜 서술한 경우	상
㉠, ㉡ 중 ㉠과 관련된 지리적 특성만 서술한 경우	중
㉠, ㉡ 중 ㉡과 관련된 지리적 특성만 서술한 경우	하

21 영역의 범위
(1) (가): 영공, (나): 영토, (다): 영해, (라): 배타적 경제 수역
(2) **모범 답안** | 배타적 경제 수역에 대해 연안국은 천연자원(생물, 무생물)의 탐사·개발·보존 및 관리, 해수·해류·해풍을 이용한 에너지 생산, 인공 섬 및 기타 구조물 설치와 사용, 해양 과학 조사, 해양 환경의 보호와 보전 등에 관한 주권적 권한을 갖는다.
주요 단어 | 배타적 경제 수역, 주권적 권한, 천연자원(생물, 무생물)의 탐사·개발·보존 및 관리, 수역의 경제적 개발과 탐사, 인공 섬 및 기타 구조물 설치와 사용, 해양 조사

채점 기준	배점
연안국의 권리를 세 가지 이상 서술한 경우	상
연안국의 권리를 두 가지만 서술한 경우	중
연안국의 권리를 한 가지만 서술한 경우	하

Ⅱ 지형 환경과 인간 생활

단원 평가 제2회 p. 9 ~ p. 13

01 ②	02 ①	03 ④	04 ②	05 ②	06 ⑤
07 ④	08 ③	09 ①	10 ①	11 ①	12 ④
13 ③	14 ①	15 ②	16 ③	17 ①	18 ⑤
19 해설 참조		20 해설 참조		21 해설 참조	

01 한반도의 지질 시대별 암석 구성 답 ②

B는 중생대의 퇴적암으로 경상 누층군에 해당한다. 경상 누층군에서는 중생대에 번성했던 공룡의 화석이 대량으로 발견된다. A는 중생대 화성암, C는 시·원생대 변성암, D는 신생대 화성암이다.

정답을 찾아가는 셀파 - Tip

① 지리산의 주요 기반암은 대부분 A로 이루어졌다. (×)
　　　　　　　　　　　　　　　　C
② B에는 공룡의 발자국 화석이 발견된다. (○)
③ C를 기반암으로 하는 산지는 돌산이다. (×)
　　　　　　　　　　　　흙산
④ D는 지하에서 마그마가 관입하여 형성되었다. (×)
→ D는 분출암으로 신생대 화산 활동으로 형성되었다.
⑤ A는 C보다 지질 시대의 형성 시기가 이르다. (×)
→ A는 중생대, C는 시·원생대에 형성되었다.

02 신생대와 중생대의 암석 분포 답 ①

(가)는 중생대, (나)는 신생대의 암석 분포이다. A는 중생대에 관입한 화강암, B는 오랜 시간 퇴적물이 쌓여 형성된 경상 누층군, C는 신생대 퇴적암, D는 신생대 화산 활동에 의한 분출암이다. 화성암은 마그마가 지표면 위로 분출한 암석(현무암, 안산암 등)과 마그마가 지하에 관입하여 형성된 암석(화강암, 반려암 등)으로 구분된다.

03 시·원생대와 고생대의 암석 분포 특징 답 ④

(가)는 시·원생대, (나)는 고생대의 암석 분포이다. A는 변성암, B는 조선 누층군, C는 평안 누층군이다. 변성암으로 이루어진 산지는 대부분 오랜 기간 풍화 작용으로 토양층이 두터운 흙산이다. 석회암은 조선 누층군에, 무연탄은 평안 누층군에 주로 분포한다. ④ 조선 누층군은 고생대 초기에 얕은 바다 밑에서 퇴적된 해성층이며, 평안 누층군은 습지나 호소 밑에서 퇴적된 육성층이다.

04 고생대 이후 주요 지각 변동과 지질 계통 답 ②

(가)는 송림 변동, (나)는 대보 조산 운동, (다)는 경동성 요곡 운동, A는 경상 누층군, B는 제4기층이다. 대보 조산 운동으로 북동-남서 방향의 구조선이 형성되었으며, 지하 깊은 곳에서 마그마가 관입하였다. ① 송림 변동으로 동북동-서남서 방향의 구조선이 형성되었다. ③ 경동성 요곡 운동의 영향을 받아 1차 산맥이 형성되었다. ④ 경상 누층군은 오랫동안 지각 변동의 영향을 받지 않아 지층이 수평으로 유지되었다. ⑤ 갈탄은 신생대 제3기층에 분포한다.

05 변성암, 석회암, 화강암의 특징 　　　　🅐②

A는 변성암, B는 조선 누층군에 분포하는 석회암, C는 화강암이다. 석회암은 시멘트 공업의 주원료로 이용되며, 변성암은 우리나라 전체 암석에서 차지하는 비중이 40% 이상으로 가장 높다. ㄴ. 화강암이 주요 기반암인 산지는 돌산을 이룬다. 흙산은 시·원생대의 변성암이 오랫동안 풍화되어 형성된 산지이다. ㄹ. 사찰의 석탑 제작에 가장 많이 이용되는 암석은 우리나라에서 가장 흔하게 분포하는 화강암이다. 변성암은 공원이나 정원의 조경석으로 많이 활용된다.

06 빙기와 후빙기의 특징 　　　　🅐⑤

A는 후빙기, B는 최종 빙기이다. (가)는 하천의 하류, (나)는 하천의 상류이다. 침식 기준면은 해수면이 하강하면 낮아지기 때문에 빙기가 후빙기보다 낮았다.

정답을 찾아가는 셀파 - Tip

① A 시기에 (가)는 (나)보다 침식 작용이 활발하였다. (×)
　　　　　　　　　　　　　　　　퇴적
② B 시기에 (가)는 (나)보다 퇴적 작용이 활발하였다. (×)
　　　　　　　　　　　　　　　　침식
③ B 시기보다 A 시기에 (가)의 해발 고도가 높았다. (×)
　　　　　　　　　　　　　　　　　　　낮았다
④ A 시기보다 B 시기에 (나)의 식생 밀도가 높았다. (×)
　　　　　　　　　　　　　　　　　　　낮았다
⑤ 침식 기준면은 (가), (나) 모두 B 시기보다 A 시기에 높았다. (○)

07 고위 평탄면의 형성 과정 　　　　🅐④

(가)는 신생대 제3기에 일어난 경동성 비대칭 요곡 운동이다. A는 송림 변동, B는 대보 조산 운동, C는 불국사 변동, D는 경동성 요곡 운동, E는 화산 활동이다.

내 것으로 만드는 셀파 - Tip

▶ 중생대의 지각 운동

지각 운동	시기	영향
송림 변동	초기	· 북부 지방 중심의 지각 운동 · 랴오둥(동북동–서남서) 방향의 구조선 형성
대보 조산 운동	중기	· 가장 격렬했던 지각 운동, 중·남부 중심 · 중국(북동–남서) 방향의 구조선 형성 · 대보 화강암 관입
불국사 변동	말기	· 영남 지방 중심의 지각 운동 · 불국사 화강암 관입

08 우리나라 산지의 동서 단면도 　　　　🅐③

(가)는 가운데 부분의 해발 고도가 높게 나타나고 서쪽에 비해 동쪽의 해발 고도가 다소 높기 때문에 남부 지방의 지형 단면도이다. (나)는 서쪽에서 동쪽으로 갈수록 해발 고도가 상승하다가 동쪽 끝에서 급경사를 이루는 경동 지형이 나타나므로 중부 지방의 지형 단면도이다. 백두대간에 속하는 주요 산은 해발 고도가 높으며, 금강산, 설악산, 오대산, 덕유산, 지리산 등이 대표적이다. 이 중 금강산, 설악산 등은 돌산, 오대산, 덕유산, 지리산 등은 흙산으로 분류된다. ③ 덕유산은 소백산맥, 오대산은 태백산맥에 속하는 산이다.

09 우리나라 산지 지형의 이용 현황 　　　　🅐①

(가)는 서울, (나)는 평창, (다)는 태백, (라)는 무주, (마)는 남해이다. (가)에 위치한 북한산, 관악산, 인왕산 등은 돌산이다. 돌산의 정상부는 화강암의 기암괴석으로 이루어져 있으며, 사방의 시야가 트여 전망이 좋은 편이다.

10 고위 평탄면과 침식 분지 　　　　🅐①

A는 고위 평탄면, B는 침식 분지이다. 고위 평탄면은 해발 고도가 높아 바람의 저항이 적고 풍속이 강하기 때문에 풍력 발전소 건설에 유리하다. 침식 분지는 전통적으로 벼농사 중심의 농업이 이루어져 왔다. ㄴ. 기온 역전 현상은 침식 분지에서 잘 발생한다. ㄷ. 지반 융기의 영향은 침식 분지보다 고위 평탄면이 많이 받았다.

자료를 분석하는 셀파 - Tip

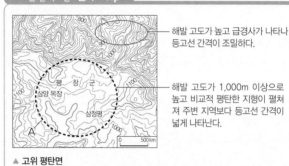

— 해발 고도가 높고 급경사가 나타나 등고선 간격이 조밀하다.

— 해발 고도가 1,000m 이상으로 높고 비교적 평탄한 지형이 펼쳐져 주변 지역보다 등고선 간격이 넓게 나타난다.

▲ 고위 평탄면

11 우리나라 하천의 특징 　　　　🅐①

세계 주요 하천의 하상계수는 우리나라의 하천보다 작은 편이다. 하상계수가 작다는 것은 강수의 계절 차가 작다는 것을 의미한다. 따라서 라인강은 금강보다 내륙 수운에 유리하다. 섬진강의 하상계수가 매우 큰 이유는 여름철에 강수가 집중하기 때문이다. ㄴ. 유역 면적은 하천의 규모에 비례한다. 미시시피강은 낙동강보다 유역 면적이 넓다. ㄷ. 여름철 계절풍의 영향이 강하면 강수가 여름철에 집중하여 하상계수가 커진다.

12 자유 곡류 하천과 감입 곡류 하천 　　　　🅐④

(가)는 하천 중·하류의 자유 곡류 하천, (나)는 하천 상류의 감입 곡류 하천이다. (가), (나) 하천은 황해로 흘러드는 동일한 하천이기 때문에 상류에 위치한 (나)는 (가)보다 동해안과의 직선거리가 가깝다. 하천의 상류는 하천의 하류보다 하상의 평균 해발 고도가 높고 하방 침식 작용이 우세하며, 퇴적물의 평균 입자 크기가 크다.

정답을 찾아가는 셀파 - Tip

① (가)는 (나)보다 하방 침식 작용이 우세하다. (×)
　　　　　　　측방
② (가)는 (나)보다 하상의 평균 해발 고도가 높다. (×)
　　　　　　　　　　　　　　　　낮다
③ (가)는 (나)보다 퇴적물의 평균 입자 크기가 크다. (×)
　　　　　　　　　　　　　　　　작다
④ (나)는 (가)보다 동해안과의 직선거리가 가깝다. (○)
⑤ 하천 주변의 충적층 두께는 (나)가 (가)보다 두껍다. (×)
　　　　　　　　　　　　　(가)가 (나)보다

13 하천 상류와 하류 지역   답 ③

(가)는 한강 하구, (나)는 금강 상류, (다)는 영산강 하구, (라)는 낙동강 하구이다. 하천의 상류는 하류에 비해 해발 고도가 높고 낙차가 크기 때문에 수력 발전소 건설에 유리하다. ① 평균 해발 고도는 하천 상류인 (나)가 (가)보다 높다. ② 퇴적물의 원마도는 하류로 갈수록 높아진다. ④ 하상의 평균 경사는 상류가 하류보다 급하다. ⑤ 하굿둑이 건설된 우리나라의 하천은 금강, 영산강, 낙동강이다.

14 하안 단구와 삼각주   답 ①

A는 하천 상류에 형성된 하안 단구, B는 하천 하구에 형성된 삼각주이다. 삼각주는 하안 단구보다 범람의 가능성이 높고, 하구에 위치하므로 바다와의 거리가 가깝다. ㄴ, ㄹ. 하안 단구는 삼각주보다 하천 상류에 발달하기 때문에 평균 해발 고도가 높고 퇴적물의 평균 입자 크기가 크다.

15 해안 단구의 형성 과정   답 ②

해안 단구는 지반의 융기와 해수면의 하강으로 인해 형성된 계단 모양의 지형이다. A와 B는 과거 파식대 지형으로, 파랑의 침식 작용으로 평탄해졌다. ① A는 단구면으로 바닷물에 잠기지 않는다. ③ 사빈은 만(灣)에 잘 발달한다. ④ (다)는 융기나 해안 침식이 진행되기 전에 해당한다. ⑤ 형성 시기가 이른 것부터 나열하면 (다)-(나)-(가)-(라) 순이다.

16 우리나라 해안의 특징   답 ③

(가)는 동해안, (나)는 서·남해안이다. 서·남해안은 동해안에 비해 해안이 복잡한 리아스 해안이며, 조수 간만의 차가 크다. 또한 하천 하구에 갯벌이 분포하기 때문에 퇴적물의 평균 입자 크기가 작다.

17 울릉도의 화산 지형   답 ①

울릉도는 대규모 화산 폭발로 형성된 칼데라 분지 속에서 소규모 화산이 다시 폭발한 이중 화산이다. 따라서 바깥의 외륜산에 해당하는 A 산은 알봉보다 형성 시기가 이르다.

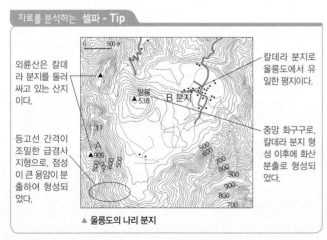

자료를 분석하는 **셀파 - Tip**

외륜산은 칼데라 분지를 둘러싸고 있는 산지이다.

등고선 간격이 조밀한 급경사 지형으로, 점성이 큰 용암이 분출하여 형성되었다.

칼데라 분지로 울릉도에서 유일한 평지이다.

중앙 화구구로, 칼데라 분지 형성 이후에 화산 분출로 형성되었다.

▲ 울릉도의 나리 분지

18 카르스트 지형   답 ⑤

지도는 카르스트 지형이 나타나는 지역이다. A는 돌리네이며, 고생대에 형성된 기반암인 석회암의 용식 작용으로 형성되었다. 카르스트

지형 주변에는 붉은색의 토양인 테라로사가 분포한다. ⑤ 카르스트 지형은 절리가 잘 발달하여 지표수가 부족하다. 따라서 이 지역에서는 논농사보다 주로 밭농사가 이루어진다.

19 자유 곡류 하천의 특징

(1) 우각호

(2) **모범 답안** | A는 퇴적 사면으로 유속이 느려 퇴적 작용이 활발하다. B는 공격 사면으로 유속이 빨라 침식 작용이 활발하다.

(3) ㉠ ⌒⌒ ㉡

주요 단어 | 퇴적 사면, 유속, 퇴적 작용, 공격 사면, 침식 작용

채점 기준	배점
(1), (3)을 쓰고, 퇴적 사면과 공격 사면, 퇴적·침식 작용의 단어를 모두 포함하여 A, B의 특성을 비교 서술한 경우	상
(1), (3)을 쓰고, 퇴적 사면과 공격 사면이나 퇴적·침식 작용 중 한 가지만 제시하여 A, B의 특성을 비교 서술한 경우	중
A, B의 특징을 서술하지 못하고 (1) 또는 (3)만 썼을 경우	하

20 해안 지형의 특징

(1) A: 곶, B: 만

(2) **모범 답안** | A는 파랑 에너지가 집중하여 침식 작용이 활발하다. B는 파랑 에너지가 분산하여 퇴적 작용이 활발하다. A에서는 해식애, 파식대, 시 스택, 해식동 등이 형성되며, B에서는 사빈, 사주, 육계도 등이 형성된다.

주요 단어 | 파랑 에너지, 침식 작용, 퇴적 작용, 해식애, 파식대, 시 스택, 해식동, 사빈, 사주, 육계도

채점 기준	배점
(1)을 쓰고, A, B의 발달 특성과 대표 지형을 두 가지 이상 포함시켜 서술한 경우	상
(1)을 쓰고, A, B의 발달 특성과 대표 지형을 한 가지만 포함시켜 서술한 경우	중
(1)만 쓰거나, A, B의 발달 특성과 대표 지형 중 한 가지만 서술한 경우	하

21 카르스트 지형의 형성 원인과 사례

모범 답안 | 카르스트 지형은 산호초나 조개껍질 등 탄산 칼슘 성분이 해저에 쌓여 형성된 석회암이 조륙 운동에 의해 지표로 드러난 후 오랜 기간 용식 작용(화학적 풍화)을 받아 형성되었다. 지표면에는 돌리네, 우발레, 폴리에 등이 형성되고 지하에는 석회동굴이 형성되는데, 동굴 내부에는 탄산 칼슘이 침전되면서 종유석, 석순, 석주 등이 발달한다.

주요 단어 | 용식 작용(화학적 풍화), 돌리네, 우발레, 폴리에, 석회동굴, 종유석, 석순, 석주

채점 기준	배점
카르스트 지형의 형성 원인을 설명하고, 지표와 지하의 대표적인 지형을 각각 두 가지 이상 쓴 경우	상
카르스트 지형의 형성 원인을 설명하고, 지표와 지하의 대표적인 지형을 각각 한 가지만 쓴 경우	중
카르스트 지형의 형성 원인만 설명하거나 대표적인 지형만 쓴 경우	하

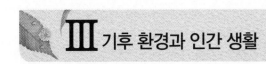

III 기후 환경과 인간 생활

단원 평가 제**3**회				p. 15 ~ p. 19	
01 ④	02 ②	03 ③	04 ①	05 ⑤	06 ③
07 ③	08 ①	09 ②	10 ③	11 ②	12 ②
13 ④	14 ①	15 ⑤	16 ③	17 ⑤	18 ①
19 해설 참조		20 해설 참조			

01 육지와 바다의 비열 차이에 따른 기온 변화 답 ④

육지는 비열이 작은 물질로 이루어져 있기 때문에 비열이 큰 물질로 이루어진 바다에 비해 기온 변화가 크다. ㄱ. 여름 한낮에는 바다가 육지보다 기온이 낮아 상대적으로 기압이 높기 때문에 바다에서 육지로 바람이 분다. ㄴ. 내륙 지역은 해안 지역에 비해 여름에는 기온이 높고 겨울에는 기온이 낮기 때문에 기온의 연교차가 크다. ㄷ. 해발 고도가 높아질수록 기온이 낮아지는 현상과 관련 있다. ㄹ. 겨울에는 육지인 대륙이 차갑게 식기 때문에 대륙 지역에 고기압이 형성되며, 이로 인해 대륙에서 바다로 바람이 분다.

02 지역별 기후 특성 답 ②

기온의 연교차는 상대적으로 위도가 높고 내륙 지역에 위치한 동두천이 가장 크고, 동해안에 위치한 강릉이 가장 작다. 겨울에 눈이 많이 내리는 정읍과 강릉은 겨울 강수 집중률이 동두천보다 높다. 따라서 (가)는 동두천, (나)는 정읍, (다)는 강릉이다.

03 지역별 기온 분포 답 ③

A는 삼지연, B는 청진, C는 원산, D는 평양, E는 인천, F는 서울, G는 강릉, H는 대구이다. 기온은 위도 및 해발 고도가 높아질수록 낮아진다. 또한 여름에는 내륙이 해안보다 기온이 높고, 겨울에는 해안이 내륙보다 기온이 높다. ㄱ. 해발 고도가 높은 삼지연은 해안에 위치한 청진보다 최난월 평균 기온이 낮다. ㄴ. 동해안에 위치한 원산은 내륙에 위치한 평양보다 최한월 평균 기온이 높다. ㄷ. 서울은 대구보다 고위도에 위치하여 겨울이 춥기 때문에 기온의 연교차가 크다. ㄹ. 강릉은 인천보다 겨울에는 따뜻하고 여름에는 시원하다.

04 일 최고 기온 35℃ 이상의 연간 일수 분포 답 ①

지도는 일 최고 기온 35℃ 이상의 연간 일수를 지역별로 나타낸 것이다. 여름철 기온은 대구를 중심으로 한 남부 내륙 지역에서 높게 나타나고, 해발 고도가 높은 산지 지역에서 낮게 나타난다. ② 북동 기류가 겨울철에 유입되면 동해안에 눈이 내리고, 늦봄에서 초여름에 유입되면 영서 지방에 고온 건조한 현상이 나타난다. ③ 본격적인 여름 무더위가 시작되기 전인 초여름에 장마의 영향을 받는다. ④ 이동성 저기압이 우리나라를 통과하는 날에는 비가 내린다. ⑤ 기온 역전 현상에 대한 내용이다.

05 우리나라의 강수 특성 답 ⑤

우리나라는 여름철에 강수가 집중되며 지형과 풍향의 영향으로 지역에 따라 강수량의 차이가 크다. 여름철 우리나라로 유입하는 남서 기류의 바람받이 지역인 한강 중·상류 지역과 남해안 일대, 청천강 중·상류 지역은 강수량이 많은 지역이며, 바람그늘 지역인 영남 내륙 지역과 개마고원 일대는 상대적으로 강수량이 적은 지역이다. ⑤ 대동강 하류는 높은 산지가 없는 평평한 지형으로 상승 기류가 발생하기 어려워 연 강수량이 적은 편이다.

06 우리나라의 강수 특성 답 ③

지도에서 A는 서울, B는 강릉, C는 목포, D는 거제이다. 네 지역 중에서 연 강수량이 가장 많은 지역은 거제(ㄹ)이고, 가장 적은 지역은 목포(ㄷ)이다. 서울은 여름에 강수 집중률이 높으므로 ㄴ에 해당되고, 강릉은 겨울에 눈이 많이 내리므로 ㄱ에 해당된다.

07 우리나라의 다설 지역 답 ③

차가운 북서 계절풍이 황해를 지나는 과정에서 열과 수증기를 공급받아 눈구름이 만들어지고, 이 눈구름의 영향으로 호남 지역(C)에 많은 눈이 내린다.

자료를 분석하는 셀파 - Tip

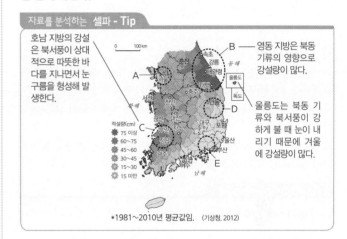

호남 지방의 강설은 북서풍이 상대적으로 따뜻한 바다를 지나면서 눈구름을 형성해 발생한다.

영동 지방은 북동 기류의 영향으로 강설량이 많다.

울릉도는 북동 기류와 북서풍이 강하게 불 때 눈이 내리기 때문에 겨울에 강설량이 많다.

적설량(cm)
- ☀ 75 이상
- ☀ 60~75
- ☀ 45~60
- ☀ 30~45
- ☀ 15~30
- ☀ 15 미만

*1981~2010년 평균값임. (기상청, 2012)

08 우리나라에 영향을 주는 계절풍 답 ①

(가)는 해양에서 대륙으로 부는 여름 계절풍, (나)는 대륙에서 해양으로 부는 겨울 계절풍을 나타낸 것이다. ㄱ. 우리나라는 겨울보다 여름에 강수량이 많다. ㄴ. 평균 풍속은 여름보다 겨울에 강하다. ㄷ. 낮의 길이는 겨울보다 여름에 길다. ㄹ. 기온의 지역 차이는 여름보다 겨울에 크다.

09 우리나라의 겨울과 여름의 풍향 답 ②

바람장미는 관측 지점에서 각 방위별 풍향 출현 빈도와 최대 풍속을 방사 모양으로 나타낸 것이다. 동심원은 바람의 빈도를, 막대의 방향과 길이는 각각 풍향과 풍속을 나타낸다. 우리나라는 북서 계절풍의 영향으로 대부분의 지역에서 여름철에 비해 겨울철에 바람이 강하게 불며, 장애물이 없는 섬과 해안, 높은 산지에서 바람이 더 탁월하다. (가)는 서해안 지역에서 북서풍이 우세하므로 1월의 풍향, (나)는 대부분의 지역에서 남서·남동풍이 우세하므로 7월의 풍향을 나타낸 것이다. ㄱ. 대부분의 지역에서 겨울철에 바람이 강하게 불며, 장애물이 없는 섬과 해안 지역에서 바람이 더 강하게 분다. ㄴ. 서해안에 위치한 목포에서는 겨울 북서풍이 강하게 분다. ㄷ. 강릉은 두 시기 모두 남서풍이 우세하다. ㄹ. 울릉도는 1월과 7월 모두 남서풍과 북동풍이 우세하다.

10 우리나라에 영향을 주는 기단 　답③
　A는 시베리아 기단으로 겨울철에 영향을 미친다. B는 오호츠크해 기단으로 주로 늦봄에서 초여름에 영향을 미친다. C는 북태평양 기단으로 한여름에 영향을 미치며, 오호츠크해 기단과 함께 장마 전선을 형성한다.

▶ **우리나라에 영향을 주는 기단**

기단	시기	성질	영향
시베리아 기단	겨울 (늦가을~초봄)	한랭 건조	한파, 삼한 사온, 꽃샘추위
오호츠크해 기단	늦봄~초여름	냉량 습윤	높새바람, 여름철 냉해, 장마 전선 형성
북태평양 기단	여름	고온 다습	무더위, 열대야, 장마 전선 형성
적도 기단	여름	고온 다습	태풍

11 우리나라의 전통 가옥 구조 　답②
　(가)는 남부 지방의 전통 가옥 구조, (나)는 관북 지방의 전통 가옥 구조이다. ㄱ. 북부 지방으로 갈수록 기온의 연교차가 크게 나타난다. ㄴ. 남부 지방의 전통 가옥에는 여름 더위에 대비하기 위한 넓은 대청마루가 나타난다. ㄷ. 남부 지방에서 북부 지방으로 갈수록 무상 일수가 짧아진다. ㄹ. 겨울이 춥고 긴 관북 지방에서는 열 손실을 줄이기 위해 정주간을 두고 방을 겹으로 배치하였다.

▶ **기온과 전통 가옥 구조**

여름철 무더위 대비	홑집, 개방적인 구조, 중·남부 지방의 전통 가옥에는 바람이 잘 통하는 대청마루 설치
겨울철 추위 대비	겹집, 폐쇄적인 구조, 겨울 추위에 대비해 온돌 설치, 관북 지방의 전통 가옥에는 추운 겨울철 작업 공간으로 활용할 수 있는 정주간 설치

12 강수와 주민 생활 　답②
　안동 일대는 강수량이 적고 일조량이 풍부해 과수원이 많다. 신안은 강수량이 비교적 적고 일조 시간이 길어 염전이 발달하였다. 태백에서는 겨울에 많이 내리는 눈을 이용한 눈 축제가 열린다. 따라서 모두 강수와 관련 있는 주민 생활이다.

13 바람과 주민 생활 　답④
　까대기는 건물이나 담 등에 임시로 덧붙여서 만든 건조물로, 북서풍이 강하게 부는 전라도 해안이나 바닷가 주변 어촌에서 주로 볼 수 있다. 풍력 발전은 바람을 이용하여 전기 에너지를 만든다. ㄱ. 차 밭의 바람개비는 기온 역전 현상으로 발생하는 작물의 냉해 피해를 줄이기 위해 설치한 시설물이다. ㄹ. 강수량이 적고 일조 시간이 긴 대동강 하구를 비롯한 서해안 지역에는 천일제염업이 발달하였으며, 이는 강수와 관련 있는 주민 생활 모습이다.

14 기온 역전 현상 　답①
　기온 역전 현상은 맑고 바람이 없는 날 야간에 분지에서 잘 나타난다. 이때 지면이 냉각되면서 산 정상부에서 골짜기 쪽으로 냉기류가 내려와 분지 내의 농작물이 냉해를 입을 수 있고, 도시의 경우 대기 오염 물질이 상층으로 확산되지 못해 대기 오염이 심화되며 스모그 현상이 발생할 수 있다. ㄴ. 기온 역전층은 상층으로 올라갈수록 기온이 높아지기 때문에 대기가 안정되어 공기의 이동이 거의 없다. ㄷ. 열섬 현상과 관련된 내용이다.

▶ **기온 역전 현상**

늦가을에서 초봄 사이의 맑은 날 밤에 복사 냉각이 활발하게 일어나면 지표 부근의 기온이 하강하여 산지에서 형성된 찬 공기가 더 무겁게 되어 사면을 따라 아래로 흘러간다. 이 때문에 분지의 내부는 상층으로 올라갈수록 기온이 높아지는 안정층이 형성되는데 이러한 현상을 기온 역전 현상이라고 한다.

15 불투수층 비율과 도시 사막화 　답⑤
　불투수층 비율이 높다는 것은 지표면이 시멘트나 아스팔트로 포장되어 있음을 의미하며, 이를 통해 총면적에서 차지하는 녹지 면적 비중이 낮다는 것을 추론할 수 있다. ㄱ. 불투수층 비율이 높은 광역시는 도(道)에 비해 상대 습도가 낮다.

16 우리나라의 자연재해 　답③
　우리나라는 강수의 계절 차와 연 변동이 크고, 태풍이 통과하므로 홍수, 가뭄, 태풍 등의 자연재해가 잦다. 태풍 피해는 진행 방향의 왼쪽인 가항 반원보다 진행 방향의 오른쪽인 위험 반원에서 더 크게 발생한다. 우리나라는 태풍이 통과하는 지역의 오른쪽인 위험 반원에 자주 놓이는 남동 해안 지역의 피해가 크다.

17 기후 변화의 영향 　답⑤
　우리나라에서 사과 재배 적지가 감소하는 것은 지구 온난화의 영향 때문이다. 한반도의 기온 상승은 농작물의 재배지 북상, 한류성 어종의 어획량 축소, 난대림 분포 지역의 확대 등 식생 및 농업 활동에 다양한 영향을 준다. 기온이 상승하면 더위에 대비하여 가정에서 냉방을 위한 전력 소비가 증가하게 된다.

① 여름이 짧아질 것이다. (×)
　　　　길어질 것
② 김장을 담그는 시기가 빨라질 것이다. (×)
　　　　　　　　늦어질 것
③ 냉대림의 분포 면적이 확대될 것이다. (×)
　　　　　　　　축소
④ 열대성 질병의 출현 빈도가 낮아질 것이다. (×)
　　　　　　　　　　　높아질 것
⑤ 가구당 냉방용 전력 소비량이 증가할 것이다. (○)

18 식생의 분포 　답①
　식생 분포는 기온과 강수량의 영향이 큰데, 우리나라는 어느 지역이든 식물이 자랄 수 있을 만큼 강수량이 충분하다. 따라서 우리나라 식생 분포의 지역 차이는 강수량보다는 기온의 영향을 더 크게 받는다. ② 난대림은 최한월 평균 기온 0℃ 이상인 지역을 중심으로 분포하며, 이러한 지역은 남해안과 제주도 및 울릉도의 해발 고도가 낮은 지역이다. 난대림 지대에서는 동백나무, 후박나무 등의 상록 활엽수가 주로 자란다. ③ 온대림은 고산 지역을 제외한 우리나라 대부분의 지역에 분포하며, 낙엽 활엽수와 상록 침엽수가 섞여 자란다. ④ 냉대림은 개마고원을 중심으로 한 북부 지역과 고산 지역에 주로 분포하며, 전나무, 가문비나무 등의 침엽수가 자란다. ⑤ 기후 변화는 식생의 수직 분포에도 영향을 미치는데, 저지대의 수종이 고지대로 확산됨에 따라 고산대의 식생이 감소할 가능성이 커지고 있다.

서답형 문제

19 우리나라의 강수 분포

모범 답안 | 연 강수량이 가장 많은 곳은 D이고, 가장 적은 곳은 A이다. D는 태풍의 영향이 크고, 남동·남서 계절풍이 불 때 한라산의 바람받이에 해당하여 지형성 강수가 많이 내리기 때문에 연 강수량이 많다. A는 태풍의 영향이 작고, 남서 계절풍이 불 때 함경산맥의 바람그늘에 해당할 뿐만 아니라 연안에 한류가 흐르기 때문에 연 강수량이 적다.

주요 단어 | 남동 계절풍, 남서 계절풍, 바람그늘, 바람받이, 태풍, 한류, 지형성 강수

채점 기준	배점
연 강수량이 많은 곳과 적은 곳을 옳게 고르고, 두 지역의 연 강수량이 많고 적음에 대한 이유를 적절하게 설명한 경우	상
연 강수량이 많은 곳과 적은 곳을 옳게 고르고, 한 지역의 연 강수량이 많고 적음에 대한 이유를 적절하게 설명한 경우	중
연 강수량이 많은 곳과 적은 곳을 옳게 고르거나, 한 지역의 연 강수량이 많고 적음에 대한 이유를 적절하게 설명한 경우	하

20 기후 변화의 영향

모범 답안 | (1) 그래프에서 1968~1975년 대비 1999~2015년의 평균 개화 시기는 6일 정도 빨라졌다. 개화 시기가 빨라진 것은 지구 온난화의 영향으로 우리나라의 연평균 기온이 상승했기 때문이다.

(2) 기온이 상승하게 되면 냉대림의 분포 면적은 감소하고 난대림의 분포 면적은 증가하게 된다. 남해안에서 자라는 난대림의 분포 면적이 북쪽으로 확대된다. 고산 식물의 서식 환경이 나빠져 분포 면적이 감소한다. 한라산 식생 분포의 고도 한계가 높아진다. 단풍이 드는 시기가 늦어진다.

주요 단어 | 개화 시기, 지구 온난화, 냉대림, 난대림, 고산 식물, 고도 한계

채점 기준	배점
개화 시기가 빨라진 원인을 기술하고, 기후 변화가 식생에 미치는 영향을 두 가지 이상 서술한 경우	상
개화 시기가 빨라진 원인을 기술하고, 기후 변화가 식생에 미치는 영향을 한 가지만 서술한 경우	중
개화 시기가 빨라진 원인을 기술하거나, 기후 변화가 식생에 미치는 영향을 한 가지만 서술한 경우	하

Ⅳ 거주 공간의 변화와 지역 개발

단원 평가 제4회 p. 21 ~ p. 25

01 ⑤	02 ①	03 ④	04 ⑤	05 ④	06 ①
07 ④	08 ①	09 ④	10 ②	11 ③	12 ①
13 ②	14 ③	15 ③	16 ②	17 ⑤	18 ①
19 해설 참조		20 해설 참조			

01 전통 촌락의 입지와 변화 답 ⑤

촌락은 생산 기능에 따라 농촌, 어촌, 산지촌 등으로 구분하며 자연환경에 기반을 두고 생산 활동을 한다. 논에서는 벼를 재배하는데, 최근 1인당 쌀 소비량이 감소하면서 논을 밭으로 전용하는 사례가 증가하고 있다. ① 농촌은 농산물, 어촌은 해산물, 산지촌은 농산물과 임산물을 생산하는 공간이다. ② 제주도는 기반암이 절리가 발달한 현무암이어서 지표수가 부족하기 때문에 샘이 분포하는 해안 지역을 따라 전통 촌락이 분포하였다. ③ 산지가 많은 우리나라에서 침식 분지는 농경지를 확보할 수 있는 공간이었기 때문에 일찍부터 거주 공간으로 이용되어 왔다. ④ 배산임수의 입지는 겨울에 차가운 북서 계절풍을 막을 수 있고, 농업용수와 생활용수를 확보하기에 유리하다.

02 집촌과 산촌의 특징 답 ①

(가)는 집촌, (나)는 산촌이다. 집촌에 비해 산촌은 경지 내에 가옥이 위치하여 가옥과 경지의 결합도가 높고 논의 비중이 낮으며, 공동체 의식이 약한 편이다.

내 것으로 만드는 셀파 - Tip

▶ **집촌과 산촌 비교**

구분	집촌	산촌
의미	특정 장소에 가옥이 밀집하여 분포하는 촌락	가옥이 흩어져 분포하여 가옥의 밀집도가 낮은 촌락
특징	가옥과 경지가 멀어 경지 관리가 비효율적임, 가옥 간의 거리가 가깝고, 협동 노동에 유리함, 공동체 의식이 강함.	경지 가까이에 가옥이 위치하여 경지 관리가 효율적임, 가옥 간의 거리가 멀고, 공동체 의식이 약함.
분포 지역	벼농사 지역, 동족촌 등	밭농사 지역이나 과수원 분포 지역, 산간 지역 등

03 촌락의 인구 변화 답 ④

그래프는 전북 임실군의 인구 구조이다. 이촌 향도로 1990년에 비해 2015년에 유소년층 인구 및 청장년층 인구 비중은 감소하고, 노년층 인구 비중은 증가하였다. 이에 따라 1990년에 비해 2015년에는 노령화 지수가 높고, 농가 호당 경지 면적이 증가하였다. ㄱ. 경지 이용률이 낮다. ㄷ. 초등학교의 학급 수가 적다.

04 중심지 이론과 정주 체계 답 ⑤

그림은 중심지 체계를 그림으로 나타낸 것이다. 촌락에서 대도시로

갈수록 고차 중심지이기 때문에 A는 중소 도시, B는 읍이다. 읍과 같이 저차 기능을 수행하는 중심지는 배후 지역에 거주하는 주민들의 중심지 이용 빈도가 높다.

05 도시의 규모와 중심지 기능　　답 ④

(가)는 대구, (나)는 구미, (다)는 상주이다. 도시 규모에 따라 고차 중심지부터 나열하면 대구, 구미, 상주 순이다. 상주는 대구와 면적이 비슷하지만 교육 서비스 업체 수가 적으므로 교육 서비스 업체당 배후지의 범위가 대구보다 넓다. ① 대구는 상주와 면적에서 큰 차이가 없지만 인구가 많기 때문에 초등학교 수도 많다. 따라서 대구는 상주보다 초등학생의 평균 통학 거리가 가깝다. ② 고차 중심지일수록 상업 지역의 지가가 높으므로 대구는 상주보다 상업 지역의 최고 지가가 높다. ③ 대구는 구미보다 중심 기능이 다양하다. ⑤ 두 지역 간의 상호 작용은 인구 규모가 클수록, 거리가 가까울수록 활발한 경향이 있다. 대구와 구미 간의 상호 작용은 대구와 상주 간의 상호 작용보다 더 활발하게 나타난다.

06 인구 증가에 따른 도시 순위 변화　　답 ①

그래프는 인구 증가에 따른 도시 순위 변화를 나타낸 것이다. 2015년 도시 인구는 서울이 가장 많고 다음으로 부산이 많다. 과거 지방의 중심 도시였던 전주와 목포 등의 순위는 낮아졌고, 공업 도시인 울산과 창원, 위성 도시인 고양 등은 순위가 높아졌다. 우리나라는 서울의 과도한 인구 집중으로 종주 도시화 현상이 나타났으며, 대도시권의 광역화로 수도권의 10대 도시 수가 1960년보다 2015년에 더 많아졌다. ㄷ. 1960년에 비해 2015년에 호남권의 10대 도시 수는 감소하였다. ㄹ. 1960년에는 대구가 인천보다 인구가 많아 도시 순위가 높았지만, 2015년에는 인천의 도시 순위가 대구보다 높아졌다.

07 도시 성장의 지역별 차이　　답 ④

그래프는 고양, 전주, 울산의 인구 변화를 나타낸 것이다. (가)는 1970~1995년에 빠르게 성장하고 이후에는 완만하게 성장하는 도시이다. 세 도시 중에서 1970년대부터 빠르게 성장한 도시는 중화학 공업을 바탕으로 성장한 울산(C)이다. (나)는 1990년대 이후 급격하게 성장한 도시로 고양(A)이다. 고양시는 서울과 인접하고 서울의 인구 기능 분산 과정에서 성장한 도시인데, 서울의 인구 교외화는 1990년대 이후 뚜렷하게 나타난다. (다)는 1970년에는 세 지역 중에서 인구가 가장 많은 도시였지만 나머지 두 도시에 비해 완만한 성장을 한 도시이다. 이는 전라북도의 전통적 지방 중심 도시인 전주(B)이다. 따라서 (가)는 울산(C), (나)는 고양(A), (다)는 전주(B)이다.

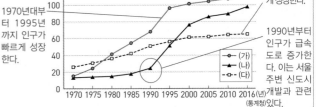
08 부산의 도시 내부 구조　　답 ①

지도에서 (가)는 사업체 수의 비율이 낮고 종사자 수도 적으므로 부산광역시의 주변 지역에 해당한다. (나)는 부산광역시의 중심부에 위치하고, 사업체 수의 비율이 높고 종사자 수도 많으므로 도심에 해당한다. 주변 지역에 비해 도심은 주간 인구 지수가 높고, 시가지의 형성 시기가 이르다.

09 도시 내부 구조　　답 ④

그래프에서 (가)와 (다)는 상주인구에 비해 주간 인구가 많으며 금융 및 보험업체 수도 많다. 주간 인구 지수는 (주간 인구÷상주인구)×100으로 구하는데, (가)의 주간 인구 지수는 약 172, (다)의 주간 인구 지수는 약 250이다. 따라서 주간 인구 지수는 (다)가 (가)보다 높기 때문에 (가)는 부도심, (다)는 도심에 해당한다. (나)는 상주인구에 비해 주간 인구가 적으며 금융 및 보험업체 수도 적은 곳이다. 지도에서 A는 주변 지역(노원구), B는 도심(중구), C는 부도심(강남구)이다. 따라서 (가)는 부도심인 강남구(C), (나)는 주변 지역인 노원구(A), (다)는 도심인 중구(B)이다.

10 대도시권의 확대와 토지 이용 변화　　답 ②

대도시 주변의 근교 지역은 교통 발달에 따른 대도시의 영향력이 확대되면서 토지 이용에 큰 변화가 나타난다. ① 상업적 농업이 활발해지면서 시설 재배가 늘어나는 등 농업적 토지 이용의 집약도가 높아진다. ②, ④ 경지가 주거지나 공장 용지 등으로 이용되면서 비농업적 토지 이용이 늘어나 경지 면적이 감소한다. 경지 면적 중에서는 상업적 농업의 확대로 밭의 비율은 높아지지만 논의 비율은 감소한다. ③ 교통이 편리한 곳에는 대형 마트나 쇼핑센터가 들어서기도 한다. ⑤ 자연환경이 좋은 곳은 도시 주민들의 여가 공간으로 활용되면서 주말농장, 숙박 시설 등이 나타난다.

11 대도시권의 공간 구조　　답 ③

그림에서 A는 대도시권의 중심부에 위치하므로 중심 도시, B는 중심 도시와 인접한 지역이므로 교외 지역, C는 배후 농촌 지역이다. 중심 도시는 도시 내부 구조의 분화가 뚜렷하고 교통이 발달하면 그 범위가 확대된다. 대도시권의 중심 도시에서 멀어질수록 중심 도시로 통근하는 비율이 낮아지고, 대도시권이 확대되면 교외 지역에서 대도시로 통근하는 비율이 높아진다. ㄴ. 대도시권이 확대되면 중심 도시의 주간 인구 지수는 높아진다. ㄷ. 교외 지역은 배후 농촌 지역보다 중심 도시로 통근하는 비율이 높다.

12 대도시권인 서울 주변의 공간 구조　　답 ①

A는 12세 이상 인구와 통근자 수가 가장 많고, 서울로의 통근자 비율이 높지만 지역 내 통근자 비율은 70.3%인 곳이다. B는 12세 이상 인구와 통근자 수가 두 번째로 많고, 서울로의 통근자 비율이 35.5%로 매우 높은 곳이다. C는 12세 이상 인구와 통근자 수가 가장 적으며, 서울로의 통근자 비율이 2.4%로 낮지만 지역 내 통근자 비율은 가장 높은 곳이다. 따라서 A는 자족 기능이 비교적 높은 도시, B는 자족 기능이 낮고 서울과 가까운 도시, C는 서울에서 먼 지역이다. 참고로 A는 안산시, B는 구리시, C는 연천군이다.

정답을 찾아가는 셀파 - Tip

① A는 B보다 지역 내 종사자 대비 일자리가 많다. (○)
　→ 지역 내 통근자 비율이 높다는 것은 지역 내 종사자 대비 일자리가 많다는 것을 의미한다.

② B는 A보다 통근 시간대에 유출 통근자 수가 많다. (×)
　→ B의 유출 통근자 수는 약 58,636(10.7만 명×0.548)명, A의 유출 통근자 수는 약 125,334(42.2만 명×0.297)명으로, B는 A보다 유출 통근자 수가 적다.

③ B는 C보다 서울과의 거리가 멀다. (×)
　→ B는 C보다 서울로의 통근자 비율이 높으므로 서울과의 거리가 가깝다.

④ C는 A보다 지역 내 통근자 수가 많다. (×)
　→ C의 지역 내 통근자 수는 약 21,200(2.5만 명×0.848)명, A의 지역 내 통근자 수는 약 296,666(42.2만 명×0.703)명으로, C는 A보다 지역 내 통근자 수가 적다.

⑤ C는 B보다 주간 인구 지수가 낮다. (×)
　→ C는 B보다 지역 내 통근자 비율이 높으므로 주간 인구 지수가 높다.

13 도시 재개발 방식의 특징　　답 ②

(가)는 철거 재개발, (나)는 수복 재개발과 관련된 사례이다. 철거 재개발은 노후화된 지역의 건물들을 철거하여 새로운 시가지로 조성하는 방식을 말한다. 수복 재개발은 기존의 건물과 환경을 최대한 살리면서 노후·불량화의 요인만을 부분적으로 보수하고 정비하는 방식을 말한다. ㄱ. 철거 재개발은 노후화된 지역의 건물을 철거하여 고층 건물이나 아파트 단지를 조성함으로써 토지 이용의 집약도가 높아진다. ㄴ. (나)는 수복 재개발에 대한 사례이다. ㄷ. 수복 재개발은 철거 재개발에 비해 기존 건물의 활용도가 높다. ㄹ. 수복 재개발은 지역의 변형을 최소화하기 때문에 거주민의 문화가 보전된다.

내 것으로 만드는 셀파 - Tip

▶ 시행 방법에 따른 도시 재개발 방식

철거 재개발	노후화된 기존 시설을 완전히 철거하고 새로운 시설물로 대체하는 방법 → 빠르고 효율적인 지역 구조화, 원거주민의 낮은 정착률과 자원 낭비
보존 재개발	역사·문화적으로 보존할 가치가 있는 지역의 환경 악화를 예방하고 유지·관리하는 방법
수복 재개발	기존 건물을 최대한 유지하는 수준에서 필요한 부분만 수리·개조하여 부족한 점을 보완하는 방법 → 지역 변형 최소화, 거주민의 안정적 생활 가능

14 지역 개발 방식　　답 ③

(가)는 효율성을 고려하여 성장 거점 지역에 투자하는 성장 거점 개발 방식이고, (나)는 형평성을 고려하여 지역 간 균형 발전을 추구하는 균형 개발 방식이다. ㄱ. (가)는 경제 성장의 극대화가 개발 목표이고, (나)는 지역 간 균형 발전이 개발 목표이다. ㄴ. (가)는 경제적 효율성, (나)는 경제적 형평성을 추구한다. ㄷ. (가)는 중앙 정부가 주도하고, (나)는 지방 정부 및 지역 주민이 개발에 참여한다. ㄹ. (가)는 핵심 지역의 성장에만 치우칠 경우 역류 효과가 발생하여 지역 간 격차가 심해진다는 단점이 있다. (나)는 투자의 효율성이 낮고, 지나친 지역 이기주의를 초래할 수 있다는 단점이 있다.

내 것으로 만드는 셀파 - Tip

▶ 지역 개발 방식

구분	성장 거점 개발	균형 개발
추진 방식	하향식 개발	상향식 개발
주체	중앙 정부	지방 정부 및 지역 주민
방법	투자 효과가 큰 지역을 선정하여 집중 투자	낙후 지역을 우선적으로 투자
목표	경제 성장의 극대화, 경제적 효율성 추구	지역 간 균형 발전, 경제적 형평성 추구
장점	자원의 효율적 투자, 짧은 시간에 개발 효과 나타남.	지역 간 균형 성장, 지역 주민의 의사 결정 존중
단점	역류 효과로 인한 지역 격차 심화, 지역 주민의 참여도 낮음.	투자의 효율성이 낮음, 지역 이기주의 초래

15 우리나라의 국토 개발 과정　　답 ③

ㄱ. 거점 개발은 제1차 국토 종합 개발 계획 때 채택되었으며 그 영향으로 수도권과 남동 연안 지역에 사회 간접 자본 건설이 활발하였다. ㄴ. 광역 개발 방식은 성장 거점 개발 방식과 균형 개발 방식을 절충한 것으로 대도시와 배후 지역을 하나의 광역권으로 설정하여 종합적으로 개발하는 방식이다. ㄷ. 수도권 정비 계획법은 수도권에 과도하게 집중된 인구와 산업을 적정하게 배치하도록 유도하는 법이다. ㄹ. 균형 개발은 낙후 지역을 우선적으로 개발하여 다른 지역과의 격차를 줄여 지역 간의 균형을 추구하는 개발 방식이다.

16 우리나라 국토 개발　　답 ②

1970년대에 시행된 제1차 국토 종합 개발 계획은 대표적인 하향식 성장 거점 개발로, 경부축을 따라 고속 국도를 비롯한 각종 사회 간접 자본이 확충되었고 남동 임해 공업 지역의 개발이 추진되었다. 1980년대에는 제2차 국토 종합 개발 계획을 중심으로 인구 및 산업의 분산을 위해 광역 개발 정책을 추진하여 지역 생활권을 조성하고 수도권 정비 계획법을 제정하였다. 1990년대 이후 균형 개발을 위한 제3차 국토 종합 개발 계획에서는 수도권 집중 억제와 국민의 생활 환경 개선에 역점을 둔 정책이 시행되었다.

17 혁신 도시와 기업 도시　　답 ⑤

A는 혁신 도시, B는 기업 도시이다. 혁신 도시를 통해 수도권에 소재한 공공 기관을 지방으로 이전하여 지역의 발전을 유도하고 있다. 또 개발이 활성화되지 않은 지역의 경우 민간 기업이 주도하여 자족적

복합 기능을 고루 갖춘 기업 도시 건설을 추진하고 있다. ㄱ. A, B 모두 제4차 국토 종합 계획 수정 계획 때부터 시작되었다. ㄴ. 공공 기관과 청사가 이전된 것은 혁신 도시이다. ㄷ. 혁신 도시는 정부, 기업 도시는 기업이 주도하여 추진하고 있다. ㄹ. 수도권에 집중된 인구와 산업을 지방으로 분산하고 비수도권의 균형 발전을 위해 혁신·기업 도시 정책이 시행되었다.

18 권역별 지역 내 총생산액 분포 〈답〉①

영남권, 충청권, 호남권 중에서 제조업 생산액과 서비스업 및 기타 생산액은 영남권〉충청권〉호남권 순으로 많다. 농림어업 생산액은 영남권〉호남권〉충청권 순으로 많은데 영남권과 호남권은 수치상으로 큰 차이가 없다. 따라서 (가)는 영남권, (나)는 충청권, (다)는 호남권이다.

서답형 문제

19 촌락의 인구 변화

모범 답안 | (1) 유소년층 인구와 청장년층 인구가 줄어들고 노년층 인구가 늘어났다. 이러한 인구 구성은 1970년대 이후 진행된 도시화와 산업화로 촌락의 인구가 도시로 이동하는 이촌 향도 현상의 영향 때문이다.
(2) 청장년층 중심의 인구 유출로 노동력이 부족해지고 노년층의 비중이 증가하면서 고령화 현상이 심화되었을 것이다. 이로 인한 인구 감소로 초등학교, 소매 업태, 의료 기관과 같은 생활 기반 시설이 감소하여 정주 기반이 약화되었을 것이다.
주요 단어 | 유소년층 인구, 청장년층 인구, 인구 유출, 노년층 인구, 이촌 향도 현상, 노동력 부족, 고령화

채점 기준	배점
(1)의 특징과 원인을 모두 쓰고, (2)의 문제점을 두 가지 이상 옳게 기술한 경우	상
(1), (2) 중 한 가지만 옳게 기술한 경우	중
(1)의 특징과 원인을 썼지만 내용이 미흡하거나, (2)의 문제점을 한 가지만 기술한 경우	하

20 도시 내부 구조의 특징

모범 답안 | A는 주간 인구 지수가 높은 곳, B는 주간 인구 지수가 낮은 곳이다. B는 A에 비해 지역 내 종사자 수 대비 일자리가 적다. 통근 시간대에 유입 인구보다 유출 인구가 많다. 거주자의 평균 통근 거리가 멀다.
주요 단어 | 주간 인구 지수, 종사자 수, 일자리, 통근 시간, 통근 거리, 유입 인구, 유출 인구

채점 기준	배점
주간 인구 지수가 높은 지역에 비해 주간 인구 지수가 낮은 지역의 상대적 특징을 세 가지 기술한 경우	상
주간 인구 지수가 높은 지역에 비해 주간 인구 지수가 낮은 지역의 상대적 특징을 두 가지 기술한 경우	중
주간 인구 지수가 높은 지역에 비해 주간 인구 지수가 낮은 지역의 상대적 특징을 한 가지 기술한 경우	하

V 생산과 소비의 공간

01 주요 광물 자원의 분포 〈답〉①

우리나라에서 생산되는 주요 광물 자원에는 철광석, 석회석, 고령토가 있다. 제철 및 제강 공업의 주원료인 철광석은 대부분 북한 지역에 매장되어 있으며, 남한에서는 강원도 양양에서 소량 생산되고 있다. 석회석은 강원도 남부에서 충청북도 북동부에 이르는 고생대 조선 누층군 지역에 주로 분포한다. 고령토는 강원도와 하동, 산청을 비롯한 경상남도 서부 지역에서 많이 산출된다. 지도에서 A는 철광석, B는 석회석, C는 고령토이다.

02 주요 발전소의 분포 〈답〉②

A는 주로 내륙 지방의 하천 유로를 따라 분포하고 발전소당 발전 설비 용량도 작으므로 수력 발전이다. B는 전남 및 영남 지방의 해안 지방에만 위치하고 발전소당 발전 설비 용량이 크므로 원자력 발전이다. C는 발전 설비 용량이 큰 발전소가 주로 수도권 및 충남 해안 지방과 경남 해안 지방에 분포하므로 화력 발전이다.

자료를 분석하는 셀파 - Tip

(전력거래소, 2016)

03 주요 발전 설비의 특징 〈답〉③

① 수력 발전은 소비지와 생산지가 멀기 때문에 송전 설비 건설에 많은 비용이 든다. ② 원자력 발전은 발전 과정에서 나오는 방사성 폐기물 처리에 어려움이 크다. ③ 수력 발전은 원자력 발전보다 발전 설비 용량 대비 발전량의 비율이 낮다. 왜냐하면 수력 발전은 물이 있어야 발전을 하는데, 우리나라는 여름철에 강수량이 집중되므로 다른 계절에는 수력 발전소를 계속 가동할 만큼 유량이 풍부하지 않기 때문이다. ④ 발전소 건설 비용은 화력 발전이 수력 발전보다 저렴하다. ⑤ 화력 발전은 화석 원료를 사용하기 때문에 대기 오염 물질 및 온실가스 배출량이 많다.

04 주요 신·재생 에너지 발전소 분포   답 ③

A는 강원도 산간 지역과 제주도 해안 지역에 많이 분포하므로 풍력 발전, B는 전남 해안 지역에 많이 분포하므로 태양광 발전, C는 경기 시화호에 1개만 분포하므로 조력 발전이다. 우리나라는 여름보다 겨울에 평균 풍속이 강하고, 겨울보다 여름에 일사량이 많다. 따라서 풍력 발전은 여름보다 겨울에, 태양광 발전은 겨울보다 여름에 발전량이 많다.

05 농가 수와 농가 인구의 변화   답 ②

우리나라는 산업화 이후 제조업과 서비스업 중심으로 경제가 성장하면서 농업의 비중이 지속적으로 감소하였고, 이에 청장년층이 도시로 빠져나가는 이촌 향도 현상으로 농업 인구가 급격히 감소하였다. ㄴ. 경지 면적의 감소보다 농가 인구의 감소가 더 빨랐기 때문에 농가호당 경지 면적은 오히려 증가하였다. ㄹ. 농가 인구가 빠르게 감소하였기 때문에 전 연령층에서 농가 인구가 감소하였지만 노년층 인구 비중은 빠르게 증가하고, 청장년층 인구 비중은 1990년 이후 감소하고 있다. 따라서 청장년층 농가 인구 감소율이 노년층 농가 인구 감소율보다 높다.

내 것으로 만드는 셀파 - Tip

▶ 농촌 및 농업 구조의 변화

인구 변화	청장년층 인구 유출 → 전체 농가 인구 감소, 노년층 인구 비중 증가, 유소년층 인구 비중 감소
경지 변화	산업화·도시화로 경지 면적 감소, 농가 1호당 경지 면적 증가, 경지 이용률 감소
영농 방식의 변화	시설 재배 증가, 영농의 기계화, 영농의 다각화 등

06 경기, 충남, 전북의 농업 현황 비교   답 ①

시설 재배 면적 비율은 대도시와 가까운 지역에서 높게 나타나고 전업농가 비율은 대도시에서 먼 지역에서 높게 나타난다. 논 면적 비율은 지형의 영향을 많이 받는다. 경기, 충남, 전북 중에서 시설 재배 면적 비율은 경기＞충남＞전북 순으로 높다. 논 면적 비율은 평야가 넓은 충남이 가장 높고, 대도시와 인접한 경기가 가장 낮다. 전업농가 비율은 경기가 가장 낮다. 따라서 (가)는 경기(A), (나)는 충남(B), (다)는 전북(C)이다.

07 경기, 전남, 충북의 화훼 농업 비교   답 ②

화훼는 대도시 근교나 겨울이 따뜻한 곳에서 재배된다. 대도시 근교는 화훼의 시설 재배 면적이 넓고, 겨울이 따뜻해 기후 조건이 좋은 곳은 화훼의 노지 재배 면적이 넓다. 경기, 전남, 충북 중에서 시설 재배 면적이 넓은 (다)는 경기, 노지 재배 면적이 넓은 (나)는 전남이고, (가)는 충북이다. ㄴ. 충북은 전남보다 화훼의 노지 재배 면적 비율이 낮다. ㄷ. 화훼 재배지의 경지 면적당 지가는 서울과 인접한 경기가 전남보다 비싸다.

08 근교 지역과 원교 지역의 농업 비교   답 ①

(가)는 (나)보다 화훼 재배 농가 호수가 많고 화훼 재배 면적이 넓으며 우유 생산량도 많지만, 농가 인구의 65세 이상 인구 비중은 낮다.

따라서 (가)는 (나)보다 대소비지인 서울과 인접한 곳에, (나)는 (가)보다 상대적으로 대소비지인 서울과 먼 곳이다. 그러므로 (가)는 (나)보다 서울과의 접근성이 높고 겸업농가 비중이 높지만, 농가당 경지 면적은 좁다.

09 쌀, 과실, 맥류의 생산량 변화   답 ①

(가)는 쌀, (나)는 과실, (다)는 맥류이다. 세 작물 중에서 생산량이 제일 많은 쌀은 1인당 소비량의 감소로 생산량이 감소하는 추세이다. 과실은 쌀보다 생산량이 적지만 생활 수준의 향상과 식생활의 변화에 따른 소비량 증가로 생산량이 증가하고 있다. 맥류는 생산량이 매우 적으며 이마저도 감소하고 있다.

정답을 찾아가는 셀파 - Tip

ㄷ. (나)는 (가)의 그루갈이 작물로 많이 재배된다.
     (다)

ㄹ. (다)는 (나)보다 1980~2016년에 1인당 소비량 증가율이 ~~높다~~.
                                                    낮다

10 농·축산물의 생산과 소비 변화   답 ⑤

쌀은 1970년대 다수확 품종의 개발로 생산량이 증가하였으며 최근에는 소비량의 감소로 재배 면적이 감소하였다. 맥류는 보리, 밀 등이 해당되는데, 보리는 주로 벼의 그루갈이 작물로 재배되어 겨울이 따뜻한 남부 지방의 생산량 비중이 높다. 밀은 소비량이 증가하였지만 국내 생산량이 매우 적어 소비량의 대부분을 수입한다. 원예 작물은 교통 발달로 원교 지역에서도 재배가 늘어나고 있다. 식생활 변화로 육류와 낙농 제품의 수요가 증가하였으며, 젖소의 경우 대소비지와 인접한 경기, 충남의 사육 두수가 많다.

11 주요 곡물의 자급률 변화   답 ④

A는 자급률이 100% 내외이므로 쌀, B는 빠르게 감소하므로 보리, C는 자급률이 매우 낮으므로 소비량의 대부분을 수입에 의존하는 옥수수이다. ㄴ. 보리는 겨울이 따뜻하여 벼의 그루갈이 작물로 보리를 심는 전남, 전북, 경남 등지에서 생산량이 많다.

12 농산물 시장 개방의 영향   답 ⑤

농산물 시장 개방에 대한 찬성 입장으로는 해외의 다양한 농산물을 값싸게 즐길 수 있다는 점이 있다. 반면 반대 입장으로는 식량 자급률이 낮아져 식량 주권이 약화된다는 점, 영농 규모가 영세하여 가격 경쟁에 취약한 농민이 많다는 점, 가격 경쟁력이 약한 국산 농산물의 생산 기반이 약화된다는 점 등이 있다.

13 공업의 입지 변화   답 ②

① 국가 산업 단지 조성은 공업 지역 형성에 영향을 미친다. ② 교통·통신이 발달하면 공업 입지에 미치는 운송비의 영향력이 감소한다. ③ 생산비에서 노동비가 차지하는 비중이 큰 공업은 인건비가 변화하면 입지에 변동이 발생할 정도로 인건비가 입지에 미치는 영향이 크다. ④ 지가 상승, 교통 혼잡, 용수 부족 등은 집적 불이익에 해당한다. ⑤ 대도시에는 본사와 연구소가 입지하고, 생산 공장은 지방이나 해외로 이전하는 현상은 기업의 기능에 따른 공간적 분업 현상에 해당한다.

14 1차 금속 제조업의 특징   답 ①

제시된 4개의 공업 중에서 중화학 공업은 1차 금속, 기타 운송 장비, 석유 화학 제조업이 해당된다. 이 중에서 주요 원료를 해외에서 대부분 수입하는 것은 1차 금속 제조업과 석유 화학 제조업이다. 그리고 생산액 상위 3위 이내의 지역에 경북과 전남이 포함되는 것은 1차 금속 제조업이다. 1차 금속 제조업은 충남 당진에 대규모 생산 시설이 입지하고 있다. ㄷ. 1차 금속 제조업은 생산비에서 인건비의 비중이 높지 않다. ㄹ. 생산 시설 입지에서 대학 및 연구소와의 접근성을 우선적으로 고려하는 것은 첨단 산업이다. 1차 금속 제조업은 생산비 절감을 위해 적환지 입지를 중시한다.

15 주요 공업의 시도별 생산액과 지역별 종사자 수 분포   답 ③

(가)는 경기〉경북〉대구 순으로 생산액이 많으므로 섬유 공업, (나)는 경북이 많고 그 외에 충남, 전남 등이 많으므로 1차 금속 제조업에 대한 자료이다. 1차 금속 제조업은 섬유 공업에 비해 사업체당 종사자 수가 많고 종사자당 생산액이 많으며 생산비에서 차지하는 노동비의 비중이 낮다.

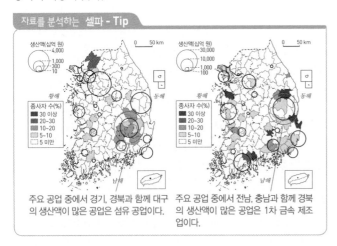

자료를 분석하는 셀파 - Tip

주요 공업 중에서 경기, 경북과 함께 대구의 생산액이 많은 공업은 섬유 공업이다.   주요 공업 중에 전남, 충남과 함께 경북의 생산액이 많은 공업은 1차 금속 제조업이다.

16 상업의 입지와 공간 변화   답 ②

(가)는 최소 요구치를 확보하기 위해 주기적으로 상인이 이동하는 정기 시장의 단계, (나)는 한 곳에 머물러 있어도 최소 요구치를 확보할 수 있는 상설 시장의 단계이다. 상설 시장은 재화의 도달 범위가 최소 요구치보다 클 때 형성된다. 정기 시장에서 상설 시장으로 발달하기 위해서는 최소 요구치가 확보되어야 하며, 이를 위해서는 인구 증가, 지역의 총소득 증가, 교통 발달 등이 필요하다.

17 생산자 서비스업과 소비자 서비스업의 특징   답 ①

(가)는 소비자 서비스업, (나)는 생산자 서비스업이다. 서비스업은 수요자 유형에 따라 개인이 이용하는 소비자 서비스업과 기업의 생산 활동을 지원하는 생산자 서비스업으로 구분할 수 있다. ㄱ. 소비자 서비스업은 소비자가 많은 곳에 입지하여 소비자의 접근성을 높이면서도 임대료가 저렴한 곳을 선호한다. ㄴ. 생산자 서비스업은 개인 소비자보다 기업과의 거래액이 많다. ㄷ. 생산자 서비스업은 접근성이 좋고 정보 획득에 유리한 도심에 집중 분포한다. ㄹ. 업체 간 분산 입지 경향은 상대적으로 소비자 서비스업에서 뚜렷하게 나타난다.

18 국내 택배 시장의 물동량 변화   답 ③

국내 택배 시장 물동량 변화와 가장 관계 깊은 소매 업태는 무점포 소매업체이다. 그래프에서 A와 D는 사업체 수 비중이 매우 작은데 매출액 비중은 A가 높으므로 A는 대형 마트, D는 백화점이다. E는 사업체 수 비중은 높은데 매출액 비중은 낮은 편이므로 업체당 매출액이 작은 소매 업태인 편의점이 해당된다. B, C 중에서 매출액 비중과 사업체 수 비중이 상대적으로 높은 C가 무점포 소매업체(전자 상거래)이고, 비중이 낮은 B는 슈퍼마켓이다.

서답형 문제

19 자원의 특성

모범 답안 | 편재성은 자원이 특정 지역에 매장되어 있다는 것을 의미하고, 가변성은 자원의 가치가 인간의 기술 발달 수준, 경제적 조건 등에 따라 달라지는 것을 의미한다. 편재성의 사례로는 석유가 전 세계에 고르게 분포하지 않고 서남아시아 일대에 집중적으로 매장되어 있는 것을 들 수 있다. 가변성의 사례로는 과거 강원도 상동의 텅스텐 광산이 해외로 수출할 만큼 많은 텅스텐을 생산하였지만, 값싼 중국산 텅스텐이 들어온 이후 가격 경쟁력을 잃고 폐광된 것을 들 수 있다.

주요 단어 | 편재성, 가변성, 자원, 자원의 가치, 기술 발달, 경제적 조건, 석유, 매장량

채점 기준	배점
편재성과 가변성의 개념을 설명하고 사례를 각각 옳게 제시한 경우	상
편재성과 가변성의 개념을 설명하였으나 각각의 사례를 미흡하게 제시한 경우	중
편재성과 가변성의 개념만 설명한 경우	하

20 농업 구조의 변화

모범 답안 | (1) 경지 이용률이 지속적으로 낮아지는 경향이 나타나고 있다. 이는 농가 인구의 감소와 노동력의 고령화로 인해 휴경지가 증가하고 그루갈이가 감소하였기 때문이다.
(2) 경지 면적보다 농가 인구가 더 빠르게 감소하였기 때문에 농가 호당 경지 면적은 오히려 증가하였다.

주요 단어 | 농가 인구, 고령화, 휴경지, 경지 면적, 농가 인구, 농가 호당 경지 면적

채점 기준	배점
(1), (2)를 모두 옳게 서술한 경우	상
(1), (2) 중 한 가지만 옳게 서술한 경우	하

21 교통수단별 특징

모범 답안 | A는 철도, B는 지하철, C는 도로, D는 해운, E는 항공이다. 도로는 철도보다 문전 연결성이 좋고, 기종점 비용이 저렴하다.

주요 단어 | 철도, 지하철, 도로, 해운, 항공, 문전 연결성, 기종점 비용

채점 기준	배점
A~E의 교통수단을 쓰고 C의 장점을 두 가지 기술한 경우	상
A~E의 교통수단을 쓰고 C의 장점을 한 가지 기술한 경우	중
A~E의 교통수단만 쓰거나, C의 장점을 한 가지만 기술한 경우	하

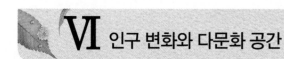

VI 인구 변화와 다문화 공간

01 산업화에 따른 지역별 인구 성장 차이　　답 ④

지도에서 A는 용인, B는 임실, C는 부산이다. 전통적인 촌락인 임실은 산업화 과정에서 인구 유출이 활발하였다. 부산은 산업화 과정에서 인구가 빠르게 증가한 대도시이고, 용인은 서울의 교외화 현상으로 인구가 증가한 도시이다.

02 시·도별 인구 분포　　답 ③

우리나라는 국토 면적의 약 12%에 불과한 수도권에 인구의 절반 정도가 거주하고 있으며, 부산, 대구, 대전, 광주 등 교통과 서비스업이 발달한 대도시를 중심으로 인구가 밀집해 있다. 시·도별 인구수는 경기>서울>부산 순으로 많다.

03 전북, 충북, 강원의 인구 밀도 비교　　답 ⑤

세 지역 중에서 인구 밀도가 가장 높지만 인구 밀도가 꾸준히 감소하고 있는 (가)는 농어촌이 많은 전북(C)이다. (다)보다는 인구 밀도가 높고 최근 들어 꾸준히 증가하고 있는 (나)는 충북(B)이다. 세 지역 중에서 인구 밀도가 가장 낮은 (다)는 산지가 많은 강원(A)이다.

04 우리나라의 시기별 인구 이동　　답 ①

(가) 산업화·도시화의 영향을 받아 전남, 전북, 충북과 같은 지역에서 서울, 부산 등의 대도시로의 인구 이동이 뚜렷하게 나타나므로 대도시 인구가 빠르게 성장한 1970년의 인구 이동이다. (나) 서울, 부산, 대구 등 대도시로의 인구 이동과 함께 대도시에 인접한 도(道) 지역으로의 인구 이동도 활발하게 나타나므로 1990년의 인구 이동이다. (다) 세 지도 중에서 대도시로의 인구 이동량이 가장 적고, 대도시와 전남, 경남, 경북, 충남 등과 같은 지역 간의 인구 이동이 활발하므로 2000년의 인구 이동이다.

05 인구 변천 모델　　답 ③

인구 변천 모델은 사회·경제의 발전 과정에서 나타나는 자연적 증감에 의한 인구 변화를 나타낸 것이다. 인구 변천 모델은 인구 성장 과정을 크게 4단계로 구분하는데, 그중 (가)는 인구 변천 모델 2단계로, 출생률이 높은 상태에서 사망률이 낮아져 인구가 급증하는 단계이다. (나)는 인구 변천 모델 3단계로, 사망률이 낮은 상태에서 출생률이 낮아져 인구의 자연 증가율이 둔화되는 단계이다. 인구 변천 모델에서 3단계는 2단계에 비해 총인구수가 많고 중위 연령이 높으며, 인구 증가율이 낮다. ㄹ. 인구 변천 모델 3단계는 사망률이 낮기 때문에 인구 천 명당 사망자 수도 적다.

▶ 인구 변천 모델

1단계	다산 다사 (多産多死)	출생률과 사망률이 모두 높아 인구 성장률이 낮거나 인구가 정체함.
2단계	다산 감사 (多産減死)	출생률은 여전히 높으나 의학 발달, 경제 발전 등으로 사망률이 급감하여 인구가 급증함.
3단계	감산 소사 (減産小死)	자녀에 대한 가치관 변화, 가족계획 등으로 출생률이 낮아짐.
4단계	소산 소사 (小産小死)	출생률과 사망률이 모두 낮은 수준으로 안정되는 단계로 노년 인구 비율이 증가함.

06 지역별 인구 구조의 차이　　답 ①

그래프에 나타난 세 지역의 인구 특성을 비교해 보면 (가)는 성비가 높은 지역, (나)는 노년층 비중이 높은 지역, (다)는 청장년층 비중이 높은 지역이다. A는 휴전선 부근에 있는 지역인 화천, B는 청장년층 인구 유출이 활발한 지역인 진안, C는 최근 중심 대도시로부터 인구 유입이 활발하여 인구가 증가한 부산의 위성 도시 양산이다. A는 휴전선과 인접한 지역으로 군부대가 많아 성비가 높다. B는 대도시와 멀리 떨어진 촌락 지역이므로 노년층 인구 비중이 높고, C는 대도시와 인접하기 때문에 청장년층 인구 비중이 높다. 따라서 (가)는 A, (나)는 B, (다)는 C이다.

07 지역별 성비 분포 차이　　답 ⑤

성비는 여자 100명당 남자 수로, 100을 초과하면 남초 현상, 100 미만이면 여초 현상이라고 한다. 여성보다 남성이 많은 남초 현상은 군부대가 많이 주둔하고 있는 휴전선 부근의 도시나 1차 금속, 자동차 공업 등의 공업이 발달한 지역에서 주로 나타난다. 서비스업이 발달한 관광 도시나 섬유·의류 산업 시설이 밀집된 지역에서는 대체로 남성보다 여성이 많은 여초 현상이 나타난다.

08 유소년층 인구와 노년층 인구 분포　　답 ③

(가) 서울과 인접한 경기 지역, 부산의 주변 지역 등은 대도시권 확장에 따른 대규모 주거 단지가 입지하면서 젊은 층의 인구가 유입되었다. 이에 따라 이 지역들은 다른 지역에 비해 유소년 인구 비율이 높게 나타난다. (나) 청장년층 중심으로 인구 유출이 활발했던 촌락 지역이나 산간 지역은 노년 인구 비율이 높다.

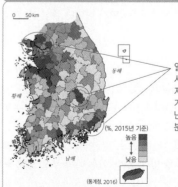

일자리가 많은 대도시는 인구 연령층에서 청장년 인구 비율이 높은 지역인데, 지도에서 서울, 부산, 대구 등의 대도시가 그 주변 지역보다 수치가 낮게 나타난다. 따라서 지도는 유소년 인구 비율 분포를 나타낸 것이다.

▲ 유소년 인구 비율 분포

09 우리나라 인구 구조의 변화 답 ④

우리나라의 합계 출산율은 1960년대 출산 억제 정책의 영향으로 꾸준히 감소하였다. 오늘날에는 의학 기술의 발달로 사망률이 낮아지고 있으며, 경제 수준의 향상으로 위생 및 영양 상태가 개선되어 기대 수명이 늘고 있다. 그래프에서 합계 출산율이 낮아지는 것은 유소년층 인구 비중이 낮아지는 것과 동시에 장래에 인구가 감소하는 것을 의미하고, 기대 수명이 증가한다는 것은 노년층 인구 비중이 늘어난다는 것을 의미한다. ①, ③ 기대 수명이 늘어나 노인 인구가 증가하였으므로 노년 부양비도 증가하는 추세이다. ② 합계 출산율이 빠르게 낮아졌으므로 출생아 수도 지속적으로 감소하였다. ④ 1980년대 전반기에는 합계 출산율이 높은 수준이었고, 출산 장려 정책은 2000년대부터 시행되었다.

10 우리나라 인구 구조의 변화 답 ④

1960년에는 합계 출산율이 높은 반면 기대 수명이 낮으므로 피라미드형 인구 구조가 나타났다. 2015년에는 합계 출산율이 낮고 기대 수명이 높으므로 유소년층 인구 비중이 낮은 형태의 인구 구조가 나타났다. 1980년은 1960년과 2015년의 중간 형태의 인구 구조로, 유소년층 인구 비중이 감소하여 인구 피라미드의 밑변이 좁게 나타났다.

11 우리나라의 저출산 현상 답 ③

① 우리나라 출산 기피의 주요 원인은 보육비 부담이므로 이 문제를 해결하기 위해서는 자녀 양육에 대한 국가 지원을 늘려야 한다. ② 출생아 수는 1983년 이후 지속적으로 감소하고 있다. ③ 2010년 이후 합계 출산율이 소폭 상승할 것으로 예측하고 있다. ④ 보육비 부담, 사교육비 부담, 주택비 부담, 일·육아 병행 곤란, 무자녀 만족 등을 통해 '출산'과 관련된 자료임을 유추할 수 있다. ⑤ (나)는 저출산 현상의 원인을 제시한 자료이다.

12 노년 인구와 노년 인구 비율 변화 답 ②

ㄱ. 노년 인구 비율이 증가하는 것은 의학 발달과 생활 수준 향상에 따른 평균 수명 증가가 주요 원인이 되고 있다. ㄴ. 고령 사회는 전체 인구에서 65세 이상 인구 비율이 차지하는 비중이 14~20%인 사회이다. 우리나라는 이미 2010년대에 고령 사회에 진입하였다. ㄷ. 노년 인구 비율은 그래프상에서 지속적으로 증가하고 있다. 2040년대부터 노년 인구가 감소할 것으로 예측되고 있음에도 불구하고 노년 인구 비율이 늘어난다는 것은 이 시기에 우리나라의 총인구가 감소한다는 것에 근거를 둔 것이다. ㄹ. 1960년에서 60년이 지난 2020년대의 노년 인구 변화는 6·25 전쟁 이후 사회가 안정되면서 나타난 출산 붐 현상과 관계가 깊다.

13 우리나라 시기별 가족계획 표어 답 ②

(가)는 1980년대, (나)는 1990년대, (다)는 1970년대, (라)는 2000년대의 가족계획 표어이다. 1970년대와 1980년대에는 출산 억제 정책과 함께 남아 선호 사상에 따른 출생아 성비 불균형 문제에 대한 해결 의지가 담긴 표어가 등장했는데, 대표적으로 '딸·아들 구별 말고 둘만 낳아 잘 기르자'라는 표어를 들 수 있다. 또한 '아들 바람 부모 세대 짝꿍 없는 우리 세대'의 표어를 통해 1990년대에는 출생아 성비 불균형 문제가 나타났음을 알 수 있다.

14 시·도별 유소년 부양비와 노년 부양비 답 ⑤

청장년층의 인구 유출이 활발한 지역은 노년 부양비가 높고, 청장년층의 인구 유입이 활발한 지역은 상대적으로 노년 부양비가 낮은 편이다. 청장년층 인구 비율과 총부양비는 반비례하므로 청장년층의 인구 비중이 높은 도시는 촌락에 비해 총부양비가 낮은 편이다. A는 전남, B는 서울, C는 울산, D는 세종이다. ① 전남은 산업화 과정에서 이촌 향도가 활발하여 인구가 감소한 지역이다. ② 노령화 지수는 (노년 부양비÷유소년 부양비)×100이므로 B의 노령화 지수는 100보다 크다. ④ 울산은 2015년 기준 시·도 중에서 청장년층 인구 비중이 가장 높다. ⑤ 총부양비는 생산 가능 인구에 대한 유소년 부양비와 노년 부양비의 합이다. 따라서 세종은 43이고 전남은 53이다.

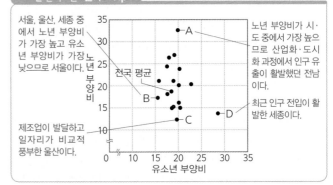
15 인구 부양비의 변화 답 ③

2015~2060년에는 유소년 부양비가 정체되고, 노년 부양비는 증가할 것으로 예측된다. 따라서 노령화 지수는 높아지고 15~64세 인구 비중은 낮아질 것이다. 총부양비는 청장년층 인구(15~64세 인구) 비중과 반비례하므로 총부양비가 증가한다는 것은 청장년층 인구 비중이 지속적으로 감소한다는 것을 의미한다. 그래프에서 노년 부양비는 지속적으로 증가하고 유소년 부양비는 정체되므로 노령화 지수는 지속적으로 증가할 것으로 보인다.

16 우리나라 인구 구조의 변화 답 ①

유소년 부양비는 (유소년층 인구÷청장년층 인구)×100이고, 노년 부양비는 (노년층 인구÷청장년층 인구)×100이다. ㄱ. 총부양비는 유소년 부양비와 노년 부양비의 합이므로 감소하다가 증가한다. ㄴ. 노년 부양비는 증가하고 유소년 부양비는 낮아지다가 정체되므로 노령화 지수는 지속적으로 증가한다. ㄷ. 청장년 인구 비중은 총부양비와 반비례한다. 총부양비가 감소하다가 증가하므로 청장년층 인구 비중은 증가하다가 감소한다. ㄹ. 유소년 부양비가 감소하므로 유소년 인구 비중도 감소한다.

17 외국인 중 결혼 이민자 비중 답 ③

지도를 보면 강원, 충북, 전남 등 촌락에서 외국인 결혼 이민자의 비중이 높게 나타난다. 이는 도시보다 촌락의 결혼 적령기 연령층의 성비가 매우 높은 현상과 관계가 깊다.

18 국제결혼의 변화 답 ③

국제결혼에서 한국 남성(A)과 외국 여성(B)의 결혼이 차지하는 비율이 높은데, 이는 촌락의 결혼 적령기 연령층의 성비 불균형과 관계가 깊다. ㄷ. 한국 남성(A)과 결혼하는 외국 여성(B)은 한국 여성(C)과 결혼하는 외국 남성(D)보다 촌락에 거주하는 비중이 높다.

서답형 문제

19 출생아 수 및 합계 출산율의 변화

모범 답안 | (1) 1970년~1990년대 중반까지는 정부의 출산 억제 정책과 산업화·도시화에 따른 자녀 양육비 상승 등으로 합계 출산율이 낮아졌다. 이후에 정부에서 출산 장려 정책을 시행하고 있지만 자녀에 대한 가치관 변화, 자녀 양육비 상승 등의 영향으로 합계 출산율의 낮은 상태가 지속되고 있다.
(2) 유소년 인구 비중이 감소하여 노년 부양비가 빠르게 늘어나고, 이로 인해 총부양비가 늘어나 청장년층의 부양 부담이 커진다.
주요 단어 | 출산 억제 정책, 자녀 양육비, 출산 장려 정책, 합계 출산율, 노년 인구 비중, 노년 부양비

채점 기준	배점
(1), (2)를 모두 옳게 서술한 경우	상
(2)는 옳게 서술하였으나 (1)에서 제시된 용어 중 두 개만 활용하여 합계 출산율이 변화하게 된 원인을 서술한 경우	중
(1)은 옳게 서술하였으나 (2)를 미흡하게 서술한 경우	하

20 국내 체류 외국인의 특징

모범 답안 | A는 중국, B는 베트남이다. 중국의 비중이 높은 것은 중국에는 한글을 알고 있는 우리나라 동포가 많이 거주하고 있고, 우리나라와 중국이 지리적으로도 가깝기 때문이다.
주요 단어 | 중국, 베트남, 한글, 동포

채점 기준	배점
A, B의 국가를 쓰고, A의 비중이 높은 이유를 옳게 서술한 경우	상
A, B의 국가만 옳게 쓴 경우	하

VII 우리나라의 지역 이해

단원 평가 제7회 p. 39 ~ p. 43

01 ⑤	02 ②	03 ③	04 ②	05 ①	06 ③
07 ③	08 ③	09 ④	10 ②	11 ②	12 ④
13 ③	14 ③	15 ⑤	16 ④	17 ③	18 ③
19 해설 참조		20 해설 참조		21 해설 참조	

01 우리나라의 지역 구분 답 ⑤

① 방언 지역은 유사한 방언을 사용하는 지역의 범위를 나타낸 것이기 때문에 동질 지역에 해당된다. ② 영서 지방은 중부 방언을 사용한다. ③ 서북 방언과 동북 방언의 경계는 1차 산맥인 낭림산맥이다. ④ 방언 지역의 경계는 대체로 높은 산지와 하천이며 행정 구역의 경계와는 일치하지 않는다. ⑤ 동질 지역은 지역의 경계에 두 지역의 특성이 혼재하는 점이 지대가 나타난다.

02 북한의 자연환경 답 ②

지도의 A는 나진, B는 신의주, C는 개성이다. 세 지역 중 위도는 A>B>C 순으로 높고, 일출 시각은 A>C>B 순으로 이르며, 최난월 평균 기온은 C>B>A 순으로 높다. 따라서 (가)는 B, (나)는 A, (다)는 C에 해당한다.

03 북한의 기온과 강수량 특징 답 ③

A는 중강진, B는 청진, C는 개마고원, D는 희천, E는 원산이다. 개마고원은 2,000m 이상의 높은 고원 지대로 해발 고도가 높기 때문에 기온이 낮다. 해안가에 위치한 청진은 내륙에 위치한 중강진보다 기온의 연교차가 작다.

정답을 찾아가는 셀파 - Tip

ㄱ. A는 북한에서 연평균 기온이 가장 낮다. (×)
→ 중강진의 연평균 기온은 5~6℃ 정도이며, 삼지연의 연평균 기온은 3℃ 미만이다.
ㄹ. D와 E는 풍향과 산지가 평행하기 때문에 강수량이 많다. (×)
→ 희천은 낭림산맥의 바람받이, 원산은 태백산맥의 바람받이에 해당한다. 희천과 원산 모두 풍향과 산지가 수직 방향이다.

04 북한의 1차 에너지 공급 구조 답 ②

북한은 석탄의 매장량이 풍부하여 에너지 공급 구조에서 석탄이 차지하는 비중이 가장 크다. 또한 경제적 부담이 큰 석유에 비해 수력 발전소에서 생산한 전기를 많이 활용하기 때문에 석유보다 수력의 공급량이 많다. 따라서 A는 석탄, B는 수력, C는 석유이며, 기타에는 신탄이 대부분을 차지한다.

05 북한의 교통망 구조 답 ①

북한의 주요 교통망은 서해안의 평야 지대와 동해안을 따라 발달하였으며, 지형의 영향으로 동서 간의 교통로 연결이 미약한 편이다. 북한의 교통 체계는 철도 수송이 주를 이루고 있으며, 고속 국도의 발달

은 미약하고 모든 고속 국도는 평양을 경유한다. ㄷ. 경의선 철도는 서울에서 의주까지이고, 경원선 철도는 서울에서 원산까지이다. 평양은 경의선 철도의 중간에 위치한다. 경원선은 서울에서 철원을 거쳐 원산에 이르는 노선으로 평양을 거치지 않는다. ㄹ. 북한은 도로에 비해 철도 교통이 발달하여 자원 수송에는 대부분 철도 교통이 이용된다.

06 수도권의 인구 변화   답 ③

수도권에서 경기도의 인구는 서울의 주거 기능 분산 정책이 본격화되기 시작한 1990년 이후 급격하게 증가하였으며, 비수도권에서도 경기도로 많은 인구가 이동하였다. 따라서 1990년 이후 수도권의 인구 증가는 경기도를 중심으로 이루어졌다.

정답을 찾아가는 셀파 - Tip

① 1960년 이후 서울의 인구는 지속적으로 증가하였다. (×)
→ 서울의 인구는 증가하다가 1990년 이후 인천이나 경기도로 이동하면서 감소하는 추세이다.

② 1960년 이후 비수도권의 인구는 지속적으로 감소하였다. (×)
→ 비수도권의 인구 비중은 감소하였지만 인구는 증가하였다.

③ 1990년 이후 수도권의 인구 증가는 주로 경기도가 주도하였다. (○)

④ 2015년 수도권의 인구는 비수도권 인구보다 많다. (×)
→ 2015년 현재 수도권의 인구는 전체 인구의 49.4%로 비수도권의 인구보다 적다.

⑤ 1960년 대비 2015년 수도권의 인구 증가율은 인구 비중 증가율보다 작다. (×)
→ 1960년 대비 2015년 수도권의 인구 증가는 대략 5배이며, 인구 비중 증가율은 대략 2.5배이다.

07 수도권과 비수도권의 제조업 특징 비교   답 ③

그래프를 통해 수도권 전체의 제조업 사업체 수 비중이 감소하고 있음을 알 수 있다. 수도권은 과밀화를 해소하기 위해 수도권 정비 계획을 추진하고 있으며, 이로 인해 수도권과 가까운 지역인 충청 지방으로 제조업이 이전되고 있다. 수도권 내에서 제조업 사업체 수가 가장 많은 (가)는 경기, 사업체 수 감소 폭이 가장 큰 (나)는 서울, (다)는 인천이다.

내 것으로 만드는 셀파 - Tip

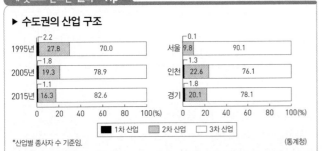

▶ 수도권의 산업 구조

▲ 수도권의 산업 구조 변화   ▲ 서울·인천·경기의 산업 구조(2015년)

수도권의 1, 2차 산업 비중은 지속적으로 감소하고, 3차 산업 비중은 증가하고 있다. 또한 서울은 생산자 서비스업 중심의 3차 산업의 비중이 높은 반면, 인천과 경기는 서울에 비해 2차 산업의 비중이 높다. 이를 토대로 수도권은 탈공업화 현상이 나타나고 있으며, 서울의 제조업 기능이 주변 지역으로 이전했음을 알 수 있다.

08 주요 문화 시설의 지역별 분포   답 ③

① (가)는 서울, (나)는 경기이다. ② 수도권 집중률을 비교해 보면

박물관은 35.9%, 미술관은 42.6%로, 미술관은 박물관보다 수도권 집중률이 높다. ③ 서울은 경기보다 문화 시설의 수는 적지만 면적이 월등히 좁기 때문에 단위 면적당 문화 시설의 수가 많다. ④ 전국 대비 인천의 문화 시설 비중은 도서관이 4.5%, 박물관이 3.1%, 미술관이 2%로, 도서관이 가장 높다. ⑤ 서울의 박물관 비중은 도서관 비중보다 높지만 도서관이 박물관보다 총 수가 많기 때문에 서울의 도서관 수는 박물관 수보다 많다.

09 강원 지방 주요 지역의 기온 특징   답 ④

A는 홍천, B는 대관령, C는 강릉, D는 태백이다. 초여름에 동풍이 불면 푄 현상이 발생하여 영동 지방은 한랭 습윤해지고 영서 지방은 고온 건조해진다. 따라서 동풍이 불면 홍천은 강릉보다 기온이 높아진다.

자료를 분석하는 셀파 - Tip

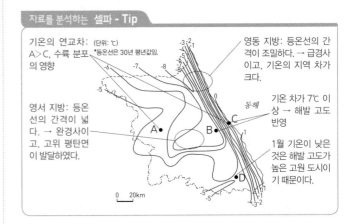

기온의 연교차: (단위: ℃) A>C, 수륙 분포의 영향 *등온선은 30년 평년값임.

영동 지방: 등온선의 간격이 조밀하다. → 급경사이고, 기온의 지역 차가 크다.

영서 지방: 등온선의 간격이 넓다. → 완경사이고, 고위 평탄면이 발달하였다.

기온 차가 7℃ 이상 → 해발 고도 반영

1월 기온이 낮은 것은 해발 고도가 높은 고원 도시이기 때문이다.

0 20km

10 강원 지방의 산업별 특화도   답 ②

강원도는 철광석, 무연탄, 석회석 등 지하자원이 풍부하여 광업이 특화되었으며, 상대적으로 제조업 발달은 미약한 편이다. 1980년대부터 채탄 비용이 증가하고 에너지 소비 구조가 석유, 천연가스 중심으로 변화하면서 강원도의 석탄 채굴 산업이 쇠퇴하였으며, 최근 서비스업 중심으로 산업 구조가 바뀌고 있다. 강원도는 산지의 비중이 높아 임업이 발달하였으며, 고랭지 농업 등 밭농사도 발달하였다.

11 화천과 태백의 축제   답 ②

(가)는 산천어 축제의 포스터로 강원도 화천에서 개최되는 축제이다. (나)는 태백산 눈 축제로 태백에서 개최된다. A는 화천, B는 평창, C는 태백이다. 평창에서는 대관령 눈꽃 축제, 송어 축제, 메밀꽃 축제 등이 개최된다.

12 충청 지방의 특징   답 ④

지도에 표시된 지역은 충북, 충남, 대전, 세종 등 4개의 광역 자치 단체로 이루어진 충청 지방이다. 충청 지방은 남한의 중심부에 위치하여 지리적 접근성이 가장 높은 지역이다. 대전광역시에 경부선과 호남선의 분기점이 있으며, 세종특별자치시는 수도권에 집중된 행정 기능을 분담하고 있다. ④ 충청 지방은 동쪽으로는 산지가 경계이고, 남북으로는 하천이 경계이다.

13 서산, 당진, 아산의 제조업 구조   답 ③

충청 지방은 수도권의 과밀화로 인한 제조업 분산 정책과 중국과

교류 증가로 인한 해안 지역의 개발 등으로 최근 제조업이 급속하게 발달하고 있다. 특히 수도권과 인접한 천안, 아산, 당진, 서산 등지에서 첨단 산업과 함께 자동차, 석유 화학, 제철 등의 산업이 빠르게 발달하고 있다. (가)는 1차 금속 제조업이 특화되어 있기 때문에 대규모 제철소가 있는 당진, (나)는 전자 부품 등 첨단 산업이 특화되어 있는 아산, (다)는 대규모 화학 공업이 발달한 서산이다.

14 전주의 지역 특성 답 ③

(가)는 도심 속 전통 한옥 마을이 국제 슬로 시티로 지정되어 있는 전주(C)이다. 전주는 한옥 마을을 비롯한 전통문화와 역사 유적이 잘 보존되어 있으며, 비빔밥, 부채, 판소리, 한지 박물관 등 과거와 현재가 조화를 이룬 전통 도시이다. A는 원자력 발전소가 입지하고 있는 영광이고, B는 금강 하굿둑, 새만금 방조제 등으로 유명한 군산이다. D는 고원 도시인 무주이며 겨울철에 스키장, 여름철에 피서지, 반딧불이 축제 등으로 유명하다. E는 지리적 표시 농산물 제1호인 녹차의 고장 보성이다.

15 호남 지방의 슬로 시티 답 ⑤

A는 전주, B는 담양, C는 신안, D는 완도이다. 우리나라의 11개 국제 슬로 시티 중 4개가 호남 지방에 있는데, 전주 한옥 마을, 담양 창평, 신안 증도, 완도 청산도가 이에 해당한다.

정답을 찾아가는 셀파 - Tip

① 국립 공원에 포함되어 있다. (×)
→ 신안, 완도만 다도해 상 국립 공원에 포함되어 있다.
② 혁신 도시가 건설되고 있다. (×)
→ 전북 전주·완주, 전남 나주에 혁신 도시가 건설되고 있다.
③ 람사르 협약에 등록된 습지가 있다. (×)
→ 람사르 등록 습지로는 보성만, 순천만, 무안 갯벌 등이 있다.
④ 관광 레저형 기업 도시로 지정되었다. (×)
→ 영암, 해남에 해당한다.
⑤ 국제 슬로 시티로 지정된 마을이 있다. (○)

16 영남 지방의 인구 특성 답 ④

인구 상위 10위 내 경남의 도시 수는 1970년에는 울산, 진주, 김해 3곳이며, 2015년에는 창원, 김해, 진주, 양산 4곳이다. 1970년 대비 2015년에 인구 상위 10위 내 경남의 도시 수는 증가하였다. ① 인구 100만 명 이상인 부산, 대구, 울산은 광역시이지만, 창원은 광역시가 아니다. ② 1970년 대비 2015년에 부산의 인구가 대구보다 많이 증가하였다. ③ 경남의 도청 소재지는 창원이다. 경북의 도청 소재지인 안동은 인구 상위 10위권 밖이다. ⑤ 2015년 기준으로 인구 상위 10위 내 도시 중 광역시에 해당하는 부산, 대구, 울산의 인구를 합하면 그 외 지역 인구의 합보다 많다.

17 구미, 대구, 포항의 제조업 특성 비교 답 ③

(가)는 구미, (나)는 포항, (다)는 대구이다. 구미와 대구는 내륙 도시, 포항은 항구 도시이다. 포항은 철광석을 주원료로 하는 1차 금속 제조업이 85% 이상으로 원료의 대부분을 수입에 의존하고 있다. ㄱ. 인구는 대구>포항>구미 순으로 많다. ㄹ. 첨단 산업의 비중은 구미가 가장 높다.

18 제주도의 특성 답 ③

제주도는 중심에 한라산이 솟아 있기 때문에 어느 방향에서 바람이 불더라도 중산간 지역은 바람받이 사면이 되어 강수량이 많다. 많은 강수는 절리를 따라 지하로 스며들어 해안가에서 용천하기 때문에 전통 취락은 주로 해안가에 밀집되어 있다. 제주도의 전통 가옥은 강한 바람에 대비하여 지붕을 유선형으로 만들고 줄을 이용하여 단단하게 고정하였다.

서답형 문제

19 우리나라 각 도별 도청 소재지 답 경기: 수원·의정부, 강원: 춘천, 충북: 청주, 충남: 내포 신도시, 전북: 전주, 전남: 무안, 경북: 안동, 경남: 창원, 제주: 제주

20 영동 지방과 영서 지방의 기후 특성 비교

모범 답안 | (가)는 영서 지방, (나)는 영동 지방에 위치하는 도시의 기후 그래프이다. 영동과 영서는 태백산맥으로 가로막혀 있기 때문에 내륙에 위치한 영서 지방은 해안에 위치한 영동 지방보다 기온의 연교차가 크다. 또한 여름철 남서 기류의 영향을 받는 영서 지방은 여름철 강수량이 많고, 겨울철 북동 기류의 영향을 받는 영동 지방은 눈이 많이 내려 겨울철 강수량이 상대적으로 많다.

주요 단어 | 영동 지방, 영서 지방, 태백산맥, 기온의 연교차, 남서 기류, 북동 기류, 강수량

채점 기준	배점
영동, 영서를 구분하고 그 이유를 기온 및 강수 특성을 이용하여 옳게 서술한 경우	상
영동, 영서를 구분하고 그 이유를 기온 또는 강수 특성을 이용하여 옳게 서술한 경우	중
영동, 영서만 구분한 경우	하

21 충청 지방의 주요 변화

모범 답안 | 충청 지방은 남한의 중심부에 위치하고 있으며, 북쪽으로 수도권, 동쪽으로 강원권과 영남권, 남쪽으로 호남권과 접하고 있다. 따라서 수도권과 타 권역 간을 고속 국도로 연결하기 위해서는 충청권을 경유하게 되기 때문에 고속 국도 증가율이 높다. 또한 수도권의 과밀화로 인해 수도권의 공업 및 인구의 분산 정책이 충청 지방을 중심으로 이루어지게 되어 충청 지방은 제조업 생산액 증가율, 인구 순 이동 증가율, 지역 내 총생산 증가율이 전국에서 가장 높게 나타난다.

주요 단어 | 중심부, 수도권 과밀화, 고속 국도 증가율, 제조업 생산액 증가율, 지역 내 총생산 증가율, 인구 순 이동 증가율

채점 기준	배점
충청 지방의 변화 원인을 위치 특성을 적절하게 이용하여 각 항목별로 세 가지 이상 옳게 서술한 경우	상
충청 지방의 변화 원인을 위치 특성을 적절하게 이용하여 각 항목별로 두 가지를 옳게 서술한 경우	중
충청 지방의 변화 원인을 위치 특성을 적절하게 이용하여 각 항목별로 한 가지만 서술한 경우	하

Memo.